PROGRAMA DE DOCTORADO DE LA

FACULTAT DE COMUNICACIÓ I RELACIONS INTERNACIONALS

BLANQUERNA

DE LA UNIVERSITAT RAMON LLULL

COPIA Y PEGA

Cómo las multinacionales construyen las noticias

Los breves de empresa

en los diarios 'La Vanguardia' y 'El Mundo de Catalunya'

Estudio de similitud entre los breves y las notas de prensa

Tesis doctoral de Jesús Martínez

Directores de tesis

Doctor Josep Lluís Micó

Doctor Francesc Pozo

El título de esta tesis es bastante sugerente. Y su contenido es, a veces, provocador y reflejo de una sociedad en constante cambio, evolución, sin tiempo para pararse y pensar. La lectura de este trabajo, ensayo le podríamos llamar, necesita tiempo. Pero la pasión que destila el autor en cada uno de los párrafos no permitirá la pausa, y la excelente prosa deslizará al lector entre citas de autores diversos hasta fórmulas, en algún caso, de difícil digestión.

El autor demuestra de forma fehaciente cómo las empresas (multinacionales, en muchos casos) son capaces de 'driblar' los filtros periodísticos y colocar, en los medios escritos, publicidad bajo la forma de noticia. Este hecho puede parecer de menor importancia, pero el periodismo —uno de los pilares de la democracia— está en juego, y, a pesar de las presiones económicas, políticas o de cualquier otra índole, entre todos deberíamos defenderlo.

Francesc Pozo
Doctor en Matemática Aplicada
Universitat Politècnica de Catalunya

Primera edición: enero de 2017

© Jesús Martínez
© Ediciones Carena

Ediciones Carena
c/Alpens, 31-33
08014 Barcelona
T. 934 310 283
www.edicionescarena.com
info@edicionescarena.com

Diseño de la colección: Silvio García-Aguirre
www.cartonviejo.net
Diseño de la cubierta: María Rios

ISBN: 978-84-16418-95-4
Depósito legal: B 1407-2017

A Antonio Martínez Úbeda.

A Manuel Rodríguez Ramos.

Al profesorado de la Facultat de Comunicació i Relacions Internacionals Blanquerna.

A Joaquim Roglan.

A Francesc Pozo y Josep Lluís Micó, por su abnegación.

A Núria Parés.

Al alumnado del màster universitari en periodisme avançat-reporterisme, de Blanquerna-Grupo Godó, del curso 2012-2013.

A las encargadas de la biblioteca de la Facultat de Comunicació i Relacions Internacionals Blanquerna, Maria Rosa Moreno y Anna Ubach.

A Núria Pujol.

A Ernestina Giulia Salluzzi.

A los responsables del Arxiu Històric de la Ciutat de Barcelona y del Arxiu Municipal Contemporani de Barcelona.

A la documentalista del Centre de Documentació Montserrat Roig, del Col·legi de Periodistes de Catalunya, Carme Teixeiro.

A los periodistas Quim Marqués, Eva Jiménez, Pablo-Ignacio de Dalmases, Francisco Escuder, Óscar Muñoz y Mar Galtés, entre otros, por su inestimable ayuda.

A José Luis Ruiz Castillo y Llum Ventura.

A Marina Delgado, Tamara Borja, Elena Serrano, Edu y José Membrive.

A Emilio y Víctor Jiménez.

A Nuria, Mari Carmen y Antonio Martínez.

"Las noticias relacionadas con la *agenda setting* invaden las actualizaciones al ritmo de 'copia y pega', de RT [retuits] sin contrastar o de titulares construidos por la ingeniería comunicadora de las instituciones y empresas, la misma que desde siempre [se] ha proyectado en las redacciones de los medios de comunicación y de la que ahora son testigos los mismos ciudadanos que hasta hace bien poco desconocían el funcionamiento de la maquinaria informativa oficial."
En el artículo "Entre el periodismo oficialista y el periodismo ciudadano",
publicado por Soma Comunicación, el 17 de abril del 2012

"A pesar de que el plagio y el copia y pega lo he tratado varias veces en el Consultorio Ético de la Fundación para el Nuevo Periodismo Iberoamericano (www.fnpi.org), no había ahondado hasta ver cómo en este problema convergen muchas de las limitaciones y de las fallas del ejercicio periodístico. Esta convergencia es reveladora a la hora de buscar soluciones al problema, cuando se evalúan sus características. Es demasiada la frecuencia con la que se está presentando esta práctica y la tendencia a legitimarla como resultado y aplicación de la tecnología digital. Pero se ha de desmantelar esa mentalidad legitimadora."
Javier Darío Restrepo, experto en ética periodística de la Fundación para el Nuevo Periodismo Iberoamericano, en correo electrónico enviado a este investigador, el 9 de noviembre del 2015

"Los titulares son los mismos, copiados de la nota de prensa."
Francisco Esteve y Juan Carlos Nieto
en el libro *Nuevos retos del periodismo especializado*

"Las palabras, si no se las vigila, harán a veces un trabajo mortífero."
John Ruskin en *Sésamo y lirios*

"David Simon era un periodista del *Baltimore Sun* que pidió una excedencia para seguir el trabajo de la policía de homicidios de su ciudad a lo largo de un año entero (1988). En aquella época los periodistas no estaban todo el día ocupados copiando y pegando teletipos y notas de prensa de las empresas e instituciones, y los medios pensaban en su negociado más allá de 'y ahora saca a esta *choni* en bolas a ver si suben algo las visitas'."
Guillermo López en el artículo "Homicidio. David Simon",
publicado en *La página definitiva,* el 29 de marzo del 2011

"Recibíamos con gran sumisión notas de prensa y noticias que en realidad eran anuncios encubiertos."
En *El bar de las grandes esperanzas (Nefelibata),* de J. R. Moehringer

"Un teletipo de agencia se puede copiar y pegar en un periquete."
En el artículo "Gazapos históricos en los medios", en la agencia de comunicación Portocarrero Asociados, el 14 de mayo del 2015

"Típico copia y pega de agencia que todos los medios españoles se tragaron."
En el blog *He visto cosas que no creerías en Tokio,* publicado el 19 de marzo del 2011

"los medios de comunicación están abriendo paso a un gran número de informaciones elaboradas íntegramente por organizaciones cuyo interés no es el bien común, sino el privado. Y que, además, juegan con la doble vara de admitir notas de prensa de marcas que han puesto publicidad en su cabecera. ¿Sabíais que hay agencias de noticias que no distribuyen notas de prensa si la organización que las manda no tiene contratados sus servicios?"
En el artículo "Cuando las redacciones se vacían de periodistas, los periódicos se llenan de notas de prensa", publicado en Convocatoriadeprensa.com, el 6 de enero del 2014

"La audiencia no es tonta y si ya no lee periódicos, es porque la información es de 'usar y tirar' (notas de prensa copiadas tal cual y noticias de agencia que se repiten en cualquier medio de comunicación). Para devolver la dignidad al periodismo, habrá que dignificar la información y dignificar al propio periodista."
Comentario al artículo "Periodistas maltratados", publicado en el *Diario de Cádiz,* el 6 de noviembre del 2009

"¿Basta con copiar y pegar nuestro cerebro en un ordenador para emularnos?"
David G. Ortiz en "¿Johnny Depp o Scarlett Johansson? Los robots que vivirán con nuestros nietos", publicado en *Yorokobu,* el 27 de junio del 2014

"Una característica que sobresalía en esas composiciones era una bien nutrida y mimosa melancolía; otra, el pródigo despilfarro de 'lenguaje escogido'; otra, una tendencia a llevar, arrastradas por las orejas, frases y palabras de especial aprecio, hasta dejarlas mustias y deshechas de cansancio."
Mark Twain en *Las aventuras de Tom Sawyer*

ÍNDICE

1. PRESENTACIÓN

"El contexto de este comentario sobre periodismo es Ecuador, país en el que nací, en el que resido, en el que me hice periodista, y en el que cada día es más difícil ejercer el oficio, principalmente por la forma en cómo se aplica una ley, a la que el sector de la prensa bautizó como 'mordaza'.

Escribo desde el lado del observador, pues no pertenezco a redacción alguna. El sueldo lo gano ejerciendo como editora de un proyecto editorial universitario. Me identifico como periodista *freelance,* y en cierta forma como bloguera cabreada. Etiquetas que son una forma de resistencia, de decir soy periodista aunque ya no esté en ningún medio tradicional, pues, lamentablemente, muchos de los que cumplen la labor de informar en los medios de comunicación no están haciendo periodismo ('periodismo es publicar lo que alguien no quiere que publiques. Todo lo demás son relaciones públicas', dijo George Orwell).

Dadas las condiciones adversas para el ejercicio del periodismo, actualmente en Ecuador los periodistas migran constantemente hacia la zona cómoda de las relaciones públicas oficiales (además, el sueldo es mayor).

Es preciso reconocer que este Gobierno mejoró las condiciones laborales de los periodistas en cuanto a remuneración y a la afiliación a la seguridad social. También es cierto que en ningún Gobierno hubo tal número de plazas de trabajo para la comunicación institucional como en el de Rafael Correa Delgado.

Cada institución pública tiene equipos de comunicadores, y en las oficinas más pequeñas, al menos, hay un comunicador o comunicadora. Así que se ha incrementado la producción de informativos institucionales y de boletines de prensa, herramienta con la que buscan llevar su mensaje a los consumidores de otros medios.

En los últimos dos años, en pequeños tramos de mi vida he trabajado en instituciones públicas de Manabí, mi provincia, y pude estar de ese *otro lado,* que no debe dejar de diferenciarse.

Recuerdo que en más de una ocasión encontré en un periódico local (de la ciudad de Manta) la reproducción íntegra de un boletín de prensa, enviado por mí, y que aparecía firmado por un reportero. Hecho que en términos prácticos y utilitarios se interpretaría como un éxito de relaciones públicas, pero que me causaba una tremenda decepción. En esta incursión por la comunicación institucional aprendí que a los reporteros les gusta más que el boletín de prensa vaya en Word y no en PDF.

El copia y pega está propiciado y legitimado por el poder.

El 23 de junio del 2015, el diario *La Hora* (opositor del régimen) publicó en su portada y en la página interior una réplica impuesta por la Secretaría Nacional de Comunicación (Secom) por la nota titulada "Impuesto afectaría a la clase media", publicada el 27 de mayo del 2015. El derecho a la réplica está estipulado en el artículo 24 de la Ley Orgánica de Comunicación y señala, como en muchos cuerpos legales del mundo, que toda persona que en un medio de comunicación haya sido afectada en su dignidad, honra y reputación tiene derecho a que se difunda una réplica gratuita, en el mismo espacio y sección o programa-horario. Pero en el caso de *La Hora,* la nota llegó diagramada y titulada.

El diario la publicó bajo protesta y calificó al hecho como humillante.

En el portal de la Fundación Andina para la Observación y Estudio de Medios (Fundamedios) se reseña:

> En el editorial titulado 'Bajo protesta publicamos', *La Hora* explicó: 'Ni la Constitución, ni tampoco la Ley Orgánica de Comunicación, ni tampoco la legislación internacional [...] estipulan que un medio de comunicación deba aceptar que [...] un gobierno le imponga la manera y hasta el formato de alguna aclaración o rectificación. Parecería que, como valor añadido, se busca humillar al medio, a sus editores y periodistas'. Según el diario, la Secom se toma atribuciones que ninguna norma vigente le ha otorgado o autorizado. 'Se pretende obligar a los medios de comunicación a publicar lo que al Gobierno le parece que debe ser publicado, de la manera que entiende que debe hacerse y hasta en el estilo que le parece conveniente', afirma el medio.

Los principales ingredientes de los boletines de prensa son los eufemismos y toda esa jerga de la denominada Revolución Ciudadana que repiten los funcionarios, que transmiten los voceros y que copian y pegan los diarios y que se reproducen en la radio y en la televisión.

Por ejemplo, "Una mínima huella" fue la propaganda que impulsó el Gobierno para enfrentar las críticas cuando decidió poner fin a la Iniciativa Yasuní ITT, que buscaba dejar bajo tierra el petróleo en la reserva más biodiversa del planeta, donde "una hectárea contiene más especies de árboles y arbustos que toda América del Norte [así lo promocionaba el Gobierno en sus *spots]*".

En "Una mínima huella" se veía a un bebé al que se le ponía una vacuna, y así hacían alusión a que el impacto ambiental en el Yasuní será mínimo, "apenas el uno por mil". Y la cifra repetida en los medios era esa: uno por mil. Pero ¿de cuánto era ese uno?

Por lo antes expuesto, concluyo que el copia y pega es una práctica aberrante. Los periodistas la realizan, en unos casos, por pereza, por falta de ética, porque han devenido en navajas multiuso que tienen que hacer de todo y en diversos formatos. En otros casos, lo hacen para blindarse y no tener problemas posteriores con denuncias y las réplicas gubernamentales que llegan listas para copiar y pegar."

Diana Mariela Zavala Reyes, periodista *freelance* de Ecuador, en correo electrónico enviado a este investigador, el 15 de octubre del 2015

"Un nuevo sitio web del Reino Unido denuncia reportajes que se hayan publicado como si fueran productos originales, cuando, en realidad, son en gran parte comunicados de prensa. En su primer mes de vida, *Churnalism.com* recibió la visita de 60.000 usuarios únicos. El sitio fue diseñado por Media Standards Trust, organización independiente y sin fines de lucro que busca fomentar la transparencia en el periodismo."

En "Sitio web británico denuncia periodismo de 'cortar y pegar'", en International Center for Journalists, el 25 de marzo del 2011. *Churnalism.com* permite comprobar el porcentaje de "copiar y pegar" de un comunicado de prensa en los artículos periodísticos, y el número de caracteres que se superponen. Actualmente, la página ha cerrado por falta de financiación: "Sorry, churnalism.com has had to go off air for a while we search for more funding (it's non-commercial grant funded)". La página similar *Chournalism.com* (Journalist Watch, con el perfil del detective Sherlock Holmes en el encabezamiento) tiene la misma motivación: "Buscamos periodistas que tengan conciencia propia y que deseen impulsar un proyecto de investigación. Se trata de dinamizar un portal que denuncia noticias publicadas en medios sin ser contrastadas, o manipuladas de una forma u otra. ¡No más 'información' adulterada! Los colaboradores seleccionan, analizan y publican noticias en la web, además de fomentar la presencia en otros medios como redes sociales y contribuir con iniciativa propia a este proyecto. [...] Noticias sin contrastar, manipuladas, propagandísticas, etc., inundan la información que nos llega a cada minuto"

"Cuando un medio de comunicación reproduce, línea a línea, la nota de prensa que has realizado para un cliente, no puedes evitar esbozar una sonrisa."

Mónica Fidelis, en "El *churnalism* no es malo por definición", publicado en periodismoycomunicacionempresarial.com, el 22 de marzo del 2011

Las relaciones, siempre difíciles, entre periodismo y marca, entre periodismo y publicidad o entre periodismo y propaganda, obligan a la reflexión en el entorno de la comunicación.[1] ¿Qué estamos haciendo mal? ¿A qué se reduce la noticia:

---

1 "Ahora vemos que, de nuevo, ocurre lo mismo en lugares como Singapur, donde la información se utiliza para apoyar el capitalismo y desalentar la participación ciudadana en la vida pública. Tal vez en Estados Unidos esté ocurriendo algo parecido, aunque de un modo más puramente comercial. ¿Qué es, si no, que grandes emporios periodísticos que son propiedad de corporaciones aún mayores se utilicen para promocionar los productos de sus filiales, intervengan en sutiles juegos de influencias y rivalidades empresariales o fusionen publicidad e información a fin de aumentar los beneficios", introducen Bill Kovach y Tom Rosenstiel en *Los elementos del periodismo. Todo lo que los periodistas deben saber y los ciudadanos esperar.* La fusión periodismo-publicidad (o los "conflictos" entre publicidad e información) es tema controvertido que se analiza en este libro: "La teoría y los objetivos tradicionales del periodismo se enfrentan a un desafío que, al menos en Estados Unidos, hasta ahora no habíamos vivido. La tecnología está conformando una nueva organización económica de los medios informativos en la que el periodismo queda subsumido. La amenaza no se limita ya a la censura gubernamental. Existe un nuevo peligro: que el periodismo independiente quede desleído en el disolvente de la comunicación comercial y la autopromoción sinérgica" (Kovach y Rosenstiel, 2014: 25); "El problema es que vincular la renta de un periodista al resultado económico del medio en que trabaja modifica sus lealtades. La empresa está diciendo, de manera explícita, que debes anteponer tu lealtad a la empresa matriz y al accionista, a la lealtad que debes a los lectores, oyentes o espectadores. ¿Y si un anunciante declara que aumentará

al lanzamiento de un nuevo producto de Apple? El experto en desarrollo de negocios *online* Ignacio Miguel Ximénez, en "Cobertura informativa: de copiar-pegar a observar y analizar", publicado en la web de la Asociación Española de Comunicación Científica, el 22 de octubre del 2008, piensa en términos generales: "La globalización informativa significa que podemos estar informados en cualquier lugar del mundo en cualquier momento de cualquier cosa que ocurre en la otra punta, pero por las personas que están en el lugar de la noticia, no para reproducir un nota elaborada por otros, de una forma absolutamente impersonal, sin saber lo que ha pasado ni cómo ha pasado". Revistas de largo aliento como *Altaïr* también entran en el debate. En el artículo "Nuevas preguntas para el periodismo", publicado en el blog de esta revista, el 28 de junio del 2014, se habla de la "muerte del periodismo":

> Durante años, los directivos de los grandes medios habían perseguido, sin detenerse a pensar en las consecuencias a medio y largo plazo, unos ingresos por publicidad que eran inalcanzables. Por mímesis, unos y otros fueron tomando las decisiones equivocadas, no solo hundiendo sus empresas en un limbo económico del que difícilmente podrían salir en plena crisis publicitaria, sino también desprestigiando el nombre del periodismo con unas informaciones cada vez más banales, repetitivas, intrascendentes y que, poco a poco, se fueron convirtiendo en simples ecos de las notas de prensa de las agencias de noticias. En este declive, se augura la muerte del periodismo.
>
> (En http://www.altairmagazine.com/blog/nuevas-preguntas-para-el-periodismo/)

Quizá, los artículos de J. M. Carbonell y J. Ll. Micó, decano y vicedecano, respectivamente, de la Facultat de Comunicació i Relacions Institucionals Blanquerna, de la Universitat Ramon Llull, son los más clarividentes. En "El periodismo, por su nombre", publicado en *La Vanguardia,* el 23 de junio del 2015, se pide la necesidad de trazar fronteras claras entre el campo de la comunicación y el estrictamente periodístico.

> La crisis de los medios de comunicación ha coincidido con novedades como el marketing de contenidos: la promoción de productos y servicios a través de materiales útiles para los públicos a los que se intenta atraer. Las marcas prefieren que los profesionales de la información se encarguen de estas tareas. [...] ¿Es eso periodismo? Si tenemos en cuenta las definiciones clásicas, la respuesta será tajante: no. La base es la misma: se sintetizan y presentan datos vinculados a acontecimientos relevantes. Sin embargo, la exigencia sobre el

---

su cuenta de publicidad si el periódico [...] abandona la cobertura de cierta noticia o despide o aparta de una historia a cierto reportero? (Kovach y Rosenstiel, 2014: 84)."

contraste de las fuentes y la neutralidad en la exposición se diluyen.

(Micó *et* Carbonell, 2015)

Esta idea la han continuado moldeando en el artículo "Lo sagrado y lo libre en la prensa", publicado en *La Vanguardia,* el 29 de diciembre del 2015.

En la era de la superabundancia de la información, ¿qué utilidad tienen unos periodistas que reproducen lo mismo que la publicidad y la propaganda?
La falta de transparencia en las instituciones debería ser una invitación para que los periodistas, además de quejarse, investiguen más. Sin embargo, la misma crisis que ha motivado que los electores se hayan vuelto exigentes ha propiciado que, con pocas excepciones, los periodistas sean más serviles.

(Micó *et* Carbonell, 2015)

El propio J. Ll. Micó, en un tuit de su libro *El periodismo en 140 tuits,* de octubre del 2015, se va al origen del mal: "Si en los medios prescindimos de notas de prensa, compromisos, encargos, peloteo, agenda de servicios..., ¿qué nos queda? ¿Periodismo o nada?". Y en su libro *Periodismo BOP,* el catedrático Micó también recoge una frase elocuente de la reportera veterana, ya fallecida, Margarita Rivière: "Todos los que estamos en este trabajo hemos visto, con estupor, cómo proliferan supuestas noticias y reportajes sin firma que son meros comunicados de agentes de relaciones públicas o de gabinetes de prensa". El profesor de "ciberética" Josep Lluís Micó ya mostró sus apetencias por los textos cortos en: *Invitación a la discrepancia: Poca teoría y mucha práctica sobre el articulismo breve* (UOC, 2016). El periodista José Martí Gómez va todavía más lejos: "El peligro que puede llevar a la extinción de la especie de periodistas de raza está en payasos como presentadores de televisión, tertulianos sectarios, mercadotecnia, el exceso de entrevistas a políticos que no dicen nada, la falta de descaro ante el poder y la patética rendición ante la sociedad del espectáculo. [...] Las relaciones públicas y los gabinetes de prensa imponen sus dictaduras" (Martí Gómez, 2016: 292). Al final, es este concepto el que sobrevuela la profesión, el de algo finiquitado y sin cura aparente. El bloguero Raúl F. Millares, en el artículo "El periodismo dimite tirando de agencias", publicado en *Laboratoriodenoticias.es,* el 18 de junio del 2010, echa de menos la calidad en el trabajo, la pasión por el oficio: "La espectacularidad de la urgencia, esta conocida exaltación de la inmediatez, destierra temerariamente las llamadas de teléfono o las salidas callejeras que solían ambientar las redacciones. Si esto ocurre por falta de medios, es un desastre; aprovechar este desastre con fines ventajistas —copiar y pegar solo los teletipos que satisfacen los prejuicios [...]— es deshonesto y, a la larga, suicida". Algunos, como el periodista Álvaro Bohórquez, lo llaman "periodismo de sofá":

"El periodismo de sofá, igual que la revolución desde el sofá, no deja de ser un vicio. Esto suele ser debido a la presión que se sufre por sacar adelante las noticias sea como sea. Puestos a dar las noticias, mejor salir a buscarlas y hacerlas bien, en vez de sentarte en la redacción y esperar a ver si llega el teletipo sobre ese tema concreto", sentencia en el artículo "Del 'periodismo *trending topic*' al 'periodismo controluve'", publicado en el *Blog de Bori*, el 21 de julio del 2012. Otros ven en el periodismo actual una mera herramienta de mercado: "Eso que llaman 'periodismo', en las empresas mercantilizadoras de 'noticias' o 'información', constituye hoy una de las maquinarias de guerra ideológica capitalistas más degeneradas", dice el doctor de Filosofía Fernando Buen Abad en el artículo "Eso que llaman 'periodismo', cada día más corrupto y servil", publicado en *Contrainfo.com,* el 24 de julio del 2015. Pero, como bien argumenta la lectora Esther Martín, en el comentario con relación a la salida de la escritora Maruja Torres del diario *El País:* "Han de saber que un periódico no es una empresa; es mucho más". El mercado es pernicioso si en él no se halla mesura. El responsable de analítica web de *Lavanguardia.com,* Ferriol Egea, en la tesis del periodista experto en tecnología Santiago Justel Vázquez, *¿Interés público o interés del público? Periodismo, mercado y democracia en la era de la analítica web* (Universitat Ramon Llull, Facultat de Comunicació Blanquerna, 2015), deduce lo siguiente: "Yo creo que más que qué es lo que prima, es adónde nos está llevando el mercado. Eso se puede explicar rápidamente con el ejemplo de *El País* y *El Mundo.* Hace dos años el líder era *El País,* y tenía su política editorial que a nivel *online* era la de hacer un producto serio, de calidad, prácticamente fotocopia del papel: 'no vamos a entrar a escribir como un robot ni vamos a hacer piezas virales que nos den tráfico fácil, ni vamos a hacer Kim Kardashians de turno porque sí. Esto da mucho, pero somos *El País*'". A la práctica, esta afirmación ha quedado descafeinada. Y la robotización ya está llegando. A fin de cuentas, el futuro del periodismo se ha de construir, además de en las redacciones, en las facultades de periodismo. En la conferencia de la asignatura Escriptura en Premsa, del 5 de octubre del 2015, en la Facultat de Comunicació i Periodisme de la Universitat Autònoma de Barcelona, el fundador de *Público,* Ignacio Escolar, manifestó: "La dependencia publicitaria de la prensa de los organismos públicos es escandalosa. La prensa vive de anuncios institucionales. [...] Los bancos han pasado de ser los acreedores de los diarios, a sus dueños. Los negocios de información ya son de relaciones públicas". Y el exdecano del Col·legi de Periodistes de Catalunya, Josep Carles Riu, fue más allá, el 2 de noviembre del 2015: "Part de l'opinió pública té la percepció que la premsa va renunciar a la que era la seva funció principal: la de reflectir la realitat de forma honesta i amb voluntat de veracitat, independència i esperit crític en front del poder. Fins i tot, plantant cara a les grans onades emocionals. [...] En una democràcia, el periodisme ha de ser contrapoder".

El contrapoder que preconiza la reportera de guerra Olga Rodríguez, en "Condenado antes de tiempo por algunos medios de comunicación", publicado en *Eldiario.es,* el 3 de marzo del 2013:

Que en las redacciones de los medios de comunicación se copien notas de prensa de las instituciones públicas y privadas se presenta como un acto sin ningún tipo de intencionalidad. Que se pongan en tela de juicio determinadas versiones oficiales, que se contradiga al poder, es visto, sin embargo, como un acto radical, en el sentido más peyorativo del término.

(Rodríguez, 2013)

El comentarista político Peter Oborne, en la carta de renuncia "Why I have resigned from the *Telegraph*", publicada en Open Democracy, el 17 de febrero del 2015,[2] clama por la prensa libre: "Una prensa libre es esencial para una democracia sana. El periodismo tiene un propósito, y no es solo entretener. No se hace para complacer al poder político, a las grandes corporaciones ni a los ricos. Los periódicos tienen una responsabilidad que equivale a un derecho constitucional, y es decirle la verdad a sus lectores". La respuesta se la da la editora Mary Fitzgerald, en "Open Democracy investigará la injerencia de los anunciantes en las decisiones editoriales", publicado en International Journalist's Network, el 23 de septiembre del 2015: "Open Democracy está desarrollando un importante proyecto llamado Media UnSpun. Investigaremos la injerencia comercial en las decisiones editoriales sin pedirle a los periodistas que arriesguen sus fuentes laborales". En este contexto, la Biblioteca Vapor Vell, en el barrio de Sants de Barcelona, publicó, en febrero del 2016, un tríptico titulado: "Periodisme crític, audiència emancipada".

.1.1 Introducción

La prensa libre tiene muchos enemigos, como destaca la directora de *elPeriódico* de Guatemala, Silvia Gereda, en su ponencia "Riesgos del periodista al investigar la corrupción de las dictaduras militares". Por *prensa libre* se entiende unos medios de comunicación que no reciben presiones, injerencias ni recomendaciones en forma de talonario (Cañizález, 2009). "Una prensa libre es una prensa indómita, capaz de hablar sin tapujos a la opinión pública; un vehículo esencial de la libertad de expresión", se define en el editorial de la Asociación Mundial de Periódicos y Editores de Noticias.

---

2 "Con la caída en los estándares se ha producido una situación aún más preocupante. Siempre ha sido un axioma para la calidad del periodismo británico que el departamento de publicidad y la redacción estuvieran rigurosamente separados. Hay muchas pruebas que demuestran que, en The Telegraph, esta diferencia ha desaparecido. [...] Si se permite que las prioridades de los anunciantes determinen el contenido editorial, ¿cómo se va a mantener esa confianza de los lectores?"

Por ello, las democracias fuertes evitan estas dos cosas, concomitantes: Estados débiles y prensa dócil. Democracias que puedan frenar las presiones, sobre todo del poder económico, representado en la era global por las multinacionales.

> El Consejo de los Derechos Humanos de las Naciones Unidas aprobó este jueves, en Ginebra, una resolución "histórica" para crear un grupo intergubernamental que diseñe un instrumento internacional vinculante capaz de responder a las violaciones de derechos humanos cometidas por las empresas multinacionales. Japón, Estados Unidos y la mayoría de los países de la Unión Europea votaron en contra.
>
> *(infolibre.es,* de 26 de junio del 2014)

Las grandes multinacionales, que se asientan en el Primer Mundo (Japón, Estados Unidos y la mayoría de países de la Unión Europea), tienen como objetivo ganar más. Esa es su esencia, "máximo lucro", crecimiento sin fin, tal y como asegura el sacerdote defensor de los derechos humanos Gregorio Iriarte. "Las multinacionales escaparán al control político con el tratado de libre comercio Estados Unidos-Unión Europea", tituló *El País,* el 20 de mayo del 2014. "El ministro de Finanzas alemán, Wolfgang Schäuble, afirmó [...] que una de las causas del escándalo de los motores de Volkswagen es la cada vez mayor codicia que existe en el mercado mundial", publicaron las agencias el último día de septiembre del 2015.

Las multinacionales constituyen ya agentes cruciales en la geopolítica. En enero del 2016, Suecia no reconoció oficialmente la República Árabe Saharaui Democrática para que, de esta forma, un almacén de la firma Ikea se pudiera instalar en la ciudad marroquí de Casablanca, según los medios informativos de Rabat.

Mientras tanto, la prensa libre, independiente, fiscaliza el poder, incluido el poder económico. La prensa se asienta en dos pilares: interés público y veracidad, como asume la docente y comunicadora Eva Jiménez, especializada en ética (ver Anexo III: "Entrevistas"). La periodista Naomi Klein, en *La doctrina del shock* y *No logo,* lo deja bien sentado:

> ¿Qué rol tienen los medios en [...] la memoria?
>
> Su rol es muy importante porque el *shock* [la implementación de un programa de medidas neoliberales acortado en el tiempo] ocurre cuando perdemos la narrativa de lo que está pasando. Se pierde la sensibilidad y la explicación del porqué. Nosotros confiamos en los medios, las historias que cuentan las asumimos como reales porque a los medios los entendemos como las instituciones orientadas a darnos la información necesaria. Nosotros somos vulnerables a lo que los medios dicen. Hay medios que hacen las cosas más

confusas, que presentan las cosas sin contacto, contando una historia irreal. En Chile tenemos el caso del *Mercurio;* es increíble el rol que jugaron en la preparación del golpe al gobierno de Allende, y que desde esa época es el órgano de expresión de los Chicago Boys. No por nada de estar involucrado en el plan del golpe [11 de septiembre de 1973], después se convirtió en la voz principal del proceso neoliberal implementado en Chile.

(Klein, 2008)

"La necesidad de proteger la libertad de expresión en un ambiente de control corporativo cada vez más duro", constata Naomi Klein en *No logo.* Control privado y público. "Me deprime el control político del periodismo", le secunda el actor Robert Redford, entrevistado por Francesc Peirón, el 26 de octubre del 2015, en *La Vanguardia.*

"Los medios son un contrapoder para denunciar y evitar abusos", ha dicho Elsa González, presidenta de la Federación de Asociaciones de la Prensa Española (FAPE). En el 2012, la FAPE llevó a cabo una campaña en la que se encargaron chapas con el eslogan: "Sin periodismo no hay democracia". Periodismo que no esté vendido a ninguna expresión de poder, incluido el económico. Lo que la jurista Almudena Negro llama una "prensa apesebrada y sumisa" (en el argot periodístico, un "pesebre" es el artículo semipropagandístico).

Aun así, el mundo empresarial llega a los órganos colegiados de la prensa en España, buscando atraerlos hacia sí. Reflejo de una época en la que la independencia de los medios de comunicación está cada vez más cuestionada. El carné de "servicios" de la FAPE no deja de ser un muestrario de las "ofertas" de diferentes empresas (ver Anexo IV: "ofertas satisfactorias" y ver Anexo II: "El lenguaje subordinado. Los términos de marketing y economía en los breves de empresa"), que no tienen nada que ver con el gremio periodístico. Muestrario para obsequiar, mimar y seducir al periodista (cupones de C & A, Amazon, Endesa...).

El carné de la FAPE da derecho a acceder a más de trescientos acuerdos en condiciones preferentes. Solo es necesario acceder al Canal de Servicios de la FAPE pinchando en cualquier lugar del *banner.* [...] Esta nueva oferta de servicios es el resultado de un acuerdo firmado por la FAPE con Colectivos VIP, compañía especializada en el servicio a grandes colectivos profesionales. Cada asociado puede invitar al Club a cuatro personas de su entorno (preferiblemente familiares directos) para que se beneficien de los acuerdos en los que no sea necesario presentar el carné de asociado.

DESCUENTOS FAPE
(www.colectivosvip.com, consulta del 2 de marzo del 2015)

En España, la relación de la prensa tradicional con los influyentes vips de la economía y la política, entre otros, ha acabado por hartar a varios profesionales con décadas de experiencia a sus espaldas. En julio del 2015, en el número 38 de la revista *Periodistas,* órgano de la FAPE, tres editores-directores españoles departieron sobre el estado del periodismo, vinculado a las grandes empresas, muchas de ellas multinacionales, tal si fuera un "vasallaje". Sus respuestas son valiosas para este trabajo. De tal manera, afirma el exdirector de *El Mundo* Pedro J. Ramírez *(El Español):* "Ya está bien de gerentes que terminan siendo los comisarios de la madrastra, los que terminan vigilando que se cumpla la censura y la autocensura en las redacciones". En este sentido, el periodista Miguel Ángel Aguilar *(Ahora)* determina: "Esta situación de idilio entre la prensa y el poder es patológica". Y según el periodista Miguel Mora *(Contexto):* "Que periódicos llamados de referencia estén publicando reportajes pagados por multinacionales diciendo lo bueno que es tal producto… es inaceptable. […] Es preocupante que las empresas periodísticas hayan tirado la toalla respecto a defender los puestos de trabajo y opten por pagar sueldos millonarios a sus directivos, *despidiendo* periodistas. [ver Anexo IV: "procedimientos registrados"] Otra de las grandes estafas de los últimos años es la información de refrito de agencias".

Todo ello repercute en el buen hacer de los diarios escritos, los medios en los que se centra *Copia y pega. Cómo las multinacionales construyen las noticias.* Del manifiesto de la 74 asamblea de la FAPE, en abril del 2015: "…este vaciado de redacciones sigue siendo una constante que va en detrimento de una información de calidad". Por "vaciado de redacciones" se entiende "periodistas despedidos".

Cabe destacar que el poder económico, encarnado en las multinacionales, "agasaja" a una prensa que, a grandes rasgos, ha desdibujado su perfil de opositor imparcial y garante de la democracia (Orosa, 2011).

Hoy, debido a una prensa afectada por multitud de cambios, y en horas bajas, en ocasiones, las notas de prensa de las multinacionales no pasan el filtro periodístico. A las multinacionales les interesa controlar la información para evitar que sus productos puedan ser objeto de críticas. El capitalismo impone riguroso control de los flujos no solo monetarios, también informativos, entendiendo esto último como una manera de obtener más beneficio (Baker, McQuail, Baggini, Lippmann). En muchas ocasiones, la nota de prensa de las multinacionales, libre de cortapisas, llega inmaculada a las redacciones, y el discurso que pregonan no encuentra matizaciones susceptibles. En estos casos, se podría decir que parte del diario lo escriben las propias multinacionales. "Si me preguntas si ahora entran con más facilidad en los medios notas de prensa, creo que sí. Se han perdido ciertos controles en la calidad por los efectos de los recortes", afirma el periodista de *El Mundo en Catalunya* Javier Oms Navia-Osorio (Cartagena, Murcia, 1980) (ver Anexo III: "Entrevistas"). Y los anuncios de estas empresas se visten de "páginas especiales" en los diarios, ocultando con este epígrafe su verdadera idiosincrasia: son propaganda comercial.

En muchos casos, la nota de prensa se envía directamente al diario. En varias ocasiones, las notas de prensa le llegan directamente al redactor del diario en forma de noticia, previo aval de la agencia de noticias contratada por el medio escrito. Así, recorre este camino: a. empresa (la redacta la agencia de comunicación externa o bien el departamento de comunicación interno; se contrata una agencia de medios para dar mayor difusión a la nota; se paga a la agencia de noticias para que haga circular la información); b. agencia de noticias, que hace suya la nota, y c. diario, que tiene suscritos acuerdos con las agencias de noticias y no cuestiona la información de esta fuente. El sociólogo norteamericano Mark Fishman, en *La fabricación de la noticia* (1983), afirma que se da más crédito a un despacho de agencia que a un texto redactado por un periodista en la redacción, aunque el periodista del medio haya ido al lugar de los hechos. El copia y pega, entonces, no es más que un acto del periodista, que ayuda a divulgar un mensaje publicitario. "El control de la información" es lo que persigue la marca, tal y como se revela y se explicita en el blog *La mirada del mendigo* ("persuasión neoliberal conservadora"). Y de ahí el "bombardeo" de las notas de prensa: "[...] las redacciones, más atentas a notas de prensa de gabinetes que a patear el asfalto. Y así, los partidos, las grandes empresas de la banca, las comunicaciones y la energía, entre otros, aprovechan la dependencia de los medios para dar por supuesta, cuando no imponer, la autocensura en las redacciones", apunta el escritor Arturo Pérez-Reverte. En este orden de ideas, ya lo ha sentenciado Pérez-Reverte, antiguo enviado especial de guerra: "El único medio para mantener a raya a los poderosos es una prensa libre".

En líneas generales, los medios independientes han nacido con la filosofía de ser contrapoder. El número de junio del 2015 de la revista barcelonesa *Hola, dictadura* se titula "La llibertat en perill d'extinció". Según el despiece del artículo "El control social no pateix retallades": "Entre els mitjans de comunicació i els gabinets de premsa oficials es dóna una relació similar a les 'portes giratòries' que hi ha entre la política i les grans empreses. Aquells periodistes que copien fil per randa els comunicats o les notes de premsa institucionals, sense qüestionar-se el contingut o inclús alimentant-lo amb filtracions sensacionalistes, acumulen punts per entrar, més endavant, a les diferents sales de premsa del Govern o la policia, i arribar així a doblar o triplicar el seu sou". Como ejemplo, *Hola, dictadura* pone al periodista de *La Vanguardia* Albert Gimeno, quien, en el 2012, dejó la redacción para ocupar el cargo de director de comunicación del Ministerio de Interior. Actualmente ha vuelto al rotativo y es el redactor jefe adjunto del diario del que salió. El corresponsal Rafael Ramos lo define como "prensa afín" al poder, en un artículo en el que hace mención a los *spin doctors* (propaganda de relaciones públicas) que 'usurpan' el lenguaje y lo pervierten (leer el epígrafe "El lenguaje *perverso*").

Desde esta perspectiva, los medios de comunicación de masas y sus discursos construyen la realidad social, y la gran mayoría de los estudios que analizan o interpretan los resultados de esa construcción de la realidad se elabora desde la óptica del orden social establecido, beneficiando los puntos de vista y los intereses de las clases y los grupos dominantes (Abril, 1997). Copiar y pegar notas de prensa, redactadas por profesionales del periodismo, contribuye a dar más poder al poderoso.

.1.2 Objeto de estudio

La intención de la tesis titulada *Copia y pega. Cómo las multinacionales construyen las noticias* es confrontar las notas de prensa de empresas, que llegan a las secciones económicas de los diarios *La Vanguardia* y *El Mundo de Catalunya,* con los breves que sobre ellas finalmente se publican (secciones de "breves de empresa"), y mostrar el grado de coincidencia y similitud. ¿Mala praxis periodística, falta de rigor en el trato de la información, fallos en el proceso de edición que permiten que los textos pasen sin ser suficientemente revisados? La tesis principal de *Copia y pega. Cómo las multinacionales construyen las noticias* es que los medios tienden a reproducir la información, se inclinan por el copia y pega. El copia y pega de las notas de prensa de las empresas que se publicitan es una práctica habitual en los medios de comunicación escritos. En el ámbito profesional se ve como un "vicio" que hay que corregir (Badia, 2010). Los términos que emplea el investigador Lluís Codina para describir la actividad del copia y pega son más contundentes: "estúpido", "deshonesto" y "miserable" (Codina, 2016).

Por ello, este investigador suscribe el código europeo de deontología del periodismo, del 1 de julio del 1993, cuyo artículo 15 prevé: "Desde la empresa informativa la información no debe ser tratada como una mercancía sino como un derecho fundamental de los ciudadanos. En consecuencia, ni la calidad de las informaciones u opiniones ni el sentido de las mismas deben estar mediatizadas por las exigencias de aumentar el número de lectores o de audiencia o en función del aumento de los ingresos por publicidad". En relación con lo anterior, el artículo 28 estipula: "Para asegurar la calidad de trabajo del periodismo y la independencia de los periodistas es necesario garantizar un salario digno y unas condiciones, medios de trabajo e instrumentos adecuados".

Para llevar a cabo la tesis *Copia y pega. Cómo las multinacionales construyen las noticias* se han utilizado programas profesionales de "detección de plagio" que nos han dado porcentajes de coincidencia entre los comunicados de marketing y los breves de empresa de los diarios escogidos *(La Vanguardia* y *El Mundo de Catalunya).*

En tal sentido, los sinónimos y las palabras afines de *copiar,* según el diccionario *Thesaurus,* de la Editorial Ramón Sopena: reproducir, imitar, remedar, *plagiar,* falsificar, contrahacer, calcar, duplicar, transcribir, trasladar, crear, imaginar, inventar, modelar (la cursiva, de este investigador). En atención a lo citado, este investigador se ha centrado en el copia y pega después de una primera prueba que ponía el acento en los términos de marketing que se habían "colado" en los breves publicados en los diarios de referencia, *La Vanguardia* y *El Mundo de Catalunya*. En una muestra previa (ver Anexo II: "El lenguaje subordinado. Los términos de marketing y economía en los breves de empresa"), se había contado con diccionarios de marketing, pero, en muchos casos, se forzaba la búsqueda de los vocablos en la jerga del sector, con lo cual se perdía rigor científico.

En este contexto, existen muchos tipos de 'copia y pega', y por ende, muchos tipos de plagio, y no solo afectan al ámbito periodístico. Por ejemplo, se observa en la tesis de Isabel Solanas *Orígenes de la publicidad moderna (1800-1925). Aparición de la dirección y la gestión de cuentas como función profesional en las agencias de publicidad modernas:* "empresas que copiaban el modelo de las agencias y se presentaban como agencias propias *(in house agency)*" (Solanas, 2011: 356). Se copian modelos de empresa, imágenes, obras literarias, vestidos de novia ("Una modista denuncia que el vestido de novia de Catalina fue un plagio"), obituarios ("no se trata de que ambos cuenten lo mismo porque están relatando una misma cosa que no han creado, sino en que lo hacen casi exactamente de la misma manera, coincidiendo en ambos expresiones completas, párrafos, adjetivos", según "El plagio periodístico", publicado en la página de la propiedad intelectual e industrial LegArs, el 11 de septiembre del 2012)... En el libro *Gomorra. Viaje al imperio económico y al sueño de poder de la Camorra,* el periodista Roberto Saviano se fija en los talleres ilegales chinos que copian, frente al televisor, los vestidos de gala de las *celebrities*. José Manuel Burgueño, en *La invención en el periodismo informativo,* lo percibe de esta manera, citando al escritor Milan Kundera: "Gente hay mucha; ideas, pocas: todos pensamos aproximadamente lo mismo y las ideas nos las traspasamos, las pedimos prestadas, las robamos" (Kundera, 1993: 238).

"Lo peor es copiar", dijo el poeta Juan Ramón Jiménez, colaborador de diferentes diarios, entrevistado por el periodista Pablo Suero (1936).

Incluso se copian currículos: "Copiar y pegar una carta de presentación con dos tipografías diferentes y de diferentes tamaños evidencia descuido. Tómate el tiempo necesario: revisa la ortografía y pídele a alguien que lea y comente contigo tu currículo, carta de presentación y portafolio", se aconseja en el curso de corrección de estilo de Cálamo & Cran.

Copia y pega. Cómo las multinacionales construyen las noticias muestra el copia y pega en los periódicos *La Vanguardia* y *El Mundo de Catalunya*.[3]

La Vanguardia y *El Mundo* están fuertemente ligados a Catalunya (redacciones con sede en Barcelona ciudad: *La Vanguardia,* en l'Avinguda de la Diagonal, 477, y *El Mundo de Catalunya,* en el Passeig de Gràcia, 11). Y cuentan con gran predicamento.

---

3 Indistintamente hablaremos en esta tesis de *El Mundo* como de *El Mundo Catalunya,* que es básicamente un cuadernillo que se produce en Catalunya y que se encarta en la edición estatal, cuya sede está sita en Madrid (avenida de San Luis, 25).

Según los datos del Estudio General de Medios de julio del 2015, *La Vanguardia* es el primer periódico de Catalunya en número de lectores diarios, con 663.000 lectores. El segundo más leído en España es *El Mundo,* con 925.000 lectores *(El País* cuenta con 1.504.000 lectores diarios).

En *Copia y pega. Cómo las multinacionales construyen las noticias,* se pone énfasis en los breves, elevados a la categoría de género, y se fiscaliza el lenguaje, de resultas de la copia de los comunicados y las notas de prensa de las empresas: por un lado, copia y pega de las notas por parte de los mismos diarios, sin más intermediarios que el gabinete de marketing (interno o externo) encargado de la comunicación corporativa de la empresa, y, por otro lado, copia y pega de las notas por parte de las agencias de noticias y, a su vez, por parte de los diarios que copian los despachos de las agencias de noticias.

Ante esta realidad, el copia y pega (capítulo o bloque 4) se entiende como una relación entre periodismo (capítulo o bloque 2) y marketing (capítulo o bloque 3), una relación que traspasa las líneas rojas de lo que a cada uno le es propio. Los intereses del poder (público y privado), con la construcción de un relato afín con sus propósitos. Con el copia y pega, parte del diario lo escribe la empresa, con ánimo de lucro, por lo cual, el medio, entonces, sirve a unos fines ajenos para los que fue fundado.

El principal objetivo de esta tesis, visualizar y calcular el grado de copia y pega de los diarios de la muestra, y confirmar así que el copia y pega no es una práctica casual ni anecdótica en el hacer de la prensa escrita, se desarrollará en el capítulo dedicado a los objetivos e hipótesis (capítulo o bloque 5). Previamente, creemos que es necesario, mediante el siguiente marco teórico, analizar los porqués de una práctica tan denostada y, por lo que se ve, tan generalizada.

.1.3 Construcción del marco teórico

La tesis *Copia y pega. Cómo las multinacionales construyen las noticias* se enmarca en el análisis crítico del discurso, en aquello relacionado con la comunicación (el periodismo forma parte de la comunicación en general).

En lo estrictamente periodístico, España adolece de falta de unos medios mucho más rigurosos. "En resumen, nuestro periodismo —demasiado declarativo, demasiado jerárquico y demasiado abstracto— es un factor más que ayuda a entender la paradójica situación de que, en medio de una crisis tan brutal a todos los niveles, España se haya reformado tan poquito", declara el profesor en el Instituto para la Calidad de Gobierno de la Universidad de Gotemburgo (Suecia) Víctor Lapuente.

En esta corriente de análisis del discurso de manera crítica se encuentran los siguientes pensadores:

-Vicente Romano, con *La formación de la mentalidad sumisa,* en la que relaciona los medios de comunicación de masas con el "pensamiento único y la falsa conciencia".

> H. G. Wells dice que los padres de América pensaron también que solo tenían que dejar la prensa libre y cada cuál viviría en la luz. No se dieron cuenta de que una prensa libre podía convertirse en una especie de venalidad constitucional debido a sus relaciones con los anunciantes.
>
> (Romano, 2007: 18)

-Ignasi Ramonet, con *La tiranía de la comunicación,* otorga a los medios de comunicación un papel preponderante en la configuración ideológica de una sociedad. "En esta nueva era de la alienación, en los tiempos de la cultura global y de los mensajes a escala planetaria, las tecnologías de la comunicación juegan, más que nunca, un papel ideológico de primer orden", dice Ramonet. La libertad de prensa es el mejor antídoto contra la tiranía.

-George Lakoff, con su *No pienses en un elefante. Lenguaje y debate político,* resalta la destreza en el "manejo de los medios" por parte de los *think tanks*. Se tiende a utilizar "comunicados de prensa bien escritos como si fueran noticias editadas por [los] propios redactores".

> Hay escritores que redactan comunicados de prensa que luego se leen tal cual en los informativos de radio y televisión, o que se introducen directamente en la crónica de un determinado periódico.
>
> (Lakoff, 2007: 155)

-Ramón Reig, en su *Dioses y diablos mediáticos. Cómo manipular el poder a través de los medios de comunicación,* habla de la "aparente objetividad".

Les siguen autores como Elad Hazan *(La propaganda de cada día),* Danny Schechter *(Las noticias en tiempos de guerra)* y Ryszard Kapuscinski *(Los cinco sentidos del periodista).*

En la crítica del "periodismo adulterado" que para el profesor Oriol Alonso Cano supone el copia y pega, le secundan Peter Sloterdijk, con su *Crítica a la razón cínica* (medios de comunicación como agentes del cinismo); Karl Marx, con *El capital* (fetichismo de la mercancía, en este caso, la información: "Todo es mercancía"); Noam Chomsky, con *Cómo nos venden la moto* (control de los medios, la comunicación en manos de las multinacionales); Pascual Serrano, con *Desinformación: cómo los medios ocultan el mundo* (la información es desinformación); Pierre Bourdieu, con su *Pensamiento y acción* (degradación de la comunicación); Paul Feyerabend, con su *Tratado contra el método* (mentalidad anarquista) y Slavoj Zizek, con su *¡Bienvenidos a tiempos interesantes!* (sobre el discurso dominante).

La crítica a la cultura de masas (Cabot, 2011), pergeñada por el filósofo Theodor W. Adorno, va de la mano de la crítica a la globalización mal gestionada, estudiada por el Premio Nobel de Economía Josep Stiglitz: "Para gran parte del mundo, la globalización, al menos tal y como se ha gestionado, es como un pacto con el diablo. Unos pocos se hacen más ricos; las estadísticas del PIB, si es que sirven para algo, son mejores, pero las formas de vida y los valores básicos están amenazados. En algunas partes del mundo los beneficios son todavía más tenues y los costes, más palpables. La mayor integración en la economía global ha traído mayor inestabilidad e inseguridad, y más desigualdades. Y ha puesto en peligro los valores fundamentales" (Stiglitz, 2006: 366). Stiglitz reflexiona sobre la modernidad y los movimientos sociales con el mismo grado de prospección que su colega Alain Touraine *(Crítica de la modernidad)*.

La precarización general, que aqueja al núcleo social (es más fácil encontrarse un dinosaurio que un vecino, parodiaba Touraine), el *low cost* en su efervescencia, ha afectado a los medios de comunicación. Redacciones "precaritzades i junioritzades", en relación a periodistas jóvenes y mal pagados, glosa el director de los estudios de periodismo de la Universitat Oberta de Catalunya, Ferran Lalueza, en "Periodisme pausat", publicado en el número 171 de la revista *Capçalera* (marzo del 2016).

Todos ellos convergen en este punto: "la industria cultural se ha organizado históricamente para responder a los intereses de gobiernos, sectores políticos y clases económicas dominantes", tal como declara la docente Karen Fernández. De ahí, el copia y pega del discurso dominante, el de la multinacional.

La deontología profesional periodística trabaja con ahínco para arrinconar el copia y pega. Las comisiones de arbitraje, quejas y deontología del periodismo, tanto del mundo anglosajón como del hispano, escrutan los medios para evitar prácticas "mediocres", tal y como define el copia y pega la Asociación de la Prensa de Madrid.

Esta tesis se ubica en la tradición del discurso crítico, y considera el copia y pega una "degradación" (Albarello, 2011).

A partir de ahí, los tres capítulos o bloques siguientes contextualizan esta modalidad y sitúan sus puntos básicos: el bloque 2 trata sobre el periodismo y los breves de prensa de empresa, y describe el denominado "patito feo" de los géneros periodísticos (aunque en muchos casos, el *breve* ni siquiera constituye un género en sí) y la decadencia de la prensa escrita tradicional (la subida del precio del papel y las nuevas tecnologías, así como los nuevos usos sociales, ayudan a esta situación); el bloque 3 trata del marketing y las notas de prensa, y repara en la habilidad de los *community manager* para vender sus productos, y el bloque 4 se centra en la práctica del copia y pega, reflejo de la crisis de la prensa.

El copia y pega se relaciona estrechamente, en este sentido, con la precariedad laboral, que, en parte, es debida a la estructura, la estrategia de gerencia y el espíritu que empuja hoy a los grandes grupos de comunicación: producir, más que informar, a riesgo de perder calidad.

"La desregulación de los mercados y la creciente concentración empresarial han ido debilitando el sostén de la profesionalidad del periodista: tanto la objetividad como la vigilancia del poder de los medios de comunicación pierden valor en un escenario cada vez más sometido a los imperativos de la racionalidad comercial y que convierte a la mayoría de los informadores en meros difusores de contenidos —confeccionados cada vez más fuera de las redacciones— que 'copian', 'pegan' y apenas retocan (Canel y Sánchez-Aranda, 1999; Ramonet, 2000)", se escribe en *Condicionantes sociolaborales de los periodistas online en España*.

Sobre el copia y pega, en el 2011, Pedro Morales redactó su "Escribir para aprender, tareas para hacer en casa" (Universidad Rafael Landívar, en Guatemala). Parece que, relacionado con el copia y pega y el plagio, las universidades latinoamericanas nos llevan la delantera en cuanto a investigación en trabajos doctorales. Un ejemplo es el título *Plagio e integración de fuentes múltiples en textos de estudiantes de primer año de universidad: aproximación desde la teoría de la comprensión y el análisis semántico latente*. Patricio Moya, de la Universidad de Santiago de Chile, investiga, según sus propias palabras, la relación que existe entre el plagio académico y el nivel de comprensión derivado de la lectura de dos documentos en alumnos de dos carreras diferentes de primer año universitario. *Alta frecuencia de plagio en tesis de medicina de una universidad pública peruana* es el título de la tesis de los alumnos de la Sociedad Científica de Estudiantes de Medicina de la Universidad Nacional de Piura, en Perú.

El investigador Luis Alberto Barrón, de la Universitat Politècnica de València, desarrolló la tesis *Detección automática de plagio en texto,* de noviembre del 2008. "Plagiar es robar el crédito por el trabajo realizado por otra persona", sentencia. Barrón deja en el aire una pregunta retórica, que entra en el terreno de la ética: "¿Si tanto la cita como la referencia son incluidas correctamente, cómo podría detectarse un caso de plagio?".

Cómo el copia y pega y el plagio consiguiente se mete en las hechuras de los diarios escritos no es objeto de ninguna tesis.

El Centre de Documentació Montserrat Roig del Col·legi de Periodistes de Catalunya dispone de las siguientes tesis vinculadas al copia y pega: *Pragmática de la desinformación: Estratagemas e incidencia de la calidad informativa de los medios,* de Luis M. Romero (el copia y pega se define como "información tomada y trasladada con exactitud"); *Estudio de las fuentes de información en el marco del periodismo especializado. Estrategias de selección y tratamiento de las fuentes en las secciones periodísticas de* El Mundo *y* El País, de Concha Pérez ("las fuentes institucionales gubernamentales diseñan estrategias de acceso a los medios a través de recursos de comunicación inherentes a la institución: portavoces, gabinetes, agencias de noticias, ruedas de prensa, comunicados, etc., que informan de los hechos desde una perspectiva institucional y parcelada de la realidad"), y *La fiabilidad del proceso documental del discurso periodístico como fuente de información,* de Inmaculada Chacón ("se analizan las posibilidades de manipulación en todas las fases del proceso documental de la noticia").

El Centre de Documentació Montserrat Roig también cuenta con los artículos de revista siguientes: "Desinformación en internet y hegemonía en redes sociales", de Héctor Francisco Gómez ("el acceso sin control, el anonimato y la falta de regulación para publicar en internet causa que los contenidos disponibles en esta red muchas veces carezcan de rigurosidad, confiabilidad y credibilidad"); "Medios de comunicación social: Poder de manipulación y capacidad de transformación", de Celso Almuiña ("sería lícito plantearnos si el denominado primer poder (ejecutivo) es [...] más bien la correa de transmisión de otros poderes reales (fácticos), entre los cuales podemos citar los que queramos, pero al menos: iglesia, ejército, banca, sindicatos, burocracia, multinacionales, *lobbies* diversos y... prensa"); "Explotación empresarial y manipulación informativa", de José Ignacio Población ("a veces, la única información que se difunde a través de diferentes medios de comunicación es, precisamente, la publicitaria") y "La violencia a la realidad o la violencia silenciosa: desinformación y manipulación en los medios de comunicación", de Gabriel Galdón ("nos encontramos con que la mayoría de los medios nos ofrecen cada cierto espacio de tiempo un repertorio de noticias breves, declaraciones de personajes y opiniones rápidas sobre temas la más de las veces innecesarios, carentes de interés, triviales y fragmentarios").

La búsqueda de tesis similares a *Copia y pega. Cómo las multinacionales construyen las noticias* se ha realizado en las siguientes bases de datos y repositorios:

Catalunya: Tesis Doctorales en Red (TDR, www.tdr.cesca.es, "repositorio cooperativo que contiene, en formato digital, tesis doctorales leídas en las universidades de Catalunya y otras comunidades autónomas"); Revistes Catalanes amb Accés Obert (RACO, www.raco.cat/index.php/raco, "conté articles a text complet de revistes científiques, culturals i erudites catalanes"); Materials Docents en Xarxa (MDX, www.mdx.cat, "ofereix recursos digitals resultants de l'activitat docent que es porta a terme a les universitats participants en el repositori"); Dipòsit de la Recerca de Catalunya (RECERCAT, www.recercat.net, "inclou la literatura de recerca de les universitats i dels centres d'investigació catalans") y Catàleg Col·lectiu de les Universitats de Catalunya (CCUC, http://cbueg-mt.iii.com, "catàleg amb més de cinc milions de títols que dóna accés a més de deu milions de documents físics").

España: E-Prints Complutense (http://eprints.ucm.es, "repositorio institucional en acceso abierto de la Universidad Complutense de Madrid que tiene como finalidad recopilar, gestionar, difundir y preservar su producción científica digital fruto de la actividad de sus docentes, investigadores y los grupos de investigación validados por la UCM) y Dialnet (http://dialnet.unirioja.es, "uno de los mayores portales bibliográficos del mundo, cuyo principal cometido es dar mayor visibilidad a la literatura científica hispana").

Mundo: Oalster (www.oclc.org, "millions of digital resources from thousands of contributors") y Doar (www.opendoar.org, "OpenDOAR is an authoritative directory of academic open access repositories").

También se ha consultado Google Académico (http://scholar.google.es, "te permite buscar bibliografía especializada de una manera sencilla").

La paradoja es que en una tesis que bordea el plagio en el seno de la prensa como es la de Bournigal *(Cobertura del tema Plagio en los periódicos* Hoy, Diario Libre, El Caribe *y* Listin Diario: *Enero-junio 2009),* se desprende que la información propia que sobre plagio publican estos rotativos se da en los breves: "Las noticias o informaciones sobre plagio, en su mayoría, son publicadas en módulos de poco espacio o breves" (Bournigal, 2010: 71). En los breves se plagia y en los breves se alerta del plagio.

Algo que es digno de mención es el estudio liderado por la periodista australiana Wendy Bacon y realizado por Crikey.com.au y el Australian Center for Independent Journalism. Durante una semana, estudiantes de periodismo analizaron el contenido de diez diarios australianos, y llegaron a la conclusión de que el 55% de las noticias publicadas tenían su origen en una nota de prensa. "En muchos casos, los periodistas en plantilla de los diarios plantaban la firma sobre el texto casi literal de la nota de prensa: de los 2.203 artículos estudiados, más de quinientos no contenían más puntos de vista, fuentes o contenidos que los de la nota de prensa original", informa el tecnólogo Javier Candeira en el blog *Cooking Ideas,* en el que cita el artículo *"Over half your news is spin",* de la página *Crikey.*

La copia literal es evidente. En "El discurso referido en teletipos y noticias de la prensa española", publicado en la revista *Círculo de lingüística aplicada a la comunicación,* de la Universidad Complutense de Madrid, Ana Mancera hace continuas referencias al hecho del copia y pega indiscriminado: "El estudio de los textos que constituyen nuestro corpus revela cómo, con frecuencia, el redactor copia íntegramente el contenido de los teletipos que le llegan de las agencias de noticias". La autora lo achaca al periodismo *low cost* (Rueda, 2009: 33-61) o "escasez de medios económicos".

El periodismo de bajo coste se ha convertido en una realidad palpable: "Los editores del *Daily Mirror* anuncian un nuevo periódico impreso *low cost"* (Agencias, 18 de febrero del 2016). Se trata de *The New Day,* "optimistic approach" y "politically neutral" (enfoque optimista y políticamente neutro).

A tenor de las investigaciones realizadas por los destacados autores del pensamiento crítico en torno a la comunicación, y en aras del "examen autocrítico" avalado por Mauro Wolf (Wolf, 1987) y del "rol crítico" de Teun A. van Dijk (Van Dijk, 1990; "extensas partes de los despachos de agencias informativas se copian directamente en el ítem periodístico, con solo ocasionales y mínimos cambios del estilo"), este investigador continúa con la tradición de pensadores de exigir a la prensa que sea una herramienta útil y al servicio del ciudadano. Eso es democracia.

Este investigador bebe de todas estas fuentes que revelan grados elevados de "manipulación" en la cadena informativa (Durandin, 1982). Y da un paso más en lo que se refiere al manido concepto de "copiar y pegar", en todos sus usos y, específicamente, en lo que concierne a la relación: noticia del diario (prensa)-agencia de noticias (prensa)-nota de prensa de la agencia de comunicación o de publicidad (marketing). El copia y pega como resultado de aunar intrínsecamente el periodismo y el marketing. Periodismo+marketing=copia y pega.

Así, descubrimos cómo el copia y pega salta de un estadio a otro hasta llegar, sin aparentes cambios denotativos, al lector del diario. Tres pasos (a, b y c) que en esta tesis desglosamos, enmarcados en el género breve, que con mayor claridad deja ver sus entretelas: a. con expertos consagrados al marketing y en oficinas en las que se analizan con detenimiento informes sobre las modas del mercado, en la agencia de comunicación y publicidad se elabora la idea que la nota de prensa ha de transmitir y cuyo redactado, seguidamente, será encomendado a periodistas con trayectorias solventes en medios de comunicación tradicionales (la salida laboral en el ámbito de la publicidad ha dado alas a profesionales de la información que han visto mermados sus ingresos considerablemente debido a la crisis de la prensa en papel, que no a la crisis de la comunicación). La agencia de comunicación puede ser un departamento propio de la empresa, en muchos casos, empresas de carácter multinacional; b. bien directamente o bien mediante la contratación de una central de medios, la empresa hace llegar su nota de prensa a las agencias de noticias (algunas agencias de comunicación ofrecen un muestrario de precios con "garantías" de que la nota salga publicada en agencias de noticias de renombre, como Efe y Europa Press). La agencia copia y pega la nota, sin que apenas sea modificada. Plagia, puesto que se atribuye su autoría; y c. el diario copia y pega el despacho de agencia que a su vez reproduce literalmente el contenido de la nota de prensa original, la elaborada en los *think tank* de las grandes corporaciones y en el resto de empresas.

También nos fijamos en los diarios que, directamente y sin que medie la agencia de noticias, copian y pegan la nota de prensa que les llega a las bandejas de entrada de sus ordenadores. Plagian, puesto que firman como *redacción* contenidos que ellos no elaboran. Se puede decir que la empresa escribe, así, parte del diario.

De esta manera, el copia y pega se convierte también en rutina periodística, casi un elemento más del periodismo (Kovach y Rosenstiel, 2012). Los blogueros denominan esta acción *copipastear* (del inglés, *copy and paste,* copiar y pegar).

En buena medida, los autores del discurso crítico en los medios se centran en la "desinformación" (Starr, 2009). Algunos autores, incluso, han indagado más en la perversión de una información en formato "nota de prensa" que, de origen, llega al lector común de manera insidiosa, puesto que está "fabricada" en beneficio del poderoso (Manning, 2001; Schwoebel, 1971; McChesney, 1999). Pero ninguno de ellos había denunciado el copia y pega, y el plagio consiguiente, en profundidad, instalado, como se ve, en el mismo engranaje de la rutina periodística, cada vez más libre de controles y filtros de edición por la ausencia de "guardabarreras" o *gatekeepers,* los editores al mando que corregían y supervisaban. Además, este investigador propone que el breve sea reconocido como un género más, en el mismo elenco de los grandes: reportaje, crónica, noticia. Y le dota de una medida exacta: diez líneas como extensión estándar (propuesta VII en las "Conclusiones"). Ningún autor había propuesto semejante medida, ni Sonia Parratt ni Evelio Tellería ni el mismísimo Georges Weill, en cuyas definiciones se desdibuja el breve, o bien acaba deslizándose este en un género de opinión o subgénero (De Fontcuberta, 1993, 2000: 106).

La voluntad de esta tesis es que a los futuros periodistas que salen de las aulas de periodismo no se les conozca como la "generación 'copia y pega'" (García Vega, 2015). El escritor y periodista Ignacio Ramonet, publicó en *La factoría,* en 1999, el artículo "El periodismo del nuevo siglo":

> La gente se pregunta a menudo sobre el papel que desempeñan los periodistas. No obstante, los periodistas están en vías de extinción. El sistema ya no quiere más periodistas. En este momento, puede funcionar sin ellos o, digamos, con periodistas reducidos a meros obreros de una cadena de montaje, como Charlot en la película *Tiempos modernos,* es decir, meros trabajadores que hacen retoque en los partes de agencia.
>
> (Ramonet, 1999)

Copia y pega. Cómo las multinacionales construyen las noticias denuncia el copia y pega de las notas de prensa de las multinacionales que acaban en los breves de empresa de las páginas de economía de los diarios.

2. PERIODISMO

El periodismo y los breves de empresa

"La prensa del futuro necesita ofrecer periódicos accesibles, fáciles de leer, con textos breves y concisos."

En el subpunto "Gestión de contenidos para audiencias específicas" del capítulo "Repensar el periodismo escrito", en el estudio *Los jóvenes y la prensa: hábitos de consumo y renovación de contenidos* (Ámbitos, 2006), escrito por la doctora de la Universidad Católica San Antonio de Murcia María Arroyo

"Lo que aprendemos al estudiar una ciencia particular es [...] demasiado concreto y especializado con relación a nuestros propósitos más amplios. Por esto volvemos a las humanidades, para obtener una visión más clara de las ideas grandes y vitales de nuestra época."

E. F. Schumacher, en *Lo pequeño es hermoso*

"Se ha impuesto la actualización constante, aunque ello, en la mayoría de los casos, supone únicamente una carrera por ser el primero en copiar y pegar teletipos de agencias."

En el artículo "Cambiamos por fuera, y por dentro", publicado en el diario *Bahía de Cádiz,* el 6 de abril del 2009

"¿Hacen falta periodistas para copiar, pegar y resumir notas de prensa, cortes de voz o teletipos de agencia? Ustedes mismos." El editor Alfonso Piñeiro, en el artículo "La triple desesperación del periodista", publicado en *Soitu.es,* el 7 de septiembre del 2009, piensa en voz alta lo que hoy piensan muchos jóvenes periodistas. El copia y pega se ha extendido como una marea negra, siendo el 'copia y pega' tan viejo como la práctica periodística en sí.

Cuando en casa hay poco bueno que decir, entre llenar huecos con ripio y cascote o hacerlo con *cosas* del prójimo que merezcan ser leídas y divulgadas, la tijera y el tijeretazo se imponen. Sí, en ambos casos la tijera es un recurso; pero solo lo es de buena ley cuando honradamente se confiesa el recorte y no se pretende hacer pasar por propio lo ajeno. [...] la tijera puede hacer oficio de palanqueta para el robo periodístico.

(Mainar, 1906, en *El arte del periodista*)

Decimos *jóvenes periodistas,* porque a las redacciones llegan los becarios, sin sueldo. El profesional del turismo José Manuel de la Rosa, en el artículo "Turismo y medios de comunicación", publicado en *Hosteltur.com,* el 24 de abril del 2012, lo lamenta: "Hubo quien se apresuró a decir que las agencias de comunicación sí son necesarias. Lo puedo entender en un entorno en el que abundan las redacciones llenas de becarios o de redactores a los que no se les da tiempo para especializarse en un sector. Redacciones en las que el 'copia y pega' es la actividad principal. Para estos medios, un comunicado de prensa es un tesoro".

La bloguera María Jesús Orellana, en "Notas de prensa: copiar, pegar y listo para publicar", publicado en *Página rota,* el 7 de octubre del 2015, se pregunta el porqué de una manera de trabajar que genera desilusión en el fuero interno del mismo periodista.

Es gracioso que medios de ópticas tan dispares como *El País* y *ABC* pueden publicar muchas veces la misma noticia, con los mismos puntos y comas. Algunos pensarán que este hecho se debe a que la información es objetiva y que por eso únicamente existe una forma de contarla... Eso es mentira. Los matices siempre están ahí y nadie es capaz de abstenerse por completo de mostrar sus puntos de vista cuando escribe. Cuando un lector descubre que dos noticias son iguales la explicación es que… es una información de agencia que se ha publicado tal cual. Estas cosas pasan en las redacciones de todo el mundo y no es que me sorprenda pero me parece que a más de un mal llamado redactor debería caérsele la cara de vergüenza. Rehacer un poco las notas de prensa no cuesta tanto tiempo y esfuerzo como más de uno parece creer.

(Orellana, 2015)

El profesional de la tecnología Antonio Paredes, en "¿Cómo evaluar la calidad de los medios digitales?", publicado en *Tecnología 21,* el 18 de febrero del 2014, no llega a entenderlo: "Hablé con uno de ellos [editor de un medio digital] y le mencioné sobre el contenido duplicado que generan las notas de prensa y el poco 'trabajo' que realiza solo copiando y pegando en su página web. Él me replicó que para generar contenido propio debía de contratar a varias personas y ya no podría hacerlo todo solo. Pero ¿contratar periodistas no es lo que hacen los medios reales?". Ha llegado a tal la precarización del ejercicio de la profesión periodística en España que esta se asocia con 'copiar y pegar', sobre todo, en lo relacionado con los medios *online.* Según el bloguero Borja Ventura, en el artículo "La comunicación no es lo que era", publicado en *borjaventura.com,* el 29 de febrero del 2008: "Nos cuenta Jorge Heili, de *CadenaSer.com,* que cuando entrevista a gente para sumar a su plantilla, muchos creen que el periodismo digital se reduce a 'copiar y pegar cables (teletipos), sumar una foto y un par de noticias relacionadas', pero no solo es eso".

Tal y como concluyen los periodistas de la Universidad de Málaga Pedro Farias y Sergio Roses en "La crisis acelera el cambio del negocio informativo", los despidos masivos en las redacciones empeoran la calidad de la información. Según sus resultados, para mejorar la calidad editorial en la redacción se ha de contratar a más periodistas.

Sergio Roses, de la Universidad de Málaga, también publicó "Estructura salarial de los periodistas en España durante la crisis", que "ataca" las políticas de reducción de gastos de personal para hacer frente a la crisis económica. En "Estructura salarial…" se desvelan los sueldos de los periodistas durante la crisis económica que empezó en el 2008, "a partir de los datos recabados mediante una encuesta telefónica suministrada a una muestra de mil periodistas en activo residentes en España". Con diferencia, los que peor pagan, los medios digitales.

En este mismo sentido, y con parecidos resultados, se presenta "Periodismo de calidad en tiempos de crisis. Análisis de la evolución de la prensa europea de referencia (2001-2012)", de varios autores de la Universidad del País Vasco. Utilizando la metodología de *media performance* (Denis McQuail, 1992, sobre la responsabilidad social de la noticia), llegan a esta conclusión: "Todos los diarios analizados parecen haberse olvidado de la función social que históricamente se ha atribuido al periodismo". Se trata de los rotativos *Financial Times, Frankfurter Allgemeine Zeitung, Le Monde, Corriere della Sera* y *El País.*

En los medios tradicionales abundan los comunicados de prensa, "copiados letra a letra", recibidos de las agencias de relaciones públicas (Andrés Waldraff, en el editorial de *http://techcetera.co,* publicado el 4 de diciembre del 2014). "Quizá es hora de ir haciéndonos a la idea de que no toda generación de contenidos informativos es periodismo", se plantea el periodista Marco Sifuentes en el artículo "El día después del periodismo", publicado en *La República,* el 9 de noviembre del 2014. Por lo visto, "reescribir una nota de prensa es más barato que salir a buscar noticias", tal como cuenta la especialista en redes sociales Mar Abad *(Comunicación Slow),* en "Javier Valenzuela: 'La era de los dinosaurios mediáticos ha terminado. Es insostenible'", publicado en *Yorokobu,* el 24 de abril del 2013. Precisamente, hay un cierto cambio de tendencia hacia un periodismo lento y sosegado; como ejemplo la revista digital británica *www.slow-journalism.com.* Informa la periodista *freelance* Sílvia Garcia (report. cat, 27/VI/2016): "El passat 30 de març [del 2016] el diari britànic *The Times* va sorprendre amb una carta als lectors on anunciava que, a partir de llavors, deixava d'actualitzar la seva web en temps real i tan sols ho faria entre dues i tres vegades al dia entre setmana, i dues vegades els caps de setmana. Segons va explicar el seu director, John Witherow, i el responsable de l'edició dominical *(The Sunday Times),* Martin Ivens, amb aquest viratge pretenen oferir 'articles fiables i en profunditat, anàlisis actualitzats i opinions molt més estimulants'".

.2.1 ¿Qué es el periodismo? ¿En qué se ha convertido?

Una de las definiciones más certeras, entusiastas y apasionadas sobre lo que es y representa el oficio periodístico la proporciona la Columbia Journalist School, en Nueva York, organizadora de los conocidos Premios Pulitzer.

> *The Columbia University Graduate School of Journalism's purpose is to educate and train students, from all over the world, to become accomplished professional journalists. The school prepares them to perform a vital and challenging function in free societies: finding out the truth of complicated situations, usually under a time constraint, and communicating it in a clear, engaging fashion to the public. The school also educates scholars of communications and journalism, and functions as a significant guiding force in journalism and inculcates in its students the habit of thinking of themselves as leaders for change and improvement in the profession.*

(La finalidad de la Escuela de Periodismo de la Universidad de Columbia es educar y formar a los estudiantes, de todas partes del mundo, para convertirse en periodistas profesionales consumados. La escuela les prepara para realizar una función vital y desafiante en las sociedades libres: la búsqueda de la verdad en situaciones complicadas, por lo general bajo una restricción de tiempo, y comunicarla en forma clara y con la participación del público. La escuela también educa a los estudiosos de la comunicación y el periodismo, y funciona como una fuerza orientadora importante en el periodismo, e inculca en sus estudiantes el hábito de pensar por sí mismos como líderes para el cambio y la mejora de la profesión.)

(http://www.journalism.columbia.edu)

Salvando las distancias, la institución equiparable en el mundo de habla hispana sería la Fundación Gabriel García Márquez para el Nuevo Periodismo Iberoamericano, inspirada en la obra del Premio Nobel de Literatura.

Misión
Trabajar por la excelencia del periodismo y su contribución a los procesos de democracia y desarrollo de los países iberoamericanos y del Caribe, a través de talleres y seminarios de formación e intercambio entre periodistas, colaboración en redes y estímulos al desarrollo profesional.
Valores
El compromiso expresado en la misión se sostiene en los siguientes valores institucionales, que deberán estar presentes en la forma de diseñar y ejecutar todos los proyectos y programas de la fundación:
Ética periodística: Será el principio orientador de todas las actividades de la Fundación.
Calidad narrativa y rigor investigativo: De los distintos atributos del periodismo de excelencia, daremos la máxima importancia a promover la capacidad de contar historias en forma creativa y el rigor en la investigación periodística.
Periodismo como servicio público: Entendemos el periodismo como un servicio público que, por lo tanto, debe ser responsable y útil ante la sociedad.
Libertad de expresión y derecho a la información: Apoyamos la defensa de la libertad de expresión y el derecho a la información como garantías esenciales para desarrollar nuestro trabajo. Sin embargo, no haremos activismo público.
Independencia: Consideramos que los periodistas, estén o no vinculados laboralmente a un medio de comunicación, deben actuar como trabajadores intelectuales independientes. Promoveremos la independencia y el espíritu crítico como condiciones indispensables para la excelencia periodística.
El oficio: Nuestro ámbito de acción se circunscribe a la práctica del periodismo, que diferenciaremos claramente de otros campos de la comunicación.
Los periodistas: Trabajaremos con periodistas en ejercicio que tengan potencial de contribuir a la búsqueda de la calidad del periodismo y de aprovechar las oportunidades que ofrecemos en razón de su vocación, talento, liderazgo y espíritu de servicio a la sociedad.
Experiencia y aprendizaje: El taller es la esencia de nuestro modelo de formación de periodistas. Nos interesa el aprendizaje basado en el trabajo práctico, el intercambio de experiencias específicas y un genuino interés de los participantes en nuestros programas. No ofreceremos diplomas ni certificados de asistencia.

Pluralismo: Incentivaremos la comunicación entre pares y el libre examen de los temas del periodismo, en un ambiente horizontal de tertulia y camaradería.

Equidad: En los programas procuraremos asegurar el equilibrio de género y repartir las oportunidades de participación a periodistas de distinto origen geográfico y capacidad económica, que sean escogidos ante todo por sus méritos y su capacidad de aportar a las actividades y de crecer como ciudadanos, profesionales y autores.

Autonomía: Nos aseguraremos de actuar con imparcialidad e independencia institucional frente a financiadores, aliados, medios de comunicación y periodistas en los procesos de formulación de programas, ejecución de proyectos y gestión de recursos.

(http://www.fnpi.org/fnpi/mision-y-valores/)

Con pocos matices, la legislación en España y Catalunya regula este contenido. Así, pues, como diría el reportero Ryszard Kapuscinski, el periodismo consiste en rescatar lo verdadero e interesante (Kapuscinski, 2006).

En concordancia con lo anterior, en España, en 1947, nació El Repórter Tribulete ("el repórter Tribulete que en todas partes se mete"), obra del dibujante Guillem Cifré. Tribulete encarna el periodista de posguerra por antonomasia: pobre y noctámbulo, alejado de la fama y cuya única ambición es dar con la noticia. Nada que ver con Tintín. Con toda su desvergüenza y su humildad, el Repórter Tribulete pensaba críticamente. Eso es lo que recomienda el Premio Nobel de Economía Joseph Stiglitz en su *Covering Globalization,* publicado por la editorial de la Universidad de Columbia y presentado en Nueva York. De aquel manual en el que pedía a los periodistas que se plantearan todas las preguntas ("sobre a quién beneficia y a quién perjudica un cambio") surgió *Cómo hacer que funcione la globalización:*

Podemos vivir de manera local, pero cada vez más tendremos que pensar en términos globales, considerarnos como parte de una comunidad global. Esto conllevará algo más que tratar a los otros con respeto. Habrá que pensar en lo que es justo.

(Stiglitz, 2006)

Lo justo. Este es el asunto que también concierne al periodista. Y por supuesto, al periodista especializado en economía.

.2.1.1 Periodismo económico

El libro *Fundamentos de periodismo económico,* que acaban de publicar los profesores de la Universidad de Navarra Ángel Arrese y Alfonso Vara, es un manual sobre periodismo económico que recopila algunos de sus trabajos de los últimos años, cuyo fin es el de servir de apoyo a la nueva asignatura de Fundamentos de Periodismo Económico.

Fundamentos de periodismo económico, de Ángel Arrese y Alfonso Vara (EUNSA, 2011)

El periodismo económico es una rama del periodismo que se centra en las finanzas, en las subidas y bajadas de las cotizaciones bursátiles. En España, los diarios *Expansión* y *Cinco Días* se consideran las referencias en este sentido. De *cincodias.es:* "Noticias sobre economía, mercados, pymes [pequeñas y medianas empresas] y emprendedores, empresas, finanzas, tecnología y última hora en *Cinco Días,* tu periódico económico en español". Las secciones económicas de los diarios de contenido generalista, con sus apéndicos para los breves de empresa, se pueden considerar un compendio de estos periódicos mucho más expeditivos.

.2.1.2 El periodismo en la era digital

En los últimos años, con la globalización, las plataformas *online* relacionadas con la comunicación periodística (blogs, revistas, *newsletters…)* están ganando adeptos. El profesor del Departamento de Ciencias de la Comunicación de la Universitat Jaume I de Castelló Andreu Casero-Ripollés ha ahondado en la dicotomía existente entre el modelo tradicional de la prensa en papel y las nuevas posibilidades que ofrece la Red.

Internet supone un reto de grandes magnitudes para la prensa no solo por los cambios que introduce en la producción y la distribución de la información, sino también en términos industriales. Plantea un desafío de primer orden para el modelo de negocio vigente en este sector, que se ve seriamente cuestionado en el contexto digital.

(Casero-Ripollés, 2010)

Con esta perspectiva, en el informe titulado *Post-Industrial Journalism: Adapting to the Present,* de los académicos de la Columbia Journalism School C. W. Anderson, Emilly Bell y Clay Shirky (eCícero, 2013), se intenta llegar a un equilibrio que permita la sostenibilidad tanto de unos como de otros. En este ensayo, los profesores infravaloran el género del breve periodístico, en concordancia con la tendencia habitual de dedicar el mínimo espacio a lo que, en teoría, es una noticia secundaria y sin trascendencia (para esta 'información menor', ellos recomiendan el uso de robots: "producción automática").

> De igual modo las redacciones deberán decidir qué parte de sus operaciones hacer a granel. Buena parte del periodismo 'de listado' (por ejemplo: breves sobre el partido de anoche o las cifras de ventas de este trimestre que tienen que estar presentes, pero que no tienen que ser ni largas ni excelentes) se puede reemplazar por agregación, o por producción automática. Para la mayoría de las organizaciones cualquier producto que sea alto en tiempo pero bajo en valor (y por *alto en tiempo* nos referimos a cualquier cosa que lleve más de 10 minutos de atención de un humano contratado) debería ser automatizado, subcontratado a socios o eliminado por completo.
>
> (Anderson *et altri*, 2013: 57)

En parte, esta visión es el resultado de una formación superior insuficiente en el ámbito que nos afecta, y que denuncia el profesor Bernardo Díaz en el *Libro negro del periodismo en España* (Asociación de la Prensa de Madrid, 2011), que cuenta con la aportación del catedrático de Comunicación Miquel de Moragas:

> Pero esto obliga a un cambio de enfoque radical de los tradicionales estudios de Periodismo heredados de las antiguas escuelas y que, aunque parezca mentira, siguen pegados a nuestras rutinas universitarias.
>
> (Díaz, 2011)

Los medios digitales se están organizando en torno a otros perfiles de "operadores" (agencias) comercializadoras de sus espacios publicitarios. Surgen agencias por afiliación de medios (por ejemplo, HiMedia: "monetización de audiencia en internet". *Monetizar,* convertir un activo en dinero). El periodismo del siglo XXI tiene mucho de periodismo digital: la *tablet* sustituye la máquina de escribir. Al periodista se le exige conocimientos en varias materias, lo que el profesor Josep Lluís Micó conoce, en el informe "Nínxols d'ocupació per a periodistes", como "periodista imposible" ("[el] representant del perfil ideal ha de saber vàries llengües, ser preferentment nadiu digital però alhora acumular una gran experiència i comptar amb les aptituds multimèdia i polivalents que reclama el mercat", Micó, 2012: 36). En la Red, las facilidades del copia y pega se incrementan. Y las empresas encuentran nuevas formas de propagar sus mensajes. El periodismo choca contra la publicidad, orillas opuestas de un mismo río.

.2.1.3 'El otro bando': la publicidad como adversaria del periodismo

Generalmente, la separación del periodismo y la publicidad ha sido muy clara. Cuando, en una rueda de prensa, te encontrabas a un compañero que había ejercido el reporterismo y que ahora repartía dosieres con las notas de prensa de la empresa en cuestión, te solía decir: "Ahora estoy en el otro bando" (Luyendijk, 2016: 25). Esta frase obedecía a la concepción que se tenía de que el servicio de marketing pretende influir en la prensa en aras de su propio beneficio: cuanto más eco mediático de un producto se consiga, mayores beneficios económicos (Elíades, 1999).

A sabiendas de que el periodismo no ha de divorciarse de su función social, fiscalizadora del poder, que busca el interés general (Huertas Claveria, Candel, Martí Gómez), el periodista ha de mantenerse firme frente a las presiones de los anunciantes y de los no anunciantes.

En la actualidad, y con las transformaciones que viven los medios en la era de internet, la línea que separa el interés privado y el interés público es cada vez más difusa, por la habilidad del marketing en cuestiones de comunicación. El antropólogo y periodista Joris Luyendijk se topó con sus tácticas en el proceso de elaboración de su estudio sobre la City londinense *Entre tiburones. Una temporada en el infierno de las finanzas:* "...es altamente improbable que entrevistas 'autorizadas', realizadas en presencia de personal de relaciones públicas de un banco, revelen o aporten nada de importancia". Muy buenos periodistas se pasan al marketing (Blázquez, 2014). Con internet, que hace del planeta un lugar más pequeño en cuanto que está más conectado en sí mismo, se desvanecen los rasgos característicos del periodismo, hasta el punto de que es relativamente fácil hacerse pasar por reportero en la Red (Talese, 2010). Y es muy común ser extremadamente dócil con el poder, como también opina Gay Talese en una entrevista publicada en el *Magazine* de *La Vanguardia,* el 8 de junio del 2014: "Se supone que los periodistas han de ser forasteros. Han de ser militantes, traidores, tal vez terroristas en el sentido de que el ordenador ha de ser un serio adversario, no irrespetuoso, pero sí escéptico y descreído, del poder. El periodista no puede ser un cortesano, porque estos quieren viajar en el *Air Force One* o ir *empotrados* en el ejército. Ese no es lugar en el que ha de estar el periodista. Ha de estar fuera del tanque".

Siguiendo esta línea, hasta el mismísimo analista político Walter Lippmann *(Liberty and the News),* autor de la famosa columna *Today & Tomorrow,* está de acuerdo en la crítica necesaria y consciente que el periodista ha de mostrar ante el poderoso, contra quien ostenta el poder, la fuerza, el dinero: "Los periodistas no pueden ser amigos de grandes personajes políticos [...], siempre tiene que haber una cierta distancia entre los altos funcionarios y los periodistas. No un muro ni una barrera, pero sí es necesaria una cámara de aire". El poder es la capacidad de hacer lo que uno desea, tal y como lo define el sociólogo alemán Max Weber *(La ética protestante y el espíritu del capitalismo),* aunque él dejó claro que el poder (la victoria) "no da la superioridad moral sobre el vencido". Y sostenía, con relación al trabajo que nos concierne: "La actividad periodística es una actividad política continuada". También el periodista José Luis Santos, que ha publicado *La prensa que se vendió* ("¿qué harán periódicos que vendieron su línea editorial al poder?"), defiende la ética en la profesión, y por ello asocia que situarse "al otro lado de la barrera informativa" es trabajar en gabinetes.

Es así como los medios de comunicación escritos reflejan esta situación de dualidad. Por ejemplo, en la página 65 del diario *La Vanguardia* del viernes 18 de julio del 2014 se publica una plana publicitaria de la entidad financiera "la Caixa". El libro de estilo de *La Vanguardia* se ha dotado de normas en este sentido: "La publicidad ha de quedar separada de la información con claridad, tanto visualmente como en cuanto a los contenidos. [...] Cuando un anuncio recurre a composiciones y tipografías que pueden provocar que se confunda con un artículo del diario, se rechaza la publicación del anuncio o bien se encabeza con la palabra PUBLICIDAD bien visible". El anuncio, titulado "Más de 76.000 oportunidades", se ha compaginado de tal manera que se camufla con las noticias del diario. El periodista británico Harold Evans, antiguo editor de *The Sunday Times,* decía, en su obra *Good times, bad times* (1984), que la publicidad y el material de redacción deben ser "fácilmente diferenciables para el lector". No aparece la palabra *publicidad,* sino el concepto de "páginas especiales", que llama a confusión. Según la recomendación número 8 del documento "Periodistas que hacen publicidad: conflicto de intereses", del Consell de la Informació de Catalunya: "Los medios y los periodistas tienen que presentar la publicidad de forma tal que la ciudadanía la perciba y distinga con claridad. Más allá de lo que indica la legislación vigente, los periodistas no pueden permitir la publicación de suplementos, páginas o inserciones con contenidos ambiguos que hagan difícil a los receptores averiguar qué es publicidad. Resulta, por lo tanto, insuficiente hablar de monográfico especial, espacio especial, *páginas especiales* o informaciones elaboradas por el departamento comercial, por ejemplo. En este sentido, como profesionales comprometidos con la verdad y el buen uso del lenguaje, los periodistas tenemos que dar mensajes claros sobre qué o no es publicidad en aquello que hacemos llegar al público" (la cursiva, de este investigador). Además de la composición semejante a la que utiliza habitualmente *La Vanguardia* (Imagen 3), la tipografía es muy similar, sans serif. Y en la página contigua al anuncio, se publica información bancaria de elaboración propia (Imagen 2). "Los publirreportajes pueden ser confundidos con artículos de prensa", advierte el Ministerio de Educación y Ciencia en su página web (http://tv_mav.cnice.mec.es/Optativas/Publicidad_prensa/Profesor/contenido_07.html).

Por último, un ejercicio interesante sería comprobar cómo, con el paso de los años, el indicador de "publicidad" ha ido desapareciendo de los diarios. Por ejemplo, en los anuncios a toda página insertados tanto en *La Vanguardia* como *El Mundo* correspondientes al viernes 1 de abril del 2016 —muchos de ellos del mismo anunciante, como El Corte Inglés, "Ocho días de oro"— no aparece la palabra *publicidad.*

Un festival sin etiquetas

Cruïlla Barcelona tiene lugar del 10 al 12 de julio en el parque del Fòrum con una programación ecléctica encabezada por Kendrick Lamar, Ms. Lauryn Hill, Jamie Cullum y Aloe Blacc

EL FESTIVAL, QUE SE CELEBRA EN EL PARQUE DEL FÒRUM, ESPERA CONTAR CON LA PRESENCIA DE 25.000 ESPECTADORES. XAVI TORRENT

GEMMA MARTÍ

El Cruïlla es un festival dirigido a la gente que no quiere sentirse parte de una tribu urbana, que quiere disfrutar de la música sin prejuicios, por el gusto y la calidad de las propuestas que le ofrecemos, que son muy variadas, abiertas, cosmopolitas... como la ciudad de Barcelona". Con estas palabras describe Jordi Herreruela Cruïlla Barcelona, el festival que dirige y que tendrá lugar del 10 al 12 de julio en el parque del Fòrum. El concierto inaugural, a cargo de Asian Dub Foundation,

DIFERENCIADOR

Cruïlla Barcelona se dirige al público local y apuesta por la calidad de los servicios

será el jueves 9, a las 21 horas; no se pondrán entradas a la venta para esta actuación será gratuita para todo aquel que tenga entradas o abonos para el festival.

FESTIVAL AMABLE

Los organizadores apuestan por diferenciarse del resto de propuestas musicales por la calidad de los servicios y por generar una experiencia fácil, cómoda, ágil y segura a los visitantes, en su mayoría un público local. "Queremos ser un festival asequible, amable, tranquilo, de una medida huma-

■ CABEZAS DE CARTEL

EN EL CRUÏLLA UNEN FUERZAS FRANZ FERDINAND Y LOS CALIFORNIANOS SPARKS. CB

En esta séptima edición de Cruïlla Barcelona está prevista la actuación en exclusiva en España de Kendrick Lamar quien presentará *To Pimp a Butterfly*, además de la primera actuación en Barcelona de Ms. Lauryn Hill, leyenda viva y ex-The Fugees. Aloe Blacc, una de las mejores voces del *soul* del siglo XXI, también acude al Cruïlla donde ofrecerá su única actuación en España. El festival contará con la presencia por primera vez en el Estado de Emeli Sande, una de las cantautoras de la escena pop inglesa más destacadas, y el dúo Milky Chance con su *Stolen Dance* convertido en fenómeno

mundial. También forman parte del cartel de este año Franz Ferdinand & Sparks, Of Monsters and Men, Jamie Cullum y Damian Jr Gong Marley, uno de los nombres más representativos del *reggae*.
Otros artistas confirmados son CocoRosie, Dub Inc, Vintage People, Osibisa, Zuco 103, Archive, Diana Fuentes, Birth Of Joy junto con la mejor escena local y nacional con Els Catarres, Ferran Palau, Furguson, El Puchero del Hortelano, Guadalupe Plata, Los Granadians, Coriòla, Miquel Serra, Gramophone Allstars, Anna Roig i L'ombre de ton chien, Línia Maginot y Los Retrovisores

KENDRICK LAMAR, CON EL MÁS PURO 'HIP HOP', ACTUARÁ EL VIERNES 10. CB

na, donde la gente se encuentre a gusto y viva una experiencia agradable", remarca el director del certamen barcelonés.
Por este motivo, será el primer festival en contar con pulseras inteligentes (ver recuadro), y amplía su espacio para mantener la calidad con la que el público podrá disfrutar de los conciertos. "Será posible ver todos los cabezas de cartel porque no se solapan, los desplazamientos entre los escenarios son cortos, la calidad del sonido es alta, los conciertos de todos los artistas tienen una duración de entre 75 y 90 minu-

■ LA PULSERA INTELIGENTE SE ESTRENA EN EL CRUÏLLA

× POLSERA INTEL·LIGENT ×

Cruïlla Barcelona será el primer festival *full cash-less* con PayPal. Todos los asistentes al certamen recibirán al entrar en el recinto del Fòrum una pulsera inteligente que los identificará y servirá como monedero electrónico. Ésta se podrá cargar con dinero desde casa, en la *app* del festival, o en cualquier punto de las barras si el usuario dispone de cuenta PayPal. El dinero que no se utilice se devolverá sin comisión. Tal como explica Herreruela, "la pulsera inteligente no sólo pretende evitar las típicas colas de los festivales para comprar tickets, sino que además elimina la posibilidad de volver a casa con tickets no consumidos o perderlos". Además, para dar a conocer el nuevo sistema, Cruïlla Barcelona ofrecerá productos Damm gratuitos a aquellos asistentes que realicen la carga previa desde casa a través de su cuenta de PayPal

tos... Son pequeños detalles que tenemos en cuenta para que el visitante pueda disfrutar del festival", añade Herreruela.
Teniendo en cuenta las economías familiares, se ha creado un *pack* familiar que incluye dos entradas para adultos y dos para menores de 18 años (entrada gratuita para menores de 12 años).
En esta nueva edición Cruïlla Barcelona mejora la oferta gastronómica ampliando Food Trucks, que ofrecerán desde hamburguesas y *hot dogs* de autor a comida mexicana, oriental, pan con tomate... o zumos y dulces.
Otra novedad del Cruïlla es la participación del festival de Cine Documental Musical Beefeater In-Edit. Además, habrá un espacio para los *castellers* –el viernes actuará la Colla Jove de Barcelona con los castillos con leds–, un área de juegos creados con elementos reciclados y un punto de recarga gratuita de móviles que funcionará con energía solar.

Más información
www.cruillabarcelona.com

IMAGEN 0. Anuncio del 7 de julio del 2015, sin que se haga referencia a que se trata de contenido publicitario. Este, con publicidad del Ajuntament de Barcelona, es habitual ya en los diarios, como el ejemplo de *La Vanguardia* del 23 de diciembre del 2015, compaginado como un reportaje de dos páginas sin elementos diferenciadores del resto. El anuncio se hace pasar por noticia del diario.

Un programa ayudará a deportistas retirados a encontrar trabajo

La Obra Social 'la Caixa' y el Comité Olímpico Español se alían para promover la inserción laboral de atletas retirados. La iniciativa se enmarca dentro del programa de creación de empleo Incorpora, que genera más de 25.000 puestos de trabajo al año

Isidro Fainé, presidente de la Fundación Bancaria 'la Caixa', junto a Alejandro Blanco, presidente del COE

El director general de la Fundación Bancaria "la Caixa", Jaume Giró, y Alejandro Blanco, con los medallistas olímpicos Joan Lino, Mihaela Ciobanu, Carolina Pascual y Javier Illana

L a Obra Social "la Caixa" y el Comité Olímpico Español (COE) han puesto en marcha una alianza para impulsar la integración laboral de deportistas que han finalizado su trayectoria profesional, con el objetivo de evitar o resolver situaciones de vulnerabilidad.

Fruto de esta colaboración, la Obra Social "la Caixa" pondrá a disposición de entre 20 y 30 deportistas retirados de la alta competición su programa de integración laboral Incorpora, a través del cual contarán con el asesoramiento y acompañamiento de sus técnicos de inserción, con el objetivo de ayudarles a encontrar trabajo.

> EMPLEO

Entre 20 y 30 deportistas retirados recibirán asesoramiento para encontrar trabajo

Al mismo tiempo, se contemplarán todas aquellas acciones que permitan mejorar la empleabilidad de estas personas, así como el diseño de itinerarios de inserción personalizados, adaptados a sus características y expectativas, siempre en consonancia con las demandas actuales del mercado laboral.

UN PROYECTO PIONERO

"Diez años después de su puesta en marcha, el programa Incorpora se ha consolidado como un referente en el ámbito de la integración laboral. Queremos contribuir a que las personas que presentan riesgo de exclusión laboral, puedan encontrar un trabajo y reconducir su situación", destaca Isidro Fainé, presidente de la

Fundación Bancaria "la Caixa". Por ello, "sumamos esfuerzos con el Comité Olímpico Español para apoyar a deportistas retirados que pasan por situaciones de dificultad, convencidos de que así contribuiremos a su bienestar presente y futuro", añade el director general de la Fundación Bancaria "la Caixa", Jaume Giró, que, junto con el presidente del Comité Olímpico Español, Alejandro Blanco, sellaron el acuerdo entre ambas entidades el pasado 27 de septiembre.

El acto de presentación también contó con la presencia de Joan Lino, medalla de bronce en los Juegos Olímpicos de Atenas 2004 en salto de longitud; Mihaela Ciobanu, medalla de bronce en balonmano en los Juegos Olímpicos de Londres 2012; Carolina Pascual, medalla de plata en

> INCORPORA

El programa ha facilitado más de 127.000 puestos de trabajo desde su creación en 2006

gimnasia en los Juegos Olímpicos de Barcelona 1992, y Javier Illana, olímpico en tres Juegos en la modalidad de salto de trampolín, quienes han relatado sus experiencias personales relacionadas con este novedoso proyecto.

MÁS DE 127.000 EMPLEOS

Desde la puesta en marcha en 2006 de Incorpora, proyecto que se dirige a personas con discapacidad, parados de larga duración, jóvenes en situación de

vulnerabilidad e inmigrantes, entre otros colectivos, el programa ha facilitado más de 127.000 puestos de trabajo.

A pesar del contexto socioeconómico de los últimos años, Incorpora demuestra año tras año su consolidación, aumentando de forma progresiva las contrataciones de personas en riesgo de exclusión. Durante el primer semestre de este año las contrataciones aumentaron el 17 % con respecto al mismo periodo del año anterior, situándose en 11.633.

El éxito que tiene el programa Incorpora radica, además de en la amplia red de más de 700 técnicos de inserción laboral de la que dispone, en el elevado número de empresas colaboradoras, que a lo largo de los últimos diez años ya suman más de 36.000 en toda España.

JOAN LINO: "LA MEJOR VICTORIA ES FACILITAR TRABAJO A LOS EXATLETAS"

El medallista de bronce en salto de longitud en los Juegos Olímpicos de Atenas 2004, Joan Lino, ha reconocido que "no hay una mejor victoria que facilitar un trabajo a los exatletas". Después ha añadido: "La empresa que contrata a un deportista se garantiza un trabajo de por vida con sacrificio y esfuerzo." Lino hizo estas declaraciones en el transcurso del acto de presentación del programa Incorpora para la integración laboral de deportistas retirados, celebrado en el CaixaForum de Madrid. "Nosotros representamos a nuestro país y no estamos acostumbrados a recibir regalos, así que sólo pido que nos ayuden", concluyó el atleta.

IMAGEN 1. Anuncio a toda página en *La Vanguardia* del 11 de octubre del 2016, sin que se haga referencia a que se trata de contenido publicitario de la Obra Social "la Caixa"; ni tan solo aparece el epígrafe de "páginas especiales". El anuncio se hace pasar por noticia del diario.

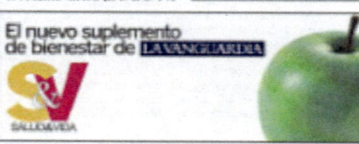

IMAGEN 2. Página 64 (par, izquierda) de *La Vanguardia,* el 18 de julio del 2014, con información económica. Uno de los breves contiene información negativa sobre Caixabank, propiedad de "la Caixa". En la página contigua, a la derecha, información positiva de "la Caixa", que ocupa toda la plana. Por el tipo de composición y diseño y el estudio de la disposición de los elementos visuales, la información negativa queda escondida, y resalta la información positiva.

Más de 76.000 oportunidades

**El programa
de integración
laboral de la
Obra Social La
Caixa facilita
un empleo
a personas
desfavorecidas**

LOS CURSOS DE FORMACIÓN EN DIFERENTES ESPECIALIDADES MEJORAN LAS POSIBILIDADES DE ENCONTRAR TRABAJO

Claudia es la profesora de la formación que hemos hecho en Incorpora, y, más que una profesora, es como una madre para todos", explica Cristina Costa, una de las usuarias del programa de integración laboral de la Obra Social La Caixa. "Federica es la insertora laboral, una persona incansable que no para de mirar ofertas y de estar en contacto con todo el mundo", añade.

Cristina, de 37 años, habla así de dos profesionales que, en el marco del programa Incorpora, trabajan para ayudar a encontrar empleo a colectivos vulnerables, como personas con discapacidad, parados de larga duración, jóvenes en riesgo o situación de exclusión, mayores de 45 años y víctimas de violencia de género, entre otros. Son dos figuras claves de este proyecto: por un lado, los profesores que imparten los cursos para mejorar las posibilidades de que estas personas encuentren trabajo y, por otro, el insertor laboral, que lleva a cabo el acompañamiento del usuario antes, durante y después de la contratación, además de encargarse de una tarea tan crucial como la prospección de empresas.

Desde su puesta en marcha, en 2006, Incorpora ha facilitado 76.074 puestos de trabajo gra-

> **COMPROMISO**

**Más de 28.000
empresas colaboran
activamente con el
programa Incorpora**

INCORPORA OFRECE AYUDA A LOS JÓVENES PARA INSERTARSE LABORALMENTE

cias al compromiso de más de 28.000 empresas de toda España. Este programa cuenta con la colaboración de 349 entidades sociales repartidas por todas las provincias para adaptarse a las necesidades de cada una.

Pese a la crisis, Incorpora ha logrado consolidarse año tras año, y en 2013 posibilitó un total de 14.638 contrataciones a personas en riesgo de exclusión, frente a las 10.504 de 2012. Esto

fue posible gracias a la implicación de 4.727 empresas. El compromiso de los empresarios es clave para Incorpora. El programa les ofrece un servicio gratuito de asesoramiento en responsabilidad social corporativa.

Este año Incorpora pone especial énfasis en la formación de los usuarios para mejorar sus posibilidades de inserción laboral. Auxiliar de ventas, atención al cliente y pequeñas arreglos o ayudante de cocina son algunos de los cursos que se están llevando a cabo.

También está en marcha la VI Edición de los Premios Incorpora, que cuenta con una convocatoria específica para cada comunidad autónoma y se dirige a empresarios de toda España.

Itinerarios de reinserción para más de 12.200 reclusos

La Obra Social La Caixa ha renovado su colaboración con el Ministerio del Interior para facilitar itinerarios de inserción sociolaboral a reclusos de toda España en el marco del programa Reincorpora. Desde la puesta en marcha del proyecto, en 2005, la entidad ha impulsado la formación y reinserción laboral de más de 12.200 internos, con una inversión acumulada de casi 46 millones de euros. El acuerdo con el Ministerio ampliará la atención a 1.360 nuevos reclusos en 2014. Durante el pasado ejercicio, el 42% de los internos que participan en el programa fueron contratados por empresas ordinarias, circunstan-

cia decisiva en su plena reintegración en la sociedad.

"Llevamos prácticamente una década apoyando la reinserción social de reclusos, primero a través de becas y, desde hace cuatro años, apostando por la atención integral mediante el programa Reincorpora", explica Isidro Fainé, presidente de la Fundación

> **ISIDRO FAINÉ:**

"Estas iniciativas no serían factibles sin la voluntad de cambio de los participantes"

Bancaria La Caixa. "La continuidad de este tipo de iniciativas no sería factible sin el afán de superación y la voluntad de cambio de los participantes. Este es el mejor acicate para Reincorpora y lo que, un año más, nos motiva a seguir trabajando para dar segundas oportunidades", añade Fainé.

El objetivo de Reincorpora es contribuir a la integración social y laboral de los internos a partir de un itinerario personalizado de entre seis y diez meses de duración que incluye cursos de formación en oficios fuera del centro penitenciario, realización de un proyecto de servicio solidario vinculado a la formación y derivación de los participantes a Incorpora, el programa de integración laboral.

Así, con un planteamiento pionero en el ámbito penitenciario, Reincorpora está basado en el concepto de aprendizaje-servicio, una propuesta educativa que combina intencionalidad pedagógica y utilidad social.

El empleo joven, objetivo prioritario

Los jóvenes son uno de los colectivos más castigados por la crisis. Con el objetivo de fomentar el empleo juvenil, la Obra Social La Caixa ha puesto en marcha diferentes iniciativas, como el apoyo a Estrategia de Emprendimiento y Empleo Joven 2013-2016 del Ministerio de Empleo y Seguridad Social. En el marco de este proyecto, al que la entidad destina seis millones de euros, la Obra Social subvencionará parte de la cuota de cotización a la Seguridad Social de 10.000 jóvenes emprendedores, complementando la aportación que ya facilita el Ministerio de Empleo. En este contexto, ayer se presentó el Portal de Empleo y Autoempleo, dirigido a poner al alcance de

los jóvenes todos los recursos para encontrar trabajo o iniciar una actividad emprendedora y con más de un millón de beneficiarios potenciales.

De la mano de Cruz Roja y Secretariado Gitano, la Obra Social La Caixa también impulsa en toda España el proyecto Aprender Trabajando, una innovadora iniciativa dirigida a crear oportunidades de empleo para jóvenes en riesgo de exclusión.

En Andalucía, y de la mano de la Junta, se lleva a cabo el proyecto Incorpora Joven, que busca mejorar la empleabilidad de los usuarios Incorpora ofreciéndoles una capacitación profesional para ampliar su grado de inserción y mejorar la calidad de las contrataciones logradas.

IMAGEN 3. Página 65 (impar, derecha; de mayor visibilidad y, por lo tanto, con precios más caros para insertar anuncios) de *La Vanguardia,* el 18 de julio del 2014. Indicador de "páginas especiales", rodeo para decir *publicidad.* Según el anexo 4 del código deontológico de los periodistas en Catalunya: "No se pueden presentar subrepticiamente las diferentes modalidades de patrocinio y de información comercial (publirreportaje) como si fuesen materiales informativos de las redacciones ni se pueden encubrir sin que puedan ser claramente diferenciadas por los lectores y por las audiencias". (En *La Vanguardia,* una página interior, impar, cuesta, los domingos y el resto de festivos, 45.000 euros, en color; consulta de noviembre del 2014.) El anuncio se hace pasar por noticia del diario.

.2.1.4 Periodismo de marca: 'brand journalism'

Las multinacionales fichan a los periodistas. Y se valen de sus conocimientos para venderse. Insertan los comunicados de prensa en las agencias de noticias, que cada vez abren nuevos canales para dar salida a la creciente "presión" de las notas de prensa de las grandes marcas (Borjas, 2004). Así, las notas de prensa con el sello periodístico que les da solvencia acaban en los diarios, impresas (en muchos casos, insistimos, previo paso por las agencias de noticias). Las multinacionales también lanzan sus propias webs de noticias, sus propios medios de comunicación, y se nutren de los profesionales que se han quedado en el paro por el cierre de los medios en los que estaban empleados. Entre el 2011 y el 2012, algunas de las firmas más potentes del mundo han creado portales informativos situados ya en el podio de los más influyentes, visitados y citados. Son webs tecnológicas como *The Network* (propiedad de Cisco), *CMO* (Adobe) y *Freepress* (Intel), financieras como *The Financialist* (Credit Suisse), y de negocios como *Business without borders* (HSBC). A ellas habría que añadir *Openforum,* de American Express, y el nuevo *site* corporativo de Coca-Cola, reconvertido, según *The New York Times,* "en una auténtica web de noticias": *Coca-Cola Journey* (Barciela, 2013). *"The Network, CMO, Eroski Consumer, Feedpress, The Financialist, Businesswithoutborders, Openforum* y *Coca-Cola Journey,* portales informativos —más que corporativos— en internet, sustentados por los pilares de grandes multinacionales. Cisco, Adobe, Eroski, Intel, Credit Suisse, HSBC, American Express y [...] Coca-Cola son las marcas que mueven los hilos de estos *sites* que se atreven ya a medir sus fuerzas con las grandes cabeceras especializadas en el sector económico y tecnológico en un nuevo escenario informativo digital", enumera la redactora digital María Viñas en *La voz de Galicia.* "Se trata del periodismo de marca *(brand journalism)* que, alejado de la preconcebida idea de boletín de contenidos corporativos disfrazado de web informativa, fija su foco de atención en temas concretos y trabaja sobre ellos, con el objetivo de convertirse en un referente en su sector."

Es por esto por lo que las multinacionales construyen sus propios medios al margen de los medios convencionales. Las multinacionales pueden llegar a prescindir de los medios habituales (su voz crítica incomoda, según Velásquez y Torres, 2004), y, por ende, crear sus propios medios. Reorientan su estrategia comunicativa. "Antes, las empresas solo eran noticias; ahora, también las hacen", escribe el editor web Francisco Muciño en la edición mexicana de la revista *Forbes* ("nada personal, solo negocios", 2013).

Si bien es cierto que la crisis económica en España, y en el sur de Europa, ha echado por tierra las previsiones optimistas de los editores. Y parte de la prensa crítica ha caído. Por ejemplo, el diario *Público,* que nacía con indudable vocación inconformista ("el diario más social de Europa"), apenas ha durado cinco años: del 2007 al 2012. Su *deuda* rondaba los 21 millones de euros (ver Anexo IV: "deuda tóxica"). Ahora se publica en versión digital: *Publico.es* El diario *Público* tenía titulares como este: "Las trampas del tratado comercial que blindará las multinacionales", en contra del acuerdo de libre comercio entre Estados Unidos y la Unión Europea por el cual las corporaciones podrán denunciar a los Estados, y no al revés.

Por lo tanto, el sector del periodismo ha perdido ganancias. Y se ha reconvertido, en buena manera, hacia la publicidad. La urgencia de conseguir dinero. Las multinacionales han pescado en río revuelto. Si los periodistas se ven influenciados por el periodismo de marca es porque el periodismo de marca paga. "Una de las pocas salidas laborales que ha surgido para los licenciados en periodismo es la creación de contenido para las marcas, el *branded content*, o lo que es lo mismo: asumir la elaboración de contenidos de empresa y difundirlos a través de sus propios canales como blogs o redes sociales", escribe en su blog la experta en redes sociales Patricia Ventura. Llega a la conclusión de que el periodismo y el *branded content,* el *brand journalism,* no son lo mismo. "Hacer *branded content* no es periodismo, porque el contenido que se crea está necesariamente condicionado por los intereses de una marca, y hacer periodismo —por *naïf* que hoy pueda parecer— es crear contenido sin otra razón más que ofrecer un servicio público: generar información de interés que resulta más útil cuanto más ayuda a combatir injusticias, a cambiar las cosas."

Siguiendo las consideraciones precedentes, una parte del periodismo actual se aleja del *brand journalism.* Los detractores del *branded content* y del *brand journalism* reprueban que la marca financie el contenido y, por lo tanto, que controle qué se escribe y qué no se escribe, que tutele los textos y evite cualquier crítica que vaya en contra de sus intereses comerciales (Rey, 2013). Dentro de estas posiciones, destaca Pedro J. Ramírez, exdirector del diario *El Mundo:* "Los *dircom* [directores de comunicación] reparten caramelos entre los medios fieles", suelta en una entrevista en La Contra de *La Vanguardia* con motivo de la publicación de su libro *Contra unos y otros* (La Esfera de los Libros, 2014).

Al respecto, el periodista de la Universitat Internacional de Catalunya Iván Lacasa, coautor del ensayo *Exposición fragmentada a la información periodística, polarización política y democracia representativa,* se refiere a los medios "partidistas". Y el periodista de *Lavanguardia.com* David Martínez ha intentado indagar en los sótanos de las multinacionales y se ha adentrado en el universo de Inditex para ver las costuras de su principal marca: Zara. Y el equipo de *Librosensayo.com,* pese a no ser periodistas, abogan por el "pensamiento crítico" y por "repensar el periodismo". Una de las secciones de este portal se llama 'Mundo consumo': "En la sociedad actual parece que el único acto que da sentido a nuestra vida es el de consumir. ¿Cómo afecta toda la retórica publicitaria en torno a la mercancía a nuestra forma de ver el mundo?, ¿en qué medida toda nuestra existencia viene determinada por una pulsión de compraventa continua que nos lleva a comprender el conjunto de relaciones personales y sociales a partir de los conceptos de marketing?".

A pesar de todo, las marcas ganan poder (Wilensky, 1998). El 2 de diciembre del 2013, en el debate sobre la prensa organizado por la Asociación de Editores de

Diario Españoles, en Madrid, se dialogó en torno a la relación periodismo-anuncio. El presidente de la Asociación Española de Anunciantes, Fernando Amenedo, se inclinó, en su intervención, por un 'seudoperiodismo'. Amenedo hizo su particular pedido a los congregados: "Queremos contenidos *ad hoc* para reforzar mensajes y conocimiento del consumidor". Le secundó la directora de Marketing Corporativo y Marca del Grupo Santander, María Sánchez del Corral, quien se vale de la prensa de prestigio para "asignar relevancia a cualquier marca". La directora de comunicación corporativa y medios de Telefónica, Marisa Navas: "Si la información es el nuevo petróleo del siglo XXI, la publicidad también va a ser una parte decisiva de ese nuevo combustible".

Con tal punto de vista, todos ellos aplauden a los periodistas-anuncio.

.2.1.5 Periodistas-anuncio

Si en *Storytelling: la máquina de fabricar historias y formatear las mentes,* Christian Salmon expone cómo la Administración de George Bush hijo contrató a guionistas de Hollywood para que le ayudaran a vender la Segunda Guerra del Golfo (2003) a la opinión pública estadounidense, ahora nos encontramos con que las multinacionales requieren los servicios del periodista para vender su mercancía. Salmon lo llama así: "El imperio de la propaganda". "Las empresas son organizaciones narrativas", remacha, y llega a la conclusión de que la marca obedece a un relato. Este hecho es criticado por el autor, que siente cierta aversión por la relación de la industria cinematográfica de Los Angeles con el Pentágono: "En el reino de los seudoperiodistas, el público es algo que manipular".

Seudoperiodistas. Otros prefieren el nombre de "periodistas de fuentes" y "publicistas" (fuentes informativas), que cae en la "funcionarización del periodismo", como lo llamaba el reportero Manuel Leguineche (1941-2014), quien renegaba de los comunicados de prensa y de los departamentos de relaciones públicas (Leguineche, 2003: 12). En sus últimos años de vida, Leguineche asistió a la arrolladora fuerza del marketing. Sin ir más lejos, el programa de cursos de formación del Col·legi de Periodistes de Catalunya, gestionado por el Centre de Formació i Desenvolupament, está en buena parte orientado a los comunicadores, en auge: "Storytelling: la força d'una bona historia" ("per establir una connexió emocional amb els consumidors"); "Organització d'esdeveniments" ("part important de l'estratègia de comunicació, vendes i marketing de les empreses"); "Relats promocionals *(branded content)"* ("eines per captar millor l'atenció dels seus clients"); "Gabinets de comunicació 2.0: eines i gestió" ("analitzar casos d'èxit"); "Tècniques de marketing per a autònoms i emprenedors" ("conceptes de l'àrea funcional de marketing que us seran útils per aplicar-los a la vostra pròpia venda o al desenvolupament del vostre projecte d'emprenedoria")…

Esta tendencia viene acompañada de la presencia en anuncios televisivos de los profesionales de la información, práctica cada vez más extendida, pese a la prohibición expresa de la "declaració de principis" (artículo 7), aprobada en 1992 por el Col·legi de Periodistes de Catalunya:

> No s'ha de simultaniejar l'exercici de l'activitat periodística amb altres activitats professionals incompatibles amb la deontologia de la informació, com la publicitat, les relacions públiques i les assessories d'imatge, ja sigui en l'àmbit de les institucions o organismes públics, com en entitats privades.
>
> (Col·legi de Periodistes de Catalunya, 1992)

En noviembre del 2009, el profesor emérito de la Universitat Autònoma de Barcelona Manel López envió una carta a los afiliados del Col·legi de Periodistes de Catalunya. La misiva pretendía instar al decano, a la sazón Josep Carles Rius, para que tomara las medidas oportunas frente a la deriva de los periodistas-anuncio. En el asunto: "signatures per la decència professional contra periodistes que fan publicitat".

> Benvolgut companya/company:
>
> En l'exercici de la responsabilitat professional que hem de recolzar des dels àmbits sindicals i acadèmics demano la teva signatura a una petició al degà del Col·legi de Periodistes de Catalunya per a que intervingui davant de l'increment de periodistes que estan participant en anuncis publicitaris sense respectar l'article 7 del codi deontològic de la professió periodística de Catalunya, que és el principal instrument ètic de la nostra corporació i que s'ha constituït, o ha de ser-ho, en un contracte amb la societat per evidenciar el nostre compromís amb el periodisme.
>
> En aquest cas volem cridar l'atenció sobre la periodista Olga Viza, que està protagonitzant anuncis de la institució ING Direct i, al mateix temps, és sòcia del Col·legi de Periodistes de Catalunya i exerceix la professió en àmbits nacionals.
>
> La sòcia Olga Viza ha estat protagonista de diferents debats en que s'ha preguntat com és que una periodista pot fer publicitat i perquè ningú ho impedeix o denuncia. Potser ha arribat el moment de resoldre aquest cas i, de pas, informar a la resta de companys i companyes que estan en aquesta situació que és absolutament incompatible l'exercici del periodisme i l'exercici de la publicitat.
>
> En aquest sentit et demano que signis la següent petició:
>
> *Al Degà del Col·legi de Periodistes de Catalunya, Josep Carles Rius.*
>
> *Benvolgut Degà, cridem la teva atenció sobre la nostra consòcia Olga Viza, que, essent membre del col·legi que presideixes, està fent campanyes publicitàries per la societat ING Direct, contravinent l'article 7 del nostre Codi Ètic, que diu:*

Codi deontològic. Declaració de principis de la professió periodística a Catalunya:

> *7. No acceptar mai retribucions o gratificacions de tercers per promoure, orientar, influir o haver publicat informacions o opinions. En tot cas, no s'ha de simultaniejar l'exercici de l'activitat periodística amb altres activitats professionals incompatibles amb la deontologia de la informació, com la publicitat, les relacions públiques i les assessories d'imatge, ja sigui en l'àmbit de les institucions o organismes públics, com en entitats privades.*
>
> *El motiu de la present és demanar-te que el Col·legi iniciï el més aviat possible les gestions oportunes per a que aquesta situació sigui resolta de la manera més adient, deixant fora de l'entitat a Olga Viza, convidant-la a apartar-se ella mateixa o obrint el correponent expedient informatiu que doni pas a un expedient sancionador per a la seva expulsió. D'aquestes accions considerem que s'ha d'informar a l'opinió pública per deixar ben clar que el Col·legi de Periodistes de Catalunya s'esmerça en defensar el Codi Deontològic com a instrument de defensa professional i de decència social.*

(López, 2009)

Ante esta inquietud, el punto 7 de la declaración de principios de la profesión periodística en Catalunya deja patente la incompatibilidad entre el ejercicio del periodismo y el ámbito del marketing y la publicidad.

> No se pueden aceptar nunca retribuciones o gratificaciones de terceros para promover, orientar o publicar informaciones y opiniones. La recepción de obsequios promocionales o conmemorativos no puede ir más allá del criterio estricto de la cortesía, según los baremos establecidos por las organizaciones periodísticas.
>
> Tampoco es admisible simultanear el ejercicio del periodismo con otras actividades remuneradas que pongan en peligro los principios de veracidad e independencia. Hay que rechazar las fórmulas de promoción o publicidad bajo la apariencia deliberada de informaciones periodísticas.
>
> Como normal general, los profesionales de la información deben evitar cualquier situación de conflicto de intereses, ya sea de ámbito político, comercial, económico, financiero o familiar que ponga en cuestión la credibilidad e imparcialidad de su función.
>
> (http://fcic.periodistes.org/wp-content/uploads/2016/04/FULLETÓ-CIC-CAST-def.pdf)

Asimismo, uno de los principios del código deontológico de la Federación de Asociaciones de Periodistas de España (FAPE) es la separación entre la propaganda encubierta-publicidad, que persuade, y el periodismo, que informa.

A fin de no inducir a error o confusión de los usuarios, el periodista está obligado a realizar una distinción formal y rigurosa entre la información y la publicidad. Por ello, se entiende éticamente incompatible el ejercicio simultáneo de las profesiones periodísticas y publicitarias. Igualmente, esta incompatibilidad se extenderá a todas aquellas actividades relativas a la comunicación social que supongan un conflicto de intereses con el ejercicio de la profesión periodística y sus principios y normas deontológicas.

(FAPE, 1993)

En lo referido anteriormente, el código europeo de deontología del periodismo, de 1 de julio del 1993, se explaya en cuestiones éticas, a las que les da suma importancia. Según el artículo 29, "se evitará llegar a una connivencia tal [con los poderes públicos y privados] que pueda repercutir en la independencia y la imparcialidad del periodismo". Y el artículo 8 del malogrado Estatuto del Periodista Profesional, de 23 de abril del 2004, prevé una serie de incompatibilidades. Taxativo: "El ejercicio de la profesión periodística es incompatible con el desempeño del ejercicio profesional de la actividad publicitaria, de marketing y relaciones públicas". El Estatuto del Periodista Profesional se nutre del Decreto 744/1967, de 13 de abril, por el que se aprueba el texto refundido del Estatuto de la Profesión Periodística.

Art. 10

El ejercicio activo de la profesión periodística es incompatible con las actividades de agente o gestor de publicidad y con cualquiera otra que, directa o indirectamente, entrañe intereses que impidan la objetividad y el servicio del interés general en los trabajos informativos.

Con todo, y en este marco, aumenta el elenco de periodistas-anuncio, actores-periodistas que anuncian detergentes, yogures y entidades financieras: Susanna Griso (Actimel de Danone, lácteo); Antonio Lobato (Motorcraft, automoción); Carme Chaparro (Sensodyne Pro Esmalte, dentífrico, y BBVA, banco); Sara Carbonero (Pantene, champú); Matías Prats (Línea Directa, aseguradora); Pedro Piqueras (Gallina Blanca, empresa de alimentación); Marta Robles y Lourdes Maldonado (Olay, crema antiarrugas); Manolo Lama (Navidul, jamones); Manu Carreño (LBapuestas, juegos de azar); David Cantero (Jazztel, telefonía móvil); Ana Rosa Quintana (Danone, lácteos); Cristina Villanueva (Banco Santander), Mónica Carrillo (L'Oréal, cosméticos), Carlos del Amor (Mahou, cerveza), Rosa María Mateo (Mahou, cerveza), Josep Pedrerol (Jazztel, telefonía), Anne Igartiburu (Janira Secrets, corsetería), Óscar Castellanos (Fintonic, móviles), etcétera. Algo "nefasto", como reconoce la Federación de Asociaciones de Periodistas de España, y algo que daña el prestigio de los presentadores de televisión (Urbaneja, 2010). En mitad del programa *Más vale tarde* (La Sexta), el periodista Manu Marlasca vende las ofertas de la clínica dental Dentix. En internet es fácil encontrar reclamaciones de usuarios: "Incoado expediente sancionador a Dentix por el Departamento de Salud del Gobierno Vasco: El Consejo Vasco de Dentistas quiere informar a la población del País Vasco sobre las denuncias que ha presentado en la Comisión de Publicidad del Departamento de Salud del Gobierno Vasco respecto a las publicidades que Dentix ha venido realizando en los últimos meses en Araba, Bizkaia y Gipuzkoa, por presunta publicidad engañosa y deficiente, que ha provocado que dicha comisión haya incoado, el 25 de febrero del 2014, un expediente sancionador". La presentadora del espacio dedicado al tiempo en los informativos de Cuatro, Laura Madrueño, también vende los productos de Dentix después del parte meteorológico. En el 2014, la Comisión de Arbitraje, Quejas y Deontología del Periodismo, órgano de autorregulación y autocontrol de la FAPE, dictó una resolución sobre el deber del periodista de no simultanear actividades periodísticas con su aparición en reclamos publicitarios. El *rey* de la televisión estadounidense, Walter Cronkite, lo dejó escrito en sus memorias *(Memorias de un reportero),* y esta oración cae como una maza: "Un presentador de noticias no puede hacer anuncios" (Cronkite, 1997: 433).

La publicidad y los gestores, y sobre todo en el espacio digital, han ganado la batalla a los periodistas (Coulter, 2011): "…si su hijo le dice que quiere ser periodista, dígale que se haga relaciones públicas —la segunda industria de Gran Bretaña, y en aumento—, con lo que tendrá más futuro y sueldo. […] Está bien que haya relaciones públicas, el problema es que solo haya relaciones públicas. Y no es un problema solo de los periodistas, sino de los ciudadanos: las democracias vamos camino de no tener más fuentes de información que las interesadas". En España, solo el 34% de los periodistas trabaja en prensa escrita, según el informe anual de la profesión periodística de la Asociación de la Prensa de Madrid (2010).

Los gabinetes de prensa de las empresas y de las instituciones fichan a periodistas con años de experiencia. "El objetivo parece claro: que las marcas aparezcan en los contenidos que los profesionales de la información realizan", publica Dircomfidencial en "Los periodistas, objetivo prioritario de la publicidad". Los gabinetes de prensa de las empresas y de las instituciones fichan a periodistas para hacer lo contrario de lo que han hecho en las redacciones: para tratar la información "en positivo". "Es la voz de la empresa hacia la comunidad, una voz positiva", escribe la periodista digital Tania Lucía Cobos. Por ejemplo, la página alcaldes. eu, con información municipal, promueve una "visión positiva" de la política (la comunicación, a cargo de la agencia Presston Comunicació Int.).

En el sector público, el ministro de Economía del Gobierno de España, Luis de Guindos, ha fichado para su gabinete de prensa a la veterana periodista de *El País* Concha Martín. El ministro de Industria, Energía y Turismo, José Manuel Soria, ficha a la periodista de Intereconomía María Zabay. El ex ministro de Justicia, Alberto Ruiz-Gallardón, ficha a la periodista de *La Gaceta* Elena Marín…

En el sector privado, Coca-Cola España ficha a la presentadora de los informativos de Tele 5 Leticia Iglesias. El periodista de *El Mundo* Jesús Alcaide ficha por el gabinete de comunicación del Real Madrid Club de Fútbol. Seguros médicos Néctar ficha a la periodista de La Sexta Thais Villas. Inditex ficha al periodista de *ABC* Juan Cierco. Banco Popular ficha al periodista de TVE Pedro Carreño...

Por no hablar de los periodistas consagrados que ceden su imagen para las campañas de promoción de las entidades bancarias: Banco Pastor ficha al periodista Fernando Ónega ("aquí estamos"). ING Direct ficha al periodista Matías Prats ("cuenta naranja"). Banco Sabadell ficha a los periodistas John Carling, Gemma Nierga, Àngels Barceló y Julia Otero (campañas "cerca" y "conversaciones del Banco Sabadell")... "El nostre concepte de banca passa per les persones, i en el seu moment, vam trobar encertat posar als nostres anuncis un intercanvi d'impressions o una pura entrevista. És aleshores quan decidim recórrer a la figura d'un periodista", justifica Ramon Domènech, director de marketing de Banco Sabadell, entrevistado por Lluís Arcal en la revista *Capçalera* ("Qüestió de límits", en el número 169, de septiembre del 2015). "No volíem transgredir els nostres valors, professionalitat i seriositat, però notàvem que érem irrellevants. Amb els periodistes hem mantingut els dos primers i hem incrementat en innovació, actualitat... Vaja, que hem sortit a la palestra!"

Por consiguiente, la línea que separa el periodismo de la publicidad es muy fina. "Los códigos deontológicos prescriben la incompatibilidad entre el periodismo y la publicidad, pero las organizaciones profesionales no han podido garantizar su cumplimiento. Hace años que, en la radio, presentadores y comentaristas dan entrada a los anuncios o los hacen directamente, sobre todo en las transmisiones deportivas. La mancha de aceite se ha extendido en otros medios y temas. [...] Presentadores de programas informativos, comentaristas, reporteros, articulistas..., todos de primer nivel y sin discriminación de género. Cuando los líderes profesionales pasan líneas rojas es que la cultura profesional está cambiando. Hay que tomar nota", escribe en *eldiario.es* el catedrático del Departament de Comunicació de la Universitat Pompeu Fabra y coordinador del Grupo de Recerca en Periodisme, Jaume Guillamet, que denuncia los "periodistas-anuncio" en su apreciación periodística.

De lo anterior se desprende que los periodistas se convierten en una especie de *dircom,* directores de comunicación, gestores. Y algunos periodistas simultanean su labor, además, con cargos públicos en las instituciones políticas. En 1980, José Ramón Alonso era tanto director del diario madrileño *Pueblo* como del organismo público Medios de Comunicación Social del Estado (antigua Prensa del Movimiento).

El 20 de abril del 2016, se presentó en el Col·legi de Periodistes de Catalunya el manual "Periodistas que hacen publicidad: conflicto de intereses", recomendaciones del Consell de la Informació de Catalunya. "Cada vez más, el público pide información sobre la información, qué criterios editoriales justifican unas acciones determinadas, y esta es una demanda legítima. De aquí su perplejidad y rechazo cuando observa que destacadas figuras del periodismo ponen su imagen y su voz al servicio de marcas y productos comerciales", se cuenta en la introducción. La periodista cultural Dolors Massot presidió el acto y transmitió su preocupación por la mezcla de periodismo y publicidad, algo que repele ("denigrant"). "Así, pues, se considera conveniente poner el foco de forma prioritaria en la obligación de separar escrupulosa e inconfundiblemente información y publicidad. La publicidad difundida por periodistas famosos sería así una casuística específica de la transgresión de un principio básico."

.2.1.6 'El periodista light'

El anterior apartado de periodistas-anuncio nos da pie para examinar el *periodismo light*. De alguna manera, *el periodista light* se movería más por parámetros de productividad (rentabilidad) que por el rigor periodístico (objetividad). Según la socióloga Gaye Tuchman, la objetividad (cuestionamiento de los hechos) puede ser un "ritual estratégico": *"objetividad* puede verse como ritual estratégico de protección para los periodistas ante los riesgos de su actividad profesional". El sociólogo Mauro Wolf coincide en que los hombres propenden a la brevedad, la simplicidad, la relajación en los criterios: "Las acciones de la masa apuntan directamente a su meta e intentan llegar a ella por la vía más breve: esto hace que lo que las domine sea siempre *una única idea,* la más sencilla posible" (Wolf, 1987: 11). Así, pues, *el periodista light* se ve abocado a los textos cortos, al breve. Para el novelista y Premio Nobel de Literatura Mario Vargas Llosa, autor de *La civilización del espectáculo* (Alfaguara, 2012), es obvio: "Nos hunden *el periodismo light* y el desprestigio político". El mismo Vargas Llosa, en el lanzamiento de su novela *Cinco esquinas,* sobre el poder y la prensa, afirmó, el 1 de marzo del 2016, en Casa América, en Madrid: "Este oficio [periodismo] es una forma de aventura que me entusiasma y, como a todos los periodistas de vocación, me apena su actual deriva". Las noticias que proporciona *el periodista light* son "noticias ligeras" *(Jet-set)* y forman parte de lo que también se denomina, por extensión, la "cultura *light*" y que el escritor Domingo Argüelles desglosa en "La cultura *light* como pan caliente y la publicidad como periodismo". Argüelles, en su relato, entiende que el resultante de este tipo de profesional estará hecho a su imagen y semejanza: *artículos light, reseñas light, columnas light...* (Argüelles, 2001: 8). Mucho más duras se muestran las periodistas mexicanas Rosalinda Gámez y Ana Imelda Coronel, en el estudio "Periodismo de investigación: mirada desde la realidad". El polo opuesto a la investigación sería el *periodismo light:*

> ...el periodismo frívolo, trivial y superficial, que parece ser parte del "menú posmoderno" destinado a los consumidores masivos de modas, novedades y cualquier cosa ligera que los aleje de la casa vez más incómoda y difícil tarea de

tener que pensar y preocuparse por los problemas de la vida real. ¿O ustedes creen que es periodismo investigativo lo que hicieron muchos medios de comunicación en Estados Unidos, principalmente la televisión, con el escándalo sexual Clinton-Lewinsky?

(Gámez y Coronel, 2009: 81)

Algo que también comparte la investigadora colombiana Ana María Botero Tabares en "Respuesta de los lectores del portal web de la revista *Semana* a los contenidos periodísticos de investigación y contenidos *light*" (2013). En la ponencia "Medios de comunicación y vida pública", presentada al encuentro mundial del tercer sector, en Cartagena de Indias (Colombia), en el 2000, Germán Rey ya vislumbraba la "degradación" del oficio:

…la pérdida de densidad del análisis y la propensión hacia un periodismo *light,* la banalización de la información, la insistencia en una brevedad que se acomode supuestamente a las nuevas rutinas de la gente como a su aparente falta de tiempo para la lectura. La tensión entre memoria e instantaneidad mediática, el énfasis en un pensamiento único y la poca circulación de información local y regional (o su conversión a unas pautas centrales de información) son otras características de un periodismo que se debate y critica en muchos países del continente.

(Rey, 2000: 5)

El periodista light enlazaría con el *periodista low cost.*

.2.1.7 Periodismo 'low cost' en la era de internet, en la globalización

Con la implosión de la globalización, como consecuencia, en buena parte, de la popularización de internet, las empresas han tenido que adaptarse a un mercado que amplía sus horizontes.

En España, y en el marco de la crisis económica que comenzó en el 2008, muchas empresas han prescindido de personal; en varios casos, por una cuestión de supervivencia del negocio, y en otros, por la adopción de un modelo agónico que se ha generalizado: el *low cost,* más por menos. Su filosofía es que si dos personas pueden hacer el trabajo de tres personas, tanto mejor (Valls, 2010). El resultado: la precariedad laboral y la mala calidad del producto final. Y también el enriquecimiento rápido para algunos. Así es como ven la situación Espina, Pellicero, Ellakuría, Casasús, De la Plat, Calaf y varios otros profesionales de los medios, que firmaron el artículo "El periodismo visto por los periodistas", publicado en la revista *El Ciervo* (2009). En este artículo se contrapone el "barato" periodismo *low cost* al periodismo de rigor, comprometido con la verdad, al servicio de la sociedad.

La periodista Mariana Vilnitzky en "Salarios precarios: periodismo precario", publicado en el número 28 de *Pueblos,* en septiembre del 2007:

> La ya afincada costumbre de que un mismo periodista haga el trabajo de tres y la necesaria rapidez que exige la falta de mano de obra hará que muchas veces los periodistas terminen prácticamente copiando y pegando (o como mucho cambiando comas y sinónimos) artículos pensados sigilosamente, con tiempo, desde las oficinas de los gabinetes de prensa y marketing.
>
> (Vilnitzky, 2007: 19)

Según Herrera Chuquirima (2012), algunas multinacionales han incentivado la estrategia del *low cost* y la han puesto en práctica. (Herrera Chuquirima y Pacheco Guamán analizan el caso de la empresa de envío de dinero y paquetería Latin Travel: "Para ingresar en el mercado se aplicará la estrategia de penetración de costos bajos".) Sociedad, pues, de "bajo coste". Ya es un hábito el hecho de remirar las ofertas, compararlas y escoger la que más se adapta a nuestras necesidades. "Se prevé un aumento de las compras, pero la racionalidad y el *low cost* ya son un hábito", subtitulaba *La Vanguardia* en un artículo de Cristina Sen sobre "el impacto de la crisis", en la sección de Tendencias del 22 de diciembre del 2014.

> Las hojas del calendario han ido cayendo y llega ya la octava Navidad de esta larga crisis. Se atisban previsiones de crecimiento económico para España pero, tras un periodo tan largo, hay cosas que han arraigado en la psicología colectiva del ciudadano y, sobre todo, en su forma de comprar y consumir. Llega la octava Navidad y nadie va a tirar la casa por la ventana aunque se diga que el horizonte está más despejado. La racionalidad se ha impuesto en la compra, y el *low cost* se ha extendido por todo el país.
>
> (Sen, 2014: 22)

Sabíamos de la existencia del turismo *low cost,* sobre el cual giran continuamente los debates en el consistorio barcelonés; en agosto del 2014, numerosos vecinos de la Barceloneta se manifestaron contra el tipo de turista que "invadía" su barrio. Pero el *low cost* afecta a otras áreas, incluidas las del saber. Existen gimnasios *low cost,* acupuntura *low cost,* despachos de abogados *low cost,* gasolineras *low cost,* copisterías *low cost,* trasteros *low cost,* detectores de minas *low cost,* viajeros *low cost...* Y librerías *low cost* (www.re-read.com). Y políticos *low cost* ("Los alcaldes de la 'nueva política' [...] quieren bajarse el sueldo", en *La Vanguardia,* el 28 de junio del 2015). Y aerolíneas *low cost...* "El modelo de bajo coste se impone entre las aerolíneas europeas, liderado por las *low cost* puras Ryanair e EasyJet, y al que se han sumado los grandes grupos herederos de las compañías de bandera para rentabilizar sus rutas de corto y medio radio. Mientras IAG, matriz de Airways e Iberia, optó por la compra de Vueling en el 2014, grupos como Lufthansa y Air France-KLM se han concentrado en los últimos años en sus propias marcas de bajo coste: Germanwings y Transavia, respectivamente. En España, las aerolíneas de bajo coste han llegado a captar cerca de la mitad del mercado aéreo y, en el 2014, el 47,9% de los pasajeros extranjeros que aterrizaron en los aeropuertos españoles volaron en compañías *low cost*", escribía la periodista Aintzane Gastesi en el artículo "La *low cost* de Lufthansa está en plena *reestructuración* [ver Anexo IV: "reestructurar la deuda"]", publicado en *La Vanguardia,* el 25 de marzo del 2015. El día anterior, el 24 de marzo, el Airbus de la compañía de bajo coste Germanwings, que volaba de Barcelona a Dusseldorf (Alemania), se había estrellado en los Alpes (Francia). Sin supervivientes: 150 fallecidos. Continúa Aintzane: "Lufthansa y sus filiales Germanwings y Lufthansa Cargo llevan varios meses sumidos en un conflicto laboral por la reforma de la jubilación anticipada a la que podrían optar más de 5.400 pilotos y por la política salarial de la filial de bajo coste. En una estrategia similar a las que han realizado las grandes aerolíneas europeas, el traspaso de gran parte de las rutas europeas a Germanwings desató importantes conflictos laborales que se han recrudecido en los últimos meses". Y ya existen supermercados *low cost.* "Sus empleados son pobres", confiesa un trabajador sobre los grandes almacenes estadounidenses *low cost* Wal-Mart, en el documental de Robert Greenwald *Wal-Mart: The High Cost of Low Price* (2005).

Al tratar el tema se revela que en el periodismo, el *low cost* ya ha llegado.

> "Frente a la crítica [...] hacia los periodistas que acuden, toman notas y redactan, podemos enfrentar la de quienes, sin tan siquiera salir de la redacción, se dedican a copiar y pegar los textos de las notas de prensa oficiales que fluyen desde los diferentes organismos e insertan las fotografías regaladas independientemente de su calidad. El resultado: periodismo de bajo coste."
> Luis Izquierdo en el artículo "La extensión del periodismo de bajo coste en la prensa local y sus riesgos", publicado en *Textual & Visual Media 3,* el 10 de mayo del 2010

> "el hecho de que los periodistas se dediquen únicamente a copiar y pegar los teletipos de las agencias puede tener una explicación muy sencilla. En primer lugar, se está despidiendo a la gente a porrillo, no solamente en los periódicos, radios y televisiones, sino en prácticamente todos los ámbitos empresariales del primer mundo. Pero los periódicos quieren seguir saliendo con el mismo número de páginas, y las televisiones emitir el mismo número de horas por día.

Así que, ahora, un solo periodista tiene que encargarse de realizar el trabajo que anteriormente realizaban dos o tres. ¿En qué tardaría más? ¿En elaborar una noticia documentada y redactada con cuidado o en copiar diez o veinte teletipos?"

Elías Gómez en el artículo "Neoperiodismo", publicado en el blog *lalengua.info,* el 1 de septiembre del 2009

Ahora se dan, supuestamente, mayores facilidades para la acumulación de contenidos. En este aspecto destacan los lectores o recopiladores de noticias, conocidos popularmente como *agregadores de contenidos,* los cuales recolectan las publicaciones de webs y blogs. "Es una forma de tener las últimas novedades de distintas páginas en una sola ventana, sin tener que visitar cada una de ellas", se especifica en la Fundación del Español Urgente (Fundéu). "La aportación de valor es la clave y muy raro será que un servicio basado solo en un 'copia y pega', por muy sofisticado que sea, pueda llegar a justificarse a sí mismo…, y menos a estas alturas de saturación", anhela el informático Fernando Plaza en el artículo "Utilidad y monetización de los agregadores de contenido".

El artículo "Las tendencias de los periodistas de la generación del milenio", firmado por Dena Levitz en la página web de International Center for Journalists (red de periodistas internacionales), establece una mecanización del copia y pega:

Cada vez más sitios están ofreciendo tuits sugeridos, *hashtags* o componentes específicos para copiar y pegar en las redes sociales (y no el tipo de tuit que solo incluye el título y el enlace al artículo, sino un tuit mucho más humano). Por ejemplo, *Los Angeles Times* ha empezado a incluir 'líneas para compartir', que consisten en fragmentos ágiles de texto que pueden convertirse en tuits y que, a la vez, te llevan al corazón de la historia.

(Levitz, 2015)

Es un hecho que en la lucha contra el copia y pega periodístico se van dando pasos. España es el primer país del mundo en el que se ha cerrado el servicio de Google News, debido a la nueva Ley de Propiedad Intelectual (en vigor desde el 1 de enero del 2015), que prevé compensaciones económicas a los editores si los agregadores indexan contenidos de los diarios, es decir, si copian.

Comunicado de Google España con su versión sobre el fin del servicio desde el 16 de diciembre del 2014:

Lamentamos tener que informarte que Google Noticias ha cerrado en España y que las publicaciones de los editores españoles ya no aparecen en

Google Noticias, a raíz de los recientes cambios en la legislación española. Comprendemos que usuarios como tú podáis estar descontentos con esta nueva situación y por ello queremos explicarte las razones por las cuales hemos tomado esta decisión.

Google Noticias es un servicio gratuito, que utilizan y aprecian millones de usuarios de todo el mundo y que en la actualidad se encuentra disponible en más de 70 ediciones internacionales y en 35 idiomas. Incluye desde los periódicos nacionales, hasta las pequeñas publicaciones locales, medios especializados y blogs. Los editores pueden elegir si quieren que sus artículos aparezcan en Google Noticias o no y, por razones de peso, la inmensa mayoría opta por su inclusión. Google Noticias crea un verdadero valor para estas publicaciones al dirigir tráfico de usuarios a sus sitios web, lo que a su vez les ayuda a generar ingresos publicitarios. Tras la aprobación de la reforma de la Ley de Propiedad Intelectual hemos tenido que cerrar el servicio de Google Noticias en España. Esta nueva legislación obliga a cualquier publicación española a cobrar, quiera o no, a servicios como Google Noticias por mostrar el más mínimo fragmento de sus publicaciones. Dado que Google Noticias es un servicio que no genera ingresos (no mostramos publicidad en el sitio web), este nuevo enfoque resulta sencillamente insostenible.

Desde Google vamos a seguir manteniendo nuestro compromiso de ayudar y trabajar con el sector de la información, al igual que con nuestros miles de socios en todo el mundo, incluidos los de España, para ayudarles a incrementar sus lectores e ingresos en internet.

(Google, 2014)

Las derivaciones del periodismo *low cost* incluyen la sustitución del periodista por robots, como ya pedían los autores del informe *Post-Industrial Journalism: Adapting to the Present*. "La empresa Narrative Science cuenta con una plataforma de inteligencia artificial que es capaz de tomar datos y convertirlos en artículos en cuestión de segundos. Automatiza la producción de noticias en sectores como los deportes o las finanzas, que, generalmente, siguen un mismo patrón en torno a las estadísticas. Por supuesto, no emplea periodistas en esa labor", publica el blog sobre comunicación *233 grados*. "El profesor invitado de la Universidad de Stanford [Evgeny Morozov] entiende que la tecnología desarrollada por compañías como Narrative Science podría servir para abaratar los costos de los editores y para que los periodistas dediquen su tiempo en trabajos de mayor interés analítico. Pero también representa un gran problema; el de generar un sistema donde no existen 'lectores anónimos', ideal para los anunciantes, pero donde 'el pensamiento crítico, erudito y poco convencional puede llegar a ser más difícil de cuidar y preservar'."

Del mismo modo, el profesor Christer Clerwall, de la Universidad de Karlstad, en Suecia, asegura que, en un futuro no muy lejano, el contenido periodístico, en buena medida, será generado por ordenadores. "Las máquinas son más efectivas cuando se trata de trabajar con gran cantidad de datos", escribe la periodista Miriam Garcimartin. "Dentro de pocos años no será nada raro ver cómo una serie de algoritmos debidamente programados en robots escriben las noticias y las publican en los medios de comunicación en cuestión de minutos", se felicita *Lavanguardia.com.*

A pesar de ello, algunos medios y agencias de noticias ya se están adaptando. *Los Angeles Times* ya está aplicando estas medidas robotizadas, con el periodista Ben Welsh en el puesto de editor de la 'Data Desk' (análisis de datos). En agosto del 2014, la agencia Associated Press comenzó a emplear paulatinamente programas algorítmicos para elaborar ciertas noticias convencionales, principalmente sobre resultados económicos. "Según el vicepresidente y director gerente de la agencia, Lou Ferrara, al implantar estos sistemas, su objetivo es: 'Ofrecer 4.400 noticias automáticamente', multiplicando por más de diez su capacidad anterior de producción." El editorial del *Diari Ara* del 8 de febrero del 2015, titulado "La intel·ligència artificial i el futur de la humanitat", ahonda en este terreno: "Hem sigut capaços de construir robots que no cauen en caminar, [...] sí que s'ha avançat molt en el disseny de sistemes que, reproduint amb logaritmes algunes funcions humanes, poden permetre a les màquines prendre decisions per elles mateixes". En el mismo diario *Ara,* en un artículo traducido de *The New York Times,* se abre un debate "de futuro" sobre la "inteligencia artificial": "Aquest comitè [de investigadores de la Universidad de Stanford] serà l'encarregat d'escollir un grup d'especialistes que elaboraran un informe sobre la intel·ligència artificial i els seus efectes [...]. En un primer esborrany del projecte [el presidente de la Association for the Advancement of Artificial Intelligence Eric] Horvitz va establir 18 camps d'estudi que en un principi s'inclour0an a l'informe, com el dret, l'ètica, l'economia, la guerra i el crim. En el futur s'elaboraran altres informes de manera periòdica". "Un estudio recogido por *New York Review of Books,* sobre el futuro de los hombres y las máquinas, asegura que dentro de veinte años el 50% de los trabajos serán responsabilidad de los robots. *Mecanización* que alcanzará también a los mismos programadores informáticos, con máquinas capaces de programarse a sí mismas. Es la inteligencia artificial que se alimenta a sí misma. Con robots para el hogar y robots para la guerra; robots en la oficina y robots en todos lados. ¿Robots políticos también? ¿Gobernando el mundo? Niños robots y máquinas para el placer: ¿Qué es? ¿Qué será en realidad el ser humano? ¿Qué nos distinguirá de la máquina? Quizá nada", se preguntaba Salvador Llopart en las páginas de Cultura de *La Vanguardia,* en el reportaje titulado "La máquina, enemigo íntimo", publicado el 21 de marzo del 2015. El doctor en ingeniería Javier Serrano no lo duda: "Médicos máquina, abogados máquina, enfermeros robots..." *(La Vanguardia,* 2 de septiembre del 2015).

¿Periodistas robots? El ingeniero de telecomunicaciones Martin Ford lo deja caer en *Rise of the Robots: Technology and the Threat of a Jobless Future* (2015).

Con tales disquisiciones, en la edición de *La Vanguardia* del 22 de marzo del 2015, la periodista Mayte Rius publicaba, en la sección de Tendencias, el artículo: "Humanos en peligro de extinción", que evocaba la idea que Karl Marx plasma en el capítulo XIII de *El capital:* "...la producción capitalista solo sabe desarrollar la técnica y la combinación del proceso social de producción socavando al mismo tiempo las dos fuentes originales de toda riqueza: la tierra y el hombre". Capitalismo contra la tierra. Capitalismo contra el hombre.

En opinión de Mayte Rius, escrito en *La Vanguardia:* "En realidad, dicen algunos científicos, el debate sobre la interacción de las personas con las máquinas y la supremacía de unos u otros no dista tanto del que se arrastra desde la época de Darwin respecto a los animales, avivado en las últimas décadas con el auge de la etología y las evidencias científicas de que la memoria, la comunicación, la capacidad de aprendizaje, el sentido de la justicia, la envidia, los celos, la solidaridad, la cooperación, la empatía y el cariño son rasgos compartidos por muchas especies animales". Debate anterior a Charles Darwin *(La expresión de las emociones en el hombre y en los animales).* En su *Discurso del método para conducir bien la razón y buscar la verdad en las ciencias,* el matemático René Descartes escribe, en 1637: "Si hubiera otras [máquinas] semejantes a nuestros cuerpos y que imitasen nuestras acciones cuanto fuere moralmente posible, siempre tendríamos dos medios seguros de reconocer que no por eso eran hombres verdaderos. El primero sería que jamás podrían usar de las palabras ni de otros signos compuestos de ellas como hacemos nosotros para declarar a los demás nuestros pensamientos. Pues se puede concebir que una máquina esté hecha de tal manera que profiera palabras y aunque pronuncie algunas con ocasión de las acciones corporales que causan algún cambio en sus órganos.... pero no que arregle las palabras de diversos modos para responder según el sentido de cuanto en su presencia se diga como pueden hacer aun los más estúpidos de los hombres". El segundo medio de reconer las máquinas: son falibles. La periodista Mayte Rius volvería a este mismo tema en el artículo titulado "Viviendo con robots", en *La Vanguardia* del 3 de mayo del 2015: "[la investigadora del Institut de Robòtica i Informàtica Industrial Carme] Torras enfatiza la relevancia social de estas cuestiones, convencida de que esta interacción acabará moldeando cómo seremos en el futuro y cómo serán nuestros hijos, pues si el robot de compañía se hace un modelo de ti y te recomienda la música que te gusta, las noticias que sabe que te interesan y los productos que siempre utilizas, puedes acabar encerrado en un mundo muy pequeño". Plataformas de producción de contenidos, como NRD Multimedia, comienzan a ofrecer este tipo de soluciones que nos acercan al pleno mundo virtual: "El sistema de realización automática Ion permite generar contenidos de bajo coste *[low cost]* en entornos corporativos, eventos, administraciones públicas, *broadcasters* de radio y de televisión, tanto en formatos SD/HD/SDI, vídeo compuesto o IP, mediante un *software* inteligente que hace la realización de su programa de televisión sin necesidad de operadores". Entiéndase por operadores, periodistas. Nuevamente, el *low cost.*

Aunque la manipulación robótica en periodismo, como se lee, puede derivar en plagio, tal y como ocurrió en los artículos que publicó *Chicago Tribune* en el 2012. *Periodismo ciudadano* se hizo eco de la noticia:

"Granjas de contenido en Asia producen noticias locales de EE. UU.", titulábamos hace apenas un par de semanas para hablar de Journatic, empresa dedicada a ofrecer contenidos periodísticos a los medios, con el *Chicago Tribune* al frente de su lista de clientes de relevancia. Journatic —explicábamos— vende informaciones generadas por robots o algoritmos y editores escasamente retribuidos, ubicados en Filipinas. Y el *Tribune* usaba los servicios de esta empresa para nutrir su red hiperlocal TribLocal. Y decimos *usaba* porque, como informan en Poynter, el diario ha decidido romper su relación con esa empresa.

(Lajas Portillo, 2012)

Esta es la justificación publicada por el presidente del Chicago Tribune Media Group, Vicen Casanova:

Como resultado de graves violaciones de las normas periodísticas de *The Chicago Tribune,* hemos suspendido indefinidamente el uso de Journatic como proveedor de contenidos editoriales para las publicaciones suburbanas de TribLocal. Hemos tomado la decisión después de que el viernes se supiera que una noticia sobre deportes publicada en *Deerfield TribLocal* contenía elementos que fueron plagiados y fabricados.

(Casanova, 2012)

En la tesis del profesor de la Universitat Ramon Llull Juan Pablo Capilla, *El debate epistemológico en el periodismo informativo. Realidad y verdad en la información,* menciona la *forma humana* que los robots consiguen darle a los contenidos periodísticos.

No extraña que, al calor de este paradigma, se lance la idea de robotizar funciones de los medios informativos, como se planteó en la GEN Summit (Global Editors Network) celebrada en Barcelona en junio de 2014. Bertrand Pecquerie, consejero delegado de la GEN Summit, decía en el diario *La Vanguardia:* "En Estados Unidos hay diarios que compran una parte de su producción de noticias a empresas que comercializan artículos escritos por robots. Se trata de pequeños artículos que simplemente presentan una serie de datos conforme a cierta estructura narrativa. Resultados de partidos deportivos y presentación de balances son dos de los tipos de informaciones que más se crean de forma automatizada". Estos robots extraen datos de una base y les dan una *forma humana,* esto es, una narración, según indica Larry Birnbaum, codirector del laboratorio de información inteligente de la Northwestern University de Chicago.

(Capilla, 2015: 452. La cursiva, del autor.)

El cometido del periodista, según Juan Pablo Capilla, quedaría en el aire. La periodista Gina Tosas encabezó así su artículo: "El robot periodista, más realidad que ficción. El congreso GEN Summit debate en Barcelona la posibilidad de que los programas informáticos capaces de escribir historias desplacen a los profesionales" *(LV,* 12/vi/2014). En general, el Col·legi de Periodistes de Catalunya anima a debatir sobre las tareas de estos robots en un futuro "periodismo automatizado" (Rovira, 2015). La vía por la que la mecanización, la robotización, se asienta en los diarios es el breve, esos "pequeños artículos" a los que se refería el consejero de Global Editors Network Bertrand Pecquerie.

.2.2 El breve

.2.2.1 Orígenes y variedades del breve

La entrada en español de "la enciclopedia libre" Wikipedia (es.wikipedia.org) sintetiza de esta manera el *breve,* descripción que no comparte del todo este investigador:

> El breve es un género periodístico que se caracteriza por su brevedad y concisión. Se podría decir que se trata de una noticia resumida, en la que se mantienen únicamente los datos más relevantes. Normalmente estos datos responden a las seis preguntas básicas del periodismo (qué, quién, dónde, cómo, cuándo y porqué). Esta fórmula periodística es ampliamente utilizada por todos los medios de comunicación en la actualidad, ya que estos se rigen con frecuencia por la instantaneidad y el ritmo vertiginoso de informaciones más que por la reflexión sosegada.
>
> Se puede hacer una distinción entre los breves utilizados en prensa escrita y los utilizados en los medios audiovisuales.
>
> Prensa: no suelen ocupar más de un párrafo y están colocados normalmente en los márgenes de las páginas. Se suelen reservar a noticias menos relevantes y que merecen un grado de análisis y profundización menor que otras noticias de mayor calado social. Podemos distinguir tres funciones de los breves escritos de los periódicos. En primer lugar, responden a una "economía de espacio", es decir, permiten incorporar en el mínimo espacio posible el máximo número de informaciones. De esta forma, el género surgiría con la idea de aprovechar los espacios. Una segunda función que se les puede atribuir es la de hacer que la página del periódico sea más atractiva, y de este modo más fácil de leer. Y la tercera de las funciones sería la de conectar temáticamente entre sí dos o más noticias largas de la misma página. Los breves están colocados de un modo estratégico, funcionando como elemento de unión del resto de noticias de la página y dotándola así de continuidad temática.

(En https://es.wikipedia.org/wiki/Breve_period%C3%ADstico)

Para aproximarnos a los orígenes del breve tendríamos que remontarnos a las agencias de noticias, creadas en el siglo XIX, con información piramidal (de más importante a menos importante, según el criterio periodístico de entonces) y telegráfica. Así lo menciona el portal de educación Educarchile, que contiene las "características y estructura de la noticia" (2008):

> Fuentes de la noticia: las agencias
>
> Agencias internacionales de noticias: Estas agencias cumplen la función de recoger y distribuir noticias para los distintos medios de información del mundo. *Sus despachos suelen ser textos breves que no superan las veinte líneas.* Las agencias internacionales de noticias más importantes del mundo son la norteamericana Associated Press y United Press International, la británica Reuters y la francesa Associated France Press, que en conjunto abastecen el 90% de los medios de comunicación social del mundo.
>
> (www.educarchile.cl, 2008. La cursiva, de este investigador.)

El breve como tal no existe en otros medios de comunicación. La radio y la televisión, y la publicidad y el cine, los "grandes narradores" de la actualidad, se conducen como en una "revolución telemática", con una disponibilidad creciente de dispositivos artificiales (Muñoz, 2012). Pero, de alguna manera, el breve está presente en ellos.

Buena parte de las nuevas maneras de comunicar se condensan, hoy en día, en los nuevos operadores: los teléfonos móviles Smartphone (teléfono "inteligente"), verdaderos ordenadores portátiles, "variados, versátiles y completos" (Micó, 2012). Para tener el mundo al alcance de la mano hay que procesar el mundo, digerirlo, empequeñecerlo. Por ello, la tendencia a darlo todo mascado, dosificado, al instante. Este investigador lo llama "el orden wazap", por WhatsApp, la aplicación de mensajería multiplataforma que permite enviar y recibir mensajes por SMS —que significa "short message service"(servicio de mensajes cortos; "rápido, sencillo y personal", como afirma el creador de este tipo de mensajería, Jan Koum; por lo tanto, volátil, sin profundizar, sin mamotretos)—, y por el Nuevo Orden Mundial preconizado por el expresidente de los Estados Unidos George Bush padre, en el Congreso de los Estados Unidos, el 11 de septiembre de 1991, victorioso de la Primera Guerra del Golfo ("Nuevo Orden Mundial en el que diversas naciones se unen por una causa común para lograr las aspiraciones universales de la humanidad: paz y seguridad, libertad y el gobierno por la ley").

En la misma línea, el portal de internet Yahoo! ha comprado una aplicación para resumir textos ideada por un adolescente (con su visión de lo que ha de ser un resumen; "simplificar", dice el chico, Nick D'Aloisio. Es decir, textos de dos líneas en Word, unos ciento cuarenta caracteres con espacios). "La aparición reciente y multiplicada del *smartphone* exige al periodismo párrafo corto", apremia el publicista Ricardo Rabella en el ensayo *El libro del lector* (2016).

En el audiovisual, imperan los "flashes informativos", concebidos como informativos de urgencia, prácticamente teletipos sin editar. Así, el Gobierno de Uruguay está ensayando con sus "audios breves": "Los audios breves son una versión editada de los audios 'en bruto' de una actividad (conferencias, entrevistas, etc.) en la que se destacan las expresiones más relevantes. Los audios están en formato mp3, su extensión es de hasta tres minutos, e incluyen una introducción grabada".

En radio, por ejemplo, cada vez proliferan más las "radios a la carta" que trabajan con documentos multimedia que se pueden descargar en internet: los *podcasts,* "selección de programas cortos para la radio sobre contenidos diversos: biografías, anécdotas históricas, espacios didácticos…". El consorcio de emisoras locales de Lleida EMUN FM Ràdio utiliza estos "quioscos virtuales" en los que colgar sus contenidos.

En televisión, por ejemplo, la CNN es, quizá, la cadena más popular que sigue este método: operativa las 24 horas del día, se basa en coberturas en directo, con lo cual la materia que se trata se reduce a un flash informativo; prima la imagen. Con la Primera Guerra del Golfo (1991) su éxito fue absoluto (Ramonet, 1998). A escala local, uno de los pioneros en la concisión ha sido el canal Barcelona Televisió, con sus "cápsulas" informativas de cinco minutos de duración como máximo: "De nueve de la mañana a nueve de la noche, BTV ofrece un único programa, *BTV magazine:* una sucesión de cápsulas o clips sobre cualquier asunto, que afecte a la ciudad, claro. Este sistema convierte a la cadena en una televisión con zapeo incorporado. El telespectador no necesita mando a distancia; la pantalla le va ofreciendo historias distintas continuamente".

El microteatro (www.flyhard.org), los microcuentos (www.diversidadliteraria. com), los microperiodistas (www.eldiario.es/micromachismos/)... Lo pequeño es útil porque es sostenible (Novo y Zaragoza, 2006). Por eso, en esta crisis económica (2008), y con cada año que pasa, aumentan los trabajadores autónomos en España, según las encuestas de población activa.

Sobre el breve queda mucho que investigar. Mayoritariamente, aún no se le considera un género periodístico con peculiares atributos, aunque destacados investigadores, como el lexicógrafo José Martínez de Sousa, lo catalogan como "la esencia de la noticia". El periodista y sociólogo Raúl Sohr le atribuye un poder especial: "No por ser breves son más sencillos: exigen gran precisión para sintetizar lo esencial".

Siendo así, el breve tiene mucho recorrido en la prensa, sobre todo en la prensa gratuita, que eclosionó en España con el nuevo milenio (*Qué!, ADN, Metro, 20 minu-*

tos, entre otros), diarios concebidos para ser leídos en trayectos cortos, camino del trabajo o de otro lugar. Los investigadores de la Universidad Carlos III Guillermina Franco y David García, que publicaron el artículo "La prensa gratuita generalista en España: caso de estudio cuantitativo", llegaron a la conclusión de que el formato breve era el espacio preferido por el público lector.

> En general, podemos decir que en nuestro universo muestral [personal de la Universidad, tanto estudiantes como profesores] la primera razón para leer prensa gratuita es la misma: es gratis y permite una lectura rápida. Sin embargo, entre la población más joven cuentan muchas otras razones tales como que las noticias son breves, o que la lectura se hace sencilla.

(Franco y García, 2009: 79)

Incluso el diario *The Independent,* fundado en 1986 por un grupo de periodistas, lanzó, en octubre del 2010, el formato *i,* versión del diario pequeña y barata, "destinada para quienes viajan en el metro y tienen poco tiempo para leer" *(La Vanguardia,* 13/II/2016). En una "carta abierta" del 3 de marzo del 2016, el director de *El País,* Antonio Caño, anunció que su diario se pasa, esencialmente, a la versión digital: "En los próximos días concluirá la primera fase de la obra que habilitará una nueva redacción, y con ello llegará el momento de la conversión de *El País* en un periódico esencialmente digital, en una gran plataforma generadora de contenidos que se distribuyen, entre otros soportes, en el mejor periódico impreso de España". Sus palabras, grandilocuentes, contrastan con la realidad financiera del medio, y con la crisis laboral interna: Juan Luis Cebrián, antiguo director de *El País* y a la sazón presidente del Grupo Prisa, se embolsó más de 13 millones de euros, en el 2011, como consejero delegado y accionista del grupo, en un año en el que Prisa continuaba teniendo pérdidas y seguía echando a personal. (Extrabajadores de *El País* relataron este "hundimiento" en el ensayo *Papel mojado. La crisis de la prensa y el fracaso de los periódicos en España.)*[4] Las palabras, pues, de Antonio Caño, nos remiten al capítulo sobre la "perversión del lenguaje" (capítulo 3: "El marketing y las notas de prensa"): "El 4 de mayo celebraremos el 40 aniversario de nuestra aparición. En

---

4 El divorcio de la dirección de *El País* con sus trabajadores se hace palpable en este comunicado del Comité de Redacció del diario, ante la crisis del Partido Socialista Obrero Español, el 29 de septiembre del 2016: "El Comité de Redacción ha recibido numerosas quejas de redactores por el tono empleado en el editorial 'Salvar al PSOE', publicado hoy día 29 de septiembre, donde se califica al líder socialista Pedro Sánchez de 'insensato sin escrúpulos', se le tacha de cobarde, mentiroso, sectario, populista y se concluye que no es un dirigente cabal. El Comité no entra a valorar la línea ideológica del periódico, pero sí los calificativos utilizados en este texto, que exceden el equilibrio y mesura propios del estilo editorialista de *El País.* Este Comité solicitó una reunión de urgencia con el director durante la mañana de hoy para transmitir esta queja colectiva. El encuentro, mantenido a última hora de la tarde, apenas duró un minuto. El director argumentó que no acepta ningún debate ni con el Comité ni con la Redacción sobre la línea editorial y que es el único responsable de la misma".

ese primer número, Juan Luis Cebrián aseguraba que este diario se había soñado siempre a sí mismo como un periódico independiente, *capaz de rechazar las presiones que el poder político y el poder del dinero ejercen de continuo sobre el mundo de la información"* (la cursiva, de este investigador).

Decíamos que el breve, en la prensa escrita, tiene mucho recorrido por delante. Si los diarios gratuitos catapultaron el breve a género estrella, en los inicios de este siglo, actualmente podríamos detenernos en la tendencia por los textos cortos, favorecida por la prensa digital. La obsesión por que la información colgada en las páginas web tenga el mayor número de visitas (clics) tiene como consecuencia que los textos allí expuestos adopten el formato breve, para que así, en la misma pantalla, se pueda abrir un abanico mayor de posibilidades para la navegación. El breve, pues, derivado de las nuevas formas de interactuar con el lector, al menos en lo que al periodismo en versión web se refiere. El sempiterno José Martí Gómez lo dice a su manera, en *El oficio más hermoso del mundo:* "En los años setenta se habló mucho de Nuevo Periodismo, esa mezcla explosiva de realidad y literatura que en España tenía una larga tradición antes de la guerra civil. Si hoy se ha perdido no es por falta de talento sino por la obsesión de los medios de que todos los textos han de ser cortos, con despieces y entradilla y notas de color para no aburrir al lector, como si este fuese imbécil" (Martí Gómez, 2016: 294). En el seminario que el periodista digital Enric Sierra imparte en el máster de reporterismo avanzado del Grupo Godó, en la Facultat de Comunicació i Relacions Institucionals Blanquerna, de la Universitat Ramon Llull (Barcelona), los alumnos han discutido este asunto. Por mímesis, el breve del lenguaje hipertextual se reproduce también en la versión del diario en papel. *Periodismo breve.* La noticia, como texto corto (Sandoval, 2003: 425), tal y como recoge también la doctora Susana Pérez-Soler en su tesis *Usos periodísticos de Twitter. Comparativa entre redacciones tradicionales y digitales en Catalunya y Bélgica* (2015).

.2.2.2 El breve: la esencia del periodismo

Lo breve es bueno, al menos eso dice el refrán *(Refranes, proverbios y sentencias).* Dos veces bueno. Según el *Breve diccionario etimológico,* la palabra deriva del latín *brevis;* de esta, nacen *brevedad, breviario, abreviar, abreviatura* y *abreviación* (Coromines, 2008). La Real Academia Española define el breve como un adjetivo, y de este modo: "De corta extensión o duración". En la tercera acepción, el breve se hace sustantivo: "Texto de corta extensión publicado en columna o en bloque con otros semejantes". El breve que nos atañe se acerca a tal significado.

El breve periodístico se podría determinar como la descripción pura y dura de un hecho periodístico, con una sola fuente de información y de pocas líneas (ver Propuesta VII, en "Conclusiones"). Se trataría de un género periodístico más, junto con el reportaje y la crónica, por ejemplo. El breve no constituye un género periodístico en la *Teoría de los géneros periodísticos* de Llorenç Gomis (UOC, 2008). Los breves pueden presentarse a menudo como la antítesis del reportaje, el género "totalizador", el género estrella por antonomasia (García Márquez, 2012). Así, el Premio Nacional de Periodismo Miguel Delibes 1999, Álex Grijelmo, escribe en *El estilo del periodista* que el breve es una noticia que apenas consta de *lead* o entrada (Grijelmo, 2006). Por *lead* se entiende el "núcleo esencial de la noticia": "No es un resumen sino una síntesis, con una gran economía de palabras. Su función es dar cuenta inmediata y clara de lo fundamental de ella, e interesar y captar la atención para que el público siga leyendo, viendo o escuchando" (Jaraba, 2009).

> Generalmente responde a dos de las 6 W *[how, what, where, who, why* y *when,* en sus siglas en inglés]*, sobre todo qué y quién. Pero no es una norma fija: a veces es necesario que responda a otras, sobre todo si se trata del seguimiento de una noticia que ha comenzado a publicarse en días anteriores.
>
> (Fonnegra, 2010)

El breve también puede escribirse de manera pulcra y elegante. Por ello, Álex Grijelmo ruega que los editores y los redactores estén atentos a las noticias breves, que menudean en los periódicos, para que despejen todas las dudas (las uves dobles, por su traducción al inglés: qué, quién, cuándo, dónde, porqué y cómo).

En cualquier caso, la información de breve —que no es lo mismo que información breve—, junto con la noticia, se incorporaría al denominado "estilo informativo", estilo caracterizado por ser "sobrio y escueto, objetivo, en el que no hay sitio para el yo del periodista [...], género escrito por un redactor o reportero" (De Fontcuberta, 1993, 2000).

Diferentes medios impresos cuentan con sus reglas internas, la normativa de uso interno (que en muchos casos se ha acabado difundiendo para el gran público): el libro o manual de estilo.

En el mundo de habla hispana (latino), tenemos el ejemplo del diario *Hoy,* de Ecuador (1992). En sus "contenidos informativos" el breve deviene en "corto": "Los cortos son informaciones breves, condensadas, como complementos de una noticia principal o independientes de ella".

En el mundo de habla inglesa (anglosajón), los breves son *newsbrief,* pero no constituyen un género en sí mismo, tan solo una noticia "pequeña" debido a su "extrema brevedad", tal y como se indica en el programa de la carrera de periodismo del Santa Barbara City College (Estados Unidos).

Por su singularidad, a las "columnas" o "bloques de breve" del diario *El País (El País,* 1999) se les aplica algunas excepciones: 1. No se datan; 2. El texto y la firma van separados por un punto, una raya y un espacio en blanco; 3. Firmados con las iniciales de su autor y, 4. Con títulos que no excedan la línea de composición. En algunos casos, los breves adquieren notoriedad; depende del diario que leamos. El lexicógrafo José Martínez de Sousa, que trabajó en *La Vanguardia* como corrector tipográfico (1965-1968), le dedica al breve palabras harto elogiosas, como autor del libro de estilo del grupo de comunicación Vocento: "El breve es la esencia de la noticia, la versión más rápida, corta y desnuda de la información. El breve aborda los elementos más importantes de la información sin la pretensión de responder a las preguntas de la *regla de las seis uves dobles,* sino solo con la de reseñar una información lo bastante completa para su correcta aprehensión por el lector" (Martínez de Sousa, 2003). Precisamente es Martínez de Sousa quien insiste en la "fórmula nemotécnica" de las uves dobles, que él amplia hasta siete, con la incorporación de para qué *(what about).*

De la fuente antes referida se desprende que el breve es periodismo en estado puro. Y ha de ser así, aunque algunos lo tomen como el patito feo. Para la redacción del breve, de aproximadamente unos trescientos caracteres con espacios (no hay reglas fijas en cuanto a extensión: ¿cuánto es poco? En la profesión, se entiende que un *breve* no tendría que superar las 10 líneas de una columna, aunque no se especifica en los manuales de redacción ninguna limitación estricta en cuanto al número de caracteres), se debería poner la misma atención que para la redacción de un tuit. Un breve equivaldría a tres tuits. Y el tuit también es periodismo, como lo atestiguan multitud de expertos: el profesor de la Facultad de Comunicación de la Universidad de Navarra José Luis Orihuela ("Twitter es una herramienta imprescindible para hacer periodismo"); el creador del blog *Obama World,* Jordi Pérez ("Twitter no sirve solo a los periodistas para recopilar información; también para difundirla"), y la editora del diario *Wall Street Journal,* Sarah Marshall ("en Twitter nace un nuevo periodismo").

Por el contrario, existen manuales de estilo, como el de *El Periódico de Catalunya* (2002), que no dan cabida a los breves. Los subestiman. Por eso utilizamos la expresión "patito feo".

.2.2.3 Breve, el patito feo

"Tenía afición por escribir, pero como no tenía estudios no podía ser periodista. Solo podía serlo trabajando gratis en un periódico." La frase es del humorista Miguel Gila. Se la dijo al presentador Joaquín Soler Serrano en una entrevista del espacio *A fondo,* de Televisión Española, en 1976.

Por regla general, los periodistas que empiezan a rodar por el oficio ningunean el breve. Los veteranos de la prensa opinan todo lo contrario. Precisamente, es en el breve donde se revela el buen periodista. "Es difícil hacer un breve", reconoce Ángel Bastenier, tallerista de la Fundación Nuevo Periodismo Iberoamericano. Y su colega del diario *El País* Ángel Santacruz le arropa: "El que aprende a hacer un breve bien, sabrá hacer bien todo". Los breves de los diarios pueden llegar a ser certeras "argumentaciones", como se aprende en *¡Influye! Claves para dominar el arte de la persuasión* (Alienta, 2011), de Enrique Alcat:

> Los mensajes clave, los elegidos para influir, debes definirlos con claridad y precisión y, como te decía, repetirlos varias veces. Los mensajes serán contundentes en la medida en que quieras influir con mayor o menor precisión, pero sea como fuere deberán ser concisos. Entrena tu capacidad de síntesis. Resume lo que vas a decir y concentra en pocas palabras la fuerza de tu discurso, que es tanto como la base de tu influencia.
>
> (Alcat, 2011: 92)

Los mensajes influyen. Y el comunicador Enrique Alcat lo ha enseñado en las escuelas de negocios y de marketing. Es precisamente en los breves, considerados en muchas ocasiones el patito feo de los géneros periodísticos, cuando notamos ese lenguaje que no ha sido procesado por los miembros del medio que pondera el texto recibido. Sobre los breves, y sobre los 'breves de empresa', que han de ser concisos y bien resumidos, no existe bibliografía ni estudios meritorios.

> En un estudio sobre el tema de los maltratos en la prensa (Altés, 1998) se ha podido comprobar como en los 'breves' que aparecen en los primeros años de la transición política, el lenguaje, los estereotipos y las justificaciones respondían de una manera fiel a la ideología de la policía o de los juzgados, de la fuente que emitía la nota.
>
> (Bach *et altri,* 2000: 28)

Por ello, en los respectivos manuales de estilo, no hay una exhaustiva teorización en torno a este género, tal como este investigador lo considera. Se puede colegir que los breves son el patio trasero del periodismo escrito. Quizá, el espacio en el que todo cabe, el "vertedero" al que van a parar las noticias menos jugosas, las cuales no abrirán las diferentes secciones del diario (otro estudio se podría centrar en la definición de qué es una 'noticia relevante': cuanto más relevante, más espacio se le dedica. Pero hay noticias sorprendentes que se agazapan en los breves).

Existen casos en los que de los breves han salido novelas, como *Una historia sencilla* (Anagrama, 2013), de la cronista argentina Leila Guerriero. La narradora latinoamericana así lo cuenta en una entrevista que le hizo la periodista Hebe Schmidt para la página *Americaeconomia.com,* con motivo de la concesión del Premio González-Ruano de Periodismo, en el 2013.

> Pregunta.—Recientemente ha presentado aquí, en Madrid, su nuevo libro, editado por Anagrama. *Una historia sencilla* trata sobre una historia de vida contextualizada en torno a un certamen de malambo, baile tradicional de los guachos argentinos. ¿Cómo surge la idea de contar esa historia, qué le ha atrapado del tema, cómo se ha fijado en esta historia y en su personaje principal?
>
> Respuesta.—Hace unos años encontré un *suelto* [una nota breve] en el diario *La Nación* acerca de un festival de malambo de Laborde del que no había escuchado hablar más. La gente que ganaba allí se consagraba; es un festival absolutamente consagratorio, con un prestigio altísimo. El ganador de ese certamen, mientras durara su reinado, se pasearía por todos los festivales como una especie de gladiador que había ganado algo muy importante. Y a mí lo que me llamó la atención era cómo un evento que era tan trascendente para un grupo de personas no tuviera trascendencia.
>
> (En http://www.americaeconomia.com/node/104566)

El periodista y escritor Gay Talese se hace servir de sus inestimables "amarillentos recortes de periódicos", tal y como recuerda en *Vida de un escritor* (Alfaguara, 2012). El libro *Clandestinos. ¿Qué hay detrás de la inmigración ilegal?*, de Martin Aldalur (Ediciones B, 2010), nace de un breve en las páginas de sucesos.

De igual forma, es conocido que el novelista Jack London *(Colmillo blanco)* se fijaba en los breves para sus relatos cortos; también fue acusado de plagio en multitud de ocasiones. Y en los breves se esconden verdaderas conspiraciones, como esta del 23 de julio del 2005, en *El País*.

Siete años de cárcel por hacer planes terroristas
La justicia india condenó ayer a siete años de cárcel a Mohamed Afroze por planificar atentados con aviones comerciales contra el Parlamento británico y el Tower Bridge de Londres el 11-S de 2001. Afroze y sus siete cómplices se echaron atrás en el último momento. / AFP

En los breves se intenta ocultar la gravedad de algunos hechos. El 26 de abril de 1986, la catástrofe en la central nuclear de Chernóbil (Ucrania) se ventiló en un breve, en la edición del diario soviético *Pravda* del día siguiente (declaraciones, en el 2011, del fotógrafo Ígor Kostin a la agencia Ría Nóvosti, hoy dentro del grupo de comunicación Sputnik). Y el jefe de sección de *The Washington Post* Ben Bradley, en *La vida de un periodista* (2000), no se sorprende del hecho de que el lanzamiento de la primera bomba atómica (6 de agosto de 1945) apareciera en un breve "entre anuncios de bragueros". Esto demuestra que en la calidad informativa no rige, en determinadas ocasiones, la asignación de espacio, sino cuestiones ideológicas (asuntos de gran alcance informativo se relegan a los breves para restarles repercusión).

Breve de *La Vanguardia,* del 4 de diciembre del 2014: "España se encuentra entre los países de la Unión Europea que más ha recortado su gasto sanitario durante la crisis económica (1,9% anual de media entre el 2009 y el 2012)".

Breve de *La Vanguardia,* del 6 de diciembre del 2014: "España es el país desarrollado donde más se dispara la desigualdad. La crisis económica ha golpeado con fuerza, pero no ha afectado ni mucho menos a todos por igual. Un informe de la Organización Internacional del Trabajo, publicado ayer [5/xii/2014], señala España como el país desarrollado donde ha aumentado en mayor grado la desigualdad en los últimos años".

En los breves se rectifica sin pedir perdón, como una improvisada fe de erratas. El escritor Mario Vargas Llosa publicó en el *Sunday Book Review* de *The New York Times* una nota aclaratoria de lo que supone un lamentable copia y pega. El 5 de julio del 2015, Tim MacFarlan, del británico *The Daily Mail,* se hizo eco de unos rumores sobre la venta de unas fotos del Premio Nobel con su pareja sentimental: "Vargas Llosa chose to reveal his new relationship, coupled with a request for privacy, in *¡Hola!* —parent magazine of Britain's *Hello!*— prompting charges of hypocrisy. The magazine reportedly paid up to £600,000 for its 'exclusive' piece on the 'madly in love' couple". El *New York Times* copió esta información, sin contrastar, en el artículo de Joshua Cohen titulado "Notes on the Death of Culture" (de más de diez mil caracteres con espacios), publicado el 17 de agosto del 2015: "*¡Hola!* magazine carried the 'exclusive' story, rife with intimate photographs and quotations (the relationship "is going very well," according to the novelist)". El escritor se sintió insultado, y de ahí su carta, publicada el 23 de agosto del 2015: "I am flabbergasted to learn that this kind of gossip can work its way into a respectable publication such as the Book Review". Como consecuencia, el diario norteamericano incluyó un breve con su rectificación:

Editors' Note: August 23, 2015

An earlier version of this review, in discussing Mario Vargas Llosa's relationship with Isabel Preysler, stated that Vargas Llosa announced the relationship on a Twitter account and that he sold related photographs and an "exclusive" story to Hola!, a popular Spanish magazine, for a large amount of money. After the review was published, Vargas Llosa contacted The Times to say that none of these assertions were true.

In reviewing this complaint, *editors determined that the reviewer had based his account of these matters mostly on information from an article about Vargas Llosa in* The Daily Mail, *but neither the reviewer nor editors independently verified those statements. Using such information is at odds with* The Times's *journalistic standards, and it should not have been included in the review.*

(Cursiva, de este investigador)

En cuanto a los géneros periodísticos y la comunicación en general, el copia y pega no solo afecta al breve: la actriz Anna Allen *(Cuéntame cómo pasó)* ha visto cómo sus fotos manipuladas, en las que aparece en la alfombra roja de la gala de los Premios Oscar, en Hollywood, se han reproducido en varios medios, en un copia y pega incesante.

Y otro ejemplo: En las páginas de deportes de *La Vanguardia,* el 10 de diciembre del 2009, se publicó la siguiente noticia, basada en las maledicencias de la rumorología: "Los padres de los hermanos Gasol se separan". El artículo, firmado por la redacción, se recreaba en las falsedades, e incluía frases del tipo "el tiempo ha desgastado la relación". Dos días más tarde, en la edición del 12 de diciembre del 2009, en las páginas de Gente (página 10), en un breve, se publicaba la airada reacción de la familia, que acusaba de mentir a los medios. Pero los medios no entonaron el mea culpa y se limitaron a reproducir el comunicado de la familia Gasol, como si no fuera con ellos: "Los Gasol desmienten la separación paterna".

.2.2.4 El Nuevo Periodismo y el breve

Hemos visto que el breve es la Cenicienta para una determinada prensa. Y a la vez, este investigador diría que también es el cisne del cuento popular. Ninguneado por unos, para otros constituye un valor en alza que hay que exprimir. El periodista polaco Ryszard Kapuscinski lo deja bien patente en su manual de uso titulado con el significativo *Los cínicos no sirven para este oficio.* En buena medida, sus libros son una prolongación de los numerosos teletipos (breves) que tuvo que escribir para la agencia polaca PAP, en los que resumía una guerra en diez líneas. Kapuscinski recela de la brevedad:

El hecho es que los periódicos han sido invadidos por el lenguaje de la televisión: información en píldoras, pocas líneas, poca profundidad en los temas, entrevistas con los políticos locales. De tal suerte que el reportaje literario, de las páginas de los periódicos, emigró a las páginas de los libros. Y los reporteros, como periodistas, se están transformando en escritores.

(Kapuscinski, 2002)

Según el DRAE, los *sueltos* son escritos insertos en un periódico que no tienen la extensión ni la importancia de los artículos ni es mera gacetilla. Exactamente no es un breve, porque contiene opinión, y a menudo se diseña en torno a estas páginas (López y Bernabeu, 2009).

En opinión del sanctasanctórum Tom Wolfe, uno de los padres del Nuevo Periodismo, que cuenta historias periodísticas utilizando licencias de la novela, se califican los breves de "brillantes": "breves y regocijantes sueltos". Concluye Tom Wolfe: "Me descubrió la posibilidad de que había algo 'nuevo' en periodismo. Lo que me interesó no fue solo el descubrimiento de que era posible escribir artículos muy fieles a la realidad empleando técnicas habitualmente propias de la novela y el cuento. Era eso... y más. Era el descubrimiento de que en un artículo, en periodismo, se podía recurrir a cualquier artificio literario, desde los tradicionales dialogismos del ensayo hasta el monólogo interior y emplear muchos géneros diferentes simultáneamente, o dentro de un espacio relativamente breve... para provocar al lector de forma a la vez intelectual y emotiva".

En Barcelona, la presentación del libro *Cuando encuentres a Malinowski y otros relatos de periodismo* motivó la publicación del artículo "Periodismo que cuenta", verdadera apología del breve: "la historia que esconde el breve puede tener más recorrido que la declaración política flácida que acapara la portada".

El breve es recurrente, de tanto que suena en el periodismo alternativo. En la colombiana Agencia Pinocho el breve se ha erigido como obra de arte al que se le rinde culto:

· Técnicamente, este género podría explicarse así: Relatos de ficción breves con estilo informativo periodístico. Nosotros preferimos hablar de microficción periodística, por breve.

· No sobrepase, por lo tanto, los 1.100 caracteres con espacios.

· El breve o la breve, como también le dicen, es un formato periodístico muy difundido que casi siempre se agazapa en los bordes del papel periódico. Aquí, se agazapa en las grietas que surgen entre la literatura y el periodismo.

· Tenga presente esta frase: quien sabe hacer un breve, puede hacer todo lo demás. Deje lo demás para otro día.

· Si no quiere que se le encoja la nariz (es decir, despreciar los recursos de la mentira) tenga en cuenta lo siguiente:

· Tenga clara una historia, no un tema. Y resúmala en el título.

· Inicie su reporte con la ciudad y la fecha. Y desde la primera frase cuente qué sucedió: el breve tiende a ser alérgico al suspenso, y solo lo tolera si hay mano maestra.

· Cite las fuentes, un testigo. Ojalá dos. Use entrecomillados, que sirven para escuchar la voz de alguien. Que suenen reales. Y que sean breves.

· No olvide entregar detalles: qué edad tiene el personaje, a qué se dedica, ¿tiene familia?, ¿antecedentes penales?, ¿tartamudea?, ¿los hechos sucedieron en la mañana o en la noche? Los detalles fabrican la verdad.

· Mientras más cotidiana la historia, mejor. Busque solo aquello que jamás interesaría a un diario. A-Pin [Agencia Pinocho] rinde homenaje a la vida cotidiana, no a las rarezas. [...]

· No olvide cerrar cada reporte con su nombre o seudónimo. Y si tiene y quiere, su blog o página web, para enlazarlo desde su entrada.

· Esté atento. En cualquier silla, esquina o recuerdo, está el germen de un reporte que merece ser enviado.

(En http://agenciapinocho.com/manual-de-estilo/manual-de-estilo-microficcion-periodistica/)

.2.2.5 El breve según los libros de estilo

Los libros de estilo de los diarios en *Copia y pega. Cómo las multinacionales construyen las noticias* recogen el breve de esta manera: *La Vanguardia* (2004) lo reduce a un subapartado del género noticia (los otros géneros serían el reportaje, la entrevista, la crónica, el análisis, la crítica y la tribuna-editorial):

Los breves (o *flashes)* son elementos que recogen una noticia de forma corta. Agrupados en un bloque de una o dos columnas, los breves (mínimo dos) presentan una extensión similar y han de contener todos los elementos mínimos para la comprensión de la información. No admiten puntos y aparte. Estas piezas no van datadas, pero, al final, se ha de señalar la autoría, separada del texto por un guion largo entre espacios: si es de un redactor, se firma con iniciales o con inicial y apellido (nunca con el nombre entero), o bien con la palabra *redacción;* si es de agencia, se consigna la agencia correspondiente.

(La Vanguardia, 2004: 34)

Un ejemplo podría ser este breve de la sección de Economía de *La Vanguardia* del sábado 5 de julio del 2014, incluido en el apéndice Panorama (página 72), que recoge la información relacionada con el sector industrial.

Abantia factura en el 2013 183 millones

Abantia, el grupo de ingeniería y sistemas propiedad de las familias Boada y Gummà, registró en el año 2013 una facturación de 183 millones de euros (frente a los 282 millones de un año antes). El diferencial se explica en buena parte por los cambios en los sistemas de retribución de las energías renovables en los que la empresa operaba de forma habitual. El grupo prevé facturar 215 millones en este 2014. / Redacción

Economía es la última sección del diario *La Vanguardia*. En el libro de estilo de *La Vanguardia* tampoco hay información destinada a esta materia. En *La Vanguardia*, los breves de empresa se encuadran en los apartados Panorama, Mercados y En Línea, en la sección de Economía (se publican todos los días de la semana).

En el libro de estilo del diario *El Mundo* (2002) el breve no aparece reseñado. Así, solo se explica el contenido de lo que debe ser la noticia "básica":

La noticia o información básica. Este fue el género más habitual en la prensa diaria, al que se aplican más estrictamente las consideraciones sobre frases y párrafos cortos, entrada directa y desarrollo que puede ser cronológico o piramidal, según la complejidad menor o mayor de los elementos informativos.

(El Mundo, 2002: 6)

En su manual de estilo, *El Mundo* no hace mención al breve como pieza periodística independiente. Pero la información económica se hace un hueco:

La información económica, con fama de abstrusa, es posiblemente la que más afecte al común de los lectores. El pesado lenguaje, o jerga, de la llamada *triste ciencia* es, probablemente, el culpable del desapego de muchos lectores frente a esas páginas de tanto interés real para todos ellos. Esa jerga, que demasiados periodistas siguen haciendo suya, es lo primero que hay que desterrar. Un texto económico oscuro, enigmático incluso, suele ser prueba irrefutable de que el redactor no ha entendido la noticia y acabe refugiándose en los tecnicismos incomprensibles de la nota de prensa que le ha suministrado una empresa o un organismo.

Libro de redacción de *El Mundo* (Comunicación y Proyectos Editoriales en Contexto, 2002)

Los breves de empresa (Economía), en *El Mundo,* en la sección Bolsa, subsección Empresas, de martes a sábado.

*

En *El estilo del periodista* (Taurus, 2006), el periodista Álex Grijelmo ensalza el breve: "El editor —como el redactor— habrá de estar muy atento a las columnas de noticias breves, muy habituales en los periódicos, para que incluyan todos los datos importantes sin una redacción farragosa".

Según el *Libro de estilo de El País* (El País-Aguilar, 2000):

La mayor o menor extensión de una noticia no puede afectar a las normas generales recogidas en este *Libro de estilo.* Solo en el caso de las columnas o bloques de *breves,* y solo también cuando se trata de *breves* con título engatillado.

Según José Martínez de Sousa, en el *Libro de estilo de Vocento* (Trea, 2003) ya mencionado:

El *breve* es la esencia de la noticia, la versión más rápida, corta y desnuda de la información. El breve aborda los elementos más importantes de la información sin la pretensión de responder a las preguntas de la regla de las seis uves dobles, sino solo con la de reseñar una información lo bastante completa para su correcta aprehensión por el lector.

De los géneros informativos del *Libro de estilo de Vocento* (Martínez de Sousa, 2003: 24)

El breve de empresa es el breve especializado en economía.

.2.3 La crisis de la prensa

.2.3.1 En lo privado: Las multinacionales se adentran en la prensa

Según el periodista Samuel Toledano Buendía, las multinacionales se adentran en la prensa.

La multinacional es la punta de lanza del neoliberalismo. Las multinacionales se estructuran para cubrir todo el orbe de manera autónoma, con franquicias en cada uno de los puntos del globo, por muy alejados que estén de la base organizativa. Con este sistema de franquicias ("subsidiario"), las multinacionales extienden sus tentáculos allende los mares. "Así, las filiales en el extranjero gozan de autonomía que les permite responder a las condiciones competitivas locales y desarrollar estrategias locales de respuesta", escribe la especialista en comunicación transfronteriza Subha Varadan en el artículo "The Organization Structure of a Multinational Company". "Cada producto tiene su propia división que se encarga de la producción, la mercadotecnia, las finanzas y la estrategia global de ese producto a nivel mundial."

La estructura multifuncional de los equipos de las multinacionales otorga al marketing especial relevancia. De hecho, el marketing tiene sentido para la promoción y venta de productos en cadena. "El marketing toma cuerpo con la producción en serie; antes se denominaba *propaganda*", especifica el publicista José Luis Segura (entrevista de enero del 2015). En efecto, existe un marketing "para aparentar", tal y como señala el director del Museo de la Ciencia de Boston (Estados Unidos), Ioannis Miaoulis.

En los organigramas de los departamentos de marketing de las multinacionales son comunes estas áreas: imagen, ventas, innovación, compras, comunicación… Y los cargos son calcados de un esquema a otro: dirección general, dirección de marketing, *brand manager, product manager*… Si la máxima de la multinacional es el máximo beneficio *("beneficio récord",* ver Anexo IV), la del departamento de marketing es consecuente: la máxima publicidad. Eso quiere decir: la máxima publicidad buena. Es decir, no se admite mala publicidad, algo prohibido. Ante un ataque exterior (comentarios en las redes sociales, campañas mediáticas adversas, informes independientes que cuestionan su ética, artículos periodísticos de investigación…), la multinacional siempre ataca: no admite la crítica (la crítica es "hostil", según su terminología bélica).

En la presentación de los datos del 2014 del banco HSBC ("Todo un mundo de posibilidades al alcance de su mano"), el director general, Stuart Gulliver, se enfrentó a la prensa: "No tiene sentido colocar un anuncio junto a una cobertura de la prensa *hostil".* Y con relación al escándalo de evasión de impuestos llamado SwissLeaks, cuando le preguntaron al mismo director general de HBSC, Stuart Gulliver, sobre su situación fiscal, respondió: "Quien dé información negativa sobre nuestro banco no va a recibir publicidad". Utiliza su propia lógica: si se contrata un anuncio en un periódico que da información negativa sobre el banco, el banco sale malparado. Por esto mismo, ha dimitido el columnista del *Daily Telegraph* Peter Oborne, al considerar que el periódico no ha dado la cobertura adecuada sobre la Lista Falciani (en referencia al informático Hervé Falciani, que filtró los datos de fraude fiscal) por intereses comerciales con el HSBC.

Según Oborne, la consigna de la dirección del *Telegraph* de no publicar noticias negativas sobre el HSBC "es un fraude para los lectores", y como periodista le hace "sentirse enfermo". Algo similar ocurrió el 28 de enero del 2015. Ese día, el Banco Santander compró las portadas de todos los principales diarios *(El País, El Mundo, ABC...)*. Presumiblemente, para evitar informaciones desfavorables sobre la Lista Falciani.

"El pitjor és la normalitat amb què va passar tot. Allò realment inquietant és que aquesta manifestació de poder a la primera plana és un reflex del que passa habitualment, i cada vegada més, a les planes interiors dels diaris. Veiem com determinades informacions financeres, com les notícies relatives a les sancions administratives i condemnes judicials sobre les males pràctiques bancàries que són del màxim interès per als lectors, com a usuaris directes de les entitats, apareixen molt escanyolides i infravalorades. Iguament, tenen un tracte molt favorable a les entitats financeres les informacions relatives al seu comportament fiscal", arremete el periodista Andreu Missé, Premio Internacional Vázquez Montalbán de Periodismo, en el artículo "Entre línies. Els mitjans de comunicació, condicionats per la seva dependència de les entitats financeres", publicado en el número 168 de la revista *Capçalera,* en junio del 2015 (ver Imágenes 2 y 3). "Si els diaris són tan poc independents no poden fer la seva tasca fonamental, la raó d'existir, que és la de dir la veritat. Explicar la veritat dels fets que passen és la primera obligació dels periodistes i dels mitjans de comunicació. És el seu contracte amb els lectors." Y añade Andreu Missé, fundador, asimismo, de la revista mensual *Alternatives econòmiques:* "En determinats casos, doncs, els diaris havien assumit com a propis els interessos de la banca".

En abril del 2011, el semanario alemán *Der Spiegel* fue acusado de connivencia con el poder. El artículo *"Der Spiegel* moviliza al FMI por Grecia" se publicó en *La Vanguardia,* el 3 de abril del 2011, firmado por Agencias. Se hacía esta afirmación: "No es la primera vez que *Der Spiegel* —u otro medio alemán— difunde informaciones que sintonizan con determinados intereses germanos en el marco de la crisis de la deuda soberana en Europa". En este orden de ideas, el filósofo Rafael Argullol *(Maldita perfección)* califica el capitalismo como El Innombrable. Y el psicoanalista Héctor García de Frutos lo deja bien patente: "El capitalismo busca que te calles".

El caso Nestlé es un ejemplo de los intereses contrapuestos entre comunicación y periodismo, y derivó en una "crisis corporativa". En el 2010, Greenpeace publicó un informe en el que se demostraba cómo la compañía Nestlé aprovechaba la deforestación de la selva indonesia para obtener el aceite de palma con el que elaborar sus productos. Nestlé reaccionó con la censura en la Red, lo que motivó el cabreo de los internautas.

"Una de las certezas que reveló Tiananmen fue la asombrosa similitud entre las tácticas del comunismo autoritario y las del capitalismo de la Escuela de Chicago por su voluntad común de hacer desaparecer a los oponentes, de borrar toda resistencia del panorama para empezar de nuevo", colige Naomi Klein en el capítulo "Portazo a la historia" de *La doctrina del shock*. "Las multinacionales marcan bajos salarios para el turismo, las pequeñas industrias y los servicios en subcontratas", denuncia Norma Estela en *Periodistas sin miedo. Terrorismo global*. Norma Estela está en contra de los medios de comunicación "monopólicos, que son esclavos de este poder".

"Todo empezó hace unos cuarenta años en Estados Unidos con los *think tank,* reuniones de poderosos hombres de negocios que crearon la nueva ideología neoliberal", analiza la politóloga Susan George en su libro *Los usurpadores. Cómo las empresas transnacionales toman el poder* (Icaria, 2015), en una entrevista en La Contra de *La Vanguardia*. "[Las multinacionales] están muy bien organizadas, tienen muchísimo dinero, acceso a los políticos, están en todos los comités de expertos europeos de todos los sectores y su capacidad de influencia es mucho mayor que la de cualquier oenegé. Solo si la sociedad civil está informada y presiona podremos detenerlos."

El estudio *"Cuarto poder* y empresa" (en cursiva en el original), de la agencia de comunicación y relaciones públicas Equipo de Comunicación, presentado en julio del 2015, entrevistó a 126 personas relacionadas con agencias de publicidad de multinacionales (71,4%, directivos) sobre las interdependencias entre medios de comunicación y empresa. "...los periodistas están más dispuestos a aceptar notas o comunicados que les ayuden a rellenar espacios (páginas, minutos de radio o televisión, etc.)." En "datos relevantes", se incluye este apartado: "A los entrevistados se les preguntó si consideran que las empresas e instituciones tienen la capacidad de influir en los medios para favorecer lo que estos publiquen sobre ellos. El 43,7% de las respuestas señala que esta influencia se da mediante presiones o concesiones económicas (como publicidad)". Uno de los comentarios que generó el estudio sobre la relación entre medios y empresas multinacionales: "Por desgracia, los medios precisan del sostenimiento económico que da la publicidad. Eso provoca que al tener el control de la publicidad una determinada empresa pueda lograr que determinados temas se eviten o, al menos, se traten con más suavidad". Y este otro: "Destaco la bajísima formación de los periodistas, el escaso conocimiento de las materias sobre las que escriben, el corta y pega, dejarse llevar por la corriente sin ir al fondo de los asuntos, insistir una y otra vez sobre temas que no importan más que a periodistas y políticos...".

Por otra parte, las multinacionales también ofrecen oportunidades de formación y desarrollo profesional.

"En Europa fueron los anunciantes los que abandonaron los diarios como consecuencia de la crisis, no los lectores", dijo Benjamín Lana, directivo del español Grupo Vocento, en la sesión inicial de la 70 Asamblea General de la Sociedad Interamericana de Prensa, en Santiago de Chile (2014).

En España, la retirada de la publicidad en los diarios escritos y en otros medios de comunicación ha comportado una sangría de periodistas en paro (Nosty, Roto y Urbaneja, 2011). En el estudio "La pérdida de valor de la información periodística: causas y consecuencias", el director de los estudios de comunicación audiovisual de la Universitat Jaume I de Castelló, Andreu Casero-Ripollés, señalaba la pérdida de credibilidad de los medios convencionales por su mercantilización y politización, entre otras razones. Por *mercantilización* se entiende el lucro como único fin, más allá del servicio público, social, que quedaría en segundo plano.

Según Luis Miguel Uharte, de la Universidad del País Vasco, la relación multinacional-prensa escrita evidencia la mercantilización. En su estudio "La responsabilidad de las empresas multinacionales por violaciones de los derechos humanos" (2012), el catedrático de Derecho Internacional de la Universidad Jaume I de Castelló Francisco Javier Zamora Cabot recoge la idea de que las multinacionales buscan la impunidad, recelan de cualquier medida gubernamental o social que coarte su actividad comercial.

Cuando, en junio del 2014, la ONU aprobó una resolución "histórica" contra la impunidad de las multinacionales, los comentarios al respecto, en la prensa digital, atacaban el seguidismo impuesto hasta ahora de unas políticas poco transparentes: "Que 'nuestros gobiernos europeos' sean dóciles borregos de las multinacionales no nos extraña. Pero debemos saber una cosa. Tales gobiernos que fomentan los abusos de las multinacionales juegan en el equipo contrario al nuestro, al de la gente común. ¿Usted y yo haremos algo al respecto o seguiremos con la indiferencia?".

No obstante, las multinacionales europeas y estadounidenses se han opuesto frontalmente a la resolución de la ONU para que las empresas respeten los derechos humanos. "La idea es crear un tratado vinculante para todas las multinacionales, para que no puedan incumplir derechos humanos en los países que lo ratifiquen", asume Diana Aguiar, investigadora del Transnational Institute, una de las organizaciones que han presionado para lograr la aprobación de esta resolución. El proyecto lleva por nombre: "Promotion and protection of all human rights, civil, political, economic, social and cultural rights, including the right to development". "El imperio de las corporaciones", es decir, de las multinacionales, lo cuenta con precisión el "activista y economista" John Perkins, que trabajaba para la hidroeléctrica Chas. T. Principal Inc. Perkins escribió el libro *Confesiones de un gángster económico,* también traducido al castellano como *Confesiones de un sicario económico,* con el subtítulo: "La cara oculta del imperialismo económico". Perkins relata cómo su firma le enviaba como un "asesino económico" para corromper a los políticos que se oponían a los proyectos de las grandes empresas. El presidente de Ecuador Jaime

Roldós, supuestamente asesinado por la CIA; el general panameño Omar Torrijos, asesinado; el presidente de Venezuela Hugo Chávez, arrestado en el golpe de Estado del 2002… Periodistas independientes dudan de algunas de las afirmaciones de John Perkins. Pero no se cuestiona lo que él llama la "corporatocracia": maximizar las ganancias sin que importen los *costes sociales* (ver Anexo IV: "disciplina de costes"). La corporatocracia que rige el mundo en la era de la globalización, dicen los estudiosos Sádaba y Rivera.

De igual manera, en enero del 2015, los estudiantes de la Facultat de Periodisme de la Universitat Autònoma de Barcelona colgaron estos carteles: "Stop Estratègia Universitària 2015. [Contra] l'increment del poder que tenen les empreses privades, ocupant els òrgans democràtics de la universitat". En el informe del 2015 de la asociación de consumidores FACUA ("lucha contra los abusos"), el sector bancario es el segundo más denunciado por los ciudadanos, solo superado por las empresas de telefonía. El informe salió después de los últimos "abusos bancarios, de dudosa legalidad": "La mayoría de las entidades financieras que operan en España cobran entre 1,5 y 4 euros a los no clientes por ingresar dinero en una cuenta a través de ventanilla". En mayo del 2016, Banco Santander ya cobra 10 euros a las personas que ingresen dinero y que no sean clientes de la entidad ("el servicio de retirada en efectivo en ventanilla [...] tendrá una comisión de 10 euros"). Los bancos practican "la apertura económica" ("la globalización", en palabras del crítico cultural argentino Néstor García Canclini), mediante fusiones y OPA (ofertas públicas de adquisición). En noviembre del 2014, se multó a seis bancos por la manipulación de sus números: "En una nueva acción multimillonaria de los reguladores contra los excesos de la banca, los grandes conglomerados financieros globales Citigroup, JPMorgan Chase, UBS, HSBC, Royal Bank of Scotland y Bank of America han sido sancionados con cerca de 4.300 millones de dólares [3.450 millones de euros] en EE. UU., Reino Unido y Suiza". La acción irregular ("conspiraciones" y "manipulaciones") tuvo lugar entre el 2008 —inicio de la crisis en Europa— y el 2013. Los bancos se comunicaban a través de mensajes en grupos de chats a los que habían bautizado como Los Tres Mosqueteros, El Equipo A y La Cooperativa.

Como contrapeso, en el 2004, el vicepresidente del Comité Asesor del Consejo de Derechos Humanos de Naciones Unidas, Jean Ziegler, escribió el libro *Los nuevos amos del mundo y aquellos que se les resisten*. "El National Labor Committee [Comité Nacional del Trabajo], oenegé de Estados Unidos que se dedica a investigar la actuación de las grandes multinacionales, afirma que las más grandes fortunas son producto del derramamiento de sangre", deja sentado Jean Ziegler, confirmando las declaraciones del "asesino económico" John Perkins. "Por encima de los gobiernos, los parlamentos, los jueces, los periodistas, los sindicatos, los intelectuales, las iglesias, las fuerzas armadas y los científicos, los que reinan son los mercados financieros. Además, las instituciones públicas se desangran. La república sufre de anemia. Ella será muy pronto reducida al estado de un fantasma. Las arrogantes determinaciones de los grandes foros empresariales confirman la agonía de la democracia política y del Estado Nacional Territorial que hasta el momento han asegurado su supervivencia." La conclusión que extrae es que ni los políticos ni los periodistas están a la altura de las circunstancias en estos tiempos en los que vivimos. Su labor no contrarresta el poder económico.

Al hilo, el periodista Francesc Ponsa, en el artículo "Informació opaca", publicado en la revista *Capçalera* (número 167), relaciona capitalismo con prensa: "El vincle del capitalisme financer amb les empreses de comunicació ha accentuat la desinformació sobre els mitjans i els agents econòmics i financers que formen part de la seva estructura empresarial". Le apoya en esta afirmación el socio-redactor de la revista *Alternativas económicas* Pere Rusiñol: "El fet que la banca es converteixi en editora de premsa és un problema". Según Rusiñol, los grandes medios ya no son el cuarto poder, sino la unidad de propaganda del poder. "Nos rechazan porque hacemos unos periódicos que avergonzarían a un adolescente de primero de Periodismo. Y dado que la gente es mayor de edad, que no anda muy bien de numerario y que tanta estafa verbalística le huele a chamusquina, ha renunciado a comprarnos. Cuando la lectura de un periódico apenas cubre el tiempo de tomarse un café matutino en la barra de un bar, es que estamos acabados. Somos *kleenex"*, sentencia el escritor Gregorio Morán en su espacio "Sabatinas intempestivas" de *La Vanguardia,* artículo titulado "Cuando los diarios huelen". Se repite en este mismo espacio, el 20 de junio del 2015, en *La Vanguardia:* "¡Pobres periodistas recién salidos de esas guarderías donde se dan clases de cómo agradecer a los poderes los servicios prestados!". Y el 24 de septiembre del 2016 (LV): "una noticia crítica en un diario es cada vez más un milagro laico". Por su parte, el poeta Fernando de Villena *(La hiedra y el mármol),* en su antología de artículos titulada *La revolución pacífica,* tacha el capitalismo de "feroz". Gobierno de multinacionales: "Las multinacionales lo van dominando absolutamente todo. Sus directivos, con el beneplácito de los políticos y el silencio culpable de los sindicatos, imponen los salarios-basura, los contratos-basura, la comida-basura…". Ante esto, la "estupidización" de los medios de comunicación de masas: "[La] falta de espíritu crítico lo convierte [al hombre] en un autómata perfectamente manipulado" (De Villena, 2015).

Según el periodista Rafael Burgos *(Crema catalana),* la multinacional apuesta por una prensa débil, a sabiendas de que la dependencia entre ambos será mayor: "La calidad y el rigor se resienten desde el momento en el que no se apuesta por un periodismo de investigación (cuando se habla de periodismo ya debería sobreentenderse el término *investigación).* La redacciones se vacían por la crisis o bien no se sustituye a los periodistas o entran estudiantes jóvenes y más dóciles. La crisis ha supuesto un descenso de los ingresos en publicidad y, por lo tanto, una mayor dependencia de unos pocos anunciantes, así como de los grandes bancos (que no solo se anuncian sino que cambian los créditos que adeudan estos grupos por un porcentaje del accionariado y se hacen así con el control)", denuncia el periodista e historiador Rafael Burgos en una entrevista en www.rebelion.org (2014).

Este es el *post* que el jefe del área de edición de Economía de la agencia Efe, Rafael Jiménez Claudín, ha enviado a todos los abonados de la página Periodistas en Español (http://periodistas-es.com): "Hay días en los que avergüenza ser periodista español por el cúmulo de informaciones que no respetan la veracidad ni se sustentan en fuentes directas, que se publican en los grandes medios de comunicación" (2015).

.2.3.2 En lo público: Los fondos de reptiles

Nos referimos al titular de *La Vanguardia* del 10 de enero del 2015: "Nueva condena para [el expresidente de Perú Alberto] Fujimori por comprar la prensa sensacionalista. [...] El tribunal consideró que el exmandatario utilizó, entre 1998 y el 2000, unos treinta y seis millones de euros del presupuesto reservado de las Fuerzas Armadas para destinarlos a sobornar a periodistas, modificar líneas editoriales e incluso para fundar periódicos adeptos sensacionalistas, denominados *prensa chicha* en Perú". Se trata del soborno de los denominados "fondos de reptiles", expresión que proviene del Segundo Reich alemán, del canciller Otto von Bismarck: fondos públicos para financiar propaganda a su favor y silenciar a los críticos.

Ya en 1977, durante la Transición española, los presupuestos del Gobierno para ayudar a los medios de comunicación ascendían a unos cuatrocientos millones de pesetas. El periodista Jesús Pérez Varela, en el diario *El Imparcial,* censuraba este monto, y su destino: "Se pone en manos del Gobierno un dinero para subvencionar a su antojo los periódicos". Entre los medios que se beneficiaban: *El País, Cuadernos para el Diálogo* y Europa Press. La historia de España está plagada de *"gastos reservados"* (ver Anexo IV: "costes indirectos"), "pagos a la prensa" y "fondos secretos". En definitiva, "fondos de reptiles" (Gil, 2011).

En sí, una manera de hacer propaganda (Moreno Garrido, 2010). "Los informadores, para poder llegar a fin de mes, se ven obligados a aceptar prebendas económicas, secretas y vergonzantes, que les facilitan los 'fondos de reptiles' de los ministerios y de los ayuntamientos (se cuenta que algunos figuraban en las nóminas de organismos estatales como barrenderos, ujieres o incluso faroleros) y de ambiciosos y deshonestos caciques políticos... siempre que escriban, o callen, al dictado" (Olmos, 2007).

En el 2014, en España, esta expresión se utiliza en torno al caso de los ERE, red de corrupción política vinculada a la Junta de Andalucía (posiblemente, fondos de reptiles de 695 millones de euros).

· Titular de *La Vanguardia* en la sección de Política, el 19 de abril del 2015: "La Guardia Civil señala que [el expresidente de la Junta de Andalucía Manuel]

Chaves conoció el fraude de los ERE el 2004": "El equipo de delitos económicos y tecnológicos de la unidad orgánica de la policía judicial de la Guardia Civil de Huelva acusa a la Junta de 'comprar el favor popular' mediante la utilización del fondo de reptiles, 'atajo que le permitía utilizar los fondos públicos con un importante grado de arbitrariedad'".

· Titular de *La Vanguardia* en la sección de Política, el 1 de mayo del 2015: "No había fondos de reptiles": "El exconsejero de Empleo de la Junta andaluza, Antonio Fernández, dijo ayer en el Supremo que nunca supo de ayudas fraudulentas en la concesión de los ERE, ni de la existencia de un 'fondo de reptiles'".

En España, además de la vigencia de los "fondos de reptiles", se ha aprobado en el Congreso de los Diputados la Ley de Seguridad Ciudadana, que la oposición ha bautizado como Ley Mordaza. Según ella, se conculcan derechos fundamentales recogidos en la Constitución. Varias entidades, como Stop Desahucios, relacionan la Ley Mordaza con "la élite de banqueros, multinacionales y gobiernos corruptos a su servicio".

.2.3.3 La crisis económica del 2008 en la prensa española

El 2008 ha quedado como el año del inicio de la crisis económica en España ("La Bolsa española cierra el peor año de su historia arrastrada por la crisis", en *El País*, el 31 de diciembre del 2008). Por entonces, oficialmente, se la denominaba "desaceleración" (De Lis, S. F. y Mora, A. G., 2008). La "desaceleración" aún perdura, casi una década después (los *brotes verdes* con los que el ex presidente del Gobierno de España José Luis Rodríguez Zapatero aludía a la inminente recuperación económica no fueron tan verdes como cabía suponer).

Con la crisis, en España, las multinacionales han doblado sus beneficios. Coca-Cola prevé duplicar sus ingresos. El Banco Bilbao Vizcaya Argentaria ganó, en el 2010, 4.606 millones de euros, casi el 10% más que en el ejercicio del año anterior (2009). Para el presidente del Banco Santander, los resultados del 2009 supusieron "los mejores de la historia" del banco (casi nueve mil millones de euros). Iberdrola, Endesa, Telefónica... Las llamadas "supermarcas" presentan beneficios multimillonarios, pero, en muchos casos, y a la vez que se embolsan estratosféricas cifras, negocian expedientes de regulación de empleo en sus plantillas.

Uno podría pensar que la mayor crisis económica desde los años treinta habría dado que pensar a los principales empresarios. La verdad es que no mucho. En octubre del 2008 se reveló que el sueldo de los consejeros había subido nada más y nada menos que el 55% en solo un año, lo que dejaba al director ejecutivo medio del índice Financial Times Stock Exchange 100 con un sueldo 200 veces superior al del trabajador medio. Esta bonanza no les impidió seguir adelante con las congelaciones salariales y los despidos masivos.

(Jones, 2013: 199)

Los ejemplos, incontables. La muestra, Microsoft y Almirall:

El País, 18 de julio del 2013: "Microsoft gana 16.675 millones de euros y eleva el 28,7% el beneficio del último año".
La República, 18 de julio del 2014: "Microsoft se une a las multinacionales que recortan nóminas".

En el 2014, Almirall obtuvo "beneficios récord". *("beneficio récord",* ver Anexo IV)
Páginas de Economía de *La Vanguardia,* del 18 de marzo del 2015: "[el grupo farmacéutico] Almirall reduce su I+D y despedirá a 68 personas".

Muchas de estas empresas (Abertis, Acciona, ACS-Dragados...), potentes en el mercado financiero, que operan en bolsa, acudieron a las dos reuniones "para la mejora de la competitividad" que, con el fin de atajar la crisis, organizó el ex presidente del Gobierno español José Luis Rodríguez Zapatero en La Moncloa, el 27 de noviembre del 2010 y el 26 de marzo del 2011. "La remuneración media de los consejeros de las empresas del Ibex 35, en el 2014, fue el 25,1% superior al año anterior, según el informe publicado ayer por la Comisión Nacional del Mercado de Valores" *(La Vanguardia,* 1 de octubre del 2015). En las concentraciones ciudadanas del movimiento de *indignados* del 15-M (15 de mayo del 2011) y en las manifestaciones de numerosos partidos políticos (PSOE, IU, Podemos...) se lee el mismo mensaje en las pancartas: "No es una crisis, es una estafa", referente a la crisis política y social que arrastra España desde el 2008. Panfleto de la Confederació General del Treball, dibujado por el cartelista Azagra: "Crisi? De quina crisi parlem? Prou d'enganys". La crisis económica, en su formato actual, con las consecuencias nefastas para las clases populares,[5] ha servido para aumentar las cuentas

---

5 Centenares de miles de personas reciben a diario ayuda alimentaria en España. Del 18 al 21 de marzo del 2015, la Hackathon de Datos Kosmopolis, en el Centre de Cultura Contemporània de Barcelona, estuvo dedicada a profundizar en el hambre y la pobreza en España.

Después de cinco años de ajustarse el presupuesto familiar debido a la crisis económica, ¿cuánta gente en España y Catalunya está comiendo de la ayuda alimentaria?
Crisis económica, paro de larga duración, bancos, ejecuciones hipotecarias, desahucios, pobreza severa, niños desnutridos, problemas escolares, falta de comida, banco de alimentos, centros de acogida, planes económicos de ayudas sociales....

corrientes de unos pocos: la desregulación y la pérdida de derechos ha beneficiado las grandes corporaciones (Ramiro, 2014). En España, la crisis económica, que todavía dura, ha golpeado tres sectores con especial dureza: el sector inmobiliario ("el ladrillo"); el sector automovilístico (las ayudas públicas evitan la angustia, como el Plan Pive, para la compra de coches ecológicos) y el sector periodístico, que no de la comunicación (la venta de diarios cae en picado, pero las empresas buscan los nuevos perfiles de comunicadores). La crisis ha afectado a la prensa como a muchos otros sectores. La prensa (sobre todo en papel) ya estaba tocada antes de la recesión (Nosty, 2011). Pero sigue en pie, con titulares que evocan el espíritu de los primeros *mukrackers,* los legendarios periodistas norteamericanos en defensa del servicio público (Upton Sinclair, con *La jungla).* En la edición digital de *El País* del 27 de mayo del 2012 se debatía sobre el poder de las multinacionales. La pregunta, lanzada por el moderador, Miguel Ángel Villena, mordía: "¿Cómo puede limitarse el poder de multinacionales como Exxon Mobil?". Pregunta que generaba otras preguntas: "¿Marcan realmente las multinacionales las reglas del juego mundiales? ¿Tienen más poder que los gobiernos o los parlamentos?"… Por las respuestas de los comentarios en la web, sí. Los detractores de las negociaciones entre Estados Unidos y la Unión Europea para un tratado de libre comercio (Acuerdo Transatlántico de Comercio e Inversiones; TTIP, por sus siglas en inglés) sospechan que el

---

Todos estos términos pueden relacionarse entre sí, en el orden expuesto, como consecuencia uno de otro. Las tasas de paro registradas en España en los últimos siete años no son muy halagüeñas. Catalunya no es una excepción. Las clases con rentas más bajas han sido las más perjudicadas en los peores momentos.

La carencia de ingresos y de condiciones de vida en los hogares (pobreza energética) muestra un creciente empobrecimiento de la población española mucho mayor que en los países europeos [1].

En Catalunya, los cuatro bancos de alimentos repartieron un total de 22 millones de kg de alimentos para 260 mil personas, a través de 697 entidades. Esto representa un incremento del 43% respecto al 2010, en número de kg, y del 85% por el número de personas en situación de pobreza que fueron a recoger esa comida. Otra noticia destaca que ya son 320 mil personas las que reciben ayuda alimentaria [2].

En el 2015 tiene que crearse el Plan de Ayuda Humanitaria de la Unión Europea. Para garantizar esta ayuda, el Estado español ha hecho un avance de financiación extraordinario de 40 millones de euros en el 2014. La dotación económica para Catalunya fue de 5.288.281 de euros [3].

Las entidades sociales que están ayudando advierten que un descenso del paro no implica una reducción de la tasa de pobreza. En el debate también se incluye la lucha contra el malbaratamiento de los alimentos que deja sin comer a mucha gente necesitada por caprichos del mercado.

Para participar en la Hackathon y conocer las bases, entra aquí: http://kosmopolis.cccb.org/es/k15/programa/hackathon-de-periodisme-de-dades/

[1] Según el informe Desigualdad y Derechos Sociales. Cáritas y FOASSA (2013). Pág. 14
http://bit.ly/1BGLeRp
[2] Els 320 catalans que reben ajuda alimentària necessiten una atenció social integral
http://www.tercersector.cat/noticies/els-320000-catalans-que-reben-ajuda-alimentaria-necessiten-una-atencio-social-integral
[3] Dignificar i defensar el dret a l'alimentació. Taula del Tercer Sector de Catalunya (2015)
http://bit.ly/1FkDQNN

poder de las multinacionales se verá incrementado. "El acuerdo se está negociando en secreto entre gobiernos y multinacionales", denuncia el Observatorio Europeo de las Corporaciones (CEO, en inglés), organización que se dedica a controlar la presión que ejercen los *lobbies* empresariales en Bruselas. Con la crisis los editores de diarios son menos combativos, menos enojosos y más predecibles (Ramírez, 2014). La Asociación Mundial de Periódicos (World Association of Newspapers and News Publishers): "En los últimos cinco años los ingresos por publicidad cayeron el 28%" (2013). Según los datos facilitados por el secretario general de la World Association of Newspapers and News Publishers, Larry Kilman, la publicidad ha perdido peso en la prensa en papel. Los números se exponen en los informes anuales ("world press trends") relativos a España: de los seis mil millones de euros gastados en publicidad en los medios, en el 2010, se reduce considerablemente la inversión en los años siguientes. La crisis ha ayudado a hundir la prensa en España: informe de la profesión periodística del 2013: más de once mil empleos destruidos y más de un centenar de medios cerrados desde el 2008. Las multinacionales han reducido su inversión en la prensa independiente, algo relacionado con los dos factores principales que afectan a la inversión publicitaria: 1. la caída del consumo (la tasa de recuperación de la inversión publicitaria se reduce), y 2. la aparición de los medios digitales (más baratos en tarifas, más directos en acceder a los públicos objetivos y más segmentados, a la vez que permiten interactividad).

Cuando se reduce la inversión, los grandes anunciantes (que trabajan por cuota de mercado) seleccionan mejor los medios y los canales de comunicación en los que incluir sus campañas, y de ahí que desaparezcan de muchos medios tradicionales. Y algunos editores de prensa diaria, como, por ejemplo, Prensa Ibérica (con varios diarios), han suscrito convenios de "asociación" con diarios independientes (como el *Segre,* de Lleida) para la comercialización conjunta de sus espacios al gran anunciante. Consecuencia de la reducción de la inversión publicitaria.

En el Llibre Blanc de la Premsa Comarcal del 2010, editado por la Associació Catalana de la Premsa Comarcal, se estudió la paginación perdida en el sector, entre el 2008 y el 2009: 27.000 páginas menos, de las cuales el 54,3% eran de redacción; el 35,9%, de publicidad, y el 9,3%, de servicios. "Desde que se inició la crisis económica se ha perdido paginación en los diarios, y no solamente de publicidad. Si los ingresos se han reducido por pérdida de 'mancha' publicitaria, lo normal es que se planteen qué otras páginas reducir para cuadrar la edición (en una publicación en papel la impresión se plantea en pliegos de cuatro páginas, y en algunas ediciones se contabilizan de ocho en ocho páginas)", reflexiona el experto en gestión de medios Celestino Manzano. La pérdida de "mancha" publicitaria no ha sido la causa principal de reducción de los contenidos (Manzano, 2015).

Quien realiza estudios de inversión publicitaria a escala de Catalunya y de España es el director general de Media Hotline, Enrique Yarza. El 12 de febrero del 2015 presentó en Barcelona su estudio sobre la inversión del 2014. Otro estudio a esta escala, para Catalunya y España, lo hace Infoadex. Según Infoadex ("base de datos sobre publicidad más completa de España"), la inversión publicitaria ha caído el 17,5% (datos del 2013). Y según Jesús Vallejo, director de Havas Media Levante ("meaningful brands"), agencia de medios que gestiona publicidad: "En seis años de crisis hemos retrocedido 14 años" (2013).

Todas estas razones se tratan en la revista *Capçalera,* del Col·legi de Periodistes de Catalunya (diciembre del 2014): "Según el último Libro Blanco de la Prensa Diaria de la Asociación de Editores de Diarios Españoles, entre el 2007 y el 2012, la inversión publicitaria se redujo casi a la mitad y 18.000 marcas se dejaron de anunciar. Una sacudida que provocaría un aumento considerable de periodistas en paro. Así, el Observatorio de la Crisis de la Federación de Asociaciones de la Prensa Española (FAPE) apunta que 11.145 profesionales de la información han perdido el trabajo y que un centenar de medios se han visto obligados a cerrar desde el 2008".

"La gente no se queja porque ve cómo está la economía, y que fuera hace mucho frío. Asume los recortes", admite el director del diario *El 9 Nou,* Jordi Molet. Uno de los periodistas de Internacional de un diario catalán contó a este investigador que él mismo se paga la mitad de lo que cuestan los viajes al extranjero para elaborar reportajes. "El medio me cubre la otra mitad, pero no el total de los gastos. O lo pago yo de mi bolsillo o no hay repor", admite. "No paro de picar noticias, no me da tiempo a nada, cada vez somos menos en plantilla y tenemos que hacer más", le confía a este investigador T., periodista de la sección de Vivir (local) de *La Vanguardia.* Más con menos. "No da tiempo a nada, por eso vamos a saco, porque el cierre es el cierre [a las 20 horas] y no llegamos con los que somos."

"Todos estamos saturados, así que no es difícil que haya la tentación de copiar, de tirar a lo fácil, porque ahora el periodista tiene muchas más funciones que atender de las que le son propias", destaca Josep Playà (Manresa, Barcelona, 1957), periodista de *La Vanguardia* especializado en temas sociales, en inmigración. Entre el 2006 y el 2014, Josep Playà ocupó la presidencia del comité de empresa (12 personas) del diario (entrevista del 23 de febrero del 2015, ver Anexo III: "Entrevistas"). El periodista Albert Sáez, ganador del Premi Joan Fuster de ensayo por *El periodisme després de Twitter. Notes per repensar un ofici,* sostiene en un artículo en *Capçalera* (número 167): "...la informació a mans dels mitjans de comunicació ha estat tradicionalment manipulada al servei de les classes dominants [sic], del poder polític i de les élits intel·lectuals". Estas cifras comportan recortes, trabajadores en la calle.

A pesar de eso, los gerentes de los grupos de comunicación prevén mejorar la calidad de los diarios, aun con menos profesionales. Alemania es un ejemplo: "Todos los empresarios alemanes que están aplicando la tijera a sus plantillas hablan de 'mantener la calidad' de la publicación que podan. Así, Saffe, gerente del Grupo Spiegel, considera que se puede ahorrar en muchas partidas sin que esto afecte la sustancia de las publicaciones" (en *El País,* 4 de diciembre del 2012; ver el epígrafe sobre la "perversión del lenguaje", en el capítulo o bloque 3: "El marketing y las notas de prensa").

El gerente Saffe podría ver que ese modelo de recortes, sin que afecte a la rigurosidad, no se mantiene. No se mantiene ni en la prensa ni en otros ámbitos laborales. Ejemplo, las "oficinas de atención ciudadana" (OAC) del Ajuntament de Barcelona, que aparecen en un artículo de la revista local de Barcelona *La veu del carrer* (junio del 2016), a cargo de Cristina Palomar. Más trabajo y menos personal=malestar.

> L'increment de feina que suporten les OAC provocat per la implantació de la finestreta única que ara permet la gestió de 250 tràmits administratius no va anar acompanyat del corresponent augment de la plantilla, ni de la millora de les condicions laborals, ni de la formació especialitzada, ni de la modernització dels equips informàtics, ni de la implantació de la cita prèvia, ni de l'adaptació dels espais a l'augment d'usuaris, ni de la dotació de mesures de seguretat per evitar agressions. Els seus 160 treballadors, que porten dos anys de reivindicacions, han aconseguit fer seure a l'Ajuntament i arribar a un acord de mínims que va fer desconvocar la vaga el passat 8 de juny [del 2016].
>
> (Palomar, 2016)

Cada vez adquieren más importancia los directores gerentes (Núñez Bohórquez y Reyes Vera, 2013). En este mundo que se mueve por el "hacer más por menos" (máximo beneficio con el menor gasto), los gerentes tienen más poder que la línea periodística (Hay Group, 2006). En las empresas, la figura del gerente cada vez es más determinante. Hay Group, consultora global de Recursos Humanos, realizó un estudio sobre quinientos profesionales del área de "comités ejecutivos", que ha concluido que el 'estilo del gerente' impacta entre el 50% y el 70% en los trabajadores, y condiciona el clima de la oficina. En las empresas de comunicación, en los diarios, una de las figuras también es la del gerente (director gerente), en virtud de la predisposición del más por menos: máximo beneficio por menor gasto (Regent, 2011). Esta predisposición en cuestión está descrita en la revista de la Escuela de Negocios de la Universidad de Montevideo (Uruguay):

> Pensemos aquí en los negocios que están basados en una marca de calidad. Todos los clientes asumen que la marca X es calidad, seguridad, fiabilidad. Pese a que el servicio comienza a no ser el de antes, los clientes vuelven una y otra vez. Han sido muchos años de buen servicio y ha dado sus frutos. El nuevo gerente que ha decidido bajar la calidad de servicio se siente feliz. Gasta menos en servicio, los rechazos son mayores pero los clientes siguen viniendo. Las ventas siguen como antes y los gastos son menores. Es lo máximo, hasta se convence de que es un genio. Peor aún, sus jefes así lo consideran y lo gratifican. Incluso puede darse la paradoja de que el gerente sea promovido a un cargo de mayor

responsabilidad antes de que los efectos negativos de sus acciones sean visibles.

(Regent, 2011)

Uno de los primeros economistas en reseñar la importancia de esta figura fue el propio Adam Smith, en *La riqueza de las naciones*. Libro I, capítulo VI: "Sobre los elementos componentes del precio de las mercancías", que se refiere a los gerentes con el término de "empleados principales": "En muchas grandes obras, casi la totalidad de la labor de este tipo [administrativa] está destinada a algún empleado principal. Los salarios pagados a esta persona representan el valor de dicha labor de dirección e inspección [...], nunca guardan proporción con el capital que manejan".

"Antiguamente, la persona que contrataba era llamado *capataz, patrón* o *amo*. En cambio, ahora, se le acostumbra a llamar *empresario, director* o *gerente"*, se resalta en *El capital de Karl Marx, adaptación para niños,* con texto de Joan Ramon Riera y con ilustraciones de Liliana Fortuny (Ediciones La Lluvia, 2014). El imperecedero Josep Maria Huertas-Claveria es más cáustico, en su remedo de memorias *Cada taula, un vietnam:* "haver esdevingut gerent i estar putejant companys" (1997: 198)

.2.3.3.1 La crisis en 'La Vanguardia' y 'El Mundo de Catalunya'

El medio alternativo *Cafè amb Llet* se promociona de esta manera: "Aquesta publicació que tens a les mans no accepta subvencions; no accepta publicitat institucional; no accepta publicitat de bancs ni d'empreses de l'Ibex o amb seus a paradisos fiscals. Per això, la teva col·laboració és imprescindible per poder continuar explicant el que tants volen amagar". El periódico *Cafè amb Llet* (www.cafeambllet. com) hace públicos los socios capitalistas de los principales diarios de España (ver Imagen 4).

En cuanto a *La Vanguardia: "La Vanguardia* és propietat del Grup Godó (com 8TV i RAC1). El Grup Godó és el grup de comunicació que rep més subvencions a tot Espanya. N'és propietari Javier Godó, vicepresident de 'la Caixa' i conseller de CaixaBank. Segons el CNMV, el 2010 'la Caixa' va concedir préstecs i avals a Javier Godó per 24 milions d'euros. Al consell d'administració del Grup Godó trobem Lluís Conde, conseller del Banco de Inversiones Lazard i fundador de Seeliger-Conde, empresa que va fitxar Esperanza Aguirre; [i] David Cerqueda, un dels directors generals del Grup, que ha ocupat càrrecs de responsabilitat a Goldman Sachs i BNP Paribas".

En cuanto a *El Mundo:* "El diari fundat per Pedro J. Ramírez, recentment destituït [febrero del 2014], té al darrere Unidad Editorial. Els accionistes són Fiat, els bancs italians Mediobanca, Unipol Banca, el Banco San Paolo i l'empresa de neumàtics Pirelli, entre d'altres".

"Pese a su enorme y creciente peso en el negocio de los medios, la crisis está haciendo mella, igualmente, en la rentabilidad de los grupos de comunicación. Así, de generar un significativo beneficio de explotación agregado antes de la crisis, los resultados conjuntos de esos grupos se han ido tiñendo de rojo. Los conglomerados [...] grupos Godó [editora de *La Vanguardia*] y Zeta generaban antes de la crisis (2007) un beneficio de explotación conjunto de 1.333 millones de euros; seis años después (2012) han acumulado unas pérdidas de 594 millones de euros..." El informe de la profesión periodística del 2013 corrobora el mal estado del sector en España. Uno de los apartados de este informe anual se refiere a "destrucción de empleo". Según el periodista y asesor laboral del Sindicat de Periodistes de Catalunya, Fabián Nevado (Hinojosa del Duque, Córdoba, 1955), el copia y pega en la prensa se debe, en parte, a la reducción de plantillas, que ha afectado muchísimo a la calidad de la información, en todos los aspectos, tanto en la información pura y dura —las ruedas de prensa en sí, las opiniones declarativas—, como en la elaboración de la información propia (ver entrevista en Anexo III).

Sobre la base de las ideas expuestas, el Sindicat de Periodistes de Catalunya diferencia entre "bajas reales" y "bajas propuestas", entendiendo por *baja* la eliminación de un puesto de trabajo.

En lo referente a *La Vanguardia,* las bajas reales serían 80: 20 bajas incentivadas y 60 de administración y preimpresión. En cuanto a las bajas propuestas: "sin determinar".

Los datos de la sección de medios de comunicación, cultura, ocio y deportes del sindicato Comissions Obreres de Catalunya (CC. OO.): del 2008 al 2012, en España se han perdido 2.363 puestos de trabajo en el sector. Según CC. OO., *La Vanguardia,* perteneciente al Grupo Godó, ha perdido a 94 trabajadores, afectados por prejubilaciones pactadas. El Observatorio de la Crisis de la FAPE especifica que estas prejubilaciones se producen en personas de más de 53 años. ("Las prejubilaciones y las políticas de austeridad eliminan la antigua casta de los maestros del taller", dijo Enric González en su columna de *El País,* en un artículo titulado "La voz", del 11 de noviembre del 2009.) En mayo del 2009, el Grupo Godó anunció un recorte del 30% de la plantilla de *La Vanguardia.* Tal y como publicó el portal *PRNoticias:* "Como es lógico, este nuevo anuncio ha provocado cierta preocupación en la plantilla, que ve cómo se pueden recortar uno de cada tres puestos de trabajo". *La Vanguardia* ha echado a personal, y no se descarta que continúen "las medidas extremas": "El Grupo Godó negocia un recorte de plantilla de 90 personas en *La Vanguardia*" (2009). Mensaje contradictorio con este otro: Las expectativas económicas son buenas para *La Vanguardia* (2010): '*La Vanguardia* consolida los 200.000 ejemplares y aumenta su liderazgo [un redactor que no quiere dar su nombre confiesa a este investigador que las cifras de ventas reales se engrosan; cada vez es más habitual ver en los transportes públicos pilas de diarios que se reparten gratis]. El interés por la información económica y política aumenta en tiempos de crisis y esa demanda de noticias y análisis se traduce en lectores para los diarios que tienen en su ADN periodístico esa vocación de ofrecer con rigor respuestas a las inquietudes informativas de la mayoría de la sociedad. A la vista de los resultados de difusión del pasado mayo que arroja la Oficina de Justificación de la Difusión (OJD), *La Vanguardia* ha superado con muy buena nota ese reto, ya que el rotativo del Grupo Godó se refuerza como líder de la prensa de Catalunya al consolidar una venta media diaria, de lunes a domingo, de 204.868 ejemplares" (leer el epígrafe sobre la "perversión del lenguaje" en el capítulo o bloque 3: "El marketing y las notas de prensa"). En marzo del 2012, el Grupo Godó anunció que prescindía de colaboradores del diario *La Vanguardia*. Según la Agenda de la Comunicación del 2012, que edita la Secretaría de Estado de Comunicación (Ministerio de la Presidencia), en la redacción de *La Vanguardia* trabajaban 24 personas con responsabilidades de algún tipo (cargos como director, vicedirector, director adjunto, subdirector...). En la Agenda de la Comunicación del 2014, dos años después, son 26 los cargos que se mencionan. Aumentan los cargos y, por el contrario, las plantillas decrecen. Según el Observatorio de la Prensa Diaria (2014), *La Vanguardia* ha reducido su difusión el 8,3% en los primeros once meses del 2014, mientras que sus ventas han caído el 7%. El mismo informe indica, no obstante, que sus ingresos por publicidad han detenido su caída. "Som en una crisi econòmica i en una crisi estructural del sector. Els diaris hem perdut dues terceres parts de la publicitat, una part important de les vendes i ens hem d'adaptar a altres formats", opina el director de *La Vanguardia*, Màrius Carol, en una entrevista con la revista *Capçalera*, en marzo del 2015 (número 166). "És cert que amb les retallades restem menys, si bé a la redacció de paper encara som 180 amb uns sous per sobre de la mitjana."

Y *El Mundo* languidece (2013): "Las malas previsiones de comienzos de año y las inminentes caídas en ventas y publicidad han obligado a Unidad Editorial a seguir haciendo recortes. El grupo ha comunicado a sus equipos regionales que son necesarios ajustes adicionales al ERE que se saldó con la salida de 140 personas en el verano pasado [2012]. El objetivo es reducir plantilla, paginación y ajustar costes operativos en las ediciones menos rentables del diario. País Vasco, Catalunya y Castilla León son las que en estos momentos están en el punto de mira. El objetivo del Grupo es cerrarlo todo durante febrero". *El Mundo de Catalunya* ha recortado la plantilla (2013): *"El Mundo de Catalunya despide a cinco trabajadores"*. Y *El Mundo* se consolida (2014), contradictoriamente: *"El Mundo confirma una vez más su robustecimiento. El escenario de la prensa española es sencillo de explicar: mientras las ventas del resto de diarios se resienten, las de esta cabecera de Unidad Editorial, no solo se mantienen, sino que, además, mejoran.* Regularidad y estabilidad. La crisis de modelo y las dificultades económicas hacen mella en el sector, salvo en el caso de *El Mundo*, tal y como demuestran los datos de julio y agosto de la Oficina de Justificación de la Difusión (OJD), dados a conocer ayer [23 de septiembre del 2014] y aún pendientes de certificación" (leer el epígrafe sobre la "perversión del lenguaje" en el capítulo o bloque 3: "El marketing y las notas de prensa". La cursiva, de este investigador). En el Observatorio de la Crisis de la FAPE aparece esta "incidencia": *"El Mundo* se ha visto obligado a contratar a ocho fotógrafos *freelance,* debido a una sentencia por la que se les reconoce como antigüedad en la empresa el tiempo real que llevan trabajando sin contrato fijo". Y por vez primera en sus casi tres décadas de vida, el 4 de mayo del 2016 *El Mundo* no ha salido a la calle. La web *elmundo.es* daba esta razón: *"El Mundo* no acude a su cita con los lectores por la huelga de sus trabajadores". Según el ERE abierto, se ha de echar a 224 personas. "#EREsalvajeUE [Unidad Editorial, empresa editora]", corría por Twitter.

Aun así, aparecen titulares como este: "Los editores de prensa se regalan pañuelos y corbatas de Loewe tras quintuplicar pérdidas", en *El Confidencial,* el 4 de diciembre del 2013. El informe "Esporas de helechos y elefantes" fiscaliza la responsabilidad corporativa de los medios de comunicación por la elaboración de contenidos en los diarios nacionales de información general. Promovido por la Fundación Compromiso Empresarial ("difundir las mejores prácticas, análisis y tendencias sobre iniciativas relacionadas con la innovación social"), ha sido elaborado por Begoña Morales Steger, José Antonio Irisarri Núñez y Javier Martín Cavanna. *La Vanguardia* y *El Mundo* son dos de los ocho diarios estatales en los que pone el ojo. Ninguno de ellos sale bien parado. "Con relación a los contenidos publicitarios ningún periódico [incluido *La Vanguardia* y *El Mundo]* ha elaborado unos criterios sobre la publicidad aceptable. Por último, con relación a los anuncios de contacto únicamente tres diarios *(La Razón, Público* y *La Gaceta)* han renunciado por motivos éticos a este tipo de contenidos. Aunque no se encontraba entre las prácticas exigibles no hemos encontrado ningún periódico que haga públicos los ingresos de sus principales anunciantes o que haya adoptado la política de limitar el peso que los anunciantes puedan tener en los ingresos totales del periódico con el fin de proteger su independencia."

Por ello se hacen especialmente necesarias cuatro de las 12 recomendaciones de la Fundación Compromiso Empresarial relacionadas con la publicidad:

> 1. Todos los periódicos deberían renunciar a los ingresos procedentes de anuncios de líneas de contacto o similares, por atentar a la dignidad de la mujer y suponer una cooperación indirecta con la prostitución.
>
> 2. Todos los periódicos deberían elaborar unos criterios éticos sobre el tipo de publicidad admisible.
>
> 3. Todos los periódicos deberían publicar el porcentaje de ingresos de sus diez mayores anunciantes, especificando los ingresos procedentes de publicidad institucional de organismos públicos.
>
> 4. Todos los periódicos deberían evitar que un anunciante tenga un peso

excesivo en la financiación total del grupo o, caso de tenerla, desarrollar mecanismos para garantizar su independencia.

(En http://www.compromisoytransparencia.com)

IMAGEN 4. Portada del número 1 de la revista *Cafè amb llet*.

3. MARKETING

El marketing y las notas de prensa

"A lo largo de los años la creatividad ha sido parte esencial del desarrollo de las técnicas de relaciones públicas, por lo que intentar hacer una relación exhaustiva de las mismas es complicado, pero, a continuación, se detallan las actividades más habituales: comunicados a la prensa con los que, mediante el uso de notas, dosieres, carpetas o ruedas de prensa, se pretende establecer procesos de comunicación con los medios (prensa, radio o televisión) para llegar a influir sobre algunos de sus públicos. Gracias a la reproducción total o parcial de los contenidos de las notas de prensa por los medios de comunicación, la empresa emisora del mensaje aparece citada en ellos, lo que contribuye a incrementar su *prestigio* [ver Anexo II: "El lenguaje subordinado. Los términos de marketing y economía en los breves de empresa"]."

En el subpunto "Relaciones públicas, protocolo, patrocinio y mecenazgo" del capítulo "Comunicación en marketing", del *Manual de marketing* (ESIC Editorial, 2008), escrito por la investigadora de la Universidad de Málaga María Dolores García

"Ten en cuenta que, muy probablemente, el periodista busque copiar y pegar directamente tu nota de prensa, debido al poco tiempo que tiene para realizar su trabajo. Por esta razón, escribe pensando que lo que escribes va a ser lo que se publica, así facilitarás muy mucho el trabajo del periodista."

Javier Bello, en el artículo "Cómo escribir una nota de prensa", publicado el 21 de junio del 2015 en Domotua Marketing Online

"Lo que sí crece es el lenguaje de los eufemismos. [...] Los eufemismos del inglés financiero se exportan."

John Lanchester, autor de *Cómo hablar de dinero,* en la entrevista que le hace el enviado especial Andy Robinson para *La Vanguardia,* el 7 de abril del 2015

El copia y pega es el antónimo de la mejor tradición de investigación y elaboración propia. Aun así, beneficia de alguna manera a las empresas, cuyos departamentos de comunicación y marketing —en puridad, de relaciones públicas— intentan que sus mensajes sean difundidos por cualesquiera de las vías posibles, preferentemente, la informativa ("Lo de que las agencias de noticias te copien y peguen, literal, una nota de prensa y te la envíen como teletipo es superguay, ¿eh?", tuitea la periodista Lara Hermoso, el 20 de mayo del 2015; retuiteado once veces). El copia y pega, para las firmas comerciales, no es negativo, puesto que no hay injerencia en su línea argumental: tal cual lo dicen, así aparece. "¿No tienes la sensación, en los últimos tiempos, de que hay noticias que cada vez se acercan más a las relaciones públicas y al marketing político que al propio periodismo?", se pregunta una de las internautas que participan del blog de Sara Olivo, en una entrada del 15 de diciembre del 2013, del artículo "Nueve razones para no utilizar *mailchimp* en las notas de prensa". Los profesionales de los gabinetes corporativos de multinacionales y pymes —sobre todo las primeras, en cuya estructura se prevé este departamento— se aleccionan sobre la mejor manera de enviar información comercial y que esta obtenga el estatus de noticia, así se aseguran su publicación. Por ello, todo se envía mascado, notas de prensa que se dotan de apariencia periodística merced a la labor de periodistas de carrera contratados. "El contenido debe estar redactado a la perfección para que el periodista, si lo considera oportuno, pueda reutilizar el texto tal cual. Es decir, que pueda hacer un copiar-pegar de los de toda la vida", recomienda la experta en marketing de contenidos Silvia González, en "Consejos para redactar una buena nota de prensa y enviarla por *emailing",* publicado en el blog *Mailify,* el 18 de marzo del 2014. "Una nota de prensa bien escrita, estructurada, comprensible y lista para 'copiar y pegar' tiene muchas más posibilidades de tener éxito", comunica la agencia Wembley Comunicación Deportiva. "Te recomendamos que uses formatos de archivo que impidan que el texto se descoloque —como puede pasar en Word— y que el periodista lo reciba tal como lo hemos escrito; el pdf será un formato ideal. Asimismo, será importante que el receptor pueda copiar y pegar partes del texto para facilitar su tarea", aconseja la licenciada en Publicitat i Relacions Públiques per la Universitat Pompeu Fabra Àngels Salgado, en "Cómo redactar una nota de prensa", publicado en *Uncomo.com.* "Es recomendable mandar la nota de prensa en el idioma en el que se publica el medio al que se lo mandamos. Así se ahorra trabajo al periodista y se facilita el proceso de copiar y pegar", se sugiere en "Cómo escribir una nota de prensa", publicado el 11 de mayo del 2011 en Press People. "Debes tener en cuenta a los medios para las notas de prensa que elabores y para otros materiales, de manera que puedan 'cortar y copiar' si lo necesitan. Facilítales el trabajo", se apostilla en "Cinco 'secretos' para lograr la atención de los periodistas", publicado en *Excerial,* el 22 de noviembre del 2013. "Ten en cuenta que los periodistas necesitarán copiar y pegar el texto del dosier, de modo que es mejor distribuirlo en un formato que no esté bloqueado", avisa el redactor *freelance* especializado en marketing y comunicación Roger Garcia, en "Preparar un dosier de prensa", publicado en venmas.com. En "Dosier de prensa: herramienta imprescindible para las relaciones públicas", publicado en Mi Espacio (www.infosol.com.mx):

> Las enormes posibilidades de la navegación en internet hacen que esta presentación del dosier de prensa gane cada vez más adeptos. No solo es una opción cómoda para el periodista, ya que puede 'copiar y pegar' alguna información directamente, sino que ofrece posibilidades para acceder instantáneamente a otras referencias en internet a través de links, de disfrutar de contenidos audiovisuales (aunque no de la mejor calidad en el caso de vídeo) o de poder enviar un correo electrónico al contacto de prensa para solucionar una duda que surja en el momento.
>
> (www.infosol.com.mx)

En el artículo "¡Publíquenme esa nota de prensa!", de la agencia de comunicación Aeropress, en noviembre del 2014, lo mismo: "Envía tu información en pdf (adjunta un word para que el periodista pueda copiar y pegar tu información)". En "Consejos para escribir y enviar la Nota de Prensa perfecta", publicado por Oink my God, el 8 de abril del 2015: "Escribe la Nota de Prensa en el cuerpo del mensaje, pero también adjúntala en un documento .doc —que puedan copiar y pegar o modificar directamente encima—. Pónselo lo más fácil al periodista para que trabaje lo mínimo". El especialista en marketing Jon Llaguno, en "Cómo redactar una nota de prensa (incluye plantilla)", publicado el 10 de febrero del 2014 en Marketing de Videojuegos:

> sugiero siempre la redacción de la Nota de Prensa desde un punto de vista periodístico, con el objetivo de facilitar la labor de los medios. Muchas veces, debido a la importante e intensa carga de trabajo de los periodistas, no pueden dedicar tanto tiempo como nos gustaría a la redacción y adaptación de nuestra Nota de Prensa, por lo que se limitan a copiar y pegar parte del contenido con el objetivo de difundirlo siempre que el texto sea lo suficientemente claro y adecuado. Por ello, es importante que la redacción sea lo más periodística posible, de manera que facilitemos su trabajo.
>
> (Llaguno, 2014)

La imagen del periodista que se trasluce es la de un ser vago, agobiado, azacán, deseoso de que se lo den todo hecho: "la mayoría [de periodistas] lo quieren todo incluido en el *mail* y solo desean copiar y pegar y clicar en algunos *links",* juzga la *global marketing manager* Tracey Gill Miller en "Cómo escribir una nota de prensa (y obtener resultados)", publicado en Música Diy, el 11 de marzo del 2015. "La sección de noticias se nutre fundamentalmente de comunicados y notas de prensa que aparecen publicadas en los distintos medios. [...] En definitiva, que no es una sección de Redacción de Noticias (salvo en algunas ocasiones contadas)", se comenta en el foro de www.nevasport.com, publicado el 16 de febrero del 2008. El periodista y director de la agencia de noticias Colpisa, Rodrigo Ponce de León, en el artículo "En busca del término maldito", publicado en la página *1001medios.net,* el 7 de marzo del 2011:

> Todavía recuerdo una vez cuando, al preguntarle a una jefa de sección de una agencia de noticias si no iban a contrastar una información antes de lanzar el teletipo, espetó: 'Ja, ja, ja. ¿Contrastar? Aquí no tenemos tiempo para eso. Todo lo que llega, sale'. Lamentablemente casi todos hemos tenido que copiar una nota de prensa (porque no daba tiempo o por 'intereses' comerciales) pero es necesario llamar a las cosas por su nombre. [...] los periodistas cogen un teletipo o una nota de prensa, la cambian un poco, añadiéndole algunas peculiaridades locales, y, en poco tiempo, ya tienen una noticia.
>
> (Ponce de León, 2011)

Como ya analizó el doctor del Departamento de Sociología IV de la Universidad Complutense de Madrid José Antonio Alcoceba Hernando en "Análisis de las notas de prensa institucionales y su visibilidad en la prensa" (la metodología utilizada, el análisis cuantitativo de medios. Ciento cincuenta y ocho notas de prensa: 53 notas, en el 2005; 55, en el 2006, y 50, en el 2007), se mantiene la "visibilidad mediática" (leer el epígrafe "El lenguaje *perverso")* de las notas de prensa que elabora el Instituto de la Juventud de España (Injuve). Es decir, dicho sin eufemismos, hay copia y pega. Sobre todo, las notas se reproducen en las versiones de los diarios digitales, más que en papel, aunque aquí también abunden. La empresa (aquí, empresa pública) escribe su mensaje en el diario, y se podría decir que escribe parte del diario, por mor del copia y pega: "Los comunicados de prensa que tratan sobre actividades internas ofrecen la imagen que Injuve quiere proyectar".

No todo es gris. Hay ejecutivos, *chief executive officer* (CEO), interesados en la originalidad y con el suficiente amor propio para no arrogarse el trabajo ajeno: "¿Copiar y pegar infos de otros? ¿Rellenar a diario un contenedor de notas de prensa que a nadie interesan?", inquiere el director del primer portal sobre marketing, publicidad y medios (Marketingdirecto.com), Javier Piedrahita, en el editorial

"¡Libertad para el marketing! (y menos premios). Se buscan CEOs valientes", publicado en Marketingdirecto.com, el 10 de mayo del 2012. La especialista en en marketing *online*, SEO, SEM, Social Media y *e-commerce* Jessica Fillol, en "El consultor SEO responde: el contenido duplicado", publicado en *Laboratorio SEO*, el 19 de febrero del 2015, se guía por este criterio:

> Es más: la práctica de publicar contenido idéntico en varios sitios al mismo tiempo es algo muy frecuente en el mundo de los diarios *online,* que se nutren fundamentalmente de notas de prensa y noticias de agencia, y su contenido 'propio' y 'original' se limita a poner titulares tendenciosos y a los editoriales y artículos de opinión. Y a veces, ni eso.
>
> (Fillol, 2015)

Y también tenemos investigadores que se esfuerzan en dotar de mayor rigor al periodismo. El "periodismo está en crisis", afirman los profesores de periodismo José Manuel de Pablos y Concha Mateos en "Estrategias informativas para acceder a un periodismo de calidad, en prensa y televisión". Los autores definen este ensayo como "poético" y "realista": "Si un periódico se dedica a llenar sus planas con mensajes de seudoperiodismo de fuentes interesadas, si en ese medio no se hace periodismo, si los recursos puestos a disposición de la redacción son precarios, mientras la empresa nada en la riqueza y en el gran negocio, a veces en el terreno del pelotazo mediático, entonces que ese periódico deje de denominarse *periódico* y pase a calificarse como 'empresa de propagación de datos cocinados'" (De Pablos y Mateos, 2004: 364).

> ¿Qué puede explicar este efecto-eco-dócil a partir de la fuente? Hipótesis:
> - Al periodista no le gusta redactar y prefiere copiar literalmente la nota que le llega.
> - El periodista quisiera redactar y además sabe hacerlo, pero no tiene tiempo ni medios para "trabajar" la pista que le ha dado la nota de prensa y, sin embargo, tiene que llenar el espacio que le han asignado.
> - El periodista ha intentando trabajar la pista que le ha dado la nota de prensa, pero su jefe le ha dicho que no pierda el tiempo.
> Son solo hipótesis para explicar que esa no-noticia se haya servido como noticia.
>
> (De Pablos y Mateos, 2003).

La "no-noticia" tiene que ver con el "no-acontecimiento", el "no-breve" y el *"non-honor"* (ver el capítulo o bloque 4: "Periodismo+marketing=Copia y pega").

La tesis *Copia y pega. Cómo las multinacionales construyen las noticias* da una vuelta de tuerca a la investigación "Periodistas, empresas e instituciones". Vía telefónica, se pidió la opinión de 220 redactores jefe y jefes de sección de las secciones de economía, sociedad e información sanitaria de medios de comunicación de España. La encuesta regaló estos titulares a la prensa, hace una década: "Los periodistas desechan el 85% de las notas de prensa que llegan a la redacción" *(El Mundo,* 28 de junio del 2006). "Los principales motivos son que no están redactadas con mentalidad periodística, son muy publicitarias, no incluyen suficiente información y tienen mucha 'paja'". Según este trabajo de campo de Estudio de Comunicación y de la empresa de investigación de mercados y opinión pública Demométrica, los periodistas solo consideraban publicables el 12% de las notas que reciben.

Diez años después, *Copia y pega* demuestra que estos resultados ya no son válidos. Efectivamente, el periodismo (la empresa periodística) está en crisis.

.3.1 ¿Qué es el marketing?

Según la obra de referencia sobre marketing *Fundamentos de marketing,* de Philip Kotler (Addison-Wesley, 2013), el consumidor es el protagonista, y a sus deseos se pliega el mercado. Philip Kotler también escribió *Principios del marketing* (Prentice-Hall, 2008), en los que asume como principal reto "crear valor para el cliente". En *Dirección de marketing* (Addison-Wesley, 2012), Philip Kotler y Kevin Lane Keller exploran nuevas formas de comunicación. Sus 10 mandamientos del marketing 3.0:

1. Ama a tus consumidores y respeta a tus competidores.
2. Sé sensible al cambio, prepárate para la transformación.
3. Protege tu marca, sé claro acerca de quién eres.
4. Los consumidores son diversos, dirígete primero a aquellos que se pueden beneficiar más de ti.
5. Ofrece siempre un buen producto a un precio justo.
6. Sé accesible siempre y ofrece noticias de calidad.
7. Consigue a tus clientes, mantenlos y hazlos crecer.
8. No importa de qué sea tu negocio, siempre será un negocio de servicio.
9. Diferénciate siempre en términos de calidad, costo y tiempo de entrega.
10. Archiva información relevante y usa tu sabiduría al tomar una decisión.

El marketing se ha hecho "sensible al cambio" y por eso se ha adaptado a los nuevos tiempos: se ha hecho *invisible.*

.3.2 Sobre el marketing invisible

Groso modo, el marketing tiene dos caras de estudio: la *publicidad,* por un lado, y las *relaciones públicas* (la comunicación corporativa), por otro. Esta última, la comunicación corporativa, puede ser interna (de consumo propio, de una empresa) o bien externa (con voluntad de expandir sus productos).

En esta última modalidad (comunicación corporativa externa), en los casos en los que las empresas salen al exterior para vender su marca, se está viendo cómo el marketing se adapta a los tiempos que corren. El lenguaje que se utiliza es tan sutil, la manera de anunciarse es tan discreta, el formato utilizado es tan camaleónico (a menudo, se camuflan notas de prensa como noticias de redacción, y publirreportajes como reportajes), que se ha de hacer un esfuerzo para separar la paja del grano y leer con claridad los mensajes (Beckwith, 2001, y Jiménez Morales, 2005). Es lo que se conoce como *marketing invisible.*

> La persuasión trabaja mejor cuando es invisible. Los gusanos de marketing más eficientes en su camino a nuestra conciencia dejan intacta la percepción de que hemos llegado a nuestras propios opiniones y que hemos tomado nuestras decisiones de manera independiente. Tan antigua como la humanidad misma, en los últimos años, este enfoque ha sido refinado, con la ayuda de internet, en una técnica llamada 'marketing viral'. El mes pasado, los virus parecen haber asesinado a su anfitrión. Una de las revistas científicas más importantes del mundo fue persuadida a hacer algo que nunca había hecho antes.
>
> (Monbiot, 2002)

Este texto lo escribe el "periodista ecológico" George Monbiot en un artículo titulado "Los persuasores falsos", publicado en el diario *The Guardian,* el 14 de mayo del 2002. La historia a la que hace mención George Monbiot se refiere a dos investigadores de la Universidad de California que publicaron un artículo científico en la revista especializada *Nature,* en el que alertaban sobre unos productos "contaminantes" de la multinacional Monsanto ("nombrada como una de las mejores compañías para trabajar en España") y del conglomerado de empresas relacionadas. Según el periodista independiente Andy Rowell, Monsanto contrató una empresa de relaciones públicas para que refutara las afirmaciones del artículo científico. Para ello, se hicieron valer de una lista de contactos "falsa" que enviaba *mails* condenatorios en los que se tachaba de manipuladores a los expertos de la Universidad de California. La revista cedió al chantaje. Una historia similar explica Monbiot en su libro *Calor: cómo parar el calentamiento global* (RBA, 2008): el marketing al servicio de los intereses lucrativos de unos pocos. Para el periodista británico George Monbiot, premiado por Naciones Unidas, la sutileza del marketing deviene en "persuasión invisible". En un anuncio del 4 de abril del 2015 del propio *The*

Guardian, en el que Monbiot es el protagonista, se establece la conexión entre las multinacionales y las empresas de marketing para crear opinión. Los "persuasivos gusanos del marketing" de George Monbiot camuflan hasta el lenguaje.

Anuncio de *The Guardian,* el 4 de abril del 2015:

> Estimado lector:
> El periodismo pretende rendir cuentas al poder. Con demasiada frecuencia se desliza hacia el poder, y actúa contra los más vulnerables. Para proteger sus intereses, los poderosos se manejan sutilmente. Los comunicados de prensa corporativos se disfrazan de noticias; las empresas son favorecidas y los partidos políticos están protegidos de una seria fiscalización.
> Por encima de todo, el poder determina las cuestiones que los medios convierten en titulares. Los asuntos de mayor importancia —tales como la desigualdad, la pobreza, la explotación, el crimen organizado y la destrucción del medio ambiente— son abandonados o marginados, mientras que el chisme político trivial se eleva a la categoría de las noticias más importantes.
> En ninguna parte es esto más evidente como en la cobertura del cambio climático, la gran cuestión moral de nuestra época. ¿Estamos destruyendo nuestro planeta? ¿Qué mundo dejaremos a nuestros hijos? ¿Nos vamos a enfrentar a los más poderosos *lobbies* —la industria del petróleo— para evitar que se trate el mundo como un cubo de basura?
> En gran parte de los medios de comunicación el cambio climático está siendo ninguneado. La predisposición de algunos periódicos para abrazar la negación del cambio climático —negacionismo sembrado y financiado por empresas petroquímicas— alude a la profunda corrupción que impregna la prensa.
> Debido a que *The Guardian* no es una multinacional, y por lo tanto no tiene intereses industriales que defender, puede resistir las presiones. En un tema como el cambio climático, su independencia choca contra la mayoría de las empresas. Este periódico está tratando de defender los intereses comunes de la humanidad contra una máquina corporativa extremadamente rica.
> Es la batalla de David contra Goliat, pero creemos que se puede ganar. Suscríbete a *The Guardian* y apoya el periodismo independiente. Es una de las últimas líneas de defensa contra el asalto corporativo en nuestro magnífico planeta.
>
> (Monbiot, 2015)

.3.3 El lenguaje 'perverso'

El lenguaje de marketing o lenguaje publicitario "informa, propone, evoca, incita" (Pérez, 1992). Términos directos, que, en apariencia, son inofensivos, pretenden matizar sutilmente los textos para darles la vuelta, en positivo, y para remarcar marcas y que estas posean un nimbo de adjetivos jactanciosos (verbigracia: "El *flamante* trasatlántico *Queen Victoria,* de la compañía Cunard...", en *La Provincia,* 30 de diciembre del 2007). De hecho, hay elaborada toda una teoría acerca del "marketing positivo" (De la Colina, 2010). Ante esto, la recomendación número 2 del documento "Periodistas que hacen publicidad: conflicto de intereses", del Consell de la Informació de Catalunya, dice así: "La credibilidad de estos periodistas y del medio para el cual trabajan se puede ver gravemente afectada por el hecho de que el público no puede confiar en una persona que trabaja en contenidos informativos y, a la vez, recibe una retribución de una empresa o entidad para hacer publicidad y enviar un mensaje positivo para sus intereses".

En el artículo "La actitud", el notario Juan-José López Burniol (LV, 24/IX/2016) recomienda cuidar el lenguaje, "pues el lenguaje puede ser usado como una herramienta de manipulación y control social, es decir, de dominación".

El judío alemán Víctor Klemperer (1881-1960) ya indagó en la diferente interpretación de las palabras, y en la consiguiente manipulación lingüística, en su *LTI. La lengua del Tercer Reich. Apuntes de un filólogo* (Minúscula, 2012). Por LTI se refería a Lingua Tertii Imperii, "lengua del Tercer Reich":

> En aquellos años, mis diarios me servían una y otra vez de balancín, sin el cual habría caído cientos de veces. En las horas de asco y desesperanza, en la infinita monotonía de un trabajo absolutamente mecánico en la fábrica, junto a las camas de enfermos y moribundos, junto a las tumbas, en los momentos de apuro o de suma humillación o cuando el corazón ya no podía más físicamente, siempre me ayudaba esta exigencia que me planteaba a mí mismo: observa, analiza, guarda en la memoria lo que ocurre —mañana será diferente, mañana lo percibirás de otra manera; regístralo tal como actúa y se manifiesta en el momento. Y muy pronto esta exhortación a ponerme por encima de la situación y a conservar la libertad interna se plasmó en una sigla secreta cada vez más eficaz: ¡LTI, LTI!

> (Klemperer, 2012: 24)

En Dresde (Alemania), y durante los años del nazismo, Kemplerer anota la "excitación" de los discursos radiofónicos de Adolf Hitler, a quien se le llama públicamente El Redentor, en una suerte de mesianismo remedado. "Así como se suele hablar del rostro de una época o de un país, la expresión de una época se define también por su lenguaje", considera este filólogo, que dejó constancia de la "cosificación" de los seres humanos, a la que los judíos eran sometidos por las leyes racistas del nuevo régimen nazi: "Éramos piezas". Y se mete, en la medida de lo posible, en la vida cotidiana ("lo carente de brillo y de heroísmo"), el "uso mecanizante de la lengua": "En este libro escrito con esmero el lenguaje del vencedor es adoptado con un servilismo que utiliza repetidamente todas las formas características de la LTI".

Cuatro siglos antes del LTI, en el capítulo XLIII de la segunda parte de *El Quijote,* titulado "De los consejos segundos que dio Don Quijote a Sancho Panza", el caballero le dice al escudero que sobre la lengua tiene poder "el vulgo y el uso".

> *Erutar,* Sancho, quiere decir *regoldar,* y este es uno de los más torpes vocablos que tiene la lengua castellana, aunque es muy significativo; y así, la gente curiosa se ha acogido al latín, y al *regoldar* dice *erutar,* y a los *regüeldos, erutaciones;* y cuando algunos no entienden estos términos, importa poco; que el uso los irá introduciendo con el tiempo, que con facilidad se entiendan; y esto es enriquecer la lengua, sobre quien tiene poder el vulgo y el uso.

(Cervantes, 2015)

En el prólogo a *El dardo en la palabra* (Círculo de Lectores, 1998), el libro en el que recopila sus *dardos* publicados en periódicos impresos (de 1975 a 1996), Fernando Lázaro Carreter se extraña por esa ansia de distinción, de exclusividad, de no ser semejante al otro. Cuando la empresa requiere los servicios de los gabinetes de marketing y comunicación, precisamente está buscando eso, otorgarle un plus a sus productos, un envoltorio de palabras que suenen bien, una coraza que los realce.

> Solo cabe prevenir contra el extranjerismo superfluo: [...] Y ¿qué añade a la loción para después del afeitado llamarla *after-shave?* Solo es más breve; y es cierto que exhala distinción, lo cual hace imprescindible el vocablo para quienes se perecen por distinguirse. Aunque sin duda es importante este móvil como inductor de neologismos, lo cual obliga a plantearse la cuestión de cuándo son necesarios: hasta la precisión subjetiva que, de una expresión neológica, sienta un hablante con influencia pública puede determinar la instalación de un huésped superfluo en la lengua.

(Lázaro Carreter, 25: 2008)

El lenguaje es la herramienta con la que trabajan los periodistas, y los publicistas. El utensilio indispensable para comunicar. Según como se emplee, las interpretaciones pueden llegar a ser de diverso tipo. Los autores Luis Gilberto Concepción, Miquel Rodrigo y Pilar Medina Bravo analizaron las representaciones de los inmigrantes subsaharianos en la cobertura mediática que elaboró el diario *ABC* sobre los incidentes de las vallas de Ceuta y Melilla en septiembre y octubre del 2005. En su artículo "Niveles semánticos de las representaciones sociales de la inmigración subsahariana. Los sucesos de Ceuta y Melilla según *ABC*", los estudiosos atribuyen al lenguaje la creación de un marco previo, de un imaginario activo, que puede llegar a tener connotaciones negativas, como en el caso que tratan:

El discurso de *ABC* es un producto sociocultural producido en un espacio y un tiempo concretos. Creemos que la cosmovisión natural-relativa pone en primer plano que existe un acervo social de experiencias ancladas en la historia de nuestra comunidad que aporta al periodista un sistema de significatividades objetivadas en el lenguaje (Schutz, 2003: 228). Estas tipificaciones otorgan un lugar semántico y sintáctico (Schutz, 2003: 240) al inmigrante en el lenguaje que influyen en su tratamiento negativo como actor y fuente de información en el relato mediático.

(Bravo *et altri,* 2008: 131)

Según los académicos Gonzalo Abril, Rafael R. Tranche (Universidad Complutense de Madrid) y María José Sánchez (Universidad Rey Juan Carlos), al usurpar los términos de la izquierda, "la derecha neutraliza y, a la vez, rentabiliza su sentido contestatario". El lenguaje está dotado de ideología, y no es casual. No en vano, el término *izquierdear* designa lo siguiente: "Apartarse de lo que dictan la razón y el juicio". "Actualmente, la derecha acapara un inmenso poder político y económico. Pero, además de imponer en toda su radicalidad el modelo neoliberal, trata de operar un cambio de mentalidades que lo normalice y, con ello, ejercer la hegemonía cultural mediante el control de las representaciones colectivas", argumentan los académicos en el artículo.

En el texto "No digan *recortes,* llámenlo *amor",* la periodista de *El País* Amanda Mars recopila los eufemismos que se utilizan para edulcorar la realidad:

Circunloquios, perífrasis, rodeos, ambigüedades, tecnicismos ininteligibles, anglicismos innecesarios... Es viejo como el poder o como la seducción. El uso persuasivo del lenguaje forma parte del discurso público desde que este existe y se mueve en esa delicada frontera entre el maquillaje y la máscara. Pero el uso de los eufemismos se intensifica en tiempos de crisis, esas épocas de malas noticias, y su abuso puede rayar en lo cómico o lo grotesco.

(Mars, 2012)

Acerca de los eufemismos, el periodista Álex Grijelmo se lamenta de que los profesionales de la información, según él cada vez más dóciles en sus fines éticos, no estén alerta:

La pereza, la supuesta objetividad de trasladar al pie de la letra el lenguaje de los políticos, los economistas, los sindicalistas, los terroristas —incluso— o los jueces o los policías hace que los informadores hayan asumido las expresiones que otros inventaron. Y ese invento no fue motivado precisamente por la intención de comunicar lo más ajustadamente posible la realidad, sino por todo lo contrario.

(Grijelmo, 2006: 518)

Los capítulos de su *El estilo del periodista* son una declaración de intenciones: "Cuestionemos lo que escuchamos", "Palabras no neutrales" y "Distancia respecto a la fuente".

La activista y profesora de enfermería Clara Valverde ha investigado el "lenguaje neoliberal" en su libro *No nos lo creemos. Lectura crítica del lenguaje neoliberal* (Icaria, 2013).

> Las palabras no son neutras: sirven para hacer algo al que las escucha. Las palabras y las frases que utilizan las élites políticas y económicas neoliberales intentan que la ciudadanía se comporte de ciertas maneras y, sobre todo, para que adopte opiniones y comportamientos sin que los poderosos tengan que ejercer la fuerza de manera obvia. El lenguaje es la primera y más necesaria arma del capitalismo neoliberal para construir y mantener un *sentido común,* como decía Antonio Gramsci, o para *fabricar consenso,* como dice Noam Chomsky.
>
> (Valverde, 2013: 17)

La autora adjetiva las palabras que persiguen un fin ideológico como "manipuladoras, perversas y humillantes". Ella lo define así: "Estrategia lingüística para imponer políticas injustas". Es decir, una especie de "tácticas lingüísticas".

> Las palabras hacen algo al que las escucha pero también hacen algo importante al que las dice. No solo necesitamos aprender a escuchar y a analizar de forma crítica el lenguaje neoliberal, también necesitamos desenmascarar las manipulaciones y, sobre todo, pronunciar nuestras palabras, nuestra verdad. Porque no tenemos un lenguaje en común, los poderosos y nosotros. No podemos seguir fingiendo. Ese lenguaje humillante, perverso y manipulador no es el nuestro. Ya no vamos a creerlo más, ya no vamos a aceptarlo. Es urgente no aceptarlo.
>
> (Valverde, 2013: 87)

Clara Valverde es consciente de que el lenguaje crea la mentalidad, y no a la inversa, y por ello se levanta, para no ser una más en el "rebaño desconcertado", como llama el lingüista del Instituto Tecnológico de Massachusetts Noam Chomsky a la sociedad sacudida por las políticas conservadoras que desmantelan el Estado del bienestar (las grandes empresas compran medios para asegurarse buena prensa, aseveran Noam Chomsky y Edward S. Herman en *Los guardianes de la libertad*). Lo que buscan las élites financieras, y por ello se arman de un lenguaje propio, es "el bienestar de los bancos". El "lenguaje neoliberal" que desnuda Clara Valverde puede dar lugar a equívocos, y, en muchas ocasiones, a presentaciones suavizadas —poco hirientes— de un mismo tema. Por ejemplo, en el panfleto "No existen niños pobres en ilusión", de la Obra Social "la Caixa", que es como decir lo contrario de lo que se hace:

> Impulsamos el desarrollo de los más pequeños, facilitándoles el acceso a entornos educativos que les aporten referentes sólidos para su futuro. Facilitamos apoyo a las familias para garantizar a sus hijos un nivel de bienestar físico y psíquico óptimo.
>
> (Caixa Proinfancia, 2007)

No se dice que "la Caixa" está detrás de muchos desahucios, como asegura la activista y hoy alcaldesa de Barcelona, Ada Colau: "Es de las entidades con las que se puede dialogar, porque le preocupa mucho la imagen. Pero malas prácticas tienen, desahucios incluidos" ("La Caixa, un gigante señalado por los movimientos sociales", de Brais Benítez, en *Lamarea.com,* el 11 de octubre del 2013).

Y no se dice que "la Caixa" colabora con empresas de armamento, posee paraísos fiscales y ansía el máximo lucro:

> Al menos 14 entidades bancarias españolas, entre las que se encuentran BBVA, el Banco Santander o las cajas unidas en la nueva Bankia, han aprobado desde enero del 2006 operaciones financieras con 19 de las principales empresas fabricantes de "armas controvertidas", como bombas de racimo, minas antipersona y armas biológicas, químicas y, sobre todo, nucleares, según un estudio realizado por el centro de investigación internacional Profundo para la organización Setem. Tras el cruce de datos entre todas las entidades financieras que operan en España y 30 de las compañías que fabrican armas, Setem acusa a ocho de ellas, por ejemplo, de estar directamente vinculadas con la fabricación de las bombas de racimo de origen español que ha utilizado el Ejército de Muamar el Gadafi en Libia, como desveló hace unas semanas el *New York Times*. La compañía española Instalaza, responsable de la fabricación de estos artefactos, recibió financiación en los últimos años de Cajalón (grupo Caja Rural), Caja España, Caja Mediterráneo, Bankinter, Ibercaja, Banco Popular, Banco Sabadell y "la Caixa", según el informe.
>
> (Sánchez, 2011)

La dirección del gabinete de comunicación corporativa de "la Caixa", con su lenguaje de marketing, intenta "suavizar" algunas caras de la realidad; como consecuencia de sus acciones, "la Caixa" deja en el camino a muchos actores sociales. Un dato: en Catalunya, el paro juvenil (menores de 30 años) roza el 50%. De igual forma, y atendiendo al "lenguaje perverso", Banco Bilbao Vizcaya Argentaria, otro de los causantes de la situación de desigualdad social a juicio de la Plataforma d'Afectats per la Hipoteca, ha escrito el estudio *Distribución de la renta, crisis económica y políticas redistributivas,* en colaboración con el Instituto Valenciano de Investigaciones Económicas. No se pregona con el ejemplo.

Como la neolengua de *1984,* la novela de George Orwell, la lengua de los poderosos es "perversa". Ronald Fraser, en su *Recuérdalo tú y recuérdalo a otros,* emplea este concepto: la "trampa" de las palabras: "Las palabras pueden representar una trampa terrible" (Fraser, 2001: 476).

Un ejemplo lo constituye la lectura del artículo "Fainé pronostica un 'entorno más benigno que el que quedó atrás'", publicado en las páginas de Economía del diario *La Vanguardia,* el 14 de marzo del 2015, y firmado por la redacción.

> Según Fainé, el entorno es *benigno* porque se está entrando en un escenario de recuperación, porque los tipos de interés se mantendrán muy bajos en la eurozona, porque la presión regulatoria continuará siendo intensa y porque la revolución digital ganará tracción.
>
> (La cursiva, de este investigador.)

Aplicado en este contexto, el adjetivo *benigno,* asociado a tumores no cancerosos, refuerza la idea que la entidad financiera quiere hacer valer: que los banqueros, el capital, son los médicos que devolverán la salud a la sociedad.

El poeta Raúl Zurita escribió: "El gran peligro del lenguaje no es su empobrecimiento, sino que ha caído bajo la imposición del capital" (entrevista de Josep Massot, en *La Vanguardia).* Una de las entrevistadas por la Premio Nobel de Literatura Svetlana Aleksiévich (2015) en *El fin del* Homo sovieticus (Acantilado, 2015) complementa la sentencia de Raúl Zurita: "Y en general el deterioro de la lengua rusa es enorme... Hablamos de *brokers,* de *corredores de divisas,* del *rating* del FMI... Es como si nos comunicáramos en una lengua extranjera" (Svetlana, 2015: 94).

El pensador contemporáneo Tony Judt ya lo había dejado escrito en *Algo va mal* (Taurus, 2010), en su defensa por un lenguaje nítido y cercano, más transparente: "No pensaremos de otra forma si no hablamos de otra forma" (2010: 164). "Hemos introducido subrepticiamente un vocabulario pretendidamente 'ético' para reforzar nuestros argumentos económicos, lo que aporta un barniz autosatisfecho a unos cálculos descaradamente utilitarios. Cuando imponemos recortes en las prestaciones sociales, por ejemplo, los legisladores estadounidenses y británicos se enorgullecen de haber sido capaces de tomar 'decisiones difíciles'", precisa el sociólogo Tony Judt en su libro. Estos *cálculos* son las *artimañas retóricas* a las que se refiere el periodista Joan Busquet, y que "esconden intereses espurios [que] pueden tener graves consecuencias sociales". En su *Manual del taller d'edició de textos* ("com escriure amb correcció i fluïdesa"), Busquet se hace eco de los eufemismos y los "enmascaramientos":

> La mayoría de estas expresiones son circunlocuciones y antífrasis, extravagancias léxicas con las que se pretende convertir en necesarias y positivas decisiones que tienen efectos muchas veces dramáticos para quienes las sufren. La empresa que tiene *redundancias* hace bien en reducirlas, de modo que nadie tiene derecho a quejarse por una medida tan ineludible como la de *optimizar el capital humano* [ver Anexo IV: "optimización"], que se presenta siempre, *mutatis mutandis*, como una acción destinada a crear empleo. Obsérvese que el acto contrario de crear empleo no se llama *destruir empleo,* pues los empleos no se destruyen, simplemente *se pierden.* La acción destructiva se diluye en la semántica [destruir, demoler, pasa a ser *deconstruir]:* el paro no es más que una de las muchas cosas que pasan, a causa del *comportamiento de la economía* en tiempos de *desaceleración,* nunca por las decisiones de los responsables de la política económica. Así que el uso de eufemismos no solo produce un desplazamiento de significados sino también de responsabilidad.

(Busquet, 2013: 56)

Artimañas retóricas y *extravagancias léxicas.*

A los eufemismos los denomina el filólogo Teun van Dijk como "expresión de cortesía y respeto" ("eufemismo cortés"; Van Dijk, 2009: 402).

El lenguaje puede "enmascarar" la realidad, como arguye el periodista y doctor en ciencias de la información por la Universidad de Navarra Javier Badía en su blog *Lenguaje administrativo,* que tiene este subtítulo: "Contra el lenguaje oscuro, contra el lenguaje recargado y espeso. Por un lenguaje claro".

Ejemplos:

Desaceleración en vez de *crisis.*
Deconstruir en vez de *demoler.*
Medidas de reordenación en vez de *recortes.*
Préstamo en condiciones favorables en vez de *rescate.*
Modificación de la estructura impositiva en vez de *subida de impuestos.*
Crecimiento negativo en vez de *depresión económica.*
Productores en vez de *trabajadores.*
Copago en vez de *repago.*

La resolución del Tribunal Supremo, del 27 de enero del 2016, sobre las "graves inexactitudes del folleto de la oferta pública" de Bankia, se califica de "inveraz", vocablo inexistente (no veraz), eufemismo; el término *falso* podría acarrear consecuencias penales. Y la vicepresidenta del Gobierno español, Soraya Sáenz de Santamaría, anunció la aprobación de la Ley de Enjuiciamiento Criminal, en marzo del 2015, por la que el término *imputado* pasa a denominarse *investigado,* y el acusado, encausado. En comparecencia pública, el 9 de enero del 2016, el dirigente nacionalista Artur Mas, quien fuera presidente de la Generalitat de Catalunya, dejó su cargo utilizando esta expresión: "doy un paso a un lado" (la expresión es "paso atrás"). El comentarista político Enric Juliana, en el artículo "Diccionario interino", publicado en *La Vanguardia,* el 8 de mayo del 2016, introduce este nuevo concepto: "Paso al lado. Otra aportación catalana. La reciente retirada de Artur Mas como candidato a la presidencia de la Generalitat, un auténtico paso atrás, fue presentada por el soberanismo gobernante como 'paso al lado'. Es lo mismo, pero parece menos. Uno de los atributos de la *hegemonía* es la capacidad de fabricar e imponer lenguaje". La entrada de 'hegemonía': "Situación de dominio político y cultural. El marxista Gramsci desarrolló este concepto en sus escritos en la cárcel. Un estamento social alcanza la hegemonía cuando consigue, mediante el dominio político y la persuasión cultural, que sus intereses de grupo pasen a ser considerados intereses generales. En el neolenguaje político y periodístico español hay en estos momentos una auténtica epidemia de hegemonías. Ser elegido presidente de escalera no significa ser hegemónico en el vecindario. Hegemonía, oscuro objeto del deseo en una época de empates". El 30 de septiembre del 2016, en la declaración ante el juez del expresidente de Caja Madrid Miguel Blesa, se le oyó decir que gastó casi medio millón de euros en las tarjetas opacas *(tarjetas black)* para "dignificar su sueldo".

De esta manera, evidenciaríamos que las palabras son "poderosas", como se muestra en el argumento del *bestseller La ladrona de libros* (Random House Mondadori, 2007):

> Antes, las palabras la habían hecho sentirse como una inútil, pero ahora, cuando se sentaba en el suelo junto a la mujer del alcalde, experimentaba una innata sensación de poder.
> Ocurría cada vez que descifraba una nueva palabra o construía una frase. Era una niña.
> En la Alemania nazi. Qué apropiado que descubriera el poder de las palabras.
> (Zusak, 2007: 118)

Según la filóloga Estrella Montolío (entrevista de este investigador, del 16/XII/2013), el lenguaje sirve para construir la realidad. Se trataría de realizar un análisis crítico del discurso de las palabras, de los términos de marketing (ver Anexo

II: "El lenguaje subordinado. Los términos de marketing y economía en los breves de empresa"). Coordinadora de los dos volúmenes del *Manual de escritura académica y profesional* (Ariel, 2014), Estrella califica el lenguaje enrevesado como un "déficit de la democracia". "Es necesaria una regeneración del discurso público", defiende.

Asimismo, en *La audacia de la esperanza* —el libro con el que el a la sazón presidente de los Estados Unidos de América, Barack Obama, reflexionó sobre lo que serían los puntos clave de su futuro programa de gobierno—, se menciona la "manipulación del lenguaje": "Ese desprecio por las reglas y esa manipulación del lenguaje para conseguir el resultado deseado era precisamente aquello de lo que los conservadores siempre habían acusado a los liberales" (Obama, 2006: 82).

A Barack Obama le escribieron una carta los expertos en marketing político Enric Llorens y Jaume Moreno, y le regalaron un ejemplar de su libro: *Con ases en la manga. Recetas de magia para comunicar* (Ediciones Carena, 2014).

Cuando se dominan los contextos de los eventos comunicativos, el siguiente paso es controlar el lenguaje. No en vano cada colectivo, cada grupo de personas, del más grande al más pequeño, tiene una forma de expresarse que le es propia y que ha adoptado como parte de su identidad. Esta forma de hablar que comparten todos los miembros de un determinado grupo va construyendo una determinada visión de la realidad. De ahí la importancia de someter el lenguaje. Aquellos que quieren incidir en la opinión pública, o ante un simple grupo de asistentes a un espectáculo, deben intentar imponer sus palabras, ya que con ellas se instala una visión concreta del mundo.

Entramos aquí en el insondable universo del eufemismo.

Un lugar en el que no existe crisis económica sino una *severa desaceleración,* en el que los recortes sociales resultan ser simples *reformas o ajustes,* en el que las subidas de impuestos son *recargos temporales de solidaridad,* y en el que las depresiones pasan por *crecimientos negativos de la economía.* Los eufemismos, y su capacidad anestésica a la hora de interpretar una realidad adversa, constituyen un magnífico ejemplo del poder de las palabras para construir una determinada idea.

Controlar las palabras, los medios y el discurso, supone controlar la interpretación de las situaciones y desplegar en el interlocutor los modelos mentales a través de los cuales leemos la realidad que nos rodea.

(Llorens *et* Moreno, 2014: 66)

El filólogo de la Universidad de Extremadura Félix Pinero equipara el eufemismo con el cinismo. Utiliza un término poético: "el desahucio de la palabra". Y en *El mundo de ayer* (Acantilado, 2002), el novelista Stefan Zweig, en los convulsos años de la Primera Guerra Mundial, da cuenta de la necesidad de contrarrestar el discurso dominante, que se adhiere a nuestro vocabulario y arrebata nuestro lenguaje:

Estaban ahí todas las frases sobre la irreductible voluntad de victoria, sobre las pocas bajas de nuestras tropas y las muchas del enemigo. ¡Desde aquellas páginas me acometió, desnuda, enorme y desvergonzada, la mentira de la guerra! No, los culpables no eran los paseantes, los indolentes y los despreocupados, sino única y exclusivamente aquellos que con sus palabras instigaban a la guerra. Pero también lo éramos nosotros, si no dirigíamos contra ellos las nuestras.

(Zweig, 2002: 320)

El ensayista Adan Kovacsics sabe que en las guerras la palabra es un arma que ambos bandos cargan con su munición verbal. En *Guerra y lenguaje* (Acantilado, 2008), estudia la propaganda bélica, los discursos que velan armas.

Una guerra es, además de sus actos y sufrimientos, un torrente de palabras. Quien lo percibe no puede menos de sentir un escalofrío. A la crueldad se suma la frivolidad verbal, que impregna hasta a quien la escucha, mancha incluso a quien piensa sobre ello.

(Kovacsics, 2008: 123)

La relación entre la lengua y los medios de comunicación es y ha sido estudiada con profundidad, a pesar de los debates que surgen en ambos entornos, tal como detallan Joan M. Corbella y Josep Rom en "Mitjans de comunicació i promoció de la llengua", que los coordinadores Ester Franquesa y Joan Sabaté han incluido en el ensayo *Màrqueting lingüístic i consum* (Trípodos, 2006):

Tradicionalment, tota política de màrqueting comença per l'estudi de les necessitats del consumidor i busca descubrir com satisfer-les. Però, com a activitat econòmica, els mitjans de comunicació viuen en un estat de convivència conflictiva entre les lleis del mercat i els objectius socials que en determinen l'existència.

(Franquesa *et al.,* 2006: 123)

.3.4 Marketing en comunicación

Sobre la influencia del marketing en la prensa escrita, encontramos la tesis doctoral "La función del marketing en la organización como factor crítico de los procesos de intercambio. El caso de la prensa", escrita por María Cristina Olarte y presentada en la Universidad Complutense de Madrid, en 1995.

> A lo largo de los capítulos de esta tesis se ha intentado explicar las causas de los procesos de intercambio y la forma en que se realizan, como punto de partida básico para explicar los mecanismos de Marketing como factor condicionante del medio ambiente que, a la vez, se encuentra influido por el mismo. Muchos autores sostienen que la función de Marketing es la de dirigir la relación entre la organización y el entorno, buscando el equilibrio en el sistema. Se trata de determinar un entendimiento cierto por sus principios y fundamentos, para definir cómo deben ser planificados y ejecutados los procesos.
>
> (Olarte, 1995: 363)

La entrada en el Diccionario de la Real Academia Española de la palabra *marketing* (se recoge como anglicismo) reconduce al término *mercadotecnia*: "Conjunto de principios y prácticas que buscan el aumento del comercio, especialmente de la demanda". Existen multitud de especialidades en marketing: turístico, financiero, político, inmobiliario, audiovisual, etcétera. En esta tesis lo usamos de modo genérico, con todas sus disciplinas y, esencialmente, en lo referente a la comunicación en el ámbito del periodismo.

Sin duda, en el marketing las palabras "venden", como asume el filólogo Enrique Rodríguez, autor de *Palabras que venden,* que lleva por subtítulo: "Diagnóstico de la publicidad". "La publicidad en tiempos de crisis es involuntariamente *agresiva* [ver Anexo IV: "agresivo"] y, por lo tanto, bastante inútil", confiere el autor en el capítulo titulado "Tiempos de crisis".

Considerando las afirmaciones anteriores, se dice en el *Diccionari de comunicació empresarial. Publicitat-relacions públiques-màrqueting* (Enciclopèdia Catalana, 1999):

> És un fet evident que les organitzacions cada vegada atorguen més importància al paper de la comunicació com una funció clau de les estratègies corporatives. Fruit d'aquest interés és la demanda creixent de professionals de la comunicació capaços de planificar i gestionar adequadament els procesos comunicatius interns i externs de les organitzacions.
>
> (Enciclopèdia Catalana, 1999)

Las palabras, en boca de la mercadotecnia, se afanan por vender. Como ya dijimos, Christian Salmon, en *Storytelling. La máquina de fabricar historias y formatear las mentes* (Península, 2010), pone de relieve las relaciones entre Hollywood y el Pentágono para vender "historias", un "mundo de ficción":

> La propaganda siempre ha sido concebida o criticada como una acción o un conjunto de acciones concertadas cuyo objetivo es transmitir y propagar contenidos políticos o ideológicos gracias a técnicas de manipulación y siguiendo diferentes modos de difusión.
>
> (Salmon, 2010: 191)

En el ensayo *Lo pequeño es hermoso* (Akal, 2011), el economista E. F. Schumacher reconoce la sibilina trayectoria de las palabras que dicen más de lo que dicen:

> Frecuentemente notamos la existencia de ideas más o menos fijas en las mentes de otra gente, ideas con las que piensan sin darse cuenta de que lo están haciendo. A estas ideas las llamamos *prejuicios,* lo que es lógicamente bastante correcto porque se han filtrado simplemente dentro de la mente y no son el resultado de un discernimiento. Pero la palabra *prejuicio* se aplica, por lo general, a ideas que son patentemente erróneas y reconocibles como tales para cualquiera excepto para el individuo prejuiciado. Muchas de las ideas con las que pensamos no son de esa clase. Para algunas de ellas, como aquellas incorporadas en las palabras y la gramática, las nociones de la verdad o el error ni siquiera pueden ser aplicadas, otras definitivamente no son prejuicios, sino el resultado de un juicio, otras inclusive son presunciones tácitas o suposiciones que pueden llegar a ser muy difíciles de reconocer.
>
> (Schumacher, 2011: 85)

El marketing se estudia en las facultades de comunicación, que engloban periodismo y publicidad. La estrategia de comunicación que se elabora en los despachos de gerencia llega a las facultades de periodismo, en las que las asignaturas de marketing van ganando peso. Así, los grados de periodismo incluyen "comunicación corporativa". "Introducción teórica y práctica a la publicidad y las relaciones públicas y a sus estructuras organizativas" es una de las asignaturas de marketing en la licenciatura de Publicidad y Relaciones Públicas, en la Facultat de Comunicació de la Universitat Pompeu Fabra. "Teoría y práctica de la redacción periodística y publicitaria y de las relaciones públicas" es una de las asignaturas de marketing en la licenciatura de Publicidad y Relaciones Públicas, en la Facultat de Comunicació de la Universitat Autònoma de Barcelona. Cada una de estas universidades imparte estudios de tercer ciclo especializados en comunicación corporativa.

Universitat Pompeu Fabra: 'Máster en dirección de comunicación':

> El Máster en Dirección de Comunicación prepara a los profesionales que deberán liderar la comunicación en todo tipo de organizaciones: empresas, instituciones públicas, oenegés... La formación que reciben les capacita para planificar y ejecutar planes de comunicación así como para establecer y guiar estrategias complejas de relación con todos los públicos y grupos de interés a través de diferentes canales: de la relación interpersonal a las redes sociales pasando por los medios de comunicación y la publicidad.

Universitat Autònoma de Barcelona: 'Máster en dirección de comunicación empresarial e institucional (productos, servicios, marcas)':

> En los últimos años estamos viviendo una importante evolución de la comunicación tanto en empresas como en instituciones: la necesidad de gestionar los valores intangibles; las nuevas tecnologías, principalmente internet y sus diferentes aplicaciones; los llamados medios no convencionales *below the line* (promociones, sponsoring, marketing directo, merchandising, etc.).

Que el marketing en los estudios de comunicación dé el salto a los estudios estrictamente periodísticos es ya una realidad.

> Iglesias, uno de los pioneros en España en el ámbito de la investigación académica sobre la empresa informativa, plantea en este libro las posibilidades de aplicación del marketing en la actividad periodística. La obra se divide en dos partes: Marketing y mercado de la prensa y *Estrategias* de marketing de prensa [ver Anexo II: "El lenguaje subordinado. Los términos de marketing y economía en los breves de empresa"].
>
> *Marketing periodístico,* de Francisco Iglesias (Ariel, 2001)

Existen asignaturas como "Marketing aplicado al periodismo", en el grado de periodismo de la Universidad Complutense de Madrid: "En esta asignatura, se estudian los fundamentos básicos del marketing aplicado al periodismo, incidiendo en sus múltiples dimensiones, así como en el conocimiento del consumidor y la investigación de mercados, con el propósito de aprender a tomar decisiones estratégicas en marketing".

En Barcelona ciudad existen cuatro facultades de periodismo como tales que ofrecen grados de periodismo (sin contar la Universitat Oberta de Catalunya, virtual):

1. Universitat Internacional de Catalunya (Inmaculada, 22)

En la presentación del plan de estudios del grado de periodismo de la Universitat Internacional de Catalunya, la palabra *gestor* tiene cabida: "Este grado va dirigido a todas aquellas personas que quieran dedicarse al mundo de la comunicación, ya sea como redactor de información periodística en cualquier tipo de soporte (locutor de radio, presentador de televisión, redactor en prensa escrita, *comunnity manager* en medios digitales...), como gestor del entorno comunicativo o bien como gestor de empresa informativa".

2. Universitat Abat Oliva (Bellesguard, 30)

Del perfil de ingreso recomendado para el acceso al grado en periodismo: "El estudiante debe tener interés por la comunicación social, la actualidad, así como por el funcionamiento de los medios de comunicación y su gestión".

3. Universitat Pompeu Fabra (Ramon Trias Fargas, 25-27)

Algunas de las salidas profesionales del grado de periodismo de la Universitat Pompeu Fabra:

- *Community manager*. Experto en redes sociales.

- Gestor de contenidos

- Especialista en análisis de fenómenos y de procesos de comunicación, actuales o prospectivos, para todo tipo de organizaciones públicas y privadas; capacidad para las funciones de mediación, de asesoría, de consultoría, de medición y de peritaje.

4. Universitat Ramon Llull (Valldonzella, 23)

La Facultat de Comunicació i Relacions Institucionals Blanquerna, de la Universitat Ramon Llull, cuenta en su programa con estas asignaturas obligatorias u optativas: Estética ("treballaran específicament la paraula per una banda i la imatge per l'altra, respectivament, a partir d'una de les dues lectures obligatòries i d'exemples audiovisuals derivats del videoart, el videoclip i la publicitat"); Comunicación corporativa ("L'assignatura descriu els escenaris de comunicació de les empreses i institucions, les seves estratègies de planificació i les eines que utilitzen"); Empresa y mercado ("Coneixement i bases de gestió de les empreses en l'entorn actual de mercat; aplicació a les empreses de Publicitat i Relacions Públiques")...

Vista la relación de estudios, se puede decir que el mundo corporativo está presente en las facultades de Periodismo. "Allunyats de la realitat. Els plans d'estudi de les facultats de Periodisme catalanes no sempre s'adapten a un mercat laboral focalitzat en la comunicació corporativa i amb un nombre creixent de *freelance"*, tituló Adrián Caballero en la revista *Capçalera* de junio del 2016 (número 172).Aunque una de las salidas del periodismo sea la de *community manager*, esta nueva figura estrecha más lazos con el marketing.

.3.5 'Community manager' y figuras análogas

En el 2006, varias plataformas ecologistas, entidades cívicas y grupúsculos de izquierda emprendieron una campaña mediática contra la empresa española de hidrocarburos Repsol ("sólidos resultados"). Debatieron cómo llevar a cabo su fin. Y concluyeron: "Interrupción de la junta de accionistas para hacer llegar denuncias, concentraciones, mesas de debate, artículos en *medios alternativos*, realización de giras por el Estado con personas de los diferentes pueblos indígenas afectados, difusión de las investigaciones de organizaciones sociales, sindicales y ambientales sobre sus impactos, acciones directas en gasolineras, frente al edificio de los accionistas". (La cursiva, de este investigador.) La campaña la encabezaba el eslogan: "Repsol mata". Se apoyó en medios alternativos, independientes.

Para contrarrestar su imagen negativa en las redes, en los medios alternativos, las multinacionales captan periodistas titulados. Aspecto que no es exclusivo de las multinacionales. Los políticos también pagan para procurarse una buena imagen en las redes. En octubre del 2014, en España, estalló el caso Púnica, "red político-empresarial dedicada al tráfico de influencias y al pago y el cobro de comisiones ilegales que operaba [...] en administraciones públicas de varias comunidades autónomas", según *El País* del 27 de febrero del 2015. En este diario, se detalla una de las tramas de la red Púnica: "Otra irregularidad investigada es el pago con fondos públicos para publicidad en internet. Políticos de diversas instituciones pagaron con fondos públicos mediante un complejo sistema de facturación trabajos de 'reputación' para contrarrestar con campañas positivas en páginas de internet noticias negativas que les perjudicaran". En la edición del 31 de marzo del 2015 de *El País*, se informa de que una de las empresas de marketing investigadas es Eico: "La responsable de comunicación del Gobierno regional [de Madrid, Isabel Gallego] está imputada por un contrato adjudicado a la firma Eico, de reputación *online*, por el que [el fundador de Eico Alejandro] De Pedro cobró mensualmente entre 1.500 y 1.800 euros desde abril del 2012 hasta que fue detenido a finales del pasado octubre [del 2014]. El juez sospecha que ese dinero se pagó a la firma de De Pedro para mejorar la imagen de distintos cargos políticos de la Comunidad de Madrid, empezando por su presidente, Ignacio González".

La empresa Eico (eico.es) se presenta así en su página web: "La reputación *online* de tu negocio es tu mayor activo. Si la pierdes, de nada te servirán el resto de acciones y campañas que realices. ¡Nosotros la cuidamos por ti!". El detenido, Alejandro de Pedro, creador de Eico, fue profesor de reputación *online* del Máster Social Media & Community Manager de la Universidad Complutense de Madrid.

Desde que empezó la crisis económica, multitud de periodistas que en el ejercicio de su profesión ejercitaban la crítica han tenido que reciclarse y dejar de cuestionar la información. Se han pasado a los gabinetes de prensa de las empresas, muchas de ellas multinacionales. Los perfiles de directivos más demandados son los profesionales del marketing y ventas, según un estudio de la empresa de trabajo temporal Mampower. "La crisis económica ha obligado a tener el ojo puesto en la rentabilidad del negocio, dejando en segundo plano factores más emocionales", justifica el profesor de ESIC Business & Marketing School Juan José González. Numerosos son los empleos relacionados con el "marketing y la gestión comercial" que se ofertan en Infojobs (www.infojobs.net) y que van destinados a los periodistas: "Gestionará la reputación de la marca y sus distribuidores en el entorno *online* y *offline* de acuerdo con la estrategia corporativa para mejorar su posicionamiento y garantizar una proyección positiva de la misma. Será el responsable de la relación con los clientes a través del mail corporativo y el teléfono 902". Ofertas de Infojobs (www.infojobs.net) como esta del 15 de enero del 2015, para Barcelona (categoría: marketing y comunicación; subcategoría: periodismo y edición):

> Ofertas de periodismo y edición
> Community Manager
> Consultoría de RR. HH.
> El Prat de Llobregat
> Cursos interesantes para periodismo y edición
> Relaciones Públicas y Protocolo
> FOMENTO PROFESIONAL | Barcelona | Curso | Presencial
> Este curso está diseñado para formar a un personal adecuado para
> llevar a la práctica la política empresarial de cualquier...

(Infojobs, 2015)

Esta es una de tantas ofertas de empleo del portal de anuncios Trovit. El marketing, a la caza del periodista:

> Companyia: PEMPSIS ETT
> 9/01/2015 Clasificada en Marketing - Comunicación Periodismo / Redacción
> Recursos Humanos ETT 1 vacante
> Requisitos:
> - Imprescindible experiencia demostrable en planes de comunicación, redacción de contenidos, notas de prensa y elaboración de informes corporativos.

- Nivel advance de inglés.
- Dominio a nivel de usuario de herramientas de diseño (InDesign, Adobe Photoshop, iMovie, Adobe Premiere Pro).
- Dominio de Excel, Word, lenguaje HTML.
- Valorable experiencia como Community Management.
- Valorable experiencia en desarrollo de contenidos del área de formación.
1 año de experiencia
Datos de la oferta:
Salario 18.000 euros.
Jornada Laboral: jornada indiferente
Tipo de contrato:
Funciones que desarrollar:
- Seleccionamos para importante consultora de negocios multinacional un/a Licenciado en Periodismo con nivel alto de inglés.
- Funciones principales: planes de comunicación, redacción de contenidos, notas de prensa, elaboración de informes corporativos.

(Trovit, 2015)

Un nuevo perfil de periodista es el experto en *"copies* creativos" (redactor de publicidad):

Nuestro departamento de CRM [Customer Relationship Management] precisa incorporar un Copy Creativo cuya misión principal será la creación del contenido de emails de Hallazgos y Atrápalo, tanto promocionales como de comportamiento de usuario.
Tareas principales:
* Conceptualización de emails y redacción de *copies* creativos con tono persuasivo dentro del *timming* establecido.
* Creación y edición de creatividades e imágenes para email y web en formato photoshop.
* Modificación de htmls de los emails y cualquier otra tarea relacionada con email marketing.

"Cada vez es más común que los profesionales de la información que han perdido sus empleos en los medios tradicionales se reciclen en términos laborales, y son estas empresas de marketing de contenidos las que se convierten en las nuevas oportunidades laborales para estos profesionales", se afirma en Marketing Directo, "el portal para el marketing, la publicidad y los medios" (marketingdirecto.com). "Una alternativa de empleo, que en realidad no lo es por su carácter paupérrimo, para los cerca de doce mil periodistas que han perdido su trabajo desde el 2008 es la redacción de contenidos para empresas. Si esta labor quedaba antes en exclusiva para los gabinetes de prensa internos o las agencias de comunicación, la reducción de precios y de la duración de los contratos cliente-agencia ha hecho que proliferen los 'redactores *freelance*', profesionales, normalmente autónomos, que desarrollan notas de prensa, dosieres, informes monográficos, anuarios…", concluye Francisco Rouco en el artículo "Reventa periodística", publicado en la revista *Periodistas,* publicación de la Federación de Asociaciones de Periodistas de España, en abril del 2015 (número 37). Y aporta porcentajes: "El último informe de la profesión periodística de la Asociación de la Prensa de Madrid, con datos del 2014, señaló que el 46,4% de los autónomos encuestados trabajaba en el mundo de la comunicación o en gabinetes de prensa de una compañía. Esta cifra aumenta el 11,8% con respecto a los datos del año anterior [2013]".

Según los últimos informes anuales de la profesión periodística (desde el 2012), crece el número de periodistas que se dedican a la comunicación. La encuesta del 2014 revela el creciente aumento de los profesionales que trabajan por cuenta ajena en tareas de comunicación: agencias de comunicación y departamentos de comunicación de empresas y organismos e instituciones públicas. En el 2012 representaban el 41% del total de periodistas por cuenta ajena, y en el 2014 ese porcentaje creció hasta el 47%. Los profesionales que trabajan en comunicación ganan más que los periodistas que trabajan en medios, se constata también en el número 37 de la revista *Periodistas,* en el que se muestra el cuadro de las razones de la opinión negativa que cada vez más se tiene de los periodistas ("evaluación de la profesión cercana al suspenso"): entre las primeras causas de que los periodistas no sean vistos con buenos ojos, los intereses económicos de los grupos editoriales para los que trabajan (44,5% de los encuestados), su mala praxis en general (29,2% de los encuestados) y su falta de independencia (25,6% de los encuestados).

La crisis económica que llegó a España en el 2008, después de cruzar el océano Atlántico, se ha comido varias nóminas: "Más de seis mil puestos de trabajo de periodistas perdidos solo en España, que la 'madre de todas las crisis' se ha llevado por delante en los tres últimos años", se recoge en la reseña del libro *El futuro del periodismo* (Evoca Comunicación e Imagen, 2012). Cifra que ha aumentado aún más.

Por eso, la crisis está empujando a muchos periodistas con olfato para la noticia y el conflicto a los lugares neutros de los *community manager,* gestores de las redes sociales. Una de las salidas laborales para los periodistas en paro es la de ejercer como *community manager:* "[…] hay medios escritos que están recortando plantilla porque el papel está en regresión, potenciando las secciones digitales. Esto supone también la contratación de C. M. *[community manager],* figura profesional que se vincula con el mundo del marketing" (www.communitymanager.cc, basada en una entrevista con el profesor de periodismo de la Universitat de València Guillermo López, publicada en *valenciaplaza.com).*

El *community manager* se encarga de gestionar las redes sociales de una marca: "El *community manager* es el profesional responsable de construir, gestionar y administrar la comunidad *online* alrededor de una marca en internet creando y manteniendo relaciones estables y duraderas con sus clientes, sus fans y, en general, cualquier usuario interesado en la marca" (Martínez Fustero, 2013). Alrededor del *community manager* se mueven los átomos de la comunicación 2.0 y en adelante, y que en muchos casos se solapan, como capas de una cebolla: *social media manager* (elabora estudios de mercado), *social media strategist* (estrategia de comunicación), *content curator* (marca personal), *business intelligence manager* (relacionado con el *big data),* etcétera. El *community manager* es la persona encargada en una empresa de dinamizar las redes sociales para hacer llegar la información que le interesa, generando con el consumidor-cliente una relación estrecha (comunicación 2.0) (Rubio, 2014).

Generalmente, sus cualidades están tipificadas: extravertido, experiencia en gestión de redes *(social media),* curioso, aplicado y sin limitaciones de horario (dedicación plena, las 24 horas del día de todos los días del año. Las redes nunca descansan). Por ello, suele ser una persona joven y sin ataduras conyugales.

La persona responsable de interactuar con los internautas escribe la nota de prensa y, a la vez, la intenta "posicionar", es decir, hacer que sea visitada (clicada) cuantas más veces mejor. A estos elementos cabría añadir la definición de "reputación *online"* en la página www.posicionamientoweb.com:

> La Reputación Online en internet es uno de los factores que más influyen en el posicionamiento.
>
> Además de tener una web bien optimizada, primer factor de posicionamiento, deberá generar contenidos de interés, que contengan palabras clave que posicionar, novedosos, y actualizarlos con cierta frecuencia.
> La reputación se consigue con acciones de marketing social, SMO en redes sociales, blogs.
> Este tipo de estrategias también se pueden crear con acciones denominadas de LinkBaiting. Para ello s*e deben crear artículos y notas de prensa optimizados con la palabra clave (anchor text)* que quiera posicionar. Este tipo de acciones en redes sociales y blogs de interés le pueden generar enlaces a su web. Es necesario que se realice un mantenimiento de todos los procesos necesarios para que una web siga posicionada. El presente del posicionamiento está en la actualización del contenido de forma optimizada y en las acciones de *community manager* en las redes sociales.

(En www.posicionamientoweb.com. La cursiva, de este investigador.)

Las notas de prensa de los *community manager* se visten de tal manera que pierden hasta el nombre. Se llamarán "contenidos" (Carrillo, 2013): "El concepto actual de contenidos se refiere a contar historias útiles, enganchar a los consumidores y atraer la atención de sus comunidades (a la sazón, mercados)".

"La profesión que han consolidado las redes sociales [...] es una de las pocas que no está sufriendo los efectos devastadores de la crisis. Y una de las que mantiene un nivel salarial medio digno (aunque eso depende de a quién le preguntes)", explica la profesional Eva Diz en su blog *Diario de una periodista SEO*.

El *community manager* también copia y pega la información, como analiza la investigación del periodista Elías Said Hung, artículo publicado en la Universidad de Navarra:

> podemos apreciar cómo, en casi un tercio de los casos analizados (60% de los entrevistados indicaron esto), la gestión de la información expuesta desde los Social Media suele hacerse de forma manual; es decir, se "replica" la información, a partir del trabajo previo realizado por un miembro del equipo de redacción, quien copia y pega este tipo de contenidos en Twitter, Facebook u otro escenario dispuesto. [...] mientras que en el resto de casos estudiados (40% de los medios locales estudiados) se aprecia una gestión "automatizada", total o parcialmente, de este proceso de gestión desde los Social Media. Durante las entrevistas se mencionó, por parte de un reducido porcentaje de entrevistados, la próxima incorporación de una persona que se dedicaría a hacer esta función.
>
> (Said Hung, 2013: 84)

.3.6 'El hombre light'

El anterior apartado de periodistas-*communities* nos da pie para examinar el *hombre light*. La levedad es la característica fundamental del hombre nuevo de principios del siglo XXI: *el hombre light* (Castrillón Velásquez, 2011). El psiquiatra Enrique Rojas moldeó en su ensayo *El hombre light* (Temas de Hoy, 2012) el hombre que ha configurado la sociedad del bienestar. "Se trata de un ser hedonista y materialista cuya única meta en la vida consiste en alcanzar el éxito; un ser al que solo le interesan el dinero y el consumo. En definitiva, un hombre infeliz e inseguro, vulnerable e indiferente por saturación, que ha hecho de la permisividad su nuevo código ético y que va desde la tolerancia ilimitada a la revolución sin finalidad", le describe el médico Rojas.

En definitiva, alguien que busca lo fácil, lo rápido, lo instantáneo. El breve de prensa le podría interesar.

Inspirado por este concepto, el profesor de la Universitat Abat Oliva Joaquín García-Lavernia ha trabajado en esta línea, y ha elaborado un trabajo titulado *Disfunciones del periodismo en la actual cultura mediática. Manual de situación para publicitarios y relaciones públicas* (Astro Uno, 2007). "Las relaciones públicas adquieren un valor importantísimo en las relaciones con los medios de comunicación y también (en el caso de grandes empresas) con los propios trabajadores de la empresa", escribe en esta especie de tesina. La afirmación se desarrolla en el capítulo sobre los mecanismos para moverse en el panorama mediático:

> Tradicionalmente han sido las relaciones públicas (o departamentos de prensa) los que se han encargado de gestionar la relación con los medios. Esta relación siempre se ha encargado de hacer llegar a los informadores comunicados que se ajustan a las necesidades de los emisores. En otras ocasiones, son los informadores los que solicitan material o, incluso, entrevistas y ruedas de prensa. En el caso de tratarse de personajes no instalados en (y por) los medios, probablemente estaremos hablando de comunicación conflictiva.
>
> (García-Lavernia, 2007: 149)

El *hombre light* entronca con *el periodista light*. Y no solo le interesaría el género breve, también la nota de prensa.

.3.7 La nota de prensa

"Nota informativa que se remite a la prensa con la intención de que esta se haga eco de un evento o actividad que el emisor de la nota estima relevante." Es la definición de "comunicado de prensa" en el *Diccionario de la publicidad,* de Pedro Pablo Gutiérrez. Cualquier búsqueda en Google sobre la elaboración de notas de prensa da como resultado cientos de páginas en las que aparece el concepto de *community manager.* Algunos académicos aplauden que al periodista se le pase toda la información ya elaborada: "Las notas de prensa no deben entenderse únicamente como redactar un texto, sino que también hay que pensar en el periodista para facilitarle al máximo su trabajo [...]. Es importante ofrecer al intermediario de la información (al periodista) los datos más significativos, los más atrayentes, para lograr que, por decirlo de alguna forma, nos compre la información que le ofrecemos" (Sabés *et al.,* 2009). En el libro de Fernando Sabés y José Juan Verón Lassa, *La eficacia de lo sencillo: introducción a la práctica del periodismo,* los gabinetes de comunicación (gestores de información) ocupan un lugar preponderante. Así, en el capítulo sobre las notas de prensa se las cataloga como "la principal forma de relación con los medios".

En España, uno de los predecesores de las notas de prensa se encuentra en las denominadas "gacetillas suplicadas".

Como ejemplo, esta gacetilla suplicada con información municipal del Ajuntament de Barcelona y publicada en *El día gráfico* (20/xii/1936) y *El Noticiero Universal* (21/xii/1936):

"Hasta el día 24 del corriente podrán ser libradas en el Negociado Municipal de Obras Públicas (2º piso de las Casas Consistoriales) notas de precio para obtar a la ejecución de las obras de derribo de una pared y barraca de la calle Sadurní, Murallas Romanas, según las condiciones y presupuesto que se halla de manifiesto en dicha dependencia."

(Barcelona, 19 de diciembre de 1936)

IMAGEN 5. *El Noticiero Universal* del jueves 4 de enero de 1962 (página 17, derecha) y el *Diario de Barcelona* del 5 de enero de 1962 (página 41, izquierda) publicaron la misma nota o gacetilla suplicada, titulada "Mañana, recepción en Capitanía con motivo de la Pascua Militar": "Con motivo de la Pascua Militar, se celebrará mañana sábado, festividad de los Santos Reyes, a las doce de la mañana, la tradicional recepción en el Salón del Trono de Capitanía General, que será presidida por el capitán general de Cataluña, teniente general don Pablo Martín Alonso...".

El periodista Pablo-Ignacio de Dalmases habla de ello en *Oficio de carroñero. Un periodista en la calle,* en el capítulo "Grandezas y miserias del periodismo":

> Cuando te sirven las noticias en bandeja
>
> El deseo de aparecer en los medios de información por interés político, económico o social o por mera vanidad es una de las pocas cosas que no han cambiado y, por lo tanto, desde el mismo momento en el que alguien se dedica al periodismo se convierte en un buzón abierto al que van a parar toda suerte de solicitaciones en forma de convocatorias, invitaciones más o menos interesadas, cartas, notas de prensa —que antaño se conocían como gacetillas suplicadas— y, a veces, hasta textos completos en forma de artículo o reportaje, con la pretensión de que tengan su reflejo en el medio en el que trabaja.
>
> Los citados requerimientos llegaban a las redacciones por vía postal o a través de mandadero, y cuando los periodistas acudíamos a la redacción nos encontrábamos toda la correspondencia de la jornada en nuestro cajetín personal. Había que abrir, tijera en mano, los sobres, y clasificar, aprovechar o desechar todo ese material, según procediera. Lo más frecuente era que las famosas gacetillas suplicadas estuvieran escritas a máquina sobre papel cebolla, para lo que se habían utilizado hojas intermedias de papel carbón con el fin de permitir la multiplicación de ejemplares en una misma tirada. El manejo de estas incómodas hojas, que se pegaban con engrudo a las cuartillas a las que ya se ha hecho referencia después de haberlas recogido, te dejaba las manos negras como las de un carbonero.
>
> (De Dalmases, 2009: 240)

De la búsqueda en la hemeroteca digital del diario *La Vanguardia* se obtiene una visión de las gacetillas suplicadas como sinónimo de "autoelogio" (12 de noviembre del 1913), algo "baladí e insignificante" (2 de diciembre de 1915) y notas "pagadas" (20 de febrero de 1968). "Las gacetillas suplicadas especializadas en Espectáculos se llamaban 'sueltos de contaduría', y tenían mucho arraigo en los años que antecedieron a la Guerra Civil española, y sobre todo en Madrid. Estos sueltos equivaldrían al departamento de marketing del teatro", explica Pablo-Ignacio de Dalmases.

Las notas de prensa, en muchos casos, no son más que anuncios a los que se les da un envoltorio periodístico en cuanto a la forma, aunque el contenido no deje entrever más que las características del producto en cuestión. La intención es "colar" en los *mass media* la información que la empresa o institución intenta difundir sin coste o con el mínimo coste posible (cabría la posibilidad de insertar un anuncio en el medio) y sin que el lector note la tenue diferencia entre información y publicidad.

De esta manera sutil ("subliminal"), se consigue vencer la desconfianza del consumidor-lector. "La demanda inducida por el 'marketing' de bancos y cajas condujo a un endeudamiento masivo", sostiene el político Josep Maria Triginer (2014), uno de los firmantes de los Pactos de la Moncloa, en la Transición española.

Sobre tal asunto, en el 2009 se publicaron los criterios de buenas prácticas profesionales de los gabinetes de comunicación. La separación que se establece entre comunicadores y periodistas es indudable: 1. "Los periodistas que trabajan en los gabinetes de comunicación son 'periodistas de fuentes' y pueden serlo de gabinetes públicos o privados, internos o externos", y 2. "Los periodistas que trabajan en los medios de comunicación social son 'periodistas de medios' y pueden desarrollar su labor en la prensa escrita, las agencias de noticias, la prensa digital, la radio, la televisión y otros". Los primeros ("comunicadores o publicistas") son los encargados de redactar notas y comunicados de prensa.

Pese a los puntos de encuentro ("los periodistas de fuentes y los publicistas pueden convivir en proyectos determinados, cumpliendo funciones determinadas, pero siempre diferenciados en objetivos, metodología y en los instrumentos utilizados"), la incompatibilidad es total, y así se demuestra en el punto 7 de este "código deontológico" (al igual que el artículo 7 del código deontológico del Col·legi de Periodistes de Catalunya): "Los periodistas de fuentes y de medios no podrán ejercer su profesión simultáneamente en un gabinete de comunicación y en un medio".

La raya que separa el ejercicio del periodismo y el de la publicidad se nota con manifiesta visibilidad en el ejemplo como el que a continuación se detalla y que hace referencia al conflicto laboral de la multinacional Coca-Cola (Coca-Cola Iberian Partners), que presentó un ERE que afectaba a 1.190 trabajadores de sus embotelladoras en España (2013).

La nota de prensa de la compañía:

> Coca-Cola Iberian Partners, el nuevo embotellador único de Coca-Cola Iberia
>
> La integración en un embotellador único de toda la división de Coca-Cola Iberia de España y Portugal es ya una realidad. El proceso de integración de los embotelladores de la empresa de bebidas refrescantes acabó, tras dos años de negociaciones, el pasado 1 de marzo, cuando The Coca-Cola Company y el nuevo embotellador ibérico sentaron las bases de los próximos diez años de negocio a través de la firma de la *concesión,* [ver Anexo II: "El lenguaje subordinado. Los términos de marketing y economía en los breves de empresa"] realizada entre Muhtar Kent, presidente de The Coca-Cola Company, y Sol Daurella, presidenta del nuevo embotellador, en presencia de Marcos de Quinto, presidente de Coca-Cola Iberia.

La nota de prensa de los sindicalistas ("nota de prensa ERE Coca-Cola"):

> USO confía en que se inicie la negociación del ERE de Coca-Cola priorizando el empleo
>
> Tras la reunión celebrada ayer entre una representación de la Federación de

Industria de la Unión Sindical Obrera (USO) y Manuel Pimentel, designado negociador por Coca-Cola, para buscar un acuerdo que acabe con la judicialización de la reestructuración de la empresa, USO confía en que se inicie la negociación del ERE de Coca-Cola priorizando el empleo y dando la oportunidad de un empleo en Coca-Cola Iberian Partners (CCIB) a todo trabajador cuyo su objetivo sea mantener su empleo.

Claramente, se observan los intereses contrapuestos de unos y de otros: Coca-Cola elude el conflicto y los trabajadores hacen hincapié en sus derechos laborales. Los dos redactados van dirigidos a la prensa. Podría haber tantas notas de prensa como actores en juego. Y, por supuesto, con intereses que chocan entre sí. En este caso, el 15 de abril del 2015, el Tribunal Supremo confirmó la nulidad del ERE de Coca-Cola: "Los jueces obligan a la empresa a readmitir a los trabajadores despedidos" (Reyes Rincón, en *El País*).

Numerosas son las páginas de marketing, comunicación corporativa y relaciones públicas en las que se dan consejos para escribir notas de prensa que llamen la atención de los medios de comunicación. Se busca influir (García Sánchez, 2008). La empresa de marketing y comunicación Globo PR (www.globopr.es) enumera los pasos que una empresa ha de seguir para la redacción de una nota de prensa.

> El primer paso es tener claro lo que se quiere comunicar, y, seguidamente, hay que establecer una estructura para desarrollar la noticia. Existen diversidad de formatos o modelos que indican cómo redactar una nota de prensa, no hace falta que los conozca todos, pero para escribir su comunicado es indispensable que al menos considere una plantilla estándar.
> Primero: cabecera de la página
> Segundo: titular
> Tercero: entradilla
> Cuarto: cuerpo de la nota de prensa
> Quinto: información de contacto
> Sexto: ficha de la empresa
> Séptimo: material adicional
>
> (Globo PR, 2012)

Para ello estas empresas estudian detenidamente el medio de comunicación al que van dirigidas e incluso los hábitos del periodista en cuestión, como sus horarios de trabajo y sus rutinas periodísticas (Gómez Quijano, 2013). En la nota de prensa, nada de lo que se escribe es gratuito, inofensivo y superficial, y el redactado se enfocará de tal manera que seduzca al periodista, incluso en su extensión: "[la nota de prensa] debe contener una novedad, una teoría que, además, se pueda tuitear".

Para redactar una nota de prensa no hace falta ser periodista, más bien versado en comunicación. El periodismo le aporta a la nota de prensa el envoltorio con el cual se camufla como información digna de ser publicada en los *mass media,* que es la aspiración *per se* de cualquier nota de prensa, su objetivo máximo (Marco, 2015, en "El objeto de la comunicación"). Las empresas recurren al periodista para que le dé la pátina suficiente con la cual el nuevo producto, el producto anunciado, pueda pasar los filtros de la redacción periodística.

Aunque esos filtros, hoy en día, se hayan ido diluyendo. "Se puede publicar sin filtros", asegura José Luis Martínez Albertos (2001) en "El mensaje periodístico en la prensa digital. Estudios sobre el mensaje periodístico": "[En un] entorno de abundancia informativa propiciado por una red mundial en la que puede publicarse sin filtros"... Se refiere Martínez Albertos a los blogs y las revistas digitales de las propias compañías, que publican íntegros sus contenidos, sin que hayan sido retocados por algún periodista al que no puedan controlar.

En mayor o menor medida, los medios de comunicación se hacen eco de nueva información. Antaño, la mayoría de las notas de prensa, empero, eran rechazadas, según el estudio "Periodistas, empresas e instituciones: claves de una relación necesaria", que calcula que el 85% de las notas de prensa que llegan diariamente a la redacción de un diario se quedan en el tintero (Mariñas, 2007).

.3.8 La 'agonía' de la nota de prensa

Existe un movimiento para huir de la influencia de las notas de prensa, así como de las ruedas de prensa sin preguntas. El rechazo que provoca se debe, en parte, a la saturación, algo que ya viene de lejos.

> Hoy, las redacciones se anegan de notas de prensa.
>
> (Mainar *et* Cebrián, 1906)

En el debate abierto, y en el que se incluye la publicación del manifiesto contra las ruedas de prensa sin preguntas (Asociación de la Prensa de Madrid), los comentarios son elocuentes, como este publicado en la página peticionpublica.es: "solo hay periodistas de notas de prensa y gabinete".

Todos son actores. Todos comunican. La empresa de trabajo temporal Adecco, el Tribunal Constitucional y la Policía Nacional son algunos de los que emiten notas de prensa continuamente. "Una nota de prensa no sirve para nada. Un periodista recibe en España una media de 150 notas de prensa diarias. El 80% están mal escritas", afirma Arturo Gómez Quijano, profesor en la Facultad de Ciencias de la Información de la Universidad Complutense de Madrid y de IE Business School.

Las notas de prensa tradicionales mutan. Su empleo, aun masivo, se ha transformado de una manera tenue, a veces inconstante, arbitraria, no lineal. Los blogueros se cansan de ellas. Como Luis Cicerone, que edita *Bitacoring*. Realizó una encuesta a 37 blogueros de viaje, en España. El objetivo de la encuesta era conocer hasta qué punto los *bloguers* especializados en viajes avalaban la práctica habitual de las empresas y los organismos relacionados con el turismo de enviar "notas de prensa estándar", es decir, "notas de prensa a destajo". "Los resultados son contundentes y muestran una clara oposición a este tipo de envío masivo de información por parte de las agencias y empresas", confirma Luis. Sus conclusiones: demasiadas notas de prensa; la mayor parte de las notas de prensa son rechazadas; información inútil para generar contenido; información poco útil para informar a los *bloguers;* las notas de prensa son intrusivas y el formato, condenado a muerte. Sobre este último punto, manifiesta: "La afirmación 'Las notas de prensa son un formato de RR. PP. [Relaciones Públicas] que perdurará en el tiempo' obtuvo el 65,8% de votos negativos".

En esta línea se expresa Carlos Bravo, en *Marketing de guerrilla en la web 2.0:* "Las notas de prensa no sirven para mucho. Me gustaría decir para nada, pero en este caso prefiero ser menos 'fundamentalista'. Digámoslo así: son mayoritariamente una gran pérdida de tiempo para todos los involucrados". Sus razones: "1. No es lo que publico en mi blog; 2. Colaborar no es trabajar gratis para ti; 3. Tu proyecto no interesa a mis lectores; 4. No me llamas por mi nombre, y 5. Google me penaliza".

"Las notas de prensa han conseguido labrarse muy mala fama. Son útiles, nadie lo niega, pero han cruzado ya ciertos límites que las empujan hacia las zonas de las cosas molestas", se anota en la página digital Puro Marketing, que se vale del artículo de un periodista de *The Guardian* crítico con las notas de prensa ("tus responsables de comunicación no son monos con máquinas de escribir"). El cibernauta Ipsilon comenta este artículo en la página de Puro Marketing, y responde al cibernauta Reportaro, que dice que el envío indiscriminado de notas de prensa ("enlatado") puede ser considerado por los motores de búsqueda de Google como "contenido duplicado". Ipsilon alega: "Creo que aquí hay una responsabilidad compartida. Las empresas han de segmentar muy bien y con un buen redactado sus comunicados de prensa y, por otra parte, los medios y blogs han de hacer un esfuerzo por diferenciarse con contenido diferenciado del que habla todo el mundo".

Varios son los libros que redundan en el hartazgo de la tradicional nota de prensa, por sus limitaciones (unidireccional) y la manera de transmitir la información (seca), que la hace poco atractiva para el periodista y para el lector. Así se recoge en libros de varios autores ("colectivos") como *Jóvenes, culturas urbanas y redes digitales* ("la nota de prensa es un formato totalmente agotado"); *El periodista en la encrucijada* ("la gente está harta de las notas de prensa") y *Nuevo Marketing* ("aprovecha tu blog corporativo para llegar y escuchar a tus clientes, no para publicar notas de prensa"). Los expertos en comunicación corporativa tachan de "anticuada" y "método del pasado" la típica nota de prensa. "La nota de prensa tradicional está viviendo su agonía, no tiene capacidad de interacción, por lo que, cada vez más, está siendo considerada como autopromoción, rozando el *spam,* motivo por el cual las redes sociales y el nuevo marketing de contenidos están comiendo terreno a este modo de comunicación", se avisa en otro artículo de Puro Marketing.

El marketing de contenidos iguala nota de prensa y noticia.

.3.9 'Branded content' o el marketing de contenidos visto como periodismo

La traducción de esta palabra podría ser: *contenido vinculado a marcas, periodismo de marca.* Nuevas formas de comunicar conducen a maneras más subliminales de mezclar información periodística con información publicitaria. Los blogueros relacionados con las nuevas tendencias en comunicación conocen bien el término, como en *Rompiendolalinea.com:*

> El *branded content* es cualquier tipo de contenido vinculado a una marca.
> Esta definición podría hacernos pensar en publicidad tradicional, sin embargo, el *branded content* utiliza los contenidos de forma muy creativa, *sutil,* para conectar nuestra marca con el consumidor. Y *la sutileza es importante,* ya que el *branded content* huye de lo intrusivo de la publicidad convencional.
> El *storytelling* en *branded content* es más importante que nunca, ya que necesitamos meter la marca en el contexto del contenido, vincularla, y no simplemente ponerla encima de este.
>
> (En   http://www.rompiendolalinea.com/index.php/terminos/109-que-es-el-branded-content. La cursiva, de este investigador.)

Se trata de vincular a una determinada marca contenidos informativos supuestamente escritos de manera objetiva, independiente. Es decir, hablar de una marca sin que parezca que estamos haciendo publicidad, para que el lector no se ponga sobre aviso. Publicidad muy persuasiva, sobre todo para los más jóvenes, que han crecido en la sociedad de consumo. No en vano, uno de los capítulos del libro *Bajo la influencia del* branded content. *Efectos de los contenidos de marca en niños y jóvenes* (2011) se centra en los juguetes, en los anuncios de juguetes: *"El branded content* como estrategia publicitaria" (pág. 155). La revista *Time Out Barcelona* es una de las que se hacen servir de este medio, con información publicitaria de la marca de cervezas Moritz que se incluye sin que dé la sensación de que se trata de un anuncio. Los publicistas defienden esta táctica (Prádanos, 2013). En el mundo anglosajón se llama *brand journalism,* "historias de empresa convertidas en noticia". Eso hace que los periodistas estén de moda en el mundo del marketing (Gorostidi, 2014).

El *branded content* (contenido de marca) se parece al *brand journalism* (periodismo en el seno de la marca), y al *content marketing* (marketing de contenidos). Se mimetizan, de tal forma que acaban siendo lo mismo: periodismo y marca, fundidos. Ergo, esencialmente, marca, tal y como demuestra la redactora web Eva Sanagustín (www.evasanagustin.com). Tal y como lo describe Celestino Manzano, director en Marketing Media Europe, consultoría en gestión y marketing de medios y comunicación: "El *branded content* es el periodismo de marca, o sea, la marca, hacer marca, pero en las páginas del diario, sin que se note" (conversación con el autor, 2015).

FESTA MAJOR

Després de tot un any de feina, arriba el moment més esperat per celebrar la força de l'esperit col·lectiu

Lluís Muñoz
@lmpandiella

En un món cada vegada més individualista, les festes populars es converteixen en una espècie de resistència numantina de l'esperit col·lectiu. De sobte, la maquinària de la rutina posa el fre i la festa envaeix l'ànim dels veïns, que tornen a trobar al carrer una via de celebració d'aquesta casualitat anomenada vida. Música, balls, focs artificials, àpats veïnals i tota mena d'activitats ajuden a mantenir la pervivència d'aquell nostàlgic món en què el present no depenia de la tecnologia. Barcelona té la sort de comptar amb un fort teixit social, és en les festes populars de barri on treu el seu costat més mediterrani. No hi ha veïnat de la ciutat que no tingui el seu moment de celebració: el seu petit parèntesi en què demostrar que Barcelona segueix estant molt viva i amb l'essència impertorbable. A continuació, recomanem les festes que vénen aquest mes d'octubre per celebrar la força de l'esperit col·lectiu.

FESTES DE L'ESQUERRA DE L'EIXAMPLE
Del 30 de setembre al 9 d'octubre

S'acaba una de les festes de barri més ecològiques: horts urbans als jardins d'Emma, i compromeses activitats al carrer de Consell de Cent.

FESTES D'HOSTAFRANCS
Del 30 de setembre al 9 d'octubre

Últims dies de festa amb concert de l'orquestra Diversiones la nit del 8, tapes solidàries durant el cap de setmana i, relacionat amb xarxes socials i tecnologia, la 'rutapp' del dia 15.

FESTES DE SARRIÀ
Del 30 de setembre al 9 d'octubre

El rodatge de 'Robin Hood al mercat'; tapes solidàries, concerts i el final de festa de diumenge amb castellers, correfocs, gegants i el tradicional piromusical convidaran els veïns a sortir al carrer.

FESTES DE MONTBAU
Del 29 de setembre al 9 d'octubre

La clausura de les festes combina activitats com una mostra de 'playbacks', concerts, gimcanes i el Castell de Focs de Festa Major de diumenge a càrrec de la Colla de Diables del barri.

FESTES DE LES CORTS
Del 30 de setembre al 9 d'octubre

El festival d'animació dedicat a Oriol Canals, activitats inclusives, castellers, concerts o pirotècnia clausuraran durant aquest cap de setmana unes festes participatives i solidàries.

FESTES DEL ROSER
Del 7 al 13 d'octubre

Les festes de la Rambla destaquen per la decoració d'art floral a diferents edificis del barri, l'activitat 'Una flor, un desig', amb 4.000 roses de colors davant del Palau de la Virreina o els premis Ramblistes d'Honor.

Rutes i tapes

ELS MERCATS DE Barcelona s'han convertit en un referent gastronòmic. Durant aquest cap de setmana hi ha degustació de tapes als mercats de les Corts, Canyelles, Sant Martí i Ninot. Cal destacar que el 21, 22 i 23 tindrà lloc la setena edició del Mercat de Mercats a l'avinguda de la Catedral.

A més, el petit comerç surt al carrer el 8 d'octubre al districte de Nou Barris i mostra la feina de la gent dels barris per tenir les seves botigues preparades i a punt. — L. M.

IMAGEN 6. Página 13 de la revista *On Barcelona* (número del 7 de octubre del 2016), que edita *El Periódico de Catalunya,* con publicidad camuflada *(brand content).*

4. PERIODISMO +MARKETING =COPIA Y PEGA

"Sugiero la idea de ir por delante de la necesidad del lector. Intentar hacerle creer que lo que necesita es la información de calidad, la información elaborada. La que proviene de fuentes primarias, secundarias, de una investigación, de saber qué está sucediendo y no de un copia y pega modelando la silueta de la empresa vecina. Pero todo este trabajo periodístico no es ni rápido ni gratuito, y eso el lector debería tenerlo en cuenta."

Comentario de la estudiante de periodismo Carla Martínez sobre el artículo titulado "¿Cuánto cuesta producir contenidos informativos?", de Juan Carlos Marcos y Juan Miguel Sánchez, publicado en www.madrimasd.org, el 8 de noviembre del 2014

"El plagio es uno de los pecados no perdonables en periodismo."
Del libro de estilo del *Washington Post*

"El uso más aceptado y generalizado de estos comandos [copiar y pegar] se da en los entornos de los editores de texto, y son una herramienta fundamental para componer y reorganizar todo tipo de escritos. Y pienso: ¿qué sucederá con el periodismo? ¿Cualquiera puede copiar y pegar cualquier nota?"

En "Copiar y pegar: ¿el fin de la prensa?", en el blog *Copy and paste,* el 16 de julio del 2009

Copiar y pegar ya no es solo un desliz, sino un estilo de trabajar que se podría decir que ya se ha implantado, con sus características y sus peculiaridades. "El 'copia y pega' está a la orden del día, doy fe", confiesa el especialista gastronómico David de Jorge, en el artículo "Copiar y pegar", publicado en su blog, el 1 de octubre del 2009. "Decepcionante", según los periodistas Alberto Fernández-Salido y Carlos Serrano Barrie, en el libro *Copiar y pegar. Miserias (y alguna grandeza) del periodismo español contadas por dos reporteros que nacieron demasiado tarde.*

Copiar y pegar pretende ser una radiografía novelada de la decepcionante realidad que vive el periodismo español en estos tiempos, postrado de hinojos ante las distintas caras del poder político y empresarial y, por ende, huérfano de toda ética.

(Fernández-Salido *et* Serrano Barrie, 2003)

Decepcionante y triste. "Resulta muy triste que medios en los que ponemos nuestra confianza a la hora de informarnos realicen un *copy & paste* tan brutal y descarado. ¿Quién ha copiado a quién? Supongo que ambos han copiado al dedillo la nota de prensa que les ha llegado a través de la misma agencia de noticias", se apena la bloguera viajera René Fernández en el artículo "Plagios en *20 minutos* y *El País* (o el abuso de las agencias de noticias)", publicado en el blog *Bocabit.com,* el 3 de octubre del 2008. Decepcionante, triste y degradante. "Ante la superabundancia de información que circula por la Red, una actitud cómoda es la del copia y pega *(copy & paste),* degradando la calidad periodística, el chequeo de la información y la creatividad de los profesionales de la comunicación", deplora el profesor titular de la Especialización en Periodismo Digital de la Universidad Abierta Interamericana (Argentina) Francisco Albarello en "El discurso periodístico *online",* texto publicado en coautoría con sus compañeros Rubén Canella y Teresa Tsuji en el libro *Periodismo escolar en internet. Del aula al ciberespacio* (Ediciones La Crujía, 2008). La lectora María Alicia Basso, en una carta dirigida al diario *Página/12,* el 28 de marzo del 2010, se frustra por las notas difundidas por el "remanido sistema de 'copiar y pegar', sin chequear nada".

Se copia de la agencia de noticias, y esta, a su vez, copia la nota de prensa del gabinete de comunicación de la multinacional: "La recepción de notas de prensa por correo electrónico o la posibilidad de acceder a estas a través de internet sitúan al periodista ante la tentación de recurrir al 'copia y pega' y trasladar el texto tal cual, incluso con las referidas incorrecciones, al teletipo", se quejan los profesores de periodismo Luis Miguel Belda, Juan Emilio Maíllo y José María Prieto en el libro de estilo *Periodismo social. El compromiso de la información,* publicado por Servimedia, en el 2008. O bien el diario copia directamente la nota de prensa. El periodista Eduardo Mesa, en "Copiar y pegar: ¿Hablamos de periodismo?", publicado en *Unirrevista,* de la Universidad Internacional de La Rioja, el 18 de julio del 2013, cita a colegas del ramo para hacer esta distinción, que a fin de cuentas es el mismo copia y pega. El matiz que introduce es cuando el copia y pega se produce entre los propios medios, robándose contenidos unos a otros sin citar la fuente (plagio), como si los otros copia y pega (también plagios) estuvieran moralmente aceptados: "Josu Mezo, profesor de la Universidad de Castilla-La Mancha, distingue entre dos subtemas distintos: el uso y abuso de la nota de prensa de agencia (legalmente correcto, aunque periodismo de muy baja calidad), y el 'copia y pega' en medios de comunicación de contenidos ajenos, sin permiso: un plagio con todas las letras". El periodista David Ramírez-Plascencia, en "El periodismo digital y las políticas editoriales en materia de plagio: discusión necesaria, pero ausente", publicado en Universidad de La Sabana (Colombia), en marzo del 2015: "uno de los escándalos más famosos de plagio involucró el robo masivo de información de un periodista de *The New York Times,* Jayson Brair, quien fue acusado de copiar decenas de artículos de otros diarios, haciéndolos publicar bajo su nombre". Los especialistas en ciberperiodismo Rivera Rogel, Pereira-Fariña y Yaguache Quichimbo, en "Rutinas de producción informativa en los ciberdiarios de referencia de Ecuador: *El Universo, El Mercurio, El Diario* y *Crónica de la Tarde",* publicado en la *Revista Latina de Comunicación Social,* en el 2015:

> En la actualidad, las noticias proporcionadas por las agencias son digitales y los periodistas pueden acceder a ellas *online* e imprimirlas, copiar y pegar los textos de las agencias para trabajar sobre ellos para sus noticias. Cuanto menos gente en la redacción, mayor dependencia de las agencias.
>
> (Rogel *et altri,* 2015)

Cuanto menos gente en la redacción, mayor dependencia de las agencias. La agencia de noticias da un salto cuantitativo y vende noticias que, en realidad, son comunicados de prensa: "Existen agencias de prensa que venden comunicados y noticias a distintos medios para su publicación", se denuncia en el foro "Copiar noticias", publicado en forosdelweb.com, en el 2012 y el 2013 ("muchas de las noticias en los principales medios son calcadas").

"Hacer una copia de un texto es muy fácil en internet", certifica el ingeniero industrial Eduardo Sánchez en "Cómo saber si alguien copia textos de internet", en http://suite101.net, publicado el 3 de julio del 2013. Con la irrupción de internet, copiar y pegar se ha hecho masivo: "Internet también ha favorecido el denominado 'periodismo de copiar y pegar'", se expone en "El periodismo de copiar y pegar", en el blog *Escaparate de prensa,* el 10 de abril del 2013.

Esto mismo ya lo han demostrado, en el mundo académico, los investigadores Rubén Comas, Jaume Sureda, Antonio Casero y Mercè Morey, con "La integridad académica entre el alumnado universitario español". Preguntaron a 560 alumnos sobre cómo elaboraban sus trabajos de clase. La conclusión: "En relación a las prácticas deshonestas ligadas a la elaboración de trabajos, se constata que internet se ha convertido en la fuente principal del alumnado a la hora de plagiar trabajos académicos". Estas "prácticas deshonestas" podrían ser, entre otras (Comas-Forgas *et al.,* 2011):

– copiar de webs u otros recursos de la Red documentos enteros o fragmentos y entregarlos como trabajos propios;
– copiar fuentes impresas;
– copiar sin citar fragmentos o documentos enteros de libros o de revistas;
– copiar partes de trabajos entregados en años anteriores y entregarlos como nuevos, tanto si es propio como si es ajeno;
– entregar como propio un trabajo realizado por otro alumno en años anteriores;
– elaborar un trabajo para que lo entregue otra persona;
– comprar o vender trabajos académicos;
– falsear bibliografías, datos, resultados o recursos en los trabajos académicos;
– colaborar en la elaboración de un trabajo sin estar permitido.

(Comas-Forgas *et al.,* 2011)

En lo que ya se denomina "ciberplagio" (por la degradación del *ciberperiodismo),* una investigación de referencia es la que lleva por nombre "Faculty and academic integrity: The influence of current honor codes and past honor code experiences", de los norteamericanos Donald L. McCabe, Kenneth D. Butterfield y Linda Klebe Treviño, de la Rutgers University, de New Jersey (Nueva York), quienes estudiaron 23 facultades universitarias en los Estados Unidos (2003). El 38% de los estudiantes consultados había plagiado información de la Red, mediante el "copia y pega". La mitad no sabía que estaba haciendo algo malo. En Estados Unidos, esta "conducta deshonesta", el copia y pega y el consiguiente plagio, se tacha de *"non-honor"* (práctica indecorosa).

El *"non-honor"* engarza con la "no-noticia", el "no-acontecimiento" y el "no-breve".

Teniendo como base esta investigación, y siempre en el ámbito académico, Donald L. McCabe se embarcaría en una mastodóntica tarea: encuestar a ochenta mil estudiantes, tanto de Estados Unidos como de Canadá: "Cheating among college and university students: A North American perspective". Considera, como colofón, que los estudiantes inquietos y con criterio *(critical role students)* rehúsan el copia y pega. A mayor formación, menos plagio (McCabe, 2005).

"Tanto en el País Vasco como en Navarra, con el nacimiento de las ediciones en internet, se desarrollaron nuevos departamentos dentro de los diferentes medios que no eran considerados propiamente redacciones. Ello era debido a que su función, en un primer momento, se limitaba a copiar y pegar los contenidos de la versión impresa", reparan Javier Díaz Noci *et altri* en "Presencia y uso de internet en las redacciones de los diarios regionales vascos y navarros", publicado en *Euskonews,* en el 2007. "Debido a la escasa longitud de los textos que circulan en la [...] Red (no olvidemos que cada tuit acepta un texto cuya longitud no supere los 140 caracteres con espacios incluidos) la posibilidad de copiar, pegar y publicar un texto que no nos pertenece como si hubiera sido escrito por nosotros mismos, es mucho más accesible", sopesa Antonio Cruz en "Acerca del 'corto y pego' como forma de degradar el periodismo cultural", publicado en www.tardesamarillas.com. Lluís Codina, en "La prensa electrónica en internet y el futuro de los medios de comunicación", publicado en *El profesional de la información,* en abril de 1996, recalca "la extremada facilidad para copiar y reproducir información digital mediante operaciones del tipo 'cortar y pegar'". La experta en *social media* Sol León, en "Copia y pega en internet: el teléfono escacharrado", publicado en el blog *Mis apis por tus cookies,* el 16 de octubre del 2013:

> En internet hay eco. Mucho eco. Mucho eco. Eco. Eco. Eco. Las mismas noticias, replicadas una y otra vez. Eco. Cuando intentas localizar un artículo o estudio en concreto, es fácil darse cuenta de la cantidad de páginas (cientos, ¡miles!) que replican los contenidos de unas a otras. No me refiero a los que directamente copian y pegan los teletipos de las agencias o la nota de prensa de turno. Me refiero a los que supuestamente elaboran contenidos añadiendo una entradilla (o no, es opcional), y pegan el texto tal cual. Recientemente me ha vuelto a pasar, y me empieza a hartar este tema.

> (León, 2013)

Parte de este copia y pega se delega en los becarios, incluso formándoles en esta dirección. Según el colaborador de *El País* José Guarnizo, entrevistado en *Elolfato. com,* el 6 de septiembre del 2014: "Los periodistas están enseñados a copiar y pegar, a transcribir el boletín y publicarlo". Elsa González, presidenta de la FAPE, en el artículo de las periodistas Teresa Palacios y Miguel R. Gámez, publicado en

Periodista Digital, el 15 de octubre del 2010, culpa: "Cada vez se fomenta más el copia y pega y la rumorología". En el artículo "¿Sabes por qué las noticias que lees son una mierda?", publicado en el blog *El baúl de la buhonera,* el 22 de octubre del 2015: "Unos cuantos [medios] exigieron a sus becarios que se limitasen a copiar y pegar de los teletipos, sin cambiar ni una coma". El periodista y fotógrafo Daniel Burgui, en el artículo de Iraia Hermosilla "Más allá de la redacción y de un contrato", publicado en el boletín de noticias de la Facultad de Comunicación de la Universidad de Navarra, el 30 de mayo del 2011, explica lo que le ocurrió: "Trabajé un tiempo en una redacción digital y pasar la jornada copiando y pegando textos no casaba con mi idea de periodismo, el tedio diario de la oficina me iba consumiendo a la par que mis ganas de salir afuera se disparaban". Los docentes Rogério Christofoletti y Daniel Piassa Giovanaz, en "Tecnología y zonas de tensión ética para periodistas", publicado en los cuadernos informativos de la Universidade Federal de Santa Catarina (Brasil), en junio del 2013: "En Estados Unidos, copiar y pegar también parece que ha contaminado a los estudiantes de periodismo".

Los no-periodistas animan esta práctica, sobre todo si están relacionados con asesorías: "Feu un copiar-pegar de la nota de premsa i ompliu els diaris", alienta Alba Padró en el blog *Som la llet,* del diario *Ara,* el 15 de febrero del 2012.

Pero, en general, en el oficio, el "no copiarás" se salmodia como un nuevo mandamiento: "Con copiar no me refiero solo a copiar y pegar un trozo de un texto, sino también a 'rerredactar' sin citar mis fuentes. Es algo cada vez más común hoy en día: cojo esto de aquí, lo escribo a mi manera para no plagiar, y no cito la fuente original", coincide Iván Llamosas en "No copiarás", publicado en su blog (illamosas.com), el 6 de junio del 2013. (En algunas redacciones, este *rerredactar* se considera hacer temas propios.) "En web, el periodista acaba limitándose a copiar y pegar teletipos o, en el mejor de los casos, a editarlos. Y eso no es periodismo", achaca el periodista Manuel Rivas en "Diferencias entre el periodismo tradicional y el periodismo en internet", publicado en su blog el 18 de febrero del 2011. "No eran notas de agencia ni un copiar y pegar de la prensa del país en cuestión. Aquello que Gaziel logró era que el lector creyese que estaba contemplando lo que la crónica contaba", refiere el artículo sobre Gaziel en la revista *Unir,* el 23 de octubre del 2013. "Copiar y pegar no es periodismo, para eso están los hipervínculos", defiende el periodista Pablo Romero en "Contra el vicio de copiar y pegar", publicado en el *Elmundo.es,* el 15 de enero del 2004. Y el redactor financiero Eduardo Segovia, en la entrevista hecha por Rosa del Blanco y publicada en la agencia de comunicación Silvia Albert in Company, el 10 de septiembre del 2015, persiste:

> Hay que olvidarse de que los medios las publiquen tal cual [las notas de prensa] y explicar a los clientes que eso se llama publicidad y que hay que pagarla. [...]. Una noticia con interés para el público, no para la empresa, claro. [...] Lo del *copy & paste* solo lo hacen ciertas agencias de noticias (generalmente espa-

ñolas; las internacionales, menos) y yo, personalmente, despediría a quien lo hiciera.

(Segovia, 2015)

"Los periodistas-gerentes han arruinado el negocio, porque nadie va a pagar por un corta y pega", vaticina el reportero Ramón Lobo. Así, pues, la empresa escribe parte del diario: "...Las propias empresas son las que dan las noticias. Pero, claro, en vez de [...] a todos los medios, se lo dan a unas cuantas agencias, y los demás copian", se comenta en www.elotrolado.net, el 3 de marzo del 2013 ("Las propias empresas pasan notas de prensa a diferentes webs"). En síntesis, la tesis *Copia y pega. Cómo las multinacionales construyen las noticias.*

.4.1 ¿Qué es plagio?

La Universidad de Alcalá (Madrid) lo define de esta manera: "Plagio es usar el trabajo, las ideas o las palabras de otra persona como si fueran propias, <u>sin acreditar de manera explícita</u> de dónde proviene la información" (subrayado en el original). "Puede ser objeto de plagio, entonces, no solo un libro o un poema, sino también un texto breve o incluso una idea", instruye la periodista M. A. Coloma (2003).

En esta tesis, cuando hablamos de *plagio* hablamos de texto escrito (Arce Gómez, 2009). Algunos autores lo consideran un delito (Wortzman, 2010). El copia y pega, "procedimiento interparasitario", ya es tan cotidiano que apenas cuenta con rechazo social (Sáez Vacas, 2004). Y el plagio es el copia y pega sin nombrar la procedencia del texto, la fuente original: "copiar en lo sustancial obras ajenas, dándolas como propias", según el Diccionario de la Real Academia de la Lengua.

Todo esto lo relata uno de los editores de la sección latinoamericana del servicio público de radiotelevisión del Reino Unido, la BBC, que cuenta cómo el copia y pega da una mala imagen al oficio periodístico: "Muchos periodistas han terminado convirtiéndose en secretarios de redacción de quinta categoría y excelentes candidatos al Premio Pulitzer de 'copiar y pegar'. Y esto no significa [solamente] robar información o material gráfico de otros sitios periodísticos en internet, sino, además, transcribir entrevistas y citar declaraciones de otras plataformas", denuncia el editor Alfredo Ochoa. "El impacto negativo de esto se pierde en el horizonte y podríamos estar escribiendo miles de líneas sobre el efecto multiplicador nefasto de esta situación."

El "tribunal de ética y disciplina" que regula el buen hacer del periodismo en Chile resolvió en contra del plagio de uno de sus colegiados. En la resolución del 7 de abril del 2013, el fiscal chileno Pablo Vildósola no es indulgente: "La constatación, como la acusada lo expresa —tal vez de buena fe pero sin la rigurosidad necesaria—, de haberse adscrito a la modalidad impuesta y asumida por muchos usuarios de internet del recurso de 'copiar y pegar', y que ha creado un vicio recurrente, no legalizado y no permitido moralmente, de apropiación de autoría de textos, sin usar comillas ni atribuir su autoría, como sugieren numerosos textos de la teoría periodística".

Con este panorama, los códigos deontológicos nacieron como respuesta al embrutecimiento que el periodismo estaba adquiriendo en Estados Unidos, a principios del siglo xx. Muestra de ello, de aquel periodista insensible y arribista, se observa con claridad en películas magistrales como *Luna Nueva* (Howard Hawks, 1940; una versión posterior sería *Primera Plana,* de 1974), *La reina de Nueva York* (William A. Wellman, 1937) y *Juan Nadie* (Frank Capra, 1941). El primer código ético lo redactó la Asociación de Editores de Kansas (Estados Unidos), en 1910. Especialmente, en Estados Unidos, cuya Primera Enmienda *("abridging the freedom of speech, or of the press")* garantiza la libertad de expresión, el hecho de copiar en los artículos sin atribuir la autoría está sancionado con dureza. En marzo del 2011, el rotativo *The Washington Post,* baluarte del buen periodismo por el caso Watergate *(Todos los hombres del presidente),* suspendió de empleo y sueldo a una de sus reporteras, Sari Horwitz, por haber plagiado algunos párrafos de otro diario para escribir sus artículos. En el 2002, Horwitz había obtenido el Premio Pulitzer. Agregamos la información publicada por el Centro Knight, el 17 de marzo del 2011: "El *Washington Post* suspende a periodista ganadora del Pulitzer por plagio": "Sari Horwitz, una reportera ganadora del Premio Pulitzer, fue castigada con tres meses de suspensión por haber plagiado material del diario *Arizona Republic* en dos artículos recientes, informaron la agencia AFP y el diario español *El Mundo".* El *Post* se lo tomó tan en serio que publicó una nota en su web (www.washingtonpost.com): "El plagio ha sido durante mucho tiempo una de las más graves violaciones de ética en el periodismo".

No es el único caso de plagio. En los últimos años, proliferan en la prensa:

-*El País,* 13 de mayo del 2003: "Los 36 artículos falsos de Jayson Blair": *"The New York Times* publica en cuatro páginas una investigación sobre los engaños y plagios de uno de sus periodistas".

-*El Mundo,* 11 de enero del 2009: "Bryce Echenique, acusado de plagiar artículos periodísticos": "El escritor peruano Alfredo Bryce Echenique fue sancionado por el Instituto Nacional de Defensa de la Competencia y de la Protección de la Propiedad Intelectual de su país, al acreditarse que plagió 16 textos periodísticos publicados en varios medios de comunicación, algunos españoles. La sanción al escritor es de 50 Unidades Impositivas Tributarias, equivalentes a 177.500 nuevos soles (más de cuarenta mil euros)".

-*Reporte Honesto,* 13 de julio del 2011: *"The Independent:* columnista suspendido por plagio": "En el mismo artículo de opinión, utilizó una cita falsa para afirmar que Israel era culpable de 'limpieza étnica' en 1948, a pesar de que había sido previamente advertido de que era falsa".

-*Periodista Digital,* 15 de octubre del 2011: "Prometedora periodista del prestigioso *Politico* renuncia por plagio": "La verdad es que no copió en exceso. Ni siquiera de forma descarada. Su pecado fue no atribuir a la fuente, en la que se había inspirado, la autoría de los párrafos y detalles que se llevó a sus crónicas. Pero en el periodismo anglosajón no perdonan ni una. Kendra Marr, reportera del diario *Politico,* ha tenido que renunciar a su cargo después de que periodistas del *New York Times* alertaran al editor John F. Harris sobre la similitud entre los trabajos publicados por Marr y unos reportajes del *Times* sobre las políticas de transporte".

-*Adweek,* 27 de octubre del 2011: *"Guardian* Correspondent Levels Plagiarism Charge at Reuters Two Moscow journalists report very similar stories": "[…] Gracias a Reuters por lo menos [por] el cambio de algunas de las palabras de mi historia", tuiteó Elder Miriam, corresponsal en Moscú de *The Guardian,* sugiriendo que Reuters había plagiado su trabajo, pues no la mencionaron.

-*Clases de Periodismo,* 24 de diciembre del 2011: "Cadena elimina noticia tras descubrir plagio de artículo de *Washington Post"*: "La cadena WUSA eliminó una historia que había sido plagiada de *The Washington Post.* Según el presidente de WUSA, Allan Horlick, fue un error involuntario".

-Periodista Digital, 23 de marzo del 2015: "Los medios españoles, entre ellos la agencia Efe y el periódico *El País,* se han mantenido al margen de la polémica entre Verónica Murguía y Arturo Pérez-Reverte y no hicieron mención alguna al episodio, quizás porque no es la primera vez que el famoso autor español, miembro de la Real Academia de la Lengua, se ve envuelto en un caso de plagio". El "famoso episodio" es un supuesto caso de plagio del autor de *El capitán Alatriste* de un cuento de la escritora mexicana Verónica Murguía.

La condena es unánime, y los adjetivos, implacables: copiar es desleal, deshonesto e indigno (Darío Restrepo, 2004), y se justifica con estas fuentes fidedignas:

-"La calumnia, la difamación voluntaria, las acusaciones lanzadas sin pruebas constituyen faltas profesionales graves; lo mismo que el plagio."

Código de honor profesional de las Naciones Unidas

-"Abstenerse del plagio, de la calumnia, de la difamación, de la maledicencia y de las acusaciones infundadas."
Federación Internacional de Periodistas

-"Hay que tener agradecimiento con las fuentes de información, hay que condenar el plagio."
Organización Internacional de Periodistas

-"Se prohíbe el plagio, la calumnia, la difamación y las acusaciones sin fundamento."
Declaración de deberes de los periodistas de la Comunidad Económica Europea

-"Son acciones violatorias de la ética profesional: el plagio y el irrespeto [la falta de respeto] a la propiedad intelectual."
Federación Latinoamericana de Prensa

Se intenta combatir el plagio. En el punto 2 de las bases del premio de periodismo Lorenzo Natali 2015 (de 18 puntos), se penaliza el plagio: *"The participants must be the authors and holders of the copyright and the moral rights of their work. Plagiarism, which includes the unauthorised use of the language and thoughts of another author and the representation of them as one's own, will result in disqualification"*.

Las nuevas tecnologías nos ayudan a comunicar y, en algunos casos, a comunicar mejor. Pero su mal uso también puede contribuir al copia y pega. El 17 de abril del 2013, la Asociación de la Prensa de Madrid organizó el debate (en la red social de Twitter, "tuitdebate") titulado "El *periodismo* de copiar y pegar". La palabra *periodismo,* en cursiva en el original, como si se pusiera en duda que la práctica de copiar y pegar no tenga nada que ver con el periodismo. En esta jornada, el corresponsal en Asia del diario *El Mundo,* David Jiménez, que ha sufrido esta lacra en sus propias carnes, hizo unas declaraciones ilustrativas: "[el copia y pega es] una falta de respeto al autor y al lector, que es engañado, y una admisión de mediocridad". La Universidad de Alcalá (Madrid) recomienda no copiar, y explica los motivos que a ello le empujan:

-Porque perjudica nuestra formación y cualificación a largo plazo, nos hace peores profesionales.
-Nos acostumbra a un camino que nos empobrece, nos vuelve menos capaces, creativos, innovadores.
-A nosotros no nos gustaría que se aprovechasen de nuestro trabajo.

-Aprovecharse del trabajo de los demás es un acto egoísta.
-Puede entrañar, además, responsabilidades penales o sanciones académicas.
-Las mismas tecnologías que sirven para copiar con facilidad permiten descubrir los plagios.
-Usar, respetar y reconocer las fuentes nos hace aprender.
-Aprender nos hace más competentes, más autónomos, más libres y más valiosos.
    (Universidad de Alcalá)

Con motivo de la celebración de los 20 años del Sindicat de Periodistes de Catalunya, el director del semanario *El Vallenc* (elvallenc.cat), Francesc Fàbregas, asestó un duro golpe a esta manera de trabajar que, según él, nada tiene que ver con el periodismo en mayúsculas: "reinventarnos y salvar el periodismo, alejándonos del copia y pega" que se practica en muchos medios.

En resumen, cuando los periodistas David Jiménez, Francesc Fàbregas y Alfredo Ochoa despotrican contra el copia y pega, lo están haciendo contra el copia y pega sin mencionar la fuente: el plagio.

En esta tesis se estudian tres tipos de copia y pega (Primero, Segundo y Tercero): Primer copia y pega: El copia y pega de la nota de prensa por parte de las agencias de noticias. Segundo copia y pega: El copia y pega de la nota de prensa copiada por las agencias de noticias y vuelta a copiar por los diarios. Tercer copia y pega: El copia y pega de los diarios que copian la nota de prensa que les llega directamente sin mediación de la agencia de noticias.

Dos de estos copia y pega sobrevienen en plagio (Primero y Tercero): Primer copia y pega: El plagio de la nota de prensa por parte de las agencias de noticias en el transcurso de la cadena de copia y pega de la nota de prensa original, la nota de la empresa: a. empresa, b. agencia de noticias y c. diario. Se apropian de su autoría, puesto que firman como Agencia algo que ellos no han hecho. Tercer copia y pega: El plagio del diario que firma como Redacción un contenido que no es suyo.

Existiría un Cuarto copia y pega que no sometemos a estudio (más que copia, plagio). En el seno del propio gabinete de publicidad contratado para la elaboración de las notas de prensa. Por lo común, el periodista no firma sus notas. Solo ocho de las 50 notas de prensa de nuestra muestra están firmadas por sus autores. Sería una especie de 'plagio consentido'.

Las notas de prensa se escriben para que sean mayormente reproducidas, y, si es posible, reproducidas en su totalidad (por eso hablamos de 'plagio consentido'. La fuente original no protesta por que la hayan plagiado; al contrario, se felicita).

.4.2 Primer copia y pega

(Plagio. Notas de prensa de empresa copiadas por las agencias de noticias)

En *Dircom. Comunicar para transformar* (Pirámide, 2015), de los investigadores Pilar Buil y Pablo Medina, se da cuenta de las que, según los autores, son "las mejores compañías españolas": Banco Santander, Repsol, Gas Natural Fenosa, Acciona, "la Caixa", Mercadona, Telefónica, Universidad de Navarra y Grupo Mutua Madrileña. En definitiva, multinacionales. Las denominadas Supermarcas (ver el capítulo o bloque 2: "El periodismo y los breves de empresa").

Ante la dificultad que supone para una empresa, y para una empresa multinacional, hacer llegar al periodista sus ofertas, y que estas gocen de un tratamiento informativo especial ("preferencial"), los gabinetes de comunicación de las empresas contratan los servicios de la agencia de noticias. Así, los grandes informadores de noticias hacen noticioso el lanzamiento y el evento de una marca (ver Anexo III: "Entrevistas"). "El dinero mueve el mundo", titula el escritor William Chislett un artículo en *El Imparcial* del 25 de junio del 2014. Y la información es dinero, como afirma el galardonado reportero Kapuscinski en *Los cínicos no sirven para este oficio*.

La mejor manera de que la multinacional se interiorice en las redacciones no es "bombardearla" con notas de prensa, algo que reiteradamente se hace a tenor de las opiniones recogidas en esta tesis. Lo ideal es convertir la nota de prensa en noticia de agencia, supuestamente, con todos los ingredientes de la noticia y avalada por una empresa de comunicación respetada. Las agencias se han ganado una aureola de credibilidad. Efe no pone reparos en su presentación: "La primera agencia de noticias en español y la cuarta del mundo, con más de setenta años de trayectoria que avalan su imparcialidad, su potencia, su credibilidad y su inmediatez". Los medios de comunicación escritos de carácter generalista contratan los servicios de las grandes agencias de noticias (Reuters, Associated Press y Agence France-Presse, y en España: Efe, Colpisa y Europa Press). Pagando, lo que la empresa quiere transmitir puede ser noticia: se contrata un gabinete de comunicación o de publicidad, y el producto o la idea, mediante un editor de texto, tomará cuerpo en formato de artículo. El gabinete de comunicación se abona a una agencia de noticias y coloca allí la información de la marca (sobre un perfume, una aplicación informática, una nueva tanda de *bonos séniors* de la firma bancaria…; ver Anexo IV: "bonos séniors") como una nota de prensa. O bien se contrata a la propia agencia de noticias para que haga este trabajo y confeccione el artículo. Los clientes de grandes cuentas pagan por que su *información* sea noticia y que el diario la recoja. Como ellos quieren, sin enmienda. La empresa queda satisfecha porque consigue difusión, y más con el empuje de una agencia solvente. En fin, quien paga, construye el relato. Quien paga, publica.

Las agencias de noticias reproducen casi íntegramente las notas de prensa, haciéndolas pasar como noticias. Se puede llegar a copiar sin cambiar ninguna coma. Prácticamente se calcan. Las notas de prensa acaban introduciéndose en las agencias de noticias, como una noticia más. Puesto que no reconocen la autoría original de la empresa que la confecciona, podemos decir que las agencias de noticias analizadas plagian (ver el capítulo o bloque 7: "Resultados del estudio"). "Quienes somos 'viejos roqueros' seguimos creyendo en la diferencia entre el marketing y la comunicación [periodismo], entre los profesionales de la publicidad y los redactores. Pero no solo la crisis ha llevado a muchos medios a *presionar,* también son bastantes los *dircom* que han visto que pagando se consigue la presencia en los medios", comenta un periodista en el estudio *"Cuarto poder* y empresas", de julio del 2015. Uno de esos viejos roqueros es el antiguo jefe de sección de *La Vanguardia* Eugeni Madueño, actualmente director de Edicions Clariana. En la conferencia "Reconstruccions de Barcelona. El moviment veïnal i el nou documentalisme als setanta", en el marco del seminario "Les lluites per la imatge de la ciutat", con motivo de la exposición "Barcelona, la metròpoli a l'era de la fotografia", en La Virreina-Centre de la Imatge (Barcelona, 2016), Eugeni Madueño hizo esta declaración: "Hoy ha muerto la crítica al poder. La comunicación lo inunda todo, y no le hace daño. Antes se combatía el poder, y hoy todo eso está difuminado". Madueño siempre recuerda esta frase oída al periodista italiano Furio Colombo *(Últimas noticias sobre el periodismo):* "La información tiene que ver con los ciudadanos; la comunicación, con los consumidores". "Con un pequeño pago, la mayoría de distribuidores enviarán tu comunicado de prensa a noticiarios al igual que otras agencias de los medios. Tu objetivo es llegar al mayor público posible", se escribe en el artículo "Cómo enviar un comunicado de prensa", en la página *WikiHow.* "Las agencias de noticias tienden más a publicar los comunicados de prensa organizados correctamente."

En muchas ocasiones, la nota de prensa original —facturada en los *think tanks* de los gabinetes corporativos— se copia nuevamente hasta acabar impresa en papel. En estos casos, las notas de prensa, que elaboran los gabinetes de marketing y de relaciones públicas de las empresas públicas y privadas y que se plagian en los despachos de agencia, se vuelven a copiar íntegramente en los breves de prensa de empresa de los diarios (el diario plagia cuando firma como Redacción algo que es un copia y pega de nota de prensa). "La provisión de noticias proviene de los hombres de las relaciones públicas", explicita Llorenç Gomis en su clásico *Teoría de los géneros periodísticos,* en el que se olvida del breve. En general, el grueso del trabajo recae en los publicistas, en el inicio de la cadena ("la cadena informativa", Leguineche, 2016: 9), los que deliberan, planifican y llevan a cabo sus estratagemas de comunicación para expandir su mensaje.

Aun así, cada vez más periodistas, y sobre todo quienes se han volcado profesionalmente en la Red, huyen de esta práctica tan sosa, por otra parte: "Lo más fácil para un periodista es copiar algún cable de una agencia de noticias, cambiar el titular y publicarlo. Pero el editor [de la empresa centrada en contenido viral] BuzzFeed, Ben Smith, tiene claro que esto no puede seguir siendo así en una época en la que las redes sociales son cada vez más utilizadas", se expone en la página web Clasesdeperiodismo.com ("Clases de periodismo busca brindar a los periodistas e interesados en la comunicación las herramientas necesarias para un trabajo más eficiente, de acuerdo con los tiempos que enfrentamos"), que difunde la entrevista con Ben Smith publicada en el medio digital de Harvard *Nieman Journalism Lab*.

En la tesis *Copia y pega* se tratan las agencias que forman parte de la muestra de este trabajo: 1. Agencia Efe y 2. Europa Press (ver Anexo I: "La muestra").

1. Agencia Efe

Las agencias públicas, como Efe (seudopública, puesto que es Empresa Agencia Efe, S. A.), se prestan al copia+pega=plagio. Uno de sus "productos" es el comunicado de prensa:

> Comunicados: Miles de directores, editores, jefes de redacción, jefes de servicios y redactores de medios de comunicación, abonados de Efe en el mundo, reciben los comunicados de sus clientes. Comunicados de texto y foto, redactados y gestionados por el cliente, y en vídeo, producido íntegramente por Efe y en colaboración con el cliente, y que se difunden a los abonados de Efe a través de sus canales de distribución. Estos canales de distribución son específicos y diferenciados de los dedicados a la información noticiosa.

(En http://www.efe.com/efe/espana/queesefe/presentacion/14001)

Los comunicados de prensa pueden ser "bajo demanda", tal y como asegura la agencia Efe, fundada en 1939, cuya titularidad corresponde a la Sociedad Estatal de Participaciones Industriales: "Línea de servicios dirigida a instituciones, partidos políticos, asociaciones, administraciones públicas, empresas y medios de comunicación, adaptados a las necesidades específicas de cada cliente. Los productos bajo demanda de la Agencia Efe cubren un gran abanico de necesidades a la carta. Coberturas especiales, videocomunicados, vídeos institucionales, clips divulgativos, reportajes RSC [responsabilidad social corporativa], asistencias técnicas, etc., que incluyen, en la mayor parte de los casos, producción, difusión a medios y publicación en nuestros propios soportes".

El lema de Efe (efe.es) es: "imparcialidad, credibilidad y rapidez". Y en el "código de conducta empresarial" se repite la palabra *objetividad*.

La rama de la agencia Efe especializada en materia económica se llama Efe Empresas (www.efeempresas.com): "Efe Empresas está conformada por un equipo que escribe y gestiona información económica de la Agencia Efe relativa a compañías y sectores. En esta web encontrarás parte del trabajo que realizan sus profesionales para ECONOMÍA de Efe (la primera agencia de noticias en castellano y la cuarta del mundo), así como temas diferenciados y de interés económico".

Según una de las periodistas de la agencia Efe, el servicio Efe Empresas funciona de la siguiente manera: "Es un servicio de información de Efe sobre empresas, para otras empresas o bien para el hilo de Economía, lo que va directamente a periódicos, revistas y medios de comunicación especializados. Puede que se trabaje a través de 'remitidos', es decir, la empresa externa paga para que se publique una información determinada, siempre contrastada; pero, en muchas ocasiones, es dependiendo del interés que despierte tal información, si es o no noticia. Cada sección se divide en otras secciones. Así, pues, Economía tiene, por ejemplo, Efe Agro (canal de alimentación, economía de empresas de alimentos, agricultura, etc.), Efe Empresas y otras muchas".[6] También existe Efe Contenidos Gratuitos (www. efelibredescarga.com), en el que las empresas suben sus comunicados sin ningún tipo de cortapisas (tratamientos estéticos, inauguraciones de hoteles, ofertas de vehículos de ocasión...), todos ellos relacionados con Efe. En "productos multimedia: comunicados de empresa", este investigador lee una de las noticias que se ha subido el 5 de noviembre del 2011.

> Reconoce el BID a socios de la IRR como los equipos más innovadores del 2014
> · El equipo del Fondo Multilateral de Inversiones (FOMIN) y el de la División de Agua y Saneamiento dos de los socios de la IRR han recibido el Premio al Equipo Más Innovador 2014 en la Ceremonia Anual de Premios y Reconocimientos a los Empleados del Grupo BID.
> · El equipo del FOMIN y el de la División de Agua y Saneamiento fueron galardonados por su enfoque innovador a la hora de impulsar la IRR para contribuir a la solución de los desafíos que enfrentan los recicladores en la región.
> El Sector de Conocimientos y Aprendizaje (KNL) y la Oficina de Relaciones Externas (EXR) del Banco Interamericano de Desarrollo (BID) galardonan anualmente aquellas ideas más innovadoras que están siendo implementadas en proyectos, programas o servicios ofrecidos por el Grupo BID en tres categorías: soluciones en operaciones, soluciones corporativas y nuevas soluciones. Durante la Ceremonia Anual de Premios y Reconocimientos a los Empleados del Grupo BID, el equipo del Fondo Multilateral de Inversiones (FOMIN) y el de la División de Agua y Saneamiento quienes son los

---

6 Correo electrónico enviado por un periodista de Efe Salud a la cuenta de Linkedin de este investigador (se elide información para evitar que sea reconocido), en abril del 2016. Se incluye en esta tesis porque muestra con claridad las sinergias entre agencias de noticias y multinacionales: "Soy periodista ([...] años en la Agencia Efe) y como plan b alternativo de ingresos, empecé a desarrollar, en paralelo con Efe, un proyecto en marketing multinivel junto con una compañía americana cotizada en Wall Street y enmarcada en el sector de la salud, el bienestar y el antienvejecimiento, como sabes, de los sectores de mayor crecimiento a nivel global. Se trata de la oportunidad de asociarnos a esta compañía y desarrollar, bajo su paraguas corporativo, el sistema de comercialización en más de 50 países donde opera, mediante la construcción de una estructura de franquicias *online*. Estoy buscando emprendedores que quieran desarrollar su propio proyecto, sin inversión, creando una red internacional de unidades de negocio con este socio financiero. Yo lo simultaneé con Efe (se puede desarrollar en paralelo, así lo hice), y después de [...] años, he decidido voluntariamente dejar Efe y dedicarme a este proyecto en exclusiva [...]. Bueno, dime qué te parece y si quieres hacemos un *skype* y te cuento mi experiencia. Estoy seguro de que la industria te va a resultar muy interesante".

encargados de las actividades del Grupo BID bajo la Iniciativa Regional para el Reciclaje Inclusivo (IRR), recibieron el Premio al Equipo Más Innovador 2014. [...] La Iniciativa Regional para el Reciclaje Inclusivo fue lanzada en el 2011 por el FOMIN, la División de Agua y Saneamiento del BID, la Fundación Avina, la Red Latinoamericana de Recicladores y Coca-Cola América Latina con el objetivo de trabajar por la mejora de la calidad de vida de cerca de 4 millones de recicladores de base de la región quienes se estima recuperan el 90% de los materiales reciclados usados en la industria y que en su mayoría trabajan en condiciones precarias, que incluyen saneamiento deficiente, altos niveles de discriminación, acoso y falta de prestaciones y de seguridad social. Contacto de Medios Cristina Montes
cmontes@llorenteycuenca.com
+52 55 52571084 Ext. 6976
La Iniciativa Regional para el Reciclaje Inclusivo (IRR) es un proyecto puesto en marcha en 2011 por el Fondo Multilateral de Inversiones (FOMIN) y la División de Agua y Saneamiento del Banco Interamericano de Desarrollo (BID), la Fundación Avina, The Coca-Cola Company y la Red Latinoamericana de Recicladores, Red Lacre, con el objetivo de fomentar la integración de los recolectores informales de reciclables en América Latina y el Caribe al mercado formal del reciclaje.
Si quieres saber más, visita: www.reciclajeinclusivo.org

Al final de la noticia-nota de prensa ("contenidos informativos de empresas y corporaciones"), esta aclaración:

> Agencia Efe S. A. no se hace responsable de la información que contiene este mensaje y no asume responsabilidad alguna frente a terceros sobre su íntegro contenido, quedando igualmente exonerada de la responsabilidad de la entidad autora del mismo.

2. Europa Press

La agencia Europa Press, fundada en 1957, también facilita el envío de comunicados de empresa. En su página web (europapress.es), la pestaña Comunicados, junto a Nacional, Internacional, Economía, Deportes, Cultura, Sociedad y Ciencia. En Comunicados, el subapartado de Empresas: "Para distribuir tus comunicados contacta con EP Comunicación: +34 91 359 26 00 – comunicacion@europapress. es". Por ejemplo, la empresa Buscounchollo.com, publicó la nota de prensa: "Buscounchollo.com supera las 500.000 descargas en Google Play": "A estas 500.000 descargas, hay que sumar también las más de 250.000 descargas conseguidas en la App Store...". Al final de la nota, los datos de contacto.

*

A veces, las empresas establecen contacto con las agencias de noticias mediante la contratación previa de un gabinete de comunicación y publicidad que gestiona el "posicionamiento SEO" de la marca (Penela, 2004).

<u>El vocabulario de la nota de prensa en la era digital</u>
Backlinks: clicar la web
KPI: indicadores de rendimiento
Online: conectado a la Red
Offline: no conectado a la Red
SEM: search engine marketing, mercadotecnia en internet, que los buscadores encuentren mejor la empresa
PageRank: escala de valoración del buscador de internet Google
Posicionamiento SEO: search engine optimization, mejorar la visibilidad de tu página web (posicionamiento de la web)
CEO: chief executive officer, ejecutivo jefe
Dircom: director de comunicación
IRC: internet relay chat, conversaciones en tiempo real

Por ejemplo, el gabinete de comunicación y publicidad Tus Medios (tusmedios.es, "estrategias de marketing") cuenta con diversos "planes de comunicación" para empresas.

En el Plan 1 se publica la nota de prensa en la página web de la agencia de comunicación.

En el Plan 2 se publica la nota de prensa en más de diez portales y blogs de noticias y marketing.

En el Plan 3 se publica la nota de prensa en agencias de noticias como Europa Press:

> Es la opción más completa para quien busca posicionamiento SEO y cobertura en portales de noticias de gran valor. *Nos aseguraremos de que su nota de prensa salga publicada* en portales de noticias de gran importancia estratégica como: Europapress.es, Diariocritico.com, Solomarketing.es, y también será indexada en Google Noticias. Más de 20 portales publicarán su nota de prensa.
>
> (En http://www.tusmedios.es/como-enviar-nota-de-prensa.php. La cursiva, de este investigador.)

"En el mundo de las agencias de comunicación, como en todos los negocios, hay de todo: buenas, malas y regulares. Pero al preguntarle qué era exactamente lo que esperaban de esa agencia, la respuesta fue en la dirección de 'notas de prensa dirigidas a las personas adecuadas'", anota el bloguero sobre aspectos de comunicación Enrique Dans. Las agencias de noticias son también esas "personas adecuadas". Las notas de prensa también están evolucionando en la medida en la que la comunicación se adapta a las exigencias sociales del momento. En el mismo blog de Enrique Dans (www.enriquedans.com) se elogia la "comunicación personal", que suma adeptos en un mundo cada vez más virtual. "La nota de prensa no ha muerto, pero debemos adaptarla a la realidad", sentencia el experto en marketing *online* Chema Martínez-Priego en *Quiero ser community manager: diez profesionales y cinco compañías analizan una nueva realidad* (ESIC, 2012). Los periodistas de Economía de *La Vanguardia* Óscar Muñoz y Mar Galtés coinciden en condenar el daño que al periodismo hacen las agencias que copian y plagian en sus despachos las notas de prensa de empresas (ver Anexo III: "Entrevistas").

En julio del 2013, en el marco de los cursos de verano de la Universidad Complutense de Madrid, las agencias de comunicación Servimedia y Estudio de Comunicación presentaron el informe titulado: "El papel de las agencias de noticias en el siglo XXI". Una de las conclusiones a la que se llega es que el periodismo de marca o *brand journalism* sustituirá a las agencias de comunicación o se convertirá en una vía complementaria. Es decir, que periodismo y marketing acabarán fusionados, sin mamparas de separación. El triunfo, pues, del copia y pega. Cabe destacar que la mitad de fuentes de este estudio de Servimedia y Estudio de Comunicación son empresas, y que el curso está patrocinado por los gigantes de la industria farmacéutica, Novartis, y de las infraestructuras, Abertis, dos multinacionales con intereses económicos. Quizá detrás de esta fusión que preconizan no se esconde más que un deseo.

La agencia Efe copia y plagia muchas notas que las empresas difunden como propaganda. Y las hace pasar por noticias. Así lo deja escrito la periodista del diario *El País* Rosario G. Gómez (2012), en un texto que ha generado polémica y que reproducimos por completo:

Efe mezcla comunicados de empresa con noticias

La agencia Efe ha puesto en marcha un servicio de difusión de comunicados de empresa, con contenidos claramente publicitarios, que se entremezclan con las noticias. Sin diferenciación tipográfica, se distribuyen por la misma línea por la que viajan las informaciones. El único aviso es un epígrafe ("Comunicados de empresa") tras el título de la nota y una reseña final en la que se indica que no se hace responsable de la información contenida en dichos mensajes.

Un portavoz de Efe asegura que el servicio es similar al que prestan agencias internacionales como DPA, Ansa o AP y por el que obtienen suculentos ingresos. La compañía española, que recibe dinero público a través de su contrato con el Estado, lo ofrece gratuitamente, pero no descarta que en un futuro pueda cobrar por esta prestación. Efe asegura que consultó el proyecto al Comité de Redacción y que "le pareció correcto" siempre y cuando se incluyeran las citadas salvaguardas.

(Gómez, 2012)

El servicio de difusión del que se habla es Efe Contenidos Gratuitos, en cuyo encabezamiento figura este subtítulo: "[comunicados de empresa] rigurosos, atractivos y libres de derechos de publicación". Y este texto: "Contenidos Gratuitos es la plataforma web de descarga gratuita de contenidos informativos de empresas y corporaciones que la Agencia Efe pone a tu disposición. Solo tienes que registrarte, si aún no eres cliente de Efe, para descargar cualquier contenido de este sitio". La "reseña final" que indica Rosario G. Gómez se encuentra en el "aviso legal".

Las críticas a Efe abundan en la profesión, como la del ingeniero Miguel Ángel Gallardo en el artículo "El precio de la agencia Efe", publicado en *Xornal de Galicia,* el 2 de agosto del 2015:

> Lo que sí que queremos, aquí y ahora, es poner en conocimiento del presidente de la agencia EFE, y de todo el que quiera conocer los gravísimos problemas deontológicos que estamos detectando, que nos ha llegado una curiosa oferta que textualmente dice: "Distribuimos tus COMUNICADOS de prensa a través de EFE, la agencia de noticias más importante de España, por solo 199€+IVA. Aparecerá en EFE.com y llegará a los terminales de los periodistas españoles: prensa, radio, TV e internet". Hace no muchos años algo así hubiera sido completamente inverosímil.

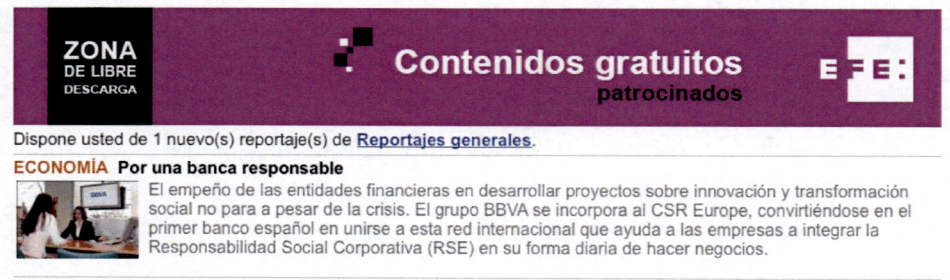

IMAGEN 7. Notificación de "contenidos gratuitos" patrocinados por la agencia Efe, del 7 de abril del 2014, previo registro al servicio de Efe. Aviso legal: "Agencia Efe, 2015. Estos contenidos son para uso exclusivamente editorial. Queda terminantemente prohibida su reproducción con fines publicitarios o comerciales". El punto 4 de las "condiciones generales de uso" de este servicio de la agencia Efe: "EXCLUSIÓN DE GARANTÍAS Y RESPONSABILIDAD: Agencia Efe, que pone todos los esfuerzos precisos para que los contenidos incluidos en esta página web sean fiables, no se hace responsable en ningún caso de los daños y perjuicios de cualquier naturaleza que se pudieran ocasionar al usuario derivados, a título enunciativo, de errores u omisiones en los contenidos, totalidad, precisión, oportunidad, falta de disponibilidad del portal o la transmisión de virus, a pesar de haber adoptado todas las medidas tecnológicas posibles para evitarlo. Tanto el acceso a la web como el uso inconsentido que pueda efectuarse de la información contenida en la misma es de exclusiva responsabilidad de quien lo realiza y Agencia Efe no responderá de ninguna consecuencia, daño o perjuicio que pudiera derivarse de dicho acceso o uso".

A veces, Efe copia. Cede su marca al resto de empresas-clientes. Y plagia ('plagio consentido') en los casos en los que se apropia de comunicados de prensa de empresas para reconvertirlos en noticias con una leve intervención del periodista, y sin citar la fuente. Algo que lleva a la destrucción del periodismo, según el exdirector de *The Sunday Times* y de *The Times,* Harold Evans: "En cuanto el objetivo [de las empresas de los diarios] sea financiero y no periodístico, el periódico decae y se cae". En el 2010, Efe envió un *mail* a la redacción de *Prnoticias* en el que conminaba que no se usara el contenido de la agencia sin previo abono.

> Hasta la redacción de Prnoticias ha llegado un correo electrónico en el que el servicio de atención al cliente de Efe nos pide que no sigamos publicando sus noticias en nuestras páginas, sin autorización y sin que nos demos de alta en su servicio de abonados. Efe, además, amenaza con recurrir a causas legales para solventar esta situación si seguimos reproduciendo sus artículos.
>
> Hasta aquí podríamos entender que *Prnoticias* ha incurrido en la práctica de 'fusilar' noticias de agencias sin pagar por el servicio, algo que entendemos que es absolutamente criticable, aunque nos referimos a una práctica muy concurrida en internet. No obstante, al ver el artículo al que se refiere Efe en concreto comprendimos mejor el temor de este correo de la agencia pública.
>
> En Efe se refieren a un solo artículo —es la primera vez en los once años de existencia de *Prnoticias* que nos llega un correo similar desde Efe— publicado en nuestras páginas el pasado 10 de diciembre [2010] bajo el título "Grijelmo anuncia que Efe perderá este año 1,7 millones [de euros]".
>
> Este artículo se refiere exclusivamente a los resultados económicos de la agencia de noticias pública [Efe] que fueron comunicados por Grijelmo a puerta cerrada en una asamblea anual a la que no se ha convocado a ningún medio de comunicación y a la que solo ha acudido un periodista de la propia agencia a cubrirlo.
>
> (Prnoticias, 2010)

Los comentarios de los blogueros, como este de *Meneame.net,* del 29 de agosto del 2010, son hirientes: "¿Pagan a la agencia Efe para manipular en contra de las energías renovables? Nos despertamos hoy en todos los periódicos con la noticia: 'Las renovables supusieron al consumidor el 11% de sobrecoste en la electricidad'. La noticia es la misma en todos los medios, desde *Público* hasta *La Razón,* que copian nota de prensa de la agencia Efe. Según se deduce de la nota de prensa, su opinión es totalmente contraria a las renovables". Las etiquetas de esta entrada: "renovables, efe, mala praxis".

.4.3 Segundo copia y pega

(Notas de prensa de empresa copiadas por las agencias de noticias y vueltas a copiar en los breves de empresa de los diarios. Sobre el copia y pega)

El botón derecho del ratón, sobre el que descansa el dedo corazón, nos puede adentrar en la espiral del "cortar, copiar y pegar" (las tres primeras opciones del menú que se abre cuando clicas). Estas opciones se utilizan en tal orden: cortar, copiar y pegar, y se ha llegado a popularizar en el argot editorial los comandos sobre el teclado *control x (cortar)*, *control c (copiar)* y *control v (pegar)* como referencia a las acciones que producen (Ambrosig, 2013).

Al saber del artesano le ha sucedido un saber técnico "infinitamente menos denso y específico", en virtud de la homologación de las operaciones del *software* digital: cortar y pegar, y otros muchos más, son comandos comunes a las aplicaciones de procesamiento de texto (Abril, 2003: 36).

La "declaración de principios sobre la conducta de los periodistas" de la Federación Internacional de Periodistas tacha el plagio como "falta grave". En el periodismo de Latinoamérica se denomina falta de "periodismo de iniciativa" (Llobet, 2013). La declaración de principios de la profesión periodística en Catalunya, el denominado "código deontológico" (1992), se ha convertido en el marco legal y moral que fija las pautas de lo aceptable en el ejercicio del periodismo. La Constitución de la prensa en Catalunya. En ninguno de los doce artículos ("criterios") de los que consta se menciona la acción conocida en el mundillo como el "copia y pega" y el "plagio". Con ello se entiende la actitud de reproducir textualmente notas de prensa, informaciones, en su mayor parte interesadas, que llegan a las redacciones; este método brilla por la falta de edición.

Como aportación a esta tesis, un profesor de periodismo se pregunta: "¿Si la nota de prensa está bien hecha, por qué no copiarla?". La respuesta podría ser sencilla (no copiar) a tenor de todos los códigos deontológicos consultados, así como los estatutos de redacción de los principales diarios de prensa escrita en España. Quizá sea *El País* uno de los que con más dureza se pronuncian ("es inmoral apropiarse de noticias de paternidad ajena").

Cabría preguntarse si copiar un texto, una nota de prensa o un despacho de agencia, aun siendo en un breve, se considera *plagio*. Respuesta: sí, si no se cita la fuente. "El uso [por parte de los diarios] de las agencias de noticias como Reuters, AFP, etc. es legítimo (autorizado por la fuente) y no se considera como un plagio. Los periódicos, a menudo, reutilizan noticias procedentes de las agencias de noticias sin editarlas. Siempre mencionan la fuente [la agencia]", avala un gestor de la herramienta de detección de plagio Plagium. El punto 1 de la *Guía para copiar y pegar en internet (y que no te apaleen en el intento)*: "Siempre citar la fuente".

Cabría preguntarse también si copiar, aun citando la procedencia del texto, puede ser una práctica que concite el rechazo. Copiar la nota de una agencia de noticias en un breve, indicando la procedencia, no constituye plagio, pero sí empobrece la labor del periodista, lo que da lugar, como se ha definido, a un "periodismo de baja calidad" (Mezo, 2009, 2013). En el argot, se denomina "fusilar" la nota. "Para los grandes magnates de la comunicación (no digamos ya para los medios un tanto más humildes) les es más fácil y rentable *fusilar* teletipos de agencia y notas de prensa (esto es, copiar-pegar) que pagar a corresponsales en el extranjero", evidencia el periodista Francisco Reina en el artículo "Las tres crisis del periodismo y los nuevos medios digitales", publicado en su blog, el 4 de septiembre del 2012. El jurista Antonio Rentero, en el artículo "¿Qué es un plagio en internet y qué opinas? Veintinueve blogueros responden", ha publicado en el blog de Christian DVE, el 30 de septiembre del 2013, su opinión sobre el "fusilamiento" de contenidos:

> *El Mundo,* en su edición *online,* publicó, palabra por palabra (incluyendo un error tipográfico, estilo 'Nuevva York'), un artículo mío. Lo comuniqué a mi editor, y según me contó posteriormente, el culpable fue Europa Press, que es quien suministra esos contenidos a *El Mundo,* donde se limitaron a colgar el texto que les enviaron desde la agencia de noticias sin saber que me lo habían 'fusilado'. Sinceramente, no puedo entender un caso así: paga a mi publicación por el texto o redacta la misma noticia a tu estilo teniendo la mía delante, si quieres, pero no un corta-pega en el que ni corriges un error tipográfico de la fuente…

(Rentero, 2013)

El copia y pega es una de las cinco "barbaridades" del blog de comunicación *233 grados:*

1. Copiar todo el texto sin citar.

Ejemplo: El 17 de febrero del 2010, *Elmundo.es* reprodujo íntegramente, sin citar ni enlazar a la fuente original, el texto de un artículo que el periodista Ramón Salaverría había publicado un día antes en su blog. El diario modificó después el artículo y pidió disculpas a Salaverría.

2. Hacer un resumen o copiar varios párrafos del texto sin citar la fuente.

Ejemplo: Ocurrió el pasado mes de enero [2013], cuando *El País* copió varios párrafos de un artículo del periodista de *La Vanguardia* Albert Lladó.

3. Copiar el texto poniendo la fuente pero sin enlace.

Este caso es muy frecuente, debido tal vez a la teoría de que cuando se enlaza a otro sitio se pierde algo del *pagerank* [algoritmo de Google para determinar el posicionamiento de una web] propio, teoría que rechazan algunos expertos SEO.

4. Copiar todo un texto y firmarlo con nombres y apellidos que no son del autor original.

Ejemplo: Este caso lo hemos vivido la semana pasada, cuando el corresponsal de *El Mundo* en Asia, David Jiménez, denunció que *Deia* había copiado un artículo suyo y se lo había firmado al humorista gráfico Forges.

5. Copiar texto, fotos y vídeos y no citar fuente ni poner enlaces.

Algunas licencias Creative Commons permiten la reproducción exacta de los artículos de un sitio web, siempre y cuando se cite y se enlace a la fuente original. Esto ha provocado que aparezcan muchos sitios que únicamente se dedican a la recopilación de artículos de otras webs y que, en algunos casos, no cumplen con el requisito de citar y enlazar.

(233 grados, 2013)

La respuesta a la pregunta del profesor de periodismo sobre la indulgencia de copiar una nota de prensa si el redactado es periodístico, pues, no deja lugar a dudas: el periodista no ha de copiar por mucho que algunos periodistas estén resueltos a ello (Mayor, 2014). Desde luego, el promotor último de la nota de prensa está sumamente interesado en que se copie su información: la empresa privada se inclina por que se dé publicidad a sus comunicados, se especifique o no la autoría de la nota. De ello dependerán los balances de ventas de sus mercancías. En este sentido, son concluyentes los "estatutos de redacción", especie de convenios sindicales internos ("norma interna […] que regula y ordena las relaciones profesionales de los miembros de la Redacción entre sí y con la dirección", según el sindicato Comisiones Obreras). Por ejemplo, el Estatuto de Redacción de *El País:* "*El País* rechazará cualquier presión de personas, partidos políticos, grupos económicos, religiosos o ideológicos que traten de poner la información al servicio de sus intereses".

Internet, esa caja de mundos, ha llegado para quedarse. Y su impacto aún se está digiriendo en los llamados *mass media:*

Nace el periodista multimedia, lo que en ocasiones se ha traducido en un intento de amortizar puestos de trabajo en las viejas redacciones por parte de las editoras más clásicas o en la puesta en marcha de iniciativas fraudulentas por parte de los redactores más hábiles para ganar rápidamente la fama aun a costa de credibilidad y rigor. Más que nunca se hace necesario el rigor y la aplicación estricta de los códigos deontológicos para no caer en la publicación de informaciones de dudosa procedencia, la búsqueda de ingresos publicitarios a cualquier precio y la obtención de la noticia con un simple "corta y pega".

(Cerezo *et* Zafra, 2003)

En la tesis *La polivalència periodística a les agències de notícies. Estudi comparatiu entre els perfils professionals de l'ACN, Efe i Europa Press,* Guillem Sánchez (Universitat Ramon Llull) se hace eco del trabajo de Cerezo y Zafra ("El impacto de internet en la prensa"), quienes ponen el dedo en la llaga en lo referente al copia y pega, cuya proliferación va muy unida a la aparición de internet. Del capítulo "Ús abusiu dels teletips", de la tesis de Guillem Sánchez:

> Aquesta necessitat de fer compatibles l'actualització constant amb uns recursos humans tan limitats condueix a moltes webs informatives a comportar-se com a simples altaveus dels teletips de les agències de premsa.
>
> Tot plegat forma part d'un debat enardit des de l'aparició d'internet i que afecta els ciments de la mateixa professió. Internet i les innovacions poden representar una oportunitat única per estendre a tot el món la visió i els valors propis de les agències que faciliten la informació. Per contra, pot representar un seriós problema si el seu ús es limita al 'copia i enganxa', l'entronització de les mitges veritats, falsedats sota capçaleres de prestigi o la reproducció de les mateixes notícies sense analitzar ni elaborar.
>
> (Cerezo *et* Zafra, 2003)

En esta misma tesis, Guillem Sánchez recoge una pista interesante: que la elaboración propia en los diarios escasea.

> Nick Davies (2009) també ha demostrat a Anglaterra que el 70% de les informacions dels principals mitjans del país han estat escrites fora de les redaccions i copiades per aquestes. Tot i que només en l'1% dels casos s'ha reconegut obertament.
>
> (Sánchez, 2015: 97)

En este punto insiste la revista alternativa de Barcelona *Hola, dictadura,* en su número de junio del 2015, con relación a los artículos publicados sobre la Operación Piñata. El 30 de marzo del 2015, las fuerzas y los cuerpos de seguridad del Estado español detuvieron a 37 personas, la mayoría de ideología anarquista, acusadas de terrorismo. "Cap dels articles [publicados al día siguiente] es deriva d'un procés d'investigació periodística, sinó que tots són reproduccions de les notícies elaborades per part de les principals agències del país: Efe i Europa Press. Al seu torn, aquestes reprodueixen les notes de premsa de la policia, que és precisament l'única font d'informació, juntament amb les institucions de l'Estat", se escribe.

Puede que el copia y pega acarree que las ediciones electrónicas de los diarios, en un futuro, se conviertan en la publicación "múltiple, uniforme e instantánea" del último teletipo servido por las agencias de noticias (Sancha, 2005).

.4.4 Tercer copia y pega

(Plagio. Notas de prensa de empresa copiadas directamente por el diario sin mediación de la agencia de noticias. No se cita la fuente)

De acuerdo con los objetivos planteados, resaltamos el caso del breve número 9 de esta tesis, publicado en *La Vanguardia,* el domingo 2 de febrero del 2014.

El abogado Pablo Bieger se incorpora como socio

Rousaud Costas Duran SLP ha incorporado como socio a Pablo Bieger, abogado experto en operaciones mercantiles, bancarias y del mercado de valores. Pablo Bieger se encargará de ayudar a impulsar y liderar el crecimiento de la oficina de la firma en la ciudad de Madrid, y será una pieza clave en la consolidación de un equipo de Mercantil Bancario y Mercado de Valores. / Redacción

Firma la Redacción. En realidad, lo ha escrito la agencia de comunicación especializada en abogacía Lawyerpress ("información de calidad"). Se trata del breve de *La Vanguardia,* de la muestra, con mayor similitud con la nota de prensa, índice de coincidencia de 0,74 (ver Anexo I: "La muestra").

El caso del breve número 26 de esta tesis, publicado en *El Mundo,* el viernes 15 de abril del 2014.

Nuevo fondo de Mutua Madrileña

Mutuactivos, la gestora de fondos de Mutua Madrileña, ha lanzado al mercado Mutuafondo Dólar. El nuevo fondo de renta fija internacional invierte su patrimonio en una cartera diversificada de deuda pública y privada a corto plazo denominada en dólares (con una duración no superior a los dos años). / E. M.

Firma *El Mundo.* En realidad, lo ha escrito el departamento de comunicación de Mutua Madrileña ("preocupados por las personas"). Se trata del breve de *El Mundo,* de la muestra, con mayor similitud con la nota de prensa, índice de coincidencia de 0,77 (ver Anexo I: "La muestra").

El *copia y pega,* en definitiva, el plagio, es una lacra, y tiene mucho que ver en ello la precariedad de las mermadas redacciones (Mesa, 2013).

Se organizan cursos para evitar tal práctica. Uno de ellos, el de Ética Segura, la red de ética y periodismo de la Fundación Gabriel García Márquez para el Nuevo Periodismo Iberoamericano (Colombia), cuya introducción reproducimos:

> El plagio de artículos periodísticos en internet se ha convertido en un problema que crece día a día como una bola de nieve. Ante esto, los periodistas que ven cómo su trabajo es robado y publicado en otros portales web sin dar siquiera el respectivo crédito se preguntan ¿qué hacer?
>
> La buena noticia es que sí se pueden tomar medidas al respecto. La primera de ellas es encontrar en qué blogs, páginas web de noticias o *post* de redes sociales han sido republicados tus escritos sin permiso. La manera más popular de hacerlo es copiando un párrafo del artículo original (recomendablemente el segundo o tercer párrafo) y buscarlo completo en Google. De esta manera, el buscador te mostrará en qué otros sitios web se ha publicado un texto similar.
>
> Pero hay mejores métodos. Hoy queremos recomendarles dos buscadores especializados en encontrar contenido plagiado en internet. Se trata de PlagSpotter y CopyScape, dos motores de búsqueda especializados en ayudar a encontrar artículos copiados que, además, ofrecen servicios adicionales para monitorear y proteger el contenido original. Para artículos en español recomendamos usar CopyScape, pues es más eficiente.
>
> (En http://eticasegura.fnpi.org/2013/12/27/como-detectar-si-tus-articulos-han-sido-plagiados-en-internet/)

De www.plagspotter.com: "Escritores y editores pueden indagar en internet a través de PlagSpotter y encontrar a quienes roban su contenido original y se atribuyen sus derechos de autor".

De www.copyscape.com: "El plagio es un problema grave y creciente en internet. En cualquier momento, cualquier persona en el mundo puede copiar su contenido *online* y, al instante, pegarlo en su propio sitio web. Después de hacer cambios menores, reclamará su contenido como propio".

En conversación con Darren, gestor de Copyscape (correo electrónico enviado a este investigador el 14 de julio del 2015): "Ofrecemos la posibilidad de revisar porciones de texto o de páginas web y sitios web para estudiar su posible caso de plagio, mediante la identificación de las copias en internet en otros lugares".

Ellos utilizan los términos "epidemia", "amenaza" y "robo de contenido".

.4.5 El refrito

El cocinero Ferran Adrià moja el pan en el refrito de uno de sus platos favoritos, de un menú muy mediterráneo: espagueti con tomate y albahaca, pescado del día a la plancha con refrito de ajos y, de postre, espuma de caramelo. En periodismo, el refrito es el "periodismo de oficina" —también llamado "la Redacción"—, y se hace valer de otras sartenes: pellizcar datos de aquí y de allá para elaborar algo que dé la sensación de un tema propio, cuando, en realidad, es una burda copia. El vocablo, en el DRAE, aparece recogido en un uso despectivo.

El refrito es tan viejo como el periodismo. "En la jerga de las redacciones, el término *refrito* se refiere al empleo de textos de varios autores para cocinar uno nuevo con apariencia de original. Es término menos rotundo que *plagio*, palabra maldita, pero tiene con ella algo en común, como es apropiarse en lo sustancial de obras ajenas", escribía el defensor del lector José Miguel Larraya en el diario *El País*, el 6 de enero de 1991.

Veinte años después, la defensora del lector de *El País*, a la sazón Milagros Pérez Oliva, insistía en el mismo tema, participando de un debate que no se agota:

> Recibo con cierta frecuencia cartas de lectores sobre artículos o reportajes que consideran un flagrante plagio de otros publicados con anterioridad en otros medios, generalmente extranjeros. Examinados los casos, no he encontrado plagio, y así se lo he hecho saber, pero la insistencia en este tipo de quejas me ha llevado a observar con un poco más de detenimiento esta cuestión. Y lo que he encontrado es algo que parece molestar a los lectores tanto como el plagio, aunque no lo sea: lo que podríamos llamar periodismo de refrito y composición. Son artículos "tan inspirados" en otros, que parecen copiados. […] En casos como este, mi consejo es claro: aun cuando el redactado sea diferente y se haya aportado material nuevo, si el tema se inspira en otro artículo y utiliza elementos del mismo, hay que citarlo. No es ningún deshonor. Mucho peor es la sospecha de plagio. Los lectores consideran que tienen un contrato con el diario y esperan no solo noticias veraces y honestas; muchos esperan también textos originales y de elaboración propia.
>
> (Pérez Oliva, 2010)

La defensora del lector de *El País*, Milagros Pérez Oliva, recomienda evitar el refrito. La solución pasa por que el periodista se estruje los sesos y reflexione, idee, proponga. Es decir, Milagros se lamenta de que no haya "esfuerzo intelectual", "creatividad" y "trabajo en equipo".

Los investigadores en comunicación convienen que el refrito se vuelve plagio cuando no se especifica claramente la fuente de la que proviene la información (Cantarero, 2004). Se considera una "falta grave" para la que no hay sanción penal, y, en algunos casos, al "mercadeo de textos" se le aplica los términos de *fraude, usufructo* y *piratería*. El refrito ya se ha convertido en verbo.

> Y quien dice 'copiar y pegar' muchas veces dice, directamente, fusilar, *refritar* e incluso plagiar contenidos producidos por otros —práctica cada vez más frecuente en medios tanto tradicionales como digitales—. Si para un estudiante ser sorprendido recurriendo a estas malas prácticas supone algún tipo de sanción, para un medio de comunicación, para un periodista, para un especialista o para un líder de opinión implica una pérdida de su credibilidad y de la confianza de su audiencia.

> (Martín Gómez, 2014. La cursiva, de este investigador.)

"Copiar+pegar (sin verificar)=plagio", publicado en la web sobre el análisis de las tendencias sobre el mercado digital *El ojo fisgón* (www.elojofisgon.com), el 11 de diciembre del 2014. Equivale al periodismo+marketing=copia y pega, de la Presentación de esta tesis.

IMAGEN 8. Segunda página del reportaje titulado "Curas de crucero", publicado por este investigador en el suplemento La Revista del diario *La Vanguardia,* el domingo 10 de julio del 2005. *El Mundo,* en el suplemento del domingo 31 de julio del 2005, publicó una entrevista de refrito al cura Lluís Hernández, que llevaba por título: "El cura rojo que predica en cruceros". Aquello a lo que se refería Milagros Pérez Oliva: "Parecen casi copiados".

El Port de Barcelona estrena l'aplicació web Port Links per construir i comparar cadenes de transport via Barcelona

❖ L'eina, única a Europa, integra l'oferta completa i actualitzada de serveis marítims i terrestres del Port

El cap lib tècnic d'Estratègia del Port de Barcelona, Jordi Torrent i Noelia Martin, durant la presentació de Port Links.

El Port de Barcelona ha posat en funcionament Port Links, una nova eina accessible via web que permet construir i comparar on-line cadenes de transport per importar o exportar un contenidor entre qualsevol port del món i una localització europea a través de Barcelona. L'aplicació, única a Europa, ja està disponible a la pàgina web del Port de Barcelona a l'adreça http://www.portdebarcelona.cat/port-links. Així ho va anunciar el cap d'Estratègia del Port, Jordi Torrent, en la presentació de l'eina.

Port Links integra l'oferta completa i actualitzada de serveis marítims i terrestres (tren i camió) del Port de Barcelona i ofereix informació sobre diversos indicadors associats a la cadena de transport construïda, així com una representació de la ruta en un mapa. A més, inclou el model de càlcul d'emissions desenvolupat pel Port de Barcelona en el marc del projecte ECOcalculadora i ampliat en el projecte CLYMA (eix Lió-Madrid del Corredor Mediterrani).

"El funcionament de Port Links és molt senzill i intuïtiu", va destacar Jordi Torrent. Només cal seleccionar el tipus de contenidor (20', 40' o 45'), introduir l'origen i el destí de l'exportació o la importació, el mode de transport que es vol utilitzar pel tram terrestre (camió o tren –en aquest darrer cas, a seleccionar d'entre l'oferta ferroviària de Barcelona–) i per últim, el servei marítim.

Amb les dades introduïdes, Port Links representa la ruta de transport escollida en un mapa i calcula, per a cada tram –terrestre, portuari i marítim– i per a tota la cadena, els temps de trànsit, distàncies, emissions de CO_2 i altres contaminants, externalitats del transport i informació del pas portuari.

A l'apartat de Port Links de la web del Port de Barcelona hi ha disponible una guia amb la descripció completa del funcionament de l'eina on també es detallen els models de càlculs emprats. El Port de Barcelona preveu futurs desenvolupaments de l'aplicació per, entre d'altres, incloure el transport d'altres UTIs (una UTI equival a una Unitat de Transport Intermodal, és a dir, un camió, plataforma o remolc) i de vehicles.

> "L'aplicació, única a Europa, ja està disponible a la pàgina web del Port de Barcelona a l'adreça **http://www.portdebarce-lona.cat/port-links**"

"L'objectiu del Port de Barcelona amb aquesta aplicació és proporcionar una eina fiable i acurada per a tots aquells particulars i empreses que vulguin transportar càrrega contenitzada a través del Port de Barcelona", va afirmar el cap d'Estratègia del Port. Amb aquesta eina web i amb uns senzills passos s'obté una informació molt completa de la cadena de transport que permet valorar la millor opció per transportar una mercaderia.

IMAGEN 9 a. Arriba. Página 16 del periódico gratuito *La Marina dels barris de la Zona Franca* (Barcelona), de mayo del 2016, con una noticia acompañada de una foto que, en conjunto, es la nota de prensa del Port de Barcelona, y que se puede descargar en esta dirección web: http://content.portdebarcelona.cat/cntmng/d/d/workspace/SpacesStore/5510c063-4b85-4045-9422-615c2bdf3a3f/160419_Portlinks.pdf

La coincidencia del artículo con la nota de prensa original es del 100%.

IMAGEN 9 b. A la derecha. Página 16 del periódico gratuito *Línia Sants* (Barcelona), de julio del 2015, con una noticia local que es un refrito, por no decir una copia cuasiexacta de la nota de la fundación http://www.i2cat.net/ca/blog/nou-sistema-de-videoconferència-als-cap-de-barcelona Las fotografías de estudio, con el marchamo de "archivo", pertenecen al anunciante. En el editorial del número 137 de la revista *La veu del carrer* (septiembre del 2015), órgano de la Federació d'Associacions de Veïns de Barcelona, se acusa a *Línia* de "clientelismo": "La capçalera *Línia,* amb el nom de cada districte, s'edita en tota la ciutat i se'n reparteixen milers d'exemplars de manera gratuïta. Una part dels ingressos de la publicació (del Grup 21, propietat de David Centol Lozano) provenen d'un acord amb la Generalitat i l'Ajuntament de Barcelona. El grup és conegut per haver tingut conflictes laborals amb els treballadors. Amb l'arribada de [ex alcalde de Barcelona Xavier] Trias es va expandir per la ciutat i es caracteritzava per tractar el Govern amb guant blanc. El tuf de clientelisme és evident. Quants diners se li han donat?". En el mismo editorial se hace la siguiente reflexión: "El poder que exerceixen els grans grups de comunicació sobre les Administracions públiques és gran, i la relació entre ells, confusa. Els governs actuen en molts casos a la defensiva: és millor tractar els mitjans generosament per estalviar problemes. Els compensen amb convenis o acords opacs perquè limitin la crítica i no posin en marxa campanyes que puguin desestabilitzar-los. El nou consistori ha d'aixecar catifes i conèixer què hi ha o què hi va haver en el passat. La política informativa ha de ser transparent, no marginar alguns mitjans de comunicació i beneficiar-ne d'altres. No es poden pagar amb diners públics *pàgines que fan passar la propaganda per periodisme".* (La cursiva, de este investigador.)

Les persones amb problemes de mobilitat podran ser ateses amb totes les garanties. Fotos: Arxiu

Les consultes, des de casa

» L'Ajuntament i diverses institucions impulsen un sistema que facilita l'atenció mèdica als pacients amb mobilitat reduïda i que es fa servir a través de l'ordinador o del telèfon mòbil

Redacció
BARCELONA

Per tal de facilitar l'atenció mèdica a les persones amb mobilitat reduïda, la Delegació de Salut de l'Ajuntament ha impulsat, juntament amb l'Equip d'Atenció Primària Sardenya, el Col·legi de Metges i la Fundació i2Cat, una prova pilot d'una plataforma tecnològica que posa en contacte el metge de capçalera amb el seu pacient.

Aquest dispositiu permet que es pugui establir contacte visual i interactiu entre el doctor i el pacient, sigui via ordinador o *smartphone*. D'aquesta manera, el metge pot fer l'assistència, el seguiment i el control sanitari de forma remota. La versió per a ordinadors ja s'està provant, mentre la dels telèfons mòbils es troba en fase de desenvolupament d'adaptació.

El sistema simula l'entorn real d'una consulta de veritat. De fet, és el metge qui crida al pacient perquè passi a la consulta, i al final d'aquesta, li lliura notes de paper. A més, durant aquesta teleconsulta, el metge pot accedir a l'expedient mèdic del pacient i apuntat el resultat de la consulta virtual a la seva història clínica.

Aquesta plataforma està dissenyada de manera que en un futur s'hi podran afegir encara més eines que facilitaran el seguiment i control remot dels

> **Tot i que ja hi ha una primera versió, en el futur s'afegiran encara més millores**

pacients. Algunes d'aquestes millores seran el mesurament de constants, formularis, tests o valoració de paràmetres.

De la mateixa manera, en una segona fase s'estudiarà la possibilitat d'incorporar un mecanisme per tal de poder descarregar receptes electròniques o facilitar la recollida de dades biomèdiques.

Per fer servir l'*app* o la versió per a ordinador cal que el pacient disposi d'un dispositiu amb càmera frontal i accés a Internet. Per la incorporació dels nous serveis, el sistema podria requerir dispositius amb Bluetooth i API, de manera que es podrien fer mesures de constants vitals. En un futur, diferents Centres d'Atenció Primària de la ciutat, com el Larrard (al districte de Gràcia), el Vila Olímpica o el Barceloneta també el podrien incorporar.

UNA ATENCIÓ MÉS EFICIENT
El dispositiu vol ser una eina útil per als ciutadans que tenen dificultats per desplaçar-se fins al CAP. Fins ara, en moltes ocasions aquests casos es resolien fent que el personal sanitari es desplacés al domicili del pacient per poder fer la consulta.

Amb aquest sistema es possibilita una atenció més eficient al mateix temps que es redueixen costos de recursos i de personal.

Impuls a la investigació

INVESTIGACIÓ ▶ La Fundació i2Cat és un centre de recerca i investigació sense ànim de lucre que impulsa accions d'R+D+i en sectors com l'arquitectura, les aplicacions i altres serveis.

Una de les seves missions és desenvolupar tecnologies avançades a la xarxa que ajudin a resoldre diferents necessitats dels ciutadans, les institucions i les empreses del país.

Aquest centre divideix les seves grans àrees de treball en tres: R+D, Àrees de suport i Business units. I és precisament en aquesta darrera on apareixen els professionals d'eSalut i eDependència, que han desenvolupat l'aplicació.

.4.6 Causas del copia y pega

1.   Destrucción de empleo: menos puestos de trabajo

2.   Precarización del trabajo: menos personas encargándose de más tareas

3.   Desidia por contrastar la información

4.   Vertiginosidad en los ritmos de trabajo

5.   Falta de dinero: se aceptan notas de prensa de anunciantes como si fueran noticias

Las causas se derivan de los principales problemas de la profesión periodística, enumerados en el informe anual de la profesión periodística (2014) y de la "encuesta profesional" de la Asociación de la Prensa de Madrid:

-El aumento del paro y de la precariedad laboral que provoca

-La falta de independencia política y económica de los medios en los que se trabaja

-La mala retribución del trabajo periodístico

-La falta de rigor y neutralidad en el ejercicio de la profesión

-El aumento de la carga de trabajo y la falta de tiempo para elaborar la información

-La mala evaluación social y profesional de los periodistas

-El deficiente nivel de formación de los profesionales del periodismo

-Las diferencias salariales en las empresas entre gestores y periodistas

-El proceso de concentración de empresas de medios de comunicación

-Competencia entre la información de medios y la comunicación corporativa de instituciones y empresas

-La dificultad de acceso a las fuentes de información

Y el intrusismo.

La periodista *freelance* Maria Carme carga contra el intrusismo en la revista *Capçalera* (número 166), órgano del Col·legi de Periodistes de Catalunya: "Mucha gente sin formación o vocación ha comenzado a escribir en los medios para sacarse un sobresueldo. Además, suelen ser personas totalmente acríticas respecto a los medios para los que escriben y a los *inputs* que les llegan de las agencias de noticias y, como tales, son absolutamente dóciles y acceden a trabajar por cuatro duros. Llenan caracteres; la calidad puede ser que se degrade, pero, a final de mes, salen los números".

Y explica los motivos del copia y pega: "En las redacciones, además de la rebaja del sueldo, se padece la rebaja de manos. Cada uno ha de asumir más trabajo, y esto hace el trabajo más estresante y, en algún caso, por fuerza, menos cuidado".

El bloguero Karin Gajardo, en el artículo "El dilema de los comunicados de prensa y el contenido duplicado", del 26 de mayo del 2012, apunta algunos de estos ítems:

> muchísimas notas de prensa y también noticias son copiadas y pegadas sin miramientos día a día. [...] Esto pasa, a mi parecer, por las siguientes razones: 1. Periodistas vagos o ¿muy ocupados? que no cambian los comunicados y no contrastan fuentes; 2. Gente que no sabe que el contenido duplicado afecta negativamente al posicionamiento, 3. Gente a la que le da prácticamente igual.

(Gajardo, 2012)

.4.6.1 Destrucción de empleo

El presidente de la Asociación de la Prensa de Madrid, Fernando González Urbaneja, muestra su "indignación" por la pérdida de empleos en la prensa española. En su *Libro negro del periodismo en España,* lanza este alegato: "Nos pasaron por encima como una apisonadora y ni siquiera protestamos. Es cierto que la situación era insostenible por un déficit crónico y una deuda insoportable, pero había otras opciones y, sobre todo, cabía una defensa profesional más contundente. No fuimos capaces de materializarla y perdimos todos". La indignación no es solo por prescindir de los periodistas veteranos, sino por reducir "el empleo estable", como hasta ahora se consideraba (Laura, 2010). La pérdida de puestos de trabajo en la prensa se debe a varias crisis, no solo la económica (Salaverría, 2012).

En definitiva, prescindir de lo que se denomina "capital humano" acaba diezmando las redacciones, "bajo mínimos" (Iglesias, 2011).

En resumen, y como reconocen numerosos estudiosos, la profesión periodística está atravesando uno de sus peores momentos (Del Riego, 2013).

En España, el periodismo, como profesión rentable, se encuentra en horas bajas. Desde el inicio de la crisis económica en España, en el 2008, la destrucción de empleo no se detiene, y aumentan los medios de comunicación que han tenido que cerrar. La Federación de Asociaciones de Periodistas de España recoge los números, y cada vez llena más cuadros de texto con los datos de los *expedientes de regulación de em-*

pleo (ver Anexo IV: "concurso de acreedores"). Su documento "Observatorio de la crisis" es sintomático. Solo en el 2012, se quedaron sin trabajo cinco mil periodistas. El impacto de la crisis lo ha evaluado la revista *Periodistas* (número 40, primavera del 2016): "Desde el año 2008 hasta el 2015 el sector de los medios de comunicación ha perdido 12.200 empleos, parte de ellos, de periodistas. Los años en los que la crisis se cebó especialmente fueron el 2013 y el 2014, con 2.771 y 2.465 despidos, respectivamente. En el mismo periodo se cerraron 375 medios de comunicación".

En Catalunya, la situación también es alarmante. Entre julio y noviembre del 2012, el Laboratori Digital (Media, Strategy and Regulation) de la Facultat de Comunicació Blanquerna (Universitat Ramon Llull), dirigido por el profesor Josep Lluís Micó, realizó el informe "Nínxols d'ocupació per a periodistes. Crisi, oportunitats en el sector i necessitats de formació".

> Després d'uns anys de crisi i de la destrucció de centenars de llocs de treball sembla que la precarietat s'hagi acceptat com una situació normal, inevitable. A això, s'afegeix una manca significativa de recursos de tipus empresarial, així com altres factors resultants de la digitalització, com ara el de la immediatesa, que exigeix una major habilitat professional, a més de representar un altre element de tensió.
>
> (Micó *et altri*, 2012: 32)

Según datos del Servei d'Ocupació de Catalunya (SOC), a finales del 2012 había inscritos 1.769 periodistas que buscaban trabajo, de los cuales 1.510 se encontraban en el paro. Independientemente de la formación, más de tres mil personas se registraron en el SOC para hallar empleo en el campo de la comunicación, como primera opción.

El Sindicat de Periodistes de Catalunya (SPC) sigue con interés estas observaciones. Según el SPC, es imposible saber a ciencia cierta cuántos periodistas se han visto afectados por la crisis en Catalunya. "Una desinformació que s'està incrementant, ja que aquest col·lectiu 'invisible' augmenta gràcies a la creixent pràctica d'acomiadar personal de plantilla i incorporar-la a la condició de 'col·laboradors'. És clar, amb menys sou i sense Seguretat Social. Una infàmia", denuncia Dardo Gómez (2013), secretario general de la Federación de Sindicatos de Periodistas.

Esta situación se ha planteado en mayo del 2013, cuando la Mesa Sectorial dels Mitjans de Comunicació a Catalunya presentó el informe "Propuestas de actuación ante la crisis del sector de la comunicación". Llegaron a la conclusión de que se ha de diseñar de nuevo el mapa universitario en el ámbito de la comunicación y buscar grandes anunciantes en el resto del Estado español, entre otros aspectos.

La crisis incide en el conjunto del sistema comunicativo catalán, especialmente por la pérdida de ingresos publicitarios y por las dificultades de financiación de las deudas adquiridas por los medios y los grupos de comunicación. Aunque la incidencia no es uniforme en todos los ámbitos del sector, lo cierto es que, en el 2012, se pone de manifiesto la crudeza de la situación. Las consecuencias más palpables son el cierre de medios, de talleres de impresión, las reducciones de plantilla y la destrucción de puestos de trabajo. En Catalunya, en el tercer trimestre del 2012, había 90.200 personas que trabajaban directa o indirectamente en el sector de la información y las comunicaciones, 12.300 menos que en el primer trimestre del 2012. En cuanto al empleo, en octubre del 2012 había 11.111 registrados en el paro en el sector, mientras que en enero del 2009 eran 6.325. El impacto de la crisis se refleja también en los casi doscientos medios que han cerrado desde finales del 2008 en España.

(Comissions Obreres de Catalunya, 2013: 12)

El anuario del Institut de la Comunicació de la Universitat Autònoma de Barcelona (InCom-UAB) analiza un abanico muy grande de datos. "Trobem una gran quantitat de mà d'obra acomiadada (més de deu mil periodistes a l'Estat espanyol en els darrers quatre anys, otro dato sustancial en este baile de cifras) i en condicions cada cop més precàries", expone Núria Reguero. El InCom de la UAB publica cada año el *Informe de la Comunicació a Catalunya* en el que analiza la situación de los diversos medios (prensa, radio, televisión y cine). Estos documentos y otros anteriores, así como las revistas del sector, se encuentran depositados en el Centre de Documentació Montserrat Roig del Col·legi de Periodistes de Catalunya.

La destrucción (no la *pérdida)* de puestos de trabajo en las redacciones conlleva una mayor carga de trabajo para los redactores. Quien ha ocupado el cargo de presidente de la Associació Catalana de la Premsa Comarcal, Estanis Alcover, indaga en el motivo principal de los despidos de trabajadores: "La retallada d'ingressos com a conseqüència de la menor contractació publicitària afecta, doncs, i gravíssimament, la premsa comarcal i local, de pagament o gratuïta" (Alcover, 2012). La destrucción de los puestos de trabajo, motivada en buena parte por la caída de ingresos de la publicidad (y de las subvenciones), trae consigo unas condiciones deplorables de trabajo que repercute negativamente en el producto final. Hablamos del copia y pega.

Un caso de flagrante copia y pega es el de los medios locales de la comarca catalana de Les Garrigues (Lleida). La semana del 18 de mayo del 2015, el servicio de comunicación del Ajuntament de Les Borges Blanques subió a su web y a sus redes sociales este titular: "L'Ajuntament de les Borges Blanques ha aconseguit el segell de transparència Infoparticip@ que atorga el Laboratori de Periodisme i Comunicació per a la Ciutadania Plural de la Universitat Autònoma de Barcelona". La información era incorrecta, puesto que, según la analista de Infoparticipa Marta

Corcoy, Les Borges Blanques solo ha obtenido un aprobado. De todas formas, los medios locales copiaron la noticia del Ajuntament tal cual, aun siendo errónea. No se contrastó. En algunos casos, se indicó la autoría del Ajuntament *(La Manyana:* "El web de l'Ajuntament de Les Borges aconsegueix el segell de transparència Infoparticip@"). Y en otros, sin indicación alguna *(Garrigues al dia).* El Ayuntamiento rectificó la noticia al cabo de unas horas. Pero *El Segre* publicó erróneamente la nota el 21 de mayo del 2015. Titular: "Les Borges guanya el segell de transparència municipal".

Otro caso es la nota de prensa del ayuntamiento de Telde (Las Palmas), reproducida, intacta, por varios medios locales, como *Teldeactualidad, Portaldetuciudad, Eltermometro.es...*

La alcaldesa de Telde trasladará este lunes al presidente del Gobierno de Canarias las principales demandas del municipio

Carmen Hernández solicitó esta reunión en el mes de julio para abordar asuntos de vital importancia para la ciudad

Telde, 17 de septiembre de 2015.- La alcaldesa de Telde, Carmen Hernández, trasladará este lunes, 21 de septiembre, las principales demandas del municipio al presidente del Gobierno de Canarias, Fernando Clavijo.

La máxima mandataria teldense resalta la importancia de este encuentro, que fue solicitado en el mes de julio, para abordar algunas de las cuestiones vitales para el municipio que dependen directamente del Ejecutivo canario.

Entre los asuntos que trasladará Carmen Hernández a Fernando Clavijo están la urgencia de implementar planes de empleo, la toma de medidas para luchar contra la pobreza y la exclusión social, la reapertura de las escuelas infantiles, la rehabilitación de las viviendas del Valle de Jinámar o la deuda contraída por el Gobierno canario por el *impago* del IBI [ver Anexo IV: "impago"].

La reunión se celebrará a las 9.30 horas en la sede de Presidencia del Gobierno de Canarias, en la plaza Rafael O'Shanahan, en Las Palmas de Gran Canaria.

(2016)

.4.6.2 Precarización del trabajo

Inmediatez en detrimento de calidad. Esta es la conclusión a la que llega la periodista María Teresa Sandoval en su artículo "El periodista digital: precariedad laboral y nuevas oportunidades" (2005): "el trabajo del periodista que forma parte de la redacción digital se limita en un gran porcentaje a transferir las noticias del medio impreso al sitio web del medio. De esta forma, su creatividad informativa queda prácticamente anulada". La precariedad no solo es un elemento constante del periodismo digital, sino del periodismo en general. Incluso de la sociedad de hoy, saturada de información (Blanco, 2009). Los investigadores de los cambios sociales Sierra Caballero y Moreno Gálvez vinculan la precariedad laboral de los periodistas con la merma de la prensa libre (2001).

Desde 1993, el 3 de mayo se celebra el Día Internacional de la Libertad de Prensa. Este día se ha convertido en el sucedáneo del día de Todos los Muertos: se enumera el número de víctimas mortales de los conflictos del año en curso y del año anterior, y se evidencian las dificultades con las que se topan los reporteros en medio mundo, hasta el punto de que ser periodista se ha convertido en una profesión de riesgo. (Según la clasificación anual sobre libertad de prensa del 2014, de Reporteros Sin Fronteras, Eritrea cierra la lista. El país más transparente, Finlandia. Y España ocupa el puesto 35, por detrás de Eslovenia.) El Día Internacional de la Libertad de Prensa del 3 de mayo del 2012, en la sesión del Parlamento del País Vasco, la presidenta, Arantza Quiroga, leyó una declaración institucional en la que se lamentaba de la "precariedad" que puede afectar la calidad informativa, a tenor del cierre de delegaciones informativas en Euskadi, como la del diario *El Mundo*.

¿Qué ha ocurrido para que los políticos se preocupen por la prensa? Desde el 2008, la crisis económica afecta España de manera punzante. En muchos casos, los medios han tenido que cerrar, como el diario *La voz de Asturias,* el gratuito *Metro* y la revista *Don Balón,* que quebraron en el año negro del periodismo, el 2012.

Pero, en otros casos, y según el doctor Sergio Roses ("Estructura salarial de los periodistas en España durante la crisis"), debido a la situación macroeconómica actual, se rebajan sueldos y se aumentan las desigualdades laborales en las empresas de comunicación, de tal manera que muchos directivos cobran muchísimo más; según el presidente de la Confederación Española de Directivos y presidente de CaixaBank, Isidre Fainé, "el directivo es el empresario del siglo xxi" (LV, 22/vi/2016. Ver el epígrafe 'El lenguaje perverso', en el capítulo o bloque 3: "El marketing y las notas de prensa"). Los directivos cobran más que los pocos redactores de plantilla, algunos de ellos subcontratados; los periodistas de la edición digital del diario *ADN* (2006-2011), también desaparecido, estaban subcontratados por la empresa de trabajo temporal Adecco, con lo que pasaban a ser colaboradores externos o "proveedores", en su terminología ("optimizar la gestión administrativa de proveedores").

En la introducción del informe "Distribución de la renta en España: desigualdad, cambios estructurales y ciclos", se eleva el drama a escala global: "contexto mundial caracterizado por el aumento de las desigualdades incluso dentro de los países tradicionalmente más prósperos".

> Una crisis [del periodismo] que va más allá del modelo de negocio, de las fuentes de financiación, de los soportes y de la precariedad de las redacciones. Es una crisis que afecta a las rutinas informativas y al trabajo periodístico personal y colectivo. Afecta a la propia esencia de la profesión.

(Bullido, 2014)

Como consecuencia, España es el cuarto país de Europa con mayor brecha salarial entre empleados y directivos, según un estudio de *The Economist;* solo Rumanía, Ucrania y Rusia tienen una situación peor. En el artículo "La situación profesional de los periodistas españoles: las repercusiones de la crisis en los medios", la hipótesis con la que han trabajado los investigadores de las universidades de Santiago de Compostela y de la Complutense de Madrid es que, en buena parte, la crisis es una "estafa" (Taibo, 2013):

> Sostenemos que las políticas de *ahorro* [ver Anexo IV: "riqueza financiera neta"] llevadas a cabo no se corresponden siempre con una situación económica delicada y, en algunos casos, se ha aprovechado la coyuntura de la crisis para adelgazar la plantilla de personal y aumentar los beneficios empresariales, fomentando la precariedad laboral y mermando la calidad de la información.

> (Soengas Pérez, Rodríguez Vázquez y Abuín Vences, 2014)

En junio del 2014 se presentó un estudio sobre la profesión periodística elaborado por Gas Natural Fenosa y la empresa de investigación sociológica Ceres. La pregunta que centró el debate fue la siguiente: ¿se aprovechan los directores de comunicación y marketing de la situación precaria de los medios de comunicación? Respuesta: sí. Y lo justifican: "La mala situación económica por la que muchos medios pasan en la actualidad ha obligado a muchos editores a rebajar el tono de informaciones sobre políticos y marcas. A los primeros, por miedo a las represalias, y a los segundos, por temor a perder la (poca) publicidad que pueden incluir en sus páginas".

El articulista Xavier Ternisien, en "Les forçats de l'info", publicado en *Le Monde,* el 25 de mayo del 2009, equipara a los nuevos precarios con los antiguos galeotes.

> Les témoignages abondent, le plus souvent sous anonymat. Ces jeunes journalistes ont encore leur carrière devant eux et ne souhaitent pas la compromettre. C'est le cas de cette jeune femme de 24 ans, qui a travaillé de 2006 à 2008 en contrat de professionnalisation au Nouvelobs.com. Elle décrit un travail bâclé, le copier-coller de dépêches d'agence 'en reformulant vaguement, sans jamais vérifier, faute de temps'.

> (Ternisien, 2009)

Por eso, los editores de la revista francesa *XXI,* Laurent Beccaria y Patrick de Saint-Exupéry, en el manifiesto "Un autre journalisme est possible", del 2013, ansían un "nuevo periodismo": "Ainsi, les deux pôles extrêmes du journalisme des temps numériques sont le rédacteur d'articles à la chaîne à destination des 'marques médias' de Chicago, écrits depuis son ordinateur d'Accra ou de Manille, et le rédacteur star, incarnation du 'personal branding' ou 'marketing personnel' dont la réputation, la repartie cinglante et l'originalité permettent d'agréger sur son nom des dizaines de milliers de suiveurs sur Twitter. Triomphe de l'information et misère du journalisme?".

Al hilo, también podríamos poner énfasis en el "colaborador" de prensa escrita que no recibe ningún tipo de remuneración económica. El punto quinto del contrato ("autorización", en el argot que se utiliza) que, en el diario *Ara,* regula la actividad de los colaboradores y "generadores de contenido" ("usuarios", en el argot que se utiliza), dice así: "La present autorització té caràcter gratuït i no meritarà a favor de l'usuari el dret a percebre cap contraprestació o retribució de cap naturalesa". Además, los *posts* que el colaborador-usuario cuelga en el blog ligado al diario *Ara* pueden ser publicados en la versión de papel del diario, gratis.

Si al inicio de este epígrafe citábamos a la periodista María Teresa Sandoval, que asimila precariedad con prisas (pocos haciendo mucho), podemos acabar con la reflexión del reportero José Martí Gómez, en su libro *El oficio más hermoso del mundo* (Clave intelectual, 2016): "el salto tecnológico ha sido brutal en pocos años y ha venido acompañado de la precariedad laboral, con las prejubilaciones de los periodistas con mayor experiencia y el miedo en el cuerpo de las jóvenes generaciones, mal pagadas y casi siempre con un pie en la calle. El sociólogo norteamericano Richard Sennett ya escribió hace años, en *La corrosión del carácter,* que a las grandes empresas de hoy no les interesan las gentes con experiencia porque son críticas y saben de qué va el trabajo mucho más que los ejecutivos que pasan de una empresa a otra con el único objetivo de hacerlas cada vez más rentables a costa del personal. [...] El poder busca al periodista dócil por ser de ideas afines, por ser débil de carácter, por ser un desastre como periodista, por ser un vividor" (Martí Gómez, 2016: 292).

IMAGEN 10. Aunque *La Vanguardia* en su edición en papel aún conserva unos sueldos por encima de la media, los factores propios de la precariedad laboral (inseguridad en el empleo, disminución de derechos laborales, ausencia de reconocimiento profesional...) también se extienden por los empleos cualificados, y cada vez afectan a más sectores, según las conclusiones del proyecto europeo Sophie, en el que participa la Agència de Salut Pública de Barcelona (datos de julio del 2015). Prueba de la precariedad y de la falta de filtros y supervisión, en la edición del 6 de julio del 2015 de *La Vanguardia,* es la publicación, en páginas contrapuestas, de un anuncio sobre la superación de las minusvalías (arriba, página 9) y de una noticia sobre un ladrón en silla de ruedas (derecha, página 10). En uno de los comentarios del estudio *"Cuarto poder* y empresa", de la agencia Estudio de Comunicación, de julio del 2015, se afirma lo siguiente: "...la calidad del trabajo periodístico [...], en general, ha caído bajo mínimos. No se trata ya de que los redactores sigan una línea editorial ideologizada o partidista, sino de que la presión de las redes sociales, de la información en internet, de la bajada de ingresos publicitarios y, muy importante, de la falta de tiempo han trivializado el trabajo de los informadores [...] pésimamente pagados y poco reconocidos profesionalmente".

Un atracador postrado desde niño por una bala perdida asalta un banco en Nueva York y se da a la fuga

El ladrón de la silla de ruedas

FRANCESC PEIRÓN
Nueva York. Corresponsal

T odo sucedió como tantas veces. Un hombre, puesta la capucha de sus sudadera, entró en un banco. En este caso una sucursal del Santander Bank, en el distrito neoyorquino de Queens.

El tipo se dirigió al empleado y le entregó una nota. "Dame todo lo que tengas". Había, además, una apostilla: "Llevo una pistola".

Se marchó, y no precisamente a la carrera, con 1.212 dólares. Sucedió el pasado lunes. La imagen del ladrón quedó grabada por las cámaras de seguridad. La policía la difundió para que los ciudadanos aportaran pistas.

Recibieron un aluvión de llamadas de cooperación. A muchos les resultó fácil identificarlo. A esto contribuyó un rasgo esencial del presunto. Él no camina. Se mueve en una silla de ruedas.

Pese a la intensa colaboración ciudadana, no lo arrestaron hasta el viernes. Se llama Kelvin Dennison, tiene 23 años y reside en el mismo Queens, en Astoria. Como mendigo del barrio, es una figura más que popular. Ha tenido algún arresto por pequeñas cosas y por discutir a gritos con su madre.

Lo de la silla de ruedas no era un camuflaje. No es aquello de que los agentes dieron con él y él

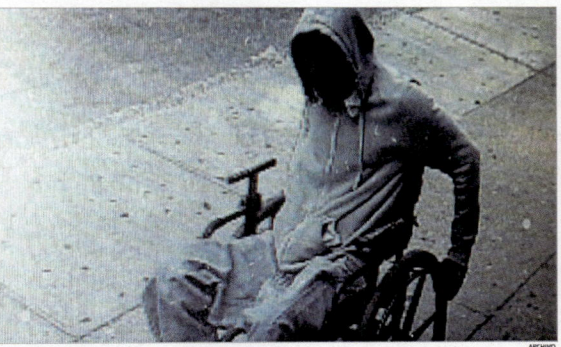

Kelvin Dennison, el atracador, quedó paralítico de niño por una bala perdida en un tiroteo

ARCHIVO.

echó a caminar para desmentir la acusación. Dennison está paralizado de cintura para abajo.

Ha habido otros ladrones postrados. En el 2014, Matías Moreno-Boza se declaró culpable de hacerse con bolsos y carteras en la zona comercial de Manhattan. Se colaba en hoteles y restaurantes. En el 2010, un enfermo termi-

nal robó un banco en San Diego (California) armado con una pistola de juguete. Le cayó una condena de 21 años de cárcel.

Hay otras historias, pero en el sentido inverso. En el 2006, en el barrio de Harlem, un intento de robo acabó cuando la víctima, una mujer que iba en una silla de ruedas, sacó la pistola y

disparó al supuesto delincuente.

En el asunto Dennison, los investigadores recibieron el miércoles la pista definitiva. El fugitivo acudió a un hospital, aunque tampoco está clara la razón de esa visita, y alguien le reconoció. Estaban sobre él, entre otras razones porque horas antes su madre había llamado, después de otra

riña familiar. El juez le impuso una fianza de 15.000 dólares.

Este caso tiene un detalle revelador. Si de verdad llevaba una pistola cuando entró en la sucursal, eso es algo que no se ha podido certificar. Jamás sacó arma al-

A la policía le llevó un par de días detenerlo, pese a difundir la imagen del presunto y recibir muchas pistas

guna, ni se la encontraron. Pero la gran paradoja es que Dennison se halla postrado en una silla de ruedas por ser víctima de un tiroteo.

Fuentes de la oficina de la Fiscalía señalaron a *The New York Times* que eso es lo que les explicó, aunque no pudieron comprobar la veracidad de su relato.

Sin embargo, hay vecinos –entre ellos, algunos que lo conocen "desde que nació"– que aseguran a los medios que Dennison quedó paralizado a los diez años. Lo describen como un niño normal hasta que le ocurrió ese accidente. Hubo un choque entre bandas. Desenfundaron mientras él jugaba en un parque. Una bala perdida le dejó sin capacidad para caminar. Eso dicen.●

.4.6.3 Desidia

El investigador José Manuel de Pablos Coello (2005) se ha fijado en las "fuentes mudas", como así define él a aquellas fuentes que solo se encuentran en internet, o que el periodista, por "desidia", solo busca navegando por internet. "Un periodismo nuevo que no hace preguntas ni dialoga con las fuentes: emplea la fuente muda que es el sitioweb: el periodismo, por ese camino, hace propaganda de las entidades que usan el sitioweb como escaparate." Esta falta de empeño tiene mucho que ver con el "olvido de la ética" (Vergara, 1985). Tal "perversión", las pocas ganas de elaborar noticias con rigor (Carrillo, 2014), hace que hablemos de un "periodismo volátil".

A los periodistas que trabajan en el sector público no solo les desmotivan los recortes. En febrero del 2014, los representantes sindicales de los empleados de TV3 y Catalunya Ràdio, agrupados en la Corporación Catalana de Medios Audiovisuales, se reunieron con la dirección. El comunicado del Sindicat de Periodistes de Catalunya por aquel entonces: "Es completamente inaudito que CiU, embarcada en el proceso soberanista, se dedique a socavar las bases de lo que considera una estructura de Estado y a desmotivar a sus trabajadores, ya bastante *recortados* desde hace tres años, cuando desde el Parlament se anuncia que en este 2014 no habrá más recortes de sueldos en el sector público". La desmotivación a la que se refiere este investigador es otra. Tiene que ver con la pereza.

El 11 de mayo del 2004, el periodista Bru Rovira *(Áfricas)* recogió el premio Ortega y Gasset por sus crónicas sobre la guerra en la República Democrática del Congo. El premio se lo dedicó a los colegas que patean la calle. De alguna manera, estaba dándole una reprimenda a los que se olvidaron de los requisitos básicos de la profesión: ir, ver, volver y contar (Meneses, 2006). "Hoy no estamos mejor que entonces. Los periodistas deberíamos reconocer con humildad que algo está fallando y que quizá no seamos tan inocentes ni tan sabios como muchas veces nos gusta creer", expresó Rovira. El copia y pega se considera una aberración (Rovira, 2004). Precisamente, patear la calle ya no es un requisito *sine qua non* para ser periodista. "¿Quieren que deje de dar noticias? Dejen sus ordenadores y bajen a informar", se encaró a la *tribu* la niña de nueve años de Gran Bretaña Hilde Kate Lysiak, que ya está haciendo sus pinitos de periodista *(The Guardian,* 6/IV/2016). Lo cierto es que como el periodista, en muchos casos, no pisa la calle y está buena parte de su jornada laboral frente a la pantalla del ordenador —redacción como administración, con "periodistas funcionarios" (Ortiz, 1991; "esta conferencia, que ya ni sé cuántas veces he dado, fue escrita a finales de 1991")—, convierte en noticias cualquier motivo del fluido tráfico que se genera en las redes sociales. Por ejemplo, el artículo "Alud de quejas por el sonido deficiente de Coldplay: los fans piden en las webs un nuevo concierto y gratis", publicado a tres columnas en la sección de Cultura de *La Vanguardia,* el 8 de septiembre del 2009: "Basta echar un vistazo por la Red para darse cuenta de lo enfadados que están sus seguidores...".

Según algunos profesionales, los comunicados de prensa de las empresas, incluidas las multinacionales, fomentan la inacción. Lo manifiesta el reportero de *The New York Times* Lawrence Altman: "Los *press releases* [comunicados de prensa] fomentan el periodismo perezoso y la información homogénea". Los *press releases* son los comunicados de prensa, algo que afecta a los dos hemisferios del planeta.

En el 2009, los investigadores Andrés Valdez y Rogelio Rivera analizaron la cobertura de los medios de América Latina de los primeros meses en el cargo del presidente norteamericano Barack Obama: "los directivos de la prensa escrita de América Latina han acudido al fácil expediente de la reproducción de textos escritos y reportajes publicados por columnistas de los Estados Unidos sobre el nuevo gobierno de Obama y los han traducidos y reproducido en los diarios nacionales de la región, lo que refleja, en cierta manera, la existencia de una 'pereza periodística' y el desarrollo de poco trabajo de investigación".

De hecho, el periodismo de investigación que intenta adentrarse en el mundo de las multinacionales se enfrenta a otros periodistas que les combaten desde la óptica de las emociones, con mucho más presupuesto. Hablamos de los 'periodistas de fuentes': "Son una nueva competencia, y no hay que olvidar que [los comunicados de prensa] están hechos por periodistas y bajo esquemas periodísticos", dice Borja Puig de la Bellacasa, consejero delegado de Ogilvy Comunicación. En *¡Basta de mentiras!*, el periodista australiano John Pilger recopila los grandes casos de investigación. El subtítulo: *El periodismo de investigación que está cambiando el mundo*. Uno de estos trabajos es del equipo Insight de *The Sunday Times*. Lo explica Pilger: "[el equipo de reporteros] consiguió que la empresa fabricante de la talidomida terminara por indemnizar correctamente a sus víctimas. Un trabajo fruto no solo de la excelencia periodística sino, sobre todo, de la voluntad moral de los integrantes de aquel equipo, dispuestos a pasar por encima de la verdad legal". Años más tarde, uno de ellos, Phillip Knightley, escribió: "En las facultades de periodismo se cita aquel escándalo como ejemplo del mejor periodismo combativo [...], pero el caso habla también de los fracasos del periodismo. El director del equipo, Bruce Pagem, nos preguntó: '¿Qué excusas podemos ofrecer por habernos mantenido al margen de todo este maldito asunto hasta que prácticamente fue demasiado tarde?'".

Por pura desidia, por no realizar el trabajo que a un periodista le es exigido (rastreo de datos, criba de la información, redacción esmerada), se depende de notas de prensa, cuando se podría prescindir fácilmente de su uso. Un ejemplo de esta dependencia lo constituye la redacción de *Granada Digital,* portal digital de Granada, cuyo director reclama la nota de prensa aun después de habérsele enviado las claves con las que confeccionar la noticia: "Acabo de ver el material enviado. No hay nota de prensa para publicar. El documento word es demasiado corto y el pdf es el libro en sí. Necesitaríamos que nos envíen una nota de prensa para poder publicar".

Nota de prensa laudatoria enviada a *Granada Digital,* el 7 de septiembre del 2015, a las 11.48 horas:

Ediciones Carena, editorial radicada en Barcelona con más de veinte años de experiencia, ha publicado el primer poemario de la periodista Maribel Marín (Huelma, Jaén, 1992), titulado *Las estaciones desnudas.*

Voz intimista, verbo certero, adjetivación desprovista de envoltorios, los versos de Maribel interpretan la realidad con sus ojos nuevos: vida, amor, muerte, las tres heridas de Miguel Hernández *(Cancionero y romancero de ausencias)* que devienen los temas centrales de sus poemas.

"Poemas nacidos por impulsos en el vaivén de las musas, caracterizados la mayoría de ellos por el verso libre que se aleja de la poesía europea predominante hasta finales del siglo XIX y cuyo padre fue Walt Whitman", asevera la autora, que siente predilección por las escritoras Alejandra Pizarnik *(La última inocencia)* y Anaïs Nin *(Bajo la campana de cristal),* quienes, con marcado acento feminista, reivindican un espacio propio más profundo en el mundo académico de las letras.

"Una voz nueva, femenina, que dibuja las sombras del alma en versos y palabras", ha dicho de ella el poeta Fernando Alonso Barahona *(El rapto de la diosa).*

Por *Las estaciones desnudas* van pasando los meses con esa sensación de tiempo perdido, por lo que la autora les hace una fotografía en blanco y negro cargada de melancolía: por la temática que afrontan las cuatro partes en las que se divide el poemario se coincide con las estaciones de rigor y con sus periodos de crecimiento. Así, la primavera, la infancia, en "Contratiempos"; el verano, la juventud, en "Colección de miradas"; el otoño, la madurez, en "Caricias ajenas", y la vejez del invierno, en "Preguntas retóricas".

De "Otoño": "Juntas, / inocentes e impasibles, / comprendimos el desolador otoño, / un octubre sin descanso".

Texto publicado en la pestaña 'cultural' de *Granada Digital,* el 7 de septiembre del 2015, a las 12.08 horas, tan solo veinte minutos después de haber sido mandada la nota de prensa (con las siglas NdP):

Ediciones Carena, editorial radicada en Barcelona con más de veinte años de experiencia, ha publicado el primer poemario de la periodista Maribel Marín (Huelma, Jaén, 1992), titulado *Las estaciones desnudas.*

Voz intimista, verbo certero, adjetivación desprovista de envoltorios, los versos de Maribel interpretan la realidad con sus ojos nuevos: vida, amor, muerte, las tres heridas de Miguel Hernández *(Cancionero y romancero de ausencias)* que devienen los temas centrales de sus poemas.

"Poemas nacidos por impulsos en el vaivén de las musas, caracterizados la mayoría de ellos por el verso libre que se aleja de la poesía europea predominante hasta finales del siglo XIX y cuyo padre fue Walt Whitman", asevera la autora, que siente predilección por las escritoras Alejandra Pizarnik *(La última inocencia)* y Anaïs Nin *(Bajo la campana de cristal),* quienes, con marcado acento feminista, reivindican un espacio propio más profundo en el mundo académico de las letras.

"Una voz nueva, femenina, que dibuja las sombras del alma en versos y palabras", ha dicho de ella el poeta Fernando Alonso Barahona *(El rapto de la diosa).*

Por *Las estaciones desnudas* van pasando los meses con esa sensación de tiempo perdido, por lo que la autora les hace una fotografía en blanco y negro cargada de melancolía: por la temática que afrontan las cuatro partes en las que se divide el poemario se coincide con las estaciones de rigor y con sus periodos de crecimiento. Así, la primavera, la infancia, en "Contratiempos"; el verano, la juventud, en "Colección de miradas"; el otoño, la madurez, en "Caricias ajenas", y la vejez del invierno, en "Preguntas retóricas".

De "Otoño": "Juntas, / inocentes e impasibles, / comprendimos el desolador otoño, / un octubre sin descanso".

La coincidencia es del 100%.

La empresa construye la noticia.

.4.6.4 Vertiginosidad

El ritmo de trabajo en las redacciones de prensa escrita, sobre todo de los diarios, es, cuando menos, vertiginoso, tal y como describe el doctor Carlos Prado en el artículo "Información y comunicación para un mundo mejor": "La sociedad moderna se caracteriza por la circulación, a un ritmo vertiginoso, de la información requerida para el funcionamiento del sistema económico, político y cultural". Gracias a los avances técnicos se ha conseguido acortar el tiempo de cierre en las redacciones de prensa escrita, que ahora suele ser a las ocho de la tarde (caso de *La Vanguardia*). Los periodistas, o buena parte de ellos, pueden cenar tranquilamente en casa, con sus familias, en lugar de volver a las tantas de la madrugada, como ocurría hace 50 años. Las multinacionales conocen bien la manera de trabajar de estos periodistas, que apenas tienen tiempo para un café, como ya dejó sentado un triste Gabriel García Márquez, cuando recordaba en sus artículos y en el discurso ante la 52 asamblea de la Sociedad Interamericana de Prensa, en Los Angeles (Estados Unidos), en octubre de 1996, la romántica vida de la redacción que él sí vivió, como un templo, por lo espiritual: allí se debatía, se confrontaba y se exaltaba la camaradería.

El trabajo llevaba consigo una amistad de grupo que inclusive dejaba poco margen para la vida privada. No existían las juntas de redacción institucionales, pero a las cinco de la tarde, sin convocatoria oficial, todo el personal de planta hacía una pausa de respiro en las tensiones del día y confluía a tomar el café en cualquier lugar de la redacción. Era una tertulia abierta donde se discutían en caliente los temas de cada sección y se le daban los toques finales a la edición de mañana. Los que no aprendían en aquellas cátedras ambulatorias y apasionadas de veinticuatro horas diarias, o los que se aburrían de tanto hablar de los mismo, era porque querían o creían ser periodistas, pero en realidad no lo eran.

(García Márquez, 1996)

Esa imagen romántica que evoca el Premio Nobel de Literatura y reportero autor de *Relato de un náufrago,* Gabriel García Márquez, es la que está desapareciendo. De ahí las críticas mordaces a las series norteamericanas que pintan la prensa como algo idílico, sacrosanto y pundonoroso. Como la serie *The Newsroom* (Aaron Sorkin, 2012), que emite el canal de televisión por cable estadounidense HBO. Escribe el bloguero Alex Kafiristán en *Kinocine:* "Supongo que allí, en Atlantis Cable News [canal de televisión en el que transcurre la acción de *The Newsroom],* no saben lo que es un ERE todavía, y tampoco nadie quiere ver al típico currito haciendo copia y pega de las notas de prensa emitidas por el partido de turno". Lo mismo ocurre con la serie de televisión española *B&B* (Tele 5), sobre el día a día en una revista de moda. "Enmarcar la historia en una revista de moda (de papel) en la actualidad suena a ciencia ficción", machaca Sergi Espí en *Periodista Digital* (2014).

Las grandes cadenas de franquicias conocen la rutina periodística y se aprovechan de ello. En el artículo del experto en comunicación Pau Sempere "Cómo conseguir que los medios de comunicación publiquen tus novedades empresariales sin gastar dinero en publicidad" se evidencia lo anteriormente expuesto: "El ritmo de trabajo en una redacción es frenético y el periodista dedica segundos a decidir qué es noticia y qué no lo es. Máxime en este tiempo, en el cual, debido a la crisis de los medios, las redacciones se muestran cada día más escuálidas" (2013).

Y si hablamos de internet, aún se exacerba la propensión a la aceleración. En "Rutinas profesionales y valores en las redacciones de medios digitales catalanes: periodismo digital en contextos reales", el investigador de la Universitat Rovira i Virgili David Domingo analiza lo que él denomina "cultura de la actualización", la competencia por ser el primero en ofrecer la noticia, en muchos casos "copia y pega" de los textos de las agencias. El artículo de David Domingo se incluye en la comunicación del Grupo de Trabajo 89 "Periodismo en internet: ¿nuevos medios o viejos paradigmas?", del segundo congreso *online* del Observatorio de la Cibersociedad.

> La principal tarea del periodista era seleccionar qué noticias de agencia merecían ser publicadas y podía fácilmente ignorar una [noticia] importante porque el ritmo de publicación podía ser tan rápido como una pieza cada cinco minutos.
>
> (Domingo, 2005)

Es tal la vertiginosidad que hasta la productora Concert Studio, organizadora del anual Festival del Mil·leni, sube a su web (www.festival-millenni.com) "material de prensa para copiar y pegar".

IMAGEN 11. Caso de 'plagio consentido'. La organización del Festival del Mil·leni fomenta el copia y pega de su material de prensa.

.4.6.5 Falta de dinero

David Randall escribe en *El periodista universal* que el periodismo se trata de un oficio, de una vocación, a la que pocos llegan atraídos por el dinero que se pueda ganar.

Si ya de por sí el periodista a duras penas se mantiene, con la crisis (las crisis) de la prensa, la necesidad de ser rentables es primordial. En "Las incertidumbres del periodismo en internet", la doctora de la Universidad Complutense de Madrid Concha Edo constata lo difícil que es conseguir y mantener las audiencias y ser rentables económicamente. "La obsesión por mejorar la rentabilidad ocasiona que no pocos directivos estén más atentos a reducir costes que a mejorar la calidad", alerta el rector de la Universidad de Navarra y catedrático de Empresa Informativa, Alfonso Sánchez-Tabernero, en "Los contenidos de los medios de comunicación. Calidad, rentabilidad y competencia".

Los anunciantes de los diarios se cobran, de una manera u otra, el dinero que gastan en publicidad. El consultor Raúl Hernández rechazó una entrevista porque tenía que pagar por aparecer en un medio de comunicación. Sin irnos a este extremo, los contenidos que los publicistas (las empresas) desean difundir se pueden publicar de muchas maneras. El anuncio como tal parece una forma poco sofisticada. Mejor que eso es ser objeto de noticia, algo que otorga mayor credibilidad.

La publicidad de Adecco sigue la forma de entrevistas a sus directivos. El 20 de enero del 2015, Adecco subió a su página web la nota de prensa titulada: "España ocupa el puesto 30 del Índice Global de Competitividad del Talento": "El talento se ha convertido en la nueva divisa de la economía global en medio de una gran competencia a nivel mundial por los mejores candidatos. A día de hoy, existen 8,4 millones de puestos de trabajo que no se ocupan por desajustes en las capacidades y en la geografía"... El 27 de enero del 2015, la periodista de *El País* Concha Sánchez-Silva entrevistaba al responsable de la compañía de trabajo temporal suiza Adecco, Patrick De Maeseneire. Ninguna de las preguntas de la periodista menciona la precariedad laboral, en la que Adecco tiene mucho que decir, como empresa de servicios que subcontrata personal (Lope *et al.*, 2002). "La degradación de las condiciones de empleo es un hecho progresivamente creciente en nuestra sociedad, a partir de los cambios que vienen produciéndose en el trabajo productivo y en la empresa", se incide en el libro *Atajar la precariedad laboral* (Icaria, 2002). Abundan los blogs y las revistas digitales con este tipo de afirmaciones: "Adecco es la esencia misma de la precariedad laboral" (en hispanidad.com). En los poco más de seis mil caracteres con espacios de la entrevista de Concha Sánchez-Silva, en *El País,* el responsable de Adecco pudo explayarse en su visión de la situación laboral. Ni siquiera se hizo mención a los 4.525.691 parados que había en España en enero del 2015 (Sevillano y González, 2015).

> A Patrick De Maeseneire (Bélgica, 1957), que lleva desde mediados de 2009 al frente de Adecco Group, le ha tocado lidiar con la mayor crisis económica que se recuerda, algo que para una compañía especializada en la contratación de personal, sobre todo de carácter temporal, es un varapalo. Tras un importante recorte de gastos, la empresa de recursos humanos está aumentando sus ingresos y sus beneficios a ritmos del 4% en la última parte de 2014. Salvo en España y Portugal, donde su crecimiento es del 21%, el nivel más elevado de los 60 países en que está presente, pese a registrar el paro más alto de Europa.
>
> De Maeseneire ha participado en el Foro Económico Mundial (WEF, por sus siglas en inglés) de Davos, localidad en la que ha tenido lugar esta entrevista, y donde *Adecco ha presentado su Índice Global de Competitividad de Talento,* elaborado en colaboración con la escuela de negocios Insead y en el que España ocupa el número 30 del mundo, por detrás de países como Irlanda, Estonia o Chile, y se sitúa seis puntos por debajo de la media de los 93 Estados analizados, porque "carece de un marco regulador y de mercado que promueva la competencia, la innovación y los negocios", dice el informe de 330 páginas.
>
> (Sánchez-Silva, 2015. La cursiva, de este investigador.)

La Fundación Adecco ("organización sin ánimo de lucro") se encargó de mover la entrevista conseguida en *El País* en su cuenta de Facebook: "PATRICK DE

MAESENEIRE, CEO de Adecco Group a nivel mundial, en entrevista por *El País*. Una descripción sobre el futuro del empleo en España". Se le ha pedido la opinión a la entrevistadora Concha Sánchez-Silva, pero no ha contestado los numerosos mails de este investigador. Las preguntas "aduladoras" que hace las bautiza el corresponsal Andy Robinson como "preguntas-pelota" *(softball question)*: "El trato exquisito que los líderes mediáticos [...] dan a los amos del universo es parte de una astuta estrategia de comunicación de Davos: en la poscrisis era más importante que nunca controlar la narrativa", se explaya Robinson en *Un reportero en la montaña mágica. Cómo la élite económica de Davos hundió el mundo* (2011: 53). Andy Robinson habla sin tapujos: "Para mí, los infatigables tertulianos de los medios de comunicación en Davos eran tan culpables como los economistas defensores de mercados eficientes. A fin de cuentas, la líder mediática de Davos, Maria Bartiromo, a la que Jean-Claude Trichet había saludado tan efusivamente mientras yo hacía mi *eavesdropping* [escuchas secretas], era la cabeza parlante más cotizada del canal financiero CNBC. Y CNBC, con sus alegres titulares, el énfasis permanente que imprimían en los informes que justificaban las subidas bursátiles e inmobiliarias y sus entrevistas deferentes con ejecutivos superremunerados, había sido un 'animador de la burbuja inmobiliaria', según la frase acuñada por el Premio Nobel de Economía Joe Stiglitz. Cada vez que veía a un líder mediático entrar por donde yo no podía, se afianzaba mi certeza de que ellos eran parte del problema". En la misma página web de *El País* en la que aparece al acceso público la entrevista con el consejero delegado de Adecco, el cintillo 'Adecco', como un punto más del índice de temas y autores del diario. Del capítulo "Tratamiento de la publicidad", en el *Libro de estilo de El País:* "Nunca los intereses publicitarios motivarán que se publique una información determinada, ni condicionarán la jerarquización de una noticia o un vídeo en el diario impreso o en *elpais.com*. Los suplementos especiales, habitualmente monográficos, que suelen tener como fin servir de soporte publicitario se presentarán de forma que resulte patente su diferencia con el conjunto del medio".

El tratamiento de la entrevista con Patrick De Maeseneire contrasta con esta otra. El 20 de enero del 2015, el periodista Rémi Barroux publicó en *Le Monde* una entrevista con el director general de la Organización Internacional del Trabajo, Guy Ryder, quien alerta de que, en el 2019, habrá 212 millones de parados en el mundo. La primera pregunta del periodista ya da el tono de lo que será el resto: *"Le rapport de l'OIT est alarmant s'agissant du chômage. Quelle est la situation?"* (El informe de la OIT es alarmante en términos de desempleo. ¿Cuál es la situación?). Las fuentes, y probablemente los anunciantes, son muy diferentes en ambos periódicos.

Las preguntas-pelota (hacer la pelota) aparecen a menudo en las "entrevistas no presenciales" a los responsables de las "megamarcas", preguntas revisadas con anterioridad por los responsables de relaciones públicas de las multinacionales, modalidad que reprueban las asociaciones de periodistas por ser preguntas "no incómodas" *(El Confidencial,* 15/VII/2013). A continuación, la respuesta de la persona encargada de las "relaciones con los medios" a la petición de este investigador de entrevistar al entonces presidente de Gas Natural, y consejero de CaixaBank, Salvador Gabarró, por los intereses de la multinacional en Latinoamérica:

> Tras consultarlo me confirman que en este momento nos resulta imposible poder concertar una entrevista presencial. A pesar de que me comentaste que solíais trabajar solo presencialmente tengo que ofrecerte la posibilidad de que te hagamos llegar información sobre la actividad de la compañía en el mundo y en Latinoamérica si tienes interés, o bien que intentemos gestionar cuestiones vía *e-mail* si me mandas las preguntas. También podríamos facilitarte fotografías.

(Correo electrónico a este investigador, del 7 de julio del 2009)

.4.7 Publicidad enmascarada[7]

El artículo 13 de los principios básicos del Código de Conducta Publicitaria ("para la autorregulación de la comunicación comercial", 2011) dice así: "La publicidad será identificable como tal sea cual sea su forma o el medio utilizado". Y el artículo 5 de las normas generales del Código Ético de Confianza Online (2015) no deja lugar a dudas: "La publicidad en medios electrónicos de comunicación a distancia será fácilmente identificable como tal. No se admitirá la publicidad encubierta". El apartado C del artículo 3 de la Ley General de Publicidad, del 11 de noviembre de 1988, estipula que los periodistas (de medios y de fuentes) han de evitar la publicidad subliminal ("ilícita"). Y el artículo 26, "Prácticas comerciales encubiertas", de la Ley de Competencia Desleal (1991): "Se considera desleal por engañoso incluir como información en los medios de comunicación comunicaciones para promocionar un bien o servicio, pagando el empresario o profesional por dicha promoción, sin que quede claramente especificado en el contenido o mediante imágenes y sonidos claramente identificables para el consumidor o usuario que se trata de un contenido publicitario". La diferenciación entre publicidad y periodismo se subraya en las directivas europeas "Audiovisual Media Services Directive", "ICC Guidance on Native Advertising" y "Unfair Commercial Practices Directive". El artículo 10 de "The 2011 consolidated ICC code of advertising and marketing communication practice": "Las comunicaciones de marketing no pueden tergiversar su auténtico propósito comercial. Así, pues, una promoción para vender un producto no se tiene que disfrazar, por ejemplo, de un trabajo de investigación sobre tendencias

---

7 Capítulo v de la Carta de principios para la actuación de los medios de comunicación de la Corporació Catalana de Ràdio i Televisió: "Los profesionales con responsabilidades en el contenido de los programas no podrán aparecer en anuncios publicitarios o participar en promociones comerciales. Los profesionales de los servicios informativos velarán en todo momento, y de una manera muy escrupulosa, que ninguna información contenga elementos que puedan ser considerados una forma de publicidad encubierta".

de consumo, de contenidos creados por los usuarios, bloques privados o reseñas independientes".

Aun así, el investigador en comunicación Jesús Bermejo ha constatado que la publicidad encubierta en prensa (publicidad que se hace pasar por información) se ha extendido a un ritmo trepidante en los últimos años (Bermejo, 2013). En la entrevista que el periodista Paul Sagan, de la Nieman Foundation for Journalism de Harvard, le hizo al fundador de la world wide web, Tim Berners-Lee, este último afirma, acerca de la conexión entre las marcas y el periodismo: "Hay personas cada vez más hábiles en presentar información tendenciosa como si no lo fuera". Continúa: "La gente necesita periodismo. Existe necesidad de periodismo. La gente está desesperada por tener buen periodismo. Están hartos de *spam* [correu basura; en el contexto, noticias basura]. Por ejemplo, están hartos de buscar, utilizar un motor de búsqueda para encontrar un artículo médico, y darse cuenta luego, cuando llegaron al final del artículo y siguieron el consejo y compraron los medicamentos, de que todo fue producido por la misma empresa farmacéutica, con un punto de vista sumamente sesgado". ¿Es posible que exista una conexión entre los anunciantes preferentes, aquellos que más gastan cada año, y el tratamiento que el diario da a la información que, en el curso de los acontecimientos, tiene relación con la empresa anunciadora?

La línea adoptada en el reportaje "Ladrillos de oro", sobre "la ciudad de vacaciones" Marina d'Or (Castelló), publicado en *La Vanguardia,* el domingo 18 de junio del 2006, fue la causa de que la macroempresa retirara la publicidad prevista para la campaña de verano del 2006, según un periodista de la casa. Casos como este existen en la prensa española.

Miremos el artículo de *El País,* del 5 de marzo del 2015: "La ropa de angora que Inditex retiró llega a los refugiados sirios de Líbano" podría ser un ejemplo de publicidad encubierta, pese a que, según el escrito, la multinacional no ha querido hacer comentarios. Según el periodista y analista Francisco Escuder, se trata de un ejemplo claro de posicionamiento de marketing: "Pese a decir en un principio que Associated Press proporciona las fotos y que la empresa no da información, con anterioridad ya se había dado el nombre de la oenegé a la que se entregaría la ropa. Ahora hay una tendencia en marketing que dice que se tiene que utilizar la voz del cliente o de los grupos de opinión para crear una opinión positiva con respecto a las marcas". Que otros hablen bien de ti.

En esta temática, las preguntas que surgen motivarían un debate en torno a la función de la prensa: ¿ha de comulgar el diario con la línea empresarial de las firmas que en él se publicitan? ¿el consejo editorial ha de cuidar la información o bien dar la información adecuada para no perder clientes y, por lo tanto, dinero? ¿hasta qué punto las notas de prensa y las informaciones relacionadas con las marcas que se anuncian tienen preferencia en la edición del diario?

La falsa información —que no es lo mismo que la información falsa— es a la prensa lo que a la televisión podría representar la cámara oculta. En una sentencia ejemplarizante, el juzgado de Primera Instancia número 21 de Barcelona condenó a El Mundo TV por utilizar una cámara oculta en la realización del reportaje titulado "El negocio del fútbol", que se emitió el 23 de enero del 2003 en la televisión pública valenciana Canal 9 y, también, en Telecinco. "El magistrado José Manuel Regadera Sáenz sostiene que esta actuación se enmarca dentro 'de la más estricta tradición picaresca española' y que las conversaciones grabadas de forma 'oculta y subrepticia' no pueden verse amparadas por el derecho a la información", escribió la periodista Rosario G. Gómez. Publicar la publicidad de un producto haciendo ver que se trata de una noticia (ergo, que es de interés público) también entra en la tradición picaresca. Por su parte, la Comisión Nacional de los Mercados y la Competencia (CNMC) abrió un expediente sancionador a RTVE por, supuestamente, "encubrir publicidad sobre servicios o productos relacionados con la salud". El 18 de febrero del 2015, en la sección "Saber vivir" del programa La Mañana, de La 1 de TVE, presentado por Mariló Montero, se dio información de una clínica privada en un "tono comercial". La CNMC condena a pagar 154.477 euros a RTVE por la emisión de esta publicidad encubierta: "El tratamiento dado a la información adquiere un tono comercial".

El 4 de marzo del 2015, en un tuit de la redacción del diario francés Les Èchos se incluyó publicidad subliminal de la multinacional del automóvil PSA Peugeot-Citroën en la que se vendía un nuevo coche de la cadena. Según el sindicato Société des Journalistes de Les Èchos, se trata de una acción "inadmisible". Leila de Comarmonf, presidenta de la Sociedad de Periodistas (SDJ, en sus siglas en francés) de Les Èchos, hizo estas declaraciones a Rémi Noyon, periodista del medio digital Rue89: "Nos atacan por varios frentes. Está la publicidad tradicional, intrusiva; y están los falsos contenidos, que se apoderan de nuestras maquetas y que violan los códigos periodísticos. El desafío es la distinción entre el trabajo de los periodistas y la publicidad". Como protesta, el 13 de marzo del 2015, la redacción de Les Èchos anunció una huelga inédita: 24 horas sin tuits.

La publicidad encubierta provoca la ira de los cibernautas. El 31 de mayo del 2011, José Manuel Alonso publicó en El Mundo un artículo propagandístico de la empresa norteamericana Fuel Doctor. Solo los tres subtítulos de la "noticia" ya eran "tendenciosos": "Una reducción que se consigue mediante el control del sistema eléctrico./Un ahorro entre el 17% y el 30% especialmente en coches de más de dos años./No necesita instalación, tan solo hay que introducirlo en el hueco del mechero".

"Una pena que el artículo original no tenga los comentarios abiertos, hubieran puesto a parir al periodista", escribe un internauta en el blog Mala Prensa. La palabra periodista, en cursiva en el original.

IMAGEN 12. Tuit del diario francés *Les Èchos,* con publicidad. Las grandes marcas pagan también para colarse en los canales de las celebridades, tal y como da cuenta el director general de la empresa de estrategias de comunicación McCann, Enric Jové: "Esas marcas no dudan, en la actualidad, en pagar grandes cantidades para colarse en la red social de uno de esos personajes públicos" *(LV, 6/IX/2015).* "Los profesionales en marketing saben, como nadie, que la mejor campaña es aquella que no se vende como tal. [...] El público receptor de esa comunicación emitida por un mismo personaje no reacciona igual si la identifica como un anuncio que si la confunde con una opinión o valoración que parece espontánea", escribe el periodista Javier Ricou, en el reportaje "El tuit de oro de la publicidad encubierta" *(LV, 6/IV/2016).* "El impacto psicológico en el lector de ese tuit es mucho mayor al considerar que se trata de una recomendación sincera y no de un anuncio", afirma Francisco Pérez Bes, secretario general del Instituto Nacional de Ciberseguridad. En el mismo reportaje, la profesora de la Universidad Camilo José Cela y experta en redes sociales Laura Cuesta Cano define "publicidad encubierta": "[aquella en la que] la audiencia no es consciente de que se trata de un contenido de marketing".

IMAGEN 13. Portal de noticias de Yahoo. La publicidad adopta la forma de un *flash* informativo. Entre dos despachos de agencia, propaganda de la multinacional de telefonía Jazztel (2015). Hay multitud de ejemplos de lo que en marketing se denomina "publicidad inteligente": http://www.marketingdirecto.com/actualidad/publicidad/30-ejemplos-de-publicidad-inteligente-en-diarios/

PRIMERA ESCALA EN LA CAPITAL CATALANA

Fuente: Celebrity Cruises

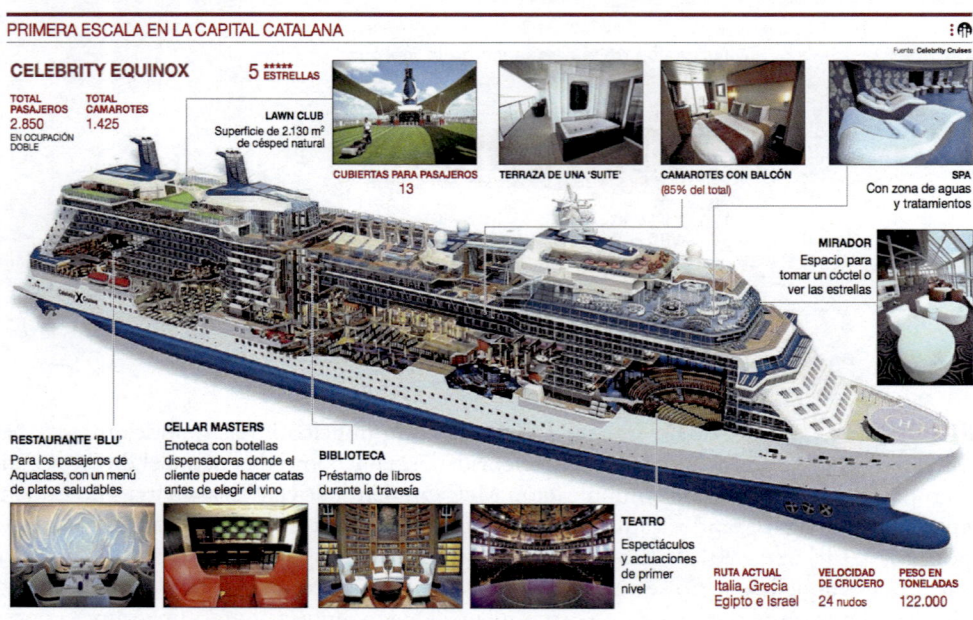

CELEBRITY EQUINOX

5 ★★★★★ ESTRELLAS

TOTAL PASAJEROS
2.850
EN OCUPACIÓN DOBLE

TOTAL CAMAROTES
1.425

LAWN CLUB
Superficie de 2.130 m²
de césped natural

CUBIERTAS PARA PASAJEROS
13

TERRAZA DE UNA 'SUITE'

CAMAROTES CON BALCÓN
(85% del total)

SPA
Con zona de aguas
y tratamientos

MIRADOR
Espacio para
tomar un cóctel o
ver las estrellas

RESTAURANTE 'BLU'
Para los pasajeros de
Aquaclass, con un menú
de platos saludables

CELLAR MASTERS
Enoteca con botellas
dispensadoras donde el
cliente puede hacer catas
antes de elegir el vino

BIBLIOTECA
Préstamo de libros
durante la travesía

TEATRO
Espectáculos
y actuaciones
de primer
nivel

RUTA ACTUAL
Italia, Grecia
Egipto e Israel

VELOCIDAD DE CRUCERO
24 nudos

PESO EN TONELADAS
122.000

Un 5 estrellas récord, en BCN

El último crucero inaugurado este año, el 'Celebrity Equinox', atraca hoy unas horas en el Adossat. Simboliza una nueva generación, orientada al bienestar y con conciencia ecológica

PATRICIA CASTÁN
BARCELONA

A estas alturas de la temporada y con el muelle Adossat acostumbrado a ser punto de encuentro de los mejores cruceros que desfilan por Europa, puede parecer que a Barcelona no le queda nada por demostrar. Falso. Su hegemonía como primer puerto europeo se afianza continuamente atrayendo a cada nueva joya que empieza a surcar el continente, por eso, no es de extrañar que el último gran crucero inaugurado en el mundo (en Southampton, el pasado 29 de julio), el Celebrity Equinox, recale en la capital catalana hoy unas horas, casi simbólicamente, como preámbulo a su posicionamiento en Roma, desde donde hará varias rutas por el Mediterráneo oriental este verano. El Equinox no es un barco más, dado que, al margen de que se supone es uno de los más bonitos del mundo, es el más grande de la categoría Premium o cinco estrellas, está pensado para el bienestar –con una enorme área de césped real donde practicar deportes tranquilos o relajarse– y es el segundo del mundo (con su gemelo) con placas solares para ahorrar energía.

Cuando el puerto aún recuerda la primera gran inaguración vivida en las terminales, la del MSC Fantasía, el pasado mes, entra en escena otro superbarco de los que, medidas aparte (122.000 toneladas, y 2.850 pasajeros en ocupación doble), levantan pasiones. Su hermano, inaugurado hace unos meses en Estados Unidos ya ha sido premiado por revistas especializadas como el crucero con el diseño interior más bello. Y el Equinox, bautizado en Europa, parte de la misma estructura, con algunas diferencias de interiorismo en espacios públicos. En la reciente presentación en Reino Unido, los expertos del sector le atribuyen, de momento, el reinado en materia estética. La naviera, no obstante, insiste en que tiene mucho más que ofrecer.

Visita obligada a la ciudad

La responsable de cruceros en el puerto de Barcelona, Carla Salvadó, destaca la importancia estratégica de que los mejores barcos del mundo se apeen, cada vez más, inicien o acaben rutas en la ciudad. El Equinox, que hoy protagonizará el tradicional intercambio de placas con la Autoridad Portuaria de Barcelona, por su primera visita a la ciudad, es uno de los más grandes que se pueden ver en Europa, pero es el mayor en su categoría, ya que otros megahoteles flotantes de nuevo cuño pertenecen al equivalente a las cuatro estrellas superior hoteleras. Y es que la excelencia en los cruceros no la marcan las instalaciones, si no también el espacio por pasajero y los servicios. Salvadó se congratula de que Barcelona haya cuajado como punto neurálgico en Europa «tanto

de barcos populares como, cada vez más, de categorías superiores, que atraen turismo de calidad».

Y aunque la tendencia es a aglutinar cada vez más entretenimiento y ocio, el barco que hoy se asomará al Adossat forma parte de los que apuestan por un ambiente algo más elegante, con mucha actividad y los pertinentes discoteca y casino, pero con propuestas para un público que va en pareja, con hijos mayores, de mediana edad y que busca relax. Tal vez por eso luce el primer Lawn Club, una parcela de más de 2.000 metros cuadrados donde jugar a críquet o petanca, o estirarse con los pies descalzos a tomar algo o relajarse; así como una zona de camarotes Aqua-Class, con acceso exclusivo a un área especial de wellness y al restaurante Blu, de tipo mediterráneo. Entre sus singularidades figuran talleres y espectáculos de vidrio soplado y shows al estilo Cirque du Soleil.

La directora general de Royal Caribbean y Celebrity Cruises en España, Belén Wangüemert, destaca que este barco, que forma parte de la clase Solstice y el año que viene ganará nuevos hermanos, «quiere ir un punto más allá en personalización y servicios, y con más variedad de gastronomía –10 restaurantes– y un 85% de los camarotes con balcón».

El nuevo buque, que abre una nueva generación de barcos donde la utilización de energía solar reduce el consumo de combustible (al

margen del sistema de propulsión de otros de la misma naviera, que disminuye las emisiones de escape un 95%), ofrece soluciones ecológicas como una planta de osmosis inversa de baja energía y sistemas de purificación de aguas residuales.

Wangüemert destaca que para el diseño del Equinox se eligió a varias mujeres de perfiles distintos que aportaron sugerencias sobre cómo debería ser el crucero del futuro. Por eso, en la nave las puertas de los camarotes se abren hacia fuera (se gana espacio), y los armarios y el baño han cambiado la distribución habitual en la mayoría de barcos.

La experta, con muchos años en el sector, no duda en que «Barcelona tiene tirón como para que todas las novedades del mercado hagan escala». En la capital catalana volverá a recalar el 7 de noviembre, para iniciar ruta trasatlántica y pasar el invierno en el Caribe. Hasta entonces, viajará por Italia, Grecia y Egipto, dejando constancia de que la demanda es la que impone los precios, ya que los cinco estrellas (menos populares) suelen costar muy poco más que los inferiores. El año que viene hará un crucero especial desde Barcelona y sus gemelos realizarán varias escalas en la ciudad, incluido el nuevo, el Eclipse, a partir de julio.

Agosto intenso

En lo que queda de mes, Barcelona sumará 51 escalas, llegadas o salidas. La variedad será total, desde cruceros nacionales (Pullmantur e Iberocruceros), hasta las nuevas naves de MSC y Costa, trasatlánticos como el Queen Victoria y gran lujo como el de Crystal, Seabourn y Silversea, entre otros. Incluso pasará una noche (el 23) en la ciudad el Independence of the Seas, el mayor del mundo, de 160.000 toneladas. ∎

IMAGEN 14. Publirreportaje sobre el transatlántico *Celebrity Equinox*. Publicidad engañosa vestida de artículo noticioso, publicado en la sección Cosas de la vida-Gran Barcelona, en *El Periódico de Catalunya*, el 16 de agosto del 2009.

Catalunya al día

SALUD, INNOVACIÓN E INVESTIGACIÓN

▸ **Horizon 2020.** Financia proyectos de investigación e innovación en todas sus fases
▸ **Tercer Programa de Salud.** Da ayudas para promover la salud y la prevención de enfermedades de los ciudadanos de la UE

Busca tu fondo

La Unión Europea dispone de una gran variedad de recursos para financiar proyectos de ámbitos muy diversos. Destacamos algunos de los más conocidos en cada caso. Cada día se publican nuevas convocatorias de subvenciones o licitaciones europeas.

JUSTICIA E INTERIOR

▸ **Programa de Justicia.** Financia actividades de investigación, formación, *networking*... para impulsar un Espacio Europeo de Justicia
▸ **Fondo para la Seguridad Interna.** Subvenciona estudios, proyectos piloto y acciones para fomentar la cooperación interservicios entre los estados miembros de la UE

INFRAESTRUCTURAS, ENERGÍA Y TRANSPORTE

▸ **Fondo Europeo de Inversiones Estratégicas (EFSI).** Financia el desarrollo de infraestructuras, especialmente transporte en centros industriales y energía
▸ **Instrumento para la Cooperación en Seguridad Nuclear.** Impulsa acciones en países fuera de la UE con escaso control nuclear

MEDIO AMBIENTE, DESARROLLO RURAL Y PESCA

▸ **Fondo europeo Agrícola de Desarrollo rural (FEADER) i Fondo Europeo Agrícola de Garantía Agraria (FEAGA).** Fomenta iniciativas que estimulen el desarrollo del sector agroalimentario
▸ **Programa Life.** Financia entidades y empresas que trabajen temas mediambientales y de ecoturismo

CIUDADANÍA Y DERECHOS

▸ **Europa con los Ciudadanos.** Subvenciona redes transnacionales e iniciativas para aumentar la participación ciudadana
▸ **Derechos, Igualdad y Ciudadanía.** Promueve iniciativas para la no discriminación

EDUCACIÓN, JUVENTUD, FORMACIÓN Y OCUPACIÓN

▸ **Ocupación e Innovación Social.** Para servicios de impulso de la movilidad de jóvenes trabajadores
▸ **Garantía Juvenil.** Para crear espacios y actividades para jóvenes de 16 a 30 años

TIC

▸ **Mecanismo Conectar Europa.** Da ayuda financiera a proyectos de interés común transeuropeos referentes a telecomunicaciones, energía y transportes
▸ **Agenda Digital Europea.** Apoya el desarrollo de las TIC en la consecución del mercado digital único

CULTURA Y DEPORTES

▸ **Europa Creativa.** Da apoyo a proyectos culturales orientados a promover la innovación y la internacionalización
▸ **Programa Erasmus +.** Da ayudas para la movilidad y el apoyo a acontecimientos deportivos europeos sin ánimo de lucro para jóvenes

EMPRENDIMIENTO, EMPRESA Y TURISMO

▸ **Competitividad de las Empresas y Pymes (COSME).** Otorga préstamos a bajo coste para abrirse a nuevos mercados
▸ **Fondo Europeo de Desarrollo Regional (FEDER).** Financia actuaciones que promueven la ocupación y la cooperación territorial europea

COOPERACIÓN AL DESARROLLO Y ACCIÓN EXTERIOR

▸ **Iniciativa de Voluntarios de la UE.** Financia a entidades de ayuda humanitaria y capacitación de voluntariado
▸ **Fondo Europeo de Desarrollo.** Apoya principalmente acciones en 79 países de África, el Caribe y el Pacífico

---

Ayudas europeas para proyectos catalanes

Cómo acceder a los fondos de la Unión Europea

La Generalitat gestiona, impulsa, asesora y apoya la participación de las entidades y ciudadanos de Catalunya en los diferentes fondos, programas de financiación y licitaciones públicas de la UE. Para facilitar la búsqueda del fondo más adecuado a cada proyecto, *start-up*, estudio o acción de cooperación, entre otros, la Secretaría d'Afers Exteriors i de la Unió Europea de la Generalitat ha puesto en marcha un servicio pionero en Europa dentro de su web donde se pueden conocer los recursos disponibles y los trámites para acceder a la financiación. Además, incluye ejemplos de lo que se ha hecho

y lo que se está haciendo en Catalunya con el dinero que reciben a través de estos fondos de la UE, tanto de proyectos de la Generalitat como de entidades particulares. Para estar al día de las nuevas convocatorias de subvenciones o licitaciones europeas también se puede consultar la cuenta específica de Twitter @delgoveu y la etiqueta #FonsUECat.

Acceder a fondos como Feder, Cosme, Horizon 2020 o Erasmus+, entre otros, es una oportunidad para desarrollar ideas por parte de empresas, emprendedores, universidades, centros educativos y de investigación o oenegés.

Más información en la web **afersexteriors.gencat.cat/fonsue**

Sigue el perfil
@delgoveu para estar al día de las convocatorias abiertas
#FonsUECat

¿Tienes dudas?
fonsue@gencat.cat

EL DESTINO: INICIATIVA PÚBLICA Y PRIVADA

La Xarxa Emprèn da apoyo a las nuevas empresas creadas en Catalunya

La Xarxa Emprèn es una red público-privada de entidades que, en el marco del programa Catalunya Emprèn de la Generalitat, prestan servicios de acompañamiento y apoyo a las personas que quieren constituir una empresa en Catalunya durante los tres primeros años de vida del negocio. Más de 150 entidades y 500 técnicos dan cobertura a todas las comarcas catalanas. Esta iniciativa se ha puesto en marcha con el apoyo del Fondo Social Europeo (FSE)

IDIBAPS e IrsiCaixa participan en un proyecto europeo de 23 millones de euros

El Institut d'Investigacions Biomèdiques August Pi i Sunyer (IDIBAPS) y el Institut de Recerca de la Sida IrsiCaixa participan en la Iniciativa Europea para la Vacuna contra el Sida (EAVI2020). Este proyecto, que forma parte del programa marco de investigación e innovación europeo Horizon 2020, reúne a los principales investigadores del VIH de organizaciones públicas y empresas de biotecnología de toda Europa, Australia, Canadá y EE.UU.

IMAGEN 15. En *La Vanguardia* del 23 de diciembre del 2015, la publicidad institucional sobre fondos europeos de la Generalitat de Catalunya adquiere la forma de reportaje acompañado de infografía, trabajo "camuflado" con el resto de contenidos del diario. Ninguna nota avisa de que la redacción no es propia, sino que se trata de un anuncio. El anuncio se hace pasar por noticia del diario.

Barcelona planta cara al elevado precio del alquiler

Con una media de 727 euros mensuales, es la ciudad con los arriendos más altos del Estado

La "burbuja inmobiliaria" amenaza de nuevo si no se para el incremento de precios que experimenta el mercado de pisos de alquiler, especialmente en grandes ciudades como Barcelona. El año pasado los precios repuntaron con fuerza en la capital catalana: el alquiler medio se situó en 727 euros mensuales –10,9 euros/m²/mes, el más alto y el que más aumentó de las grandes ciudades españolas– un 6,6% más que en 2014, según un informe elaborado por el departamento de Estudios y Programación del Ayuntamiento de Barcelona.

Ante esta tendencia ascendente, que rompe con la trayectoria a la baja del quinquenio anterior en Barcelona, el Ayuntamiento ha decidido no quedarse con los brazos cruzados y –a pesar de no tener competencias para controlar los precios de

Barcelona es la ciudad con un mayor porcentaje de vivienda de alquiler de todo el Estado español

los arrendamientos– insta al Estado y a la Generalitat a actuar legislativamente para limitar los alquileres máximos.

"Las últimas modificaciones de la LAU, como la que hace referencia al plazo de alquiler obligatorio, que pasó de cinco a tres años, o al incremento de precios a aplicar, han perjudicado a los inquilinos", explica Anna Cabot, abogada y coordinadora del Servicio de Asesoramiento Jurídico de las

oficinas de la vivienda de Barcelona, quien añade: "Aunque la Ley 24/2015 de medidas urgentes para afrontar la emergencia en el ámbito de la vivienda y la pobreza energética supuso un paso adelante, esta no contempla muchas de las situaciones que se dan hoy en día, de familias que disponen de unos recursos económicos muy justos".

El director técnico de programas para el Uso Digno de la Vivienda, Gerard Capó, apunta: "El consistorio quiere trabajar con las administraciones competentes para impulsar la reflexión sobre este cambio en la ley y establecer algún sistema de regulación de precios máximos en determinadas zonas en función de diferentes circunstancias para evitar que, debido a un incremento de precios, las viviendas de alquiler dejen de ser accesibles para un sector de la ciudadanía".

MAYOR ESFUERZO ECONÓMICO
Según el estudio municipal, los barceloneses que hacen un mayor esfuerzo económico para pagar el alquiler –destinan una cuarta parte de los ingresos– son los que viven en los barrios con rentas más bajas (Trinitat Nova, la Verneda, la Pau, la Guineueta, Sant Martí de Provençals y Prosperitat). El informe también pone en

Alquiler medio en Barcelona
EUROS/MES

2013: 682
2014: 688
2015: 727
2012: 720
2011: 750
2010: 765
2009: 790
2008: 813 €

Fuente: Secretaria de l'Habitatge i la Millora Urbana. Generalitat

En cinco años, la capital catalana incrementará en 2.500 pisos el actual parque de alquiler público

evidencia que los barrios donde se registran mayores incrementos en los precios del alquiler –cercanos al 6,5%– son zonas con una presencia creciente del turismo, a pesar de la moratoria de pisos turísticos.

MÁS VIVIENDA SOCIAL
Además de la propuesta para modificar la ley y establecer un tope máximo en el precio del alquiler, el consistorio lleva a cabo otras actuaciones, como son las ayudas

---

PROGRAMAS DE CAPTACIÓN DE PISOS

Bueno para el propietario, bueno para el inquilino

Hoy, quien disponga de un piso para alquilar en Barcelona y dude entre arrendarlo o que permanezca vacío, que no se lo piense. El consistorio, con la colaboración de entidades del Tercer Sector, se encarga de alquilarlo a un precio social o asequible, garantiza al propietario que cobrará la renta mientras esté vigente el contrato de alquiler (de 36 meses) y, en caso necesario, le facilitará

financiación para realizar obras de adecuación del inmueble. Los pisos de alquiler social o asequible forman parte de la bolsa de vivienda de Barcelona. Para optar a uno de estos pisos es necesario que la persona interesada esté inscrita en el Registro de Solicitantes de Viviendas de Protección Oficial, empadronada en Barcelona y que tenga dificultades económicas para acceder a una vivienda.

barcelona/consorcihabitatge

RECOMENDACIONES

Qué hay que tener en cuenta antes de firmar

- El estado del piso, los servicios básicos y el entorno
- Verificar la propiedad del piso
- Solicitar la cédula de habitabilidad y el certificado de eficiencia energética
- Informarse de los seguros
- Informarse de la renta a pagar y de la fianza
- Saber qué gastos irán a cargo del inquilino y del conjunto de ellos cuáles asumirá el propietario de la vivienda

- Valorar la necesidad de posibles obras
- Leer detenidamente el contrato de alquiler, pedir un borrador y en caso de duda consultar con una persona experta o acudir a una Oficina de la Vivienda

---

IMAGEN 16. En *La Vanguardia* del 26 de abril del 2016, la publicidad institucional del Ajuntament de Barcelona sobre vivienda adquiere la forma de reportaje acompañado de infografía, trabajo "camuflado" con el resto de contenidos del diario. Ninguna nota avisa de que la redacción no es propia, sino que se trata de un anuncio: "Páginas de información de la ciudad realizadas con la colaboración del Ayuntamiento de Barcelona" (páginas 26 y 27). El anuncio se hace pasar por noticia del diario.

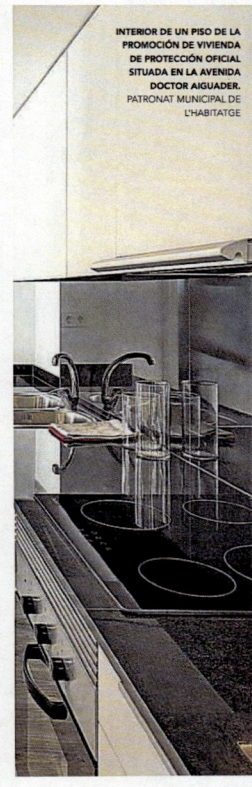

INTERIOR DE UN PISO DE LA PROMOCIÓN DE VIVIENDA DE PROTECCIÓN OFICIAL SITUADA EN LA AVENIDA DOCTOR AIGUADER. PATRONAT MUNICIPAL DE L'HABITATGE

DATOS abiertos

Alquilar en Europa

En Barcelona, la proporción de pisos de alquiler –y la de alquiler asequible– se encuentra muy por debajo de la de otras ciudades europeas, donde el alquiler destaca como principal régimen de tenencia de una vivienda

BERLÍN   85,93 %   30,23 %

AMSTERDAM   72 %   48 %

PARÍS   61,5 %   17,2 %

LONDRES   42 %   23 %

BARCELONA   31,1 %   1,5 %

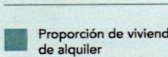

Proporción de viviendas de alquiler

Proporción de viviendas de alquiler asequible

LATIDOS

Ayudas a la rehabilitación

Hasta el 31 de diciembre se pueden solicitar las ayudas para la rehabilitación de viviendas y edificios. El 2015 se adjudicaron 591 ayudas, con una inversión de 26,6 millones de euros.

CÓMO PAGAR EL ALQUILER
Se han recibido 3.828 solicitudes para las nuevas ayudas al alquiler, que han tenido una dotación económica extraordinaria de 11,8 millones de euros.

Más información: barcelona.cat/habitatge

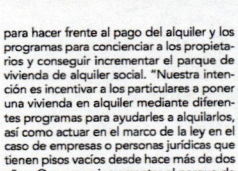

para hacer frente al pago del alquiler y los programas para concienciar a los propietarios y conseguir incrementar el parque de vivienda de alquiler social. "Nuestra intención es incentivar a los particulares a poner una vivienda en alquiler mediante diferentes programas para ayudarles a alquilarlos, así como actuar en el marco de la ley en el caso de empresas o personas jurídicas que tienen pisos vacíos desde hace más de dos años. Queremos incrementar el parque de alquiler social y asequible", explica Capó.

INCENTIVOS PARA ALQUILAR
Entre estos incentivos destaca la subvención de una parte del IBI, los seguros para el hogar, la tramitación gratuita de la cédula de habitabilidad y el certificado de eficiencia energética o las subvenciones por obras, entre otras ayudas. "Y el Ayuntamiento, o una entidad del Tercer Sector, es quien da las garantías para que el alquiler se cobre", añade el técnico municipal.

La abogada Anna Cabot subraya que "desde el consistorio, mediante las oficinas de la vivienda, también hacemos de mediadores y buscamos soluciones antes de que un problema se haga más grande, y si, por ejemplo, una familia sabe que no podrá pagar el alquiler, se activan ayudas para no perjudicar al arrendador. Firmar un contrato de alquiler es algo más serio de lo que a veces pensamos; tanto el propietario como el inquilino tienen unos derechos y unos deberes, y hay que cumplirlos".

ENTREVISTA A JAVIER BURÓN
Gerente de Vivienda del Ayuntamiento de Barcelona

"Fijando un importe máximo buscamos proteger al arrendatario"

En un contexto de fuerte desempleo y de precarización laboral, los precios de los alquileres están aumentando debido a una mayor demanda. Ante esta realidad, el consistorio barcelonés propone iniciativas, como limitar los precios de los alquileres o incrementar las ayudas para acceder a una vivienda.

¿El Ayuntamiento puede controlar los precios estableciendo un tope?
No, porque no tiene competencias para modificar la LAU, pero sí que insta a la Generalitat y al Estado a establer un sistema para proteger a las personas con pocos recursos, tal y como hacen otros países de nuestro entorno.

¿Significaría limitar el mercado libre?
La idea no es actuar sobre todos los alquileres, ni limitar el mercado libre o congelar los precios, sino favorecer que la ciudadanía pueda acceder a una vivienda digna. Necesitamos 100.000 viviendas de alquiler en manos del Tercer Sector o de la Administración.

¿Cuántas hay?
La ciudad dispone de 10.400 pisos de alquiler público a precios por debajo de los de mercado; de éstos 6.500 son viviendas sociales municipales. Está previsto que en un periodo de tres a cinco años se construyan 2.500 más, pero, para acercarnos a las grandes ciudades europeas, habría que multiplicar por diez el parque de alquiler asequible.

¿Y mientras, proponen establecer unos precios básicos en el alquiler?
Mientras ofrecemos ayudas para colectivos con rentas bajas y familias en riesgo de perder la vivienda, y a la vez buscamos alternativas como la de establecer un precio máximo en determinadas zonas y a determinadas rentas.

¿Cuál es la propuesta municipal?
Hemos tomado como referencia el modelo de Berlín, donde hay una ley estatal que limita el incremento de los precios en los nuevos contratos o renovaciones de alquileres de viviendas. En estos, el precio del alquiler no puede ser superior al 10% del precio medio de los alquileres del área donde está situado el inmueble. Esto significa que hay un sistema orientativo de precios medios de alquiler que está controlado por la Administración, y que se comprueban los incrementos.

Barcelona tendría que tener 100.000 viviendas de alquiler público, y sólo tiene 10.400

¿Y se solucionarían los problemas?
Evidentemente el sistema no es perfecto, y habría que ver cómo se puede aplicar en Barcelona, puesto que la realidad berlinesa –Alemania destina anualmente 26.000 millones de euros a ayudas al alquiler, mientras que España, con la mitad del PIB, destina 900 millones– no es la misma que la barcelonesa, pero sí que es una medida para proteger al inquilino y que el propietario pueda sacar una rentabilidad correcta.

¿Estado y Generalitat se implican?
No, no están en la misma línea que el Ayuntamiento. Esperamos que, dentro de poco, tomen conciencia de la situación actual y se decidan a actuar.

BURÓN EN UNA CONFERENCIA DE REHABILITACIÓN EN EL MARCO DEL OBSERVATORIO DE BARCELONA PARA LA REHABILITACIÓN ARQUITECTÓNICA AB

Ladrillos de oro

Crónica de una visita a Marina d'Or, paradigma de la fiebre urbanística del litoral español

Texto Jesús Martínez **Fotos** Marc Javierre

En busca del 'pelotazo'

Marina d'Or (www.marina-dor.com), a 24 kilómetros de Castellón, es un hormiguero que promueve la construcción masiva y descontrolada en una de las costas más bonitas de España. Campos de golf y apartamentos van aflorando a lo largo y ancho de las playas de Orpesa y Cabanes, donde se ha fundado una ciudad temática según el modelo Benidorm. Aunque, por ahora, de todo lo que se podrá disfrutar, sólo hay un 10% construido.

A lo mejor, usted quiere comprar un apartamento. ¿Cómo se lo venden? Vestida con túnica ligera de algodón, la presentadora de TVE Anne Igartiburu es la imagen del grupo de empresas Marina d'Or (Construcciones Castellón 2000, SAU; Loger, SA y Servidir Servicios Auxiliares, SLU). La campaña de publicidad arrasa por lo impresionante. Anne Igartiburu en tres millones y medio de impulsos televisivos Marina d'Or (anuncios breves e impactantes).

Se le interesar un apartamento puede visitar, por ejemplo, la oficina principal de Marina d'Or en Barcelona, en el número 383 de la Diagonal. Le atenderá uno de los 500 comerciales que Marina d'Or tiene repartidos por toda España. Le invitará a tomar asiento. "Habrá un aeropuerto en la localidad cercana de Villanueva de Alcolea. Las playas son como las de Castelldefels, pero menos profundas. La segunda línea de mar está a sólo 300 metros de la costa. El precio del apartamento proyectado más económico que nos queda es de 245.417 euros, en el edificio que se denominará Costa Caribe II (60 m2, orientación sur, jun-

El 'piso piloto' está en un edificio de 10 plantas, con 15 puertas por rellano

to a primera línea de mar, sin vistas al mar)". Hay apartamentos de 540.000 euros. Se lo entregarían inmediatamente, "en julio".

Basta hacer una reserva, una paga y señal "simbólica" de 3.000 euros para "bloquear" la venta a otro posible comprador". Eso le dan diez y una noche con los gastos pagados (pensión completa) en el hotel Marina d'Or 4 Estrellas. Como "parte prometiente compradora" dispone de un plan de dos semanas para visitar la urbanización.

En la autopista A-7, el arco del Mediterráneo, Anne Igartiburu le avisa de la proximidad del paraíso: "Marina d'Or a 143 kilómetros". A caballo

entre los municipios de Rivera de Cabanes y Orpesa del Mar, en la costa Azahar, se levanta, surgiendo de la tierra seca, entre palmerales mustios y agostados, una colmena humana tipo Bellvitge. Y grúas altísimas. En un espacio de un millón de metros cuadrados -cuyos límites son la autopista, el mar y los bungalows del camping Ribeyramar, con letreros en alemán- se está construyendo una macroárea de ocio. Sus promotores lo conciben como una nueva manera de entender las vacaciones, aunando consumo y diversión.

Llegará a Marina d'Or pasando por debajo de un arco abstracto que es un cuerno, un perro, un zapato o un yunque, según los ojos con que lo mire. En realidad, tal como indica una placa, es "la boquilla de una lámpara maravillosa en el momento de cumplirse el primer deseo", obra de hojalata del escultor José Luis Gámez. Por doquier, cabañas de madera prefabricadas de "información de venta de apartamentos".

Nosotros no vendemos

Le puede recibir, entre otros comerciales, Josua López, un valenciano de 36 años muy simpático que le remitirá a los gags de Los Morancos para que no olvide su nombre. Lleva cinco meses trabajando para Marina d'Or; antes era comercial de una empresa de transportes. Su divisa es un eslogan empalagoso: "Nosotros no vendemos, es el cliente el que compra". Sus respuestas son de manual y sus sonrisas, apacibles y, de tanto en cuanto, reales. Él mismo lo alojará en el hotel, de 12 plantas. En total hay cuatro hoteles en Marina d'Or: uno de cinco estrellas, uno de cuatro estrellas y dos de tres estrellas. Plantas de plástico simulan vegetación exuberante de un

verde selvático, mezcla de Papúa-Nueva Guinea y Tahití. En el vestíbulo no falta un punto de información de apartamentos, como si fuese un cajero automático.

Cena en el bufet libre entre una nube de comensales que chocan sus platos a rebosar de pollo al curry y ensalada de gambas o fideuá, o las tres cosas a la vez. Marina d'Or es una marca registrada que arrasa en los complementos y en los pequeños detalles: no falta en la mesa el tempranillo rojo rubí Marina d'Or. Buena parte de los camareros son rumanos o magrebíes. Después de cenar podrá dar una vuelta por los alrededores, desérticos aún en víspera de puente. No obstante, todas

las noches del año, la principal calle de Marina d'Or, la de los hoteles, está adornada como si se celebrase la Feria de Abril, con un aspecto de romería rumbosa si no fuera porque las carrozas con los potrancos son aquí el trenecito turístico Marina d'Or.

Para desayunar, de nuevo bufet libre. Josua se presentará a la hora convenida. Su sombra le hará de guía y con ella echará la mañana ("mi cometido es meramente informativo"). Josua le mostrará el complejo. Primero, el hotel Marina d'Or 5 Estrellas, donde se encuentra el balneario. El "mayor balneario científico de agua marina de Europa" fue construido hace tres años y es el eje central de la urbanización. El vestíbulo pretende ser un baño romano, adornado con columnas con capiteles corintios.

Allí puede encontrarse, por ejemplo, una convención de policías locales. De los ascensores salen albornoces blancos. Los ascensores de los hoteles Marina d'Or van dotados de una pantalla plana con los flashes informativos. Hay una clínica médica en la que "se hacen operaciones para aumentar el tamaño de los pechos, implantes faciales, lifting...".

Tras el balneario, un paseo a la luz del día. El mobiliario urbano aspira a ser una fantasía de Gaudí. Bancos con forma de oso polar y alcornoques de árboles están revestidos con la técnica del trencadís (fragmentos rotos de azulejos). Puede tomar un refresco en la Cafetería Gaudí. Las pajitas le recordarán que está en Marina d'Or. Hay boutiques de moda (desoladas), perfumerías (semivacías), un drugstore (abarrotado) y peluquerías (se hacen "mechas d'Or").

Josua le llevará a los Jardines Marina d'Or. El recinto es privado. Y uno recuerda al Gran Hermano. "Las cámaras de vigilancia de visión nocturna velan por nuestra seguridad". Hilo musical y piedras que no son piedras, porque de ellas sale música. Los claveles rojos acarician la espuma del mar. Apenas hay 30 metros de distancia entre el cercado y la quietud del litoral. La ley de Costas establece una distancia a las primeras edificaciones no inferior de 400 metros. "Nos acogemos a la ley de 1968, que es diferente, menos restrictiva. Es totalmente legal". La playa es prácticamente de grava. La arena la traen en camiones y sirve de sobrefaz.

Por fin podrá cruzar el umbral del piso piloto, "igual que el que comprará". La puerta 23, en la primera planta del edificio Agua Marina (10 plantas), en la segunda línea de mar, a un kilómetro de la orilla. La primera línea de mar realmente es la segunda, ya que tiene tres bloques por delante antes de pisar la arena. Hay cuatro escaleras en cada edificio, intercomunicadas entre sí. Por cada rellano, una media de 15 puertas. Los pisos están

En Marina d'Or ya hay 6.000 apartamentos "para entrar a vivir ya" que están "prácticamente vendidos", como sostiene el nutrido grupo de comerciales. "Todo lo que está construido o en fase de construcción está vendido". En un aparte, un comercial reconoce, no obstante, que no se han vendido ni el 50% de apartamentos.

Trazado a lo largo del hipotético paseo marítimo se construirá, aventuran, otra hilera de 3.000 pisos. Hoy son solares desfigurados por barrizales y cárcavas. Por otra parte, en Marina d'Or Golf se piensan hacer 48.000 viviendas más.

Al comercial Josua se le escapa una coletilla tocada por la fe ciega: "Tienes que creer mucho

en la expansión de Marina d'Or". A su criterio, la intención de la mayoría de compradores es "invertir su dinero en espera de que se revalorice la zona".

Un ejemplo es la pareja de madrileños formada por Javier Montenegro y Beatriz Jiménez, que carga en brazos a Miguel Ángel, su hijo, de año y medio. Son propietarios de un piso, la "opción habitual" de los promotores del complejo. "Lo compramos para invertir". Están en el edificio Costa Caribe I. Algunos edificios tienen nombres sugestivos. Otros, no tanto. Todos tienen forma de pirámide azteca, escalonados en bancales que son terrazas para sacarle el máximo jugo al sol

Un grupo de jubilados visita la carpa donde se muestran las maquetas de los proyectos de futuro

La calle principal de la urbanización, decorada con luces al estilo de la Feria de Abril sevillana

Una familia descansa en uno de los bancos 'gaudinianos' que 'decoran' todo el complejo urbanístico

---

IMAGEN 17. Arriba, reportaje sobre la burbuja inmobiliaria en el complejo turístico Marina d'Or (Castelló, València), publicado en el suplemento dominical La Revista, en el diario *La Vanguardia*, el 18 de junio del 2006. A la derecha, publirreportaje sobre la oferta de ocio de Marina d'Or, publicado en el suplemento dominical Revista de Agosto, en el diario *El País*, el 8 de agosto del 2006. El segundo, como reacción al primero. La imagen de la derecha es una fotocopia del diario, ante la imposibilidad de obtenerlo en formato pdf, más nítido: "Ante la solicitud que nos traslada, le confirmamos que puede utilizar la web de KIOSCO Y MÁS http://www.kioskoymas.com/ como visor de cualquiera de los ejemplares, que nos enumera pero, en ningún caso, podrá descargar los mismos en pdf", contesta por mail un agente del servicio de suscripción de *El País*.

EL PAIS
MARTES 8 DE
AGOSTO DE 2006

www.elpais.es

REVISTA DE AGOSTO

El balneario de agua marina de Marina d'Or, uno de los ganchos de este complejo vacacional de Oropesa del Mar, encuentra su hora punta a partir de las 19.30, con la tarifa de oferta. / ÁNGEL SÁNCHEZ

'Jacuzzi' para todos

72 horas en el complejo turístico castellonense de Marina d'Or, que democratiza el chorro cervical, la ducha escocesa y el 'spa'. Granizado de limón, estatuas romanas y lucha por la primera línea de playa. Por **Joseba Elola**

Él con su pelo entrecano apoyado en el bordillo del *jacuzzi*, la cadena de oro que se hunde entre las burbujas, una sonrisa de oreja a oreja, ¡ah! A su lado, su señora, con unas gafas de piscina azules colgando torcidas del cuello, extasiada. Enfrente, la cuñada y su santo, comentando con sorpresa el cambio de color del neón que bordea la bañera: del verde al fucsia, del fucsia al amarillo. Nada como estar de vacaciones, en familia y a remojo. Es tal el gozo que él, presa de un entusiasmo difícil de contener, declama un sonoro "¡*glamour, glamour!*", que reverbera en los techos altos del balneario, sujetos por réplicas de regias columnas romanas. Al cabo de unos segundos, él tuerce el gesto. "Está

salada", dice, en referencia al agua. "Es que viene de la mar", le explica su señora esposa.

Bienvenidos a Marina d'Or, ciudad de vacaciones, según reza su megapublicitado eslogan (¿pero eso de las vacaciones no consistía precisamente en huir de la gran ciudad?, que diría un urbanita), territorio Miss España y chica *Interviú*, millón y medio de metros cuadrados pensados para el turismo familiar que albergan, entre otras cosas, cuatro hoteles, 10.000 apartamentos, tres chiringuitos, una playa de césped y un *coche-trenecito* para recorrerlo. Sí, uno de esos estilo Disneyworld, sólo que con carteles luminosos con el rostro de Anne Igartiburu en el techo y un eslogan escrito en cada uno de sus vagones: "La mejor inversión".

A esta hora de la tarde, el balneario de agua marina se encuentra más que animado. La joya de la corona de este complejo de Oropesa del Mar ofrece tarifa promocional —entre las 19.30 y las 21.30, 19 euros— y aquí acuden muchos turistas, algunos, cámara de video en mano, en busca del momentazo ducha escocesa / piscina flotante / *tepidarium* (baño romano), o lo que se tercie. Los que se alojan en el hotel cinco estrellas, eso sí, lo tienen gratis. Si algo queda claro en cuanto uno se adentra en este microcosmos levantino es que: 1) aquí todo está escalonadamente tarifado; 2) el concepto de lo *VIP*, el más (baño de Cleopatra) para el que más paga es santo y seña, y 3), que no está reñido con 2),

Pasa a la página 40

.4.8 'Periodismo adulterado'

Las empresas, las multinacionales, elaboran parte de la información de los diarios. A esta conclusión llega el doctor en Filosofía y profesor de l'Escola d'Estudis Superiors i Universitaris Formatic Barcelona Oriol Alonso Cano (Barcelona, 1984), autor del ensayo *Encarnaciones del capitalismo* (Ediciones Carena, 2014; entrevista con el autor). "Hoy en día, leer la prensa es un divertimento", confirma con rotundidad.

Para defender la tesis de la "comunicación sistemáticamente deformada" (Eagleton, 1997: 19-20), Oriol Alonso escribió, en parte, sus *Encarnaciones...* "Todo lo que sea imperio, dominio y dogma se ha de cuestionar. Para mí, no hay elementos inmutables que condicionen la vida del individuo, porque, si los hubiera, sería como el Prometeo moderno, Frankenstein, el demonio que te reprime y que acaba contigo. Pero nos enfrentamos al problema crucial: que la crítica está contaminada por el sistema, con ello quiero decir que las movilizaciones sociales empiezan cuando a uno le tocan personalmente las narices, y el bolsillo", observa Oriol, que se siente como un "guerrillero de la comunicación". "Cada vez que me dicen: 'Esto no es así', me pongo en guardia. No me gusta que me vendan la moto. Y sé que el marketing vende humo, ese es su arte", arenga Oriol. Para este filósofo, la acometida contra el corporativismo equivale a la lucha por la preservación del periodismo libre. Oriol lo explica de esta manera: "Hoy, la comunicación es marketing, porque las notas de prensa de las multinacionales se copian y se pegan en los diarios. Y eso es peligroso, porque atacan tu subconsciente, te condicionan y te convierten en un consumidor, más que en un miembro de tu comunidad. Y lo último es eso que se llama *'marketing experiencial o emocional'* [ver Anexo IV: *"business intelligence"*], que trata de la compra inductiva, no racional... Es la canibalización capitalista en su grado máximo".

A colación, el punto seis de las diez "estrategias de la manipulación informativa", del francés Sylvain Timsit (2002):

> 6. Utilizar el aspecto emocional más que la reflexión. Hacer uso del aspecto emocional es una técnica clásica para causar un cortocircuito en el análisis racional y, finalmente, en el sentido crítico de los individuos. Por otra parte, la utilización del registro emocional permite abrir la puerta de acceso al inconsciente para implantar e injertar ideas, deseos, miedos y temores, compulsiones, inducir comportamientos...

> (Timsit, 2002)

Un botón de muestra: "Noticia" de la sección de tecnología ("móviles y dispositivos") de *Lavanguardia.com,* el 26 de septiembre del 2014:

Titular: El iPhone 6, a la venta en España

Subtítulos: Se comercializa en plata, dorado y gris oscuro con precios que oscilan entre los 699 y los 899 euros para el iPhone 6, y entre los 799 y los 999 euros para el iPhone 6 Plus | Apple se suma a la tendencia de aumentar la pantalla del 'smartphone', mejora la cámara e introduce el sistema de pagos Apple Pay

Lead: Madrid, 25 sep (Efe COM).- Apple pone a la venta hoy en España el iPhone 6 e iPhone 6 Plus, los teléfonos *inteligentes* [ver Anexo II: "El lenguaje subordinado. Los términos de marketing y economía en los breves de empresa"] con los que se suma a la tendencia de las pantallas grandes y en los que implementa iOS 8, la última versión del sistema operativo móvil de los iPhone. Precisamente esta semana, Apple ha tenido que retirar la actualización iOS 8.0.1 porque generaba problemas de conectividad y de funcionamiento del sensor de huella dactilar Touch ID...

Más información:

-El iPhone 6 bate todos los récords: 10 millones de ventas en un fin de semana *["beneficio récord", ver Anexo IV]*
-El iPhone 6, el más vendido de la historia de Apple el primer fin de semana
-Los iPhone 6 salen a la venta en medio de un entusiasmo frenético

La propaganda —tipo de publicidad que utiliza medios masivos como la televisión (Thompson, 2005)— se convierte en noticia, y los medios de comunicación reproducen el anuncio como información. En el caso de arriba (iPhone 6), la nota de prensa la difunde como noticia (copia y pega) la agencia Efe (Efe Comunicados), cuyo cliente es Apple Inc. Lo mismo ocurrió con la salida al mercado de los teléfonos de la marca Apple números 1, 2, 3, 4 y 5. Steve Jobs, fundador de Apple, la empresa multinacional estadounidense que diseña y produce equipos electrónicos y *software,* perfeccionó el "copiar y pegar" *(copy & paste),* según el Canal Discovery: "La confusión sobre el origen del *copy & paste* y la relación con Apple llegaría porque fue esta compañía la que primero introdujo el copiar y pegar dentro de la informática hogareña, al equipar al Mac OS 1.0 con los comandos que luego se popularizarían como Command +C, para copiar; +X, para cortar, y +V, para pegar. Los primeros ordenadores que tuvieron el combo copiar y pegar fueron Apple Lisa (1981) y Macintosh (1984). En Windows llegaría más tarde, pero utilizando la tecla Ctrl [control] como disparador del comando. Para agregarle un poco de pimienta al asunto, la biografía de [Larry] Tesler cuenta cómo Steve Jobs realizó una visita a Xerox, en 1979, y *se inspiró* en algunas ideas de aquellos científicos para luego reciclarlas y presentarlas como suyas. En ese sentido, Steve Jobs fue inventor del *copy & paste, si sabes a lo que me refiero"* (las cursivas no son de este investigador). Steve

Jobs, inventor de los comandos copiar y pegar, copió la idea de otros.[8]

"El enemigo vive dentro del periodismo, son los periodistas que se acomodan y hacen lo fácil. Su función en pleno siglo XXI es copiar y pegar o modificar algo de los teletipos, quizá es lo máximo que pueden hacer por el cansancio que supone estar todo el día apretando las teclas Ctrl+C y Ctrl+V, olvidándose de las reglas que hacen grande la profesión. ¿Dónde está el periodista de calle?", escribe la periodista Nuria Cutillas en el artículo "Los problemas los sabemos, pero ¿y las soluciones?", publicado en el blog *El reflejo periodístico.*

"Los comandos 'control+c' (copiar) y 'control+v' (pegar), así como 'control+x' (cortar) se han convertido en una herramienta vital para todo tipo de labor hogareña y laboral", se lee en artículo "¿Quién inventó los comandos 'copiar y pegar'?", publicado en *El Comercio,* el 7 de julio del 2014.

Sobre el periodismo adulterado, sin rigor ni entidad y ejercido a vuelapluma,

---

8 "El comando 'copia y pega' es una metáfora que proviene del proceso físico de copiar y/o cortar un texto para trasladarlo a otro sitio. Como opinión personal, ha supuesto una revolución en la era digital ya que trasladar información en forma de texto de un entorno a otro (siempre digital) se hace de forma instantánea sin pérdida de tiempo. Sería una especie de 'teletransporte del texto' en el caso de cortar y pegar o un caso de 'clonación del texto' en el caso del copiar y pegar para enviar el texto, por ejemplo, de un programa a otro, o incluso de un sistema operativo a otro. Así, copiar y pegar es el teletransporte del texto de un entorno (digital) a otro", opina Eduardo Membrive, estudiante de Mitjans Audiovisuales en l'Escola Universitària Politècnica de Mataró (Universitat Pompeu Fabra), que remite a la obra del científico Larry Tesler, "el verdadero inventor del copia y pega". El 'copia y pega', el ciberplagio, tiene mucho predicamento entre los alumnos, tal y como señalaban McCabet *et altri* en "Faculty and academic integrity: The influence of current honor codes and past honor code experiences" (bloque 4: "Periodismo+marketing=copia y pega"). El ingeniero en informática y especialista en inteligencia artificial Josep Lluís Berral-García (www.berralgarcia.com), del Barcelona Supercomputing Center (UPC), desmenuza el mecanismo de *copy and paste* y hace pedagogía en un correo electrónico del 9 de julio del 2016: "El *copy and paste* es una funcionalidad del Sistema Operativo (SO) y de ciertas aplicaciones, destinada a compartir datos entre estas de forma puntual. Cuando se hace *copy* usando las teclas 'Ctrl+Ins', 'Ctrl+C', etc., o los menús para copiar, el SO lee aquello que se esté seleccionado por el usuario (un texto, una imagen, un [puntero a un] fichero...) y se lo guarda en un *buffer* en memoria. Cuando se hace *paste* usando 'Shft+Ins', 'Ctrl+V', etc., o los correspondientes menús, la aplicación en uso pide al SO que le envíe lo que haya en ese *buffer*. Ese *buffer* de memoria se gestiona de tal manera que solo el último dato copiado se mantenga. En el momento en el que un dato es copiado, el *buffer* se limpia previamente. Cuando se copian y se pegan datos, las aplicaciones envían y reciben los datos 'en crudo', cosa que hace que si se copian datos con un formato específico o no estándar, aquellas otras aplicaciones que reciban los datos pueden ser capaces o no de interpretar los datos pegados. En ocasiones, las aplicaciones ya vienen preparadas para interpretar datos en diferentes formatos de texto o imagen, e incluso dan la opción de pegar el contenido copiado 'sin formato' (en el caso, por ejemplo, de copiar texto de una página web o de un documento de Word, para obtener solamente los caracteres de texto sin información de tamaño, fuente, color, etc.). Algunas aplicaciones vienen preparadas para gestionar el *buffer* de copia, en caso de que solo interese compartir los datos dentro de la misma aplicación, por temas de seguridad, etc. Por ejemplo, hay aplicaciones en las que, una vez cerradas, ya no podemos pegar el contenido que se había copiado en ellas. O aplicaciones, como gestores de ficheros, que se encargan de gestionar lo que se copia y cómo se pega; cuando se copia un fichero, en realidad se copia solo la referencia a ese fichero, con tal de no tener todo su contenido en memoria, y cuando se pega es cuando se accede a los datos mediante la referencia y se duplica su contenido".

podríamos hacer hincapié en las relaciones de dependencia de las direcciones de los diarios y el poder financiero. Se observa claramente en lo que le ocurrió al crítico de *El País* Ignacio Echevarría. Exponer sus comentarios en el suplemento cultural *Babelia* sobre un libro "francamente malo" del escritor Bernardo Atxaga *(El hijo del acordeonista)* ha acarreado que haya tenido que dejar el medio. Para la promoción del libro en cuestión, editado por Alfaguara, se había invertido mucho dinero. Ignacio Echevarría acabaría publicando una carta abierta en *Libertad Digital*, el 9 de diciembre del 2004: "¿Tiene sentido tratar de hacer una crítica más o menos exigente e independiente en un medio que parece privilegiar y defender a ultranza, sin el mínimo decoro, los intereses de una editorial que pertenece a su mismo grupo empresarial? [...] mis dudas sobre el sentido de tratar de hacer una crítica independiente en un medio que parece privilegiar, con descaro creciente, los intereses de una editorial en particular y, más en general, de las empresas asociadas a su mismo grupo". La adscripción "a los pesebres del poder" achica los talentos independientes, y los profesionales de la comunicación ven disminuidas sus funciones. Eso es lo que piensa el escritor Pedro Rodríguez Pacheco con relación a la figura del crítico en prensa. En su libro *La otra mirada. Literatura española, ¿crimen o suicidio?* ataca el servilismo de algunos periodistas: "unos medios informativos que han entrado en el juego de los intermediarios culturales; la de unos profesionales que han sido incapaces de mantener su independencia y rigor y, en paridad, con honradez, informar a la sociedad de la pluralidad, de la variedad de la oferta cultural" (Rodríguez Pacheco, 2015: 305). Asimismo, el documental *Merci Patron*, del francés François Ruffin, sobre el magnate multimillonario Bernard Arnault, apenas ha aparecido en los medios tradicionales, a pesar de que ha llenado las salas de media Francia: "Tampoco ha tenido mucha crítica en los medios, que o bien son propiedad de Arnault o están presos por su publicidad", dice el corresponsal Rafael Poch en *La Vanguardia* (29/II/2016). Y podríamos extendernos también en el apartado de las faltas de ortografía, resultado de varias de las causas de las que deriva el copia y pega. Una muestra es esta noticia plagada de faltas sobre la desaparición del avión de Malaysia Airline, publicada en la edición digital de *El Periódico de Catalunya,* el 29 de julio del 2015.

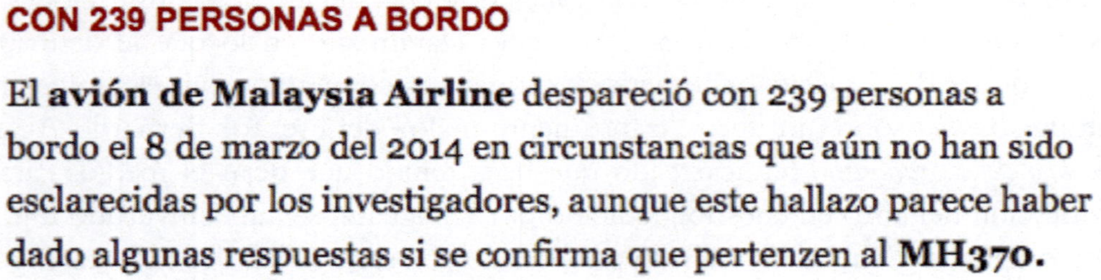

CON 239 PERSONAS A BORDO

El **avión de Malaysia Airline** despareció con 239 personas a bordo el 8 de marzo del 2014 en circunstancias que aún no han sido esclarecidas por los investigadores, aunque este hallazo parece haber dado algunas respuestas si se confirma que pertenzen al **MH370.**

IMAGEN 18. 'El avión de Malaysia Airline *despareció* con 239 personas a bordo el 8 de marzo del 2014 en circunstancias que aún no han sido esclarecidas por los investigadores, aunque este *hallazo* parece haber dado algunas respuestas si se confirma que *pertenzen* al MH370" (errores ortográficos, en cursiva).

La Vanguardia también sufre esta dejadez en la elegancia del escrito. Sin ir más lejos, el artículo del periodista Pedro Vallín sobre la exposición acerca de Miguel de Cervantes en la Biblioteca Nacional de España, el 5 de marzo del 2016 (página 43), comienza con erratas. La primera palabra del escrito: "Ensabnnchar...", cuando se quiere decir *ensanchar.*

TRADICIONES

Una reportera catalana de Antena 3 se erige en la heroína de un sorteo con dos caras,
dos administraciones, dos parejas de hermanos y dos sentimientos: alegría y tristeza

Un Niño malcriado en Catalunya

Los caprichos de la diosa Fortuna

PRIMER PREMIO
55487

200.000 euros al décimo
Vendido íntegramente "en ventanilla", décimo a décimo" en la administración número 4 de Leganés, una popular barriada obrera de Madrid muy castigada por el paro y los desahucios.

SEGUNDO PREMIO
43743

75.000 euros al décimo
En Sant Adrià de Besòs, Alella, Terrassa, Vic, Puigcerdà, Lloret de Mar y en Huelva, Murcia, Vizcaya, Albacete, Alicante, Almería, Cantabria, León, Madrid, Segovia, Santa Cruz de Tenerife, Valencia y Zaragoza.

TERCER PREMIO
84222

25.000 euros al décimo
En la administración 205 de la calle Muntaner, en Barcelona, y en otras dos localidades catalanas, Castelldefels y Santa Coloma de Gramenet, además en Alicante, Asturias, A Coruña, Bizkaia, Cádiz, Madrid y Zaragoza.

Marta Sasot, agachada, en el centro de la foto, acerca su micrófono a las hermanas Meseguer, de la administración de Sant Adrià de Besòs

Vendedores y clientes de un supermercado Caprabo de Terrassa brindan por el segundo premio

DOMINGO MARCHENA
Barcelona

Las facultades de Periodismo deberían dedicar al menos un semestre al sorteo del Niño, que este año ha sido muy esquivo con Catalunya, con sólo unas migajas del segundo y del tercer premios, dos de los más repartidos de la historia. Es como buscar agua en el desierto. Ya casi nadie quiere festejar su buena suerte en público y los tópicos de albañilería –"tapar agujeros"– se repiten año a año.

¿Qué sería de la televisión sin heroínas como Marta Sasot? Esta joven aunque ya veterana periodista de Antena 3 alberga el alma de "una animadora de fiestas", como reconoce. *Reportera de guerra*, que es en lo que se ha convertido hoy en día la información local, lleva ocho años cubriendo las loterías para su empresa y antes algunos años más para Canal Català. Hasta que ella llegó, la administración 6 de Sant Adrià de Besòs (una serie, diez décimos, del segundo premio: 750.000 euros en total) era un páramo. Había mucha más gente en la cercana pastelería La Trufa d'Or haciendo cola para llevarse un roscón.

Pero fue llegar ella y se hizo la luz. Se adueñó de la escena, como una regidora en un teatro. "Hace falta cava", les dijo a las propietarias de la administración, las hermanas Hermínia e Isabel Meseguer, de 46 y 54 años. El hijo de la segunda, Aritz, se fue inmediatamente a por dos botellas de Jaume Serra. Ante la ausencia de agraciados y para alegría de sus colegas, la informadora pedía a las vecinas que brindaran, que mostraran su alegría, que cantaran el número premiado. "Todos a una: 43743". Eso que algunos llaman la magia de la tele no existe. Lo que existe en realidad son profesionales así, capaces de animar el acontecimiento más insulso y de convertir a personas de carne y hueso en actores de su propia comedia. O de su propio drama.

Porque habría hecho falta un ejército de periodistas como ella para levantar el ánimo de Ignasi Torner, de 48 años, el copropietario de la administración 205 de la calle Muntaner, la única de Barcelona que ha arañado algo del sorteo (una serie, diez décimos, del tercero: 250.000 euros).

El Niño ha sido ruinoso para Catalunya, que *invirtió* más de 81 millones y ha recibido menos de cinco en premios, sin tener en cuenta pedreas, aproximaciones y terminaciones. Los municipios catalanes señalados por la desdeñosa diosa Fortuna son nueve: Barcelona, Alella, Castelldefels, Lloret de Mar, Puigcerdà, Sant Adrià de Besòs, Santa Coloma de Gramenet, Terrassa y Vic. Pero si hubiera que elegir sólo dos de las administraciones agraciadas, con múltiples semejanzas, pero con sensaciones muy diferentes, esas son sin duda la 6 de Sant Adrià de Besòs y la 205 de Barcelona. Ambas están regentadas por dos parejas de hermanos: la primera por dos chicas, las Meseguer; y la segunda por dos chicos, los Torner. Ambas familias venden lotería desde hace menos de dos años y, aunque ya habían repartido otros premios, esta es la primera vez que lo hacen en Navidad. Pero la alegría desatada en el despacho de Sant Adrià, y en lo que tanto tuvo que ver la reportera de Antena 3, contrastaba con la tristeza del de la calle Muntaner,

Los catalanes gastan más de 81 millones de euros en el sorteo y 'recuperan' menos de cinco en premios

en la Bonanova. Ignasi Torner explicaba que él nunca se hubiera imaginado de lotero, pero el ímpetu de su hermano Octavi, de 44 años, que vio futuro en el negocio, a pesar de todos los pesares, le empujó. Ayer no abrió su local hasta casi las 14 horas, cuando le avisaron por teléfono que una serie del 84222 había salido de su ventanilla. No estaba para festejos. Su hermano murió en el primer accidente de tráfico en Barcelona del 2015, el día 2 en los túneles de Vallvidrera. "Octavi –decía–, ojalá estuvieras aquí".

"Y esto ¿cuándo saldrá?", preguntó unas horas antes Marta Sasot. Antes de que el interpelado pudiera responder, el cámara que trabaja con ella exclamó: "¡Toda la vida oyendo eso y ahora tú sales con lo mismo!".

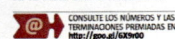 CONSULTE LOS NÚMEROS Y LAS TERMINACIONES PREMIADAS EN http://goo.gl/6X9v00

IMAGEN 19. Crónica crítica con la profesionalidad del gremio periodístico, publicada en *La Vanguardia*, el 7 de enero del 2015.

EUROPE

Spain's News Media Are Squeezed by Government and Debt

By RAPHAEL MINDER   NOV. 5, 2015

Pedro J. Ramírez, second from left, this week in Madrid at El Español, a news website he created after he left the top job at El Mundo. Carlos Lujan for The New York Times

IMAGEN 20. El 5 de noviembre del 2015, el *International New York Times* publicó el artículo: "Spain's News Media Are Squeezed by Government and Debt", escrito por Raphael Minder, que ahonda en la situación de subordinación en la que se encuentran muchos medios de comunicación tradicionales, atados de pies y manos por créditos de diverso tipo. Se recalca la pérdida de independencia: "But in Spain, the rapid restructuring of a shrinking industry —more than 11,000 journalists have lost their jobs here in seven years— has also prompted mounting concerns over whether Spain's most established papers have lost their editorial independence amid the financial squeeze".

En este artículo participaba con su juicio el periodista Miguel Ángel Aguilar: "'Working at *El País* used to be the dream of any Spanish journalist', said Mr. Aguilar, who is also a regular columnist for *El País*. 'But now there are people so exasperated that they're leaving, sometimes even with the feeling that the situation has reached levels of censorship'".

Por esta declaración, ha sido despedido de *El País*.

5. OBJETIVOS E HIPÓTESIS

"Gracias a mi periodo como becario en las agencias de noticias Efe y Europa Press adquirí un estilo de redacción en el que se emplea un lenguaje periodístico muy cercano a los medios de comunicación: aséptico, objetivo y absolutamente carente de opinión. Durante el disfrute de estas becas en agencias de noticias tuve que transformar en auténticas noticias muchas 'notas de prensa' provenientes de empresas u organismos oficiales. En la mayoría de los casos me encontraba con notas de prensa totalmente autocomplacientes con la entidad que las emitía, llenas de subjetivismo y opinión, poco profesionales. [...] En mi caso, al emplear desde el principio un lenguaje periodístico profesional, los medios de comunicación difundían con mayor confianza las notas de prensa que se enviaban desde las entidades donde trabajaba, ya que se encontraban con la tentación de copiar y pegar el texto, simplemente cambiando algunas palabras."

Vicent Castells en el proyecto "Notas de prensa", publicado en www.behance.net, el 28 de abril del 2012

"...De ahí el juego macabro de la publicidad institucional que tantas veces se traduce en falta de independencia: quien paga, manda, decide, orienta. Claro que ¿hacen falta periodistas para copiar, pegar y resumir notas de prensa, cortes de voz o teletipos de agencia? Ustedes mismos."

Alfonso Piñeiro en *Líneas desde el páramo* (2010)

"El que jo veig és la facilitat que ha donat internet d'afusellar. Copien els textos que hem fet els altres i se'ls atribueixen. És un escàndol. L'única cosa positiva que li trobo a tot això és que qualsevol cosa que tu escrius la poses al servei de tothom fins al punt que tothom se la farà seva. Ara bé, no costaria res esmentar la font."

Jaume Fabre, entrevistado por Cristina Palomar en el número 141 de la revista local de Barcelona *La veu del carrer* (octubre del 2016)

"Copiar y pegar es no saber escribir y, mucho menos, hacer periodismo. Las redes sociales han acelerado los tiempos del periodismo. Ahora no se contrasta una información porque lo que queremos es ser los primeros en ofrecerla. Si luego resulta falsa y alguien se acuerda, ya nos retractaremos o pediremos disculpas —cosa poco común en esta profesión—. Pero ¿qué excusa tenemos para copiar y pegar? Prácticamente la misma: los tiempos en una redacción son muy acelerados y, a veces, uno termina antes copiando y pegando una nota de prensa en la que poco tiene el periodista que añadir."

En "Copiar y pegar no es periodismo", en el blog *Lo que diga McLuhan,* de Silvia Tinoco, del 2011

.5.1 Objetivos e hipótesis

El objetivo principal (O. 1) de la tesis *Copia y pega. Cómo las multinacionales construyen las noticias* es comprobar si la práctica del copia y pega se aplica en la sección de economía de los diarios y, en especial, en la sección que incluye breves de empresa. En este sentido, estudiamos los breves de empresa que los dos diarios seleccionados *(La Vanguardia* y *El Mundo de Catalunya)* publican en sus secciones de economía: en el caso de *La Vanguardia,* todos los días de la semana; en el caso de *El Mundo de Catalunya,* de martes a sábado.

Hipótesis principal (H. 1): los medios tienden a reproducir la información de agencia, tal cual les llega a las redacciones. Las agencias tienden a reproducir las notas de prensa sin modificar en lo sustancial su contenido. El copia y pega, o plagio si no se citan las fuentes, es una práctica habitual, regular, sostenida en el tiempo, no anecdótica. Se copia y se pega de forma reiterada por las múltiples causas ya descritas.

Para corroborar este objetivo primero, iremos quemando etapas, con objetivos subsumidos en el enunciado anteriormente expuesto.

O. 1.1 Comprobar que la elaboración propia, en las rutinas diarias de confección de la información, desestima el breve.

H. 1.1 Los medios priorizan las agencias para rellenar los espacios confeccionados con breves.

O. 1.2 Sobre el copia y pega: Comprobar que los medios copian y pegan los despachos de agencias de noticias.

H. 1.2 Los medios tienden a reproducir tal cual los despachos de las agencias de noticias.

O. 1.3 Sobre el copia y pega: Comprobar si las agencias copian y pegan las notas de prensa que les llegan desde los gabinetes de prensa.

H. 1.3 Las agencias tienden a reproducir las notas de prensa sin modificar en lo sustancial su contenido.

O. 1.4 Así, pues, comprobar que los textos comerciales de las notas de prensa se publican como información en los diarios.

H. 1.4 La ausencia de filtros periodísticos suficientes facilita que se suceda el copia y pega en cadena y que la propaganda llegue al diario sin apenas alteraciones.

Otras preguntas que esta tesis genera: ¿el macrolenguaje de marketing, los neologismos financieros y empresariales de las notas de prensa de los gabinetes de comunicación *cuelan* sus productos en los diarios a modo de noticia, etiquetan sus productos según su conveniencia y hacen invisible el microlenguaje, las palabras populares, y, por lo tanto, esconden la pobreza y lo que les perturba y desluce?

Esta pregunta genera otra pregunta: ¿se ha invalidado el imprescindible filtro periodístico? ¿Las notas de prensa se reproducen sin ningún pudor, con palabras que no son "inofensivas" y que poseen matices que predisponen a la compra?

Esta pregunta genera otra pregunta: ¿los diarios se han convertido en meros propagadores de las firmas publicitarias, de aquellas sociedades anónimas que tienen el suficiente poder como para generar un discurso único y venderlo al medio escrito?

Esta pregunta genera otra pregunta: ¿se practica el periodismo de investigación en las redacciones de los diarios o ya no se intenta ofrecer visiones contrastadas que difieran de la versión oficial?

Esta pregunta genera otra pregunta: ¿la falta de periodismo de investigación que remueva las conciencias y ponga al descubierto negligencias es la causa de un "periodismo mediocre", como se define el copia y pega, o bien la consecuencia?

Esta pregunta genera otras preguntas: ¿la precariedad laboral, el funcionamiento de los medios de comunicación con criterios puramente empresariales en los que solo caben beneficios, los ajustes en plantilla fomentan un mal periodismo, o un periodismo que se podría mejorar, y, por lo tanto, incitan el copia y pega? ¿De la precariedad laboral en las redacciones se desprende el copia y pega? ¿Ha aumentado el copia y pega con la crisis económica actual? ¿Les interesa a los anunciantes un periodismo de copia y pega? ¿Las multinacionales actúan de manera que el periodismo en las redacciones se convierta en un anexo de sus departamentos de marketing? ¿Las grandes empresas que han rebajado la publicidad en la prensa en papel eran conscientes del perjuicio que infligían a la prensa? ¿Las multinacionales y las grandes empresas, que han obtenido buenos resultados en estos momentos de zozobra económica, de manera premeditada han dejado la prensa crítica a la deriva? ¿Las multinacionales ansían prescindir de la prensa libre y servirse únicamente de sus órganos de comunicación corporativos, de reciente creación? ¿El estallido de la crisis económica actual lo han maquinado las grandes firmas mundiales para acabar con la prensa que no pueden controlar o bien se han beneficiado de la misma crisis para darle la puntilla a los diarios que les dan "mala imagen"? ¿La crisis económica la ha provocado a caso hecho el poder financiero-empresarial? ¿Desean las marcas unos diarios con información "suave" y "dirigida", a modo de diarios-catálogos, como son *Fuera de serie (El Mundo-Expansión,* "especial lujo") y *Código cero (La Vanguardia,* "para los amantes del lujo y de las marcas")?[9] ¿Para tal función, las marcas prefieren que operen robots en las redacciones, para garantizar que el debido copia y pega no se manipule ni adultere?...

---

9 Las "promociones de prensa" de *El Mundo* activas en marzo del 2016:

Drone predator teledirigido ("control de Flip, pirueta, 360°"); curso de chino ("el chino es el presente"); cien obras maestras de la pintura universal ("desde los frescos de las iglesias románicas de la Alta Edad Media hasta el *pop-art* de Andy Warhol en el siglo xx"); colección 'Descubra Egipto con National Geographic' ("¿cómo se construían las pirámides?"); smartwatch ("su reloj inteligente"); cuentos 'Los cachorros de la granja' (primera entrega: *La ternera Clara);* aspirador ciclónico ("se transforma en aspirador de mano"); cepillo Philips Sonicare+Sanitas prevención dental ("limpieza sónica profesional"); colección Barbie ("vestidos del mundo"); cazadora Roc Neige ("el mejor aliado contra el frío"); crónica de España en imágenes ("así lo vivimos"); Thermo multifunción Cecomix V.2 ("el aliado perfecto en su cocina"); colección reporteros y corresponsales ("exclusiva de cine"); colección de cuchillos *top chef* ("conviértase en el *top chef* de su casa"); set de seis platos *gourmet* de pizarra gallega ("estilo en su mesa"); curso de inglés Vaughan ("Objetivo, inglés") y relatos bilingües Twin Books ("este verano practique su inglés donde y cuando quiera").

En "promociones anteriores", más de cien ofertas.

Las "promociones *shopping*" (ver Anexo II: "El lenguaje subordinado. Los términos de marketing y economía en los breves de empresa") de *La Vanguardia* activas en marzo del 2016:

Libro *Cocas, tortas y otras delicias* ("de la mano del maestro panadero Xavier Barriga"); curso de francés *Bonjour!* ("el francés, a su alcance"); ópera para niños ("la ópera se acerca a tus hijos"); bicicleta estática y cinta de correr de Airis ("precio excepcional"); bandejas de horno Pyrex ("aptas para horno, microondas, frigorífico, congelador y lavavajillas"); billetera Armand Basi ("el regalo ideal para el Día del Padre"); colección de relojes femeninos ("relojes femeninos Brenatt adornados con cristales de Swarovski", "Brilla a todas horas"); cristalería de Bohemia ("18 copas de cristal con denominación de origen Bohemia"); grandes entrevistas de la Historia ("la historia se entiende mejor cuando sabes lo que piensan sus protagonistas"); juego de tres sartenes Bidasoa ("cocina como un *chef* a un precio delicioso"); maxifulares V & L ("nueva colección"); bolso portaalimentos lifeDESIGN ("estilo, comodidad y discreción para llevar tu comida donde quieras"); deuvedé *Langtang,* de Kilian Jornet ("el relat d'un viatge al cor del Nepal"); cedé *Oh Happy Day* ("recopilatori de les millors actuacions corals de la tercera temporada del programa de TV3"); cedé *Max Mix 30 aniversario* ("la mejor música de los 80-90"); libro de inglés *Mini Milk* ("podrás aprender a usar todo el inglés que sabías, pero no sabías que sabías"); colección Superxefs ("l'aventura de cuinar en família"); colección relojes masculinos WTI ("cada momento tiene su hora"); contes clàssics Pilarín Bayés ("una col·lecció de contes de tota la vida per als teus fills"); guies del Romànic català ("les guies definitives per descobrir tots els secrets de l'art que va veure néixer Catalunya"); libro *English Everywhere* ("la mejor guía para hablar inglés en el cine, en un restaurante, en la farmacia, en las tiendas..."); colección de seis pulseras Javier Larraínzar ("la moda que te hará brillar") y Vaughan Certified English ("diplómate en inglés").

Según el ensayo *Los elementos del periodismo,* se trata de crear "lectores-consumidores" (Kovach y Rosenstiel, 2014: 80).

6. METODOLOGÍA

"'La información, cuando no aporta nada nuevo, pierde su valor', avisa el codirector del máster en periodismo, reporterismo y nuevos medios de la Universitat Pompeu Fabra, Carles Pont, que deplora el apego al 'copiar y pegar' de muchos medios digitales. 'Si se continúa trabajando con notas de prensa, la información no tiene valor.'"

En "El periodismo digital más allá del 'copiar y pegar'", en *La Vanguardia,* el 28 de julio del 2014

"llega un momento del día en el que, de repente, casi todos los medios de la zona pían el mismo titular. Con minutos de diferencia, pero el mismo. Y si clicas el enlace y lees la noticia —si es en abierto—, el redactado que encuentras también es el mismo. Lo mismo que tengo yo en el buzón de correo, es decir, la nota de prensa que acaba de enviar la institución de turno, la empresa de turno, la entidad de turno. Y que todos hemos recibido. Seleccionar todo, ctrl + c, ctrl + v y publicar. Y así cada día."

En "La nota de premsa", de Miquel Andreu, publicado en *Media.cat,* el 7 de agosto del 2013

"Nosotros sabemos que copiar y pegar notas de prensa, sin un proceso de edición previo, concluye en que es contenido duplicado, el cual puede ser considerado *spam* [correo basura] por los motores de búsqueda y, además, es penalizado por los mismos. Las agencias [de noticias] envían las mismas notas de prensa a los medios de comunicación y muchos de ellos las publican tal cual, sin contrastar las fuentes; allí se generan varios problemas, tanto para los medios, como para las agencias y las empresas que las contrataron."

En "Notas de prensa: Mejoras en Tecnología 21", en el blog de Antonio Paredes *Tecnologia21.com,* el 10 de agosto del 2012

Inicialmente, para la tesis *Copia y pega. Cómo las multinacionales construyen las noticias,* este investigador ha indagado, en una fase exploratoria, en las vías adecuadas con las que perseguir los objetivos planteados, así como para validar o refutar las conclusiones, teniendo en cuenta el marco teórico. Con este material previo se ha buscado la herramienta más adecuada para sistematizar las coincidencias y similitudes entre las notas de prensa originales y los breves de empresa de los diarios de la muestra, *La Vanguardia* y *El Mundo* (ver Anexo I: "La muestra").

De acuerdo a estos criterios, en esta fase exploratoria se ha estudiado lo que este investigador denomina el "lenguaje subordinado", nombre inspirado en las "obligaciones subordinadas", que, junto con las *"participaciones preferentes"* (ver Anexo IV: "preferentes"), constituyen dos de los productos bancarios "tóxicos" que han provocado el rechazo social durante la crisis económica que afecta a España desde el 2008 ("activos tóxicos", como las "obligaciones de deuda garantizada").

Con este nombre se alerta de la "manipulación del lenguaje" (Pasamar y Sala, 2010). Para ello, y en esta primera etapa, se ha vaciado de términos de marketing los breves de las páginas de economía de los diarios *La Vanguardia* y *El Mundo,* durante la primera quincena de diciembre del 2013 (ver Anexo II: "El lenguaje subordinado. Los términos de marketing y economía en los breves de empresa"). Se han "cazado" palabras como *eficiencia, asistencia financiera* y *ofertar,* con especificaciones técnicas lejos del habla popular. Los parámetros usados, incluidos en las fichas, nos han ayudado. Asimismo, y en este sentido de examinar en una primera instancia, se han realizado entrevistas iniciales, exploratorias, a diferentes personas relacionadas con la comunicación y el periodismo, las dos orillas (gabinetes y medios), y relacionadas también con los diarios de esta muestra. En conjunto, nos han servido para supervisar la herramienta con la que se ha trabajado y para orientarnos en esta investigación. Se ha identificado el problema mediante el uso de entrevistas (Sampieri *et altri,* 1998). Se trata de observar, escuchar y comprender (Vela Peón, 2001).

Las entrevistas (ver Anexo III: "Entrevistas") se han hecho en dos bloques (periodistas de medios/periodistas de fuentes o de gabinetes). En el primer bloque —periodistas de medios— averiguamos qué opinan las plumas veteranas, se valora su experiencia y su trayectoria, y actualizamos así el quehacer de autores del discurso crítico como Noam Chomsky, Pascual Serrano, Pierre Bourdieu, Paul Feyerabend y Slavoj Zizek, entre otros. Se ha entrevistado a las siguientes personas:

1. El periodista y asesor laboral del Sindicat de Periodistes de Catalunya, Fabián Nevado (entrevista presencial del 23/III/2015), que establece una relación directa entre el copia y pega y la reducción de plantilla en los diarios ("las notas de prensa han evolucionado y ahora están redactadas por muy buenos periodistas");

2. El presidente del comité de empresa de *La Vanguardia,* Josep Playà (entrevista presencial del 23/II/2015), que atribuye a las "multitareas" la ausencia de calidad y, por lo tanto, el copia y pega ("cada vez se exige más, con menos personal, y con más horas. El resultado: menos calidad");

3. El periodista y delegado de personal de *El Mundo de Catalunya,* Javier Oms Navia-Osorio (cuestionario del 4/V/2015), que verifica que la falta de controles intermedios provoca que las notas de prensa allanen el diario ("se han perdido ciertos controles en la calidad por los efectos de los recortes");

4. El presidente del Consell de la Informació de Catalunya, Roger Jiménez (entrevista presencial del 1/VIII/2015), que cuestiona a los periodistas-anuncio ("más que plagio existe vagancia, incuria, o peor, amiguismo o supeditación, en los profesionales que han recibido la nota");

5. La investigadora y docente de comunicación y ética Eva Jiménez (entrevista presencial del 19/VII/2015), que protesta por la "publicidad encubierta" ("la empresa o gabinete de comunicación, como institución, quiere que sus notas se difundan tal cual salen, pues contratan periodistas y no relaciones públicas, precisamente, porque quieren que tengan un formato periodístico y, por lo tanto, que salgan publicadas como ellos quieren y de forma gratuita, a modo de publicidad encubierta");

6. El periodista de *Lavanguardia.com* Albert Lladó (cuestionario del 26/VIII/2015), que reprocha la "espiral" de las prisas, correr correr correr ("la obsesión por el número de páginas vistas de los diarios, que 'obliga' a las agencias a producir cantidad en vez de calidad");

7. La periodista Rosana Ricárdez (cuestionario del 9/IX/2015), que comprueba cómo las notas de prensa son copiadas por las agencias de noticias ("ciertas notas van sin firma o, en su defecto, con la firma de la agencia");

8. La redactora de la agencia Efe Katharine (seudónimo, entrevista presencial del 3/X/2015), que desvela los juegos de intereses entre prensa y publicidad ("las marcas llaman al servicio comercial de Efe para negociar un 'servicio'"),

y 9. Los periodistas de Economía de *La Vanguardia* Óscar Muñoz y Mar Galtés (entrevistas presenciales del 25/X/2014), que relegan al breve la información de agencia, que muchas veces es la misma que la nota de prensa, literal ("las notas de prensa están redactadas con mucha intención", O. M./"no es poco el daño que al periodismo hace que las agencias copien enteras, en sus despachos, las notas de prensa de empresas", M. G.).

Por otro lado, en el segundo bloque —periodistas de fuentes o de gabinetes— el protagonista es la compañía, en torno a la cual se ha desarrollado el capítulo "El marketing y las notas de prensa" del marco teórico. Las entrevistas de este bloque nos han servido para matizar lo que ya han recogido en sus escritos autores como Philip Kotler, Kevin Lane Keller, Carrillo, Beckwith y Jiménez Morales. A tal efecto, se sigue de cerca el camino de elaboración de los contenidos, de la nota de prensa original al breve del diario, y por ello se ha contado con estas entrevistas:

1. La jefa de prensa de Nestlé España, Mercè Mata (cuestionario del 26/VIII/2015), que señala las agencias, preferentemente, en aquello relacionado con el corta y pega ("el 'corta y pega' lo utilizan casi siempre las agencias");

2. El asistente de comunicación de Munich Sports Liliana Zupandover (cuestionario del 26/VIII/2015), que se basa en la línea de la marca para redactar los textos ("la pretensión a la hora de enviar las notas de prensa es influir en el medio");

3. El director de la agencia de comunicación All Media Consulting, Gustavo Franco (cuestionario del 26/VIII/2015), testimonio sobre la "extensión" del copia y pega ("han llegado a imprimir páginas enteras con nuestras notas, sin ningún tipo de contraste");

4. La directora de la agencia de relaciones públicas y posicionamiento Central de Medios, Primavera Díaz (cuestionario del 1/IX/2015), que lamenta el abuso del copia y pega ("cuando los editores deciden poner un comunicado lo ponen tal cual viene, solo lo firman como Redacción"),

y 5. El analista Francisco Escuder (cuestionario del 4/III/2015), que establece paralelismos entre la prensa escrita y la publicidad encubierta ("en internet hay algoritmos que determinan la ubicación del servidor y condicionan los anuncios").

En algunos casos se ha llevado a cabo la entrevista en persona y en otros casos se ha enviado un cuestionario con las preguntas, lo cual se ha debido a dos motivos principales: por un lado, la petición expresa de los destinatarios, que preferían contestar vía correo electrónico, y por otro lado, las dificultades técnicas para realizar los viajes correspondientes a los lugares desde los que trabajan, fuera de Barcelona ciudad. La ventaja del cuestionario es que no se permite que permanezca en silencio quien ha aceptado este tipo de entrevista (Callejo, 2002). En el primer bloque —entrevistas a periodistas de medios— la mayoría de entrevistas se han podido hacer en persona (en solo tres de las nueve entrevistas se ha solicitado cuestionario, por lo que se ha enviado las preguntas por mail; no presencial). En el segundo bloque —entrevistas a periodistas de fuentes o de gabinetes— ganan los cuestionarios (cinco cuestionarios de cinco entrevistas). En la empresa, el mundo corporativo, la reserva y la distancia es mayor.

Más allá de la aparición de múltiples aplicaciones y programas informáticos, la investigación científica en el campo de la detección de plagio no para de crecer. Por ejemplo, la detección automática de plagio en texto fue el objeto de estudio en la tesis de máster de Luis Alberto Barrón Cedeño, bajo la dirección de Paolo Rosso, de la Universitat Politècnica de València (2008).

Otros trabajos más recientes se centran en la detección de plagio incluso en los casos en los que el texto plagiado está escrito en un idioma distinto al de la fuente (Rosso *et altri,* 2013).

También son trabajos recientes, del mismo grupo de investigación del profesor Rosso, los de detección del texto plagiado en un gran corpus de documentos (Sánchez-Vega *et altri,* 2013).

Finalmente, otra línea de investigación es la de la detección de plagio a través de la detección de un cambio en el estilo de la escritura (Oberreuter *et altri,* 2013).

Pero el problema del plagio no es exclusivo del ámbito de la ciencia y del periodismo. De hecho, existe una gran preocupación en el ámbito académico y, especialmente, en el de la educación secundaria (ver el capítulo o bloque 4: "Periodismo+marketing=copia y pega"). En este sentido, el informe de la Universitat de les Illes Balears (Ballano *et altri,* 2014) pone el foco en las características del plagio en este nivel de la formación académica y plantea posibles estrategias de intervención.

En el presente trabajo, para establecer los grados de coincidencia entre las notas de prensa —enviadas directamente a los diarios *La Vanguardia* y *El Mundo* o bien ligeramente 'maquilladas' por las agencias de noticias— y los breves que de ellas resultan, se optó inicialmente por el sistema DOC Cop (www.doccop.com; "herramienta de detección de plagio"). El programa de detección de plagio DOC Cop es una aplicación web libre para establecer un coeficiente de correlación entre dos textos. De www.doccop.com: "Cop DOC reúne las pruebas y proporciona la información necesaria para determinar si se ha producido colusión, criptomnesia o plagio". Colusión: pacto ilícito en daño de terceros; criptomnesia: copia inconsciente (Pomares, 2012), y plagio: copiar obras ajenas.

No obstante, finalmente, y gracias al material exploratorio recogido en una primera fase, se ha confeccionado una herramienta útil para el presente estudio. Se ha optado por un sistema más flexible y que permite un completo control sobre el procedimiento de detección de plagio. Estamos hablando de dos comandos informáticos (DetectPlagiarism y SimilarityScore) incluidos en la librería EssayTools del programa de cálculo simbólico Maple (www.maplesoft.com).

Esta opción, mucho más completa, nos permitirá estudiar la similitud de dos textos a través de diversos parámetros. Maple es un programa de cálculo simbólico de origen canadiense muy conocido en el ámbito de las ciencias y la ingeniería, y que a través de la librería EssayTools permite la obtención de diversos indicadores numéricos sobre la similitud de textos. Esta cualidad del programa será usada, por lo tanto, para un estudio analítico (análisis de discurso) y con base científica que nos permita establecer las conclusiones esperadas.

En la línea de lo que han hecho Niwattanakul *et al.* (2013) y Wang *et al.* (2013) se usa el coeficiente de Jaccard (1912) para el estudio de la similitud de textos. No obstante, es la primera vez que se utiliza dicha herramienta en el entorno de Maple, cuya librería EssayTools se incorporó en la versión 17 hace tan solo unos años (2013). En este sentido, hemos diseñado y adaptado una herramienta ad hoc que nos ha servido para confrontar los breves de *La Vanguardia* y *El Mundo* con sus correspondientes notas de prensa. De esta manera, los objetivos y las hipótesis se sostienen.

Para el análisis de contenido se han estudiado los compendios de Wimmer y Wrench.

.6.1 Detección de plagio

Uno de los objetivos de la tesis *Copia y pega. Cómo las multinacionales construyen las noticias* es cotejar las notas de prensa redactadas por las empresas y los organismos públicos-privados y los breves de empresa publicados por los medios de comunicación. La comparación pretende, en cierta medida, detectar si la nota de prensa es procesada o contrastada antes de ser publicada o si, por el contrario, la nota de prensa es publicada tal cual. De este modo, lo que se busca es establecer, numéricamente, qué porcentaje del breve publicado es coincidente o similar con la nota de prensa.

Aunque no se trata de acusar de plagio a los redactores de los periódicos ni de las agencias de noticias, las herramientas que se usarán sí han sido concebidas para la detección de plagio. Justamente, en los últimos años, una gran cantidad de programas informáticos y aplicaciones han sido creados con este fin, con el interés de reducir y evitar la copia en las publicaciones científicas (algo ya habitual en la Red). Una de las herramientas más extendidas, especialmente en el ámbito de las revistas científicas, es iThenticate (www.ithenticate.com; "La base de datos comparativa de iThenticate contiene miles de millones de artículos que los editores de más de 530 medios utilizan para detectar problemas de plagio y autoría"). Este sistema es utilizado por editores de revistas científicas de renombre como *Elsevier, IEEE, Springer* y *Wiley-Blackwell,* así como por la revista *Nature.*

Bibliotècnica (http://bibliotecnica.upc.edu), la biblioteca digital de la Universitat Politècnica de Catalunya-BarcelonaTech, ha elaborado una extensa lista de programas gratuitos que pueden encontrarse en la Red para la detección del plagio. Estos son:

- Approbo: facilita una relación de documentos existentes en la Red cuyo contenido es total o parcialmente igual al documento sometido a análisis.

- AntiPlagiarist 1.8: programa que detecta, entre otros, los formatos html, doc, txt y wpd, y que requiere el sistema operativo: Win95/98/98SE/Me/2000/NT/XP/2003.

- Copyscape: ofrece una revisión de textos que se encuentran en la Red.

- Dupli Checker: localiza textos que se pueden encontrar en páginas web, con la posibilidad de limitar la búsqueda a un motor de búsqueda concreto.

- Essay Rather: analiza si el contenido de un documento se encuentra en otras web. También ofrece otras herramientas para mejorar la redacción (en inglés).

- Educa Redantiplagio: permite localizar documentos plagiados a partir del análisis de diferentes fuentes.

- JPlag: encuentra parecidos entre el conjunto de ficheros de código fuente para detectar plagio de programas informáticos.

- Moss (Measure of Software Similarity): determina la similitud de programas informáticos.

- Pl@giarism: detecta documentos plagiados que se encuentran en un directorio concreto, así como documentos de la Red que contienen el texto de un documento seleccionado.

- Plagiarismdetect: recupera documentos de la Red donde aparecen frases coincidentes con los de un texto o fichero concreto.

- Plagium: busca un texto concreto en la Red y retoma los documentos encontrados en los que aparece un contenido exacto o similar.

- The Plagiarism Checker: programa diseñado por la University of Maryland at College Park (Department of Education, en Estados Unidos) que facilita las direcciones web en las que aparece un texto previamente introducido por el usuario.

- Viper: proporciona un informe detallado con datos diversos como el porcentaje de una obra encontrada en otras fuentes y citas.

- WCopyfind: proporciona un informe html con frases coincidentes.

Cada universidad ofrece su propio listado. Además de los anteriores programas gratuitos y no gratuitos, la Universitat d'Alacant (Valencia) sugiere los siguientes:

- Article Cheker: compara texto y páginas web en los buscadores de Google y de Yahoo.

- Docode Lite: permite el análisis de tres documentos por día con otros que existan en la web.

- PlagScan: se puede subir archivos o introducir texto directamente. Devuelve resultados ordenados por preferencia.

- TinEye: motor de búsqueda de imágenes a la inversa.

Existen programas que son verdaderas "herramientas de verificación de contenidos" para periodistas, como el que propone el International Center for Journalists:

- Plagtracker: La versión gratuita revisa tu texto hasta 5.000 caracteres por mes y lo compara con 14 mil millones de páginas web y cinco millones de documentos académicos. Plagtracker tiene la interfaz más limpia del grupo y los resultados son comprensibles a primera vista. Está disponible en alemán, francés, rumano y español, y la compañía está trabajando en una versión en italiano.

Los conceptos y palabros más comunes utilizados en este entorno son los siguientes:

maple: Programa de cálculo simbólico, propiedad de Maplesoft (www.maplesoft.com).

comando: En relación a un programa o aplicación informática, cada una de las funciones u órdenes que tienen como finalidad realizar una tarea específica. De forma más precisa, y en el marco de la metodología de la presente tesis, se describen a continuación algunos de los comandos de Maple utilizados:

• SimilarityScore, comando que compara el uso de palabras comunes entre dos textos, devolviendo un valor o puntuación entre 0 y 1. Puntuación de 0 indica que no hay ninguna palabra común entre ambos textos. Puntuación de 1 indica que hay una coincidencia total de palabras.

• JaccardCoefficient, comando que compara dos textos, transformándolos en una lista de números, a través de una determinada operación matemática. El resultado es un número entre 0 y 1. Los comandos CosineCoefficient y DiceCoefficient son similares a JaccardCoefficient, pero la operación matemática realizada es distinta.

• DetectPlagiarism, comando que compara dos textos para establecer si existe plagio entre ellos y retorna 'Sí' si hay plagio o 'No' si no lo hay.

matriz: Conjunto de números o símbolos algebraicos colocados en líneas horizontales y verticales y dispuestos en forma de rectángulo (DRAE).

binario: Compuesto de dos elementos, unidades o guarismos (DRAE). En relación al ámbito de las matemáticas, el sistema binario utiliza como cifras exclusivamente el 0 y el 1.

logaritmo: Exponente al que es necesario elevar una cantidad positiva para que resulte un número determinado. El empleo de los logaritmos simplifica los procedimientos del cálculo aritmético (DRAE).

producto escalar: En matemáticas, operación entre dos vectores cuyo resultado es un escalar o número real.

string: En relación al programa de cálculo simbólico Maple, categoría de un elemento formado por una cadena de caracteres (palabra).

umbral de similitud: valor del coeficiente de similitud a partir del cual se considera que dos textos son tan similares que uno ha sido plagiado del otro.

.6.2 Instrucciones

Debido al origen anglosajón del programa, los acentos y las tildes han de ser eliminados de los textos antes de proceder a su estudio comparativo.

(1) Copiar en un documento los breves, notas de prensa y despachos de Efe y otras agencias.

(2) Se puede usar el código B01, NP01, Efe01, etc., para identificar los textos.

(3) El título, subtítulos y texto han de considerarse parte del breve o nota, sin distinción.

(4) Para quitar acentos, etc., hay que teclear 'cmd + f'. En la parte de arriba de la ventana del Text Edit aparecerá el símbolo de una lupa.

(5) A la derecha se ve la palabra *sustituir*. Hay que clicar en el botón de la izquierda de *sustituir*.

(6) Al lado de la lupa hay que escribir 'á' (sin las comillas simples). Debajo, donde pone *sustituir* hay que poner 'a'. Luego, a la derecha, donde pone *sustituir/todo,* hay que pulsar *todo*.

(7) Hay que repetir el proceso con las letras:

'é' y 'e'
'í' y 'i'
'ó' y 'o'
'ú' y 'u'
'à' y 'a'
'è' y 'e'
'ò' y 'o'
'ñ' y 'n' (es decir, quitar eñes)

(8) Para quitar las comillas, poner al lado de la lupa ", y debajo no poner nada o un espacio.

(9) Hay que revisar que no haya símbolos y que las palabras estén, todas, bien separadas.

<u>Ejemplo de breve sin tildes ni acentos</u>

Breve de *La Vanguardia,* del miércoles 1 de enero del 2014:

> Nueva linea para asesorar a start-ups
>
> La firma internacional Osborne Clarke ha creado un start-up desk para ofrecer asesoramiento legal multidisciplinar de bajo coste a proyectos e ideas de emprendedores. El equipo, dirigido por Tomas Dega, esta formado por los abogados Xavier Frias, Roger Segarra, Jose Ramon Mallol y Anna Iborra. / Redaccion

Nota: se han borrado de las notas de prensa originales los elementos ortotipográficos como las negritas, las cursivas y los subrayados, así como los enlaces propios del "lenguaje html". Las faltas de ortografía de los comunicados no se han corregido, excepto en los casos en los que entorpecía la lectura.

.6.3 La muestra

Los diarios *La Vanguardia* y *El Mundo de Catalunya,* del 1 de enero del 2014 al 24 de julio del 2014. En total, 52 breves (30 de *La Vanguardia* y 22 de *El Mundo de Catalunya).*

Ejemplo

Breve de *La Vanguardia,* del lunes 7 de abril del 2014:

Deducciones por el material escolar en Valencia

Las familias de la Comunidad Valenciana podrán deducirse, por primera vez en la campaña actual de la renta, la compra de material escolar y libros de texto para sus hijos, una medida de la que se podrán beneficiar las familias con rentas bajas y medias. Esta deducción fiscal se incluye en el tramo autonómico del impuesto sobre la renta de las personas físicas, según informa la Generalitat valenciana. / Efe

Nota de prensa original:

Las familias podrán deducirse el material escolar de la declaración de la renta

Valencia - Las familias de la Comunitat Valenciana podrán deducirse, por primera vez en la campaña actual de la renta de 2013, la compra de material escolar y libros de texto para sus hijos.

Esta deducción fiscal se incluye en el tramo autonómico del Impuesto sobre la Renta de las Personas Físicas, concretamente en la casilla 926 del modelo de declaración. La medida, aprobada por el Consell para ayudar a las familias a ahorrar en la escolarización de sus hijos, se recoge en la Ley de Medidas Fiscales, de Gestión Administrativa y Financiera, y de Organización de la Generalitat para 2013. Cabe recordar que esta ley establece dos nuevas medidas para reforzar el apoyo fiscal a las familias. Por un lado, el incremento de las deducciones por familia numerosa y, por otro lado, la nueva desgravación por compra de material escolar y libros de texto.

El objetivo es fomentar el ahorro a través de medidas de tipo fiscal que ayuden a los padres a afrontar el inicio de curso.

Deducción por material escolar

La deducción por compra de material escolar tendrá un importe de 100 euros por cada hijo, siempre que se encuentren escolarizados en un centro público o privado concertado de la Comunitat Valenciana.

Podrán solicitar la ayuda los padres de alumnos tanto de Educación Primaria, como de Educación Secundaria Obligatoria o los escolarizados en unidades de Educación Especial.

Los límites de renta establecidos para la aplicación de esta deducción son los mismos que los previstos para el resto de deducciones de la Generalitat, de modo que se podrán beneficiar de la medida las familias con rentas bajas y medias.

[...]

A estos Efectos, cuando los padres, que vivan juntos, cumplan dicho requisito, se tendrá en cuenta la suma de los días de ambos, con el límite del periodo impositivo.

Cuando dos contribuyentes tengan derecho a la aplicación de esta deducción, su importe se prorrateará entre ellos por partes iguales.

Recuperada de la página web de la consejería de Educación, Cultura y Deportes de la Generalitat Valenciana: http://www.cece.gva.es/agenda.asp?id=2384

Firma: la consejería de Educación, Cultura y Deportes de la Generalitat Valenciana.

La agencia de noticias Europa Press plagia la nota de prensa (coincidencia con la nota original: 80,3%, según plagium.com; en esta tesis detectaremos el plagio a través de Maple):

http://www.europapress.es/comunitat-valenciana/noticia-familias-pueden-deducirse-material-escolar-declaracion-renta-2013-20140406105830.html

Firma: Europa Press

El diario *Las provincias* (València) reproduce íntegramente esta nota de prensa:

http://www.lasprovincias.es/20140406/comunitatvalenciana/comunitat/familias-pueden-deducir-material-201404061120.html

Firma: Europa Press

.6.4 Cronología de la muestra

.6.4.1 'La Vanguardia'	Numeración para la muestra

1. Miércoles 1 de enero del 2014
    Breve sobre Osborne Clarke
    Firmado: Redacción
	1

2. Jueves 9 de enero del 2014
    Breve sobre Pasiona Consulting
    Firmado: Redacción
	3

3. Viernes 17 de enero del 2014
    Breve sobre Uvinum
    Firmado: Redacción
	5

4. Sábado 25 de enero del 2014
    Breve sobre Catalunya Banc
    Firmado: Redacción
	7

5. Domingo 2 de febrero del 2014
    Breve sobre Rousaud Costas Duran, S. L. P.
    Firmado: Redacción
	9

6. Lunes 3 de febrero del 2014
    Breve sobre Patchworks
    Firmado: Redacción
	11

7. Martes 11 de febrero del 2014
    Breve sobre A-cero
    Firmado: Redacción
	13

8. Miércoles 19 de febrero del 2014
    Breve sobre el puerto de Tarragona
    Firmado: Europa Press
	15

9. Jueves 27 de febrero del 2014
    Breve sobre Sagardi
    Firmado: Redacción
	17

10. Viernes 7 de marzo del 2014
    Breve sobre Banca March
    Firmado: Europa Press
	19

Resultado de las firmas:

19 Redacción
5 Europa Press
4 Agencias
2 Efe

.6.4.2 'El Mundo'   Numeración para la muestra

1. Miércoles 1 de enero del 2014   2
   Breve sobre regularización fiscal
   Firmado: Europa Press

2. Jueves 9 de enero del 2014   4
   Breve sobre las entidades de capital de riesgo
   Firmado: Europa Press

3. Viernes 17 de enero del 2014   6
   Breve sobre Borges Mediterranean Group
   Firmado: Europa Press

4. Sábado 25 de enero del 2014   8
   Breve sobre Grupo Mutua Madrileña
   Firmado: Europa Press

5. Martes 11 de febrero del 2014   10
   Breve sobre E. Leclerc
   Firmado: Europa Press

6. Miércoles 19 de febrero del 2014   12
   Breve sobre Telefónica
   Firmado: Europa Press

7. Jueves 27 de febrero del 2014   14
   Breve sobre Jazztel
   Firmado: Europa Press

8. Viernes 7 de marzo del 2014   16
   Breve sobre CaixaBank
   Firmado: Europa Press

9. Sábado 15 de marzo del 2014   18
   Breve sobre Isolux
   Firmado: Europa Press

10. Martes 1 de abril del 2014   20
    Breve sobre Huawei
    Firmado: Europa Press

22. Jueves 24 de julio del 2014   44
    Breve sobre Only-apartments
    Firmado: Efe

Resultado de las firmas:

20 Europa Press
1 Efe
1 Redacción

En *La Vanguardia* los breves de empresa se publican todos los días de la semana, en diferentes apartados de la sección de Economía. Los sectores en los que se pueden encasillar los contenidos de los 30 breves de *La Vanguardia:*

    1 sobre medicina
    1 sobre asesoría
    1 sobre la industria del perfume
    8 sobre tecnología, informática y comunicación
    1 sobre la industria vinícola
    3 sobre bancos
    1 sobre la industria hotelera
    1 sobre compañías de seguridad
    1 sobre inserción laboral
    1 sobre abogacía
    9 sobre energía, infraestructuras, transportes, constructoras, inmobiliarias y similares
    2 sobre restauración y alimentación

En *El Mundo,* la sección de breves de empresa se encuentra fuera del suplemento de Catalunya, en la sección con la información bursátil: Bolsa. Los sábados y los domingos no abre la bolsa, por lo que no se publican breves de empresa los domingos ni los lunes. Los sectores en los que se pueden encasillar los contenidos de los 22 breves de *El Mundo:*

    7 sobre bancos e información fiscal
    1 sobre alimentación
    4 sobre tecnología y telefonía
    2 sobre seguros
    8 sobre energía, infraestructuras, constructoras, inmobiliarias, distribución, manufacturación y similares

Suscribimos la definición clásica de empresa multinacional (transnacional, internacional, plurinacional): "La empresa es multinacional en el sentido en que opera en un amplio número de países con la finalidad de maximizar sus beneficios, bajo una perspectiva global de grupo y no en cada una de sus unidades nacionales independientes" (Sáez Vacas, García, Palao y Rojo, 2003: 27).

Por lo tanto, más de la mitad de las sociedades que figuran en los breves de empresa de esta muestra poseen rasgos de multinacional: Osborne Clarke (www.osborneclarke.com: "Nuestro objetivo es continuar expandiéndonos en los mercados que importan"); Pasiona Consulting (www.pasiona.com, con sedes en Inglaterra y Alemania), etcétera.

Los tres grupos empresariales más representados en los 52 breves de la muestra son los siguientes: construcción (17 breves), tecnología (12 breves) y entidades financieras (10 breves).

.6.5 Factores de análisis: criterios de la muestra

La muestra cubre medio año, el primer semestre del 2014. Se escoge *La Vanguardia* y *El Mundo de Catalunya* por ser de los pocos diarios de información general en España y Catalunya que cuentan con breves de empresa como parte fija de una sección *(El Periódico de Catalunya, Ara, El Punt Avui...* no tienen).

En algunos casos, el mismo breve aparece publicado en los dos diarios, en un mismo día de la cronología seleccionada. Pero la prioridad no es tanto la coincidencia de breves en los diarios confrontados, como el análisis de breves cuya fuente sea una nota de prensa de empresa, es decir, cuya procedencia sea la sociedad mercantil, que la envía al diario con fines rentables, bien directamente o bien con la agencia de noticias como intermediario.

La elección de breves ha sido aleatoria.

Tal y como se indica en la página titulada "Elementos de la investigación", de la San Diego State University (www.sdsu.edu, Estados Unidos), la selección aleatoria es una forma de muestreo en la que un grupo representativo de participantes en una investigación es seleccionado al azar de un grupo mayor: "Permitir que cada persona en el grupo tenga la misma oportunidad de participar incrementa la posibilidad de que el grupo seleccionado posea características similares al grupo general. Esto produce hallazgos que tienen mayor probabilidad de ser representativos de un grupo y que estos hallazgos sean aplicables a este grupo. Por ello, es extremadamente importante seguir el procedimiento si está incluido en el diseño de la investigación. Ignorar o alterar el procedimiento de selección aleatoria afecta el diseño de la investigación y los resultados subsecuentes. Por ejemplo, es más fácil o más conveniente reclutar amigos y familiares para un estudio de investigación, pero seleccionar estos individuos no reflejaría una selección aleatoria de todos los posibles participantes. Igualmente, sería incorrecto seleccionar solo individuos que podrían resultar beneficiados por su participación en el estudio en lugar de seleccionar aleatoriamente individuos de todo el grupo a ser estudiado. Así, ignorar los procedimientos de selección aleatoria cuando están especificados en el diseño de la investigación reduce la calidad de la información recolectada y reduce la utilidad de los hallazgos del estudio".

En nuestro caso, la selección aleatoria de los breves de *La Vanguardia* y *El Mundo de Catalunya* ha seguido el proceso siguiente: se ha empezado el miércoles 1 de enero del 2014 en los dos periódicos. Y se ha seguido con el día siguiente, jueves, pero de la siguiente semana: jueves 9 de enero del 2014. De manera escalada. Así hasta cubrir medio año de los dos rotativos. Contando que los días de publicación de los breves de empresa no coinciden, nos hemos delimitado solo a los días en los que ambos diarios sí ofrecen esta información. Así, el domingo 2 de febrero del 2014, en *La Vanguardia,* se compagina con el martes 11 de febrero del 2014, en *El Mundo.*

.6.6 ¿Quién firma los breves?

La autoría de los breves, en la mayoría de los casos, es de agencia. Europa Press es la agencia preferida por *La Vanguardia* y *El Mundo.*

Las agencias de noticias que aparecen son las siguientes:

-Europa Press (EP)
-Efe, y Efe Empresas (Efe, en el diario)
-Agencias (sin especificar)
Otros breves los firma:
-Redacción (en el caso de *El Mundo,* E. M.)

.6.7 Composición de los diarios de la muestra

.6.7.1 'La Vanguardia'

Actualmente, *La Vanguardia* se estructura de la siguiente manera:

Portada, diseñada a modo de escaparate con las noticias relevantes
Página 2, llamada La Segunda, con una carta del director del diario
Internacional, con varios destacados
Política, con una batería de breves en el apéndice Panorama
Opinión, con el editorial y las columnas de las firmas de renombre, así como las cartas de los lectores
Tendencias, reportajes de contenido social
Esquelas y obituarios
Cultura, con las críticas de teatro, de música, de cine, etc.
Agenda, con las actividades que se destacan
Cartelera de cine, y la "guía del tiempo libre"
Deportes, con breves en el apéndice Panorama
Clasificados (alquileres inmobiliarios, compras de coches, demandas…)
Economía, con los breves de empresa de Panorama, Mercados y En Línea
Contraportada, llamada La Contra, entrevista con un personaje singular

.6.7.2 'El Mundo de Catalunya'

Actualmente, *El Mundo* se estructura de la siguiente manera:

Portada, diseñada a modo de escaparate con las noticias relevantes
Opinión, con el editorial, las columnas de los periodistas-estrella (Luis María Anson, Arcadi Espada, Antonio Gala…)
España, la actualidad estatal
Catalunya, ocho páginas de cuadernillo *(El Mundo de Catalunya)*
Opinión, sección denominada "Otras voces": la imagen del día, *twitterías*, el apunte, tribuna, cartas al director…
Obituarios, página entera
Mundo, internacional
Innovadores: ideas, ciencia, salud…
Economía
Bolsa, con los breves de empresa
Deportes
Cultura, incluye la crítica de la corrida de toros
Cartelera
Comunicación
Contraportada

.6.8 Estudio analítico mediante el paquete EssayTools de Maple

Como hemos dicho, existen diversas aplicaciones para la detección de plagio y la investigación en este campo es extensa y en crecimiento (Barrón-Cedeño, Rosso, Villatoro-Tello...). En los casos de estudio en la literatura, el texto que se analiza se ha de comparar con miles de documentos de un corpus, y detectar qué parte o partes son plagiadas de qué textos. Desde un punto de vista de *software* comercial dedicado a la detección de plagio, una de las líneas que más ha crecido es la detección del plagio en las publicaciones científicas. Por ejemplo, iThenticate (www. ithenticate.com) es el método usado para la detección de plagio por editoriales tan prestigiosas en el mundo académico como Elsevier, Springer y Wiley-Blackwell, asociaciones científicas como el Institute of Electrical and Electronics Engineers y revistas como *Nature*. Las características de la detección de plagio en estos casos radica en la necesidad de comparar el texto origen (artículo enviado por el autor) con el resto de contribuciones científicas ya publicadas. En el caso que nos ocupa, el breve se ha de comparar con la nota de prensa o con el despacho de agencia —que son fáciles de localizar en la web—, por lo que el problema es menos complejo que en el caso general. Además, la necesidad de adaptar el método a nuestro objeto de estudio nos ha hecho considerar como la mejor opción un proceso —de algún modo, artesano— que nos ofrezca la máxima flexibilidad.

En este sentido, se ha optado por utilizar, por primera vez, la librería EssayTools del programa de cálculo simbólico Maple para la detección de plagio en el ámbito periodístico. La librería se incorporó a este programa en su versión 17, comercializada en el 2013. La elección de esta herramienta responde a las características de nuestro estudio —en el que dos textos han de ser comparados— y a la flexibilidad que la programación sobre el entorno Maple nos ha permitido. No hemos encontrado ninguna referencia en la literatura en la que se utilice dicha librería y dicho programa con el objetivo de la detección de plagio, lo que nos convierte, en cierto modo, en pioneros en esta línea de desarrollo.

A continuación, se pretende explicar de la forma más didáctica posible los diferentes comandos que se utilizan para el estudio de similitud entre textos.

El comando SimilarityScore compara el uso de palabras en dos o más textos, y devuelve una matriz de puntuaciones para cada par de textos. Una puntuación de 0 indica que no hay ningún tipo de solapamiento entre ambos textos. De forma contraria, una puntuación de 1 indica que hay un solapamiento total entre ambos textos. No obstante, una puntuación de 1 no implica necesariamente que ambos textos sean idénticos.

Por ejemplo:

```
>with(EssayTools):
>textoA := "Sobre la bella lluvia cayó":
>textoB := "Sobre la lluvia bella cayó":
>SimilarityScore(textoA, textoB)
                            [1]
```

```
Mientras que:
>with(EssayTools):
>textoC := "París Roma":
>textoD := "Londres Barcelona":
>SimilarityScore(textoC, textoD)
                            [0]
```

Existen, además, varios métodos disponibles para comparar el nivel de similitud entre dos textos, como son los métodos llamados CosineCoefficient, JaccardCoefficient, DiceCoefficient y sus equivalentes binarios. Los explicaremos con detalle un poco más adelante.

.6.8.1 ¿Cómo funciona el comando SimilarityScore?

Consideremos, por ejemplo, los textos "El día alto" y "El perro alto". A continuación se elabora una lista con todas las palabras distintas que aparecen en ambos textos. En este caso, la lista es [el, día, alto, perro]. Finalmente, se generan dos vectores que indican cuántas veces aparecen dichas palabras en los textos. El vector para el primer texto es [1 1 1 0], ya que *el* aparece una vez, así como *día* y *alto,* mientras que *perro* no aparece. El vector para el segundo texto es [1 0 1 1]. Con estos dos vectores hemos de hacer una operación matemática, que será diferente en función del método usado.

En el caso de CosineCoefficient, dados dos vectores v_1 y v_2 , el coeficiente del coseno se calcula como el producto escalar de ambos vectores entre el producto de sus normas, es decir

$$\frac{v_1 \cdot v_2}{|v_1| \cdot |v_2|}$$

donde

$$v_1 \cdot v_2 = \sum_{i=1}^{n} v_1(i)v_2(i) \in \mathbb{R}$$

$$|v_1| = \sqrt{\sum_{i=1}^{n} v_1(i)^2} \geq 0$$

$$|v_2| = \sqrt{\sum_{i=1}^{n} v_3(i)^2} \geq 0$$

Para los vectores que hemos considerado como ejemplo, tenemos que

$$v_1 = [\ 1 \quad 1 \quad 1 \quad 0\ ]$$
$$v_2 = [\ 1 \quad 0 \quad 1 \quad 1\ ]$$
$$v_1 \cdot v_2 = 2$$
$$|v_1| = \sqrt{3}$$
$$|v_2| = \sqrt{3}$$

Por lo tanto,

$$\frac{v_1 \cdot v_2}{|v_1| \cdot |v_2|} = \frac{2}{3}$$

En el caso de JaccardCoefficient, dados dos vectores v_1 yv_2 , el coeficiente de Jaccard se calcula como el producto escalar de ambos vectores entre la suma de sus normas al cuadrado menos su producto escalar, es decir,

$$\frac{v_1 \cdot v_2}{|v_1|^2 + |v_2|^2 - v_1 \cdot v_2}$$

Para los vectores que hemos considerado como ejemplo, tenemos que

$$v_1 = \begin{bmatrix} 1 & 1 & 1 & 0 \end{bmatrix}$$
$$v_2 = \begin{bmatrix} 1 & 0 & 1 & 1 \end{bmatrix}$$
$$v_1 \cdot v_2 = 2$$
$$|v_1|^2 = 3$$
$$|v_2|^2 = 3$$

Por lo tanto,

$$\frac{v_1 \cdot v_2}{|v_1|^2 + |v_2|^2 - v_1 \cdot v_2} = \frac{1}{2}$$

Cabe destacar que, aunque la implementación del comando JaccardCoefficient es correcto en Maple, existe un error en la explicación que de este comando hace la Ayuda de Maple, tal y como se puede observar en la siguiente imagen (Imagen 21):

EssayTools[JaccardCoefficient] - computes the Jaccard coefficient of two arrays

EssayTools[BinaryJaccardCoefficient] - computes the binary Jaccard coefficient of two arrays

▼ Calling Sequence

```
JaccardCoefficient( v1, v2 )
BinaryJaccardCoefficient( v1, v2 )
```

▼ Parameters

v1, v2   -   vector or list of integers

▼ Description

- The Jaccard coefficient is a measure of similarity between two vectors.

$$\frac{v1.v2}{|v1|^2 \; |v2|^2 - v1.v2}$$

- In binary form, where the vectors contain 1's and 0's, the formula can be expressed in set notation.

$$\frac{|v1 \cap v2|}{|v1 \cup v2|}$$

- Both v1 and v2 must be the same size.

- In the context of text comparison, v1 and v2 could be a count of the occurrences of certain words within two essay sets. In the binary form v1 and v2 would contain 1 for the presence of a word, and 0 for its absence.

- For positive integer counts, the Jaccard and BinaryJaccard coefficients will range from 0 to 1, where 1 is a perfect match, and 0 indicates no overlap. The higher the score in-between, the more similar the vectors.

- The Binary form of this command will accept any vector as input and interpret all non-zero entries to 1s.

- This function is part of the EssayTools package, so it can be used in the short form SimilarityScore(..) only after executing the command with(EssayTools). However, it can always be accessed through the long form of the command by using EssayTools[SimilarityScore](..).

EssayTools[JaccardCoefficient] - computes the Jaccard coefficient of two arrays

EssayTools[BinaryJaccardCoefficient] - computes the binary Jaccard coefficient of two arrays

▼ Calling Sequence

```
JaccardCoefficient( v1, v2 )
BinaryJaccardCoefficient( v1, v2 )
```

▼ Parameters

v1, v2   -   vector or list of integers

▼ Description

- The Jaccard coefficient is a measure of similarity between two vectors.

$$\frac{v1 \, . \, v2}{|v1|^2 + |v2|^2 - v1 \, . \, v2}$$

- In binary form, where the vectors contain 1's and 0's, the formula can be expressed in set notation.

$$\frac{|v1 \cap v2|}{|v1 \cup v2|}$$

- Both v1 and v2 must be the same size.

- In the context of text comparison, v1 and v2 could be a count of the occurrences of certain words within two essay sets. In the binary form v1 and v2 would contain 1 for the presence of a word, and 0 for its absence.

- For positive integer counts, the Jaccard and BinaryJaccard coefficients will range from 0 to 1, where 1 is a perfect match, and 0 indicates no overlap. The higher the score in-between, the more similar the vectors.

- The Binary form of this command will accept any vector as input and interpret all non-zero entries to 1s.

- This function is part of the EssayTools package, so it can be used in the short form SimilarityScore(..) only after executing the command with(EssayTools). However, it can always be accessed through the long form of the command by using EssayTools[SimilarityScore](..).

IMAGEN 21 (a y b). Arriba (21 a), error en el tutorial del programa JaccardCoefficient. (Nota del investigador: se ha avisado del fallo a los creadores del programa.) Debajo (21 b), versión corregida.

Finalmente, en el caso de DiceCoefficient, dados dos vectores v_1 y v_2, el coeficiente de Dice se calcula como el doble del producto escalar de ambos vectores entre la suma de sus normas al cuadrado, es decir,

$$\frac{2 \cdot v_1 \cdot v_2}{|v_1|^2 + |v_2|^2}$$

Para los vectores que hemos considerado como ejemplo, tenemos que

$$v_1 = \begin{bmatrix} 1 & 1 & 1 & 0 \end{bmatrix}$$
$$v_2 = \begin{bmatrix} 1 & 0 & 1 & 1 \end{bmatrix}$$
$$v_1 \cdot v_2 = 2$$
$$|v_1|^2 = 3$$
$$|v_2|^2 = 3$$

Por lo tanto,

$$\frac{2 \cdot v_1 \cdot v_2}{|v_1|^2 + |v_2|^2} = \frac{2}{3}$$

Cada uno de estos tres coeficientes tiene una versión binaria, en la que no es importante el número de veces que aparece una palabra, sino si aparece o no. Por ejemplo, consideremos los textos "la hija de la casa" y "la hija se casa". La lista de palabras es [la hija de casa se] y los vectores asociados a estos textos serían, respectivamente:

$$v_1 = \begin{bmatrix} 2 & 1 & 1 & 1 & 0 \end{bmatrix}$$
$$v_2 = \begin{bmatrix} 1 & 1 & 0 & 1 & 1 \end{bmatrix}$$

Si calculamos el coeficiente del coseno, lo que obtenemos es

> `CosineCoefficient([2, 1, 1, 1, 0], [1, 1, 0, 1, 1])`

$$0.7559289460$$

que es una aproximación decimal de

$$\frac{2}{\sqrt{7}}$$

En la versión binaria, todos los números mayores que uno se consideran como uno, de forma que, por ejemplo, el vector v_1 se transformaría en

$$v_1 = \begin{bmatrix} 1 & 1 & 1 & 1 & 0 \end{bmatrix}.$$

De este modo, sería equivalente calcular

> `BinaryCosineCoefficient([2, 1, 1, 1, 0], [1, 1, 0, 1, 1])`

o

> `CosineCoefficient([1, 1, 1, 1, 0], [1, 1, 0, 1, 1])`

pues, en ambos casos, el resultado sería 0.75, que es la representación decimal de

$$\frac{3}{4}$$

.6.8.2 Evaluación de la similitud de textos a través del comando DetectPlagiarism

El comando DetectPlagiarism compara textos a través del comando SimilarityScore y devuelve aquellos que superan un determinado umbral de similitud.

En este sentido, el comando DetectPlagiarism devuelve los textos que son tan similares que son susceptibles de haber sido copiados o de contener alguna porción de texto que ha sido copiada. Hay que tener en cuenta que esta es una medida probabilística y que no implica necesariamente que dos textos con una puntuación elevada sean, efectivamente, copias uno del otro o que hayan sido copiados de la misma fuente.

En el uso del comando DetectPlagiarism, el umbral por defecto es 0,35 y la métrica de similitud es BinaryJaccardCoefficient. Por supuesto, el umbral puede modificarse para alcanzar cualquier valor entre 0 y 1, del mismo modo que la métrica de similitud utilizada puede ser cualquiera de entre CosineCoefficient, JaccardCoefficient, DiceCoefficient, BinaryCosineCoefficient, BinaryJaccardCoefficient y BinaryDiceCoefficient.

.6.8.3 El problema del tamaño del breve en comparación con la nota de prensa o el despacho de agencia

Al comparar dos textos, la longitud de ambos textos es importante. De forma más precisa, el resultado de la comparación puede verse alterado si comparamos un texto muy breve con un texto muy largo. Este puede entenderse con el siguiente ejemplo. Consideremos un primer texto breve: "La crisis española ha supuesto una larga travesía del desierto para las ventas de Carrefour en España", y un texto más largo que contenga exactamente al primero: "La crisis española ha supuesto una larga travesía del desierto para las ventas de Carrefour en España. Los ingresos de la filial española del grupo francés de distribución cayeron en 2014 por sexto año consecutivo, según los datos de resultados anuales que hoy ha presentado la empresa. Pese a ello, la compañía ve signos de recuperación y señala que los resultados operativos en España están mejorando notablemente". Básicamente, el segundo texto está formado por tres frases, la primera de las cuales coincide *exactamente* con el primer texto. Si calculamos el índice de similitud entre ambos textos obtenemos:

```
>SimilarityScore(textoA, textoB)

          [0.3333333333]
```

Al obtener una cantidad inferior a 0.35, concluiríamos que 'no hay plagio', cuando realmente la primera de las frases en ambos textos es completamente idéntica.

Para solucionar este problema, y partiendo de la base de que el texto más corto es siempre el breve, se hará una comparación recurrente entre el breve y una parte cada vez más grande de la nota de prensa o del despacho de agencia. Esto se hará a través de un algoritmo o procedimiento cuyo resultado será el máximo valor del índice de similitud y el número de palabras de la nota de prensa/despacho de agencia que maximizan esta similitud. Por supuesto, la rutina se inicia con un número de palabras de la nota de prensa/despacho de agencia igual al número de palabras del breve. El código del procedimiento usado en Maple es el siguiente:

```
>similitud := proc(textA::string, textB::string)
  local text, aux, A, i, j, SS, idx, desc;
  text := "";
  aux := 0;
  desc := 0;
  A := Words(textB);
  for j from WordCount(textA) to WordCount(textB) do
  for i to j do
  text := cat(text, " ", A[i])
  end do;
  SS := SimilarityScore(textA, text, methods = [EssayTools:-
BinaryJaccardCoefficient], filter = StringTools:-LowerCase)[1, 1];
  if aux < SS then aux := SS; idx := j else desc := desc+1 end if;
  if 50 < desc then break end if
  end do;
  [aux, idx]
  end proc
```

Del código previo, la primera línea sirve para declarar que los argumentos del procedimiento que se define son del tipo *string,* es decir, cadenas de caracteres. La segunda línea define variables locales y las cuatro líneas siguientes inicializan varias de estas variables locales. El comando Words se usa para transformar un texto en una lista de palabras, mientras que WordCount sirve para contar el número de palabras de un texto. El procedimiento consta de dos bucles o ciclos. En el primero, se construye el texto reducido para comparar con el breve. En el segundo, se hace la comparación entre ambos textos y se va guardando, por un lado, el índice de similitud si este es mayor que los calculados previamente y, por otro lado, el número de palabras de la nota de prensa/despacho de agencia comparada. Para evitar el bloqueo del procedimiento y reducir el tiempo de ejecución, después de 50 iteraciones sin que el índice de similitud mejore, el programa interrumpe el ciclo y devuelve por pantalla el índice de similitud y el número de palabras.

Por ejemplo, consideremos el breve B01 (textB01) y la nota de prensa NP01 (textNP01), que pueden encontrarse en el Anexo I ("La muestra"). Si calculamos directamente el índice de similitud, obtenemos:

```
>SimilarityScore(textB01,textNP01)

        [0.1433823529]
```

Lo que indicaría que no existe similitud entre ambos textos. No obstante, si aplicamos el programa similitud que hemos definido, obtenemos:

```
>similitud(textB01,textNP01)

        [0.5846153846, 75]
```

Este resultado muestra una alta similitud. Además, indica que las primeras 75 palabras de la nota de prensa son las que forman el texto con el que el breve alcanza su máxima similitud. Cabe destacar que el breve está formado por 45 palabras. El breve y las primeras 75 palabras de la nota de prensa son:

Breve (B01):

La firma internacional Osborne Clarke ha creado un startup desk para ofrecer asesoramiento legal multidisciplinar de bajo coste a proyectos e ideas de emprendedores. El equipo, dirigido por Tomas Dega, esta formado por los abogados Xavier Frias, Roger Segarra, Jose Ramon Mallol y Anna Iborra.

Nota de prensa (NP01, primeras 75 palabras):

La firma internacional Osborne Clarke ha creado un startup desk para ofrecer asesoramiento legal multidisciplinar de bajo coste a proyectos e ideas de emprendedores. Esta nueva linea de negocio se enmarca en el objetivo del despacho de cubrir las necesidades de jovenes emprendedores que desean recibir asesoramiento legal de calidad durante la fase inicial de su negocio. El startup desk esta compuesto por los abogados Xavier Frias, Roger Segarra, Jose Ramon Mallol y Anna Iborra.

*

NOTA DE PAUL DE MARCO, Maple Ambassador Program, acerca de la tesis 'Copia y pega. Cómo las multinacionales construyen las noticias'

(correo electrónico recibido el 9 de marzo del 2016)

I am not aware of any other post-grad work that uses Maple as the main tool. We are not always informed of such activities. I am happy that you reached out to us to let us know about your research.

There were a few motivations for developing the EssayTools package, and the SimilarityScore command. Relating to Maple T. A., our testing and assessment platform, plagiarism detection is top of the list, but also is automatic grading of essay questions. Measures like SimilarityScore can be a part of an automatic grading solution.

.6.9 Estructura y calendario de la investigación

El procedimiento para la elaboración de la tesis *Copia y pega. Cómo las multinacionales construyen las noticias* ha sido minucioso en cuanto que ha contado con el análisis de texto de los breves de empresa de *La Vanguardia* y *El Mundo de Catalunya,* los diarios escogidos para la muestra (ver Anexo I: "La muestra").

La selección del breve, aleatoria, ha sido siguiendo una escala semanal: el lunes de la primera semana; el martes de la segunda semana; el miércoles de la tercera semana…

En el caso de *La Vanguardia,* se han vaciado los diarios del miércoles 1 de enero del 2014 al jueves 24 de julio del 2014. En total, 30 piezas.

En el caso de *El Mundo de Catalunya,* la monitorización empieza el miércoles 1 de enero del 2014 y termina el jueves 24 de julio del 2014. En total, 22 piezas.

Se acota medio año (primer semestre del 2014) para la cobertura analítica.

Además, ha habido un periodo de indagación para hallar las notas de prensa de las que provienen los breves de empresa, tanto de agencias de noticias (Efe, Europa Press...) como del gabinete de prensa de la empresa en cuestión. En el primer caso, se busca también si la agencia de noticias se basa en algún comunicado previo elaborado por la empresa o bien por una agencia de comunicación y publicidad contratada por la misma empresa.

El marco teórico se ha construido en tres bloques: 1. El periodismo y los breves de empresa (bloque 2 en el índice); 2. El marketing y las notas de prensa (bloque 3 en el índice); 3. Periodismo+marketing=copia y pega (bloque 4 en el índice).

Periodismo+marketing=copia y pega.

Se establecen las relaciones concomitantes, como nodos de un mismo cuerpo, entre los periodistas de medios y los periodistas de fuentes (o de gabinetes).

Durante dos años de investigación (2014 y 2015), este autor ha recopilado casos, hechos y ejemplos relacionados con el estado de la prensa escrita en España y, especialmente, en Catalunya.

Las entrevistas a los diversos responsables y delegados sindicales de los dos diarios (ver Anexo III: "Entrevistas") han ayudado a construir un relato coherente en el que se especifican las causas de la desafección en el oficio: más horas, más trabajo, más productividad…, lo que empeora la calidad del producto final.

Durante un año se han filtrado en el programa informático los breves de los periódicos para evaluar el grado de coincidencia con la fuente original, en última instancia, las notas de prensa de las empresas, en muchos casos pertenecientes a cadenas multinacionales. Los grados de similitud y coincidencia tanto de *La*

Vanguardia como de *El Mundo* se han establecido en estos apartados: breve con relación a la nota de prensa; breve con relación al despacho de agencia; breve con relación al despacho de agencia/nota de prensa y nota de prensa con relación al despacho de agencia.

Funciones	2014				2015												2016				
	IX	X	XI	XII	I	II	III	IV	V	VI	VII	VIII	IX	X	XI	XII	I	II	III	IV	V
Selección de breves de empresa de los diarios *El Mundo de Catalunya* y *La Vanguardia*	-	-		-																	
Estudio de los porcentajes de coincidencia de los textos de las notas de prensa y de los breves de los diarios. Programa Essay Tools					-	-	-	-	-	-	-										
Análisis de resultados y estadísticas													-	-	-	-	-				
Redacción final y presentación: 1. Introducción: objetivos, bases y fundamentos 2. Estudio de caso 3. Metodología 4. Resultados *La Vanguardia / El Mundo de Catalunya* 5. Conclusiones *La Vanguardia / El Mundo de Catalunya* 6. Bibliografía 7. Anexo (muestra fallida, breviario...)																		-	-	-	-

IMAGEN 22. Cuadro cronográfico.

7. RESULTADOS DEL ESTUDIO

"Gracias a los avances tecnológicos, el cortar-pegar ha adquirido una dimensión totalitaria."
En la columna "Olga Viza y el respeto", de Sergi Pàmies, publicada en *La Vanguardia,* el 19 de junio del 2015

"Lo más sorprendente es que quieran hacer pasar esta labor de 'copia y pega' como derecho de cita. Y para justificarse ponen un fragmento de la Ley de la Propiedad Intelectual que les contradice por completo, puesto que permite 'la inclusión en una obra propia de fragmentos de obras ajenas' solo cuando 'su inclusión se realice a título de cita o para su análisis, comentario o juicio crítico'. Eso es lo que hace *Libertad Digital,* por ejemplo, en sus secciones fijas Revista de prensa, Análisis de editoriales y Rumores en la Red. Pero cuando se copia una noticia o artículo entero tal cual sin que ni siquiera se añada un breve comentario para disimular, entonces no es una cita, es *intertextualidad,* que es como se denomina con elegancia el plagio puro y duro."

Artículo de Daniel Rodríguez titulado *"Periodista Digital,* un negocio de 'copia y pega'", en *Libertad Digital,* el 3 de octubre del 2003

.7.1 Introducción del estudio estadístico

Para el estudio estadístico se ha considerado una muestra de 52 breves, entre los diarios *La Vanguardia* y *El Mundo,* según la codificación de las siguientes tablas (ver Anexo I: "La muestra"): 30 piezas de *La Vanguardia* y 22 piezas de *El Mundo.* Las siglas utilizadas corresponden a *La Vanguardia* (LV), *El Mundo* (EM), nota de prensa (NP) y despacho o nota de agencia (NA). Una casilla sombreada indica la existencia de nota de prensa, despacho o nota de agencia o ambas.

En algunos casos, como puede observarse, se dispone de la nota de prensa, del despacho o nota de agencia, o de ambas. Esto último, ocurre con el breve de *La Vanguardia* número 11, del 3 de febrero del 2014:

La empresa triunfa con una app musical

La start-up prevé multiplicar por 15 su facturación este año gracias a la comercialización del Conductr para iPad, que controla el programa de creación musical Ableton Live, y que llega a más de 150 países a través del App Store de Apple. La empresa ha facturado 12.000 euros en tres meses. / Redacción

El despacho de agencia lo publicó Europa Press (www.europapress.es), el 2 de febrero del 2014: "Patchworks prevé multiplicar por 15 su facturación este año". La nota de prensa original la publicó el Departament d'Empresa i Ocupació de la Generalitat de Catalunya (www.gencat.cat), el 2 de febrero del 2014: "L'start-up catalana Patchworks comercialitza la seva aplicació a més de 150 països i aquest any preveu multiplicar per 15 la seva facturació".

Disponer del cable de la agencia de noticias y de la nota de prensa madre también ocurre en *El Mundo* del 9 de enero de 2014 (número 4 de la clasificación):

El capital riesgo frena sus inversiones

La inversión de las entidades de capital riesgo en España cayó un 31% en 2013, hasta los 1.701 millones, por la tendencia bajista iniciada en 2010. Estas cifras no incluyen el repunte que hubo en el segundo semestre de 2013, en el que se concentró el 70% del volumen total invertido, lo que augura una recuperación «lenta pero sostenida» en 2014. Según la Asociación Española de Entidades de Capital Riesgo, la caída se debe a la menor inversión de los fondos internacionales en operaciones de más de 100 millones. / E. P.

El despacho de agencia lo publicó Europa Press (www.europapress.es), el 8 de enero del 2014: "La inversión del capital riesgo en España cayó un 31% en 2013, hasta los 1.701 millones". La nota de prensa original la publicó Ascri (www.ascri.org), el 8 de enero del 2014: "2013 termina con un repunte global de la actividad de Capital Riesgo en España, aunque este cambio aún no se ve reflejado en las estadísticas del año".

En esta tesis hemos comparado, por separado, breve y nota de prensa, breve y despacho de agencia y, finalmente, hemos visto también las similitudes entre la nota de prensa y el despacho o nota de agencia.

Los resultados obtenidos muestran que el copia y pega está extendido de tal manera en los diarios de la muestra que llama a la reflexión acerca de qué tipo de información se está proporcionando al lector (ver Anexo I: "La muestra"). En los 30 breves de *La Vanguardia* analizados, 19 se asemejan a las notas de prensa de las multinacionales. Cuando entre el breve y la nota de prensa de la multinacional aparece el intermediario, es decir, la agencia de noticias, la similitud también es apabullante: si en 14 de estos 30 breves de *La Vanguardia* tenemos también el despacho de agencia, en diez casos, este despacho de agencia coincide con el breve. Y el despacho coincidirá plenamente con la nota de prensa original. Cuando disponemos de despacho de agencia y la nota de prensa correspondiente (14 casos), en nueve ocasiones el breve y la nota de la multinacional son similares. En última instancia, es la empresa la que escribe esta parte del diario. La multinacional construye el relato.

En cuanto a los 22 breves de *El Mundo* analizados, 12 de estos breves tienen aspectos coincidentes con el redactado propuesto por la multinacional. En *El Mundo,* mayoritariamente interviene el intermediario, la agencia de noticias (21 de los 22 casos). Así, en todos ellos, el breve mantiene analogías evidentes con el cable de la agencia de noticias. Y de los 19 casos en los que disponemos del despacho de agencia y del redactado primigenio, de la multinacional, en 13 ocasiones existen homogeneidades entre ambos.

Existe copia y pega, y plagio en la mayoría de los casos (ver "Conclusiones").

Esta aseveración coincide plenamente con los postulados de la mayoría de los 15 entrevistados, que se muestran sorprendidos por el grado elevado de concordancias entre textos propuestos por la empresa y publicación final en el diario (ver Anexo III: "Entrevistas"). Así, al menos, han opinado estas personas: el periodista y asesor laboral del Sindicat de Periodistes de Catalunya, Fabián Nevado; el presidente del comité de empresa de *La Vanguardia,* Josep Playà; el periodista y delegado de personal de *El Mundo de Catalunya,* Javier Oms Navia-Osorio; el presidente del Consell de la Informació de Catalunya, Roger Jiménez; la investigadora y docente de comunicación y ética Eva Jiménez; el periodista de *Lavanguardia.com* Albert Lladó; la periodista Rosana Ricárdez; la redactora de la agencia Efe Katharine (seudónimo); los periodistas de Economía de *La Vanguardia* Óscar Muñoz y Mar Galtés; la jefa de prensa de Nestlé España, Mercè Mata; la asistente de comunicación de Munich Sports Liliana Zupandover; el director de la agencia de comunicación All Media Consulting, Gustavo Franco; la directora de la agencia de relaciones públicas y posicionamiento Central de Medios, Primavera Díaz, y el analista Francisco Escuder.

Esto mismo, la existencia del copia y pega como pauta, lo ha señalado en el módulo o capítulo o bloque 4 de nuestro marco teórico ("Periodismo+marketing=copia y pega") el investigador David Sancha, en su tesis *El uso de la información de agencia en las ediciones electrónicas de diarios en España. Estudio comparativo de las páginas web de* El Periódico, El Mundo *y* La Vanguardia.

> Internet y los medios de comunicación están obligados a entenderse. Las posibilidades comunicativas de la Red constituyen una excelente oportunidad para las necesidades productivas de los media. La presente propuesta, en este sentido, parte de la concepción de internet como una excelente posibilidad de extensión del valor de los diarios, y no como una amenaza al statu quo del sector de la comunicación en el que la prensa, la radio y la televisión se reparten las funciones tradicionales de analizar, anunciar y mostrar la información.
> Las transformaciones en este ámbito son más que evidentes y las rutinas productivas están asistiendo en primera persona a este nuevo fenómeno. El tiempo dirá si son los medios —y sus rutinas— los que se adaptan y crecen con los requisitos comunicativos de internet o es internet quien se acaba plegando ante las prácticas periodísticas del copia y pega urgente.
> (Sancha, 2005: 31)

LV	1	3	5	7	9	11	13	15	17	19	21	23	25	27	29
NP															
NA															
	31	33	35	37	39	41	43	45	46	47	48	49	50	51	52
NP															
NA															

EM	2	4	6	8	10	12	14	16	18	20	22
NP											
NA											
	24	26	28	30	32	34	36	38	40	42	44
NP											
NA											

Tabla 0. Tabla de muestra.

.7.2 'La Vanguardia'

.7.2.1 'La Vanguardia'. Breve con relación a la nota de prensa

Utilizando el algoritmo de similitud, se ha comparado la similitud entre los 30 breves de *La Vanguardia* y las correspondientes notas de prensa. Los resultados aparecen con detalle en la Tabla 1 y se resumen gráficamente en la Ilustración 1. Además, se incluye la longitud del texto con el que se alcanza la máxima similitud y el resultado final del test.

Cuando el índice binario de Jaccard es superior a 0,35, existe una evidencia estadística de la existencia de una gran similitud. Esto se refleja en la última columna de la Tabla 1. Puede verse como de los 30 pares de textos comparados, en 19 se obtiene un valor de similitud superior a 0,35, lo que representa el 63,33% de los textos. Del mismo modo, el valor promedio del índice de similitud se sitúa en 0,41, que es superior al 0,35. Es decir, se hace manifiesto el copia y pega y la estrecha relación entre la información periodística que se relega al espacio breve con la información interesada y con intencionalidad que la multinacional elabora a puerta cerrada, en los gabinetes de marketing. Este resultado es el que atestiguan los entrevistados del mundo de las relaciones públicas, quienes nos han dado a conocer las profusas exploraciones de mercado a la hora de redactar una nota de prensa, así como el detenido seguimiento al medio al que va dirigida la nota, al cual se le llega a conocer en todos los detalles y en todas las rutinas, como un cazador detrás de su presa. Los entrevistados ratifican el éxito de la nota de prensa, tal como advierte el director de la agencia de comunicación All Media Consulting, Gustavo Franco, que se documenta a conciencia a la hora de lanzar la campaña de comunicación con la que vencer las reservas del medio y que su comunicado de empresa halle hueco en las páginas del periódico (ver Anexo III: "Entrevistas").

"Antes de elaborar una nota se procede a conocer las necesidades y los objetivos del cliente, para luego profundizar con toda la información disponible sobre su proyecto o servicio. El enfoque de las notas depende de la situación específica. Por ejemplo: si se trata del lanzamiento de un producto, si es para posicionar un líder de opinión, si es para promover un cierto debate, etcétera. Una vez se han establecido los parámetros anteriores, entonces se procede con la creación de un mensaje que orienta el enfoque de la nota, a partir del cual se hace investigación de referencias ajenas a la empresa; en algunos casos se consulta a especialistas, se mantienen reuniones con personas clave, todo ello para contar con el máximo de información posible que nos permita elaborar un contenido de alta calidad. En este sentido, se pretende que sea lo más periodístico posible", desgrana Gustavo.

En el estudio "Las relaciones con los medios: El funcionamiento de los gabinetes de prensa", del doctor en Ciencias de la Información y jefe de Informativos de TVE Murcia, Juan Tomás, y de la responsable de comunicación de la empresa El Pozo, Ana María Marín, se otorga a la nota de prensa una importancia primordial en muchos aspectos: "La nota de prensa es un instrumento poco costoso y rápido que debe estructurarse con un titular que resuma la información relevante y un desarrollo informativo en dos o tres párrafos como máximo en los que las ideas básicas estén encadenadas con mucho orden. El principal inconveniente de la nota de prensa es que cada día las redacciones reciben decenas de comunicados de prensa y su introducción en la agenda del día del medio no es nada sencillo".

La información de la Tabla 1, concluyente, nos demuestra el éxito de las estrategias bien definidas por los adalides de la comunicación corporativa, que se adentran en los recovecos del diario para, desde estos pequeños espacios abiertos (los breves), hacer expansivo su mensaje comercial.

Tal y como se hace evidente en la Ilustración 1, con el índice binario de Jaccard al comparar los breves con las notas de prensa, 19 de los 30 breves están por encima de la línea continua, que representa el umbral de similitud. Es decir, en 19 breves se copia. Y 12 de estos breves están por encima de la media aritmética de los índices de similitud.

El breve en el que más se copia la nota de prensa original, el del 2 de febrero del 2014, en *La Vanguardia:*

> El abogado Pablo Bieger se incorpora como socio
>
> Rousaud Costas Duran SLP ha incorporado como socio a Pablo Bieger, abogado experto en operaciones mercantiles, bancarias y del mercado de valores. Pablo Bieger se encargará de ayudar a impulsar y liderar el crecimiento de la oficina de la firma en la ciudad de Madrid, y será una pieza clave en la consolidación de un equipo de Mercantil Bancario y Mercado de Valores. / Redacción

Se basa en la consiguiente nota de prensa de la consultora privada Layerpress, del 22 de enero del 2014:

El abogado Pablo Bieger se incorpora a Rousaud Costas Duran

Rousaud Costas Duran SLP ha incorporado como socio a Pablo Bieger, un abogado experto en complejas operaciones mercantiles, bancarias y del mercado de valores (se dedica a las fusiones y adquisiciones, a la financiación de adquisiciones y de proyectos, a las reestructuraciones, las emisiones, las ofertas públicas y las titulizaciones). Bieger se encargará de ayudar a impulsar y liderar el desarrollo de la oficina de la Firma en Madrid y será una pieza clave en la consolidación de un equipo de Mercantil Bancario y Mercado de Valores altamente competitivo…

La intensidad del copia y pega ya se trazó en el estudio citado en el marco teórico (ver el capítulo o bloque 2: "El periodismo y los breves de empresa") que se titulaba "*Cuarto poder* y empresa", de la agencia de comunicación y relaciones públicas Equipo de Comunicación, presentado en julio del 2015. Los comentarios sobre las relaciones medios-empresas ayudan a interpretar la cada vez mayor interconexión poder-medio escrito, algo que depaupera la fortaleza de la democracia: "A largo plazo, la vulnerabilidad de los medios de comunicación, condicionada por la crisis económica, respecto a sus relaciones con los poderes económicos y políticos, será mala para ambas partes. Si se pierde la esencia y los valores fundamentales de una relación que debe ser honesta, la situación será difícil de reconducir".

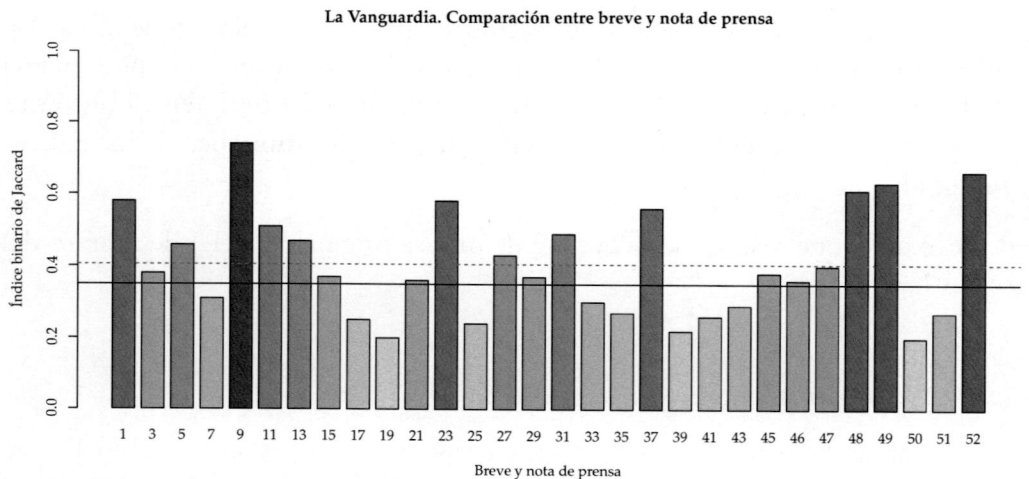

Ilustración 1. Índice binario de Jaccard al comparar los breves con las notas de prensa. La línea continua representa el umbral de similitud, por encima del cual se puede decir que sí existe similitud. La línea discontinua marca la media aritmética de los índices de similitud. La intensidad del gris de cada una de las columnas es proporcional al coeficiente de similitud.

Texto 1	Texto 2	Índice	Palabras	¿Similitud?
B01	NP01	0,58	75	Sí
B03	NP03	0,38	57	Sí
B05	NP05	0,46	133	Sí
B07	NP07	0,31	52	No
B09	NP09	0,74	93	Sí
B11	NP11	0,51	72	Sí
B13	NP13	0,47	57	Sí
B15	NP15	0,37	64	Sí
B17	NP17	0,25	94	No
B19	NP19	0,20	91	No
B21	NP21	0,36	114	Sí
B23	NP23	0,58	82	Sí
B25	NP25	0,24	105	No
B27	NP27	0,43	72	Sí
B29	NP29	0,37	81	Sí
B31	NP31	0,49	50	Sí
B33	NP33	0,30	97	No
B35	NP35	0,27	75	No
B37	NP37	0,56	77	Sí
B39	NP39	0,22	52	No
B41	NP41	0,26	55	No
B43	NP43	0,29	59	No
B45	NP45	0,38	57	Sí
B46	NP46	0,36	86	Sí
B47	NP47	0,40	85	Sí
B48	NP48	0,61	86	Sí
B49	NP49	0,63	86	Sí
B50	NP50	0,20	142	No
B51	NP51	0,27	104	No
B52	NP52	0,66	55	Sí

Tabla 1. Índice binario de Jaccard resultado de la comparación entre los breves y las notas de prensa que se indican. Además, se incluye la longitud del texto con el que se alcanza la máxima similitud y el resultado final del test.

.7.2.2 'La Vanguardia'. Breve con relación al despacho de agencia

"El problema de regalar contenido y que este sea intercambiable es que, al final, el lector no distingue entre una paginilla web que casi solo copia y pega de agencias y un periódico importante que tiene contenidos propios. Las noticias son así una *commodity* [mercancía], intercambiables, y es más difícil que la gente distinga los buenos productos de los mediocres o los malos." Esta es una sólida declaración del profesor Josu Mezo, en el artículo "Copiar y pegar: ¿Hablamos de periodismo?", publicado en la revista *Unir,* de la Universidad Internacional de La Rioja, el 18 de julio del 2013 ("los profesionales se movilizan para luchar contra el plagio"). Tal y como atestigua Mezo en el capítulo 4 ("Periodismo+marketing=copia y pega"), copiar la nota de prensa o el despacho de agencia en el breve no constituye plagio, pero sí que sugiere "empobrecimiento", o en otras palabras, "periodismo de baja calidad".

Utilizando el algoritmo de similitud, se ha comparado la similitud entre los breves de *La Vanguardia* y los correspondientes despachos de agencia. Los resultados aparecen con detalle en la Tabla 2 y se resumen gráficamente en la Ilustración 2. Puede verse como de los 14 pares de textos comparados, en 10 se obtiene un valor de similitud superior a 0,35, lo que representa el 71,43% de los textos. Del mismo modo, el valor promedio del índice de similitud se sitúa en 0,46, que es superior al 0,35.

En diez de los breves (de los 14 pares) se copia. Esclarecedor el breve de la muestra 25, publicado en *La Vanguardia* el 24 de marzo del 2014 (ver Anexo I: "La muestra"):

Acciona inaugura su proyecto en Australia tras invertir 200 millones

Acciona ha puesto en servicio su segundo gran proyecto de instalaciones de agua en Australia, la potabilizadora de Mundaring, la primera construida en el país mediante colaboración con el capital privado y que ha supuesto una inversión de 200 millones de euros. La compañía refuerza de esta forma su negocio en Australia, en el que está presente con sus tres áreas de negocio. En materia de infraestructuras de agua, Acciona construyó y puso en servicio a finales del 2012 una desalinizadora en Adelaida, en el Estado de Australia Meridional. / Ep

El despacho de agencia del que bebe se publicó en Europa Press (www.europapress. es), el 23 de marzo del 2014:

Acciona inaugura su segundo gran proyecto de agua en Australia

Acciona ha puesto en servicio su segundo gran proyecto de instalaciones de agua en Australia, la potabilizadora de Mundaring, la primera construida en el país mediante colaboración con el capital privado y que ha supuesto una inversión de 200 millones de euros.

La compañía que preside José Manuel Entrecanales refuerza de esta forma su negocio en Australia, un país estratégico para el grupo, en el que está presente con sus tres áreas de negocio...

La coincidencia entre el breve de Acciona y la noticia de Europa Press es del 0,79.

Cinco de los 10 breves en los que se copia están por encima de la media aritmética de los índices de similitud (breves números 11, 15, 25, 27 y 29).

De algún modo, parece inferirse que la similitud que se establece entre breve y despacho de agencia es superior a la que se establece entre breve y nota de prensa.

Esta aseveración se ve confirmada por los entrevistados, como los redactores de la sección de Economía de *La Vanguardia,* para quienes la agencia de noticias es una de las principales "fuentes" (Reuters, Europa Press, Efe, Associated Press, France-Presse...). "Sí que copio y pego de la nota de prensa, porque, a veces, la información es tan básica que si tuviera que rehacer la nota de prensa, la dejaría exactamente igual y dirías prácticamente lo mismo", contesta Óscar Muñoz en el apartado de Entrevistas (Anexo III: "Entrevistas").

Cuando el redactor dispone de los dos textos (nota de prensa primaria y despacho de agencia), se inclina por la agencia de noticias, que le da mayor solvencia. La coincidencia, así, es mayor que cuando se copia el redactado del comunicado. El despacho de agencia se introduce en la paginación del diario sin apenas retoques, sin arreglos sustanciales ni pulimiento. En el fondo, este despacho de agencia es un caballo de Troya. Dentro de él se agazapa la nota de prensa de la multinacional.

Texto 1	Texto 2	Índice	Palabras	¿Similitud?
B11	NA11	0,70	63	Sí
B15	NA15	0,71	76	Sí
B19	NA19	0,26	88	No
B25	NA25	0,79	107	Sí
B27	NA27	0,68	96	Sí
B29	NA29	0,54	86	Sí
B35	NA35	0,37	81	Sí
B41	NA41	0,35	53	Sí
B43	NA43	0,29	69	No
B45	NA45	0,39	62	Sí
B46	NA46	0,30	128	No
B47	NA47	0,43	128	Sí
B50	NA50	0,27	144	No
B51	NA51	0,37	85	Sí

Tabla 2. Índice binario de Jaccard resultado de la comparación entre los breves y las notas de agencia que se indican. Además, se incluye la longitud del texto con el que se alcanza la máxima similitud y el resultado final del test.

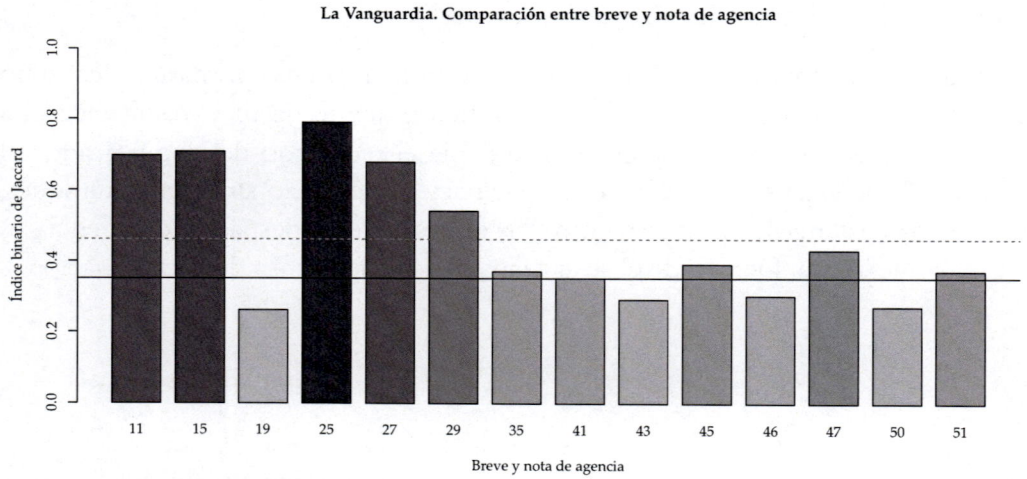

Ilustración 2. Índice binario de Jaccard al comparar los breves con los despachos de agencia. La línea continua representa el umbral de similitud, por encima del cual se puede decir que sí existe similitud. La línea discontinua marca la media aritmética de los índices de similitud. La intensidad del gris de cada una de las columnas es proporcional al coeficiente de similitud.

.7.2.3 'La Vanguardia'. Breve con relación al despacho de agencia/nota de prensa

En aquellos casos en los que se dispone tanto de la nota de prensa como del despacho de agencia, se ha querido establecer también una comparación que se resume gráficamente en la Ilustración 3.

En 14 de los 30 breves de *La Vanguardia* analizados disponemos no solo del despacho de agencia sino de la fuente original, el comunicado de la empresa. De la observación de dicha ilustración, puede verse como claramente el índice de similitud entre breve y despacho de agencia es superior al índice entre breve y nota de prensa en todos los casos salvo para el breve 46, publicado el viernes 13 de junio del 2014, y que aquí exponemos:

> Prosegur suscribe crédito de 400 millones
>
> La empresa de seguridad Prosegur ha suscrito un crédito sindicado de 400 millones de euros a cinco años, con un sistema de amortización única, y con un tipo de interés variable. El nuevo crédito servirá para cancelar otro de la misma cantidad del año 2010 y consolidará su estructura financiera. En la operación han participado trece entidades nacionales e internacionales: BBVA, CaixaBank, BNP, Barclays, Santander, Bankinter, Bayern LB, Citibank, Commerzbank, HSCB, ING, Banco Popular y Banco Sabadell. / Efe

En este breve, y aun la firma de Efe, remitimos a la nota de prensa de inicio, publicada por la empresa de seguridad Prosegur (www.prosegur.es), el 12 de junio del 2014:

> Prosegur obtiene una financiación sindicada de 400 millones de euros
>
> · Trece entidades nacionales e internacionales han participado en la operación
>
> Prosegur ha formalizado hoy una operación de crédito sindicado por importe de 400 millones de euros con una amortización única a un plazo de cinco años…

De algún modo, puede inferirse que, cuando ambas fuentes de información están disponibles, el periodista se nutre preferentemente del despacho de la agencia de noticias para la redacción del breve. El copia y pega, de esta forma, ya lo anuncian en el capítulo 1 de esta tesis ("Presentación") los citados Kovach y Rosenstiel, que lo meten en la cesta de las "rutinas periodísticas". Se convierte, pues, en una variable del epígrafe "desinformación o periodismo de rutina" del licenciado Juan

Ramón Fernández Gil, autor del estudio "Fuentes de análisis para el estudio de la prensa diaria".

> Copia y pega. Las prácticas más usuales del periodismo cuando el periodista está inmerso en la cadena informativa de la redacción, debiendo completar diariamente un determinado ciclo productivo. En Copia y pega (Fernández Salido y Serrano Barrie, 2003) no existe por parte del periodista ningún desarrollo o elaboración propia, se circunscribe a recoger la información de la fuente que la suministra (agencia, gabinete de comunicación institucional generalmente público, etc.) y la publica.
>
> (Fernández Gil, 2010: 135-158)

El mismo Fernández Gil trata la "suplantación de las fuentes que suministran noticias", es decir, cómo el diario se apropia de textos ajenos: "Publicar informaciones procedentes de agencia es una práctica utilizada por los diarios para rellenar informaciones del día a día que en su mayoría no han sido posible cubrir mediante una elaboración propia. Todo ello nos conduce, en ocasiones, a observar cómo se convierte en un valor negativo al no citar la procedencia de la información: firmándola como Redacción, sin figurar el nombre de la agencia que suministró la noticia en el desarrollo del cuerpo del texto".

Los entrevistados corroboran esta "mala práctica". La preferencia por el despacho de agencia en lugar de por la nota de la empresa no descarta el copia y pega. Al contrario, también lo legitima, puesto que lo que se busca es introducir en el espacio reservado al breve una información con el sello de la calidad de agencia, sin que los periodistas entiendan que la nota en sí podría ser mejorada, cuestionada y personalizada. "A mi juicio, en la ambigüedad se halla la clave del asunto, porque en función de lo que interprete puedo creer que la fuente es una agencia de noticias o, por el contrario, una agencia de relaciones públicas. Y, en función de ello, puedo creer que lo que me cuentan está contrastado por un periodista o no", comenta la investigadora y docente de comunicación y ética Eva Jiménez (ver Anexo III: "Entrevistas").

Otra consecuencia de este hecho es que el valor promedio (0,33) de los índices de similitud entre el breve y la nota de prensa (cuando el despacho de la agencia de noticias está también disponible) es inferior al umbral del 0,35. Contrariamente, el promedio de los índices de similitud entre breve y despacho de agencia es, en este caso, de 0,46.

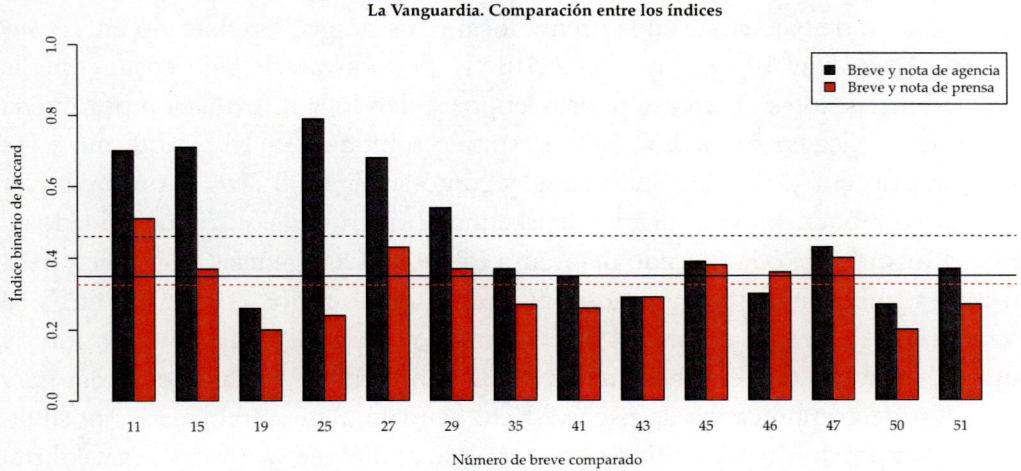

Ilustración 3. Índice binario de Jaccard al comparar los breves con los despachos de agencia (columnas de color negro) y con las notas de prensa (columnas de color rojo). La línea continua representa el umbral de similitud, por encima del cual se puede decir que sí existe similitud. La línea discontinua negra marca la media aritmética de los índices de similitud para las notas de agencia, mientras que la línea discontinua roja el promedio es con relación a las notas de prensa.

.7.2.4 'La Vanguardia'. Nota de prensa con relación al despacho de agencia

En el caso del diario *La Vanguardia,* cuando se dispone de la nota de prensa y de la nota agencia, el breve publicado es firmado, en la mayoría de los casos, por una agencia de noticias (Europa Press, Efe, o incluso bajo el epígrafe Agencias). Se trata de un plagio consentido por la multinacional, que busca la máxima difusión de sus postulados, como se ha visto en Marco Sanz (2012). En este sentido, se puede analizar la similitud entre la nota de agencia emitida por la agencia de noticias y la nota de prensa emitida por la empresa.

Utilizando el algoritmo de similitud se ha comparado, como decimos, la afinidad entre las notas de agencia que son fuente de los breves de *La Vanguardia* y las correspondientes notas de prensa originales. Los resultados aparecen con detalle en la Tabla 8 y se resumen gráficamente en la Ilustración 10. Puede verse como de los 14 pares de textos comparados, en 9 de ellos se obtiene un valor de similitud claramente superior a 0,35, lo que representa el significativo 64,28% de los textos. Del mismo modo, el valor promedio del índice de similitud se sitúa en 0,41, que es notoriamente superior al 0,35.

Que la agencia de noticias adopta la nota de prensa de la empresa es algo que recogen los autores del marco teórico, como el doctor en Periodismo por la Universidad Complutense de Madrid Luis Izquierdo, autor del artículo "La extensión del periodismo de bajo coste en la prensa local y sus riesgos", publicado en *Textual & Visual Media 3,* el 10 de mayo del 2010: "El periodismo de bajo coste copia la literalidad de las notas de prensa o los teletipos y, dando la información por buena sin más, la publica en su medio" (ver el capítulo o bloque 2: "El periodismo y los breves de empresa"). En consonancia, tal y como la página *WikiHow* promete (ver el capítulo o bloque 4: "Periodismo+marketing=copia y pega"): "Sigue cuidadosamente el formato de comunicado de prensa estándar. Las agencias de noticias tienden más a publicar los comunicados de prensa organizados correctamente". El "comunicado de prensa estándar" incluye título, cuerpo de noticia y dirección de contacto, así como este encabezamiento: "Hay un formato bastante estándar para la creación de comunicados de prensa. Esto ayudará a su credibilidad y posibilidades de ser publicado si presenta su material de esta manera" (http://es.wikihow.com/escribir-un-comunicado-de-prensa).

Los profesionales de los medios de comunicación y de los gabinetes de noticias entrevistados dan fe de que una nota de prensa elaborada con las pautas periodísticas *(qué, quién, cómo...)* tiene más posibilidades de acabar en una agencia de noticias (Europa Press, Efe...). De hecho, tal y como constatamos con el ejemplo de la agencia Comunicae (ver "Conclusiones"), las notas de prensa pueden llegar a tener asegurada su publicación en las agencias de noticias Europa Press y Efe, contrato mediante: "Todos los envíos Agency incluyen distribución Premium a receptores y grandes medios así como la *publicación asegurada* en Agencia Efe, Europa Press, EconomiaDeHoy.com, MegaBolsa y Mundo Financiero" (la cursiva, de este investigador). "El 'corta y pega' lo utilizan casi siempre las agencias, en su labor de redistribuidoras de la información", afirma la jefa de prensa de Nestlé en España.

En la muestra analizada (ver Anexo I: "La muestra"), destacamos este despacho de agencia publicado por la agencia Efe Empresas (www.efeempresas.com), el 12 de junio del 2014 (correspondiente al breve de *La Vanguardia* número 46 de la clasificación):

> Prosegur obtiene 400 millones de euros de un crédito sindicado
>
> Prosegur, compañía especializada en el sector de la seguridad, ha formalizado hoy un contrato sindicado por un importe de 400 millones de euros con una amortización única a un plazo de cinco años para la financiación de las necesidades generales del negocio.

Se trata del despacho que más semejanzas guarda con la nota de prensa original de la multinacional. Abajo, la nota de prensa madre, publicada por la empresa de seguridad Prosegur (www.prosegur.es), el 12 de junio del 2014:

Prosegur obtiene una financiación sindicada de 400 millones de euros

· Trece entidades nacionales e internacionales han participado en la operación

Prosegur ha formalizado hoy una operación de crédito sindicado por importe de 400 millones de euros con una amortización única a un plazo de cinco años. Con esta transacción, Prosegur, que dedicará estos fondos a la financiación de las necesidades generales de negocio, cancela el préstamo sindicado de 400 millones de euros formalizado por la Compañía en el año 2010 y consolida, así, su estructura financiera…

Texto 1	Texto 2	Índice	Palabras	¿Similitud?
NA11	NP11	0,38	201	Sí
NA15	NP15	0,42	244	Sí
NA19	NP19	0,22	519	No
NA25	NP25	0,34	400	No
NA27	NP27	0,65	318	Sí
NA29	NP29	0,38	140	Sí
NA35	NP35	0,22	219	No
NA41	NP41	0,32	432	No
NA43	NP43	0,52	383	Sí
NA45	NP45	0,51	149	Sí
NA46	NP46	0,74	263	Sí
NA47	NP47	0,39	135	Sí
NA50	NP50	0,24	261	No
NA51	NP51	0,42	282	Sí

Tabla 8. Índice binario de Jaccard resultado de la comparación entre las notas de prensa y las notas de agencia que se indican. Además, se incluye la longitud del texto con el que se alcanza la máxima similitud y el resultado final del test.

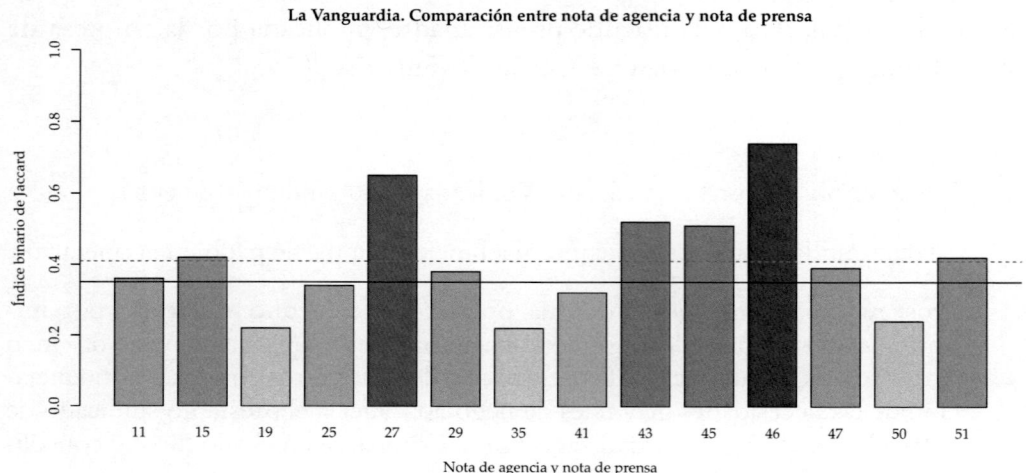

Ilustración 10. Índice binario de Jaccard al comparar las notas de prensa con las notas de agencia. La línea continua representa el umbral de similitud, por encima del cual se puede decir que sí existe similitud. La línea discontinua marca la media aritmética de los índices de similitud. La intensidad del gris de cada una de las columnas es proporcional al coeficiente de similitud.

En solo siete de los 32 breves de *La Vanguardia* de la muestra no se copia (breves 7, 17, 19, 33, 39, 43 y 50. Ver Anexo I: "La muestra"). La copia es industrial, en cadena, puesto que la mayoría de los despachos de agencia copian la nota de la empresa, realizada por expertos en marketing.

.7.3 'El Mundo'

.7.3.1 'El Mundo'. Breve con relación a la nota de prensa

Del mismo modo que hemos procedido para el diario *La Vanguardia,* se ha comparado la similitud entre los breves de *El Mundo* y las correspondientes notas de prensa. Los resultados se muestran con detalle en la Tabla 3 y se resumen gráficamente en la Ilustración 4. Cuando el índice binario de Jaccard es superior a 0,35, existe una evidencia estadística de la existencia de una gran similitud. Esto se refleja en la última columna de la Tabla 3. Puede verse como de los 20 pares de textos comparados, en 12 de ellos se obtiene un valor de similitud superior a 0,35, lo que representa el 60,00% de los textos. Del mismo modo, el valor promedio del índice de similitud se sitúa en 0,41, que es superior al 0,35.

Tal y como los entrevistados evidencian, el copia y pega de la nota de prensa en el breve se debe a una multitud de factores, entre ellos, la "fuga de cerebros" desde el campo periodístico al del marketing y la comunicación en general. "Eso siempre ha sido recurrente. Intervienen muchos factores en el copia y pega: por un lado, que las notas de prensa se han dado, tradicionalmente, a los estudiantes, a los becarios. Por otro lado, que las notas de prensa han evolucionado y ahora están redactadas por muy buenos periodistas…", responde el periodista y asesor laboral del Sindicat de Periodistes de Catalunya, Fabián Nevado (Anexo III: "Entrevistas").

Los autores del marco teórico han intentado dar con las claves de este fenómeno, el copia y pega que ayuda a construir el ideario colectivo, la realidad social (Abril, 1997). El estudio de la periodista Wendy Bacon, realizado por Crikey.com.au y el Australian Center for Independent Journalism, y recogido en el marco teórico, es una muestra de ello. Según sus conclusiones, el 55% de las noticias publicadas tienen su origen en una nota de prensa. "En muchos casos, los periodistas en plantilla de los diarios plantaban la firma sobre el texto casi literal de la nota de prensa", informa el tecnólogo Javier Candeira en el blog *Cooking Ideas*.

El breve número 26 de *El Mundo* es el que más parecido tiene con la nota de prensa (0,77).

El breve se publicó el 25 de abril del 2014:

Nuevo fondo de Mutua Madrileña

Mutuactivos, la gestora de fondos de Mutua Madrileña, ha lanzado al mercado Mutuafondo Dólar. El nuevo fondo de renta fija internacional invierte su patrimonio en una cartera diversificada de deuda pública y privada a corto plazo denominada en dólares (con una duración no superior a los dos años). / E. M.

Nota de prensa original publicada por Mutua Madrileña (www.grupomutua.es), el 24 de abril del 2014:

MUTUACTIVOS LANZA UN NUEVO FONDO DE INVERSIÓN EN DÓLARES PARA APROVECHAR EL POTENCIAL DE LA DIVISA AMERICANA

Mutuactivos, la gestora de fondos de Mutua Madrileña, acaba de lanzar al mercado Mutuafondo Dólar. El nuevo fondo de renta fija internacional invierte su patrimonio en una cartera diversificada de deuda pública y privada a corto plazo denominada en dólares (con una duración no superior a los dos años). Todos los activos tendrán una calificación de "investment grade" (AAA–BBB)…

Texto 1	Texto 2	Índice	Palabras	¿Similitud?
B04	NP04	0,25	139	No
B06	NP06	0,43	160	Sí
B08	NP08	0,55	102	Sí
B10	NP10	0,49	52	Sí
B12	NP12	0,41	90	Sí
B14	NP14	0,32	104	No
B16	NP16	0,23	59	No
B18	NP18	0,26	44	No
B20	NP20	0,16	36	No
B22	NP22	0,46	149	Sí
B24	NP24	0,35	99	Sí
B26	NP26	0,77	66	Sí
B28	NP28	0,23	127	No
B30	NP30	0,46	57	Sí
B32	NP32	0,72	77	Sí
B34	NP34	0,75	95	Sí
B36	NP36	0,21	48	No
B40	NP40	0,53	74	Sí
B42	NP42	0,36	61	Sí
B44	NP44	0,23	64	No

Tabla 3. Índice binario de Jaccard resultado de la comparación entre los breves y las notas de prensa que se indican. Además, se incluye la longitud del texto con el que se alcanza la máxima similitud y el resultado final del test.

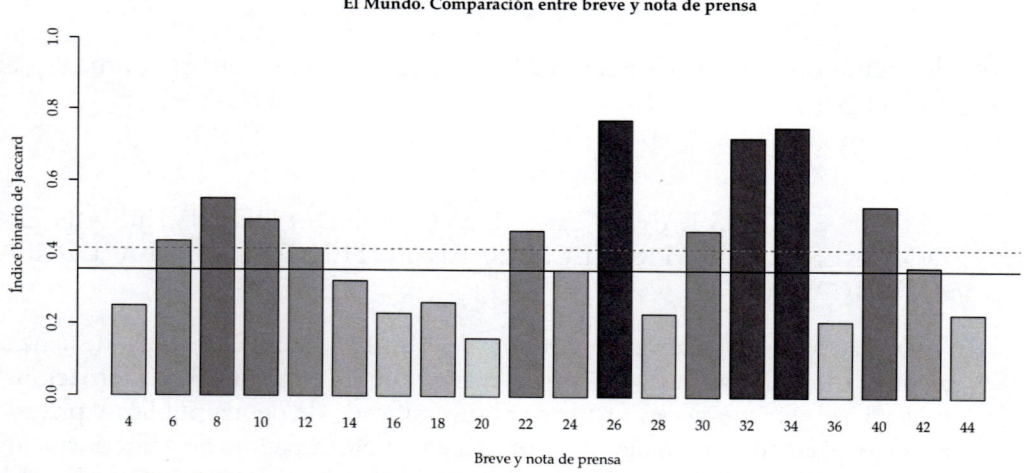

Ilustración 4. Índice binario de Jaccard al comparar los breves con las notas de prensa. La línea continua representa el umbral de similitud, por encima del cual se puede decir que sí existe similitud. La línea discontinua marca la media aritmética de los índices de similitud. La intensidad del gris de cada una de las columnas es proporcional al coeficiente de similitud.

.7.3.2 'El Mundo'. Breve con relación al despacho de agencia

Utilizando de nuevo el algoritmo de similitud, se ha comparado el parecido entre los breves de *El Mundo* y los correspondientes despachos o notas de agencia de noticias. Los resultados aparecen con detalle en la Tabla 4 y se resumen gráficamente en la Ilustración 5. Puede verse como de los 21 pares de textos comparados, en 20 de ellos se obtiene un valor de similitud claramente superior a 0,35, lo que representa el destacado 95,24% de los textos. Del mismo modo, el valor promedio del índice de similitud se sitúa en 0,69, que es notoriamente superior al 0,35. Cabe destacar, también en este caso, que la similitud que se establece entre breve y despacho de agencia es notablemente superior a la que se establece entre breve y nota de prensa.

El breve con mayor similitud, el número 2, publicado el 1 de enero del 2014 en *El Mundo* (0,87):

> Regularización fiscal de bancos suizos
>
> Alrededor de una treintena de bancos suizos que sospechan haber tenido clientes que evadieron impuestos en Estados Unidos se han unido al programa de regularización fiscal con este país en la categoría 2, cuyo plazo concluyó ayer, lo que les expone al pago de multas pero evitan un proceso penal con EEUU. / EP

Despacho de agencia publicado por la corresponsalía de Ginebra de la agencia Efe (www.efe.com), el 31 de diciembre del 2013:

> Treinta bancos suizos se unen al plan de regularización fiscal con Estados Unidos
>
> Alrededor de una treintena de bancos suizos que sospechan haber tenido clientes que evadieron impuestos en Estados Unidos se han unido al programa de regularización fiscal con este país en la categoría 2, cuyo plazo concluye hoy, lo que los expone al pago de multas pero evitan un proceso penal con EEUU.

Los periodistas entrevistados son conscientes de la "saturación" (multitareas) a la que están sometidos, lo que les hace copiar en sus diferentes cometidos y departamentos. Josep Playà, quien fuera presidente del comité de empresa de *La Vanguardia:* "Todos estamos saturados [estresados], así que no es difícil que haya la tentación de copiar, de tirar a lo fácil, porque ahora el periodista tiene muchas más funciones que atender de las que le son propias" (ver Anexo III: "Entrevistas").

En el marco teórico de esta tesis, el copia y pega ha sido objeto de los embates de los profesionales con sentido de la ética. El propio Badia lo tacha de "vicio" (ver "Presentación"). Algo que enmendar.

Se puede decir que en *El Mundo,* los breves son despachos de agencia. No breves basados en despachos de agencia, en teletipos, sino que son los propios teletipos aquí volcados.

Texto 1	Texto 2	Índice	Palabras	¿Similitud?
B02	NA02	0,87	52	Sí
B04	NA04	0,69	130	Sí
B06	NA06	0,75	117	Sí
B08	NA08	0,69	78	Sí
B10	NA10	0,78	60	Sí
B12	NA12	0,69	92	Sí
B14	NA14	0,52	108	Sí
B16	NA16	0,76	44	Sí
B18	NA18	0,78	46	Sí
B20	NA20	0,71	36	Sí
B22	NA22	0,76	101	Sí
B24	NA24	0,81	121	Sí
B28	NA28	0,76	165	Sí
B30	NA30	0,59	75	Sí
B32	NA32	0,75	77	Sí
B34	NA34	0,76	101	Sí
B36	NA36	0,83	48	Sí
B38	NA38	0,75	56	Sí
B40	NA40	0,45	70	Sí
B42	NA42	0,54	56	Sí
B44	NA44	0,28	65	No

Tabla 4. Índice binario de Jaccard resultado de la comparación entre los breves y los despachos de agencia que se indican. Además, se incluye la longitud del texto con el que se alcanza la máxima similitud y el resultado final del test.

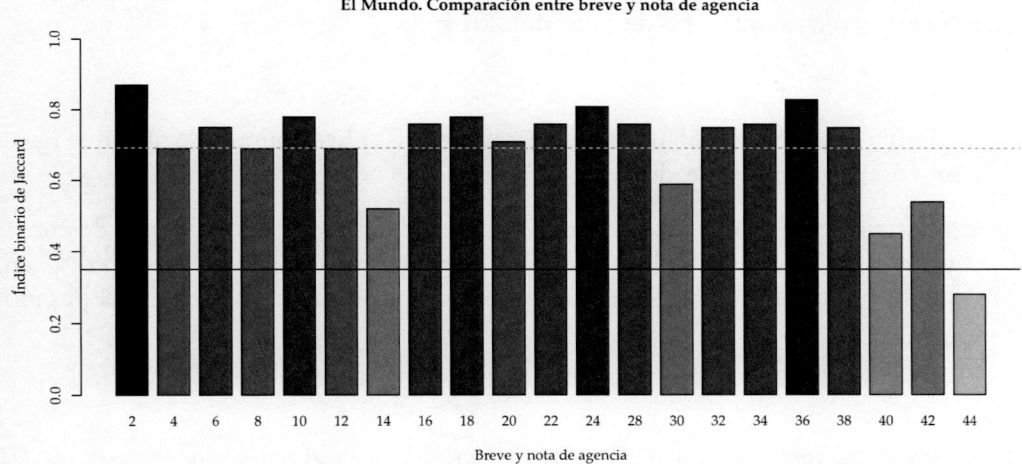

Ilustración 5. Índice binario de Jaccard al comparar los breves con las notas de agencia. La línea continua representa el umbral de similitud, por encima del cual se puede decir que sí existe similitud. La línea discontinua marca la media aritmética de los índices de similitud. La intensidad del gris de cada una de las columnas es proporcional al coeficiente de similitud.

.7.3.3 'El Mundo'. Breve con relación al despacho de agencia/nota de prensa

En aquellos casos en los que se dispone tanto de la nota de prensa como del despacho o nota de la agencia de noticias, se ha querido establecer también una comparación que se resume gráficamente en la Ilustración 6. De la observación de dicha ilustración, puede verse como claramente el índice de similitud entre breve y despacho de agencia es notablemente superior al índice entre breve y nota de prensa en todos los casos, a excepción del breve 40.

El breve de la muestra número 40, del 8 de julio del 2014 (ver Anexo I: "La muestra"):

Bankia triplica sus créditos ICO

La entidad nacionalizada Bankia concedió en los seis primeros meses de este año 1.265 millones de euros a través de las líneas ICO (Instituto de Crédito Oficial). Dicho de otra manera, triplicó la cifra de préstamos que dio en el mismo periodo de 2013. Es más, superó en un semestre la del conjunto del año pasado. / EP

Europa Press (EP) copia la nota de prensa publicada por la entidad financiera
Bankia (www.bankia.com), el 7 de julio del 2014:

> Bankia concede 1.265 millones en créditos ICO hasta junio, el triple que hace
> un año y más que en todo 2013
>
> Bankia concedió en los seis primeros meses del año 1.265 millones de euros
> a través de Líneas ICO, lo que supone más que triplicar la cifra concedida en
> igual periodo de 2013 y superar en solo seis meses la del conjunto del pasado
> año...

La observación realizada en *La Vanguardia* vuelve a validarse en este caso, en *El
Mundo,* al poderse inferir que, cuando ambas fuentes están disponibles, el periodista
elabora su información utilizando como base el despacho de la agencia de noticias.

El número 32 y el número 34 son los dos breves en los que tanto la nota de
prensa como la nota de agencia casi se calcan, se superponen (índices 0,72 y 0,75
en la nota de prensa, respectivamente; índices 0,75 y 0,76 en la nota de agencia,
respectivamente, y respecto al breve). El primer breve se publicó el 28 de mayo del
2014; el segundo, el 5 de junio del 2014.

Número 32:

> Bankinter coloca 500 millones en bono
>
> Bankinter ha colocado con éxito 500 millones de euros en bonos senior a un
> plazo de cinco años y a un margen de 108 puntos básicos sobre mid swap, lo
> que significa una rentabilidad del 1,84%. Más de 90 inversores institucionales
> han participado en el proceso de comercialización, que ha durado poco más de
> dos horas. Como entidades colocadoras han participado Bankinter, Barclays,
> BBVA, Natixis y Royal Bank of Scotland. / E. P.

Número 34:

> CatalunyaCaixa vende activos a Blackstone
>
> CatalunyaCaixa ha firmado la venta de su plataforma de gestión de activos
> inmobiliarios, CX Inmobiliaria, al fondo de inversión Blackstone Real
> Estate por un importe máximo de 40 millones de euros, de acuerdo con el
> cumplimiento de objetivos. Blackstone gestionará un volumen cercano a los
> 9.000 millones de activos inmobiliarios propiedad de CatalunyaCaixa y de la
> Sareb, y 150 empleados mantendrán su puesto de trabajo en la plataforma
> inmobiliaria. / E. P.

En ambos casos, se trata de entidades financieras: Bankinter y CatalunyaCaixa. Aquí, la nota de prensa del gabinete de comunicación del banco llega prácticamente incólume al diario, que la publica con el sello de la agencia, Europa Press. Al parecer, la agencia tiene clientes preferentes a los que no les toca ni una coma.

En el capítulo o bloque 4 ("Periodismo+marketing=copia y pega") ya vimos como plataformas del tipo Tus Medios garantizan la publicación de la nota de prensa en Europa Press.

Los entrevistados (ver Anexo III) achacan este comportamiento al "bombardeo" de notas de prensa de las multinacionales y a la estratagema de marketing que idea un evento con el que ganarse la simpatía del periodista. "Las multinacionales siempre realizan una rueda de prensa, un acto, una celebración", explica Katharine (seudónimo), de la agencia Efe, y añade: "Me llegan más de cien cada día, notas de prensa de diferentes multinacionales (Coca-Cola, Nike, Novartis…), y lo llamamos 'la sábana', por la cantidad de mails. Y eso que cada día vaciamos la bandeja de entrada".

Decíamos en la presentación de esta tesis que el poder económico, encarnado en las multinacionales, "agasaja" a una prensa que, a grandes rasgos, ha desdibujado su perfil de opositor imparcial y garante de la democracia (Orosa, 2011). En el capítulo 2 del marco teórico ("El periodismo y los breves de empresa"), incluimos los fundamentos de autores que confirman que las multinacionales ponen un pie en la prensa (Buendía, 2006). En el trabajo de Buendía, titulado *La neolengua de Orwell en la prensa actual: La literatura profetiza la manipulación mediática del lenguaje,* se recuerda la novela *1984,* del británico George Orwell: "el protagonista de *1984* […] se rebela contra ese poder y […], curiosamente, trabaja como encargado de adecuar las noticias ya existentes a las nuevas realidades como parte de su empleo de propagandista del sistema, en una especie de gabinete de prensa que cumple su función eficientemente", colige Buendía.

Uno de los pasajes divulgados del periodista George Orwell es el siguiente, publicado en el libro en el que recopila sus artículos: *Mi Guerra Civil española:*

> Ya de joven me había fijado en que ningún periódico cuenta nunca con fidelidad cómo suceden las cosas, pero en España vi por primera vez noticias de prensa que no tenían ninguna relación con los hechos, ni siquiera la relación que se presupone en una mentira corriente. […] En realidad vi que la historia se estaba escribiendo no desde el punto de vista de lo que había ocurrido, sino desde el punto de vista de lo que tenía que haber ocurrido según las distintas «líneas de partido».
>
> (Orwell, 1939)

Sustitúyase *partido* por *multinacional.*

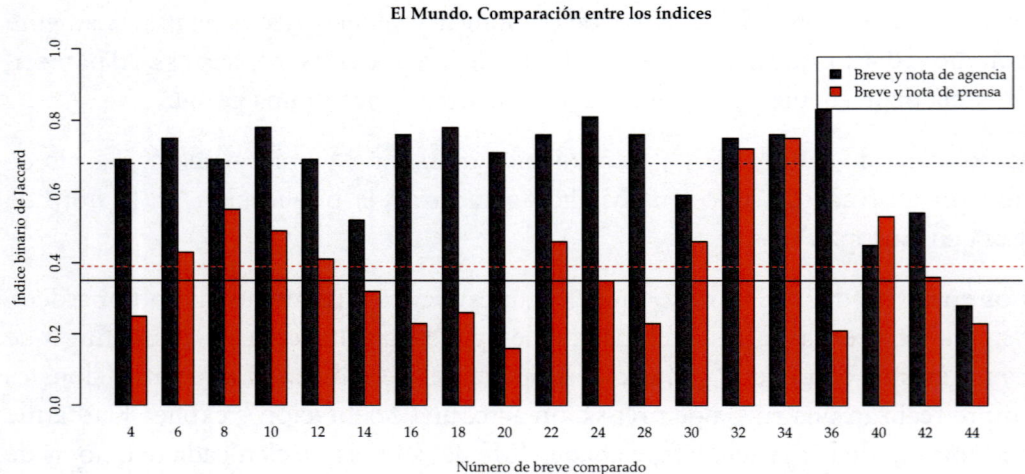

Ilustración 6. Índice binario de Jaccard al comparar los breves con los despachos de agencia (columnas de color negro) y con las notas de prensa (columnas de color rojo). La línea continua representa el umbral de similitud, por encima del cual se puede decir que sí existe similitud. La línea discontinua negra marca la media aritmética de los índices de similitud para las notas de agencia, mientras que en la línea discontinua roja el promedio es con relación a las notas de prensa.

.7.3.4 'El Mundo'. Nota de prensa con relación al despacho de agencia

En el caso del diario *El Mundo,* todos los breves a excepción de uno están firmados por agencias de noticias (Efe y, especialmente, Europa Press).

La excepción es el breve de la muestra número 26. Se publicó el 25 de abril del 2014 (ver Anexo I: "La muestra"):

> Nuevo fondo de Mutua Madrileña
>
> Mutuactivos, la gestora de fondos de Mutua Madrileña, ha lanzado al mercado Mutuafondo Dólar. El nuevo fondo de renta fija internacional invierte su patrimonio en una cartera diversificada de deuda pública y privada a corto plazo denominada en dólares (con una duración no superior a los dos años). / E. M. [El Mundo, es decir, Redacción]

En este sentido, no puede considerarse plagio al citar fielmente la fuente (sí que que hay plagio cuando la agencia de noticias firma con su nombre un texto que ha extraído casi en su integridad de las notas de prensa que los departamentos de marketing de las empresas elaboran. Entonces, se podría considerar plagio, al menos, plagio consentido por la multinacional que redacta la nota de prensa original y que intenta que esta alcance la máxima difusión). No obstante, se puede analizar la similitud entre el despacho emitido por la agencia de noticias y la nota de prensa emitida por la empresa multinacional.

Texto 1	Texto 2	Índice	Palabras	¿Similitud?
NA04	NP04	0,31	681	No
NA06	NP06	0,36	276	Sí
NA08	NP08	0,73	166	Sí
NA10	NP10	0,71	345	Sí
NA12	NP12	0,29	165	No
NA14	NP14	0,47	615	Sí
NA16	NP16	0,40	484	Sí
NA18	NP18	0,41	339	Sí
NA20	NP20	0,24	266	No
NA22	NP22	0,32	276	No
NA24	NP24	0,49	458	Sí
NA28	NP28	0,27	305	No
NA30	NP30	0,80	324	Sí
NA32	NP32	0,83	162	Sí
NA34	NP34	0,40	248	Sí
NA36	NP36	0,35	178	Sí
NA40	NP40	0,73	185	Sí
NA42	NP42	0,25	207	No
NA44	NP44	0,55	223	Sí

Tabla 5. Índice binario de Jaccard resultado de la comparación entre las notas de prensa y los despachos de agencia que se indican. Además, se incluye la longitud del texto con el que se alcanza la máxima similitud y el resultado final del test.

Utilizando de nuevo el algoritmo de similitud se ha comparado, como decimos, la relación entre los despachos de agencia de los que beben los breves de *El Mundo* y las correspondientes notas de prensa de empresa originales. Los resultados aparecen con detalle en la Tabla 5 y se resumen gráficamente en la Ilustración 7. Puede verse como de los 19 pares de textos comparados, en 13 de ellos se obtiene un valor de similitud claramente superior a 0,35, lo que representa un significante del 68,42% de los textos. Del mismo modo, el valor promedio del índice de similitud se sitúa en 0,47, que es notoriamente superior al 0,35.

El breve número 32, con información de la entidad financiera Bankinter, es casi un calco de la nota de prensa madre hecha por el banco (0,83). Esto avala las declaraciones de los autores del marco teórico, que sostienen que la nota de prensa se "fabrica" en beneficio del poderoso, del poder (Manning, 2001; Schwoebel, 1971; McChesney, 1999).

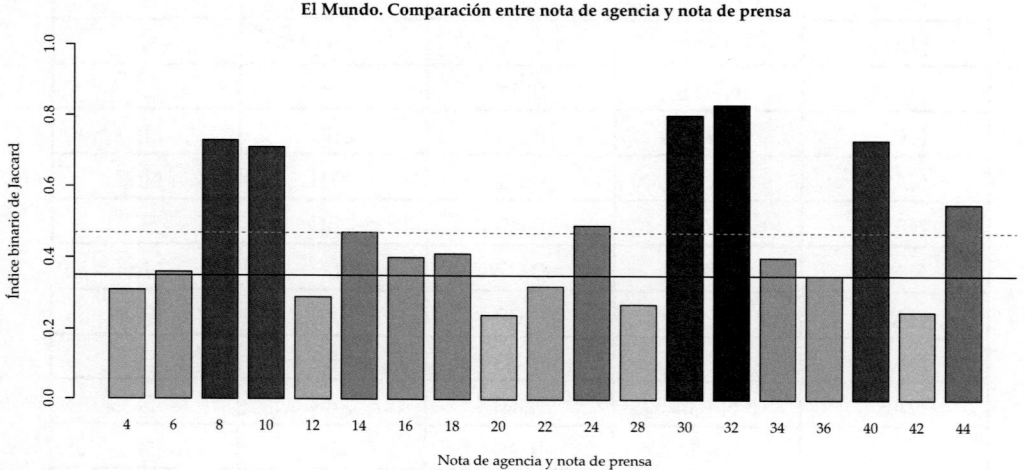

Ilustración 7. Índice binario de Jaccard al comparar las notas de prensa con los despachos de agencia. La línea continua representa el umbral de similitud, por encima del cual se puede decir que sí existe similitud. La línea discontinua marca la media aritmética de los índices de similitud. La intensidad del gris de cada una de las columnas es proporcional al coeficiente de similitud.

Solo un breve de los 20 breves de *El Mundo* no copia (número 44). La copia es industrial, puesto que la mayoría de los despachos de agencia copian la nota de la empresa.

Finalmente, de los 52 breves de la muestra, en 44 se copia, o bien de la agencia o bien del comunicado de la multinacional. Solo en ocho no se copia (se trataría de los breves 7, 17, 19, 33, 39, 43 y 50 de LV, y el breve 44 de EM).

8. CONSIDERACIONES ACERCA DE LOS RESULTADOS DEL ESTUDIO

"...debes enviar un texto sencillo para que los periodistas puedan copiar y pegar fácilmente."

cchacon, en "Seis ideas útiles para la nota de prensa", publicado en *Kantar Media,* el 2 de julio del 2014

"Jamás haremos refritos de agencias, estará prohibido el copia y pega, y toda la información que demos estará escrita sobre el terreno. Si publicamos algo de Oriente Medio, estará escrito desde allí y no lo haremos desde Madrid. Esa es una tendencia perversa, la de publicar desde Madrid piezas de Internacional. Nuestro ideario es un conjunto de buenas costumbres periodísticas que se han ido perdiendo por falta de dinero o por falta de interés. Estamos recuperando las buenas prácticas del periodismo cuando se entendía como un servicio público."

Miguel Mora en "Ctxt, apuesta por el periodismo sosegado y de calidad", entrevista publicada en el Instituto para la Innovación Periodística, el 20 de febrero del 2015

Las empresas, entre ellas las multinacionales, "bombardean" con notas de prensa los medios y las agencias de noticias.

los depredadores utilizan el automimetismo como arma para atrapar a las presas, aparentando ser menos peligrosos o engañando a la presa en cuanto al origen del ataque. Por ejemplo, algunas especies de tortugas y el pez gato boca de rana *(Chaca sp.)* del sureste asiático tienen extensiones en la lengua que utilizan como señuelo para situar a las presas en una posición en la que se conviertan en presa fácil. Uno de los ejemplos más interesantes de automimetismo es la llamada serpiente de "dos cabezas" de África Central, que tiene una cola que se parece a la cabeza y una cabeza que se parece a la cola. La serpiente mueve su cola de la misma manera que la mayoría de las serpientes mueve la cabeza. Esta adaptación sirve para engañar a las presas, haciéndolas creer que el ataque se origina en el lugar equivocado.

El escritor y fotógrafo de vida salvaje Rhett Butler,
fundador de Mongabay.com
(Butler, 2009)

Al igual que los animales e insectos se disfrazan para lanzarse sobre sus presas, la publicidad cada vez adquiere formas más sutiles, ingeniosas y perspicaces, tanto que se pierde la frontera entre lo anunciado y lo real. Como se ha aludido en el epígrafe del marco teórico sobre 'Publicidad enmascarada' (capítulo "Periodismo+marketing=copia y pega"), el investigador en comunicación Jesús Bermejo ha constatado que la publicidad encubierta en prensa (publicidad que se hace pasar por información noticiosa) se ha extendido a un ritmo trepidante en los últimos años (Bermejo, 2013).

Las empresas recurren a la *publicidad,* que se trata, en boca de los docentes Bruce Walker, Willian J. Stanton y Michael J. Etzel, autores del *bestseller Fundamentos del marketing,* "[de la] comunicación no personal, pagada por un patrocinador claramente identificado, que promueve ideas, organizaciones y productos". "Los puntos de venta más habituales para los anuncios son los medios de transmisión por televisión y radio y los impresos (diarios y revistas)."

Y como vemos, también las agencias de noticias.

Según el investigador mexicano Hernando Salazar Pacheco, una agencia de noticias es un sistema de recolección de noticias que distribuye regularmente sus servicios informativos entre diversos medios de comunicación suscritos a los mismos (Salazar, 1990: 19).

Las multinacionales, además de "bombardear" con sus notas de prensa los medios de comunicación, especialmente los escritos, también van al venero del que se alimentan los medios de prensa escrita: la agencia de noticias, que es la que provee, en buena parte, de información noticiosa a los diarios. Como se demuestra en el capítulo con los resultados del estudio (capítulo 7), tanto *La Vanguardia* como *El Mundo* muestran una gran dependencia de los textos proporcionados por la agencia de noticias, al menos en el espacio reservado al breve, el preferido por los lectores, según los investigadores de la Universidad Carlos III Guillermina Franco y David García, que publicaron el artículo "La prensa gratuita generalista en España: caso de estudio cuantitativo" (ver "El periodismo y los breves de empresa"). En el caso de *La Vanguardia,* puede verse como de los 14 pares de textos comparados (de una muestra de 30 breves, en 14 se cuenta con despacho de agencia), en 10 se obtiene un valor de similitud a la nota de agencia superior a 0,35, lo que representa el 71,43% de los textos. Del mismo modo, el valor promedio del índice de similitud se sitúa en 0,46, que es superior al 0,35. En relación con *El Mundo,* puede verse como de los 21 pares de textos comparados (de una muestra de 22 breves, en 21 se cuenta con despacho de agencia), en 20 de ellos se obtiene un valor de similitud claramente superior a 0,35, lo que representa un remarcable 95,24% de los textos. Del mismo modo, el valor promedio del índice de similitud se sitúa en 0,69, que es notoriamente superior al 0,35. En los dos periódicos, la similitud que se establece entre breve y despacho de agencia es notablemente superior a la que se establece entre breve y nota de prensa.

Para no tener que lidiar con la agencia de noticias y con el fin de que cada una de las notas de prensa tenga un tratamiento único, los clientes firman con esta contratos millonarios, y así se aseguran la "permanencia" en los medios, en especial los diarios. Por ejemplo, en el 2010, la Junta de Andalucía firmó con la agencia Efe y con Europa Press un contrato por 911.884 euros para "fortalecer la imagen de [el presidente de la Junta de Andalucía entre el 2009 y el 2013, José Antonio] Griñán". El objetivo número 1 de la contratación era el siguiente: "Garantizar la correcta cobertura informativa y gráfica y la máxima difusión en los medios de comunicación con implantación en Andalucía de las actividades, decisiones y proyectos de las instituciones de la Junta de Andalucía en general y del presidente de la Junta y de los departamentos del Consejo de Gobierno en particular, tanto del territorio andaluz como fuera de él", tal y como se detalla en el "pliego de condiciones técnicas". La agencias firman contratos similares con otras instituciones públicas, como el del Gobierno de Navarra ("prestación del servicio de noticias de Navarra y Nacionales de la Agencia Efe S. A."). Otro ejemplo: Telefónica ha firmado un "megacontrato" con la agencia Havas ("grupo líder mundial en publicidad y comunicación"), primer grupo francés de publicidad y medios de comunicación. "Megacuenta" publicitaria de 500 millones de euros, lo que se define como una "alianza estratégica de altos vuelos" (2014).

Los periodistas de los medios copian las notas de prensa que la agencia ha reconvertido en noticia. Las notas de prensa se leen como noticias. Se empobrece el periodismo. Cuando ambas fuentes de información están disponibles (despacho de agencia y nota de prensa de empresa), el periodista se nutre preferentemente del despacho de la agencia de noticias para la redacción del breve, lo cual se da en los dos diarios de la muestra (ver Anexo I: "La muestra"). En el epígrafe de la presentación 'Construcción del marco teórico', se menciona que, con frecuencia, el redactor copia íntegramente el contenido de los teletipos que le llegan de las agencias de noticias, lo cual se achaca al periodismo *low cost* (Rueda, 2009: 33-61). En el mismo capítulo de la presentación se ofrece la visión del autor del pensamiento crítico Teun A. van Dijk: "extensas partes de los despachos de agencias informativas se copian directamente en el ítem periodístico, con solo ocasionales y mínimos cambios del estilo" (1990).

Pero en los casos en los que las empresas envían directamente sus notas de prensa sin mediación de la agencia de noticias, las vertiginosas rutinas periodísticas ("las multinacionales que manejan los mercados imponen el consumo voraz de nuevos equipos de computación, nuevos programas, nuevas tecnologías 'exitosas', con una velocidad cada vez más vertiginosa", constata el activista Marcelo Colussi en Argenpress.info), sumadas a la precariedad en el empleo (falta de personal e inestabilidad laboral) y a su perfeccionamiento (notas de prensa redactadas tan pulcramente que casi no se pueden mejorar, en opinión de algunos periodistas), empujan al redactor, en muchas ocasiones, al copia y pega.

En el epígrafe de los resultados 'Breve con relación a la nota de prensa', en lo que se refiere a *La Vanguardia,* 19 de los 30 breves están por encima de la línea continua, que representa el umbral de similitud. Es decir, en 19 breves se copia. Y 12 de estos breves están por encima de la media aritmética de los índices de similitud. Sobre *El Mundo,* puede verse como de los 20 pares de textos comparados, en 12 de ellos se obtiene un valor de similitud superior a 0,35, lo que representa el 60,00% de los textos. Del mismo modo, el valor promedio del índice de similitud se sitúa en 0,41, que es superior al 0,35.

Para las multinacionales, la información es una pieza clave. En el capítulo del marco teórico sobre el periodismo y los breves de empresa (capítulo 2), se ha contado cómo las multinacionales se adentran en la prensa. En "La pérdida de valor de la información periodística: causas y consecuencias", el director de los estudios de comunicación audiovisual de la Universitat Jaume I de Castelló, Andreu Casero-Ripollés, señala la pérdida de credibilidad de los medios convencionales por su mercantilización y politización. No en vano, algunas empresas informativas se caracterizan por ser grandes grupos, como Prisa. Sin ir más lejos, News Corporation (News Corp), la megaempresa creada por el magnate de la comunicación Rupert Murdoch, posee un abanico de productos e intereses en el cine, la televisión, las revistas, los periódicos, los libros, los eventos deportivos, las páginas web… Posee editoriales (HarperCollins), periódicos *(The Australian),* plataformas de internet (Fox Interactive Media), etcétera. Este modelo de concentración de medios ya fue puesto en entredicho por el periodista que fuera director del *Chicago Tribune* James D. Squires en su *¡Chantaje a la prensa! La comunicación en manos de las grandes multinacionales.* Suya es la frase: "El periodismo está en peligro de extinción". Y el diputado del Parlamento de la Unión Europea Hans-Peter Martin dejó sentado en *La trampa de la globalización* que las presiones de los diferentes *lobbies* sobre los periodistas acaban por ponerle freno al "progreso globalizado". El subtítulo de este libro de Martin es: *El ataque contra la democracia y el bienestar.*

En el 2013, este investigador publicó una noticia en *La Vanguardia* sobre el European Poker Tour, en el Casino de Barcelona. Los organizadores del evento no quedaron muy contentos. Entienden que dar facilidades al trabajo del periodista ha de suponer un artículo edulcorado, en positivo (ver el epígrafe 'El lenguaje perverso', en el capítulo o bloque 3: "El marketing y las notas de prensa").

> Quería decirte que no hemos quedado muy contentos con el artículo que has hecho para *La Vanguardia.*
> Conceptos como *timba,* en el pie de foto, cuando se trata de un torneo internacional, no han gustado. Y menos el concepto *máquinas tragaperras,* es despectivo; son máquinas de azar.
> Por otro lado, nos esforzamos en sociabilizar el poker como competición social, un evento en Barcelona que se puede asemejar a los X-Games. En este caso, el titular tampoco acompaña, ya que no se trata de *suerte,* sino de una competición. [...]
> Creo que os hemos dado muchas facilidades y un buen trato y hemos recibido un artículo bastante crítico y sarcástico. No entiendo el motivo.

(Correo electrónico del 3 de septiembre del 2013)

En el 2012, en una pieza de este investigador, en Barcelona, la entrevistada mostró su sorpresa por que sus respuestas no se hubieran embellecido: "He hecho muchas entrevistas, y dentro de la libertad del periodista, la redacción que se ha dado a las respuestas no ha sido literal, respetando el contenido se le ha dado una forma diferente que ha hecho atractiva la misma. Disculpa si te digo, pero es mi opinión, tal y como ya te apunté, que no es el estilo ni el modo que esperaba, y no es el momento de decirte que no lo utilices, pero me gustaría que así fuera, desde el más absoluto respeto, porque el resultado no es el esperado" (correo electrónico del 29 de marzo del 2012).

Algo parecido a lo que defiende el diputado Hans-Peter Martin piensa el investigador de ciencias sociales Giovanni Sartori, que cree firmemente que la competencia entre los medios no repercute en una mejora de la sociedad, sino todo lo contrario.

A veces, las multinacionales se enfrentan a los gobiernos elegidos de manera democrática.

> El gobierno uruguayo podría ceder ante la presión y manipulación de la multinacional tabacalera Philip Morris, lo que implicaría un retroceso en las medidas antitabaco que ubican a nuestro país como líder en el continente.
>
> (En http://www.espectador.com/documentos/Com_Cief.pdf)

En la presentación de *Copia y pega. Cómo las multinacionales construyen las noticias,* se expone el artículo "Open Democracy investigará la injerencia de los anunciantes en las decisiones editoriales", de la editora Mary Fitzgerald, publicado en IJNET, el 23 de septiembre del 2015: "Open Democracy está desarrollando un importante proyecto llamado Media UnSpun. Investigaremos la injerencia comercial en las decisiones editoriales sin pedirle a los periodistas que arriesguen sus fuentes laborales". Por eso, algunos periodistas se rearman para no dejarse influenciar. Agustín Rivera publicó en su blog el artículo: "Jefes de prensa: ¿policía o mayordomo?" (2013).

> Hace ya diez años, cuando era jefe de sección de *El Mundo/El Día de Baleares,* conocí a un jefe de prensa demasiado común: desafiante y muro-pantalla con los periodistas nada dóciles y simpático con los que informaban con un tono amable. [...] La crisis desaforada de los medios de comunicación ha permitido en los últimos años un trasvase sin límites del periodismo a las jefaturas de prensa o direcciones de comunicación. Se han trasladado al "lado oscuro" o "el otro lado", como ellos mismos lo definen, periodistas brillantísimos que necesitan un empleo estable y una seguridad económica que ya no les ofrece una profesión tan apasionada como desasosegante, ahora azotada por salarios ínfimos, ERE y cierres...
>
> (Rivera, 2013)

En los comentarios recibidos a este escrito se puede leer lo siguiente: "El problema es que todos ellos [los periodistas] se contentan con las notas de prensa". Y: "docilidad, actitud preventiva ante probables cabreos de los anunciantes, producción de páginas-noticias siguiendo una cantidad fijada y grandes sesiones de corta-pega [de] notas de prensa. Es el resumen de mis dos últimas experiencias en medios".

Algunas multinacionales se sienten cómodas con el periodismo acrítico ("periodismo *soft* o complaciente con las fuentes"), algo que rechaza el periodista Andy Robinson en el artículo "WEF [World Economic Forum], foro sin beneficios para la gente". El periodismo acrítico se halla sujeto al periodismo *low cost,* en el que copiar y pegar notas de prensa es un mal menor ante las urgencias del cierre, bajo mínimos (poco personal y muchos frentes abiertos). El redactor jefe Sergio J. Valera publicó en la Asociación de la Prensa de Madrid, el 18 de abril del 2011, el artículo "¿Titular para Google o para los ciudadanos?".

> "El límite de esos periodistas de Ctrl+C y Ctrl+V [teclas de copiar y pegar] es el robot, Google", afirmó José Cervera. Según el autor del blog *Perogrullo* y profesor de la Universidad Rey Juan Carlos, la sociedad necesita información más contextualizada [...]. Sin embargo, consideró que las empresas periodísticas no están creando productos que interesen a la sociedad, sino para satisfacer sus aspiraciones a corto plazo: más cantidad de información y emitida a mayor velocidad, realizada por una plantilla más barata, sin priorizar la calidad.

(Valera, 2011)

Las mismas multinacionales promueven el periodismo *low cost:* "El periodismo *low cost* atrae a los inversores", publica en *El Confidencial* el redactor Alejandro Laso, por la puesta en marcha del diario *The Huffington Post.* "Unos medios, como el *Huffington,* apuestan por contenidos más pobres, pero más virales, mientras que los grandes grupos de comunicación ofrecen temas más exclusivos y analíticos. Los *inversores* [ver Anexo IV: "inversor cualificado"] se decantan más por el primer modelo, ya que ofrecen una rentabilidad mayor y por eso están dispuestos a pagar ingentes cantidades de dinero."

Las multinacionales halagan a los periodistas para recibir de ellos mejor atención. Y así aumentar sus beneficios. *ForumLibertas.com* abronca a los periodistas que se dejan "modelar" al gusto de las multinacionales y que dejan pasar "notas de prensa que son acríticamente publicadas". En el fondo, este es uno de los principales males del periodismo.

El veterano redactor del diario *El País* Miguel Ángel Bastenier lo llama "oficialismo" (según él, los otros males que afectan al periodismo: "declaracionitis", "hiperpolitización" y "desconocimiento de la realidad internacional"). "El oficialismo no es simplemente ir a favor o no del gobierno y de las autoridades de turno, sino publicar todo lo que, más o menos remotamente, tenga un origen oficialesco, provenga de cámaras de comercio, asociaciones más o menos oficiosas del poder, y no digamos ya comunicados de partidos políticos, multinacionales", aluden los periodistas nicaragüenses de la página web *Trinchera de la noticia*.

La copia de las notas de prensa provoca reacciones adversas en los lectores, como la del doctor en Ciencias Biológicas y científico titular del Centro de Investigaciones sobre Desertificación (Universidad de Valencia), Juan José Ibáñez, que carga contra una información publicada en la web del diario *ABC* sobre "insecticidas versátiles", "bacterias" y "plantas transgénicas", propaganda de una nota de prensa del Consejo Superior de Investigaciones Científicas y del Instituto Nacional de Tecnología Agropecuaria. Ofendido, publicó en su blog: "Un ejemplo meridiano de que el ciudadano no se puede informar debidamente por los medios de comunicación de las novedades de la actividad científica".

El resultado es que el copia y pega no solo irrita a los lectores, sino que hace que los diarios se queden sin lectores.

.8.1 'Plagio consentido'

Para evitar el plagio se ha de revelar la fuente de la información, pero ¿habría que pedir permiso para copiar?

En España, y según la Ley de Propiedad Intelectual (Ley 23, del 2006), se puede copiar con fines académicos, sin ánimo de lucro y sin autorización previa:

> Artículo 31. Reproducciones provisionales y copia privada.
>
> 1. No requerirán autorización del autor los actos de reproducción provisional a los que se refiere el artículo 18 que, además de carecer por sí mismos de una significación económica independiente, sean transitorios o accesorios y formen parte integrante y esencial de un proceso tecnológico y cuya única finalidad consista en facilitar bien una transmisión en red entre terceras partes por un intermediario, bien una utilización lícita, entendiendo por tal la autorizada por el autor o por la ley.
>
> 2. No necesita autorización del autor la reproducción, en cualquier soporte, de obras ya divulgadas cuando se lleve a cabo por una persona física para su uso privado a partir de obras a las que haya accedido legalmente y la copia obtenida no sea objeto de una utilización colectiva ni lucrativa, sin perjuicio de la compensación equitativa prevista en el artículo 25, que deberá tener en cuenta

si se aplican a tales obras las medidas a las que se refiere el artículo 161. Quedan excluidas de lo dispuesto en este apartado las bases de datos electrónicas y, en aplicación del artículo 99.a), los programas de ordenador.

[Por *reproducción* léase *copia*]

A pesar de ello, y relacionándolo con la prensa y con la ética, ¿es necesario no solo citar la fuente de los escritos sino avisar de que parte de un artículo va a ser copiado? Según la misma Ley de Propiedad Intelectual, en su actualización del 5 de noviembre del 2014, se descarta esta posibilidad.

Artículo 32. Citas y reseñas e ilustración con fines educativos o de investigación científica.

4. Tampoco necesitarán la autorización del autor o editor los actos de reproducción parcial, de distribución y de comunicación pública de obras o publicaciones, impresas o susceptibles de serlo, cuando concurran simultáneamente las siguientes condiciones: Que la distribución de las copias parciales se efectúe exclusivamente entre los alumnos y personal docente o investigador del mismo centro en el que se efectúa la reproducción.

Otra cuestión sería si las notas de prensa, en sí mismas, buscan que se las plagie. Sí, puesto que ansían la máxima difusión, y está en su código genético la copia (Marco Sanz, 2012): "Como norma, una nota de prensa busca la máxima difusión, por lo que el primer interés será no olvidar ningún medio, aunque sea modesto o local". Esto mismo lo denominamos "plagio consentido": la empresa ve con buenos ojos la copia de su nota de prensa aunque el medio no cite que la nota se ha cocido en un departamento de marketing, no cite la procedencia.

Periodísticamente hablando, se considera una "falta grave" el copia y pega, tal y como manifiesta Cantarero (2004) en el marco teórico de esta tesis.

.8.2 La banalización de la noticia

Es poco halagüeña la situación actual en las redacciones de los diarios de Catalunya. En su dinámica interna, el comportamiento de sus profesionales se ve afectado por la situación del mercado laboral. "Probablement els periodistes i les periodistes encara reflexionem poc, tenint en compte l'elevat impacte social de la nostra feina, que, a més, amb les noves tecnologies i la globalització mediàtica creixent, augmenta dia a dia a gran velocitat", escribió en el 2006, como prólogo del *Llibre blanc de la professió periodística a Catalunya,* el por entonces decano del Col·legi de Periodistes de Catalunya, Josep Maria Huertas. Aquel *Llibre Blanc,* en el que se analizaban hasta las perspectivas de promoción de los periodistas, ha quedado desfasado. Los periodistas del 2006 se las veían venir. A la pregunta en el 2006: "opinió sobre la professió d'aquí a 10 anys [2016]", respondían mayoritariamente: "Pitjor que ara" (55,8%). "Es pot comprobar que més de la meitat dels enquestats són pessimistes pel que fa referència al futur del periodisme i creuen en la decadència progressiva d'aquesta professió."

Acertaron. Han pasado diez años. El 2016 sigue siendo un año de crisis. Quizá, la crisis ya no tiene fin y se ha implantado como modelo socioeconómico. La precariedad laboral influye de manera determinante en los procesos de elaboración de las noticias: más volumen de trabajo, más estrés; sin tener en cuenta la rapidez por llegar a la hora de cierre con la información documentada, ordenada, compaginada, revisada y, en los casos como *La Vanguardia,* traducida (publica en castellano y catalán desde mayo del 2011; el programa informático Lucy Software Ibérica hace una traducción genérica, pero la máquina no entiende de matices lingüísticos: *puro* puede ser un adjetivo y un sustantivo). La reducción de personal, junto con la presión por la hora del cierre y la ausencia de jefes de sección, diezmados por las jubilaciones anticipadas, ha hecho que cada vez se corra más. La precariedad, cuya base no es la explotación sino la inestabilidad laboral ("siempre estamos con el *ai al cor,* pendientes de si se anuncia un despido colectivo", se lamenta un trabajador de la redacción de *La Vanguardia),* afecta a la calidad de la información. Con este caldo de cultivo, las notas de prensa de las empresas y las instituciones públicas y privadas se copian y se pegan. Y tal cual se publican.

Como ya dijimos en el marco teórico, en "Rutinas profesionales y valores en las redacciones de medios digitales catalanes: periodismo digital en contextos reales", el investigador de la Universitat Rovira i Virgili David Domingo analiza lo que él denomina "cultura de la actualización", la competencia por ser el primero en ofrecer la noticia, en muchos casos "copia y pega" de los textos de las agencias y de las notas de prensa. Se trata de un 'plagio consentido' por quienes elaboran las notas y los comunicados de prensa de las diferentes empresas —muchas de ellas, multinacionales.

La crisis de la prensa ha golpeado el corazón de su formato estrella, el papel: "El impacto de internet, la temeraria apuesta por grandes grupos multimedia y la Gran Recesión son las tres crisis culpables y confesas. Pero existe una cuarta crisis que, posiblemente, fue la primera en llegar, una 'crisis ética'", escribe en *eldiario.es* el exdecano del Col·legi de Periodistes de Catalunya, Josep Carles Rius, que sustituyó a Huertas Claveria cuando este falleció (2007). Y se complementa con esta otra crisis: "España se contaba entre los países en los que menos prensa se lee; en el 2012 seguía siendo el segundo país de Europa con más cabeceras" (ctxt.es, varios autores, 2015).

La crisis de la prensa, en España, ha hecho que se banalice el concepto de noticia: pagando, parece ser que cualquier información puede adquirir este estatus y "hacer noticia de los acontecimientos noticiables" (Martini, 2000), aunque estos "acontecimientos" no merezcan ser noticiables. La necesidad de obtener recursos financieros en una crisis económica que empezó en el 2008 y que ha despedido a más de diez mil periodistas en España ha provocado que las empresas que pagan por que su información adquiera notoriedad y mayor visualidad puedan hacerlo con más garantías de éxito.

Así, se devalúa el "interés público" de la noticia, una de las cinco características que toda pieza informativa ha de tener, junto con actualidad, novedad, periodicidad y veracidad (De Fontcuberta, 1993, 2000; Martínez Albertos; 1998; Núñez Ladeveze, 1991, y Grijelmo, 1997, 2006): "Solo es noticia aquello que puede interesar al público. Los medios de comunicación solo convierten en noticia aquello que interesa a su público. Y al público le interesa aquello que le afecta de una u otra manera. Por lo tanto, algo que aquí en España es noticia tal vez no lo sea en Corea, y viceversa. O algo que es noticia en tu ciudad puede no serlo en otra, por esa razón los medios informativos se asocian a ámbitos geográficos específicos: nacionales, autonómicos, locales...".

Pero hoy es "noticia" la nueva colección de vestidos de Pronovias, por ejemplo (información-publicidad de la marca de vestidos de novia Pronovias; el cable de la agencia Efe se titula: "Pronovias viste de blanco a una Irina Shayk 'feliz' pero misteriosa". Y se copia, sin modificaciones, y haciendo mención de la fuente, en diferentes medios: *Deia, el diario.es...*). Ya lo proclama el secretario general del Club de Roma, Graeme Maxton (entrevista de *La Vanguardia,* 15/i/2016): "La revolución digital [...] nos está trayendo más desregulación y paro. A costa de empobrecer empresas de periodismo, que antes prosperaban dando información crítica de calidad. Hemos sustituido los grandes reportajes que explicaban a fondo el mundo por billones de tuits banales". El periodista crítico y radiofónico Ramon Miravitllas, en *Los nuevos déspotas del periodismo político* (Laertes, 2012), lo llama así: "la banalidad creciente de los medios".

Otras áreas humanísticas también sufren este proceso de trivialización. Es el caso de la arqueología urbana, como explica Alfredo González Ruibal en *Volver a las trincheras. Arqueología de la Guerra Civil española:* "La banalidad se está imponiendo en la arqueología y la gestión del patrimonio" (González Ruibal, 2016: 33).

Para que ocurra lo anteriormente expuesto, para que haya anuncios-noticia, los gabinetes de comunicación de las empresas y las instituciones privadas y públicas se han beneficiado del talento de los periodistas que, en su día, trabajaban en medios de comunicación independientes. Buena parte del talento se ha ido al sector de la comunicación en el que prima el lucro y la exclusividad.

Con ello, pues, el discurso periodístico ha perdido capacidad para imponer su visión del mundo, visión objetiva o, cuando menos, imparcial. Le ha ganado terreno la visión del mundo dictada por los gabinetes de comunicación, cuyas notas de prensa se reproducen sin cortapisas.

> A pesar de que la misión de dichos gabinetes es la de facilitar la tarea del periodista y no sustituirla, la práctica cotidiana confirma la enorme tendencia de los medios a aceptar como propias, y sin contrastar, informaciones que, dado su origen, nunca son imparciales.
>
> (De Fontcuberta, 1993, 2000: 140)

Los periodistas ya no inciden tanto en la realidad, sino que lo hacen las marcas. Las empresas. Las multinacionales.

Según los resultados de esta tesis, *Copia y pega. Cómo las multinacionales construyen las noticias,* en los 30 breves de *La Vanguardia* analizados, 19 se asemejan a las notas de prensa de las multinacionales. En cuanto a los 22 breves de *El Mundo* analizados, 12 de estos breves tienen aspectos coincidentes con el redactado propuesto por la multinacional. De 52 breves, 31 transmiten el punto de vista de la compañía. El resto de breves copia el despacho de agencia, el intermediario entre a. empresa y c. diario.

En total, de los 52 breves de la prensa, solo ocho no son un mero copia y pega (se trataría de los breves 7, 17, 19, 33, 39, 43 y 50 de LV, y el breve 44 de EM). .

9. CONCLUSIONES

"En mi trabajo, consulto muy a menudo Google News para comprobar el alcance y la repercusión de las diferentes notas de prensa que mandamos, y cada vez se me hace más evidente que existe un periodismo que se basa exclusivamente en copiar y pegar. Esto no es malo de por sí, y la voracidad del ciclo de noticias 24/7 [24 horas, 7 días de la semana] exige nuevos contenidos a cada momento, por lo que el *copy & paste* es un recurso cada vez más usado en las redacciones. La pregunta es si es un buen recurso."

En "El periodismo de copiar y pegar", en *Escomunicacion.es,* de Miguel Ángel Alonso Pulido, el 6 de marzo del 2013

"Leyendo este libro las risas están aseguradas, pero también las lágrimas. Descubrirás algunos de los trucos que se utilizan para que consumas información: robots que escriben noticias, *software* que elige el mejor titular, noticias creadas directamente para venderte un producto."

Reseña del editor de *Sexo, muerte y clics. Las noticias que le gustan a tu cerebro* (Léeme Libros, 2015), de Jorge Todolí y Raúl Cirujano

"¿Cómo van a ser esas noticias? Todavía no sabemos si van a ser un copiar y pegar de lo que reciban por parte de las compañías o si habrá algo un poco más elaborado."

En el artículo "Periodistas contra robots", en su blog periodístico *Escucha, habla, comunica...*, de Alicia M. Medina, el 3 de julio del 2014

"Paisaje segado de talento a causa de las prejubilaciones, de la subproletarización de las nuevas promociones y de la destrucción masiva de puestos de trabajo." Así define el panorama mediático el periodista Joaquín Roglán *(La República Catalana, 1931-1939)*, director del máster de reporterismo del Grupo Godó, en la reseña del libro de su colega Josep Carles Rius, *Periodismo en reconstrucción. De la crisis de la prensa al reto de un oficio más independiente y libre* (2016),[10] en el que cabe un capítulo ilustrativo para ver lo que ocurre hoy en día: "Sometidos a la precariedad laboral". El trabajo de Josep Carles Rius encaja con las conclusiones de esta tesis, que ratifica la tendencia a la que se han acostumbrado los diarios convencionales de prensa escrita: el copia y pega, inmerso ya en las rutinas de producción, inherente a su microcosmos interno, a la evolución de sus hábitos. Los propios entrevistados piensan que algo no va bien en la transmisión de información, incluso en la elaboración de la información. Tanto los entrevistados periodistas de medios como los periodistas de gabinetes se sienten, en cierta manera, frustrados por unas dinámicas de trabajo que no son las esperadas ni las deseadas. Tanto el periodista de *Lavanguardia.com* Albert Lladó (cuestionario del 26/VIII/2015) como el director de la agencia de comunicación All Media Consulting, Gustavo Franco (cuestionario del 26/VIII/2015), coinciden en el mismo punto: la precariedad hace que primes cantidad (actualizar) sobre calidad (ver Anexo III: "Entrevistas"). El correo electrónico enviado a este investigador de la periodista y profesora mexicana Rosana Ricárdez (7 de septiembre del 2015) esclarece bastante sobre el estado de la cuestión:

Creo que el mal del *copy & paste* es general. Si bien el mundo académico está lleno de esto, el periodístico no se salva, porque nadie, absolutamente nadie, tiene el tiempo ni la decencia (ética) de investigar. Si he de fincar responsabilidades a algún "fenómeno", me parece que es a la ausencia deontológica, ligada a la responsabilidad y al respeto hacia la profesión. Es más sencillo colocar en Google un tema, leer, a lo mucho, las dos primeras ligas con información al respecto, y extraer una conclusión. Y no hablo solo de Wikipedia; de hecho, ha habido una campaña de profesionalización de los editores —miles de ellos en el mundo— de la wiki, justamente porque es una fuente primaria de datos. Pero solo eso. Hace unos seis años que poca relación directa mantengo con los medios de comunicación, últimamente publico solo en revistas literarias (reseñas, sobre todo), pero en mi periodo de profesora en la Facultad de

---

10 "buena parte de la redacción interpretó que la crisis fue una magnífica coartada para eliminar a los periodistas más críticos, más reacios a aceptar las estrategias informativas de la dirección y más identificados con lo que habían representado las mejores épocas vividas por el periódico" (Rius, 2016: 23)

Comunicación de la Universidad Autónoma de Puebla (México), a mi regreso de Francia, encontré que los alumnos interesados por el periodismo prefieren hacer, en el mejor de los casos, un paneo de datos, una búsqueda fácil que no implique más de quince minutos. Lo malo, por paradójico que suene, es que no todo está en la Red. Hay datos específicos o incluso fotos que no se encuentran en la Red, y ello lleva a dar por sentado algunos datos que terminan siendo falsos. (Es patente en el caso de los investigadores. Salvo que, además de a la investigación, dediquen tiempo a hacer publirrelaciones en las redes sociales, no hay fotos fiables de los investigadores académicos en internet.)

Para aclarar, pongo un ejemplo. El semestre pasado me avisaron de que tendría (en calidad de estudiante) un profesor de 'poéticas visuales' al que desconocía. Quise saber quién era, y si bien la coordinadora del magíster en la universidad me pasó algunos datos curriculares, quise saber cómo era físicamente. Si uno coloca en el buscador de imágenes Rodrigo Cordero se topará con 619.000 resultados. Si reduzco la búsqueda con comillas (lo cual facilita significativamente la tarea), y además coloco 'literatura e investigaciones en artes visuales afines', el universo se achica. Los primeros once resultados son distintos, solo la foto 2 y la 13 son iguales, lo que supondría una deducción (mi profesor resultó ser el de la foto 2 y la 13, aunque entre ellas hay una diferencia enorme pues una foto data de seis años atrás y la otra es de hace dos años). ¿Cuál es mi punto con esto? Se necesita tiempo, audacia y, sobre todo, investigación responsable para obtener datos básicos para una entrevista. La audacia no está en la Red, y ello lleva a que periodistas en ciernes cometan crasos errores. Lo anterior es de novatos. Y en las "grandes ligas" también se cuecen habas. Hay muchos datos errados en los diarios de circulación local y nacional —quizá se note más en ciertas secciones—, imprecisiones que obedecen solo a un *copy & paste* que dejó atrás aquello de la corroboración antes de su publicación.

Ahora bien, también sucede otro fenómeno. Aquel de copiar y pegar la versión oficial de las instituciones (el boletín). Es evidente que esto denota comodidad y conformidad con la versión oficial. Qué más pertinente ejemplo que el caso de los 43 desaparecidos de Ayotzinapa, en Iguala (Guerrero, México). El columnista y experto en educación Ricardo Raphael (2015) habla de la versión sobre los desaparecidos que dio el Gobierno en la pieza "La infame fabricación de un incendio" *(El Universal,* 7 de septiembre del 2015): "Fue el Estado el que mintió".[11] El punto, aquí, es que muchos periodistas (seudoperiodistas) decidieron aceptar la primera interpretación institucional y copiaron en sus columnas o artículos de opinión tal versión, sin darse a la tarea de investigar o, quizá más difícil aún, sin reflexionar sobre el tema. En twitter, la comidilla fue Ricardo Alemán [https://twitter.com/RicardoAlemanMx], "periodista" del oficialismo que defendió lo indefendible: la versión sobre los quemados de Murillo Karam: "Idiotas los que hacen el juego a los que descalifican las instituciones del Estado". Creo que uno de los grandes males

---

11 Aviso del diario *El Universal* cuando en uno de sus textos se clica control+copiar y control+pegar: "Este material cuenta con derechos de propiedad intelectual. De no existir previa autorización por escrito de EL UNIVERSAL, Compañía Periodística Nacional S. A. de C. V., queda expresamente prohibida la publicación, retransmisión, distribución, venta, edición y cualquier otro uso de los contenidos (Incluyendo, pero no limitado a, contenido, texto, fotografías, audios, videos y logotipos). Si desea hacer uso de este contenido por favor comuníquese a la Agencia de Noticias de El Universal, al 57091313 extensión 2425. Muchas gracias".

de nuestros países es la corrupción, y ello está relacionado no solo a las grandes esferas sino al día a día. Recordé el caso de Tommaso Debenedetti (2010). Si su "farsa" (yo creo más bien que fue un enorme ejercicio de ficción, sopa del chocolate de la sociedad) fue posible se debió a que hubo varios cómplices que simulaban no darse cuenta de la mentira. "No solo eran Premios Nobel de Literatura, escritores ilustres y autores de *bestsellers.* También el Dalai Lama, Lech Walesa, Mijaíl Gorbachov, Elie Wiesel, Noam Chomsky y Joseph Ratzinger, poco antes de que empezara, en el 2005, el cónclave que le eligió Papa; fueron entrevistados por la imaginación de Tommaso Debenedetti", escribió Miguel Mora en *El País,* el 6 de junio del 2010. "La lista de falsas entrevistas del *freelance* italiano sigue creciendo."

   (Ricárdez, 2015)

A fin de cuentas, se trata de lo que el presidente del Consell de la Informació de Catalunya, Roger Jiménez, dijo en la presentación de su libro *Cien casos,* el 20 de junio del 2016, en el Col·legi de Periodistes de Catalunya: "Muchos de los empresarios de la comunicación buscan rendimiento a corto plazo". Pero para Roger Jiménez, los diarios son "bienes públicos". Y los ciudadanos, tal y como recoge la Declaración Universal de Derechos Humanos, tienen el derecho a recibir "informaciones y opiniones" (1948).

.9.1 Conclusiones

En esta sección se pretende comparar si existen diferencias significativas entre ambos medios *(La Vanguardia* y *El Mundo)* en términos de los índices de similitud. En la Tabla 6 se ha incluido un resumen con la media aritmética y la desviación típica para los índices de similitud entre breve y nota de prensa (NP) y breve y despacho o nota de agencia (NA) para los medios *La Vanguardia* y *El Mundo.* Del mismo modo, los índices de similitud por separado pueden verse en la Ilustración 8 y en la Ilustración 9, para las notas de prensa y los despachos de agencia, respectivamente. Visualmente, parece destacable que los índices de similitud entre los breves y las notas de prensa de *La Vanguardia* y *El Mundo* son similares, ya que en ambos casos el valor medio es de 0,41, aunque en *El Mundo* la dispersión de los datos medida en su desviación típica es algo mayor. Donde sí se observa una diferencia notable es en los índices de similitud entre los breves y los despachos de agencia de *La Vanguardia* y *El Mundo.* En el primer caso, el valor promedio es de 0,46, mientras que en el segundo caso este valor aumenta hasta el 0,69. A priori, parece evidente que existe una diferencia entre ambos conjuntos de datos que nos lleva a concluir que con relación a los despachos de agencia, las similitudes en *El Mundo* son significativamente mayores. No obstante, a pesar de la clara evidencia numérica, llevaremos a cabo un contraste de hipótesis para confirmar o descartar esta intuición.

| | La Vanguardia | | El Mundo | |
	media	desviación típica	media	desviación típica
NP	0,41	0,15	0,41	0,18
NA	0,46	0,19	0,69	0,14

Tabla 6. Resumen de los estadísticos más comunes (media y desviación típica) para los índices de similitud entre breve y nota de prensa, entre breve y despacho o nota de agencia, para *La Vanguardia* y *El Mundo,* respectivamente.

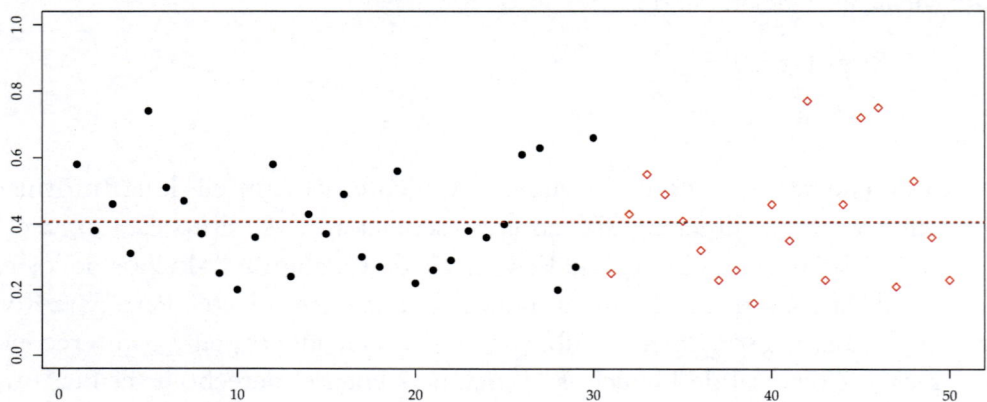

Ilustración 8. Índices de similitud entre breve y nota de prensa en *La Vanguardia* (puntos negros) y en *El Mundo* (rombos rojos). Las líneas discontinuas negra y roja (prácticamente superpuestas) representan los valores promedios en cada caso (negro, *La Vanguardia;* rojo, *El Mundo).*

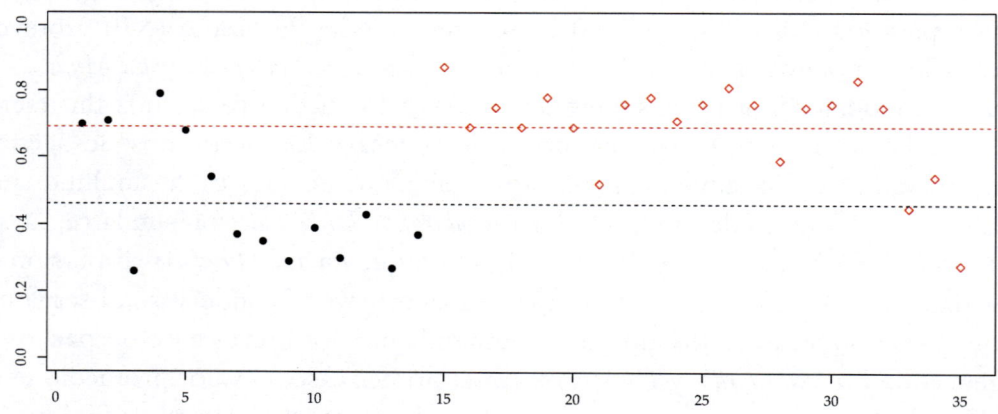

Ilustración 9. Índices de similitud entre breve y despacho de agencia en *La Vanguardia* (puntos negros) y en *El Mundo* (rombos rojos). Las líneas discontinuas negra y roja (claramente diferenciadas) representan los valores promedios en cada caso (negro, *La Vanguardia;* rojo, *El Mundo).*

El contraste de hipótesis –técnica estadística que permite aceptar o rechazar una hipótesis o suposición entre dos que son complementarias– nos va a permitir, de forma rigurosa y bajo criterios científicos, discernir si los índices de similitud entre breve y nota de agencia en *La Vanguardia* en relación a los índices de similitud entre breve y nota de agencias en *El Mundo* son significativamente distintos.

El contraste de hipótesis se va a basar en el llamado test de Welch-Satterthwaite que se puede encontrar resumido en el trabajo de Mújica *et al.* (2014). En este caso, consideramos dos conjuntos de datos, los índices de similitud entre breve y despacho de agencia de *La Vanguardia* y los índices de similitud entre breve y despacho de agencia de *El Mundo*. La hipótesis nula (H0) será que ambos conjuntos no presentan diferencias con relación a su distribución mientras que la hipótesis alternativa (H1) establecerá que ambos conjuntos se distribuyen de forma diferente. Para el contraste de hipótesis se establece un nivel de significación α del 10%. Para el contraste se ha utilizado el programa libre R:

R es un lenguaje y entorno de programación especialmente diseñado para el análisis estadístico.

R ha sido utilizado en esta tesis para la generación de las ilustraciones del capítulo de la metodología y para el contraste de hipótesis.

Para el contraste de hipótesis, se ha usado el código que se anexa:

```
#CONTRASTE DE HIPÓTESIS SOBRE NP/NA EN LV/EM


nplv<-c(0.58,0.38,0.46,0.31,0.74,0.51,0.47,0.37,0.25,0.20,0.36,0.58,0.24,0.43,.37,.
49,.30,.27,.56,.22,.26,.29,.38,.36,.40,.61,.63,.20,.27,.66)
nalv<-c(.70,.71,.26,.79,.68,.54,.37,.35,.29,.39,.30,.43,.27,.37)
npem<-c(.25,.43,.55,.49,.41,.32,.23,.26,.16,.46,.35,.77,.23,.46,.72,.75,.21,.53,.36,.23)
naem<-c(.87,.69,.75,.69,.78,.69,.52,.76,.78,.71,.76,.81,.76,.59,.75,.76,.83,.75,.45,.54,.28)


#CONTRASTE DE HIPÓTESIS SOBRE NP/NA EN LV/EM
# NOTAS DE AGENCIA
# H0: las medias son iguales
# H1: las medias son diferentes
meanh<-mean(nalv)
meanc<-mean(naem)
nh<-length(nalv)
```

```
nc<-length(naem)

sh<-sd(nalv)

sc<-sd(naem)

nu<-floor((sh^2/nh+sc^2/nc)^2/((sh^2/nh)^2/(nh-1)+(sc^2/nc)^2/(nc-1)))

tobs<-(meanh-meanc)/(sqrt(sh^2/nh+sc^2/nc))

alpha<-0.1 # nivel de significación

tstar<-qt(1-alpha/2,nu)

abs(tobs)<=tstar # Si el resultado es TRUE, se acepta H0. Si el resultado es FALSE, se rechaza
H0 y se acepta H1.

pvalor<-2*pt(-abs(tobs),nu)

# grafico de puntos sobre np

postscript("LVEMNP.eps", height = 6, width = 12, family = "Palatino", paper = "special",
onefile = FALSE, horizontal = FALSE)

plot(1:length(nplv),nplv,pch=19,xlim=c(1,length(nplv)+length(npem)),ylim=c(0,1),xlab="",ylab="")

par(new=T)

plot((length(nplv)+1):(length(nplv)+length(npem)),npem,pch=23,xlim=

c(1,length(nplv)+length(npem)),ylim=c(0,1),xlab="",ylab="",axes=F,col='2')

abline(a=mean(nplv),b=0,col='gray20',lty=2)

abline(a=mean(npem),b=0,col='2',lty=2)

par(new=F)

dev.off()

# grafico de puntos sobre na

postscript("LVEMNA.eps", height = 6, width = 12, family = "Palatino", paper = "special",

onefile = FALSE, horizontal = FALSE)

plot(1:length(nalv),nalv,pch=19,xlim=c(1,length(nalv)+length(naem)),ylim=c(0,1),xlab="",ylab="")

par(new=T)

plot((length(nalv)+1):(length(nalv)+length(naem)),naem,pch=23,xlim=

c(1,length(nalv)+length(naem)),ylim=c(0,1),xlab="",ylab="",axes=F,col='2')

abline(mean(nalv),0,col='gray20',lty=2)

abline(mean(naem),0,col='2',lty=2)

par(new=F)

dev.off()
```

Para el conjunto de datos comentado, el p-valor del test es igual a 0,069%, que es claramente inferior al 10% del nivel de significación, lo que representa que *se rechaza la hipótesis nula y se acepta la hipótesis alternativa.* En este caso, la hipótesis alternativa quiere decir que las diferencias entre ambos conjuntos de datos son estadísticas y significativamente diferentes, por lo que podemos inferir que, en *El Mundo,* las similitudes entre breves y despachos de agencia son mayores que en *La Vanguardia.*

Con los datos en la mano, se copia. Los medios escritos *(La Vanguardia* y *El Mundo)* apenas retocan la nota de prensa original, de la multinacional. Aun así, existe mayor similitud cuando lo que se copia es el despacho de la agencia de noticias. Aquí, *El Mundo* es quien más manifiestamente calca los textos de agencia (la similitud supera el noventa por ciento de los textos comparados), práctica esta última que no se considera deshonesta y que es común en las redacciones.

Los medios escritos *(La Vanguardia* y *El Mundo)* prefieren la fuente de la agencia de noticias aun cuando disponen de la fuente original de la que se ha extraído la noticia. Y los medios escritos *(La Vanguardia* y *El Mundo)* prefieren el despacho de agencia para rellenar los huecos de los breves: relacionan breve con material de agencia (35 de los 52 breves se basan en despachos de agencia, que a su vez beben de las notas de prensa de las empresas multinacionales).

Queda demostrado el objetivo principal (O. 1): la práctica del copia y pega es común a las secciones de economía de los diarios estudiados.

Los objetivos secundarios se han completado con éxito:

O. 1.1 Comprobar que la elaboración propia, en las rutinas diarias de confección de la información, desestima el breve: Veinte de los 52 breves los firma la Redacción (de los dos diarios analizados, *El Mundo* es el diario que menos caso hace al breve como espacio para la *elaboración propia;* solo una de las 22 piezas de *El Mundo* lo firma la plantilla, y verdaderamente es un copia y pega de la nota de prensa de empresa). Hay plagio puesto que no se reconoce la autoría real de la fuente.

O. 1.2 Sobre el copia y pega: Comprobar que los medios copian y pegan los despachos de agencia de noticias: Treinta y cinco de los 52 breves copian despachos de agencia de noticias, aunque solo 32 breves atribuyen la fuente a las agencias *(El Mundo* aventaja en este aspecto: solo uno de los 22 breves estudiados está firmado por la Redacción). Aunque se firme Redacción en estos breves, se trata de un copia y pega con leves retoques. Hay plagio.

O. 1.3 Sobre el copia y pega: Comprobar si las agencias copian y pegan la información que les llega desde los gabinetes de prensa: Aunque se firma Agencia, detrás existe una nota de prensa de la empresa en cuestión, de la multinacional (solo en dos casos no se ha encontrado la nota, por lo que cabe señalar que, si es que no existen esas notas de prensa de empresa, la redacción corresponde íntegramente a la agencia de noticias: el breve 2 de EM, "Regularización fiscal de los bancos suizos", del 1/I/2014, y el breve 38 de EM, "Apple abre una nueva tienda en Madrid", del 21/VI/2014, ambos de Europa Press). La similitud entre despacho de agencia y nota de prensa original es patente. Hay plagio.

O. 1.4 Así, pues, comprobar que los textos comerciales de las notas de prensa se publican como información en los diarios: Se considera de "interés público", y material sensible que deba ser contado, las operaciones de las multinacionales y las novedades y los lanzamientos comerciales *(product launch)*, las campañas de venta *(sales campaign)* y las promociones *(sales promotions)* de las diferentes compañías (Jazztel, Only-apartments, Apple, Telefónica, Repsol, Iberdrola…). Hay plagio.

Detrás de los breves estudiados hay una marca *(brand)*, la nota de prensa de la marca *(press release)*.

En total, de los 52 breves de la muestra (ver Anexo I: "La muestra"), la mayoría de las firmas de los breves son de agencia (32), y puesto que se especifica la autoría, podríamos deducir que el plagio no es tal. Pero el plagio, en estos casos, se produce por parte de la agencia de noticias, que copia la nota de prensa original y se apropia de la autoría. Existe similitud con la nota de prensa original de la multinacional en 21 de estos 32 breves supuestamente elaborados por las agencias de noticias (Europa Press, mayoritariamente).

En el resto de casos de los 52 breves (20), la firma de los breves corresponde a la redacción.

En cuanto a *La Vanguardia*, el plagio es manifiesto: 19 breves los firma la plantilla, y el resto (11), la agencia. En realidad, los breves con la firma "redacción" guardan una gran similitud con las notas de prensa originales de las multinacionales. En 14 de estos 19 breves que firman los redactores de la sección de economía de *La Vanguardia* existe similitud con la nota de prensa original. Se copia y se pega la nota de prensa y el diario se apropia la autoría. Y tres de estos 14 breves (los números clasificados en la muestra como 11, 41 y 45) son en realidad de agencia, por lo que el plagio es doble (plagian el cable de la agencia de noticias que a su vez plagia el comunicado de la empresa). Podría decirse que la multinacional es quien escribe esta parte del diario.

En lo que concierne a *El Mundo*, el plagio se trasladaría a las agencias, que prácticamente hacen suyos los comunicados de las empresas sin apenas cambiar una coma. (En lo referente a *El Mundo*, solo uno de los breves estudiados está firmado por la redacción, pero este texto guarda enormes similitudes con la nota de prensa de empresa multinacional original.)

El plagio es mayoritario en las agencias, que *fusilan* las notas de prensa de Jazztel, Huawei, Telefónica… sin indicar la verdadera autoría.

Hemos visto que cuando ambas fuentes de información están disponibles (el despacho de la agencia de noticias y el comunicado de prensa original), el periodista elabora su información utilizando como base el despacho de agencia. Le da mayor seguridad, mayor fiabilidad y mayor credibilidad (López, 1995).[12]

Así, pues, la empresa, y la empresa multinacional, mediante sus gabinetes de comunicación, se dirige a la agencia de noticias, que contrata para que su información mercantil, el catálogo con su género, adquiera relevancia en el diario escrito. Su propaganda se interioriza en la información propia del diario: consigue introducirse en el dibujo de la página (lanzado) tras haber adoptado una forma noticiosa; la agencia de noticias le ayuda. La empresa persigue la máxima difusión, que redundará, en este bucle, en la máxima compra de su producto. Es decir, en el máximo beneficio.

Por lo tanto, y pese al rechazo que concita la nota de prensa en las redes (ver el capítulo o bloque 3, "El marketing y las notas de prensa"), sí que tiene sentido la nota de prensa: triunfa en los medios de comunicación escritos tradicionales, como los diarios de esta muestra, *La Vanguardia* y *El Mundo de Catalunya*.

Efectivamente, concluimos que es habitual la práctica del copia y pega, que deviene en plagio: los textos firmados por redacción y por agencia son casi los mismos textos de las notas de prensa de las multinacionales. La biblioteca de la Universitat d'Alacant, en una página para "evitar el plagio", lo simplifica con esta formulación: "copiar+pegar=plagio". Muchos periodistas de carrera se ven con el agua al cuello por culpa de la precariedad en sus empleos. Apenas tienen tiempo para ese café que recomendaba el Nobel Gabriel García Márquez (ver el capítulo o bloque 4: "Periodismo+marketing=copia y pega"). No solo eso. Tampoco saben si el día de mañana seguirán en sus puestos de trabajo. En la "sociedad líquida" del filósofo Zygmunt Bauman, el *hombre light* es el rey ("escoge egoístamente lo que más le conviene o gusta en cada momento"), y el *periodista light,* su correlato, se ve maniatado por la precariedad. La gran mayoría de los entrevistados se siente indefensa por la falta de recursos y hace bandera de la profesionalidad, que se pierde por la no inversión en la plantilla: el periodista y asesor laboral del Sindicat de Periodistes de Catalunya, Fabián Nevado ("si quieres vender, has de ofrecer un producto de calidad"); el periodista de *La Vanguardia* Josep Playà ("cada vez se exige más, con menos personal, y con más horas. El resultado: menos calidad"); el periodista y delegado de personal de *El Mundo de Catalunya* Javier Oms Navia-Osorio ("el trabajo se ha precarizado, sin ningún género de duda"); el periodista de *Lavanguardia.com* Albert Lladó ("no hay tiempo para 'levantar' temas"); la periodista Rosana Ricárdez ("el límite son los recursos financieros")… De ello, del poco

---

12 En *Cien casos. La ética periodística en tiempos de precariedad* (Edicions de la Universitat de Barcelona, 2016), Roger Jiménez muestra algunos casos en los que los periódicos convencionales dependen de las llamadas "agencias de prensa acreditadas", que también se equivocan. Por ejemplo, expone los casos 3 y 4, "El aprendiz de iceberg" y "Imágenes de cine", respectivamente, ambas en el apartado "Fotoperiodismo".

espacio para la investigación, para la reflexión y para la creatividad (los "me gusta" importan tanto como las ventas), se desprende que los responsables de marketing, atentos a los puntos flacos de la prensa escrita, sepan "influir" en los medios. La directora de la agencia de relaciones públicas y posicionamiento en medios Central de Medios, Primavera Díaz, lo sintetiza: "Hoy en día, los reporteros están muy acostumbrados a que nosotros les hagamos el trabajo". La multinacional construye la noticia.

.9.2 Propuestas

.9.2.1 Propuesta 1

Ser vigías, ejercer el periodismo para fiscalizar el poder.

Según el reportero Ryszard Kapuscinski, el periodista, en su fuero interno, no debería reducirse solo a una función de mercachifle, traficante de información de cualquier índole.

"No tiene demasiado sentido hablar de 'periodismo de servicio' como si se tratara de una innovación, cuando el 'servicio', ya sea entendido como ayuda social (la prensa como servicio público), o como 'utilidad inmediata del lector y búsqueda de beneficios del editor', viene siendo inseparable del periodismo", escribe la catedrática de Periodismo María Pilar Diezhandino Nieto en *El periodismo de servicio*.

Asumiendo que el periodismo es un servicio público, y como tal un órgano activo para la construcción, consolidación y preservación de la democracia, el periodista debe ir más allá, tomar partido, cuestionar lo inaccesible, rebelarse. La reportera de *Le Nouvel Observatour* y autora del libro *El muelle de Ouistreham*, Florence Aubenas, lo reduce a esta frase: "No debemos resignarnos a ser depredadores" (de información, por un mero ejercicio de copia y pega para rellenar páginas de los diarios).

El presidente de Estados Unidos, Barack Obama, en el laudatorio con el que despidió al editor y presidente de *The New York Times,* Artur Ochs Sulzberger, fallecido en el 2012, abogaba, precisamente, por otra línea de actuación: "[Sulzberger era] un creyente firme en la importancia de una prensa libre e independiente, una prensa que no teme buscar la verdad, pedir cuentas a los que ostentan el poder, ni que teme contar las historias que merecen ser contadas".

Tal y como los grandes del periodismo preconizaban, hay que estar al lado de los débiles. El reportero Sydney Schanberg, sobre cuyas andanzas se rodó la película *Los gritos del silencio* (Roland Joffé, 1984), en la que denunció las matanzas de los jemeres rojos en Camboya, criticó duramente las relaciones que la prensa establecía con el poder. Y el periodista de televisión Mike Wallace (sus entrevistas en la CBS se consideraban "entrevistas-emboscada") no dudaba en su misión: "reconfortar a los afligidos y afligir a los poderosos".

.9.2.2 Propuesta II

La prensa débil, dulcificada y edulcorada es una rémora en democracia.

El escándalo fiscal en el que se han visto envueltas varias multinacionales en el entramado del LuxLeaks —por el nombre de WikiLeaks, la organización internacional sin ánimo de lucro que publica informes anónimos y documentos filtrados de interés público, dirigida por el ciberactivista Julian Assange—, con el que eludían el pago de impuestos, no es más que la constatación de la estrategia disuasoria y de moral baja: "Más triste todavía es comprobar que ante el desconcierto europeo y la lucha de egoísmos, si la *tax ruling* [acuerdo entre la Administración y el contribuyente para que las grandes empresas no paguen tantos impuestos] y los nuevos mecanismos que los cerebros de las auditorías están pergeñando para el futuro son algún día frenados, será también por la presión de Washington. Pero no por un empeño ético, sino porque sus empresas prefieren también huir de sus deberes colectivos en su país para instalarse en una débil Europa, cuyos dirigentes se han mostrado indiferentes frente al timo del que son víctimas sus ciudadanos" (Rivas, 2014).

Gobiernos débiles y, por consiguiente, legislaciones laxas, fáciles de sortear, poco o nada implacables con el evasor.

"Otra de las cosas que están en juego es la competición entre regímenes democráticos de fuerte protección social o ambiental y regiones con normas jurídicas mucho más débiles. El árbitro de esta competencia entre democracias y zonas sin ley no será otro que las multinacionales, así que no es muy difícil adivinar cómo y por qué las leyes ambientales y sociales que mejor protegen a la población están destinadas a desaparecer o a debilitarse…", dice Bruno Poncelet, coordinador de la plataforma contra el tratado transatlántico Notransat. También es el autor de los libros *Europa: biografía no autorizada* y de *El Gran Mercado Transatlántico,* con prefacio del candidato del Frente de Izquierda a las presidenciales francesas del 2012, Jean-Luc Mélenchon.

Gobiernos débiles de Estados débiles, es decir, democracias débiles. Caldo de cultivo para un débil periodismo.

En lo estrictamente periodístico, las multinacionales prefieren una prensa débil, poco combativa, aséptica. La figura del editor jefe encarnaba el necesario cedazo para equilibrar las fuentes. Este editor podría tender a desaparecer, *fulminado* por las sucesivas reestructuras laborales de plantilla. El interés público se resiente.

Como hemos visto, la periodista Mar de Fontcuberta caracteriza el discurso periodístico tradicional con estos cinco ítems (1993):

a.   Actualidad

b.   Novedad

c.   Veracidad

d.   Periodicidad

e.   Interés público

La antigua profesora de ciencias de la información de la Universitat Autònoma de Barcelona Mar de Fontcuberta califica el "interés público" así: "los hechos periodísticos tienen como característica fundamental la de ser punto de referencia o la de servir a las expectativas y necesidades de información de un público masivo".

Cualquier noticia considerada como tal goza de estos elementos, en mayor o menor medida. Lo demás es la no-noticia (ver el marco teórico). Relacionado con la no-noticia, Mar de Fontcuberta esboza "el no-acontecimiento periodístico": "Considero que la producción de noticias basadas en el no-acontecimiento es una clara tendencia en el periodismo actual que significa, en parte, minar las bases sobre las que se ha edificado tradicionalmente el discurso periodístico: la realidad, la veracidad y la actualidad". Según ella, el no-acontecimiento, la no-noticia, "desvirtúa la propia esencia del periodismo" (De Fontcuberta, 1993: 26). En una entrevista, el pensador Umberto Eco califica la no-noticia —y, por lo tanto, el no-acontecimiento— como "noticia inventada". Según él, los diarios tienen demasiadas páginas, y convierten en información algo que no lo es por el simple hecho de llenar espacio. Así, un mismo copia y pega de la nota de prensa triunfa en todos los diarios: "Un artículo tras otro, todos iguales, parecen fotocopias" (Eco, 1993).

Resumiendo, el copia y pega de la nota de prensa de la empresa en el breve de economía del diario favorece el periodismo dócil, sumiso, obediente, y desvirtúa el concepto de democracia (Rius, 2016: 38, 56). Con el copia y pega disminuye la información de interés público.

Se propone una fórmula que, utilizando el índice de similitud definido y calculado en la metodología (ver el capítulo o bloque 6: "Metodología"), puede ilustrar de forma muy clara y precisa la similitud entre dos textos. La fórmula permitirá calcular lo que definimos como índice κ , del siguiente modo:

$$\kappa(s) = \begin{cases} -10 \cdot \sqrt[11]{\frac{0.35-s}{0.35}}, & s < 0.35 \\ 10 \cdot \sqrt[11]{\frac{0.35-s}{0.35}}, & s \geq 0.35 \end{cases}$$

donde *s* es el índice de similitud. El índice κ , definido como una función a trozos, toma valores entre -10 y 10.

El índice de similitud *s* está asociado a dos textos e indica el grado de similitud. El índice de similitud no implica necesariamente plagio, pero, en este sentido, apunta hacia su posible existencia. El índice κ , derivado del índice *s,* opera del mismo modo, aunque en la escala de valores [-10, 10]. Y también es orientativo.

En la siguiente figura puede verse la representación gráfica de esta función:

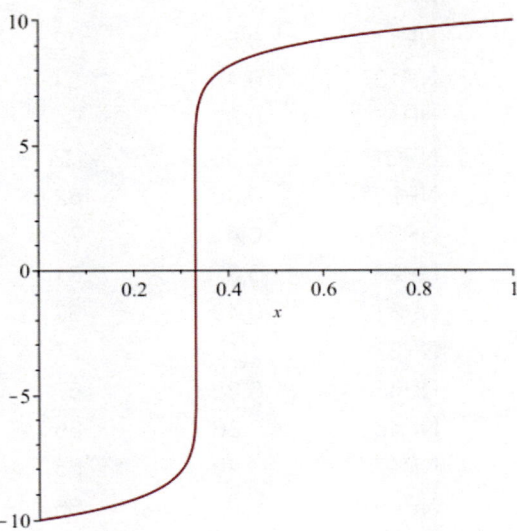

Cuando el índice κ es negativo, se concluye que no existe suficiente similitud. De forma contraria, cuando el índice κ es positivo, significa que existe similitud entre ambos textos. A mayor magnitud del índice κ , mayor similitud.

Por ejemplo, a dos textos no similares cuyo índice de similitud sea 0.2, el correspondiente índice κ valdría -9.18. Equivalentemente, para dos textos similares cuyo índice de similitud sea 0.74, el índice κ valdría 9.56 (por ejemplo en los textos B09 y NP09 de LV y en los textos B26 y NP26 de EM).

LA VANGUARDIA

De este modo la tabla con los breves de la muestra de LV en los que se copia y se pega la información que la empresa multinacional proporciona:

Texto 1	Texto 2	Índice	Palabras	¿Similitud?
B01	NP01	0,58	75	Sí
B03	NP03	0,38	57	Sí
B05	NP05	0,46	133	Sí
B09	NP09	0,74	93	Sí
B11	NP11	0,51	72	Sí
B13	NP13	0,47	57	Sí
B15	NP15	0,37	64	Sí
B21	NP21	0,36	114	Sí
B23	NP23	0,58	82	Sí
B27	NP27	0,43	72	Sí
B29	NP29	0,37	81	Sí
B31	NP31	0,49	50	Sí
B37	NP37	0,56	77	Sí
B45	NP45	0,38	57	Sí
B46	NP46	0,36	86	Sí
B47	NP47	0,40	85	Sí
B48	NP48	0,61	86	Sí
B49	NP49	0,63	86	Sí
B52	NP52	0,66	55	Sí

puede completarse con el índice κ definido, obteniendo:

Texto 1	Texto 2	Índice	k	Palabras	¿Similitud?
B01	NP01	0,58	9,16	75	Sí
B03	NP03	0,38	7,82	57	Sí
B05	NP05	0,46	8,61	133	Sí
B09	NP09	0,74	9,56	93	Sí
B11	NP11	0,51	8,89	72	Sí
B13	NP13	0,47	8,66	57	Sí
B15	NP15	0,37	7,65	64	Sí
B21	NP21	0,36	7,47	114	Sí
B23	NP23	0,58	9,14	82	Sí
B27	NP27	0,43	8,45	72	Sí
B29	NP29	0,37	7,67	81	Sí
B31	NP31	0,49	8,77	50	Sí
B37	NP37	0,56	9,08	77	Sí
B45	NP45	0,38	7,92	57	Sí
B46	NP46	0,36	7,62	86	Sí
B47	NP47	0,40	8,11	85	Sí
B48	NP48	0,61	9,23	86	Sí
B49	NP49	0,63	9,30	86	Sí
B52	NP52	0,66	9,37	55	Sí

El índice κ, en la cuarta columna de la tabla anterior, muestra claramente valores significativamente altos.

Breve 9, en el que más se copia: de Rousaud Costas Duran, S. L. P., del domingo 2 de febrero del 2014 (ver Anexo I: "La muestra"):

El abogado Pablo Bieger se incorpora como socio

Rousaud Costas Duran SLP ha incorporado como socio a Pablo Bieger, abogado experto en operaciones mercantiles, bancarias y del mercado de valores. Pablo Bieger se encargará de ayudar a impulsar y liderar el crecimiento de la oficina de la firma en la ciudad de Madrid, y será una pieza clave en la consolidación de un equipo de Mercantil Bancario y Mercado de Valores. / Redacción

Mayoritariamente, los contenidos de estos breves de *La Vanguardia* obedecen a intereses de lucro, no al interés público, general, base del periodismo. Se puede decir que son no-noticias, y utilizando la figura de la metonimia, no-breves.

EL MUNDO

En cuanto a *El Mundo,* la tabla con los breves de la muestra en los que se copia y se pega la información que la empresa proporciona.

Texto 1	Texto 2	Índice	Palabras	¿Similitud?
B06	NP06	0,43	160	Sí
B08	NP08	0,55	102	Sí
B10	NP10	0,49	52	Sí
B12	NP12	0,41	90	Sí
B22	NP22	0,46	149	Sí
B24	NP24	0,35	99	Sí
B26	NP26	0,77	66	Sí
B30	NP30	0,46	57	Sí
B32	NP32	0,72	77	Sí
B34	NP34	0,75	95	Sí
B40	NP40	0,53	74	Sí
B42	NP42	0,36	61	Sí

puede completarse con el índice κ definido, obteniendo

Texto 1	Texto 2	Índice	k	Palabras	¿Similitud?
B06	NP06	0,43	8,43	160	Sí
B08	NP08	0,55	9,04	102	Sí
B10	NP10	0,49	8,77	52	Sí
B12	NP12	0,41	8,25	90	Sí
B22	NP22	0,46	8,64	149	Sí
B24	NP24	0,35	7,30	99	Sí
B26	NP26	0,77	9,62	66	Sí
B30	NP30	0,46	8,62	57	Sí
B32	NP32	0,72	9,52	77	Sí
B34	NP34	0,75	9,58	95	Sí
B40	NP40	0,53	8,97	74	Sí
B42	NP42	0,36	7,59	61	Sí

El índice κ en la cuarta columna de la tabla anterior, muestra claramente valores significativamente altos.

Breve 26, en el que más se copia: de Mutua Madrileña, del viernes 25 de abril del 2014 (ver Anexo I: "La muestra"):

Nuevo fondo de Mutua Madrileña

Mutuactivos, la gestora de fondos de Mutua Madrileña, ha lanzado al mercado Mutuafondo Dólar. El nuevo fondo de renta fija internacional invierte su patrimonio en una cartera diversificada de deuda pública y privada a corto plazo denominada en dólares (con una duración no superior a los dos años). / E. M.

Como en los breves de la muestra de *La Vanguardia,* los contenidos de *El Mundo* no son más que propaganda con un marcado contenido comercial, nada que pueda ser relevante, en su mayoría, para la ciudadanía. No hay interés público.

.9.2.3 Propuesta III

Denunciar aquellas multinacionales que incentivan un periodismo "aborregado" (Ferrer Molina, 2016), algo contra lo que luchan los profesionales independientes.

¿Cómo se incentiva este *periodismo light?* Básicamente, con acuerdos comerciales, a golpe de talón.

"La prensa rinde pleitesía a El Corte Inglés, el mayor anunciante de España", titula el Observatorio del Trabajo en la Globalización (2014).

Desde que empezó la recesión económica en el mundo occidental, en el 2008, se diría que las multinacionales se han conjurado para no publicitarse en los medios en papel, en los medios periodísticos libres, que pueden cargar contra las campañas de las empresas si lo estiman conveniente.

"Las impresiones *online* generarán en el 2012 más dinero que las tradicionales campañas en revistas y periódicos. Que el papel ha muerto, o está tocado de muerte, es quizá la sentencia que más se ha repetido en los últimos tiempos al intentar predecir el futuro de los medios de comunicación", escribía la periodista especializada en multimedia Mónica Tilves en el 2012, en el *newsletter* de *Silicon News* (California), "las últimas noticias sobre la actualidad empresarial y las nuevas tecnologías". No se trata de un cambio de formato. Porque las multinacionales que se fijan en internet no lo hacen en las ediciones *online* de los diarios de prestigio, o en medios reconocidos: "La Red posibilita la interacción instantánea con los clientes a través de multitud de canales, desde comentarios en blogs y mensajes en plataformas sociales hasta boletines electrónicos o foros". Ocurre que las redes sociales le han ganado la partida a los rotativos. Por ejemplo, Facebook: "El invento de Mark Zuckerberg aglutina una de cada tres impresiones en anuncios *online,* y más del 60% de las principales empresas del mundo ya han construido su presencia en la red social por excelencia. Una tercera curiosidad: el 83% de los 3.710 millones de dólares ingresados por la compañía durante 2010 procede directamente de las arcas publicitarias". En la entrevista de la reportera Jessica Guynn al creador de la red social Facebook, Mark Zuckerberg, publicada en el diario *USA Today,* el 30 de junio del 2015, este joven billonario comparte su noción de lo que ha de ser el periodismo del futuro: "Cuando la noticia sea tan rápida como todo lo demás en Facebook, naturalmente la gente leerá muchas más noticias, por lo que estará más informada sobre lo que sucede en el mundo; esto será positivo para el ecosistema de las noticias, ya que aumentará el tráfico". Más que destapar casos de corrupción y ser el azote de los poderosos, lo que parece que pretenda Zuckerberg es aumentar el número de clics, como si la profundidad de las noticias dependiera de los botones de "compartir".[13]

Incluso las multinacionales invierten en páginas en las que se pueden descargar contenidos de manera ilegal, como Pirate Bay. Según la información publicada por *The Guardian,* el 5 de febrero del 2013, las multinacionales utilizan páginas de descarga ilegal, como Pirate Bay, para promocionar sus productos y que los usuarios de estas webs queden expuestos a esta publicidad. A cambio, las multinacionales, como McDonald's y Ticketmaster, deben desembolsar capital con el que financiar estas prácticas. "Sitios como The Pirate Bay a menudo se presentan como altruistas, sin fines de lucro, 'luchadores por la libertad', cuando la verdad es que son nada de eso. Explotan a los artistas para su propia ganancia [...], ya que se embolsan grandes sumas de ingresos por publicidad sin tener que invertir en el desarrollo de los contenidos que azotan", refleja Helienne Lindvall. Así, bajo esta óptima, la multinacional promueve el copia y pega.

.9.2.4 Propuesta IV

La multinacional se beneficia del copia y pega.

"Tomando como base la investigación que [el periodista] Pascual Serrano ha hecho sobre los grandes grupos de comunicación que operan en el Estado español *[Traficantes de información. La historia oculta de los medios de comunicación españoles],* este

---

13 El 12 de noviembre del 2016, el creador de Facebook, Mark Zuckerberg, colgó un *post* para justificarse ante las críticas recibidas por la proliferación de "noticias falsas" *(fake news)* en beneficio del candidato republicano a la presidencia de los Estados Unidos, Donald Trump: "We have already launched work enabling our community to flag hoaxes and fake news, and there is more we can do here. We have made progress, and we will continue to work on this to improve further".

documental nos cuenta cómo buena parte de la información que vemos, oímos y leemos pertenece a BBVA, a Repsol, a Grupo Planeta, a 'la Caixa', a Banco Santander, a Telefónica y a Silvio Berlusconi. Son *grandes corporaciones multinacionales y agencias de publicidad las que controlan lo que ves, lo que oyes y lo que lees.* De ahí que en estos medios podamos ver con frecuencia noticias en las que se destaca el comportamiento 'ejemplar' de las multinacionales españolas en América Latina. ¿Será una casualidad que los presidentes de los gobiernos latinoamericanos que han apostado por reforzar el papel del Estado y ejercer una mayor soberanía sobre sus recursos naturales sean, precisamente, los peor tratados por los *mass media* en este país?", se pregunta el coordinador del Observatorio de Multinacionales en América Latina, Pedro Ramiro, en la revista *Pueblos* (la cursiva, de este investigador). Pedro Ramiro se basa en el libro que cuenta el "hundimiento" de *El País,* libro titulado *Papel mojado*[14]*:* "Pere Rusiñol, exredactor jefe de *El País* y adjunto a la dirección de *Público* hasta el cierre de su edición impresa, afirma que hoy casi todos los grandes medios de España han sido absorbidos por el poder financiero. No con la clásica dependencia de la influencia publicitaria o de los créditos, sino de forma mucho más profunda: directamente en la propiedad".

Según los analizadores de marketing *online* de Anoop Systems, la marca Nike, a medida que ha ido aumentando sus presupuestos para estas áreas de promoción en la Red, ha ido reduciendo significativamente las partidas destinadas a televisión y medios tradicionales, más difíciles de controlar. La fabricante estadounidense de calzado y material deportivo Nike informó en diciembre del 2014 que obtuvo, en el segundo trimestre fiscal, un beneficio neto de 533 millones de euros, el 22% más que los 435 millones de euros que se embolsó en el 2013. Es decir, gana mucho más e invierte mucho menos en los medios periodísticos. "Nike sigue creciendo." Con nuevas tácticas, como la conversión de la nota de prensa en noticia.

La permisividad en el copia y pega entre las notas de prensa, las notas de agencia y los breves de prensa puede ser calificada de plagio (al no citar la fuente correcta y apropiarse del contenido), y permite trasladar al lector los objetivos comerciales de las empresas *(sales target).* A modo de ejemplo, se muestran a continuación los breves de *La Vanguardia* y *El Mundo* con mayor índice κ , con mayor copia y pega, tal y como lo hemos definido en la Propuesta II.

Sea

$$\kappa_{max,LV} = \max\{\kappa_{i,LV}\}$$
$$\kappa_{max,EM} = \max\{\kappa_{i,EM}\}$$

---

14 Palabras de Pere Rusiñol en la introducción de *Papel mojado:* "Es muy probable que la banca desempeñe un papel imprescindible en el engranaje del sistema económico capitalista y que sea vital para que fluya el crédito y, por lo tanto, que la economía funcione. El problema no es que la banca opere como tal en su negocio [...], sino que la banca se convierta en editora de prensa".

es decir, $\kappa_{max,LV}$ es el mayor índice κ de todos los textos comparados de *La Vanguardia*

y $\kappa_{max,EM}$ es el mayor índice κ de todos los textos comparados de *El Mundo*. En este caso, estos valores son

$$\kappa_{max,LV} = 9.56$$
$$\kappa_{max,EM} = 9.62$$

y corresponden a los textos mostrados a continuación. En los casos observados, y sin establecer ninguna relación causa-efecto, no deja de ser curioso que corresponden a empresas cuyo beneficio económico en el período analizado es notorio. Del mismo modo, resulta llamativo que la mayoría de los breves estén consagrados a empresas con ánimo de lucro. De los 52 breves de la muestra, solo los números 2 y 4 (EM) y 15 (LV) no están dedicados a información corporativa (pública o privada), no son propaganda. Precisamente, en el breve número 2 no existe nota de prensa.

LA VANGUARDIA

Breve 9 de LV, del domingo 2 de febrero del 2014, es el de mayor coincidencia con la nota de prensa (ver Anexo I: "La muestra").

B09	NP09	0,74	93	Sí

El abogado Pablo Bieger se incorpora como socio

Rousaud Costas Duran SLP ha incorporado como socio a Pablo Bieger, abogado experto en operaciones mercantiles, bancarias y del mercado de valores. Pablo Bieger se encargará de ayudar a impulsar y liderar el crecimiento de la oficina de la firma en la ciudad de Madrid, y será una pieza clave en la consolidación de un equipo de Mercantil Bancario y Mercado de Valores. / Redacción

Según el ranking de despachos de abogados, la facturación de Rousaud Costas Duran SLP ha aumentado de 16,5 millones de euros (2013) a 16,7 millones de euros (2014, el año de la muestra). Por "volumen de negocio global" —se incluye facturación de los bufetes en todo el mundo–, ocupa el puesto número 14, por lo que se ha convertido en uno de los principales despachos de abogados en España.

Fuente: García-León, C. (2015). "El 85% de bufetes españoles incrementó sus ingresos en 2014". [En línea]. En *Expansión,* el 6 de julio del 2015. <http://www.expansion.com/juridico/actualidad-tendencias/2015/07/06/559a8e6222601dc65d8b459f.html> [Consulta: 2 de abril del 2016].

EL MUNDO

Breve 26 de EM, del viernes 25 de abril del 2014, es el de mayor coincidencia con la nota de prensa (ver Anexo i: "La muestra").

B26	NP26	0,77	66	Sí

Nuevo fondo de Mutua Madrileña

Mutuactivos, la gestora de fondos de Mutua Madrileña, ha lanzado al mercado Mutuafondo Dólar. El nuevo fondo de renta fija internacional invierte su patrimonio en una cartera diversificada de deuda pública y privada a corto plazo denominada en dólares (con una duración no superior a los dos años). / E. M.

Mutua Madrileña obtuvo un beneficio de 222,8 millones en el 2014 (año de la muestra), el 13,7% más que en el ejercicio del 2013. En total, junto con las primas, la empresa ganó 223 millones de euros. "[El] 2014 ha sido un año muy satisfactorio, lo podríamos calificar de brillante a la vista de los resultados", manifestó el presidente de Mutua Madrileña, Ignacio Garralda.

Fuente: Europa Press (2015). "Mutua Madrileña mejora un 14% su beneficio de 2014". [En línea]. En *Expansión,* el 27 de marzo del 2015. < http://www.expansion.com/empresas/2015/03/27/55152b-9ce2704e4b2b8b457d.html> [Consulta: 2 de abril del 2016].

Aun sin establecer una relación de causalidad, se podría inducir que el copia y pega favorece económicamente la empresa.

.9.2.5 Propuesta v

Que las agencias de noticias se doten de mecanismos de control para evitar el copia y pega.

En el caso de Europa Press, se están implementando medidas que conduzcan a una mayor disuasión del plagio. Así, cuando se copia parte del contenido de un cable en internet, automáticamente aparece este mensaje: "El texto se ha copiado al portapapeles. Contenido protegido con *copyright* salvo para los clientes abonados a Europa Press y según los términos de su contrato. Si desea obtener una cesión de uso de este contenido, deberá hacerlo contactando a comercial@europapress.es (c) 2015 Europa Press. Está expresamente prohibida la redistribución y la redifusión de este contenido sin su previo y expreso consentimiento".

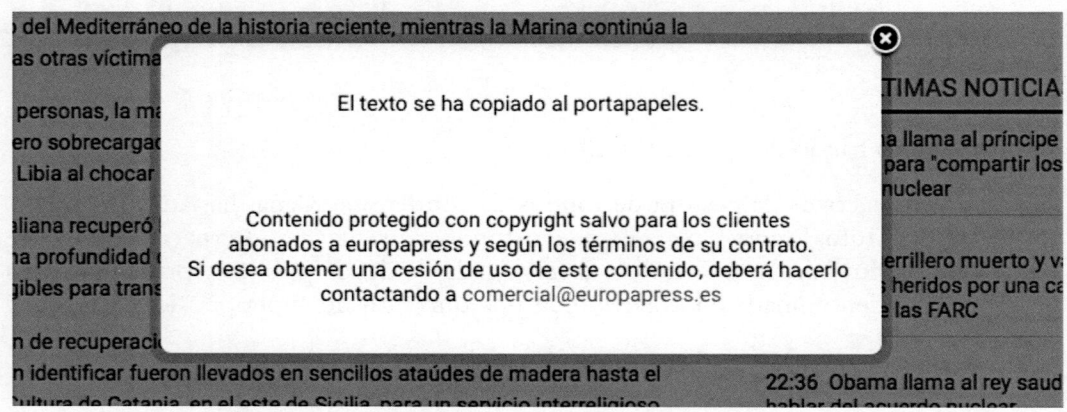

IMAGEN 23. Europa Press alerta de la ilegalidad a la que puede conducir el copia y pega. Así, la agencia Efe, del mismo modo, hace anotar en los tuits en los que se rebotan sus noticias: "Está expresamente prohibida la redistribución y la redifusión de todo o parte de estos contenidos, sin previo y expreso consentimiento de la agencia Efe, S. A.". Al final de los teletipos de Efe se incluye la misma aclaración.

.9.2.6 Propuesta vi

Nombrar el breve como un género más.

Según el periodista Llorenç Gomis (Gomis, 2008: 14), los géneros periodísticos son: noticia, reportaje, crónica, entrevista, editorial, crítica, artículo de costumbres y chiste gráfico. El chiste también alcanza la categoría de género. Proponemos que el breve entre en este club.

El lexicógrafo Martínez de Sousa define los géneros así (1991): "las pequeñas unidades literarias con características propias, bien sea por la forma de redactarlas, por el orden de exposición o por el estilo periodístico empleado". Su colega de la Universidad Complutense de Madrid, José Manuel Rivas Troitiño, en "Géneros periodísticos en las agencias de prensa" (1999), alumbra estos nuevos géneros: *flash,* boletín, urgente, avance... El *flash* sería, según él, la información más breve y urgente que lanza la agencia, y constaría de una sola línea de texto. El *boletín* sería la información de mayor urgencia después del *flash,* y constaría de un párrafo.

Como el breve de los diarios.

.9.2.7 Propuesta VII

Se propone un canon de breve: cuántas líneas ha de tener el breve, cuánto es ser breve.

Al igual que, en el 2005, los investigadores del transporte público de Manchester (Gran Bretaña), asociados a la página GetMeThere, calcularon cuánto es llegar tarde (10 minutos, 17 segundos), en esta tesis, *Copia y pega,* se mide el número de líneas que ha de tener un breve estándar: 10 líneas.

Sobre la longitud de los breves: *La Vanguardia* y *El Mundo*

Con el objetivo de establecer unas orientaciones generales en cuanto al número de líneas que ha de tener un breve de prensa, se han analizado los 30 breves de *La Vanguardia* y los 22 breves de *El Mundo* de forma segregada y de forma conjunta. El análisis se ha realizado a través del cálculo de cuatro descriptores estadísticos: tres medidas de posición central (media, mediana y moda) y una medida de dispersión (desviación típica) (Pozo *et altri,* 2010). Estos descriptores se definen del siguiente modo. Dado un conjunto de datos, ordenados de menor a mayor,

$$x_1, x_2, \ldots, x_n$$

se definen:

· la media $\bar{x}$, como la suma de todos los datos entre el número de datos, es decir,

$$\frac{x_1 + x_2 + \cdots + x_n}{n}$$

· la mediana, como el dato que ocupa la posición central (si el número de datos es impar), o la media de los dos datos que ocupan la posición central (si el número de datos es par);

· la moda, como el dato más repetido; y

· la desviación típica, como la raíz cuadrada de la media de los cuadrados de las desviaciones de los datos respecto de la media de los mismos, es decir,

$$\sqrt{\frac{(x_1 - \bar{x})^2 + (x_2 - \bar{x})^2 + \cdots + (x_n - \bar{x})^2}{n}}$$

	La Vanguardia	El Mundo	Totales
media	10,0	10,4	10,2
mediana	10,0	9,5	10,0
moda	10,0	9,0	10,0
desviación típica	2,5	4,1	3,3

Tabla 7. Descriptores estadísticos con relación a la longitud de los breves de *La Vanguardia* y *El Mundo*.

Los descriptores calculados se han resumido en la Tabla 7. El hecho de que tanto la media, como la mediana y la moda coincidan alrededor de 10 líneas indica cierta convención en cuanto a la longitud que ha de tener un breve. Se observa una mayor dispersión en longitudes de breves en *El Mundo,* lo que significa que en *La Vanguardia* el espacio dedicado a los breves es más estable.

.9.3 Futuras líneas de investigación

La **primera línea de investigación** podría centrarse en los periodistas *freelance,* autónomos y sin las reglas de la redacción, ni sus horarios.

Los periodistas *freelance* (por pieza) son más libres para denunciar, alertar y publicar en sus blogs (se hace más difícil la represalia laboral contra ellos).

En México ya es una realidad, tal como cuenta el periodista Guillermo Osorno: "Lo más interesante del periodismo mexicano está pasando fuera de los medios tradicionales. El diarismo en México, como lo practican los grandes medios, nunca ha sido muy bueno. Las redacciones son deficientes, los periodistas tienen que cubrir varias notas en un día, hay poca capacidad de investigación y los reporteros están cansados, por no hablar de la censura y manipulación informativa que se ejerce desde la dirección de algunos periódicos. Casi todos los trabajos fueron publicados en medios que no existían hace cinco años" (2015).

La investigación se podría centrar en los periodistas de calle, sin contratos fijos, que están batallando por la dignidad de su trabajo, y con un perfil de independencia muy acusado. Son ellos quienes están publicando, mayoritariamente en revistas digitales, los temas de investigación más necesarios, lejos del copia y pega de las redacciones. Según la periodista Lola Hierro, coordinadora del blog *Migrados,* de *El País:* "El periodismo *freelance* es una profesión denostada y precaria pero más libre e independiente".

Según la Asociación de Trabajadores Autónomos y la Asociación de Profesionales de la Comunicación, que organiza los congresos nacionales de periodismo *freelance,* "el único sector que ha crecido entre los autónomos en los últimos cuatro años es el del periodismo y la comunicación. [...] En esta crisis, el periodismo autónomo ha seguido funcionando y no se ha visto afectado" (declaraciones del 2012, a Carlos Otto, en *El Confidencial).*

"Hoy, el nuevo periodismo ya no necesita de grandes cabeceras ni grupos para difundirse", afirma el investigador y colaborador del *New Yorker* Robert S. Boynton, en una entrevista en La Contra de *La Vanguardia* (2015). "Los diarios pierden audiencia porque no han dado a la gente lo que quería sino lo que a ellos les era más cómodo: se han puesto al servicio de políticos y *lobbies* y han olvidado que, si pierden al lector, lo pierden todo."

"Les millors cobertures dels països en conflicte les fan periodistes independents, amb els seus propis recursos i una gran vocació", opina la fotoperiodista de la Facultat de Comunicació i Relacions Internacionals Blanquerna Sandra Balcells, en el número 35 de *La Revista de Blanquerna-URL* (juny del 2016), en un reportaje titulado "Sense refugi. El major èxode de persones després de la Segona Guerra Mundial". "...recorda que dos dels certàmens més importants de fotografia d'enguany els han guanyat fotoperiodistes independents amb imatges de la crisi humanitària dels refugiats: Warren Richardson (World Press Photo) i Samuel Aranda (Ortega y Gasset)."

En España, en el 2012, la cifra de periodistas autónomos era de 48.460, aunque es imposible cuantificar el número absoluto de periodistas *freelance,* porque muchos de ellos no están dados de alta en el régimen especial de trabajadores autónomos de la Seguridad Social, debido a la precariedad de su trabajo. (Precisamente, en el 2014, la Federación de Sindicatos de Periodistas de España reclamaba que se regule la situación de los periodistas por pieza.)

Un dato para comprender la precariedad laboral en su conjunto: solo en Badalona

(Barcelona), el 90% de los 3.869 contratos firmados en mayo del 2015 (84% en el sector servicios) son temporales (De Jódar, 2015).

El periodismo ha sido beligerante con las grandes empresas siempre y cuando las líneas principales de estas chocaran con la decencia y los derechos laborales (explotación, evasión de impuestos, enriquecimiento ilícito…). Como ejemplo, los ya mencionados *muckrakers,* que florecieron en las capitales de Estados Unidos, a principios del siglo XX. Así se conoce al periodista y al grupo de periodistas y escritores norteamericanos que, a comienzos del siglo XX, se dedicaron a denunciar públicamente la corrupción política, la explotación laboral y una serie de abusos, inmoralidades y trapos sucios de personajes e instituciones de la época, según el profesor Edd Applegate (2008). Del inglés, *muckraker* significa 'escarbar en la basura'. El estudioso Fernando Gómez los define de esta manera: "el perro guardián de la sociedad ante el poder de las grandes multinacionales que habían aparecido recientemente y a las que se señaló como responsables de la situación social tan complicada que atravesaba la nación". Ejemplos de trabajos que se publicaron entonces, en muchos casos como seriales en los diarios de Estados Unidos: *La Jungla,* de Upton Sinclair ("cuando llegó el verano, estaban dispuestos para partir hacia América"); *Cómo vive la otra mitad,* de Jacob A. Riis ("¿qué es una casa de vecindad hoy?"), y el reportaje sobre la petrolera Standard Oil propiedad del magnate John D. Rockefeller, publicado por la periodista Ida Tarbell en *McClure's Magazine.*

Recientemente, el Consorcio Internacional de Periodistas de Investigación (ICIJ, en sus siglas en inglés) ha publicado una investigación elaborada por un equipo de periodistas y difundida por una treintena de medios de comunicación europeos. "Al menos 340 multinacionales —entre ellas, Pepsi, Ikea y Deutsche Bank— se han beneficiado de acuerdos ad hoc, bendecidos por las autoridades fiscales luxemburguesas, que les han permitido eludir el grueso de su tributación por beneficios", resume la corresponsal de *El País* en Bruselas, Lucía Abellán (2014). Evasión de impuestos. No solo en Bruselas se producen malas prácticas. Noticia en la sección de Economía de *La Vanguardia* del 4 de febrero del 2015: "Tres meses después del estallido del escándalo LuxLeaks, la Comisión Europea ha encontrado más indicios de que Luxemburgo no es el único país que ofrece ventajas fiscales a empresas que pueden violar el derecho comunitario. Además del Gran Ducado, Holanda e Irlanda, en su punto de mira está ahora Bélgica".

Asesoradas por despachos especializados en imagen corporativa, las multinacionales recelan de arremeter contra los diarios cuando los artículos "negativos" contra ellas ven la luz. Da mala prensa.

"La Federación Internacional de Periodistas y su afiliado indio, el Sindicato de Periodistas de India, condenan un intento de hostigamiento hacia Keya Acharya, famoso periodista ambiental, por parte de Karuturi Global Limited, a causa de un artículo crítico", *flash* colgado en la página de la FIP, "la voz de los periodistas".

La mala prensa puede afectar a los ingresos.

Existen periodistas que no aceptan el compadreo del periodismo con el poder, como se observa en páginas web personales, como el blog *Salvar un periodista:*

> Rafel, experiodista. El futuro del periodismo se resume de la siguiente manera: con las nuevas tecnologías, el periodismo permanecerá, pero el periodista ¿podrá vivir dignamente? No. Los buitres y el capital lo han destruido para su conveniencia de poder, ambición y autoritarismo capitalista al servicio de los bancos y las multinacionales, los clubes de fútbol (Madrid y Barça, etc.) y la cultura de la burguesía…
>
> (Carbonell, 2010)

El periodismo no ha muerto. Mientras haya cosas que decir y que nos afecten a todos, al cuerpo social, habrá gente dispuesta a decirlas.

El jueves 19 de marzo del 2015 se lanzaba la revista digital *Districte 15* (districte15. info), medio local digital con "historias de Barcelona": *"Districte 15* és una publicació setmanal digital sobre Barcelona ciutat. Periodisme de prop i a poc a poc. El fem un grup de professionals, quan podem i sense finançament. Estem en fase beta. Provant".

Los relatores de lo público siguen contando historias. "Nosotros quisimos investigar más a fondo y pusimos las marcas famosas bajo la lupa. Porque si en el mundo hay doce millones de niños que se desloman para fabricar artículos de exportación baratos, sin duda hay alguien que está sacando provecho de ello. Y porque cuando se dice que los grupos multinacionales promueven la explotación, la venta de armas, la destrucción ambiental y el maltrato a los animales, es necesario que a esas multinacionales se les ponga nombre y apellido", sentenciaron los periodistas Klaus Werner y Hans Weiss en *El libro negro de las marcas. El lado oscuro de las empresas globales.*

"Ningún medio sacrifica sus oportunidades a sus principios. Los poderes financieros son conscientes y mantienen una presencia accionarial. 'La intuición moral nos dice que un mercado de las imágenes del sufrimiento es una inmoralidad, porque, incluso en una cultura capitalista, hay ciertas mercancías que nunca deberían ser objeto de transacción mercantil.' Frente a la concentración de los medios en media docena de multinacionales y de su uso como aparato de propaganda del sistema, solo puede oponerse la moral, el código deontológico de los periodistas, reacios a retorcer la verdad en beneficio ajeno", expone el periodista y profesor de la Universidad San Pablo Gustavo Morales en la "revista crítica del presente" *El Catoblepas,* en el artículo titulado "Prensa, poder y globalización".

Titular de *La Vanguardia,* del 18 de abril del 2015: "China castiga a una periodista a siete años de cárcel por revelar secretos de Estado": "Gao Yu, de 71 años, fue condenada ayer por un tribunal de Pekín a siete años de cárcel por haber publicado un documento interno del Partido Comunista en una web extranjera. Se trata de una circular llamada 'Documento número 9', que alertaba a los miembros de la organización de los peligros que suponía para el régimen los valores occidentales como la democracia constitucional, los derechos humanos y la *libertad de expresión*" (la cursiva, de este investigador).

La **segunda línea de investigación** podría interesarse por el escenario laboral en el futuro, la robotización del periodismo. Bertrand Pecquerie, CEO de Global Editors Network, publicado en mberzosa.com, el 16 de junio del 2014:

> El periodismo automatizado, 'periodismo robot', aparecerá en Europa entre el 2015 y el 2020, y un montón de periodistas van a perder sus puestos de trabajo y tendrán que cambiar sus habilidades. Es también una oportunidad para centrarse en la investigación, el análisis y la visualización de datos. En la actualidad, demasiados periodistas se dedican a copiar y pegar notas de prensa de grandes empresas y organizaciones. No olvidemos que hay más personas que trabajan en el departamento de comunicación de una marca internacional que en una sala de redacción clásica…
>
> (Pecquerie, 2014)

En La Haya (Holanda), el 23 y 24 de marzo del 2016, el Instituto Interregional de las Naciones Unidas para investigaciones sobre la Delincuencia y la Justicia (UNICRI, por sus siglas en inglés) organizó un curso sobre inteligencia artificial y robótica autónoma para profesionales de medios. "El curso tiene como objetivo proporcionar a los periodistas una profunda comprensión de cómo el rápido avance de la tecnología de inteligencia artificial puede afectar a la comunidad internacional en las esferas físicas y estructurales", se informaba. El periodismo robotizado ya comienza a ser una realidad. En la entrevista del corresponsal de *La Vanguardia* en Estados Unidos, Andy Robinson, con el robotista de la Universidad de Stanford Oussama Khatib, la pregunta no es arriesgada: "¿Puede imaginar el día en el que un robot le haga la entrevista en vez de yo?". Y la respuesta, meditada: "¿Un avatar? Pues, ¿por qué no? Pero el periodista humano estará conectado remotamente de alguna forma, con algo de interfaz".

El escritor de ciencia ficción Isaac Asimov, en la novela *Preludio a la Fundación* (1988), predice el "robot periodista". A las noticias él las llama "holonoticias": "Había otras holonoticias por parte de periodistas con voces indiferentes, todos ellos con la insignia Imperial en los brazaletes. Las noticias eran siempre las mismas...". Isaac Asimov también publicó *Yo, robot* (1950). El periodista José Luis Esquivel, en "Reportero robot, la nueva era del periodismo", publicado en la revista *Ciencia* de la Universidad Autónoma de Nueva León (México), en enero-febrero del 2015:

> "La ciencia ficción sugiere tres tipos de periodistas en el porvenir", afirma [Loren] Ghiglione. "El humano que, como su predecesor en el siglo xx, dedica su vida a investigar e informar sobre los sucesos en el mundo; el no humano (un robot computadora u otro artefacto) que complementa e incluso sustituye al periodista humano; finalmente, el consumidor de noticias, quien se sirve de la tecnología del futuro para convertirse él mismo en reportero."
>
> (Esquivel, 2015)

Medios del mundo occidental y oriental están experimentando, y se ha progresado en su desarrollo. En Rusia, están en camino de implantar en las redacciones solo humanoides, en lugar de humanos: "El buscador de internet líder en Rusia, Yandex, ha anunciado la creación de una nueva agencia de noticias. Hasta aquí, todo normal. La diferencia con sus competidoras es que el gasto en periodistas será cero: la redacción estará a cargo de máquinas", anuncia el jefe de edición Pablo Colado en "Llega el robot periodista", publicado en la revista *Muy interesante* (2015). "[El científico Ray] Hammond […] cree que es solamente una cuestión de tiempo antes de que un roboperiodista escriba una historia ganadora de un Premio Pulitzer, a medida que el *software* se hace más sofisticado", insinúa el periodista Peter Shadbolt en "¿Podría un robot haber escrito este artículo? El surgimiento del robot periodista", publicado en CNN, el 5 de febrero del 2015. Lo preocupante, a juicio de este investigador, es que una parte del sector ve con buenos ojos la automatización de las redacciones, o la sustitución de estas por fábricas con cadenas de montaje. "Un periodista que pasa su tiempo reescribiendo comunicados de prensa debe ser sustituido por una computadora", convienen Yves Eudes, en "L'Actu automatique", publicado en el diario *Le Monde,* el 15 de noviembre del 2012, y Marc Mentré, en "Journatic, le journalisme local en maltraitance", publicado en *Themediatrend.com,* el 22 de julio del 2012. "Por fin un robot que ejerce el copiar y pegar sin rechistar. Bien pensado, hay humanos, y no tan humanos, que cumplen esta función con plenas garantías", festeja el periodista Enrique Alcina en "¡Extra, extra, nace el robot periodista!", publicado en su blog, el 6 de mayo del 2010. "La mayoría de noticias ya son de agencia, basta con copiar y pegar el texto que llega de Efe, y a correr. Automatizar eso es casi lógico, igual hasta conseguimos una prensa algo más objetiva", auspicia un usuario del foro "China revoluciona el periodismo: el nuevo compañero de la redacción es un robot", en www.elotrolado.net, el 9 de noviembre del 2015. "Otro ejemplo del que se habla cada vez más es el de los 'robots-periodistas', los que ya están comenzando a ser utilizados por algunas de las grandes editoriales a nivel mundial. Tienen especial relevancia en aquellos artículos que se basan en muchos datos, como, por ejemplo, las notas financieras, o incluso las de último momento", publica Big Data Chile, bajo el título: "Calculan que los robots reemplazarán a la mitad de la población económicamente activa". Y otros no se extrañan de que se haya llegado a tal situación, por la dejadez de funciones de una profesión en constante transformación. "Si la mayoría de las redacciones *online* tienen un plantel que se dedica a copiar y pegar cables de agencia, si no se incentiva la producción propia y la experimentación a la hora de trabajar, entonces los periodistas estamos perdidos. ¿Por qué insistir en la elaboración humana cuando las tareas que realizamos pueden ser realizadas por robots?", se pregunta la directora Mariana Marcaletti en el artículo "Periodismo y robots: cómo superar el viejo luddismo", publicado en *Amphibia,* el 12 de diciembre del 2011. (El ludismo fue un movimiento en la Inglaterra de la Revolución Industrial contra las máquinas que, según sus promotores, quitaban puestos de trabajo.)

Al parecer, las ventajas son notorias: "La inteligencia artificial, los robots creadores de contenido en los medios de comunicación y la ubicuidad del lenguaje permiten que un mensaje creado inicialmente para una página web pueda prolongar su vida de forma automática en otros dispositivos", se divulga en "Nuevos ejemplos de 'HTML5 [lenguaje hipertextual que permite la incorporación de elementos multimedia] para periodistas' y fin de temporada", publicado en Estrategia del Contenido, el 31 de julio del 2015. "Apple quiere también innovar en el tratamiento de texto. Se podrán copiar y pegar textos desde o para el correo electrónico, archivos de Word, mensajes de texto (SMS) y hasta los de una página web", se notifica en "'Copiar y pegar' llega al iPhone", publicado en *Elpais.com,* el 17 de marzo del 2009. "Pero incluso la creatividad está al alcance de los ordenadores, como demuestra el hecho de que ya pueden pintar cuadros y componer música, advierte Ramon López de Mántaras, director de l'Institut d'Investigació en Intel·ligència Artificial", enuncia Josep Corbella en el artículo "Creada una máquina que aprende como una persona", publicado en *La Vanguardia,* el 11 de diciembre del 2015.

Sin embargo, las dudas que concita ensombrecen el futuro: "¿Es un periodista independiente o es un robot que escribe?", lamenta el periodista *freelance* Èric Lluent, entrevistado por Oscar Arenas, en www.piensaesgratis.com. "Es el mismo texto, copiado y pegado, solo cambian los datos de las personas, pero en el mismo orden, como un robot; copiar-pegar, periodista mediocre", comentario del artículo "Investigan muerte de niña indígena en Dosquebradas", publicado en *El Diario del Otún,* el 14 de agosto del 2013. Si se asocia copia y pega con computadora, el android resultante se vincula con "dictadura". Alerta de un periodista del *Morning Post* citado en el artículo "¿Podría un robot escribir este artículo?", escrito por John Zorabedian y publicado en *Sophos,* el 15 de septiembre del 2015: "Ya sabes, muchos periodistas que trabajan para periódicos dirigidos por el gobierno en todo el país, por lo general, copian y pegan las declaraciones y noticias de prensa. No se les permite expresar dudas o realmente investigar las denuncias contra las autoridades.

Así que los periodistas robots podrían sustituir fácilmente a una gran cantidad de periodistas chinos". Por lo tanto, si copia y pega robotizado=democracia débil, y si democracia débil=dictadura, periodistas robots=dictadura.

Tuit en la red Ética Segura, de la Fundación para el Nuevo Periodismo Iberoamericano: "Contratar robots anula papel periodista". Algo parecido podría pensar el inventor Thomas Alva Edison a tenor de una de sus respuestas en la entrevista que le hace R. H. Sherard, publicada en *The Pall Mall Gazette,* el 19 de agosto de 1889.

> —¿No podría fabricarse una máquina que se adaptara a la cabeza y registrara los pensamientos, ahorrándonos la tarea de hablar y escribir? —pregunté.
> Edison reflexionó.
> —Una máquina así es posible —dijo—, pero piense lo que ocurriría si alguien la inventara. Todo ser humano huiría de su prójimo, saldría corriendo en busca de algún refugio.
>
> (Sherard, 1889)

Todo ser humano huiría de su prójimo.

Con la informatización y robotización de numerosos empleos, no solo empleos manuales, el número de puestos de trabajo remunerados desciende de manera significativa. "Los robots llegan a los almacenes de Amazon y reducen los costes de cada almacén en 22 millones de dólares", publicó *Libertad Digital,* el 21 de junio del 2016. Las personas son sustituidas por complejos algoritmos que pueden hacer transferencias bancarias y pesar la cesta de la compra.

En *Chavs. La demonización de la clase obrera,* el escritor británico Owen Jones deduce de ello que los puestos de trabajo disminuyen. El paradigma de la gran fábrica queda relegado a otra época:

> La realidad es que, simplemente, no hay suficientes puestos de trabajo para todos. A finales de 2010, había casi 2,5 millones de personas oficialmente sin trabajo [en Gran Bretaña], sin incluir los cientos de miles a las que el Gobierno quiere quitar las prestaciones de invalidez. Sin embargo, había menos de medio millón de ofertas de trabajo en todo el país, según las cifras del propio Gobierno.
>
> (Jones, 2012)

"En el futuro veremos cada vez más escenarios de ciencia ficción y cada vez menos empleo", pronostica el profesor del Instituto Tecnológico de Massachusetts

Andrew MacAfee, en el suplemento dominical *Dinero,* del diario *La Vanguardia* (12/VI/2016), a cargo de Piergiorgio M. Sandri.

Los robots y la computarización de diferentes oficios están extendiéndose.

Noticia de *La Vanguardia* (8/X/2015): "El avance imparable de la digitalización y automatización de la economía está cambiando el mercado laboral a pasos agigantados. El director de investigación de la Organización Internacional del Trabajo (OIT), Raymond Torres, estimó que, en apenas una década, cuatro de cada diez empleos mutarán... o directamente desaparecerán", informa Alicia Rodríguez de Paz, que destaca el mensaje de la OIT: "el modelo [de negocio] no descansa tanto en el trabajo asalariado sino en el de autónomos, independientes, *freelances...*".

El asunto copa la actualidad. *La Vanguardia* (9/X/2015): "Albert Cortina es director del estudio DTUM, coordinador y coautor del libro *¿Humanos o posthumanos?* (Fragmenta Editorial, 2015). Según este experto, 'los trabajos de cierta calificación también podrán ser en el futuro operados parcialmente por robots, como abogados o periodistas. Y no es algo coyuntural', advierte. 'La robotización llegará a los empleos de cuello blanco y a los oficinistas. Muchas de estas profesiones tienen una parte rutinaria que podrá ser ejecutada por máquinas, por ejemplo, la gestión de datos o la búsqueda de información'", informa el periodista Piergiorgio M. Sandri, que da cuenta del estudio de la consultora Forrester titulado "The future of jobs, 2025: working side by side with robots", que calcula que se perderán en Estados Unidos más de nueve millones de empleos con la implantación de máquinas.

Las máquinas sustituyen al revisor, al cobrador y al vigilante. Y al periodista. El copia y pega puede eliminar la intervención del periodista, del que se prescinde.

En junio del 2015, en Barcelona, en el marco del congreso anual de la Global Editors Network, que reúne a directores, editores y periodistas, se premió el proyecto de "edición inteligente de contenidos" Think17, del diario *The Times.*

En este sentido, la bloguera Alicia M. Medina publicó el *post* "Periodistas contra robots", en su blog *Escucha, habla, comunica...,* el 3 de julio del 2014. Alarmada.

Después de *Alien vs Predator* o de ver *Cowboys and aliens,* pensé que estaba todo visto, pero no, resulta que, ahora, gracias a Associated Press (AP), una de las principales agencias de noticias del mundo, también vamos a ver *Periodistas vs robots* o más bien *Robots sustituyendo periodistas.*

Como vemos, el mundo de la prensa no deja de sorprendernos, aunque, claro, peor va a ser para los que se vean sustituidos. Cuando he leído la noticia he pensado en la revolución industrial y en Chaplin. Una vez superada la llegada de las máquinas a las fábricas, ahora tenemos robots en las redacciones. ¿Más rapidez? Seguro. ¿Más deshumanización? También.

Está claro que el mundo de hoy en día pide grandes dosis de información, rapidez, inmediatez, todo va mucho más deprisa. ¡Si escribimos en 140 caracteres! Leo en *El País* que el vicepresidente y director gerente de AP, Lou Ferrara, quiere con esta medida dar más tiempo a sus reporteros para buscar información y cuidar sus fuentes. Y que los robots solo los van a utilizar para emitir los comunicados sobre resultados económicos de las empresas.

[...] Y por pensar mal, ¿no será una forma de incrementar sus ingresos con la publicación de noticias de empresas que paguen a Associated Press por la emisión de sus comunicados?

Leo en esa misma noticia que esto de los robots no es nuevo y que, ya en marzo [del 2014], en *Los Angeles Times* se dio una primicia sobre un terremoto gracias a este sistema. Si nos quejamos de los periodistas que parecen robots porque solo se dedican a cortar y pegar... ahora tendremos robots de verdad. ¿Cuál va a ser el futuro del periodismo?

(Medina, 2014)

El diario *ABC* (20/III/2014) se hizo eco del "éxito" de *Los Angeles Times:* "Un 'robot periodista' escribe noticias de 'última hora'. *Los Angeles Times* consiguió ser el primer medio de comunicación en informar sobre un terremoto gracias a este algoritmo".

La automatización de la producción periodística aumenta con el copia y pega. Estamos más cerca de los robots-periodistas. Algo contraproducente cuando, cada vez más, se tiende a la relación personal en los proyectos profesionales, con el fin de sobresalir del mundo virtual. Cuando se accede a la cuenta de la red profesional Linkedin (www.linkedin.com), se solicita que rellenes una "verificación de seguridad": "Tenemos que comprobar que no eres un robot". En esta red para la búsqueda de empleo, más de un centenar de personas se ofrece con este perfil: "periodistas y publicistas", a la vez, aunque estos son dos ámbitos que han de ir separados (ver el marco teórico). En editoriales como Siglo XXI (www.sigloxxieditores.com), después de rellenar los campos obligatorios para contactar y después de pulsar "enviar", el "sistema" genera una respuesta automática: "Mensaje del sistema. No se permite el uso de formularios a robots".

A pesar de todo, estamos más cerca de los robots-periodistas, del periodismo *low cost* (ver el capítulo o bloque 2: "El periodismo y los breves de empresa"). Como si se tratara de la serie de ciencia ficción de Steven Spielberg *Extant*. Según el estudio titulado "Will a robot take your job?", de los investigadores de la Universidad de Oxford (Reino Unido) Carl Benedikt Frey y Michael Osborne, publicado en la BBC, el 11 de septiembre del 2015, y elaborado con las técnicas del periodismo de datos, existe el 8% de probabilidades de que la profesión periodística se robotice.

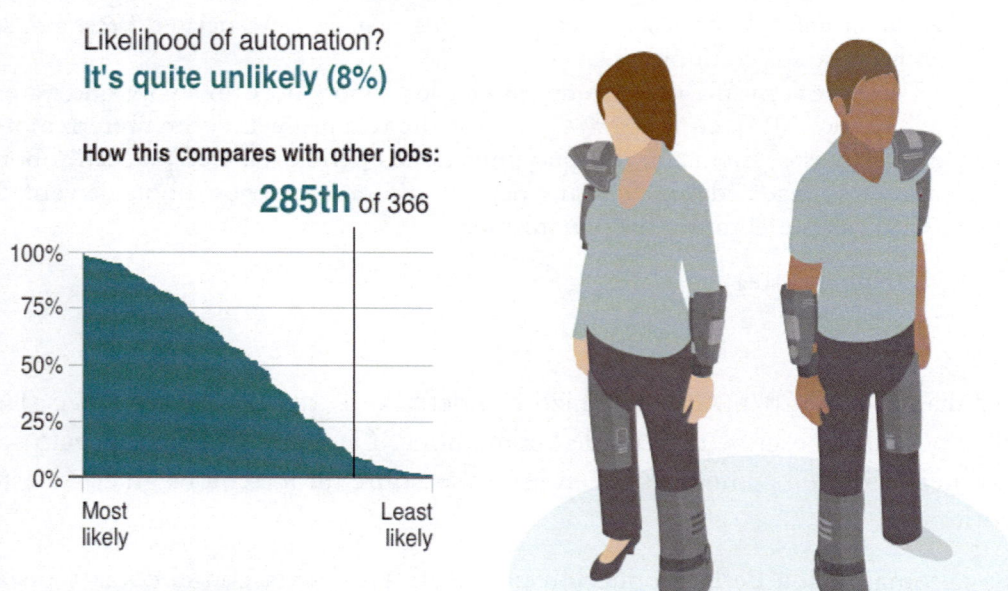

Journalists, newspaper and periodical editors

Likelihood of automation?
It's quite unlikely (8%)

How this compares with other jobs:
285th of 366

IMAGEN 24. Diagrama del estudio "Will a robot take your job?".

"Agencias como AP [Associated Press], la china Xinhua [Kuaibi Xiaoxi es el nombre de su "reportero robot"] y diarios como *Los Angeles Times* han empezado a usar programas que escriben noticias de resultados de la bolsa o deportivos", escribe Marta Ricart en el *Magazine* de *La Vanguardia* del 27 de diciembre del 2015, con este titular: "El empleado perfecto. El salto tecnológico de los robots anuncia una revolución sin precedentes en el mercado laboral a medio plazo, ¿sustituirán las máquinas a los humanos?".

En China, un robot periodista ya ha redactado su primera noticia. La red social china Tencent Holdings trabaja, desde septiembre del 2015, con periodistas robot. Primer artículo periodístico de la historia escrito por un robot, de nombre Dreamwriter. Se titula "Índice de precios al consumidor de agosto: un nuevo máximo en los últimos 12 meses" y se publicó en la red de mensajería QQ.com, el 11 de septiembre del 2015 (Fuente: http://js.qq.com/a/20150911/016002.htm). Según el artículo titulado "Dreamwriter, el robot periodista chino que causa alarma en las redacciones", publicado en el *ANPargentina,* el 29 de septiembre del 2015: "Un robot periodista llamado Dreamwriter, diseñado por la compañía china de videojuegos Tencent, generó la semana pasada una nota de negocios de 916 palabras en solo 60 segundos y, según reportan algunos medios locales, provocó el pánico en las redacciones del país. El artículo, titulado 'Índice de precios al consumidor de agosto', fue escrito en chino, no tenía ni un solo error y fue publicado a través de servicio de mensajería instantánea de la compañía, QQ.com". Este investigador recibe el testimonio del periodista chino Huifeng, conciliador: "Los robots invaden todas las industrias. Pero los robots no pueden opinar sobre los cambios y las tendencias de la sociedad y del mundo" (correo electrónico del 16 de noviembre del 2015).

IMAGEN 25. Foto de *The Verge* que ilustra el artículo titulado "End of the road for journalists? Tencent's Robot reporter 'Dreamwriter' churns out perfect 1,000-word news story - in 60 seconds", publicado en el *South China Morning Post,* el 11 de septiembre del 2015.

Por su parte, Quill es el redactor robot, de la sección de economía, que escribe para la revista *Forbes*. El lunes 27 de junio del 2016, visitó la sede de Televisión Española en Torrespaña (Madrid) el robot Pepper. Así lo publicitó la web de RTVE: "Pepper, un robot humanoide que puede ser guía, dependiente, recepcionista...". El humanoide charló con la presentadora de *Telediario* Ana Blanco, y le confesó: "Yo siempre he querido ser reportero".

Según la agencia de noticias France-Presse y el Foro Económico Mundial, en un informe del 18 de enero del 2016, la robotización se considera la "cuarta revolución industrial": "La cuarta revolución industrial, impulsada por la digitalización y la impresión en 3D, acarreará la *supresión* [ver Anexo IV: "suprimir"] de cinco millones de empleos en cinco años en las mayores economías mundiales".

"Novela escrita por un robot gana un concurso literario en Japón", publica www.hispantv.com.

La revista *Capçalera* (número 173), de octubre del 2016, dedica el dosier informativo a la edición periodística hecha por robots. El trabajo, de Adrián Caballero, lleva por título "Algoritme, redactor en cap": "Cada cop més usuaris de mitjans digitals admeten que fan cas de les recomanacions d'articles que els fan els algoritmes automàtics i els agregadors. Els experts aconsellen a les redaccions actuals deixar enrere l'edició periodística clàssica, basada en la portada i la jerarquia de notícies, per centrar-se a aconseguir un estil propi, prestant més atenció a les xarxes socials, d'on provenen la majoria de les visites a internet. Una nova manera de funcionar en què les màquines agafen més pes en les redaccions." El triunfo del panda que estornuda, uno de los vídeos virales de internet (más de doscientos millones de reproducciones). En la misma revista de *Capçalera,* se estudian las externalizaciones, sacar trabajo fuera de las redacciones. El subtítulo es elocuente: "Les retallades a les redaccions han afectat la qualitat periodística".

El éxito de las marcas multinacionales y de sus gerentes.

La **tercera línea de investigación** abordaría las agencias de noticias actuales, sobre todo en España (Efe y Europa Press, primordialmente) con la intención de examinar en qué estado se encuentran. Giraría en torno al futuro de las agencias de noticias, para advertir de la falta de "filtros periodísticos" que dejan pasar las notas de prensa. Cabría preguntarse por esa especie de "copia en cadena", "industrial", tal y como alertan algunos de sus trabajadores. Cuanta más información facturada, se cobra más. Por lo tanto, las notas de prensa ayudan a este fin, al hacerlas pasar por información periodística (a expensas de estas cualidades: actualidad, novedad, veracidad, periodicidad, interés público).

Quizá la entrada "fuentes fiables" de Wikipedia ya está desfasada: "Las noticias procedentes de las agencias de prensa o medios de contrastada reputación sí que permiten referenciar correctamente asuntos de actualidad cuando no haya otra fuente para tal efecto". Las agencias de noticias están explorando nuevas vías de financiación, y en esta búsqueda abren sus puertas a contenidos puramente publicitarios que nada tienen que ver con los "asuntos de actualidad". Estos textos que cantan las alabanzas de las novedades del mercado llegan sin mácula a las redacciones, que acaban publicándolas también sin editar. Finalmente, por falta de filtros periodísticos en la cadena, se podría decir que parte del diario lo escribe la multinacional.

Un ejemplo: La empresa ArtGerust Editores contrata el gabinete de comunicación Comunicae para captar clientes.[15] "Nuestro objetivo es promocionar y posicio-

---

15 En marzo del 2016, la empresa Comunicae envió esta petición de encuesta a los estudiantes de periodismo de la Universitat Autònoma de Barcelona:

> Em dic [...], cap del departament de continguts de Comunicae, una empresa que gestiona notes de premsa. Estem treballant per a crear un repositori de notes de premsa gratuit especialment pensat per a periodistes i comunicadors, que permeti filtrar, gestionar i classificar tots els canals RSS [Really Simple Syndication, formato XM, agregador] i continguts que els periodistes reben al llarg del día. Trobem que és un projecte que pot resultar útil als estudiants (per

nar tus noticias para que la comunicación de tu negocio sea lo más efectiva posible. Queremos que los medios de comunicación se hagan eco de tus novedades para que potencies la imagen de tu marca y aumentes tu audiencia", expone Comunicae como parte de su filosofía. Según su web, desde su fundación han enviado casi sesenta mil notas de prensa. Ellos elaboran la siguiente nota (en su página, www. comunicae.es, incluyen una pieza publicitaria de formato robapáginas en la que pone: "¿Quieres que los medios hablen de ti?". En la imagen de abajo, las tarifas de la empresa. La modalidad de contratación 'Agency' "garantiza" que las agencias de noticias Europa Press y Efe se harán eco de la nota de marketing: "Todos los envíos Agency incluyen distribución Premium a receptores y grandes medios así como la *publicación asegurada* en Agencia Efe, Europa Press, EconomiaDeHoy.com, Mega-Bolsa y Mundo Financiero. Además le proporcionamos un completo informe con los impactos de la nota de prensa y un *clipping* de las menciones que su comunicado haya tenido en otros medios"):

---

a aquesta etapa i per a quan exerceixin de manera professional). Actualment estem en fase de prova i estem implementant la plataforma amb les opinions dels usuaris potencials, per la qual cosa agrairíem si poguéssiu fer arribar la següent enquesta als estudiants, per a que ens donin la seva opinió i, a la vegada, estiguin al corrent del projecte.

Primera pregunta de la encuesta:

Para realizar tus publicaciones, ¿en qué fuentes te basas?
Se pueden seleccionar varias opciones
    A Noticias de actualidad de los medios
    B Notas de prensa publicadas en agencias
    C Notas de prensa publicadas en repositorios
    D Contactos de agenda propia
    E Convocatoria de ruedas de prensa
    F Comunicados oficiales
    G Otro

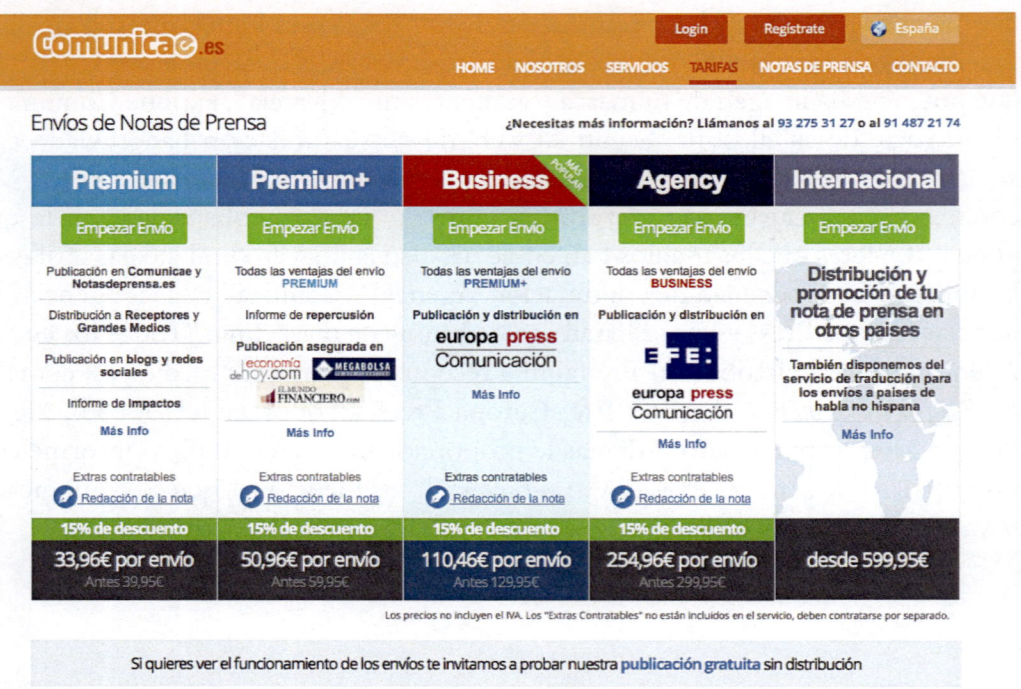

IMAGEN 26. Arriba, tarifas de la agencia de comunicación Comunicae. Se asegura coloca-ción de la nota de prensa en agencias de noticias (imagen de abajo, consulta en Google del 3 de marzo del 2016: "publicación garantizada").

Sin cambiar ninguna frase, el 15 de diciembre del 2014, Europa Press y la agencia Efe publicaron la nota de prensa, remitida por Comunicae, gabinete de publicidad de la firma privada ArtGerust, especializada en edición de libros (Europa Press, incluso, añadió un *banner* de esta empresa).

La autopublicación de libros crece un 78% en España
15 dic 2014
(Información remitida por la entidad que la firma:)
"Amplía las posibilidades de publicación para debutantes y les proporciona un trampolín para vender sus obras en cualquier tienda. La Navidad genera un incremento en la autoe-dición de libros profesionales desde poemarios, novelas, tributos, memorias, manuales de cocina y todo tipo de literatura para regalar. 1 de cada 10 españoles sueña con escribir un libro y demanda servicios integrales:
Edición, Corrección, Maquetación, Impresión, Promoción, Distribución?
La autopublicación de libros en formato digital o en papel ha experimentado un crecimiento exponencial de más del 70% en nuestro país. Actualmente, es una de las tendencias culturales

más exitosas. La clave de su éxito es, sin duda, el control absoluto del autor sobre su obra.
ArtGerust Editores, editorial online www.artgerust.com, presenta un informe sobre este fenómeno que además cuantifica en un crecimiento del 78% respecto a hace 5 años. La compañía española dirigida por jóvenes emprendedores ha editado más de 1.300 obras diferentes de escritores noveles en seis años de las cuales en se han distribuido más de 20.000 copias diferentes en España y resto del mundo. Esta cifra demuestra que España se sitúa a la cabeza de escritores noveles de Europa.

La autoedición amplía las posibilidades de publicación para debutantes o escritores ya conocidos. En España no solo ha crecido la autoedición sino que además se ha tomado conciencia de la importancia de contar con una editorial independiente y profesional para la distribución de las obras.

Adrián Iruela, Director de ArtGerust comenta: "Algunas de las obras que hemos editado han vendido más de 5.000 ejemplares".

Una de las claves del éxito de la autoedición de ArtGerust es que el 100% de los beneficios son para el autor, algo que no suele ocurrir en las plataformas online de auto impresión. Los libros se van imprimiendo conforme el autor los va vendiendo, conservando todos los derechos sobre su obra y poniendo él mismo el precio de venta, tanto en papel como en e book. La gestión del ISBN es otro de los beneficios más valorados por los autores, además del pago a plazos o la gratuidad de los envíos de los libros."El negocio de ArtGerust está en dar un servicio editorial integral", afirma Iruela. Entre sus servicios se abarcan todas las necesidades de cualquier escritor a la hora de publicar un libro: Edición, Corrección, Maquetación, Impresión, Promoción (mediante videoBooks en formato de tráiler), Distribución... [...] Los ejemplares se van imprimiendo según el autor los va vendiendo. Así mismo, conserva todos los derechos de su obra, poniendo él mismo el precio de venta, tanto en papel como en Ebook.

ArtGerust gestiona también el ISBN y proporciona la posibilidad de vender los libros de los autores en todas sus librerías afiliadas.

Para más información:
www.artgerust.com
José Antonio Tovar
PRENSA Y COMUNICACIÓN
Nombre contacto: José Antonio Tovar

El 15 de diciembre del 2014, a las 15.08 horas, *La Vanguardia* digital publicó exactamente la misma nota de prensa, copiada de la agencia Efe, que a su vez la copió de la agencia de publicidad Comunicae. Por lo tanto, se puede afirmar, en este punto, que la empresa escribe parte del diario. Todo el proceso ocurre en el mismo día: 15 de diciembre del 2014.

En la muestra anterior, pese a que existe copia y pega, no se puede considerar plagio, puesto que se menciona la fuente. En la siguiente demostración, la agencia (Europa Press y Efe) se apropia de la autoría del escrito ("presentación de una obra ajena como propia, suplantando al autor verdadero", según la Universitat d'Alacant). La cadena de copia y pega es la misma (empresa-agencia-diario), y se produce en el mismo día, el 22 de mayo del 2015. Una búsqueda rápida con la herramienta gratuita Plagium (plagium.com, "herramienta de búsqueda y seguimiento de plagios"), con sede en Nueva York (Estados Unidos), da como resultado que el texto de la nota de prensa del Banco Sabadell y el despacho de agencia coinciden en más del sesenta por ciento (60,4%).

a. Empresa

22/05/2015

Banco Sabadell inaugura hoy su nueva oficina en los Champs Élysées de París

El presidente de Banco Sabadell, Josep Oliu, inaugurará hoy la nueva sucursal de Banco Sabadell en París, situada en el número 127 de la avenida Champs Élysées.

La nueva sucursal cuenta con amplias instalaciones y en ella trabajan actualmente 16 empleados, todos bilingües, si bien están previstas nuevas incorporaciones, a corto plazo, de banqueros locales con buen conocimiento del mercado francés. Sus clientes son mayoritariamente filiales de grupos españoles y corporates francesas con actividad comercial en España y una facturación de más de 200 millones de euros.

Según Josep Ruix Balanzá, director general de Banco Sabadell en Francia, "Banco Sabadell ya es una referencia comercial bancaria para las filiales de empresas españolas en Francia. Además de ello, se está convirtiendo en un referente en el segmento large & middle market francés, habiendo conseguido cerrar operaciones relevantes, como por ejemplo en el sector de energías renovables, especialmente en la financiación de parques eólicos".

Con motivo de este evento, el presidente de Banco Sabadell, Josep Oliu, y representantes de clientes corporativos celebrarán en el día de hoy un encuentro de carácter institucional que contará asimismo con la asistencia del embajador de España en Francia, Ramón de Miguel.

En septiembre de 1987, Banco Sabadell inauguró su primera oficina en París, concretamente en el número 21 de la Rue de l'Arcade, en el Distrito 8.

El proyecto arquitectónico de esta nueva oficina es obra de Grup Idea, empresa fundada en 1996 y con amplia presencia internacional. Está especializada en proyectos de oficinas corporativas y de retail. En sus diseños seintegran todas las disciplinas necesarias para transmitir los valores de las marcas y aumentar la productividad y las ventas. Son autores también de la nueva oficina corporativa de Banco Sabadell en México.

Publicado por Banco Sabadell a las 12:34 p.m. en Actualidad corporativa, BSPress

b. Agencia

Agencia Efe:

Banco Sabadell inaugura su nueva oficina en los Campos Elíseos de París
EFE
22/05/2015 (11:28)

Barcelona, 22 may (EFECOM).- Banco Sabadell ha inaugurado hoy su nueva oficina en París, situada en el número 127 de los Campos Elíseos.

Según el Sabadell, que opera en la capital francesa desde 1987, esta nueva oficina representa "una apuesta clara" del banco por el mercado francés, con una visión a largo plazo.

La sucursal emplea a 16 personas, todas bilingües, si bien están previstas nuevas incorporaciones a corto plazo de banqueros locales con buen conocimiento del mercado galo.

Sus clientes son mayoritariamente filiales de grupos españoles y empresas francesas con actividad comercial en España y una facturación de más de 200 millones de euros.

La oficina parisina, pues, presta servicio a clientes de banca corporativa y ha tenido un aumento del volumen de negocio del 50 % durante los últimos tres años.

Con motivo de la inauguración de la nueva oficina, el presidente de Banco Sabadell, Josep Oliu, y representantes de clientes corporativos celebrarán hoy un encuentro de carácter institucional que contará con la asistencia del embajador de España en Francia, Ramón de Miguel.
EFECOM

c. Diario

'La Vanguardia'

Banco Sabadell inaugura su nueva oficina en los Campos Elíseos de París
Economía | 22/05/2015 - 11:20h
Barcelona, 22 may (EFE).- Banco Sabadell ha inaugurado hoy su nueva oficina en París, situada en el número 127 de los Campos Elíseos.

Según el Sabadell, que opera en la capital francesa desde 1987, esta nueva oficina representa "una apuesta clara" del banco por el mercado francés, con una visión a largo plazo.

La sucursal emplea a 16 personas, todas bilingües, si bien están previstas nuevas incorporaciones a corto plazo de banqueros locales con buen conocimiento del mercado galo.

Sus clientes son mayoritariamente filiales de grupos españoles y empresas francesas con actividad comercial en España y una facturación de más de 200 millones de euros.

La oficina parisina, pues, presta servicio a clientes de banca corporativa y ha tenido un aumento del volumen de negocio del 50 % durante los últimos tres años.

Con motivo de la inauguración de la nueva oficina, el presidente de Banco Sabadell, Josep Oliu, y representantes de clientes corporativos celebrarán hoy un encuentro de carácter institucional que contará con la asistencia del embajador de España en Francia, Ramón de Miguel.

Llama la atención que los medios escritos como *La Vanguardia* rechacen, oficialmente, el copia y pega, cuando su práctica está generalizada: "El acceso libre a la información en internet ha provocado que los ciudadanos se resistan a pagar por ella. ¿Por qué pagar si puedo leer lo que quiera gratis en internet? La respuesta pasa por ofrecer algo que no puedan encontrar en ningún otro medio y aumentar la calidad del producto que se ofrece" *(La Vanguardia,* 28/VII/2014, ver el epígrafe sobre la "perversión del lenguaje", en el capítulo o bloque 3: "El marketing y las notas de prensa").

El copia y pega no es un modo de aumentar la calidad.

Finalizamos con el estudio "La función de comunicación vista por los profesionales de la información", elaborado en el 2013 por las agencias de comunicación AxiCom y Top Comunicación. La conclusión: el copia y pega avanza cada día más.

¿Se hace ahora más corta-pega que antes? ¿O se mantiene la vieja práctica periodística de profundizar, contrastar, repreguntar...? La opinión mayoritaria es que, efectivamente, se está produciendo una cierta degeneración de los valores periodísticos clásicos (confirmar la información por varias fuentes, repreguntar, verificar los datos) y un déficit de rigor informativo, que se traduce en la caída de la calidad de la información. La crisis económica de los medios de comunicación ha provocado, como es sabido, una sucesión interminable de ajustes (ERE, despidos, recortes de medios para que el periodista pueda desempeñar su trabajo...) que afectan gravemente a la calidad de los contenidos publicados.

(En   http://www.topcomunicacion.com/archive/files/20140320143138_YODYBZ.pdf)

En palabras del profesor de la Facultat de Comunicació i Relacions Internacionals Blanquerna, de la Universitat Ramon Llull (Barcelona), Carlos Ruiz, autor de *La agonía del cuarto poder. Prensa contra democracia,* el periodismo no ha de quedar desleído, sepultado por la comunicación comercial: "La comunicación implica [...] dirigirse al hombre como un fin y no como un medio para vender publicidad e influencia". Léase por influencia *notas de prensa.* Ante esto, Carlos Ruiz alerta de que la democracia se pueda transformar en "demoscopia", y que quede subordinada al poder económico. "¿Qué es, sino, que grandes emporios periodísticos que son propiedad de corporaciones aún mayores se utilicen para promocionar los productos de sus filiales, intervengan en sutiles juegos de influencias y rivalidades empresariales o fusionen publicidad e información a fin de aumentar los beneficios?", se preguntan los periodistas Bill Kovach y Tom Rosenstiel en *Los elementos del periodismo* (2012, 2014). Y añaden: "No solo está en juego el periodismo, sino algo mucho más importante: si en cuanto que ciudadanos tenemos acceso a una información independiente que nos permita tomar parte en el gobierno de nuestras vidas". Estos mismos autores finalizan su libro con una interesante reflexión: "Esos elementos [fidelidad con el lector, etc.], además, son nuestra única protección contra la fuerza que podría destruir el periodismo y debilitar la sociedad democrática: la amenaza de que la prensa sea engullida por el mundo del discurso comercial" (2014: 265).

El dinero, el poder, contra las voces discrepantes, no oficiales. El control de lo que se dice para mayor alienación de la sociedad. La conversión del ciudadano en consumidor. A fin de cuentas, un comportamiento conductista, autómata (De Villena, 2015). El triunfo de la multinacional, que es el triunfo del marketing ("poderes de marketing", que denomina el corresponsal Andy Robinson).

Marketing+periodismo=copia y pega. Copia+pega=plagio. Ctrl+C y Ctrl+V para el *brand journalism,* que encaja en una sociedad líquida, *light,* con hombres *light,* con periodistas *light* (periodistas-anuncio, gestores de marca, *community manager...),* adaptados mayoritariamente al *low cost,* que se traduce en precariedad. La suma, en este caso, es resta. Desinformación y todo lo contrario de lo que recomienda el reportero Gay Talese, que aconseja "recelo y escepticismo" frente al poder. El copia y pega, en virtud del proceso "industrial" narrado, alimenta los textos cortos, los breves. En su idiosincracia, esos textos cortos devienen en no-breves, consecuencia de los no-acontecimientos, las no-noticias (o noticias falsas, *fake news),* el non-honor (ver el capítulo o bloque 4: "Periodismo+marketing=Copia y pega"). En definitiva, el no-periodismo. Y copia y pega es un paso hacia la robotización del oficio, Quakebot (nombre de un robot periodista californiano; Vidal, 2014), o ese "ecosistema de noticias" que predice el creador de Facebook, Mark Zuckerberg. El periodista estorba si alienta la discordancia contra los planes de la marca, la todopoderosa marca ("megamarca") que ya redacta sus propios boletines, con las palabras escogidas, sin disidencia. Álvaro Alves de Faria es un poeta brasileño que rompe con este molde de encorsetamiento. En su blog *O marketing contra a poesia* resiste con sus versos: "Os tecnocratas da poesia no Brasil querem a morte da palavra" (Los tecnócratas de la poesía en Brasil quieren la muerte de la palabra). En un mundo global, su verso vale para cualquier país.

Barcelona, enero del 2017

IMAGEN 27. LA EMPRESA ESCRIBE EL DIARIO. Arriba, noticia de las versión digital de *La Vanguardia* en la sección de Vida. Se copia, literalmente, la nota de prensa de la empresa de seguros Divina Pastora (en la página siguiente, del 15/ix/2015). La nota de prensa se disfraza como noticia, y no aparece la palabra *publicidad*. También en la página siguiente, publicidad que la empresa Divina Pastora publicó en la edición de *La Vanguardia* del 19 de septiembre del 2015 (página 27). En lugar de la palabra *publicidad,* el término "páginas especiales". "¿Es posible que exista una conexión entre los anunciantes preferentes, aquellos que más gastan cada año, y el tratamiento que el diario da a la información que, en el curso de los acontecimientos, tiene relación con la empresa anunciadora?", se preguntaba este investigador en el apéndice 'Publicidad enmascarada' (ver el capítulo o bloque 4: "Periodismo+marketing=Copia y pega").

Corporativo

Entidad

Red de oficinas

RRHH

Fundación

Patrocinios

Galería Multimedia

Área de prensa

Contacto

Clientes Aliança

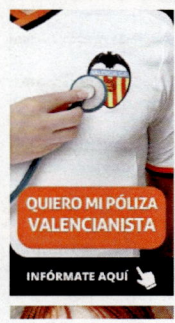

QUIERO MI PÓLIZA VALENCIANISTA

INFÓRMATE AQUÍ ↴

Área de prensa

Noticias | Galería | Contacto

Divina Pastora Seguros renueva su imagen corporativa

Divina Pastora Seguros ha presentado su nueva identidad corporativa, con una imagen más moderna, amable y clara y con la que pretende acercarse a los públicos más jóvenes y a los criterios marcados por las nuevas tendencias estéticas. Este cambio supone un paso más en el Plan de Modernización transversal que está desarrollando la entidad y que afecta a todas sus áreas: nuevas aplicaciones informáticas, canales de venta y productos.

martes, 15 de septiembre de 2015

Esta nueva imagen de marca ha sido desvelada en un acto presidido por **Armando Nieto**, presidente de Divina Pastora Seguros, y que ha contado con la asistencia de diferentes personalidades del mundo económico, empresarial y deportivo. Entre estos, los representantes del Valencia CF **Kim Koh**, director ejecutivo del Valencia CF, y el jugador **Rodrigo Moreno**. Junto a ellos, el presidente de la Real Federación Española de Gimnasia, **Jesús Carballo**, que ha asistido acompañado por miembros de la selección nacional de Gimnasia como los gimnastas **Raydarley Zapata**, campeón de los primeros Juegos Europeos Baku 2015; **Paula Vargas**, campeona de España 2015 de gimnasia artística femenina, y **Polina Berezina**, representante de la categoría de gimnasia rítmica individual.

"La nueva identidad corporativa simboliza un cambio en la compañía, pretendemos rejuvenecer la marca y acercarnos a nuevos públicos", ha manifestado Armando Nieto.

Divina Pastora Seguros inicia esta nueva transformación ocho años después de su última renovación. La compañía mantiene su nombre, pero cambia toda su identidad corporativa. En este sentido, el nuevo logotipo sustituye los colores corporativos marrón y amarillo por el naranja, reforzando, de esta forma, el sentimiento de pertenencia a Valencia. La implantación de esta nueva imagen se hará desde hoy, y de forma progresiva, en todos los soportes y elementos corporativos de la compañía.

Otra novedad de este nuevo manual de identidad es la versión de la marca en el territorio de Cataluña, donde la compañía operaba hasta ahora bajo la marca "L'Aliança". Desde hoy, el nombre de L'Aliança entra a formar parte de la marca matriz del grupo, denominándose Divina Pastora Assegurances-L'Aliança.

Esta nueva estética también afecta a todo el material promocional de las siete líneas de seguros que comercializa actualmente la aseguradora: Salud, Vida, Decesos, Accidentes, Hogar, Ahorro y Legal. Cada producto estará representado por diferentes iconos y colores.

Un premio a la fidelidad

Divina Pastora Assegurances - L'Aliança celebra con los mutualistas su cambio de marca

Disfrutar de una tarde en el Liceu. Ese es el regalo que recibirán más de 1.000 mutualistas de L'Aliança el próximo 8 de octubre por la confianza depositada en la entidad durante todos estos años. L'Aliança nació en 1904 con el compromiso de procurar asistencia médica al gremio de camareros de Barcelona. Con más de cien años de antigüedad, gracias a la fidelidad de sus clientes, se convirtió en la primera mutualidad catalana.

Ahora, inicia una nueva etapa. Tras la fusión con Divina Pastora Seguros en octubre de 2015, se integra en la marca matriz para denominarse Divina Pastora Assegurances- L'Aliança. Esta nueva imagen, que fue desvelada el pasado lunes, se enmarca en un Plan de Modernización Transversal que está llevando a cabo el Grupo y que afecta a todas sus áreas: nuevas aplicaciones informáticas, canales de venta y productos.

Todo este camino no hubiera sido posible sin el apoyo de los mutualistas. Por esta razón, y para agradecérselo, les invita a pasar "Una tarda al Liceu", donde, además de visitar este edificio simbólico de la ciudad, disfrutarán de un recital de lieder y arias de ópera.

La jornada se completará con una exhibición del equipo nacional de gimnasia rítmica. El conjunto español hará una exhibición del ejercicio que les ha hecho ganar la medalla de bronce en el concurso general del Mundial de Stuttgart, celebrado el pasado fin de semana, y les ha dado el paso directo a los próximos Juegos Olímpicos, en Río de Janeiro en 2016.

Con esta nueva identidad corporativa, la compañía da un paso más. No es un simple cambio de nombre y estética, es mucho más. Es un cambio a la hora de dirigirse a la sociedad, pero respetando siempre los valores que han guiado su trabajo: honestidad, cercanía y transparencia. Y, sobre todo, reforzando la esencia del Grupo: la calidad en el servicio y la atención permanente a sus clientes.

Para ello pone en marcha un nuevo plan de comunicación basado en una estrategia de diferenciación con respecto al lenguaje que utilizan las

Armando Nieto, presidente de Divina Pastora Seguros, junto con las subdirectoras generales de la entidad.

Una tarda al Liceu
amb DIVINA PASTORA ASSEGURANCES - L'ALIANÇA

divinapastora
assegurances
l'aliança

Divina Pastora Assegurances - L'Aliança invita a los mutualistas a "Una tarda al Liceu".

compañías del sector.

De este modo, la aseguradora invita a vivir la vida al máximo, amparado bajo el eslogan motivador "No te detengas". La nueva campaña, que se difundirá en las principales cadenas de televisión nacionales y en redes sociales, quiere trasladar a la sociedad un mensaje sobre la importancia que tiene la motivación en cualquier ámbito de la vida y, sobre todo, en la educación de los hijos.

La esencia de la campaña está basada en el "Efecto Pigmalión". En un nuevo que, en psicología y pedagogía, describe cómo las palabras y la forma en que se dicen las cosas puede influir en el comportamiento y rendimiento de los demás para lograr sus metas.

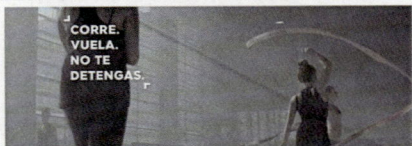
CORRE. VUELA. NO TE DETENGAS.

APOYO A LA GIMNASIA RÍTMICA

Divina Pastora Assegurances - L'Aliança inició hace unos años una apuesta por el deporte y la vida sana con el patrocinio de diferentes actividades deportivas. Dentro de esta apuesta, y enmarcado en la nueva campaña de comunicación 360 grados, se convierte en el nuevo patrocinador de la Real Federación Española de Gimnasia.

Gracias a este acuerdo, la entidad estará presente, en este año pre-olímpico y durante todo 2016, en todas las competiciones que disputen las selecciones nacionales adscritas a la Federación: artística masculina, artística femenina, rítmica, trampolín, aeróbic y acrobática. Además, el nuevo logotipo de Divina Pastora Seguros incluirá en las equipaciones oficiales de todas las especialidades, tanto en las categorías masculinas como femeninas.

El nuevo teléfono que llegará el próximo otoño y sus tecnologías representan un reto para Apple

La importancia del iPhone 7

MARCO JOSÉ SÁNCHEZ / AP

Tim Cook durante la última presentación de la compañía, el pasado mes de marzo en Cupertino (California)

FRANCESC BRACERO
Barcelona

Se atribuye a Henry Ford, padre de la industria moderna, una celebrada lección de marketing: "Si les hubiera preguntado a mis clientes qué querían, me habrían contestado: 'un caballo más rápido'". Era esta una frase que le gustaba citar al fundador de Apple, Steve Jobs, cuando alguien apelaba a las preferencias del público sobre un nuevo producto. "La gente no sabe lo que quiere hasta que se lo enseñas", repetía. Mucho de eso ha quedado impregnado en la forma de hacer de la compañía de Cupertino, pero ahora se apela a ese espíritu más que nunca. El futuro iPhone 7, que debe llegar el próximo otoño, debe llevar esa impronta. Sorprender y crear necesidades irrenunciables a sus usuarios. Va a ser una pieza clave en el devenir de la firma de la manzana por varios motivos.

Entre los primeros factores hay que destacar los últimos días no han sido muy buenos para quienes tienen acciones de Apple. Desde que la semana pasada se anunció que durante el último trimestre "sólo" había ganado 10.000 millones de dólares y "sólo" había facturado 50.000 millones de dólares –unos 8.800 y 44.000 millones de euros respectivamente–, los valores de la compañía no han parado de caer. Pese a la irracionalidad de ese comportamiento bursátil, entre los datos que han contribuido a esas bajadas destaca también el hecho de que, por primera vez en 13 años descienden los beneficios

de la empresa y, además, las ventas de teléfonos móviles –no sólo del iPhone– están en caída en todo el mundo.

En plena sangría bursátil, el consejero delegado de Apple, Tim Cook, concedió una entrevista a la cadena de televisión norteamericana CNBC en la que anunció que con los nuevos móviles de la marca que están por llegar, "la gente que hoy tiene iPhone querrán actualizarse al nuevo". El presentador le preguntó: "¿necesitaré algo más?". Cook le respondió que sí. Como el periodista, escéptico, le respondió que no podía pensar en necesitar nada más, el directivo le respondió: "pero vamos a darte cosas sin las cuales no podrías vivir y que hoy no sabes que necesitas".

Según Cook, "ese ha sido siempre el objetivo de Apple: hacer

La compañía necesita volver a crecer, y el próximo móvil debe ejercer un papel de locomotora

ciones de falta de innovación en los móviles en sus últimas versiones. Desde el lanzamiento del icónico móvil, en el 2007, se ha convertido en la mayor fuente de ingresos de la compañía, no sólo por las unidades vendidas, sino

cosas que realmente enriquecen la vida de la gente. Que te hacen mirar atrás y preguntarte cómo has podido vivir sin ello". Los comentarios del líder de la compañía era la respuesta a las acusa-

también por la miríada de servicios asociados.

Apple necesita crecer no sólo en ventas, sino también en servicios como iCloud, Pay y Music y en los que se pueden derivar nuevas costumbres de consumo audiovisual, como el Apple TV. En cualquier caso, el iPhone sigue siendo el rey de la casa.

Desde su primer llegada al mercado, los iPhone y el sistema operativo iOS han mejorado mucho, con nuevas tecnologías añadidas a cada generación, como el asistente Siri, el coprocesador de movimiento, el sensor de huellas dactilares, la arquitectura de 64 bits o la pantalla sensible a la presión. Ahora, Apple necesita que el iPhone vuelva a ser una gran locomotora de la compañía, por lo que el iPhone 7 (con su versión Plus) necesita convertirse en un

nuevo objeto de deseo. Está por ver si lo conseguirá, pero Cook ya ha abierto una campaña para la que faltan muchos meses. El nuevo modelo llegará en otoño, pero ya se habla de él abiertamente en Silicon Valley.

Pocas veces como hasta ahora se han podido saber tantas cosas de un nuevo modelo de móvil de Apple con tanta antelación. Hay que tener en cuenta que la compañía suele probar más de un diseño y característica antes de decidirse por la configuración definitiva. El nuevo teléfono debe llegar, en principio, en dos tamaños. Entre las novedades que se han mostrado en contadas filtra-

Cook: "Con el iPhone te daremos cosas sin las que no podrías vivir y que hoy no sabes que necesitas"

ciones a páginas web orientales se encuentra la posibilidad de que uno de ellos incorpore una doble cámara, como el Huawei P9, para aumentar la ya considerable calidad de sus tomas.

En el P9, una cámara capta la imagen en color (RGB) y la otra se dedica sólo a la luz. De la combinación salen fotografías que parecen tomadas por máquinas muy superiores. Las informaciones filtradas hasta ahora apuntan a que la doble cámara iría sólo en el iPhone 7 Plus, el más grande.

Algunas fuentes sugieren la desaparición del conector de auriculares para dar paso a un nuevo modelo inalámbrico. El objetivo de eliminar ese conector sería hacer más fino el teléfono. El conector Lightning también serviría para escuchar música, pero eso obligaría a crear adaptadores o nuevos auriculares específicos.

Cook hizo notar durante la entrevista que Apple compra a lo largo del año nuevas empresas con tecnologías y que son esas novedades las que acaban por llegar a los modelos de teléfonos. Sin embargo, no tenemos todavía ni una sola pista de todo eso que nos va a encantar del iPhone 7. Apple intentará volver a dejar atrás los caballos. No lo duden.●

El éxito del pequeño SE

■ En las cifras de ventas de teléfonos de Apple no han podido entrar todavía las del nuevo modelo SE, lanzado a finales de marzo con (casi) las mismas características que el iPhone 6S/6S Plus, pero menor tamaño y precio.

Aunque la compañía no facilita datos de sus ventas más que cada trimestre, cuando facilita un informe completo con el número de móviles vendidos, parece que las cifras del presente periodo se verán incrementadas en gran medida por el nuevo modelo.

Pruebe a buscarlo en cualquier tienda o almacén. Es muy difícil encontrarlo. Ni siquiera en las tiendas oficiales de la compañía. En la compra por internet, la espera es de 2-3 semanas.

A un precio mucho menor (desde 489 euros) que el iPhone 6S (desde 749 euros), el SE lleva el mismo procesador y la misma cámara que su hermano mayor. Su pantalla es de 4,5 pulgadas, más pequeña y también más manejable. La misma esencia en un tamaño moderado.

Criticado porque el modelo de entrada sólo lleva 16 GB de memoria interna, el iPhone SE parece contentar las expectativas de un público que no desea cargar el móvil con multitud de aplicaciones ni archivos y, mucho menos, desembolsar más de 500 euros por un móvil. Esa era la respuesta que permite a Apple acercarse a un público que hasta ahora se quedaba sin llegar al iPhone.

La cuota de mercado de Android en España es del 86,6%, mientras que el iPhone tiene

sólo un 12,2% del mercado. La esperanza de Apple es conseguir *switchers*, gente dispuesta a cambiar de sistema operativo, para pasarse al suyo, iOS. Según Cook, ese número ha crecido de forma notable en numerosos países. El próximo mes de junio, la compañía de la manzana presentará en San Francisco las nuevas versiones de sus sistemas operativos para móviles (iOS), ordenadores (Mac OS), reloj (Watch OS) y Apple TV (TV OS) en su conferencia de desarrolladores.

IMAGEN 28. LA NO NOTICIA. La no-noticia va ligada al no-acontecimiento, tal y como teorizó la profesora de periodismo Mar de Fontcuberta (ver capítulo 9: "Conclusiones"). Página propagandística dedicada a la salida del nuevo teléfono móvil de Apple, el iPhone 7, medio año antes de que llegue al mercado: "La importancia del iPhone 7. El nuevo teléfono que llegará el próximo otoño y sus tecnologías representan un reto para Apple". Publicado en la sección de Tendencias de *La Vanguardia,* el 8 de mayo del 2016. "Apple declara pérdidas en España", tituló el periodista económico Miguel Jiménez en *El País,* el 26 de febrero del 2013. "Pese a lograr ingresos récord en el 2012, la empresa siguió concentrando el beneficio en Irlanda y el saldo con Hacienda de sus dos filiales españolas salió a su favor." Esto es debido a la "ingeniería fiscal" ("paraísos fiscales", eufemismos para decir "países libres de impuestos") de la multinacional. "Las grandes empresas consiguen modificar la legislación para aprovechar legalmente todas las posibilidades para pagar lo menos posible", confirma el colaborador de Economía Manel López (LV, 15/v/2016). "Hacienda registra la sede de Google por fraude fiscal. La inspección rastrea los pagos de la filial española del buscador de internet a la casa matriz para eludir impuestos", titula en portada *La Vanguardia,* el 1 de julio del 2016. El mismo 8 de mayo del 2016, en la página 6 del rotativo *La Vanguardia,* se publicaba el artículo "Gana Trump, fracasa el periodismo", sobre la cobertura periodística del magnate inmobiliario que hace campaña por el partido republicano de Estados Unidos, Donald Trump. Los periodistas de renombre de los medios estadounidenses se flagelan: "seguimiento acrítico", desconexión entre la "opinión pública y la opinión publicada"... "Los periodistas influyentes llevan una vida muy distinta de la masa de votantes en cuyo nombre se creen que pueden hablar. También suelen tener intereses diferentes, incluyendo una inclinación a preferir la preservación del statu quo (y para ver el statu quo de manera más favorable)", declararon los periodistas de *The Intercept* Glenn Greenwald y Zaid Jilani (2016).

Nueva provocación de Corea del Norte a la comunidad internacional

Pyongyang última el lanzamiento de un satélite al espacio que EE.UU. y otros países consideran que encubre la puesta en órbita de un misil intercontinental

Internacional | 15/09/2015 - 06:12h

El líder norcoreano Kim Jong Un durante un acto militar AFP

💬 4 ● Notificar error ● Tengo más Información ✉ 🖨 A A

⟳ Seguir ▾ 🐦 Twittear 59 f Like 4 in Share 0 G+1 1 ➕ Share

MÁS INFORMACIÓN

● Las dos Coreas llegan a un acuerdo para aliviar tensiones

● Kim Jong-un declara el "estado de preguerra" con Corea del Sur

Seúl. (EFE).- **Corea del Norte** anunció este martes que está finalizando los preparativos para **lanzar un satélite** al espacio, una operación que se considera un ensayo encubierto de **misiles** y que podría generar un nuevo conflicto con la comunidad internacional.

EFE · Seúl

ACTUALIZADO 15/09/2015 08:35

Corea del Norte anunció hoy que está finalizando los preparativos para lanzar un satélite al espacio, una operación que se considera un **ensayo encubierto de misiles** y que podría generar un nuevo conflicto con la comunidad internacional.

IMAGEN 29. DEPENDENCIA DE LOS TELETIPOS. Noticias de las versiones digitales de *La Vanguardia* y *El Mundo*, copiadas del mismo cable de la agencia Efe (abajo). El investigador Roberto Gelado, en su artículo "La dependencia de la prensa española hacia las agencias de noticias", destaca: "En ocasiones, los periódicos publican reproducciones literales (tanto parciales como totales) de los teletipos, sin que ello implique necesariamente que se reconozca de manera adecuada la autoría de las agencias. Esto desmiente la teoría de la coproducción o de la coautoría de los mensajes entre medios y agencias, pues lo que se ha podido percibir es más bien un consumo directo de los mensajes de las agencias por parte de los medios y, en ocasiones, una copia casi literal de tales teletipos".

10. BIBLIOGRAFÍA
(fuentes bibliográficas y webgrafía)

"este tipo de urbanismo acelera el desarrollo y facilita las cosas a inversores, promotores y constructores. [...] El resultado es un planteamiento de corta y pega que no se ajusta a la diversidad de cada lugar. En estos desarrollos se favorece la implantación de grandes superficies accesibles solo en coche, mientras se empobrece la calidad de los espacios públicos y las oportunidades para pequeños negocios. La sensación es que no se tienen en cuenta las necesidades de las comunidades locales y que la rentabilidad a corto plazo para unos pocos queda por encima del interés general."

Del artículo "Los restos de la burbuja", escrito por el colectivo de ingenieros y arquitectos Nación Rotonda, sobre las obras abandonadas con el estallido de la crisis económica, publicado en el *Magazine* de *La Vanguardia,* el 12 de abril del 2015. El copia y pega no solo afecta al periodismo

"los periodistas están estresados y abrumados, y les facilitamos mucho la vida si les proporcionamos contenidos con titulares pegadizos e indicándoles cuál es la información más fácil (quién, qué, cuándo, dónde y por qué) mediante frases cortas y claras que se puedan copiar y pegar."

Caroline Baron en el artículo "Consejos para mejorar las relaciones con los periodistas", publicado en el blog de comunicación y relaciones públicas *Augure,* el 20 de junio del 2013

"También cuentan con aplicaciones que crean informaciones sencillas y breves automatizadas (resultados de los Juegos Olímpicos)."

Sobre la intervención del responsable tecnológico de *The Washington Post,* Shailesh Prakash, el 14 de diciembre del 2016, en *La Vanguardia*

"El control social no pateix retallades" (junio del 2015). Barcelona: *Hola, dictadura*.

20 minutos (2013). "Los diez casos de corrupción que empañan la actualidad política" [en línea]. En el diario *20 minutos*, el 21 de enero del 2013. <http://www.20minutos.es/ noticia/1707674/0/casos-corrupcion/politica/espana/> [Consulta: 23 de enero del 2015].

ABC (2014). "'Un 'robot periodista' escribe noticias de 'última hora'" [en línea]. En *ABC*, el 20 de marzo del 2014. <http://www.abc.es/tecnologia/informatica-software/20140319/abci-algoritmo-robot-periodista-noticia-201403191919.html> [Consulta: 20 de junio del 2016].

Abellán, L. (2014). "Una investigación sobre evasión de impuestos pone en aprietos a Juncker" [en línea]. En *El País*, el 6 de noviembre del 2014. <http://internacional. elpais.com/internacional/2014/11/06/actualidad/1415278278_307039.html> [Consulta: 15 de noviembre del 2014].

Abril, G. (1997). *Teoría general de la información. Datos, relatos y ritos*. Madrid: Cátedra.

—. (2003). *Cortar y pegar. La fragmentación visual en los orígenes del texto informativo*. Madrid: Cátedra.

—. *[et al]*. (2012). "La ocupación del lenguaje". [En línea]. En *El País*, el 1 de septiembre del 2012. <http://elpais.com/elpais/2012/06/06/opinion/1338982268_785200. html> [Consulta: 15 de marzo del 2015].

Agencia Efe (2006). *Manual del español urgente*. Madrid: Cátedra.

—. (2012). "Donald Trump: 'España está enferma. Es el momento d aprovecharse'" [en línea]. En agencia Efe, el 21 de junio del 2012. <http:// www.lne.es/economia/2012/06/21/donald-trump-espana-enferma-momento-aprovecharse/1259788.html> [Consulta: 14 de febrero del 2014].

—. (2012). "El Parlamento lamenta la creciente precarización del trabajo periodístico" [en línea]. En *Abc.es*, el 3 de mayo del 2012. <http://www.abc.es/agencias/noticia. asp?noticia=1159391> [Consulta: 1 de noviembre del 2014].

—. (2013). "La publicidad en prensa cayó el 2% según la asociación global de diarios" [en línea]. En *La Voz de Galicia*, el 4 de junio del 2013. <http://www.lavozdegalicia. es/sociedad/2013/06/04/0003_201306G4P26992.htm> [Consulta: 10 de febrero del 2015].

—. (2014). "Australia ordena auditorías a multinacionales en lucha contra evasión fiscal". [En línea]. En *Expansión*, el 9 de diciembre del 2014. <http://www.expansion. com/agencia/Efe/2014/12/09/20200703.html> [Consulta: 19 de enero del 2015].

—. (2014). "El iPhone 6, a la venta en España" [en línea]. En *Lavanguardia.com*, el 26 de septiembre del 2014. <http://www.lavanguardia.com/tecnologia/moviles-dispositivos/iphone-ipad/20140925/54416331837/iphone-6-venta-espana.html> [Consulta: 29 de diciembre del 2014].

—. (2014). "Las multinacionales extranjeras se asocian para impulsar la Marca España y preparan un convenio de colaboración con el Alto Comisionado". [En línea]. En Marca España, el 22 de marzo del 2014. <http://marcaespana.es/actualidad/econom%C3%ADa/las-multinacionales-extranjeras-se-asocian-para-impulsar-la-marca-españa-y-preparan-un-convenio-de-colaboración-con-el-alto-comisionado> [Consulta: 27 de agosto del 2015].

—. (2014). "Quiénes somos" [en línea]. <http://www.Efeempresas.com/quienes-somos/> [Consulta: 28 de agosto del 2014].

—. (2015): "La prensa china estrena periodistas robot" [en línea]. En *Lavanguardia.com*, el 8 de noviembre del 2015. <http://www.lavanguardia.com/vida/20151108/54438714693/prensa-china-robot.html> [Consulta: 8 de noviembre del 2015].

—. (2015). "Columnista de *The Telegraph* dimite por la cobertura dada al HSBC" [en línea]. En *La Razón Digital*, el 18 de febrero del 2015. <http://www.la-razon.com/mundo/Columnista-reconocido-britanico-cobertura-HSBC_0_2219778040.html> [Consulta: 1 de marzo del 2015].

—. (2015). "El Gobierno cambia imputado por 'investigado' y 'encausado' en los casos judiciales". [En línea]. En *Agencia Efe*, el 13 de marzo del 2015. <http://www.efe.com/efe/espana/politica/el-gobierno-cambia-imputado-por-investigado-y-encausado-en-los-casos-judiciales/10002-2560540> [Consulta: 7 de mayo del 2016].

Agencia France-Presse (2016). "Unos cinco millones de empleos están amenazados por la cuarta revolución industrial" [en línea]. <https://es.finance.yahoo.com/noticias/5-millones-empleos-amenazados-cuarta-184958899.html> [Consulta: 19 de enero del 2016].

Agencia Pinocho: "Manual de estilo microficción periodística" [en línea]. Agencia *Pinocho.com*, "el diario de lo que no es noticia", el 2011. <http://agenciapinocho.com/manual-de-estilo/manual-de-estilo-microficcion-periodistica/> [Consulta 25 julio 2014].

Agudo, A. (2012). "Los periodistas reivindican su contribución a la democracia" [en línea]. En *El País*, el 4 de diciembre del 2012. <http://sociedad.elpais.com/sociedad/2012/12/04/actualidad/1354640794_184841.html> [Consulta: 12 de octubre del 2014].

Albarello, F. (2001). *El discurso periodístico online.*

Albertos, J. L. M. (2001). "El mensaje periodístico en la prensa digital. Estudios sobre el mensaje periodístico" (7), 19-32.

Alcat, E. (2011). *¡Influye! Claves para dominar el arte de la persuasión.* Barcelona: Grupo Planeta.

Alcoba, S. (1987). *Léxico periodístico español.* Barcelona: Editorial Ariel.

Alcoceba Hernando, J. A. (2010). "Análisis de las notas de prensa institucionales y su visibilidad en la prensa". *Revista Latina de comunicación social,* (65), 27.

Alcover, E. (2011). "Mesures i solucions de gestió enfront de la crisi per a l'editor de premsa comarcal i local catalana" [en línea]. En *Estanis.cat,* el 28 de septiembre del 2012. <http://www.estanis.cat/mesurescrisipremsacomarcal/> [Consulta: 13 de julio del 2015].

Alonso Pulido, M. A.: "El periodismo de copiar y pegar" [en línea]. En el blog *Escomunicacion.es,* el 6 de marzo del 2013. <http://www.escomunicacion.es/2013/03/06/el-periodismo-de-copiar-y-pegar/> [Consulta: 12 de abril del 2015].

Alvar, M. (1998). *Manual de redacción y estilo.* Madrid: Istmo.

Álvarez Ruiz, A. *[et al].* (2011). *Bajo la influencia del branded content.* Madrid: ESIC.

Alves de Faria, A. (2016). *O marketing contra a poesia.* Recuperado el 7 de mayo del 2016, de http://www.alvaroalvesdefaria.com/#/contra-a-poesia/4524049043

Amat, J., y González, J. R. (2013). "Las palabras de la guerra. La guerra de las palabras (1914-1918)". Barcelona: revista Ínsula.

Ambrós, I. (2015). "China castiga a una periodista a siete años de cárcel por revelar secretos de Estado". En *La Vanguardia,* el 18 de abril del 2015.

Ambrosig, R.: "El origen de copiar y pegar" [en línea]. En *Diario Norte,* el 3 de agosto del 2013. <http://www.diarionorte.com/article/92991/el-origen-de-copiar-y-pegar> [Consulta: 19 de julio del 2014].

Amiguet, Ll. (2011). "Un político corrupto prefiere blogueros a periodistas". Entrevista con el investigador Paddy Coulter, publicada el 21 de noviembre del 2011. Barcelona: *La Vanguardia.*

—. (2015). "Estamos rodeados: el enemigo no escapará". En La Contra de *La Vanguardia,* el 3 de febrero del 2015. Entrevista con Pedro J. Ramírez.

—. (2015). "No compre lo último en tecnología, sino lo penúltimo". En La Contra de *La Vanguardia,* el 8 de mayo del 2015. Entrevista con Ioannis Miaoulis.

Anderson, C. W.; Bell, E. y Shirky, C. (2013). *Post-Industrial Journalism: Adapting to the Present* (Columbia Journalism School). Madrid: eCícero.

Anfruns, A. (2014). "El TTIP es una injerencia de las multinacionales en la vida política" [en línea]. En *Iniciativa Debate,* el 19 de noviembre del 2014. <http://iniciativadebate.org/2014/11/19/el-ttip-es-una-injerencia-de-las-multinacionales-en-la-vida-politica/> [Consulta: 8 de diciembre del 2014].

APM (2013). "Informe de la profesión periodística 2013: 11.151 empleos perdidos y 284 medios cerrados desde 2008" [en línea]. En la Asociación de la Prensa de Madrid, el 12 de diciembre del 2013. <http://www.apmadrid.es/noticias/generales/informe-de-la-profesion-periodistica-2013-11151-empleos-perdidos-y-284-medios-cerrados-desde-2008> [Consulta: 8 de febrero del 2015].

Aprende sobre el plagio y cómo evitarlo. (s. f.). Recuperado el 21 de agosto del 2015, de http://biblioteca.ua.es/es/propiedad-intelectual/aprende-sobre-el-plagio-y-como-evitarlo.html

Arcal, Ll. (2015). "Qüestió de límits. La publicitat feta per periodistes obre un debat sobre la deontologia, l'ètica i la credibilitat". En la revista *Capçalera* (número 169), en septiembre del 2015.

Arce Gómez, C. (2009). "Plagio y derechos de autor". Costa Rica: Revista *El Foro.*

Argemí, M. (2008). *Rumors en guerra.* Barcelona: A contra vent.

Argüelles, J. D. (2001). "La cultura *light* como pan caliente y la publicidad como periodismo". [en línea]. En *La Colmena,* revista de la Universidad Autónoma del Estado de México. <http://lacolmena.uaemex.mx/index.php/lacolmena/article/view/3798/2846> [Consulta: 15 de junio del 2016].

Aubenas, F. *El muelle de Ouistreham.* Barcelona: Anagrama, 2011.

Autio, E., Sapienza, H. J., y Almeida, J. G. (2000). "Effects of age at entry, knowledge intensity, and imitability on international growth". Academy of management journal, 43.

Bach, M. *[et al].* (2000). *El sexo de la noticia. Reflexiones sobre el género en la información y recomendaciones de estilo.* Barcelona: Icaria.

Badia, J. (2010). "El vicio del 'copia y pega' o todo vale para el convento" [en línea]. En *Lenguaje administrativo,* 4 de noviembre del 2010. <http://lenguajeadministrativo.com/2010/11/04/el-vicio-del-copiapega/> [Consulta: 19 de agosto del 2015].

Baggini, J. (2004). *Más allá de la noticia. La filosofía detrás de los titulares.* Madrid: Ediciones Cátedra (Título original: *Making Sense. Philosophy behind the Headlines,* 2002. Traducción: Marco Aurelio Galmarini).

Bailey, J. (2012). "5 Famous Plagiarists: Where Are They Now?" [en línea]. En *Plagiarism Today,* el 21 de agosto del 2012. <https://www.plagiarismtoday.com/2012/08/21/5-famous-plagiarists-where-are-they-now/> [Consulta: 27 de junio del 2015].

Baker, C. E. (2006). *Media concentration and democracy: Why ownership matters.* Inglaterra: Cambridge University Press.

Ball, J.; Garside, J.; Pegg, D. y Davies, H. (2015). "Revealed: Swiss account secret of HSBC chief Stuart Gulliver" [en línea]. En *The Guardian,* el 23 de febrero del 2015. <http://www.theguardian.com/business/2015/feb/22/swiss-account-secret-of-hsbc-chief-stuart-gulliver-revealed> [Consulta: 1 de marzo del 2015].

Ballano, I.; Muñoz, I.; Pinto, M. *[et al].* (2014). *El plagio académico en Educación Secundaria: características del fenómeno y estrategias de intervención.* Illes Balears (España): Grup de recerca Educació i Ciutadania, Universitat de les Illes Balears.

Barciela, F. (2013). "El *boom* del periodismo de marca" [en línea]. En *El País,* el 24 de febrero del 2013. <http://economia.elpais.com/economia/2013/02/22/actualidad/1361540029_041048.html> [Consulta: 7 de febrero del 2015].

Barreno, C. (2011). "Zygmunt Bauman y la sociedad líquida". [En línea]. En la revista *Esfinge,* en septiembre del 2011. <https://www.revistaesfinge.com/filosofia/corrientes-de-pensamiento/item/757-56zygmunt-bauman-y-la-sociedad-liquida> [Consulta: 23 de junio del 2016].

Barrón, L. A. (2008). *Detección automática de plagio en texto.* Dirigida por Paolo Rosso. Tesis doctoral. Universitat Politècnica de València, Departamento de Sistemas Informáticos y Computación, 2008.

Barrón-Cedeño, A.; Gupta, P.; Rosso, P. (2013). *Methods for cross-language plagiarism detection.* Knowledge-Based Systems, vol. 50, pp. 211-217.

Barroux, R. (2015). "Le chômage va continuer d'augmenter dans le monde" [en línea]. En *Le Monde,* el 20 de enero del 2015. <http://www.lemonde.fr/economie/article/2015/01/20/le-chomage-va-continuer-d-augmenter-dans-le-monde_4559603_3234.html> [Consulta: 1 de febrero del 2015].

Batlle, P. F., y Campos, S. R. (2009). "La crisis acelera el cambio del negocio informativo". *Estudios sobre el mensaje periodístico,* (15), 15-32.

Bayer (2012). "Récord de facturación y resultados en Bayer Global" [en línea]. En www.bayer-ca.com, de Centroamérica y el Caribe. <http://www.bayer-ca.com/noticias-regionales/?Noticia=87&Action=View> [Consulta: 13 de diciembre del 2014].

Becerra, M. (2014). "Naomi Klein: 'Se necesitan nuevos relatos para restablecer las coordenada'" [en línea]. En *El Ciudadano,* 17 de agosto del 2008. <http://www.elciudadano.cl/2008/08/17/2631/naomi-klein-"se-necesitan-nuevos-relatos-para-reestablecer-las-coordenadas"/> [Consulta: 12 de octubre del 2014].

Beck, U. (2001). "El fin del neoliberalismo". En *El País,* el 15 de noviembre del 2001.

Beckwith, H. (2001). *El toque invisible: cuatro claves del marketing moderno.* Madrid: Pearson Educación.

Bel, G. (1997). *Desigualdad social, redistribución y Estado de bienestar.* Madrid: Sistema, 137, 81-91.

Benítez, B. (2013). "La Caixa, un gigante señalado por los movimientos sociales" [en línea]. En *Lamarea.com,* 11 de octubre del 2013. <http://www.lamarea.com/2013/10/11/la-caixa-un-gigante-senalado-por-los-movimientos-sociales-2/> [Consulta: 4 de mayo del 2016].

Benjamin, W. (2005). *Libro de los pasajes.* Madrid: Akal.

Bermejo, J. (2013). "El enmascaramiento como estrategia persuasiva en la publicidad para jóvenes". Segovia: revista *Comunicar.*

Berners-Lee, T. (2013). Entrevista de Paul Sagan [Nieman Foundation for Journalism]. Recuperado de *Grandes entrevistas de la Historia,* publicado por Libros de Vanguardia, en el tomo 5, entrevista 11 (Barcelona, 2016).

Berumen, S. A., y Arriaza, K. (2008). *Treinta inmensas fortunas y cómo se hicieron.* Madrid: Ecobook.

Bezunartea, O. (1988). *Noticias e ideología profesional. Los periodistas vascos en la transición.* Deusto: Bilbao.

Biblioteca de la Universidad de Alcalá: "¿Qué es plagio?" [en línea]. <http://www2.uah.es/bibliotecaformacion/BECO/plagio/1_qu_es_el_plagio.html> [Consulta: 30 de julio del 2014].

Blanco, V. F. S. (2009). *Periodismo ciudadano, precariedad laboral y depauperación de la esfera pública.* En Estudios de periodística XIV: Periodismo ciudadano, posibilidades y riesgos para el discurso informativo: comunicaciones y ponencias del X Congreso de la Sociedad Española de Periodística, Salamanca, abril de 2008 (pp. 31-44).

Blázquez, S.: "Se busca currículo global". En *El País,* el 23 de mayo del 2014.

Blog *233 grados* (2010). "Periodistas que alquilan su prestigio a la publicidad" [en línea]. Blog *233 grados,* el 6 de octubre del 2010. <http://233grados.lainformacion.com/blog/2010/10/television-publicidad-periodismo.html> [Consulta: 30 de julio del 2014].

—. (2012). "Artículos escritos por robots, ¿amenaza o futuro?" [en línea]. En el blog *233 grados,* el 20 de marzo del 2014. <http://233grados.lainformacion.com/blog/2012/03/los-problemas-del-periodismo-automatizado-robotperiodista.html> [Consulta: 22 de noviembre del 2014].

—. (2013). "Las cinco grandes barbaridades del copia y pega en el periodismo digital" [en línea]. Blog *233 grados,* el 24 de febrero del 2013. <http://233grados.lainformacion.com/blog/2013/02/las-cinco-grandes-barbaridades-del-copia-y-pega-del-periodismo-digital.html> [Consulta: 4 de octubre del 2014].

—. (2014). "José Luis Orihuela: 'Twitter es una herramienta imprescindible para hacer periodismo'" [en línea]. Blog *233 grados,* el 9 de marzo del 2014. <http://233grados.lainformacion.com/blog/2014/03/josé-luis-orihuela-twitter-es-una-herramienta-imprescindible-para-hacer-periodismo.html> [Consulta: 10 de julio del 2014].

Bologna, S. (2006). *Crisis de la clase media y posfordismo* (Vol. 42). Madrid: Ediciones Akal.

Borjas, A. G. (2004). *Salud, información periodística especializada en alza.* Sevilla: Universidad de Sevilla.

Botero Tabares, A. M. (2013). "Respuesta de los lectores del portal web de la revista *Semana* a los contenidos periodísticos de investigación y contenidos *light".* En la Universidad Católica de Pereira, el 23 de mayo del 2013. <http://ribuc.ucp.edu.co:8080/jspui/handle/10785/1538> [Consulta: 15 de junio del 2016].

Bourdieu, P. (1998). *La esencia del neoliberalismo.* En *Le monde diplomatique.*

—. (2005). *Pensamiento y acción.* Buenos Aires: Libros del Zorzal.

Bournigal, J. R. (2010). *Cobertura del tema plagio en los periódicos* Hoy, Diario Libre, El Caribe *y* Listin Diario. *Enero-junio 2009* .Tesis doctoral. PUCMM-RSTA, 2010.

Boynton, R. S. (2015). "La gente quiere ahora leer en la Red piezas largas de calidad". Entrevista en La Contra de *La Vanguardia,* de Lluís Amiguet, el 22 de junio del 2015.

Bracero, F. (2014). "¿Sueñan los robots con ser periodistas?". En *La Vanguardia,* el 15 de junio de 2014.

Bravo, C. (2013). "Por qué no te voy a publicar tu nota de prensa" [en línea]. En *Marketing de guerrilla,* el 4 de septiembre del 2013. <http://www.marketingguerrilla.es/ por-que-no-te-voy-a-publicar-tu-nota-de-prensa/#> [Consulta: 28 de diciembre del 2014].

Bravo, P. M., Sepúlveda, L. G. C., y Alsina, M. R. (2008). "Niveles semánticos de las representaciones sociales de la inmigración subsahariana. Los sucesos de Ceuta y Melilla según ABC". *Estudios sobre el mensaje periodístico,* 14, 129-148.

Brunet, J. M. (2015). "No había fondos de reptiles" En *La Vanguardia,* el 1 de mayo del 2015.

Buckley, P. y Casson, M. (1976). *The Future of the Multinational Enterprise.* Londres: McMillan.

Buendía, S. T. (2006). *La neolengua de Orwell en la prensa actual: La literatura profetiza la manipulación mediática del lenguaje.* Revista Latina de comunicación social (61), 1.

Bull, P. y Medina, P. (2015). *Dircom. Comunicar para transformar.* Madrid: Ediciones Pirámide.

Bullido, E. (2014). "Los cuatro virus que han afectado al periodismo en al crisis del ébola" [en línea]. En el blog *La pirámide invertida,* el 15 de octubre del 2014. <http:// ebullido.wordpress.com/2014/10/15/cuatro-virus-afectado-periodismo-en-la-crisis-del-ebola/> [Consulta: 1 de noviembre del 2014].

Byers, D. (2011). *"Guardian* Correspondent Levels Plagiarism Charge at Reuters. Two Moscow journalists report very similar stories" [en línea]. En *Adweek,* el 27 de octubre del 2011. <http://www.adweek.com/news/press/guardian-correspondent-levels-plagiarism-charge-reuters-136127> [Consulta: 5 de enero del 2015].

Cabello, M. A. (2006). "Los jóvenes y la prensa: hábitos de consumo y renovación de contenidos". *Ámbitos,* "revista internacional de comunicación" (15), 271-282.

Cabot, M. (2011). "La crítica de Adorno a la cultura de masas". En la revista de teoría crítica *Constelaciones.*

Calahorrano, S. M. (2013). "El Branded Content es la nueva publicidad" [en línea]. En *Expasion.com,* el 22 de julio del 2013. <http://www.escuelaunidadeditorial.es/noticias/ el-branded-content-es-la-nueva-publicidad.html> [Consulta: 20 de septiembre del 2014].

Callas, J. (2000). *Refranes, proverbios y sentencias.* Madrid: Libsa.

Callejo Gallego, J. (2002). *Observación, entrevista y grupo de discusión: el silencio de tres prácticas de investigación.* Revista española de salud pública, 76(5), 409-422.

Camps, M. (2014). "Con un texto eficaz se logran más objetivos". En *La Vanguardia,* el 7 de diciembre del 2014.

Canclini, N. G. (1995). *Consumidores y ciudadanos. Conflictos multiculturales de la globalización.* México: Grijalbo, 13.

Cano, O. A. (2014). *Encarnaciones del capitalismo.* Barcelona: Ediciones Carena.

Cantarero, M. A.: "Periodismo en El Salvador. El 'refrito' o plagio en las salas de redacción de los medios informativos" [en línea]. En *Latina,* "revista latina de comunicación social", número 54, julio-diciembre del 2004. <http://www.ull.es/publicaciones/latina/20041658cantarero.htm> [Consulta: 19 de julio del 2014].

Cañizález, A. (2009). *Una libre expresión como sustento de la democracia.* Revista *Perspectiva.*

Capilla, J. P. (2015). *El debate epistemológico en el periodismo informativo. Realidad y verdad en la información.* Dirigida por Albert Sàez. Tesis doctoral. Universitat Ramon Llull, Facultat de Comunicació Blanquerna, 2015.

Caracol (2014). "Quienes abandonaron a los diarios fueron los anunciantes, advierten en la SIP" [en línea]. En agencia Efe, el 17 de octubre del 2014. <http://www.caracol.com.co/noticias/entretenimiento/quienes-abandonaron-a-los-diarios-fueron-los-anunciantes-advierten-en-la-sip/20141017/nota/2466976.aspx> [Consulta: 1 de febrero del 2015].

Carra, A. (2013). "Luis Enríquez: 'Si el futuro es digital, los editores de diarios estamos en la pole'" [en línea]. En *Abc.es,* el 3 de diciembre del 2013. <http://www.abc.es/medios/20131203/abci-aede-periodicos-publicidad-futuro-201312031702.html> [Consulta: 7 de febrero del 2015].

Carrillo, M. (2013). "Que desaparezcan las notas de prensa para que brillen los contenidos". Grupo Reputación Corporativa, el 2 de octubre del 2013 [en línea]. <http://originalcommunitymanager.com/2013/10/02/que-desaparezcan-las-notas-de-prensa-para-que-brillen-los-contenidos/> [Consulta: 5 de septiembre del 2014].

Carrillo, N. (2014). *El periodismo volátil. ¿Cómo atrapar la información política que se nos escapa?* (Vol. 2). Barcelona: Editorial UOC.

Carrizosa, S. (2015). "¿Qué directivos son los más buscados?" [en línea]. En *El*

País, el 17 de enero del 2015. <http://economia.elpais.com/economia/2015/01/15/actualidad/1421325897_175086.html> [Consulta 18 enero 2015].

Casero-Ripollés, A. (2010). "Prensa en internet: nuevos modelos de negocio en el escenario de la convergencia", en *El profesional de la información,* España, noviembre-diciembre del 2010.

Castrillón Velásquez, D. A. (2011). "From the leader to the human being in the organization". *Pensamiento y gestión* (31), 34-55.

Catalunya Press (2013). "Desde el inicio de la crisis han desaparecido 10.000 medios" [en línea]. En Catalunya Press, el 8 de octubre del 2013. <http://www.catalunyapress.cat/es/notices/2013/10/desde-inicio-de-la-crisis-ha-desaparecido-10.000-medios-86969.php> [Consulta: 11 de octubre del 2014].

Cendrós, T. (1999). "BTV reinventa la televisión" [en línea]. En *El País,* en 1999. <http://www.manuelhuerga.com/btv/article15.html> [Consulta: 6 de julio del 2014].

Cerezo, J. M. y Zafra, J. M. (2003). "El impacto de internet en la prensa". Madrid: Fundación Auna (Cuadernos Sociedad de la Información).

Chislett, W. (2014). "El dinero mueve el mundo" [en línea]. En *El Imparcial,* el 25 de junio del 2014. <http://www.elimparcial.es/noticia/97789/opinion/El-dinero-mueve-y-detiene-el-mundo.html> [Consulta: 29 de marzo del 2015].

Chomsky, N. y Ramonet, I. (2010). *Cómo nos venden la moto. Información, poder y concentración de medios.* Barcelona: Icaria.

Cicerone, L. (2013). "Los *bloguers* de viaje no quieren más notas de prensa" [en línea]. En *Bitacoring,* el 8 de abril del 2013. <http://bitacoring.com/2013/04/los-bloggers-de-viaje-no-quieren-mas-notas-de-prensa.html> [Consulta: 28 de diciembre del 2014].

CIET: "¿Multinacional tabacalera pretende manipular al Gobierno uruguayo?" [en línea]. Nota de prensa de CIET. <http://www.espectador.com/documentos/Com_Cief.pdf> [Consulta: 29 de noviembre del 2014].

Civil, M.; Blasco, J. J., y Guimerà, J. A. (2013). "Informe de la comunicació a Catalunya". Barcelona: Institut de la Comunicació de la Universitat Autònoma de Barcelona.

Clark, L. (2014). "Robots have mastered news writing. Goodbye journalism" [en línea]. En la revista digital *Wired,* el 6 de marzo del 2014. <http://www.wired.co.uk/news/archive/2014-03/06/robots-writing-news> [Consulta: 22 de noviembre del 2014].

Clases de Periodismo (2012). "Periodistas de *The Washington Post* expresaron su preocupación por recortes en el diario" [en línea]. En *Clasesdeperiodismo.com,* el 7 de mayo del 2012. <http://www.clasesdeperiodismo.com/2012/05/07/periodistas-de-the-washington-post-expresaron-su-preocupacion-por-recortes-en-el-diario/> [Consulta: 22 de febrero del 2015].

—. (2012). "Sitio web reinventa los cables de agencia pensando en las redes sociales" [en línea]. Página *Clasesdeperiodismo.com,* el 30 de julio del 2012. <http://www.clasesdeperiodismo.com/2012/07/30/sitio-web-reinventa-los-cables-de-agencia-pensando-en-las-redes-sociales/> [Consulta: 2 de agosto del 2014].

Cobos, T. L. (2011). "Y surge el *community manager". Razón y palabra* (75), 50.

Coca-Cola (2014). "Coca-Cola IberianPartners, el nuevo embotellador único de Coca-Cola Iberia" [en línea]. Prensa Coca-Cola, 2014. <http://conoce.cocacola.es/actualidad> [Consulta: 20 de julio del 2014].

Codina, Ll. (2016). "Ideas sencillas contra el plagio: citación y atribución en trabajos académicos" [en línea]. En *lluiscodina.com,* el 18 de abril del 2016. <http://www.lluiscodina.com/plagio-trabajos-academicos/> [Consulta: 18 de abril del 2016].

Colegio de Periodistas de Chile (CPC, 2013). "Denuncia de plagio en contra de periodista colegiada" [en línea]. CPC, 7 de abril del 2013. <http://www.colegiodeperiodistas.cl/web/etica/benitez_brsca.pdf/> [Consulta: 12 de julio del 2014].

Coll, E. (2013). "El retrat més precís de la professió" [en línea]. En *Capçalera,* el 16 de abril del 2013. <http://www.periodistes.org/ca/article/el-retrat-mes-precis-de-la-professio-53.html> [Consulta: 11 de octubre del 2014].

—. (2014). "Tocando fondo". Barcelona: *Capçalera.*

Coloma, M. A. (2003). "Plagio y reescritura". Santiago de Chile: *El Periodista,* el 31 de marzo del 2003.

Colussi, M. (2009). "La cultura del copia y pega" [en línea]. Blog *Argenpress,* el 23 de febrero del 2009. <http://www.argenpress.info/2009/02/la-cultura-del-copia-y-pega.html> [Consulta: 23 de noviembre del 2014].

Comas, R.; Sureda, J.; Casero, A. y Morey, M. (2011). "La integridad académica entre el alumnado universitario español". *Estudios pedagógicos (Valdivia), 37*(1), 207-225.

Consejo Económico y Social (2013). "Distribución de la renta en España: desigualdad, cambios estructurales y ciclos". Madrid: departamento de publicaciones del Consejo Económico y Social.

Coraggio, J. L. (2007). *Crítica de la política social neoliberal: las nuevas tendencias.* Ponencia presentada en el Congreso de Ciencias Sociales de América Latina y el Caribe (Vol. 50).

Coromines, J. (2008). *Breve diccionario etimológico de la lengua castellana.* Madrid: Gredos.

Costa, M. (2013). "La publicidad *online* ha desbancado a la de la prensa, pero crece menos de lo esperado" [en línea]. En *ValenciaPlaza.com,* el 6 de mayo del 2013. <http://www.valenciaplaza.com/ver/85120/jesus-vallejo-la-publicidad-online-ha-desbancado-a-la-de-la-prensa.html> [Consulta: 8 de febrero del 2015].

Costas, A. (2015). "El malestar de las clases medias", en *La Vanguardia,* el 25 de marzo del 2015.

Cruz, J. (2009). "Hacer periódicos no es, ni será, como producir judías en lata". Entrevista con Harold Evans, publicada el 25 de enero del 2009. Madrid: diario *El País.*

Dans, E. (2014). "Startups y comunicación: personas y notas de prensa" [en línea]. El blog de Enrique Dans, el 11 de enero del 2014. <http://www.enriquedans.com/2014/01/startups-y-comunicacion-personas-y-notas-de-prensa.html>

Darío Restrepo, J. (2004). "¿Qué piensa de esa clase de periodismo de copiar y pegar?" [en línea]. Consultorio ético de Javier Darío Restrepo, de la FNPI, el 12 de octubre del 2004. <http://www.fnpi.org/consultorio-etico/consultorio/?tx_wecdiscussion[single].=31039> [Consulta: 30 de julio del 2014].

David, D. (2005). "Rutinas profesionales y valores en las redacciones de medios digitales catalanes: periodismo digital en contextos reales" [en línea]. En el segundo congreso *online* del Observatorio de la Cibersociedad. <http://www.cibersociedad.net/public/documents/89_4q5b.rtf> [Consulta: 6 de diciembre del 2014].

De Dalmases, P. I. (2009). *Oficio de carroñero. Un periodista en la calle.* Barcelona: Ediciones Carena.

De Fontcuberta, M. (1993, 2000). *La noticia. Pista para percibir el mundo.* Barcelona: Paidós Papeles de Comunicación, 1.

De Jódar, J. (2015). "Badalona o el laboratorio". En *La Vanguardia,* el 21 de junio del 2015.

De la Colina, J. M. (2010). "Marketing turístico. La sociología en sus escenarios" (20).

De la Rosa, F. (2012). "¿Es necesario un digital marketing manager?" [en línea]. En *Titonet,* el 19 de junio del 2012. <http://www.titonet.com/marketing/es-necesario-un-digital-marketing-manager.html> [Consulta: 8 de febrero del 2015].

De Lis, S. F., y Mora, A. G. (2008). Algunas implicaciones de la crisis financiera sobre la banca minorista española. *Análisis financiero internacional* (134), 7-19.

De Mariaga, J. M. G.; Tucho, F.; Humanes, M. L. y Martínez-Nicolás, M. (2011). "Condicionantes sociolaborales de los periodistas online en España". Economia Política das Tecnologias da Informação e da Comunicação, 10 (2).

De Miguel, J. C. y Pozas, V. (2009). "¿Polarización ideológica o económica? Relaciones entre los medios y el poder político y corporativo". *Viento Sur,* número 103.

De Pablos Coello, J. M. (2006). *Fuentes mudas (en la web): periodismo transitpropaganda.* Estudios sobre el Mensaje Periodístico, 12, 115-144.

De Pablos Coello, J. M. y Mateos Martín, C. (2004). "Estrategias informativas para acceder a un periodismo de calidad en prensa y televisión. Patologías y tabla de 'medicación' para recuperar la calidad en la prensa". Ámbitos, número 11-12, primer y segundo semestres del 2004 (págs. 341-365).

De Sousa, J. M. (2003). *Libro de estilo de Vocento.* Gijón: Editorial Trea.

—. (2007). *Diccionario de uso de las mayúsculas y minúsculas.* Gijón: Editorial Trea.

—. (2007). *Manual de estilo de la lengua española.* Gijón: Editorial Trea.

De Tena, P. y Barreda, A. (2006). "La Junta da casi un millón a Efe y Europa Press para fortalecer la imagen de Griñán" [en línea]. En *Libertad Digital,* el 20 de enero del 2010. <http://www.libertaddigital.com/sociedad/la-junta-da-casi-un-millon-a-Efe-y-europa-press-para-fortalecer-la-imagen-de-grinan-1276382019/> [Consulta: 14 de diciembre del 2014].

De Vega, C. (1997). " Los investigadores recurren a empresas multinacionales para financiar sus proyectos". [En línea]. En *El País,* el 27 de agosto de 1997. < http://elpais.com/diario/1997/08/27/sociedad/872632811_850215.html> [Consulta: 27 de agosto del 2015].

De Villena, F. (2015). *La revolución pacífica.* Barcelona: Ediciones Carena.

Debenedetti, T. (2015): "Me gusta ser el campeón italiano de la mentira" [en línea]. En *El País,* el 6 de junio del 2010. Entrevista de Miguel Mora a Tommaso Debenedetti. <http://elpais.com/diario/2010/06/06/domingo/1275796357_850215.html> [Consulta: 17 de mayo del 2016].

Del Riego, C. (2013). *El periodismo busca su futuro.* CIC Cuadernos de Información y Comunicación, 18, 57-67.

Delcambre, A. (2015). "HSBC joue l'arme de la publicité face aux 'articles hostiles'" [en línea]. En *Le Monde*, el 23 de febrero del 2015. <http://www.lemonde.fr/actualite-medias/article/2015/02/23/hsbc-joue-l-arme-de-la-publicite-face-aux-articles-hostiles_4581862_3236.html> [Consulta: 1 de marzo del 2015].

Delmas, M. (2014). "La ONU aprueba una resolución histórica contra la impunidad de las multinacionales" [en línea]. En *InfoLibre*, el 26 de junio del 2014. <http://www.infolibre.es/noticias/mundo/2014/06/26/onu_aprueba_resolucion_historica_contra_impunidad_las_multinacionales_18830_1022.html> [Consulta: 12 de octubre del 2014].

Descartes, R. (1994). *Discurso del método*. Barcelona: RBA.

Devoto, F. (2000). *El imperio sin centro. La dinámica del capitalismo global*. Buenos Aires: Biblos.

Diario *Hoy* (1992). *Manual de estilo*. Quito: edición digital. Consulta el 5 de julio del 2014: http://www.hoy.com.ec/descargas/manualdeestilo.pdf

Díez Gutiérrez, E. J. (2013). *La globalización neoliberal y sus repercusiones en educación*.

Diezhandino, M. P. (1993). "El periodismo de servicio, la utilidad en el discurso periodístico". En *Anàlisi: quaderns de comunicació i cultura*, pp. 117-125.

Diezhandino, M. P. *[et al]*. (2012). *El periodista en la encrucijada*. Madrid: Fundación Telefónica.

Dircomfidencial (2015). "Los periodistas, objetivo prioritario de la publicidad" [en línea]. En la página *Dircomfidnecial*, el 18 de noviembre del 2015. <http://dircomfidencial.com/2015-11-18/noticia/periodistas-objetivo-publicidad/> [Consulta: 30 de abril del 2016].

Diz, E. (2012). "Mamá, quiero ser *community manager*" [en línea]. En el blog *Diario de una periodista SEO*, el 5 de junio del 2012. <http://periodistaseo.com/2012/06/05/quiero-ser-community-manager/> [Consulta: 13 de diciembre del 2014].

Durán Herrera, J. J. (2005). *La empresa multinacional española: estrategias y ventajas competitivas*. España: Minerva.

Durandin, G. (1982). *La mentira en la propaganda política y en la publicidad*. Barcelona: Paidós.

E-Notícies (2013). "*El Mundo Catalunya* despide a cinco trabajadores" [en línea]. En *E-Notícies*, el 9 de mayo del 2013. <http://comunicacion.e-noticies.es/el-mundo-

catalunya-despide-a-cinco-trabajadores-75636.html> [Consulta: 15 de febrero del 2015].

Eagleton, T. (1997). *Ideología: introducción.* Barcelona: Paidós.

Eco, U. (1993). Entrevista de Andrea Guermandi *[L'Unità].* Recuperado de *Grandes entrevistas de la Historia,* publicado por Libros de Vanguardia, en el tomo 4, entrevista 7 (Barcelona, 2016).

Educarchile (2008). "Características y estructura de la noticia" [en línea]. Powerpoint de Educarchile, el 5 de noviembre del 2008. <http://233grados.lainformacion.com/ blog/2013/02/las-cinco-grandes-barbaridades-del-copia-y-pega-del-periodismo- digital.html> [Consulta: 4 de octubre del 2014].

El Confidencial (2012). "Bronca entre periodistas: Rajoy pacta con *Abc* la pregunta sobre los sms a Bárcenas" [en línea]. En *El Confidencial,* el 15 de julio del 2013. <http:// www.elconfidencial.com/espana/2013-07-15/bronca-entre-periodistas-rajoy-pacta-con- abc-la-pregunta-sobre-los-sms-a-barcenas_191239/> [Consulta: 8 de mayo del 2016].

El Mundo (2002). *Libro de estilo de El Mundo.* Sevilla: Comunicación y Proyectos Editoriales en Contexto.

—. (2014). "Miles de personas protestan contra la Ley Mordaza en varias ciudades". En *El Mundo,* 21 de diciembre del 2014.

El País (1999). *Libro de estilo de El País.* Madrid: Ediciones *El País.*

—. (2011). "Zapatero convoca otra reunión con las grandes empresas el 26 de marzo" [en línea]. En *El País,* el 14 de marzo del 2011. <http://economia.elpais. com/economia/2011/03/14/actualidad/1300091584_850215.html> [Consulta: 8 de febrero del 2015].

—. (2013). "El Parlament celebrará un pleno monográfico sobre el paro juvenil" [en línea]. En *El País,* el 9 de abril del 2013. <http://ccaa.elpais.com/ccaa/2013/04/09/ catalunya/1365511863_419433.html> [Consulta: 15 de marzo del 2015].

—. (2015). "El juez Velasco cita a Florentino Pérez como testigo del 'caso Púnica'" [en línea]. En *El País,* el 27 de febrero del 2015. <http://politica.elpais.com/ politica/2015/02/27/actualidad/1425068060_534545.html> [Consulta: 1 de mayo del 2015].

—. (2015). "La ropa de angora que Inditex retiró llega a los refugiados sirios de Líbano" [en línea]. En *El País,* el 5 de marzo del 2015. <http://economia.elpais. com/economia/2015/03/04/actualidad/1425489834_207379.html> [Consulta: 8 de marzo del 2015].

El Periódico de Catalunya (2002). *Libro de estilo de El Periódico de Catalunya*. Barcelona: Primera Plana.

—. (2002). *Libro de estilo de El Periódico*. Barcelona: Primera Plana.

El Universal (2006). "Carácter del gerente define el clima que impera en la empresa" [en línea]. En *El Universal*, el 7 de abril del 2006. <http://www.eluniversal. com/2006/04/07/eco_art_07246D> [Consulta: 8 de marzo del 2015].

Elíades, A. (1999). *La independencia del periodista entre la información, el consumo y el marketing*. Oficios Terrestres.

Elmundo.es (2014). "Otro lío de Melendi, la canción de las explicaciones" [en línea]. En *Elmundo.es*, el 24 de septiembre del 2014. <http://www.elmundo.es/happy-fm/ 2014/09/24/5422887b22601d7b478b4571.html> [Consulta: 4 de octubre del 2014].

Escribano, E. (2014). "EE. UU. negocia en secreto el acuerdo comercial con el que atará a Europa" [en línea]. En *Público*, el 25 de marzo del 2014. <http://www.publico. es/internacional/eeuu-negocia-secreto-acuerdo-comercial.html> [Consulta: 3 de mayo del 2015].

Espí, S. (2014). "Guerra sin cuartel entre *Velvet* (A3) y *B&B* (T5): ¿qué serie es mejor?" [en línea]. En *Periodista Digital*, el 18 de febrero del 2014. <http://www.periodistadigital. com/3segundos/periodismo/2014/02/18/guerra-velvet-antena3-y-b-b-telecinco-critica-serie-mejor-audiencia.shtml> [Consulta: 12 de diciembre del 2015].

Espina, W.; Pellicero, R.; Ellakuría; I., Casasús, J. M.; De la Plata, J. R.; Calaf, R. M. y De Andrés, M. E. (2009). "El periodismo visto por los periodistas". En *El Ciervo*, 8-13.

Estela Ferreyra, N. (2014). *Periodistas sin miedo*. Autoedición.

Estudio de Comunicación (2015). "Informe 'cuarto poder' y empresa" [en línea]. En Estudio de Comunicación, el 6 de julio del 2015. <http://www.estudiodecomunicacion. com/extranet/cuarto-poder-y-periodismo/> [Consulta: 8 de julio del 2015].

Estudio de Comunicación y Demométrica (2006). "Periodistas, empresas e instituciones", con la colaboración de la Federación de Asociaciones de Periodistas de España, la Asociación de Periodistas de Información Económica y la Asociación Nacional de Informadores de Salud [en línea]. En Estudio de Comunicación. <http://www.estudiodecomunicacion.com/extranet/wp-content/uploads/2012/ ESTUDIOS/Periodistas%20empresas%20España.pdf> [Consulta: 2 de abril del 2016].

Europa Press (20 de diciembre del 2014). "Nike gana el 22% más que en el 2013, con 533 millones". Barcelona: *La Vanguardia*.

—. (2009). "Bryce Echenique, acusado de plagiar artículos periodísticos" [en línea]. En Europa Press, 11 de enero del 2009. <http://www.elmundo.es/elmundo/2009/01/09/comunicacion/1231526442.html> [Consulta: 5 de enero del 2015].

—. (2011). "La EMT no aceptará recortes tras conocerse el aumento salarial del gerente el 8,7%" [en línea]. En *Ultimahora.es,* el 13 de diciembre del 2011. <http://ultimahora.es/noticias/local/2011/12/13/58543/el-comite-de-empresa-anuncia-que-no-aceptara-recortes-en-la-emt-tras-conocerse-el-aumento-salarial-del-gerente-un-8-7.html> [Consulta: 22 de febrero del 2015].

Evans, H. (1984). *Good times, bad times.* Atheneum Books.

Facua (2015). "FACUA publica en su revista un análisis sobre las comisiones de 16 bancos: diferencias de hasta el 986%" [en línea]. Publicado en *Consumerismo,* el 8 de enero del 2015. <https://www.facua.org/es/noticia.php?Id=9054> [Consulta: 11 de enero del 2015].

Farhi, P. (2001). "*The Washington Post* suspende a una reportero por plagiar las historias de los disparos en Tucson" [en línea]. En *The Washington Post,* el 16 de marzo del 2001. <http://www.washingtonpost.com/lifestyle/style/washington-post-suspends-reporter-for-plagiarizing-stories-on-tucson-shooting/2011/03/16/ABzKfHh_story.html> [Consulta: 12 de julio del 2014].

Faro de Vigo (2014). "Defensa da Sanidade Pública propone al gerente que 'recorte' en el equipo directivo" [en línea]. En *Faro de Vigo,* el 11 de abril del 2014. <http://www.farodevigo.es/gran-vigo/2014/04/11/dEfensa-da-sanidade-publica-propone/1003425.html> [Consulta: 22 de febrero del 2015].

Federación de Sindicatos de Periodistas (2014). "Se constituye la Plataforma en Defensa de la Libertad de Información" [en línea]. En la página web *Tercera Información,* el 23 de noviembre del 2014. <http://www.tercerainformacion.es/spip.php?article77450> [Consulta: 2 de enero del 2015].

Federación Internacional de Periodistas (FIP, 2014). "Una empresa multinacional india intenta hostigamiento contra un periodista por un artículo crítico" [en línea]. En FIP, el 12 de septiembre del 2014. <http://www.ifj.org/nc/es/news-single-view/backpid/1/article/indian-mnc-attempts-harassment-of-journalist-for-critical-article/> [Consulta: 15 de noviembre del 2014].

Fernández Gil, J. R. (2010). *Fuentes de análisis para el estudio de la prensa diaria. Anales de Documentación,* vol. 13, p. 135-158.

Fernández-Salido, A. y Serrano Barrie, C. (2003). *Copiar y pegar. Miserias (y alguna grandeza) del periodismo español contadas por dos reporteros que nacieron demasiado tarde.* Madrid: Libros libres.

Fernández, A. (2009). "El Grupo Godó negocia un recorte de plantilla de 90 personas en *La Vanguardia*" [en línea]. En *El Confidencial,* el 25 de mayo del 2009. <http://www.elconfidencial.com/archivo/2009/05/25/comunicacion_80_grupo_negocia_recorte_plantilla_personas_vanguardia.html> [Consulta: 15 de febrero del 2015].

Fernández, K. (2014). "Comunicación masiva y pensamiento crítico" [en línea]. En *La Prensa Gráfica,* el 19 de octubre del 2014. <http://www.laprensagrafica.com/2014/10/19/comunicacion-masiva-y-pensamiento-critico> [Consulta: 4 de mayo del 2015].

Ferrer Molina, V. (2016). *Buenas noches y saludos cordiales. Historia de un periodista irrepetible.* Barcelona: Roca Libros.

Feyereband, P. (2003). *Tratado contra el método.* Madrid: Tecnos.

Ficapal, W. (2014). "Robots periodistas: lo que pasa cuando un ordenador escribe las noticas" [en línea]. En *Lavanguardia.com,* el 11 de diciembre del 2014. <http://www.lavanguardia.com/tecnologia/innovacion/20141211/54421293735/robots-periodistas-ordenador-noticias.html> [Consulta: 13 de diciembre del 2014].

Fishman, M. (1983). *La fabricación de la noticia.* Buenos Aires: Tres Tiempos.

Fontana, Josep (2013). *Por el bien del imperio.* Barcelona: Pasado y Presente.

Forstner, H. y Ballance, R. (1990). *Competing in a Global Economy.* London: Unwin.

Forum Libertas (2006). "Cómo la multinacional anticonceptiva Schering copa portadas en España" [en línea]. En *ForumLibertas.com,* el 10 de marzo del 2006. <http://www.forumlibertas.com/frontend/forumlibertas/noticia.php?id_noticia=5352> [Consulta: 13 de diciembre del 2014].

Franco, G., y García, D. (2009). "La prensa gratuita generalista en España: caso de estudio cuantitativo". Revista *Ámbitos,* número 18.

Franklin, S. G. y Terry, R. G. (2000). *Principios de administración.* México: Cecsa.

Franquesa, E. y Sabaté, J. (Coords.). *Màrqueting lingüístic i consum.* Barcelona: Trípodos, 2006.

Friedman, M. (1966). *Capitalismo y libertad.* Madrid: Ediciones Rialp.

Fundación Compromiso Empresarial (2011). "Informe Esporas de helechos y elefantes" [en línea]. En Fundación Compromiso Empresarial, el 28 de febrero del 2011. <http://www.compromisoempresarial.com/carrusel/2011/02/los-principales-

periodicos-espanoles-pierden-credibilidad-al-no-informar-sobre-sus-procesos-periodisticos/> [Consulta: 8 de julio del 2015].

Fundación para el Nuevo Periodismo Iberoamericano (FNPI, 2013). "Cómo detectar si tus artículos han sido plagiados en internet" [en línea]. FNPI, 2013. <http://eticasegura.fnpi.org/2013/12/27/como-detectar-si-tus-articulos-han-sido-plagiados-en-internet/> [Consulta: 13 de julio del 2014].

G. Gómez, R. (2004). "Bru Rovira dedica el premio a los periodistas de calle". En *El País,* el 12 de mayo del 2004.

—. (2004). "Un juez condena a El Mundo TV por utilizar la cámara oculta en un reportaje". En *El País,* el 14 de diciembre del 2014.

—. (2012). "Efe mezcla comunicados de empresas con noticias" [en línea]. En *El País,* el 29 de julio del 2012. <http://politica.elpais.com/politica/2012/07/29/actualidad/1343594232_118794.html> [Consulta: 28 de agosto del 2014].

—. (2012). "La crisis se lleva por delante casi doscientos medios de comunicación" [en línea]. En *El País,* el 13 de diciembre del 2012. <http://sociedad.elpais.com/sociedad/2012/12/13/actualidad/1355414252_725575.html> [Consulta: 1 de noviembre del 2014].

Gallego-Díaz, S. (2007). "Reivindicación del periodismo" [en línea]. En *El País,* el 17 de febrero del 2007. <http://elpais.com/diario/2007/02/17/babelia/1171672753_850215.html> [Consulta: 8 de noviembre del 2014].

Gámez, R. y Coronel, A. I. (2009). "Periodismo de investigación: mirada desde la realidad" [en línea]. En Biblioteca Virtual de Derecho, Economía y Ciencias Sociales. <http://www.eumed.net/libros-gratis/2009a/519/El%20periodismo%20light.htm> [Consulta: 15 de junio del 2016].

Garcia Farreny, S. (2016). "La tirania de la velocitat" [en línea]. En el semanario *report.cat,* el 27 de junio del 2016. <http://www.report.cat/la-tirania-de-la-velocitat/> [Consulta: 28 de junio del 2016].

García Márquez, G (2010). "El mejor oficio del mundo". En *Yo no vengo a decir un discurso.* Barcelona: DeBolsillo, pp. 105-118.

García Sánchez, M. D. (2008). *Manual de marketing.* Madrid: ESIC Editorial.

García Vega, M. A. (2015). "La generación 'copia y pega': entre el original y el plagio" [en línea]. En el blog de *El País* titulado *Con arte y sonante,* el 4 de agosto del 2015. <http://blogs.elpais.com/con-arte-y-sonante/2015/08/la-generación-copia-y-pega-entre-el-original-y-el-plagio.html> [Consulta: 2 de mayo del 2016].

García, N. [et al]. (2012). *Jóvenes, culturas urbanas y redes digitales. Prácticas emergentes en las artes, las editoriales y la música.* Madrid: Colección de la Fundación Telefónica-Ariel.

Garcimartin, M. (2014). "¿Puede un robot escribir un artículo mejor que un periodista?" [en línea]. En la revista digital *Media-tics,* el 2 de septiembre del 2014. <http://www.media-tics.com/noticia.asp?ref=4470&cadena=robot&como=2> [Consulta: 22 de noviembre del 2014].

Gastesi, A. (2015). "La *low cost* de Lufthansa está en plena reestructuración". En *La Vanguardia,* el 25 de marzo del 2015.

Gelado Marcos, R. (2009). "Newspapers' dependency from press agencies in Spain". *Communication and Society,* 22 (2), 243-276.

Gereda, S. (2001). Riesgos del periodista al investigar corrupción de dictaduras militares. *Números.*

Gil, M. (2011). "El fondo de reptiles, la prensa amaestrada. De Bismarck a Fraga" [en línea]. En el blog *Anatomía de la Historia,* el 28 de septiembre del 2011. <http://anatomiadelahistoria.com/2011/09/el-fondo-de-reptiles-la-prensa-amaestrada-de-bismarck-a-fraga/> [Consulta 23 de enero del 2015].

Gómez, F. *"Muckrakers.* La era dorada del periodismo de investigación" [en línea]. En Scribd Inc., sin fecha. <http://es.scribd.com/doc/241408160/Muckrakers> [Consulta: 15 noviembre 2014].

Gómez, J. (2012). "Siguen los recortes de plantilla en los medios alemanes" [en línea]. En *El País,* el 4 de diciembre del 2012. <http://sociedad.elpais.com/sociedad/2012/12/04/actualidad/1354619445_691286.html> [Consulta: 15 febrero del 2014].

Gómez, M. V. (2008). "La Bolsa española cierra el peor año de su historia arrastrada por la crisis" [en línea]. En *El País,* el 31 de diciembre del 2008. <http://elpais.com/diario/2008/12/31/economia/1230678007_850215.html> [Consulta: 17 de marzo del 2015].

Gomis, Ll. (2008). *Teoría de los géneros periodísticos.* Barcelona: Editorial UOC.

González Pérez, M. I. (2003). "La cooperación educativa internacional ante la rebeldía de las culturas. Propuesta de pluralidad mestiza para América Latina". Tenerife: Universidad de La Laguna.

Gonzalo, F. (2014). "La precariedad laboral y el poder económico y político, lo que más preocupa a los periodistas" [en línea]. En *PRNoticias,* el 10 de junio del 2014. <http://www.prnoticias.com/index.php/periodismo/559-periodismo/20131552-

la-precariedad-laboral-y-el-poder-economico-y-politico-lo-que-mas-preocupa-a-los-periodistas> [Consulta: 1 de noviembre del 2014].

Gonzalo, P. (2013). "Ningú no sap quants periodistes aturats hi ha" [en línea]. En el Sindicat de Periodistes de Catalunya, el 14 de enero del 2013. <http://www.sindicatperiodistes.cat/es/node/5685> [Consulta: 11 de octubre del 2014].

—. (2013). "Ocho mil periodistas despedidos" [en línea]. En el Sindicat de Periodistes de Catalunya, el 2013. <http://www.sindicatperiodistes.cat/es/content/8000-periodistas-despedidos> [Consulta: 9 de julio del 2014].

Gorostidi, I. (2014). "El periodismo vuelve a estar de moda" [en línea]. En *El Blog de Guk,* el 9 de enero del 2014. <http://guk.es/blog/el-periodismo-vuelve-estar-de-moda/> [Consulta: 20 de septiembre del 2014].

Greenwald, R. (2005). *Wal-Mart: The High Cost of Low Price* [Vídeo]. Disponible en: https://www.youtube.com/watch?v=NzxxOHuFN3Q

Grijelmo, Á. (2006). *El estilo del periodista.* Madrid: Taurus.

—. (2006). *El estilo del periodista.* Madrid: Taurus.

—. (2007). *La seducción de las palabras.* Madrid: Punto de Lectura.

Guillamet, J. (2014). "Periodistas anuncio" [en línea]. En *Eldiario.es,* el 2 de diciembre del 2014. <http://www.eldiario.es/catalunya/criticaperiodistica/Periodistas-anuncio_6_330776942.html> [Consulta: 13 de diciembre del 2014].

Gutiérrez, P. P. (2005). *Diccionario de la publicidad.* Madrid: Editorial Complutense.

Hamlett (2014). "Los males del periodismo" [en línea]. En *Trinchera de la Noticia,* el 10 de junio del 2014. <http://www.trincheraonline.com/2014/06/10/los-males-del-periodismo/> [Consulta: 13 de diciembre del 2014].

Harlow, S. (2011). "El *Washington Post* suspende a periodista ganadora del Pulitzer por plagio" [en línea]. En el blog *Periodismo en las Américas,* del Centro Knight, el 17 de marzo del 2011. <https://knightcenter.utexas.edu/es/blog/el-washington-post-suspende-periodista-ganadora-del-pulitzer-por-plagio> [Consulta: 5 de enero del 2015].

Hazan, E. (2007). *La propaganda de cada día.* Madrid: La oveja roja.

Heraklio, P. (2014). "La inestabilidad social, el caldo de cultivo necesario" [en línea]. En el blog *La Tarcoteca,* el 24 de noviembre del 2014. <http://tarcoteca.blogspot.com.es/2014/11/la-open-society-de-g-soros-irrumpe-en.html> [Consulta: 2 de enero del 2015].

Hernández, R. (2009). "Te entrevistamos… si nos pagas" [en línea]. En el blog personal, el 4 de marzo del 2009. <http://blog.raulhernandezgonzalez.com/2009/03/te-entrevistamos-si-nos-pagas/> [Consulta: 1 de febrero del 2015].

Herrera Chuquirima, M. D. C., y Pacheco Guamán, B. L. (2012). *Plan de negocios para la creación de una filial de Latin Travel en Paraguay.*

HispanTV (2016). "¡Novela escrita por un robot gana concurso literario en Japón!" [en línea]. En *HispanTV,* el 26 de marzo del 2016. <http://www.hispantv.com/noticias/ciencia-tecnologia/220042/japon-novela-robot-concurso-literario> [Consulta: 4 de julio del 2016].

Hispanidad (2007). "Las mujeres españolas cobran poco y están sometidas a la precariedad laboral. ¡Lo dice Adecco!" [en línea]. En *Hispanidad,* el 13 de julio del 2007. <http://www.hispanidad.com/Breves/las-mujeres-espaolas-cobran-poco-y-estn-sometidas-a-la-precariedad-la-20070713-17575.html> [Consulta: 1 de febrero del 2015].

Hutton, W., y Giddens, A. (2001). *En el límite: la vida en el capitalismo global.* Barcelona: Tusquets Editores.

Ibáñez, J. (2006). "Globalización e internet: poder y gobernanza en la sociedad de la información". En la *Revista Académica de Relaciones Internacionales,* 5.

Ibáñez, J. J. (2006). "Bioprospección y prensa: descontaminación y ¿contaminación?" [en línea]. En los blogs *Madri+d,* el 7 de agosto del 2006. <http://www.madrimasd.org/blogs/universo/2006/08/07/36902> [Consulta: 13 de diciembre del 2014].

Iglesias, M. (2011). Única solución a la catástrofe. El periodismo de calidad. Telos: *Cuadernos de comunicación e innovación* (86), 111-113.

Internet Advantage (2010). "El Caso Nestlé: otro fracaso de relaciones públicas en redes sociales" [en línea]. En *Internet Advantage,* el 22 de marzo del 2010. <http://www.internetadvantage.es/blog/marketing-social/el-caso-nestle-otro-fracaso-relaciones-publicas-en-redes-sociales/> [Consulta: 8 de febrero del 2015].

Iriarte, G. (2014). "Otro ALCA es posible" [en línea]. En *Latinoamericana.org,* el 2014. <http://latinoamericana.org/2004/textos/castellano/Iriarte.htm> [Consulta: 31 de marzo del 2015].

Itaka (2010). "Una cena contra el euro" [en línea]. En www.burbuja.info, el 26 de febrero del 2010. <http://www.burbuja.info/inmobiliaria/burbuja-inmobiliaria/148831-cena-contra-euro.html> [Consulta: 20 de diciembre del 2014].

Jaccard, P. (1912). *The distribution of the flora in the alpine zone,* New Phytologist 11: 37–50, doi:10.1111/j.1469-8137.1912.tb05611.x

Jaraba, G. (2009). "Estructura de la noticia: el *lead* y el cuerpo" [en línea]. *Periodismo UAB wiki,* octubre del 2009. <http://periodismouab.wikispaces.com/space/content?o=20> [Consulta: 5 de julio del 2014].

Jiménez Morales, M. (2005). "Selling me softly, la persuasión sutil»: influencia del product placement en las audiencias infantiles de las teleseries".

Jiménez, R. (2016). *Cien casos. La ética periodística en tiempos de precariedad.* Barcelona: Edicions de la Universitat de Barcelona. Prólogo de Manuel Leguineche.

Johanson, J. y Wiedershein, P. (1975). "The internationalization Process of the Firms: Four Swedish Case Studies". Journal of Management Studies.

Jones, O. P. (2012). *Chavs: La demonización de la clase obrera.* Madrid: Capitán Swing.

Juliana, E. (8 de mayo del 2016). "Diccionario interino". Recuperado de *La Vanguardia,* el 8 de mayo del 2016.

Justel Vázquez, S. (2015). *¿Interés público o interés del público? Periodismo, mercado y democracia en la era de la analítica web.* Dirigida por Josep Lluís Micó. Tesis doctoral. Universitat Ramon Llull, Facultat de Comunicació Blanquerna, 2015.

Kafiristán, A. (2012). "The Newsroom" [en línea]. En el blog *Kinocine,* el 22 de octubre del 2012. <http://kinocine.es/2012/10/22/the-newsroom/> [Consulta: 6 diciembre 2014].

Kaleck, W. y Saage-Maaß, M. (2008). "Empresas transnacionales ante los tribunales". Berlín: Fundación Heinrich Böll.

Kaplan, R. D. (1999). *Fantasmas balcánicos.* Barcelona: Ediciones B.

Kapuscinski, R. (2002). *Los cínicos no sirven para este oficio. Sobre el buen periodismo.* Barcelona: Anagrama.

—. (2004). *Los cinco sentidos del periodista.* México: Fundación para un nuevo periodismo.

—. (2006). Entrevista con Wledek Goldkorn *[L'Espresso].* Recuperado de http://www.ddooss.org/articulos/entrevistas/R_Kapuscinski.htm

Kasznar, I. K. (2009). "El gerente descartable: dilema entre la optimización de la productividad y la minimización del bienestar". Revista *Pensamento Contemporâneo em Administração,* 3 (1), pp. 26-35.

Klein, N. (2012). *La doctrina del shock. El auge del capitalismo del desastre.* Barcelona: Paidós.

—. (2013). *No logo. El poder de las marcas.* Barcelona: Booket.

Klemperer, V. (2012). *LTI. La lengua del Tercer Reich. Apuntes de un filólogo.* Barcelona: Minúscula.

Kovach, B. y Rosenstiel, T. (2012, 2014). *Los elementos del periodismo.* Madrid: Aguilar (Título original: *The Elements of Journalism,* 2003. Traducción: Amado Diéguez Rodríguez).

Krakowiak, F. (2014). "Agenda empresaria neoliberal" [en línea]. En *Página/12,* el 15 de noviembre del 2014. <http://www.pagina12.com.ar/diario/economia/subnotas/2-70447-2014-11-15.html> [Consulta: 22 de febrero del 2015].

Kramer, A.; Guillory, J., y HANCOCK, J. (2014). "Experimental evidence of massive-scale emotional contagion through social networks". [En línea] www.pnas.org, del 17 de junio del 2014. <http://www.pnas.org/content/111/24/8788.full.pdf> [Consulta: 2 de mayo del 2016]

Kundera, M (1997). La inmortalidad. Barcelona: Tusquets Editores.

La Vanguardia (2004). *Libro de redacción.* Barcelona: Ariel.

—. (2014). "El periodismo digital más allá del 'copiar y pegar'" [en línea]. En *La Vanguardia,* el 28 de julio del 2014. <http://www.lavanguardia.com/economia/tu-espacio-profesional/20140728/54412476289/periodismo-digital.html> [Consulta: 12 de abril del 2015].

La Voz (2013). "El principio de una prensa libre" [en línea]. En el editorial de la Asociación Mundial de Periódicos y Editores de Noticias, el 31 de mayo del 2013. <http://www.lavoz.com.ar/opinion/principio-prensa-libre> [Consulta: 31 de marzo del 2015].

Lacasa Mas, I.; Jandura, O., y Cano Castells, F. (2014). "Exposición fragmentada a la información periodística, polarización política y democracia representativa. El caso de los diputados del Parlamento catalán y su uso de los medios informativos". Estudios sobre el Mensaje Periodístico. Vol. 20, número 1 (enero-junio). Madrid: Servicio de Publicaciones de la Universidad Complutense.

Lajas, J. (2012). *"Chicago Tribune* rompe su relación con el proveedor de contenidos Journatic por malas prácticas periodísticas" [en línea]. En *Periodismo ciudadano,* el 14 de julio del 2012. <http://www.periodismociudadano.com/2012/07/14/chicago-tribune-rompe-su-relacion-con-el-proveedor-de-contenidos-journatic-por-malas-

practicas-periodisticas/> [Consulta: 5 de enero del 2015].

Lakoff, G. (2007). *No pienses en un elefante. Lenguaje y debate político.* Madrid: Foro Complutense.

Lalueza, F. (2016). "Periodisme pausat. Alguns nous mitjans aposten per *l'slow journalism,* amb textos llargs i històries humanes". En la revista *Capçalera* (número 171), en marzo del 2016.

Lapuente, V. (2014). "Mirada crítica a nuestro periodismo" [en línea]. En *El País,* el 1 de mayo del 2014. <http://elpais.com/elpais/2014/04/25/opinion/1398439742_940322.html> [Consulta: 4 de mayo del 2015].

Lardiés, A. (2014). "Terremoto en la prensa de Cataluña: TV3 y Grupo Zeta, al borde del colapso" [en línea]. En *Vozpópuli,* el 4 de febrero del 2014. <http://ebullido.wordpress.com/2014/10/15/cuatro-virus-afectado-periodismo-en-la-crisis-del-ebola/> [Consulta: 8 de noviembre del 2014].

Larraya, J. M.: "¿Refrito o documentación?". En *El País,* el 6 de enero de 1991.

Laso, A. (2011). "Periodismo *low cost*" [en línea]. En el blog *Periodismo para periodistas,* el 12 de febrero del 2011. <http://periodismoparaperiodistas.blogspot.com.es/2011/02/periodismo-low-cost-alejandro-laso.html> [Consulta: 13 de diciembre del 2014].

Lázaro Carreter, F. (1998). *El dardo en la palabra.* Barcelona: Círculo de Lectores.

—. (2007). *El nuevo dardo en la palabra.* Barcelona: Círculo de Lectores.

León, P. y Precedo, J. (2015). "Gallego dice que no tiene los informes de los trabajos contratados con Púnica" [en línea]. En *El País,* el 31 de marzo del 2015. <http://politica.elpais.com/politica/2015/03/31/actualidad/1427809850_442370.html> [Consulta: 1 de mayo del 2015].

Levitz, D. (2015). "Las tendencias de los periodistas de la generación del milenio" [en línea]. En International Center for Journalists, el 1 de julio del 2015. <https://ijnet.org/es/node/26343/> [Consulta: 8 de julio del 2015].

Liebelson, D. (2011). "Sitio web británico denuncia periodismo de 'cortar y pegar'" [en línea]. En International Center for Journalists, el 25 de marzo del 2011. <https://ijnet.org/es/stories/sitio-web-británico-denuncia-periodismo-de-"cortar-y-pegar"> [Consulta: 12 de abril del 2015].

Lindvall, H. (2013). "Pirate sites are raking in advertising money from some multinationals" [en línea]. En *The Guardian,* el 5 de febrero del 2013. <http://

www.theguardian.com/media/2013/feb/05/pirate-sites-advertising-illegal-music-downloads> [Consulta: 21 de diciembre del 2014].

Lippmann, W. (1995). *Liberty and the News*. New Brunswick (New Jersey, Estados Unidos). Transaction Publishers.

Llobet, L. (marzo del 2013). "Periodismo y comunicación impresa. Programa de estudio". Río Cuarto (Argentina). Departamento de Ciencias de la Comunicación de la Universidad Nacional de Río Cuarto.

Llopart, S. (2015). "La máquina, enemigo íntimo". En *La Vanguardia*, el 21 de marzo del 2015.

Llorens, E., y Moreno, J. (2014). *Con ases en la manga. Recetas de magia para comunicar*. Barcelona: Ediciones Carena.

Lope *et al.* (2002). *Atajar la precariedad laboral. La concertación local, ¿marco para abordar las nuevas formas de empleo?* Barcelona: Icaria.

López López, M. "Signatures per la decència professional contra periodistes que fan publicitat". Mensaje a: afiliados Col·legi Periodistes de Catalunya. 2009 [fecha de consulta: 13 de marzo del 2015]. Comunicación personal.

López, M. (1995). *Cómo se fabrican las noticias*. Paidós: Barcelona.

López Arnal, S. (2014). "Los grandes grupos mediáticos son una pieza clave para su mantenimiento y perpetuación del sistema" [en línea]. En *Rebelion.org*, el 22 de octubre del 2014. <http://www.rebelion.org/noticia.php?id=191098> [Consulta: 8 de diciembre del 2014].

López de Miguel, A. (2014). "La UE y Estados Unidos se oponen proyecto de la ONU para obligar a las multinacionales a respetar los derechos humanos" [en línea]. En *Público*, el 29 de junio del 2014. <http://www.publico.es/internacional/ue-y-eeuu-oponen-al.html> [Consulta: 19 de enero del 2015].

—. (2014). "Las multinacionales escaparan al control político con el tratado de libre comercio Estados Unidos-Unión Europea". [En línea]. En *El País*, el 20 de mayo del 2012.   <http://www.publico.es/politica/521575/las-multinacionales-escaparan-al-control-politico-con-el-tratado-de-libre-comercio-ue-eeuu> [Consulta: 12 de octubre del 2014].

López, R.; López, B., y Bernabeu, N. (2009). "El editorial, el suelto y la crítica. Proyecto Mediascopio Prensa. La lectura de la prensa escrita en el aula". Madrid: Ministerio de Educación, Cultura y Deporte.

Lugo Benítez, J. E. (2007). "El proceso de internacionalización de las empresas en el mundo competitivo y globalizado actual". En *Contribuciones a la economía,* de junio del 2007. Texto completo en http://www.eumed.net/ce/

Luyendijk, J. (2016). *Entre tiburones. Una temporada en el infierno de las finanzas.* Barcelona: Malpaso Ediciones.

Macyca (2012). "George Soros tome el control para el NWO de parte de la ONU" [en línea]. En el blog de Macyca, el 1 de junio del 2012. <http://macyca.wordpress.com/2012/06/01/george-soros-toma-control-para-el-nwo-de-parte-de-la-onu/> [Consulta: 20 de diciembre del 2014].

Magallón, E. (2015). "Los bancos cobran hasta 4 euros por ingresar dinero". En *La Vanguardia,* el 9 de enero del 2015.

Mainar, R. (1906, 2005). *El arte del periodista.* Madrid: Destino.

Manning, P. (2001). *News and News Sources. A Critical Introduction.* London/Thousand Oaks/New Delhi: SAGE Publications.

Mannise, R. (2012). "Danone, obligado a retirar su publicidad engañosa después de 15 años" [en línea]. En *Ecocosas,* el 25 de junio del 2012. < http://ecocosas.com/noticias/danone-activia/> [Consulta: 19 de enero del 2015].

Marco Sanz, M. (2012). "Guía para elaborar la mejor nota de prensa" [en línea]. En el blog *El objeto de la comunicación,* en el 2012. <http://elobjetodelacomunicacion.blogspot.com.es/2014/11/una-guia-para-elaborar-la-mejor-nota-de.html> [Consulta: 11 de mayo del 2015].

Marín, N. (2013). "Las empresas que más invierten en publicidad en España" [en línea]. En *ReasonWhy,* el 17 de abril del 2013. <http://www.reasonwhy.es/reportaje/las-empresas-que-mas-invierten-en-publicidad-en-espana> [Consulta: 7 de febrero del 2015].

Mariñas, J. A. (2007). "Periodistas, empresas e instituciones, claves de una relación necesaria" [en línea]. En *Universia Business Review,* primer trimestre del 2007. <http://ubr.universia.net/pdfs/ubr0012007090.pdf> [Consulta: 20 de julio del 2014].

Marketing Directo (2014). "Cada vez son más los periodistas que encuentran trabajo fuera de los medios de comunicación" [en línea]. En Marketing Directo, el 31 de enero del 2014. <http://www.marketingdirecto.com/actualidad/medios/cada-vez-son-mas-los-periodistas-que-encuentran-trabajo-fuera-de-los-medios-de-comunicacion/> [Consulta: 15 de noviembre del 2014].

Markoff, J. (2015). "Cent anys per avaluar com evoluciona la intel·ligència artificial". En *The New York Times,* recogido en el *Diari Ara* el 5 de febrero del 2013. [Consulta: 8 de febrero del 2015].

Mars, A. (2012). "No digan *recortes,* llámenlo *amor*" [en línea]. En *El País,* el 5 de marzo del 2012. <http://sociedad.elpais.com/sociedad/2012/03/05/vidayartes/1330979259_557017.html> [Consulta: 15 de marzo del 2015].

Martí Gómez, J. (2016). *El oficio más hermoso del mundo. Una desordenada crónica personal.* Madrid: Clave Intelectual.

Martin, H. (1998). *La trampa de la globalización.* Barcelona: Taurus.

Martín, J. (2013). "Yahoo! compra Summly por 30 millones" [en línea]. En *El País,* el 2013. <http://tecnologia.elpais.com/tecnologia/2013/03/25/actualidad/1364226955_645775.html> [Consulta: 6 de julio del 2014].

Martínez Albertos, J. L. (1998). "Curso General de Redacción Periodística: lenguaje, estilos y géneros periodísticos en prensa, radio, televisión y cine". Madrid: Editorial Paraninfo.

Martínez de Sousa, J. (2003). *Libro de estilo Vocento.* Gijón: Trea.

—. (2007). *Manual de estilo de la lengua española. MELE 3.* Gijón: Trea.

Martínez Fustero, E. (2013). "Qué es un *community manager* y cuáles son sus principales funciones en la empresa" [en línea]. Blog de *IEBSchool,* el 24 de abril del 2013. <http://comunidad.iebschool.com/iebs/general/que-es-un-community-manager/> [Consulta 19 de julio del 2014].

Martínez-Priego, C. y Sanagustín, E. (2012). *Quiero ser community manager: diez profesionales y cinco compañías analizan una nueva realidad.* Madrid: ESIC Editorial.

Martínez, D. (2012). *Visión y estrategia de Amancio Ortega.* Barcelona: Conecta.

Martínez, J. (2006). "Ladrillos de oro". Reportaje sobre Marina d'Or. Barcelona: Suplemento La Revista, del diario *La Vanguardia.* 12-13.

Martini, S. (2000). *Periodismo, noticia y noticiabilidad* (Vol. 4). Editorial Norma.

Massot, J. (2015). "La palabra ha caído bajo la imposición del capital". En *La Vanguardia,* el 1 de abril del 2015.

Mayor, S. (2014). "Reporteros Sin Fronteras, libertad de prensa a lo Estados Unidos" [en línea]. ADITAL, noticias de América Latina y el Caribe, el 27 de marzo del 2014. <http://site.adital.com.br/site/noticia.php?lang=ES&cod=79931> [Consulta: 12 de julio del 2014].

McCabe, D. L. (2005). Cheating among college and university students: A North American perspective. *International Journal for Educational Integrity*, *1*(1).

McCabe, D. L.; Butterfield, K. D. y Trevino, L. K. (2003). "Faculty and academic integrity: The influence of current honor codes and past honor code experiences". *Research in Higher Education*, *44*(3), 367-385.

McChesney, R. W. (1999). *Rich media, poor democracy: Communication politics in dubious times*. Illinois (Estados Unidos). University of Illinois Press.

McQuail, D. (1998). *La acción de los medios: los medios de comunicación y el interés público*. Buenos Aires (Argentina). Amorrortu.

Meda, E. (2013). "Copiar y pegar: ¿hablamos de periodismo?" [en línea]. En la revista *Unir*, el 18 de julio del 2013. <http://revista.unir.net/2811-copiar-y-pegar-hablamos-de-periodismo> [Consulta: 28 de agosto del 2014].

Mediavilla, D. (2006). "Bacterias y plantas transgénicas, el futuro para limpiar los contaminantes vertidos por el hombre" [en línea]. En *Abc.es*, el 31 de julio del 2006. <http://www.abc.es/hemeroteca/historico-31-07-2006/abc/Sociedad/bacterias-y-plantas-transgenicas-el-futuro-para-limpiar-los-contaminantes-vertidos-por-el-hombre_1422683048284.html#> [Consulta: 13 de diciembre del 2014].

Mencher, M. (2000, octava edición). *News reporting and writing*. Boston: McGraw-Hill.

Mendigo (2012). "Los dueños de la información" [en línea]. En el blog *La mirada del mendigo*, el 9 de julio del 2012. <http://esmola.wordpress.com/2012/07/09/los-duenos-de-la-informacion-ii/> [Consulta: 12 de octubre del 2014].

Mendizábal, H. R., y Fernández, G. R. (2013). Recensión a *La doctrina del shock. El ascenso del capitalismo del desastre*, de Naomi Klein. Crítica Penal y Poder (5).

Meneses, E (2006). *Hasta aquí hemos llegado*. A Coruña: Ediciones del Viento.

Mesa, E. (2013). "Copiar y pegar: ¿hablamos de periodismo?" [en línea]. En la revista *Unir*, el 18 de julio del 2013. <http://revista.unir.net/2811-copiar-y-pegar-hablamos-de-periodismo> [Consulta: 12 de julio del 2014].

Meso, K. (2006). *Introducción al ciberperiodismo. Breve acercamiento al estudio del periodismo en internet.* Bilbao: Servicio Editorial de la Universidad del País Vasco.

Mezo, J. (2009). "Se recomienda revisar lo que se copia". En la página web www.malaprensa.com, el 28 de febrero del 2009. <http://www.malaprensa.com/2009/02/se-recomienda-revisar-lo-que-se-copia.html> [Consulta: 1 de septiembre del 2016].

Micó, J. Ll. (2012). *Ciberètica. TIC i canvi de valors.* Barcelona: Editorial Barcino (col·lecció Observatori dels Valors).

Micó, J. Ll. *[et al].* (2012). "Nínxols d'ocupació per a periodistes. Crisi, oportunitats en el sector i necessitats de formació". Barcelona: Laboratori Digital (Media, Strategy and Regulation) de la Facultat de Comunicació Blanquerna (Universitat Ramon Llull).

Micó, J. Ll. y Carbonell, J. M. (2015). "El periodismo, por su nombre". En *La Vanguardia,* el 23 de junio del 2015.

Ministerio de Educación y Ciencia del Gobierno de España: "La publicidad directa" [en línea]. En la página web del Ministerio. <http://tv_mav.cnice.mec.es/Optativas/Publicidad_prensa/Profesor/contenido_07.html> [Consulta: 30 de diciembre del 2014].

Missé, A. (2015). "Entre línies. Els mitjans de comunicació, condicionats per la seva dependència de les entitats financeres". En la revista *Capçalera* (número 168), en junio del 2015.

Moliner, M. (2000). *Diccionario de uso del español.* Madrid: Editorial Gredos.

Monbiot, G. (2002). "The fake persuaders" [en línea]. En *The Guardian,* el 14 de mayo del 2002. <http://www.theguardian.com/politics/2002/may/14/greenpolitics.digitalmedia> [Consulta: 12 de abril del 2015].

—. (2008). *Calor: cómo parar el calentamiento global.* Barcelona: RBA.

Mongolia, revista (2013). *Papel mojado. La crisis de la prensa y el fracaso de los periódicos en España.* Barcelona: Debate.

Morales Vallejo, P. (2011). *Escribir para aprender, tareas para hacer en casa.* Guatemala: Universidad Rafael Landívar.

Morales, G. (2005). "Prensa, poder y globalización" [en línea]. En el número 41 de El Catoblepas, en julio del 2005. <http://www.nodulo.org/ec/2005/n041p01.htm> [Consulta: 8 de diciembre del 2014].

Morán, G. (2015). "Cuando los diarios huelen". En *La Vanguardia,* el 16 de mayo del 2015.

—. (2015). "Legalidad e indecencia". En *La Vanguardia,* el 20 de junio del 2015.

Moreno Garrido, B. (2010). "Un toque de Historia. Historia de la propaganda y de la comunicación". En el blog de Belén Moreno, el 8 de febrero del 2010 [en línea]. <https://belenmoreno.wordpress.com/tag/censura/> [Consulta: 23 de enero del 2015].

Muciño, F. (2013). "'Brand journalism', la marca pone la noticia" [en línea]. En *Forbes,* el 19 de diciembre del 2013. <http://www.forbes.com.mx/brand-journalism-la-marca-pone-la-noticia/> [Consulta: 30 de marzo del 2015].

Mújica, L. E.; Ruiz, M.; Pozo, F.; Rodellar, J. y Güemes, A. (2014). "A structural damage detection indicator based on principal component analysis and statistical hypothesis testing". Smart Materials and Structures, 23, paper 025014, doi:10.1088/0964-1726/23/2/025014.

Multinacionales por Marca España (2015). "Lo que atrae al capital extranjero es saber que el talento que necesita está en el país donde se quiere instalar". [En línea]. En Multinacionales por Marca España, el 25 de abril del 2015. <http://multinacionalesmarcaespana.org/noticiasasociacion/page/2/> [Consulta: 27 de agosto del 2015].

Munford, L. (1979). *La ciudad en la historia.* Madrid: Ediciones Infinito.

Muñoz Corvalán, J. (2012). "Los *max media* y su influencia en la sociedad" [en línea]. En *Contribuciones a las Ciencias Sociales,* el 2012. <www.eumed.net/rev/cccss/22/> [Consulta: 6 de julio del 2014].

Muñoz Farías, D. (2006). "Nuevas formas de representación social: una investigación exploratoria-descriptiva del fenómeno del graffiti hip hop en Santiago".

Mur, R. (2015). "Nueva condena para Fujimori por comprar a la prensa sensacionalista". En *La Vanguardia,* el 10 de enero del 2015.

Murthy, D. (2013). *Twitter.* Estados Unidos: Polity Press.

Nada más que la verdad (2011). "La verdad sobre la crisis: multinacionales con multibeneficios" [en línea]. En *Nada más que la verdad,* el 6 de mayo del 2011. <https://nadamasquelaverdad.wordpress.com/2011/05/06/la-verdad-sobre-la-crisis-multinacionales-con-multibeneficios/> [Consulta: 8 de febrero del 2015].

Navarro, B. (2015). "Bruselas investiga las ventajas fiscales de Bélgica a multinacionales". En *La Vanguardia,* el 4 de febrero del 2015.

Navarro, M. F. (1995). *Democracia y reformas estructurales: explicaciones de la tolerancia popular al ajuste económico.* En *Desarrollo Económico,* pp. 443-466.

Negocios.com y Efe (2014). "¿Quién es George Soros, el tiburón que ronda la bolsa española?" [en línea]. En la página *Negocios.com,* el 22 de noviembre del 2014.   <http://www.negocios.com/noticias/george-soros-tiburon-ronda-bolsa-espanola-22112014-1956> [Consulta: 2 de enero del 2015].

Negro, A. (2014). "De la Internacional a la Multinacional pasando por la Audiencia Nacional" [en línea]. En *Diario Siglo XXI,* el 18 de octubre del 2008. <http://www.diariosigloxxi.com/texto-diario/mostrar/37670#.VDrDH2d_usw> [Consulta: 12 de octubre del 2014].

Niwattanakul, S.; Singthongchai, J.; Naenudorn, E., y Wanapu, S. (2013). *Using of Jaccard Coefficient for Keywords Similarity. Proceedings of the International Multi.* Conference on Engineers and Computer Scientists, Vol. I.

Noguera Guillén, J. (2006). "Gènesi i evolució de l'estructura del poblamentibèric en el curs inferior del riu Ebre: la Ilercavònia septentrional" [en línia]. Barcelona: Universitat de Barcelona. Departament de Prehistòria, Història Antiga i Arqueologia. <http://hdl.handle.net/10803/2599> [Consulta: 14 de abril del 2011].

Nosty, B. D. (2011). "La crisis en la industria de la prensa. Vida más allá del papel...". *Telos,* "cuadernos de comunicación e innovación" (86), 52-65.

Nosty, B. D., Roto, E., y Urbaneja, F. G. (2011). *Libro negro del periodismo en España.* Madrid: Asociación de la Prensa de Madrid.

Novo, M., y Zaragoza, F. M. (2006). *El desarrollo sostenible: su dimensión ambiental y educativa.* Pearson.

Noyon, R. (2015). "Grève des tweets aux Echos pour protester contre la confusion entre journalisme et publicité" [en línea]. En *Rue 89,* el 13 de marzo del 2015. <http://rue89.nouvelobs.com/2015/03/13/greve-tweets-echos-protester-contre-confusion-entre-journalisme-publicite-258176> [Consulta: 5 de julio del 2015].

Nullius, R. (2013). *Mundus furibundus.* Barcelona: Ediciones Carena.

Núñez Bohórquez, J., y Reyes Vera, E. (2013). "Nuevos retos del gerente del siglo XXI".

Núñez Ladeveze, L. (1991). *Manual para Periodismo.* Barcelona: Ariel.

Oberreuter, G.; Velásquez, J.D. (2013). *Text mining applied to plagiarism detection: The use of words for detecting deviations in the writing style.* Expert Systems with Applications, vol. 40, pp. 3756-3763.

Ochoa, A. (2012). "El periodismo de copiar y pegar" [en línea]. Londres: BBC. <http://www.bbc.co.uk/blogs/legacy/mundo/blog_de_los_editores/2012/07/como_la_pirateria_esta_acaband.html> [Consulta: 9 de julio del 2014].

Oliver, E. (2014). "Godó refuerza el área comercial para reanimar los castigados ingresos" [en línea]. En *Economía Digital,* el 5 de septiembre del 2014. <http://www.economiadigital.es/es/notices/2014/09/godo_refuerza_el_area_comercial_para_reanimar_los_castigados_ingresos_58868.php> [Consulta: 15 de febrero del 2014].

Olmos, V. (2007). "Nace la Asociación de la Prensa de Madrid" [en línea]. En el blog *La cueva de Zaratustra,* el 18 de noviembre del 2007. <http://www.tallerediciones.com/cuza/modules.php?name=News&file=article&sid=286> [Consulta: 23 de enero del 2015].

Orosa, B. G. (2011). *Poder y comunicación: conflicto contenido. Aproximación histórica a la institucionalización de actores de la opinión pública.* Revista *Alaic* (5).

Ortega, D. (1999). *Sinónimos, antónimos e ideas afines.* Barcelona: Editorial Ramón Sopena.

Ortiz, M. (1991). "¿Es el periodismo una profesión romántica?" [en línea]. En www.javierortiz.net, 31 de diciembre del 1991. <http://www.javierortiz.net/ant/ortizestevez/Conferencias/romantica.html> [Consulta: 8 de mayo del 2016].

Orwell, G. (2001). *1984.* Barcelona: Grupo Planeta.

Osborne, M. y Frey, C. B. (2015). "Will a robot take your job?" [en línea]. En la sección de tecnología de la BBC, el 11 de septiembre del 2015. <http://www.bbc.com/news/technology-34066941> [Consulta: 27 de diciembre del 2015].

Osorno, G. (2015). "Buen periodismo: tres líneas de investigación" [en línea]. En *Más por más,* el 9 de septiembre del 2015. <http://www.maspormas.com/2015/09/09/buen-periodismo-tres-lineas-de-investigacion/> [Consulta: 15 de septiembre del 2015].

Otero, M., y Vidal, V.: "Por un nuevo periodismo. Periodismo que cuenta" [en línea]. En *Somatents.* <http://www.somatents.com/periodismo-que-cuenta/#.U9KWbLyw2jp> [Consulta: 10 de julio del 2014].

Otto, C. (2012). "Los periodistas autónomos se están salvando de la crisis" [en línea]. En *El Confidencial,* el 19 de abril del 2012. <http://www.elconfidencial.com/tecnologia/2012-04-19/los-periodistas-autonomos-se-estan-salvando-de-la-

crisis_771753/> [Consulta: 21 de junio del 2015].

Over half your news is spin. (15 de marzo del 2010). Recuperado el 25 de agosto del 2015, de http://www.crikey.com.au/2010/03/15/over-half-your-news-is-spin/

Palomar, C. (2016). "Atenció ciutadana en precari" [en línea]. En *La veu del carrer,* de junio del 2016 (número 140). <http://favb.cat/pdfs/carrer_140/carrer140.pdf> [Consulta: 28 de junio del 2016].

Paredes, A. (2012). "Notas de prensa: Mejoras en Tecnología 21" [en línea]. En *Tecnologia21.com,* el 8 de agosto del 2012. <http://tecnologia21.com/62184/notas-prensa-seccion-tecnologia-21> [Consulta: 12 de abril del 2015].

Parratt, S. F. (2008). *Géneros periodísticos en prensa.* Quito (Perú): Ediciones Ciespal.

Pasamar, C. M., y Sala, C. T (2010). *Estrategias discursivas, didáctica de la lengua y nuevas tecnologías.* En *Cauce. Revista internacional de Filología, Comunicación y sus Didácticas.* Núm. 33.

Pavlik, J. V. (2001). *Journalism and New Media.* New York: Columbia University Press.

Peirón, F. (2010). "Todo el mundo se cree reportero en internet". Entrevista con el periodista Gay Talese, publicada el 23 de mayo del 2010. Barcelona: *La Vanguardia.*

—. (2014). "A Estados Unidos ya no se le mira con respeto". Entrevista con el periodista Gay Talese, publicada el 8 de junio del 2014. Barcelona: *La Vanguardia.*

Penela, C. G. (2004). "La selección de palabras clave para el posicionamiento en buscadores". Hipertext.net, 2.

Pérez Oliva, M. (2010). "Periodismo de refrito y composición". En *El País,* el 2 de mayo del 2010.

Pérez Varela, J. (1977). "Cuatrocientos millones para la prensa" [en línea]. En *El Imparcial,* el 24 de diciembre de 1977, recogido en el Archivo Linz de la Transición española.   <http://www.march.es/ceacs/biblioteca/proyectos/linz/Documento.asp?Reg=r-5689> [Consulta: 23 de enero del 2015].

Pérez-Reverte, A. (2014). "Sobre miedo, periodismo y libertad" [en línea]. En *El País,* el 22 de mayo del 2014. <http://sociedad.elpais.com/sociedad/2014/05/22/actualidad/1400782562_001431.html> [Consulta: 12 de octubre del 2014].

Pérez-Soler, S. (2015). *Usos periodísticos de Twitter. Comparativa entre redacciones tradicionales y digitales en Catalunya y Bélgica.* Dirigida por Josep Lluís Micó. Tesis doctoral. Universitat Ramon Llull, Facultat de Comunicació Blanquerna, 2015.

Pérez, J. (2011). "Cómo hacer periodismo con Twitter" [en línea]. En el blog *Obama World,* el 2011. <http://www.obamaworld.es/2011/04/17/como-hacer-periodismo-con-twitter/> [Consulta: 10 de julio del 2014].

Pérez, J. A. P. (1992). "Marketing de productos de gran consumo: adecuación del mensaje publicitario a un entorno cambiante". *Thélème,* "revista complutense de estudios franceses" (2), pp. 195-206.

Periodista Digital (2011). "Prometedora periodista del prestigioso *Político* renuncia por plagio" [en línea]. En el blog *Periodista Digital,* el 15 de octubre del 2011. <http://www.periodistadigital.com/periodismo/prensa/2011/10/15/prometedora-periodista-del-prestigioso-diario-politico-renuncia-por-plagio.shtml> [Consulta: 5 de enero del 2015].

Perkins, J. (2009). *Confesiones de un gángster económico.* Barcelona: Books4Pocket.

—. (2012). "Confesiones de un asesino económico" [en línea]. En YouTube, publicado el 28 noviembre del 2012. <https://www.youtube.com/watch?v=oh-j0icoz3o> [Consulta: 11 de enero del 2015].

Petición Pública (2014). "Recogida de firmas del manifiesto contra las ruedas de prensa sin preguntas" [en línea]. En peticionpublica.es, en mayo del 2011. <http://www.peticionpublica.es/viewsignatures.aspx?pi=P2011N9499&pg=63> [Consulta: 4 de octubre del 2014].

Peyró, E. (2014). "USO confía en que se inicie la negociación del ERE de Coca-Cola priorizando el empleo" [en línea]. En la Federación de Industria de la Unión Sindical Obrera, el 11 de julio del 2014. <http://www.presspeople.com/nota/nota-prensa-ere-Coca-Cola-uso> [Consulta: 20 de julio del 2014].

Pichihua, S. (2011). "Cadena elimina noticia tras descubrir plagio de artículo de *Washington Post"* [en línea]. En el blog *Clases de Periodismo,* el 24 de diciembre del 2011. <http://www.clasesdeperiodismo.com/2011/12/24/cadena-elimina-noticia-tras-descubrir-plagio-de-articulo-de-washington-post/> [Consulta: 5 de enero del 2015].

Pilger, J. (2007). *¡Basta de mentiras!* Barcelona: RBA.

Pinero, F. (2013). "Eufemismos en tiempos de crisis". [En línea]. En *Digital Extremadura,* el 29 de abril del 2013. <http://digitalextremadura.com/not/37051/eufemismos_en_tiempos_de_crisis> [Consulta: 15 de marzo del 2015].

Piquer, I. (2003). "Los 36 artículos falsos de Jayson Blair" [en línea]. En *El País,* el 13 de mayo del 2003. <http://elpais.com/diario/2003/05/13/sociedad/1052776808_850215.html> [Consulta: 5 de enero del 2015].

Placer, D. (2012). *"La Vanguardia* amplía los recortes a todos sus colaboradores" [en línea]. En *Economía Digital,* el 7 de marzo del 2012. <http://www.economiadigital. es/es/notices/2012/03/_la_vanguardia_amplia_los_recortes_a_todos_sus_ colaboradores_27586.php> [Consulta: 19 de febrero del 2015].

Plaza, F. (2008). "Utilidad y monetización de los agregadores de contenido" [en línea]. En *Fernandoplaza.com,* el 15 de agosto del 2008. <http://www.fernandoplaza. com/2008/08/utilidad-de-los-agregadores-de-contenido-y-su-monetizacion.asp> [Consulta: 6 de julio del 2015].

Plosker, S. (2011). *"The Independent:* columnista suspendido por plagio" [en línea]. En el blog *Reporte Honesto,* el 13 de julio del 2011. <http://reportehonesto.com/show. php?idnoticia=188> [Consulta: 5 de enero del 2015].

Polese, L. (2014). "En Twitter nace un nuevo periodismo" [en línea]. En *SocialBro,* en 2014. <http://es.socialbro.com/blog-es/en-twitter-nace-un-nuevo-periodismo> [Consulta: 10 de julio del 2014].

Pomares, A. (2012). "Criptomnesia, innovación y redes sociales". En el blog sobre recursos humanos, innovación y redes sociales corporativas *Serendipia,* el 23 de enero del 2012. <https://serendipia2.wordpress.com/2012/01/23/criptomnesia-innovacion-y-redes-sociales/> [Consulta: 21 de agosto del 2015].

Ponsa, F. (2015). "Informació opaca. Manca de transparència als mitjans de comunicació sobre els agents econòmics i financers de la seva estructura empresarial". Revista *Capçalera,* número 167.

Pozo, F.; Parés, N.; Vidal, Y. y Mazaira, F. (2010). *Probabilitat i estadística matemàtica: Teoria i problemes resolts.* Barcelona: Iniciativa Digital Politècnica.

Pozzi, S. (2013). "Microsoft gana 16.675 millones de euros y eleva un 28,7% el beneficio del último año" [en línea]. En *El País,* el 18 de julio del 2013. <http:// economia.elpais.com/economia/2013/07/18/actualidad/1374179635_851869. html> [Consulta: 22 de noviembre del 2014].

—. (2014). "Multa de 3.450 millones a seis bancos por manipular tipos de cambio" [en línea]. En *El País,* el 12 noviembre del 2014. <http://economia.elpais.com/ economia/2014/11/12/actualidad/1415777041_276049.html> [Consulta: 11 de enero del 2015].

PR Noticias (2010). "Efe pide a *PRNoticias* que no publique sus resultados" [en línea]. En Prnoticias.com, en el 2010. <http://www.sindicatperiodistes.cat/es/content/8000-periodistas-despedidos> [Consulta: 28 de agosto del 2014].

—. (2013). *"El Mundo* quiere cerrar en febrero nuevos ajustes en delegaciones" [en línea]. En *Prnoticias.com,* el 15 de enero del 2013. <http://www.prnoticias.com/index.

php/prensa/154-el-mundo-unidad-editorial-/20119114-el-mundo-quiere-cerrar-el-proximo-mes-ajustes-en-delegaciones-recortes-de-plantilla-y-de-paginacion>
[Consulta: 19 de febrero del 2015].

—. (2015). *"La Vanguardia* propone un recorte del 30% de su plantilla" [en línea].
En *Prnoticias.com,* el 19 de febrero del 2015. <http://www.prnoticias.com/index.php/
home/730/10032377-la-vanguardia-propone-un-recorte-del-30-de-su-plantilla>
[Consulta: 19 de febrero del 2015].

Prado, C.: "Información y comunicación para un mundo mejor".

Puentes, J. (2014). "Microsoft se une a las multinacionales que recortan nómina"
[en línea]. En *La República,* el 18 de julio del 2014. <http://www.larepublica.co/
microsoft-se-une-las-multinacionales-que-recortan-nómina_146686> [Consulta: 22
de noviembre del 2014].

Pulliam, S.; Kelly, K. y Mollenkamp, C. (2010). "Hedge
Funds Try 'Career Trade' Against Euro" [en línea]. En *The Wall Street
Journal,* el 26 de febrero del 2010. <http://www.wsj.com/news/articles/
SB10001424052748703795004575087741848074392?mod=WSJEUROPE_
hpp_LEFTTopStories&mg=reno64-wsj&url=http%3A%2F%2Fonline.wsj.
com%2Farticle%2FSB10001424052748703795004575087741848074392.
html%3Fmod%3DWSJEUROPE_hpp_LEFTTopStories> [Consulta: 20 de
diciembre del 2014].

Puro Marketing (2012). "No confundamos comunicación basura con una estrategia
de marketing de contenidos" [en línea]. En *Puro Marketing,* en el 2012. <http://
www.puromarketing.com/55/13929/confundamos-comunicacion-basura-estrategia-
marketing-contenidos.html> [Consulta: 28 de diciembre del 2014].

—. (2014). "¿Por qué las tradicionales notas de prensa ya no funcionan?" [en línea].
En *Puro Marketing,* en octubre del 2014. <http://www.puromarketing.com/55/23118/
tradicionales-notas-prensa-funcionan.html> [Consulta: 28 de diciembre del 2014].

Rabella, R. (2016). *El libro del lector.* Barcelona: Ediciones Carena.

Ramírez de la Piscina, T.; Gorosarri, M. G.; Aiestaran, A.; Zabalondo, B. y Agirre,
A. (2014). "Periodismo de calidad en tiempos de crisis. Análisis de la evolución de la
prensa europea de referencia (2001-2012)". *Revista Latina de Comunicación Social,* 69, pp.
248 a 274.

Ramírez, D. (2014). "Prensa dócil" [en línea]. En *Sin embargo,* el 29 de mayo del 2014.
<http://www.sinembargo.mx/opinion/29-05-2014/24288> [Consulta: 17 de marzo
del 2015].

Ramiro, P. (2014). "¿Hay moscas en las botellas de Coca-Cola? La propiedad de los medios, la propiedad de la información" [en línea]. En la revista *Pueblos,* el 22 de julio del 2014. <http://www.revistapueblos.org/?p=17515> [Consulta: 21 de diciembre del 2014].

—. (2014). "En plena crisis, las empresas no financieras ganaron el 49,5% más que en 13 años de esplendor" [en línea]. En el Observatorio de Multinacionales en América Latina, el 28 de octubre del 2014. <http://omal.info/spip.php?article6665> [Consulta: 17 de marzo del 2015].

Ramonet, I. (1998). *La tiranía de la comunicación.* Madrid: Debate

—. (1998). *Mass-media y política internacional en tiempo de guerra. Comunicació. Revista de recerca i d'anàlisi [abans Treballs de Comunicació]*, 125-140.

—. (2005). "Medios de comunicación en crisis", en *Le Monde Diplomatique,* edición española, número 111.

Ramos, R. (2016). "Condena sin paliativos. La comisión sobre la guerra de Iraq deja por los suelos la reputación de Blair". En *La Vanguardia,* el 7 de julio del 2016.

Randall, D. (2008). *El periodista universal.* Madrid: Siglo XXI de España Editores.

Raphael, R. (2015): "La infame fabricación de un incendio" [en línea]. En *El Universal,* el 7 de septiembre del 2015. <http://www.eluniversal.com.mx/entrada-de-opinion/columna/ricardo-raphael/nacion/2015/09/7/la-infame-fabricacion-de-un-incendio#.Ve15UO8S7Zw.twitte> [Consulta: 17 de mayo del 2016].

Ratzke, D. (1986). *Manual de los nuevos medios. El impacto de las tecnologías en la comunicación del futuro.* Barcelona: Gustavo Gili.

Real Academia Española (1992). *Diccionario de la lengua española.* Madrid: Ediciones Espasa.

—. (1999). *Ortografía de la lengua española.* Madrid: Ediciones Espasa.

Reality News-Mongolia (2013). *Papel mojado. La crisis de la prensa y el fracaso de los periódicos en España.* Barcelona: Debate.

Redacción Océano (1999). *Sinónimos y antónimos.* Barcelona: Editorial Océano.

Regent, P. (2011). *Comprender primero, vigilar después.* En la revista de antiguos alumnos del IEEM, 14 (5), pp. 12-14.

Reguero, N. "De l'associacionisme al cooperativisme. Recuperant la comunicación al servei de la ciutadania" [en línea]. En el Portal de la Comunicació del InCom de la UAB, sin fecha. <http://www.portalcomunicacio.org/monograficos_det.asp?id=238&lng=cat> [Consulta: 11 de octubre del 2014].

Reig, R (2004). *Dioses y diablos mediáticos. Cómo manipular el poder a través de los medios de comunicación.* Barcelona: Urano.

Revuelta, G. (1997). Entrevista con Lawrence Altman. Barcelona: *Quark,* diciembre de 1997.

Rey, A. (2013). "Branded content y sentido común" [en línea]. En el blog de Amalio Rey, el 21 de junio del 2013. <http://www.amaliorey.com/2013/06/21/branded-content-y-sentido-comun-post-362/> [Consulta: 20 de septiembre del 2014].

Rey, G. (2000). "Medios de comunicación y vida pública". En Conferencia dictada en el Encuentro Latinoamericano del Tercer Sector, Cartagena.

Riera, J. R. (2014). *El capital de Karl Marx.* Barcelona: Ediciones La Lluvia.

Riis, J. A (2004). *Cómo vive la otra mitad.* Barcelona: Alba.

Rincón, R. (2015). "El Tribunal Supremo confirma la nulidad del ERE de Coca-Cola" [en línea]. En *El País,* el 15 de abril del 2015. <http://economia.elpais.com/economia/2015/04/15/actualidad/1429093651_897117.html> [Consulta: 19 de abril del 2015].

Rius, J. C. (2014). "La cuarta crisis de la prensa escrita" [en línea]. En *eldiario.es,* el 18 de febrero del 2014. <http://www.eldiario.es/catalunya/opinions/cuarta-crisis-prensa-escrita_6_230336967.html> [Consulta: 23 de mayo del 2015].

Rius, J. C. (2016). *Periodismo en reconstrucción. De la crisis de la prensa al reto de un oficio más independiente y libre.* Barcelona: Universitat de Barcelona, Periodismo activo.

Rius, M. (2015). "Humanos en peligro de extinción". En *La Vanguardia,* el 22 de marzo del 2015.

—. (2015). "Viviendo con robots". En *La Vanguardia,* el 3 de mayo del 2015.

Rivas, L. (2014). "LuxLeaks: el último escándalo en la Unión Europea" [en línea]. En *Ria Novosti,* el 11 de noviembre del 2014. <http://sp.ria.ru/opinion_analysis/20141111/162997543.html> [Consulta: 8 de diciembre del 2014].

Rivera, A. (2013). "Jefes de prensa: ¿policía o mayordomo?" [en línea]. En el blog #*Niundíasinreporterismo,* el 7 de junio del 2013. <http://www.agustinrivera. com/2013/06/jEfes-de-prensa-policia-o-mayordomo/> [Consulta: 29 de noviembre del 2014].

Rivera, F. (2014). "WEF, foro sin beneficios para la gente" [en línea]. En *CNN Expansión,* el 2 de abril del 2014. <http://m.cnnexpansion.com/lifestyle/2014/04/01/ wef-foro-sin-beneficios-para-la-gente> [Consulta: 5 de abril del 2015].

Rizzo, C. (2009). "La publicidad como segundo empleo de cada vez más presentadores de informativos" [en línea]. En el diario *20 Minutos,* el 14 de julio del 2009. <http:// www.20minutos.es/noticia/478588/0/presentadores/publicidad/television/> [Consulta: 30 de julio del 2014].

Robinson, A. (2011). *Un reportero en la montaña mágica. Cómo la élite económica de Davos hundió el mundo.* Barcelona: Ariel.

—. (2015). "Cómo ser líder de los 'global shapers'". En La *Vanguardia,* el 20 de enero del 2015.

—. (2015). "El analfabetismo económico es un modo de consentir". En *La Vanguardia,* el 7 de abril del 2015.

—. (2016). "No hay invasión de las màquines..., ya están aquí". En *La Vanguardia,* el 25 de enero del 2016.

Rodríguez Pacheco, P. (2015). *La otra mirada. Literatura española, ¿crimen o suicidio?* Barcelona: Ediciones Carena.

Rodríguez, E. (2009). *Palabras que venden.* Barcelona: Editorial Astro Uno.

Rojas Vera, L. R. (1994). "El gerente: paradigmas y retos para su formación" [en línea]. En *Revistas científicas y humanísticas,* en 1994. <http://www.produccioncientificaluz.org/ index.php/encuentro/article/view/920> [Consulta: 22 de febrero del 2015].

Román Hernández, J. (2011). *Guía para copiar y pegar en internet (y que no te apaleen en el intento)* [en línea]. En *Emezeta.com,* el 14 de junio del 2011. <http://www.emezeta.com/ articulos/guia-para-copiar-y-pegar-en-internet> [Consulta: 12 de abril del 2015].

Román, R. (2009). *Nuevo Marketing. Del 1.0 al 2.0: claves para entender el nuevo marketing.* España: Bubok.

Romano, V (2007). *La formación de la mentalidad sumisa.* Barcelona: El Viejo Topo

Roses, S. (2011). "Estructura salarial de los periodistas en España durante la crisis".

En la *Revista Latina de Comunicación Social,* 66, pp. 178-209.

Rovira, J. (2015). "Set coses que es mouen al periodisme (i potser no sabies)" [en línea]. En *Report.cat,* del Col·legi de Periodistes de Catalunya, el 27 de junio del 2015. <http://www.report.cat/7-coses-mouen-periodisme-tendencia-llista-novetats-gen-summit-2015/> [Consulta: 1 de julio del 2015].

RTVE. (2016). "Pepper, un robot humanoide que puede ser guía, dependiente, recepcionista...". En RTVE.es, el 27 de junio del 2016. <http://www.rtve.es/alacarta/videos/telediario/pepper-robot-humanoide-puede-ser-guia-dependiente-recepcionista/3647593/> [Consulta: 27 de junio del 2016].

Rubio, R. (2014). "Las comunidades digitales y el *community manager"* [en línea]. <http://www.educacionline.com/instituto-de-marketing-online/author/runningz/> [Consulta: 6 de abril del 2015].

Rueda, A. M. (2013). "El discurso referido en teletipos y noticias de la prensa española". Círculo de lingüística aplicada a la comunicación, 40, 33-61.

Ruiz, C. (2008). *La agonía del cuarto poder. Prensa contra democracia.* Barcelona: Trípodos.

Ruiz, M. (2015). "Las trampas del tratado comercial que blindará a las multinacionales" [en línea]. En *Público,* el 19 de enero del 2015. <http://www.publico.es/internacional/europa/trampas-del-tratado-comercial-blindara.html> [Consulta: 7 de febrero del 2015].

Russial, J. (2009). "Growth of multimedia not extensive at newspapers". Newspapers Research Journal. Vol. 30, núm. 3, p. 58-74.

Sabés, F. y Verón, J. J. (2009). *La eficacia de lo sencillo. Introducción a la práctica del periodismo.* Sevilla: Comunicación Social Ediciones y Publicaciones.

Sádaba, I., y Rivera, J. D. (2014). En *Teknokultura,* "revista de cultura digital y movimientos sociales, 11 (3), pp. 501-506.

Sáez Vacas, F. (2004). "Copiar y pegar" [en línea]. En la revista *Telos,* en enero-marzo 2004. <http://www.gsi.dit.upm.es/~fsaez/OtrosArticulos/copiarypegar.html> [Consulta: 30 de julio del 2014].

Saéz Vacas, F.; García, O.; Palao, J., y Rojo, P. (2003). *Innovación tecnológica en las empresas.*

Said Hung, E. y Yezerska, L. (2013). "The management of the Social Media at the Iberoamerican's mass media". En la E. S. H. P. de Periodismo, Universidad de Navarra.

Salaverría, R. (2012). *Medios y periodistas, ¿futuro compartido?*

Salaverría, R. (2015). "Periodismo en el 2014: balance y tendencias" [en línea]. En *Cuadernos de Periodistas,* el 19 de enero del 2015. <http://www.cuadernosdeperiodistas. com/periodismo-en-2014-balance-y-tendencias/> [Consulta: 22 de febrero del 2015].

Salmon, C. (2008). *Storytelling: La máquina de fabricar historias y formatear las mentes.* Barcelona: Ediciones Península.

Sampieri, R. H., Collado, C. F., Lucio, P. B., y Pérez, M. D. L. L. C. (1998). *Metodología de la investigación.* McGraw-Hill.

Sanagustín, E. (2013). "Que no, que branded content y content marketing no son lo mismo" [en línea]. En el blog de Eva Sanagustín, el 3 de junio del 2013. <http:// www.evasanagustin.com/workaholic/2013/06/03/contenidos-que-no-que-branded-content-y-content-marketing-no-son-lo-mismo/> [Consulta: 30 de marzo del 2015].

Sancha, D. (2005). "El uso de la información de agencia en las ediciones electrónicas de diarios en España". Athenea Digital, 8. Disponible en: http://antalya.uab.es/athenea/num8/sancha.pdf

Sánchez-Silva, C. (2015). "Europa no era competitiva antes de la crisis ni lo es ahora" [en línea]. En *El País,* el 27 de enero del 2015. <http://economia.elpais.com/ economia/2015/01/27/actualidad/1422381948_598403.html> [Consulta: 1 de febrero del 2015].

Sánchez-Tabernero, A. (2008). *Los contenidos de los medios de comunicación: calidad, rentabilidad y competencia.* Barcelona: Ediciones Deusto.

Sánchez-Vega, F.; Villatoro-Tello, E.; Montes-y-Gómez, M.; Villaseñor-Pineda, L.; Rosso, P. (2013). *Determining and characterizing the reused text for plagiarism detection.* Expert Systems with Applications, vol. 40, pp. 1804-1813.

Sánchez, G. (2015). *La polivalència periodística a les agències de notícies: Un estudi comparatiu entre els perfils professionals de l'ACN, EFE i Europa Press.* Dirigida por Josep Lluís Micó. Tesis doctoral. Universitat Ramon Llull, Facultat de Comunicació Blanquerna, 2015.

Sánchez, J. L. (2011). "Un estudio vincula 14 bancos españoles con fabricantes de armas prohibidas" [en línea]. En *Periodismo humano,* el 4 de mayo del 2011. <http:// periodismohumano.com/economia/un-estudio-vincula-a-14-bancos-espanoles-con-fabricantes-de-armas-prohibidas.html> [Consulta: 15 de marzo del 2015].

Sánchez, V. (2013). "Cómo escribir una nota de prensa" [en línea]. En *La Practicopedia de la Información,* el 13 de septiembre del 2013. <http://trabajo.practicopedia. lainformacion.com/marketing-y-relaciones-publicas/como-escribir-una-nota-de-

prensa-20048> [Consulta: 28 de diciembre del 2014].

Sanchís, I. (2015). "He dedicado mi vida a seguir la pista al dinero". En La Contra de *La Vanguardia*, el 12 de mayo del 2015. Entrevista con Susan George.

Sandoval, M. T. (2003). "Géneros informativos: la noticia". En Díaz Noci, J; Salaverría, R. *Manual de redacción ciberperiodística*. Barcelona: Ariel.

—. (2005). *El periodista digital: precariedad laboral y las nuevas oportunidades.* Telos: *Cuadernos de comunicación e innovación* (63), 9-12.

Sandri, P. M. (2016). "¿Seré el jefe de mi robot?" [en línea]. En *La Vanguardia*, el 12 de junio del 2016. <http://www.lavanguardia.com/economia/20160612/402444131692/sere-jefe-mi-robot.html> [Consulta: 12 de junio del 2016].

Santa Barbara City College (SBCC). "Briefs" [en línea]. En SBCC, sin fecha. <http://www.sbcc.edu/journalism/manual/checklist/briefs.php> [Consulta: 5 de julio del 2014].

Santos, J. L. (2015). *La prensa que se vendió.* Barcelona: Ediciones Carena.

Sartori, G. (2002). *Homo videns: la sociedad teledirigida.* Barcelona: Taurus.

Schechter, D. (2004). *Las noticias en tiempos de guerra. Medios de comunicación: ¿información o propaganda?* Barcelona: Paidós.

Schmidt, E., y Cohen, J. (2014). *El futuro digital.* Madrid: Anaya Multimedia.

Scholz, T. (2013). *Digital labor: The Internet as playground and factory.* New York: Routledge.

Schwoebel, J. (1971). *La prensa, el poder y el dinero.* Dopesa: Barcelona.

Seco, M. (2001). *Diccionario de dudas y dificultades de la lengua española.* Madrid: Editorial Espasa.

Segura, J. L.: Entrevista con José Luis Segura, de enero del 2015.

Sellas, T., y Barrera, J. (2013). "Propuestas de actuación ante la crisis del sector de la comunicación". Barcelona: Mesa sectorial de los medios de comunicación de Catalunya.

Sempere, P. (2013). "Cómo conseguir que los medios de comunicación publiquen tus novedades sin gastar dinero en publicidad" [en línea]. En el blog *Quaderno*, el 27 de agosto del 2013. <http://getquaderno.es/blog/como-conseguir-que-los-medios-de-comunicacion-publiquen-tus-novedades-empresariales-sin-gastar-dinero-en-

publicidad/> [Consulta: 6 de diciembre del 2014].

Semyoticom (2015). "La crisis del periodismo" [en línea]. En *Ctxt,* el 13 de abril del 2015. <http://ctxt.es/es/20150312/politica/549/La-crisis-del-periodismo-Periodismo-Cebrián-Telemadrid-España-Comunicación-Controversias-CTXT.htm> [Consulta: 23 de mayo del 2015].

Sen, C. (2014). "Alguna alegría y mucha cabeza". En *La Vanguardia,* el 22 de diciembre del 2014.

SEO (2011). "La descripción definitiva del trabajo del *community manager"* [en línea]. En *Redacción y SEO,* "el arte de escribir en digital", el 4 de marzo del 2011. <http://www.redaccionseo.com/la-descripcion-definitiva-del-trabajo-del-community-manager/> [Consulta: 5 de septiembre del 2014].

Serrano, P. (2010). *Traficantes de información. La historia oculta de los medios de comunicación españoles.* Madrid: Akal.

Servimedia (2013). "El papel de las agencias de noticias en el siglo XXI" [en línea]. En Estudio de Comunicación, el 10 de julio del 2013. <http://www.estudiodecomunicacion.com/extranet/portfolio-view/el-papel-de-las-agencias-de-noticias-en-el-siglo-xxi/> [Consulta: 17 agosto del 2015].

Sevillano, L., y González, M. (2015). "Las cifras del paro. Evolución del número de parados, datos por sectores y su evolución interanual" [en línea]. En *El Mundo,* el 4 de agosto del 2015. <http://www.elmundo.es/grafico/economia/2014/10/01/542c442a268e3ee96c8b457c.html> [Consulta: 5 de mayo del 2016].

Sierra Caballero, F., y Moreno Gálvez, J. (2001). *Precariedad laboral de los periodistas, la mordaza de la prensa libre. Tentación peligrosa de pasividad.* Comunicación, 14, 15.

Sin autor (2016). "El *periodismo light,* sobre el bien y el mal" [en línea]. En *Jet-set,* sin fecha. <http://www.jetset.com.co/que-pasa-con-noticas-chismes-del-jetset-nacional-e-internacional/articulo/el-periodismo-light-sobre-el-bien-y-el-mal/6770> [Consulta: 15 de junio del 2016].

Sinclair, U. (2012). *La jungla.* Madrid: Capitán Swing.

Singer, J. B. (2008). "The journalist in the network. A shifting rationale for the gatekeeping role and the objectivity norm". Trípodos. Vol. 1, núm. 23, p. 61-76.

Socialmod.com (2014). "¿Qué es el branded content?" [en línea]. En el blog *40 de Fiebre.* <http://www.40defiebre.com/que-es/branded-content/> [Consulta: 20 de septiembre del 2014].

Soengas Pérez, X.; Rodríguez Vázquez, A. I., y Abuín Vences, N. (2014). "La situación profesional de los periodistas españoles: las repercusiones de la crisis en los medios". Tenerife: *Revista Latina de Comunicación Social,* 69, pp. 104-124.

Sohr, R. (1998). *Historia y poder de la prensa.* Chile: Andrés Bello.

Solanas García, I. (2011). *Orígenes de la publicidad moderna (1800-1925). Aparición de la dirección y la gestión de cuentas como función profesional en las agencias de publicidad modernas.* Dirigida por Joan Sabaté López. Tesis doctoral. Universitat Ramon Llull, Facultat de Comunicació Blanquerna, 2011.

Soriano, J. (2004). Llibre blanc de la professió periodística a Catalunya. Informe de la recerca qualitativa. Barcelona: Col·legi de Periodistes, UAB.

Soros, G. (1999). *La crisis del capitalismo global: la sociedad abierta en peligro.* Madrid: Debate.

—. (2008). *El nuevo paradigma de los mercados financieros. Para entender la crisis económica actual.* Madrid: Taurus.

—. (2010). *Mi filosofía.* Madrid: Taurus.

Squires, J. D. (1994). *¡Chantaje a la prensa! La comunicación en manos de las grandes multinacionales.* Barcelona: Prensa Ibérica.

Starr, P. (2009). *Adiós a la era de los periódicos (bienvenida una nueva era de corrupción),* en: Espada, A., y Hernández-Busto, E. (eds.), *El fin de los periódicos. Crisis y retos del periodismo actual.* Barcelona: Duomo Ediciones.

Steel, R. (2008). *El periodista y el poder. Biografía de Walter Lippmann.* Madrid: Cuadernos Langre.

Stiglitz, J. E. (2006). *Cómo hacer que funcione la globalización.* Madrid: Taurus.

Suñé Llinás, E. (2014). "Actividad de la comisión de arbitraje, quejas y deontología del periodismo en el 2014". En la revista *Periodistas,* en diciembre del 2014, número 36. Madrid: FAPE.

Svetlana, A. (2015). *El fin del* Homo sovieticus. Barcelona: Acantilado.

Taibo, C. (2013). "Crisis es estafa" [en línea]. En Youtube, el 28 de febrero del 2013. <https://www.youtube.com/watch?v=1wl9j-cF_fg> [Consulta: 1 de noviembre del 2014].

Tellería Roca, E. (1986). *Diccionario periodístico*. Santiago de Cuba (Cuba). Editorial Oriente.

Terranova, T. (2014). Network culture. London: Pluto, 2014.

The Economist (2012). "A week's wages" [en línea]. En *Economist.com,* el 12 de junio del 2013. <http://www.economist.com/blogs/graphicdetail/2013/06/daily-chart-6?fsrc=scn/fb/wl/dc/weekswages> [Consulta: 1 de noviembre del 2014].

Thompson, I. (2005). *Definición de publicidad*. Recuperado el 2 de mayo del 2016, de http://brd.unid.edu.mx/recursos/PUBLICIDAD/BLOQUE1/Lecturas/1.3%20 Puyblicidad.%20Sus%20definiciones.pdf

Timsit, S. (2012). "Las diez estrategias de manipulación mediática" [en línea]. En el blog *Emailizados,* el 6 de marzo del 2012. <http://emailizados.net/index.php?option=com_ content&view=article&id=264:sylvain-timsit-las-10-estrategias-de-manipulacion-mediatica&catid=143&Itemid=688> [Consulta: 12 de octubre del 2014].

Tinoco, S.: "Copiar y pegar no es periodismo" [en línea]. En el blog *Lo que diga McLuhan.*   <http://loquedigamcluhan.blogspot.com.es/2011/10/teoria-copiar-y-pegar-no-es-periodismo.html> [Consulta: 12 de abril del 2015].

Toledo, D. (2013). "Los editores de prensa se regalan pañuelos y corbatas de Loewe tras quintuplicar pérdidas" [en línea]. En *El Confidencial,* el 4 de diciembre del 2013. <http://www.elconfidencial.com/comunicacion/2013-12-04/los-editores-de-prensa-se-regalan-panuelos-y-corbatas-de-loewe-tras-quintuplicar-perdidas_62083/> [Consulta: 11 de mayo del 2015].

—. (2014). "Telefónica se inclina al final por Havas para su 'megacontrato' de medios y publicidad" [en línea]. En *El Confidencial,* el 17 de octubre del 2014. <http://www. elconfidencial.com/comunicacion/2014-10-17/telefonica-se-inclina-al-final-por-havas-para-su-megacontrato-de-medios-y-publicidad_251900/> [Consulta: 13 de diciembre del 2014].

Top Comunicación y AxiCom (2013). "La función de comunicación vista por los profesionales de la información" [en línea]. En Top Comunicación, el 20 de marzo del 2014.   <http://www.topcomunicacion.com/archive/files/20140320143138_ YODYBZ.pdf> [Consulta: 25 de agosto del 2015].

Torres Santomé, J. (2001). *Educación en tiempos de neoliberalismo.*

Tortosa, J. M. (1994). "Violencia y pobreza: una relación estrecha". En *Papeles para la Paz.*

Tosas, G. (2016). "El robot periodista, más realidad que ficción" [en línea]. En *Lavanguardia.com,* el 12 de junio del 2014. <http://www.lavanguardia.com/tecnologia/

innovacion/20140612/54408929251/robot-periodista-realidad-ficcion.html>
[Consulta: 29 de junio del 2016].

Treadway, C., y Smith, M. (2010). *Facebook marketing: an hour a day*. Estados Unidos (Indianapolis): Wiley, 2010.

Triginer, J. M. (2014). *Sociedad poscapitalista*. Barcelona: Ediciones Carena.

Trinidad, E. (2012). "¿Quién inventó el copiar y pegar?" [en línea]. En *Discovery News*, el 23 de octubre del 2012. <http://news.discovery.com/tech/gear-and-gadgets/who-invented-cut-copy-and-paste.htm> [Consulta: 29 de diciembre del 2014].

Troitiño, J. M. R. (1999). "Géneros periodísticos en las agencias de prensa. Estudios sobre el mensaje periodístico", (5), 159-167.

Tuchman, G. (1972). "La objetividad como ritual estratégico. Análisis de las nociones de objetividad de los periodistas", en *Cuadernos de Información y Comunicación* de la Universidad Complutense de Madrid, España, mayo del 2014: http://revistas.ucm.es/index.php/CIYC/article/view/CIYC9899110199A

—. (1978). *Making News. A study in the Construction of Reality*. New York: The Free Press.

Uharte, L. M. (2014). "Las multinacionales, agentes estratégicos del capital. Guía para evaluar sus impactos". En *Barataria*, "revista castellano-manchega de ciencias sociales" (18), pp. 97-111.

Unión General de Trabajadores (2013). "Comedores universitarios: el recorte del gerente" [en línea]. En feteugtugr.wordpress.com, el 12 de noviembre del 2014. <https://feteugtugr.wordpress.com/2013/11/12/comedores-universitarios-el-recorte-del-gerente/> [Consulta: 22 de febrero del 2015].

Urdaneta, S. (2014). "Anunciantes, la publicidad en papel ha muerto" [en línea]. En *Silicon News*, el 11 de febrero del 2012. <http://www.siliconnews.es/2012/02/11/anunciantes-la-publicidad-en-papel-ha-muerto/> [Consulta: 21 de diciembre del 2014].

—. (2014). "El breve es un puño cerrado" [en línea]. En la Fundación por el Nuevo Periodismo Iberoamericano, el 23 de agosto del 2014. <http://fnpi.org/bastenier2014/el-breve-es-un-puno-cerrado/> [Consulta: 15 de diciembre del 2014].

Valarino, E. (2003). "Gerencia del cambio y transición". En la *Agenda académica*, 10 (1), p. 65.

Valdez, A. y Rivera, R. (2009). "Obama en la prensa latinoamericana" [en línea]. En *Latina*, la "revista latina de comunicación social". <http://www.revistalatinacs.

org/09/art/10_809_21_Guadalajara/Valdez_Zepeda_y_Rivera.html> [Consulta: 8 de noviembre del 2014].

Valenzuela Feijóo, J. C. (1991). "Crítica del modelo neoliberal. El FMI y el cambio estructural". En la Colección América Latina. Universidad Nacional Autónoma de México, Facultad de economía. México.

Valls, J. F. (2010). *Reinventar el modelo de negocio para vender más barato. Aproximación al análisis comparado de las estrategias* low cost. *Revista de contabilidad y dirección, 11,* 11-24.

Van Dijk, T. A. (1990). *La noticia como discurso. Comprensión, estructura y producción de la información.* Barcelona: Ediciones Paidós (Título original: *News as Dicourse,* 1980. Traducción: Guillermo Gal).

—. (2009). *Discurso y poder.* Barcelona: Gedisa.

Van Helsing, J. (1995). *Sociedades secretas y su poder en el siglo XX.* Gran Canaria: Ewert Verlag.

Varadan, S. (2014). "The Organization Structure of a Multinational Company" [en línea]. En *eHow Contributor.* <http://www.ehow.com/about_6362469_organization-structure-multinational-company.html> [Consulta: 8 de febrero del 2015].

Vargas Llosa, M. (2012). "Aguirre, esa Juana de Arco liberal" [en línea]. En *El País,* el 23 de septiembre del 2012. <http://elpais.com/elpais/2012/09/21/opinion/1348221572_610127.html> [Consulta: 15 de febrero del 2014].

—. (2012). "Nos hunden el *periodismo light* y el desprestigio político". En agencia Efe, España, 15 de abril del 2014: http://www.noticel.com/noticia/122142/vargas-llosa-nos-hunden-el-periodismo-light-y-el-desprestigio-politico.html

Varios autores (2007). *Fundamentos del marketing.* México: Interamericana.

—. (2007). *Manipulación y medios en la sociedad de la información.* Madrid: La Torre.

—. (2011). *"Community manager: ¿qué es?"*, en *Grupo Reputación Corporativa,* en diciembre del 2013: http://www.communitymanager.cc/community-manager-que-es/

—. (2012). *El futuro del periodismo.* Madrid: Evoca Comunicación e Imagen.

—. (2014). *Cuando encuentres a Malinowski y otros relatos de periodismo.* Barcelona: Base.

—. "Aula crítica. Empresas transnacionales y derechos humanos" [en línea]. En el Observatorio de Multinacionales en América Latina, sin fecha. <http://omal.info/spip.php?article5701> [Consulta: 15 de noviembre del 2014].

Veiga, F. (2011). *La fábrica de las fronteras*. Madrid: Alianza.

Vela Peón, F. (2001). *Un acto metodológico básico de la investigación social: la entrevista cualitativa. Observar, escuchar y comprender. Sobre la tradición cualitativa en la investigación social*, 63.

Velásquez, C. M., y Torres, J. E. (2004). *Dominio informativo, ¿quién tiene el poder?* Palabra Clave.

Ventura, P. "¿Es el branded content periodismo?" [en línea]. En blogs de *Lavanguardia. com*, el 15 de mayo del 2013. <http://blogs.lavanguardia.com/sintonia-td/es-el-branded-content-periodismo-59954> [Consulta: 20 de septiembre del 2014].

Vergara, P. (1985). *Relación periodista-fuentes de información*.

Vidal-Folch, I. (2012). "Eufemismos de la situación" [en línea]. En *El País*, el 24 de febrero del 2012. <http://ccaa.elpais.com/ccaa/2012/02/24/catalunya/1330114608_328592.html> [Consulta: 15 de febrero del 2014].

Vidal, M. (2014). "Robotizar el periodismo" [en línea]. En *marcvidal.net*, el 24 de abril del 2014. <http://www.marcvidal.net/blog/2014/04/robotizar-el-periodismo.html> [Consulta: 8 de mayo del 2016].

Villanea, M. A. (2012). "¿Cómo puede limitarse el poder de multinacionales como Exxon Mobil" [en línea]. En *El País*, el 27 de mayo del 2012. <http://internacional.elpais.com/internacional/2012/05/27/eldebate/1338135684_743315.html> [Consulta: 8 de febrero del 2015].

Viñas, M. (2013). "El periodismo de marca o las multinacionales que juegan a ser medios" [en línea]. En *La voz de Galicia*, el 21 de abril del 2013. <http://www.lavozdegalicia.es/noticia/vidadigital/2013/04/21/periodismo-marca-multinacionales-juegan-medios/0003_201304SM21P19995.htm> [Consulta: 18 de enero del 2015].

Walton, D. (1992). *¿Sabe usted comunicarse? Un gerente que no sabe comunicarse no puede tener éxito*. México: McGraw-Hill.

Wang, S.; Qi, H.; Kong, L., y Nu, C. (2013). "Combination of VSM and Jaccard coefficient for external plagiarism detection," in Machine Learning and Cybernetics (ICMLC), 2013 International Conference on , vol. 04, no., pp.1880-1885, 14-17 July 2013. doi: 10.1109/ICMLC.2013.6890902'

Ward, J.; Hansen, K. (1997). *Search Strategies in Mass Communication*. New York: Longman.

Warren, C. N. (1979). *Géneros periodísticos informativos*. Barcelona: ATE.

Weber, M. (2007). *La política como profesión*. Madrid: Biblioteca Nueva.

Weill, G. (2007). *El periódico. Orígenes, evolución y función de la prensa periódica*. Sevilla: Comunicación Social Ediciones y Publicaciones.

Werner, K. y Weiss, H. (2003). *El libro negro de las marcas. El lado oscuro de las empresas globales*. Buenos Aires: Editorial Sudamericana.

WikiHow (2015). "Cómo enviar un comunicado de prensa" [en línea]. En http:// es.wikihow.com.   <http://es.wikihow.com/enviar-un-comunicado-de-prensa> [Consulta: 4 de julio del 2015].

Wikipedia (2014). "Breve periodístico" [en línea]. En *Wikipedia.org,* el 27 de junio del 2014. <http://es.wikipedia.org/wiki/Breve_period%C3%ADstico> [Consulta: 4 de octubre del 2014].

Wilensky, A. L. (1998). *Promesa de la Marca.*

Wimmer, R. D., y Dominick, J. R. (1996). *La investigación científica de los medios de comunicación: una introducción a sus métodos*. Barcelona: Editorial Bosch.

Wolf, M. (1987). *La investigación de la comunicación de masas*. Barcelona: Paidós.

Wolfe, T. (1998). *El Nuevo Periodismo*. Barcelona: Anagrama [7 edición].

Wrench, J. S., Thomas-Maddox, C., Richmond, V. P., y McCroskey, J. C. (2008). *Quantitative research methods for communication: A hands-on approach*. Oxford (Inglaterra): Oxford University Press, Inc.

Xuriguera, J. B. (2007). *Los verbos castellanos conjugados*. Barcelona: Editorial Claret.

Zamora Cabot, F. J. (2012). "La responsabilidad de las empresas multinacionales por violaciones de los derechos humanos: práctica reciente".

Ziegler, J. (2013). *Los nuevos amos del mundo*. Barcelona: Destino.

Zizek, S. (2012). *¡Bienvenidos a tiempos interesantes!* Navarra: Txalaparta.

Zuckerberg, M. (2015). Entrevista de Jessica Guynn *[USA Today]*. Recuperado de *Grandes entrevistas de la Historia,* publicado por Libros de Vanguardia, en el tomo 5, entrevista 16 (Barcelona, 2016).

11. ANEXOS

"Dos ministros de Angela Merkel han tenido que dimitir por copiar sus trabajos universitarios."
Se trata de la ex ministra de Educación y Ciencia Annette Schavan y del ex ministro de Defensa Karl Theodor zu Guttenberg
En *ABC.es,* el 30 de julio del 2013

"Cada vez parece que abunda más la especie nombrada 'periodista de ordenador'. Esta especie de ser periodístico que se pasa toda la jornada laboral delante de un ordenador copiando y pegando noticias de agencia o de otros medios y que solo pisa la calle para ir y volver de su casa a la redacción."
Sergi Escudero en el artículo "La nostalgia woodyallenesca del periodismo", publicado en *Murray Magazine,* el 12 de enero del 2015

"El poder de las grandes multinacionales y su influencia en los medios receptores de los sustanciosos presupuestos en publicidad que manejan no son nuevos. Pero sí lo es su magnitud, multiplicada como consecuencia de la crisis económica."
En *Papel mojado. La criris de la prensa y el fracaso de los periódicos en España,* por la revista *Mongolia*

11.1 ANEXO I

La muestra

EN LÍNEA

OSBORNE & CLARKE

Nueva línea para asesorar a 'start-ups'

■ La firma internacional Osborne Clarke ha creado un *start-up desk* para ofrecer asesoramiento legal multidisciplinar de bajo coste a proyectos e ideas de emprendedores. El equipo, dirigido por Tomás Degà, está formado por los abogados Xavier Frías, Roger Segarra, José Ramón Mallol y Anna Iborra. / Redacción

SEGADORS DEL DELTA

El 1% del beneficio, al parque natural

■ La Cooperativa d'Arrossaires del Delta, titular de la marca de arroz Segadors del Delta, aporta el 1% de sus beneficios a colaborar en la protección, mejora y divulgación del delta del Ebro. La aportación, que se realizó también el año pasado, financia un taller divulgativo y refugios para la fauna. / Redacción

AMEC

Referencia de 'networking' en la UE

■ La Comisión Europea ha seleccionado a AMEC como referencia de buenas prácticas para las pymes e impulsar la internacionalización. AMEC está en un programa comunitario con 7 entidades de Francia, Reino Unido, Polonia, Alemania, Italia y Países Bálticos. / Redacción

Manel Xifra preside AMEC

WORLDSENSING

11.000 sensores para aparcar en Moscú

■ La empresa tecnológica Worldsensing ha instalado más de 11.000 sensores en las calles de Moscú, donde ha implantado su sistema de guiado al aparcamiento inteligente Fastpark, que indica a los conductores dónde pueden encontrar una plaza libre para evitar circulaciones innecesarias. / Redacción

EMPRENDEDORES

La compañía de Sabadell invertirá cuatro millones de euros

Disme aterriza en Colombia

ARIADNA BOADA
Barcelona

Disme, dedicada a la creación, fabricación y logística de material publicitario para el punto de venta, con sede en Sabadell (Vallès Occidental) acaba de firmar un acuerdo con un socio colombiano con el objetivo de abrir mercado en Sudamérica y los Estados Unidos. Para ello, la catalana invertirá 4 millones de euros en los próximos cinco años y ampliará con ello su capacidad productiva. "Para poder atender a los clientes que exportan, debíamos darles un servicio competitivo. Fabricar y distribuir desde Bogotá nos permitirá acortar tiempos de entrega y rebajar costes", explica Daniel Casadesús, director general de Disme. En dos años prevén alcanzar una cifra de negocio de 5 millones de euros en esa región.

La nueva sociedad, d+D Global Shop Solutions, ocupa unas instalaciones de más de 5.000 metros cuadrados en Bogotá. La ubicación les permitirá afrontar proyectos para una región en una extensión que irá desde que se extiende de los Estados Unidos a Chile, donde ya cuentan con clientes como Montblanc, Longchamp o Timberland. "Colombia está invirtiendo en excelentes comunicaciones con los países con los que es fronteriza, así como puertos en el Pacífico y el Atlántico. Este año ha firmado un tratado

Daniel Casadesús, director general de Disme   GEMMA MIRALDA

La firma logra el 80% de las ventas de la exportación y tiene filiales en Francia y el Reino Unido

de libre comercio con la UE", razona Casadesús.

La inversión de Disme se enmarca en el plan estratégico que comporta la presencia en mercados de fuerte crecimiento a los que exportar su modelo de negocio. Disme está presente en Europa, con filiales en Francia y el Reino Unido, desde las que gestiona sus proyectos europeos, que suponen casi el 80% de las ventas.

El plan estratégico de Disme incluye el acompañamiento de sus actuales clientes así como la captación de empresas con la necesidad de cubrir planes de expansión en la región sudamericana. El punto fuerte de Disme son la concepción, producción e instalación de campañas de publicidad en lugar de venta (PLV) y interiorismo comercial.

Disme es una empresa familiar creada en 1962 dedicada en sus orígenes al diseño y fabricación de *displays* metálicos y ampliada más tarde hacia actividades de interiorismo comercial. Son los creadores de tiendas *duty free* de la Terminal 1 del aeropuerto del Prat o *corners* en Galerías Lafayette en París. Hoy trabajan para marcas de moda, deportes, cosmética, ferretería o productos de consumo.

Disme, propiedad de las familias Casadesús y Navarro, tiene previsto cerrar la facturación de este 2013 con una cifra cercana a los 20 millones de euros. La plantilla está formada por 136 personas.●

Leti crece en el área veterinaria con la compra de la mayoría de Univet

BARCELONA Redacción

Laboratorios Leti ha adquirido la mayoría del capital del laboratorio especializado en dermatología veterinaria Univet, convirtiéndose en el socio industrial de referencia, para crecer en el mercado veterinario: las dos firmas desarrollarán proyectos de investigación y comercialización comunes, aunque operarán en el mercado de forma independiente.

Leti, presidida por Jaime Grego, es una empresa biofarmacéutica, especializada en alergia, dermatología, inmunología, y diagnósticos. La firma barcelonesa había empezado ya a operar en el negocio veterinario, con el desarrollo de una vacuna recombinante contra la leishmaniasis, en colaboración con el Centro de Biología Molecular Severo Ochoa.

Laboratorios Univet, por su parte, es líder en España en dermatología veterinaria y comercializa también sus productos en Italia, Francia y Portugal. La empresa nació en 2001, en el Parque Científico de la Universitat Autònoma de Barcelona (UAB), y está especializada en el diagnóstico y tratamiento de las enfermedades cutáneas de las mascotas.

Para la firma, que dirige Pilar Brazís, la entrada de Laboratorios Leti en su accionariado le aporta recursos para reforzar su investigación y acelerar la internacionalización.●

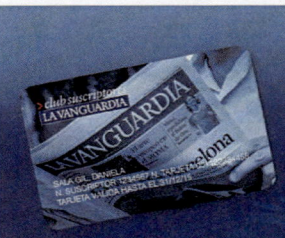

1. La Vanguardia Numeración para la muestra: 1

Miércoles 1 de enero del 2014

Nueva línea para asesorar a *start-ups*

La firma internacional Osborne Clarke ha creado un *start-up desk* para ofrecer asesoramiento legal multidisciplinar de bajo coste a proyectos e ideas de emprendedores. El equipo, dirigido por Tomás Degà, está formado por los abogados Xavier Frías, Roger Segarra, José Ramón Mallol y Anna Iborra. / Redacción

FICHA del breve en el diario

Número de página: 63
Sección: Economía
Subsección: En Línea
Número de breves de la subsección: cuatro
Ladillo: "Osborne & Clarke"
Número de líneas del titular: dos
Número de líneas del cuerpo: diez
Fotografía: no
Firma: Redacción

Nota de prensa original, publicada por la agencia de comunicación especializada en abogacía Lawyerpress (www.lawyerpress.com), el 18 de diciembre del 2013:

Osborne Clarke potencia el asesoramiento legal a *startups*

La firma internacional Osborne Clarke ha creado un startup desk para ofrecer asesoramiento legal multidisciplinar de bajo coste a proyectos e ideas de emprendedores. Esta nueva línea de negocio se enmarca en el objetivo del despacho de cubrir las necesidades de jóvenes emprendedores que desean recibir asesoramiento legal de calidad durante la fase inicial de su negocio. El startup desk está compuesto por los abogados Xavier Frías, Roger Segarra, José Ramón Mallol y Anna Iborra que prestan servicios en las áreas de societario y contratación mercantil, propiedad intelectual, protección de datos y nuevas tecnologías, fiscal y laboral, respectivamente.

"A veces, buenos proyectos no triunfan por falta de recursos en conseguir un buen asesoramiento legal", apunta Nuria Martín, socia de Osborne Clarke España. Por su parte, Tomás Dagá, socio director de Osborne Clarke España, señala que "a menudo los jóvenes emprendedores se muestran un tanto reacios en contactar con abogados, especialmente con socios de despachos, porque consideran que sus proyectos no tienen suficiente solidez" y destaca que "en Osborne Clarke consideramos de vital importancia respaldar y asesorar los proyectos de estos emprendedores a unos precios adaptados a sus posibilidades y, por ello, el bufete apuesta por que sean asociados con cierta experiencia quienes les asesoren e interactúen directamente con ellos". Albert Ribera, fundador de Global Media Research, empresa dedicada a la creación y gestión de páginas y contenidos web como Eshumor o UnComo, destaca: "Llevamos trabajando con Osborne Clarke desde que empezamos nuestro proyecto hace más de un año. Lo que más valoro es la actitud que tienen hacia el trabajo: siempre predispuestos a ayudar, con la paciencia suficiente para explicarnos los aspectos que no entendemos, así como adaptándose a nuestras necesidades y timings. Un placer trabajar con ellos".

Adecuándose a la necesidad de expansión de los emprendedores, el startup desk ofrece el conocimiento y experiencia de una firma internacional como Osborne Clarke para que dichos emprendedores puedan desarrollar sus proyectos más allá de las fronteras españolas. Así, Matteo Luppi, fundador de Easy Tempo, empresa dedicada a la composición y producción de música de ambiente destinada a los comercios, subraya que "los conocimientos de la firma a nivel corporativo y fiscal en el ámbito internacional son de gran ayuda para una empresa como la nuestra, ya que una startup, sobre todo en temas de tecnología, se enfrenta desde el primer día a transacciones internacionales con un alto nivel de complejidad". El startup desk de Osborne Clarke nace en una coyuntura económica y social donde el apoyo a los emprendedores es fundamental. Gloria Molins, fundadora y CEO de Trip4Real, plataforma online especializada en la oferta de actividades de ocio para turistas en distintas ciudades de España manifiesta que "la apuesta de Osborne Clarke por las startups está al alcance de emprendedores como nosotros, con recursos y capital limitados, pero grandes ideas de futuro. Desde Trip4real les estamos muy agradecidos por el gran trabajo que están haciendo con nosotros, la confianza que nos dan y la tranquilidad de saber que legalmente estamos en muy buenas manos".

FICHA de la nota de prensa en la web

Enlace de la web en la que se encuentra: <http://www.lawyerpress.
com/news/2013_12/1812_13_010.html>
Pestaña: comunicación
Subpestaña: noticias de despachos
Antetítulo: no
Título: "Osborne Clarke potencia el asesoramiento legal a startups"
Subtítulo: no
Número de caracteres (con espacio) del titular: 57
Número de caracteres (con espacio) del cuerpo de la nota: 3.264
Fotografía: no
Firma: Lawyerpress
Lugar de la firma: Madrid
Otros (documentos adjuntos, etcétera): no

BOLSA

	IBEX 35 Madrid	EUROSTOXX 50 París	FTSE 100 Londres	DAX 30 Francfort	DOW JONES Nueva York	NASDAQ Nueva York	NIKKEI Tokio	PETRÓLEO Dólares / barril	EURIBOR	ORO Dólares / onza
Cotización →	9.916,70	3.109,00	6.749,09	9.552,16	16.555,43	4.172,28	16.291,31	110,68	0,5560	1.205,90
En el día →	+0,15%	+0,26%	+0,26%	=–%	+0,31%	+0,44%	=–%	–0,41%	–0,36%	+0,76%
En el año →	+21,42%	+17,95%	+14,43%	+25,48%	+26,34%	+38,18%	+56,72%	+1,91%	+2,58%	–27,19%

IBEX 35

LAS MAYORES SUBIDAS	%
IAG	+1,15
Enagás	+1,04
Inditex	+0,63
Amadeus It Holding	+0,62
REC	+0,42
Telefónica	+0,34
Arcelor Mittal	+0,27
Banco Popular	+0,25

LAS MAYORES BAJADAS	%
Bankinter	–0,95
Jazztel	–0,84
BME	–0,70
Mapfre	–0,61
Sacyr	–0,58
Indra	–0,53
Día	–0,51
Abertis	–0,49

SUBASTAS TESORO

	Tir media
Letras 6 Meses	0,69
Letras 9 Meses	0,84
Letras 12 Meses	0,88
Letras 18 Meses	1,69
Bonos 2,5 Años	4,34
Bonos 2 Años	1,90
Bonos 3 Años	2,18
Bono 4 Años	5,97

TIPOS OFICIALES

	%
España	0,25
Alemania	0,25
Zona euro	0,25
Reino Unido	0,50
EE.UU.	0,00–0,25
Japón	0,00–0,10
Suiza	0,00–0,25
Canadá	1,00

DIVISAS

	1 euro
Dólares USA	1,3791
Yenes japoneses	144,72
Coronas danesas	7,4593
Libras esterlinas	0,8337
Coronas suecas	8,8591
Francos suizos	1,2276
Coronas noruegas	8,363
Yuanes chinos	8,3491

CIFRAS ECONÓMICAS

ESPAÑA

IPC	0,2%	Desempleo	25,98%
PIB	–1,1%	Tipos de interés	0,5%

ZONA EURO

IPC	0,9%	Desempleo	12,1%
PIB	–0,4%	Tipos de interés	0,5%

EEUU

IPC	1,20%	Desempleo	7%
PIB	2%	Tipos de interés	0,25%

■ Ibex 35

Último cierre: 9.916,7 puntos ▲ 0,15%

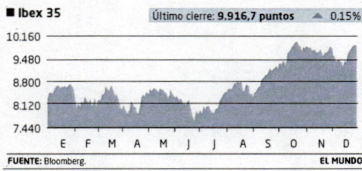

| 10.160 |
| 9.480 |
| 8.800 |
| 8.120 |
| 7.440 |

E F M A M J J A S O N D

FUENTE: Bloomberg. EL MUNDO

MERCADO CONTINUO

CONTRATACIÓN EN EUROS

IBEX 35

TÍTULO	ÚLTIMA COTIZACIÓN	VARIACIÓN DIARIA EUROS	%	AYER MIN.	MÁX.	VARIACIÓN AÑO % ANTERIOR	ACTUAL
Abertis	16,150	–0,080	–0,49	16,150	16,240	17,39	36,50
Acciona	41,765	0,065	0,16	41,495	41,860	–4,50	–25,70
ACS	25,020	0,045	0,18	24,955	25,150	–2,16	31,41
Amadeus It Holding	31,105	0,190	0,61	31,000	31,245	59,48	63,28
ArcelorMittal	12,940	0,035	0,27	12,840	12,950	–4,36	1,25
B. Popular	4,385	0,011	0,25	4,351	4,400	–67,70	49,66
B. Sabadell	1,896	0,002	0,11	1,877	1,900	–20,34	3,06
B. Santander	6,506	0,006	0,09	6,481	6,520	21,42	12,47
Bankia	1,234	–0,003	–0,24	1,215	1,246	–89,12	–74,12
Bankinter	4,987	–0,048	–0,95	4,980	5,040	–28,94	146,13
BBVA	8,948	–0,002	–0,02	8,911	8,955	16,97	30,95
BME	27,660	–0,195	–0,70	27,600	27,950	8,02	49,92
Caixabank	3,788	0,006	0,16	3,757	3,788	–20,48	46,55
Día	6,500	–0,033	–0,51	6,471	6,549	45,04	35,14
Ebro Foods	17,035	0,015	0,09	16,940	17,080	13,65	13,57
Enagás	18,995	0,195	1,04	18,860	19,005	28,89	17,69
FCC	16,175	–0,080	–0,49	16,175	16,340	–48,19	72,63
Ferrovial	14,065	–0,010	–0,07	14,015	14,085	42,70	25,58
Gamesa	7,580	–0,005	–0,07	7,530	7,620	–46,61	356,63
Gas Natural	18,695	–0,005	–0,03	18,590	18,705	17,82	37,67
Grifols	34,765	–0,005	–0,01	34,600	34,980	111,82	31,89
IAG	4,839	0,055	1,15	4,760	4,839	–25,16	117,00
Iberdrola	4,635	0,004	0,09	4,624	4,650	–5,60	19,18
Inditex	119,800	0,750	0,63	118,450	119,800	73,96	13,55
Indra	12,155	–0,065	–0,53	12,050	12,300	16,07	21,31
Jazztel PLC	7,779	–0,066	–0,84	7,754	7,849	40,62	48,03
Mapfre	3,113	–0,019	–0,61	2,980	3,145	16,63	84,47
Mediaset	8,389	0,009	0,11	8,271	8,410	19,69	64,81
Obrascón H.L.	29,445	–0,105	–0,36	29,165	29,520	20,33	34,15
Red Eléctrica	48,500	0,205	0,42	48,020	49,050	25,55	32,42
Repsol	18,320	0,015	0,08	18,240	18,350	–24,69	19,47
Sacyr	3,767	–0,022	–0,58	3,713	3,790	–56,31	139,43
Técnicas Reunidas	39,485	–0,165	–0,42	39,410	39,690	37,20	12,54
Telefónica	11,835	0,040	0,34	11,760	11,835	–15,22	16,14
Viscofan	41,350	–0,075	–0,18	41,200	41,500	58,37	–3,41

RESTO DE VALORES

TÍTULO	ÚLTIMA COTIZACIÓN	DIF. %	RENTA. 2013
Abengoa	2,420	–0,86	1,30
Abengoa B	2,176	0,55	–7,01
Acerinox	9,247	–1,13	10,77
Adolfo Domínguez	5,660	1,43	44,76
Adveo	14,940	–0,40	31,51
Alba	42,500	–0,19	20,36
Almirall	11,840	–0,84	58,93
Amper	1,060	–1,85	–33,75
Aperam	13,400	–	17,85
Atresmedia	12,020	–0,99	206,21
Azkoyen	2,100	–0,47	54,41
Barón de Ley	59,000	–	31,70
Bayer Ag.	102,300	–	44,08
Biosearch	0,690	4,55	84,00
Bodegas Riojanas	5,370	–	19,33
C. A. F.	384,300	1,00	10,11
CAM	1,340	–	0,00
Campofrío	6,900	–0,72	42,27
Cem.Portland	5,560	–4,14	85,95
Cie Automotive	8,000	3,23	53,85
Cleop	1,150	–	0,00
Clínica Baviera	10,460	7,95	174,54
Codere	0,690	–12,66	–81,45
Colonial	1,047	–0,38	–35,77
C.V.N.E	15,200	–	4,11
Deoleo	0,470	–1,05	70,91
Dinamia	7,000	1,16	28,44
Dogi	0,640	–	0,00
Duro Felguera	4,900	1,03	1,87
EADS	55,700	–0,36	89,46
Elecnor	11,180	–0,36	18,06
Ence	2,725	–1,09	27,93
Endesa	23,300	1,66	38,11
Enel Green Power	1,802	–0,99	24,62
Ercros	0,475	0,42	18,75
Europac	3,845	–0,26	88,94
Ezentis	1,540	–2,53	146,79
Faes	2,640	1,34	66,37
Fergo Aisa	0,017	–	0,00
Fersa	0,390	–2,50	14,71
Fluidra	2,720	–0,73	22,25
Funespaña	6,000	–	–2,91
GAM	0,720	9,09	80,00
General Inversiones	1,660	–	5,06
Grupo Catalana Occ.	26,020	–0,34	88,96
Grupo Sanjosé	1,200	–	5,26
Grupo Tavex	0,230	–1,29	10,05
Iberpapel	15,100	1,34	15,27

TÍTULO	ÚLTIMA COTIZACIÓN	DIF. %	RENTA. 2013
Indo Interna.	0,600	–	0,00
Inmobiliaria Del Sur	16,000	–	291,20
Inypsa	0,840	–2,89	30,23
Liberbank	0,720	3,60	
Lingotes Especiales	3,445	1,32	36,71
Martinsa-Fadesa	7,300	–	0,00
Meliá Hotels Int.	9,335	–0,37	61,65
Miquel y Costas	30,500	–1,26	48,78
Montebalito	1,130	1,80	113,21
N. Correa	1,295	0,78	85,00
Natra	2,210	–0,67	144,20
Natraceutical	0,287	–2,05	122,48
NH Hoteles	4,285	–1,95	64,18
Nyesa	0,170	–	0,00
Pescanova	5,910	–	–57,82
Prim	5,760	1,05	9,92
Prisa	0,400	3,09	70,21
Prosegur	4,980	–0,20	12,16
Quabit	0,118	–1,67	156,52
Realia Business	0,830	–2,35	10,67
Reno de Medici	0,265	–1,49	93,43
Renta Corp.	0,570	–	–5,79
Renta 4 Banco	5,050	1,00	7,68
Reyal Urbis	0,124	–	45,88
Rovi	9,980	1,32	88,30
Seda Barna	0,729	–	–21,70
Service Point Solution	0,094	–4,08	–22,95
Sniace	0,196	–	–69,23
Solaria	0,765	2,00	9,29
Sotogrande	2,680	–0,74	21,82
Tecnocom	1,210	0,41	13,08
Testa Inm.Renta	7,560	–	32,17
Tubacex	2,890	–0,89	45,59
Tubos Reunidos	1,770	0,28	–1,39
Uralita	1,190	–2,86	–25,16
Urbas Gr.Financiero	0,025	–7,41	92,31
Vértice 360	0,046	–9,80	–48,31
Vidrala	37,440	3,74	78,80
Vocento	1,510	2,72	46,60
Zardoya Otis	13,150	1,15	26,66
Zeltia	2,310	–0,86	90,12

EMPRESAS

El Euribor cierra al mismo nivel de 2012

El Euribor, índice al que están referenciadas la mayoría de las hipotecas españolas, ha cerrado el mes de diciembre en el 0,543%, un nivel muy similar al que registró al finalizar 2012, con lo que el efecto en los bolsillos de los hipotecados tendrá menor incidencia que en los últimos años, ya que el abaratamiento anual rondará los cuatro euros. El índice se ha anotado su primera subida en tres meses en tasa mensual. / E. M.

Letonia entra hoy en la Eurozona

Letonia se convierte hoy en el decimoctavo país de la Eurozona pese a la reticencia de sus ciudadanos, que temen que la introducción de la moneda común se traduzca en subidas de precios y nuevos ajustes económicos. Así, ya serán 333 millones de europeos los que compartirán esta divisa. Los letones comenzarán a operar con las nuevas monedas y billetes, de los que se han repartido 800.000 lotes, y podrán cambiar sus actuales lats a 0,7 euros. / EP

Regularización fiscal de bancos suizos

Alrededor de una treintena de bancos suizos que sospechan haber tenido clientes que evadieron impuestos en Estados Unidos se han unido al programa de regularización fiscal con este país en la categoría 2, cuyo plazo concluyó ayer, lo que les expone al pago de multas pero evitan un proceso penal con EEUU. / EP

Buffet compra una empresa química

Warren Buffett ha comprado a través de su firma de inversiones Berkshire Hathaway una filial de la empresa de gasolineras y refinería Phillips 66. Phillips Specialty Products Inc. fabrica productos químicos para facilitar el tránsito de sustancias como el petróleo a través de los oleoductos.

El mejor Ibex desde 2009

El selectivo español cierra con un alza anual superior al 21%

Madrid
El Ibex 35 se ha revalorizado un 21,4% en el conjunto de 2013 y ha protagonizado el mejor año desde 2009, con lo que se prepara en el nuevo ejercicio para abordar la reconquista de la barrera psicológica de los 10.000 puntos. El selectivo ha cerrado en 9.916,7 enteros, frente a los 8.167 con los que despidió 2012.

El año ha concluido con la mayoría de los valores en ganancias. Sólo Bankia, Sabadell, Acciona y Viscofan acabaron en pérdidas. Los avances anuales más significativos se los han anotado Gamesa, que se ha catapultado cerca de un 300%, aunque pertenece al selectivo desde el pasado 23 de diciembre. Sacyr e IAG han sumado ganancias superiores al 100%, mientras que también han despuntado Amadeus (+60%) y FCC (+59%).

BBVA se ha consolidado como el mejor de los grandes valores, con un avance del 26%, seguido de Telefónica (+14%) y Repsol (+11%). Santander ha ganado alrededor de un 6%.

El estratega de mercados de IG Markets Daniel Pingarrón apunta que el próximo ejercicio tendrá menos potencial que este año, e incluso avisa de que el «problema» de los países periféricos estará de vuelta, con el fin del rescate de Portugal y la renegociación del de Grecia. «La renta variable española tendrá un comportamiento moderadamente positivo», afirma.

1. El Mundo   **Numeración para la muestra: 2**

Miércoles 1 de enero del 2014

<u>Regularización fiscal de bancos suizos</u>

Alrededor de una treintena de bancos suizos que sospechan haber tenido clientes que evadieron impuestos en Estados Unidos se han unido al programa de regularización fiscal con este país en la categoría 2, cuyo plazo concluyó ayer, lo que les expone al pago de multas pero evitan un proceso penal con EEUU. / EP

FICHA del breve en el diario

Número de página: 30
Sección: Bolsa
Subsección: Empresas
Número de breves de la subsección: cuatro
Ladillo: no
Número de líneas del titular: dos
Número de líneas del cuerpo: diez
Fotografía: no
Firma: EP (Europa Press)

Despacho de agencia publicado por la corresponsalía de Ginebra de la agencia Efe (www.efe.com), el 31 de diciembre del 2013:

Treinta bancos suizos se unen al plan de regularización fiscal con Estados Unidos

Alrededor de una treintena de bancos suizos que sospechan haber tenido clientes que evadieron impuestos en Estados Unidos se han unido al programa de regularización fiscal con este país en la categoría 2, cuyo plazo concluye hoy, lo que los expone al pago de multas pero evitan un proceso penal con EEUU.

Programa de regularización fiscal de los Estados Unidos

Según el acuerdo alcanzado entre EEUU y Suiza en agosto, las 300 entidades bancarias helvéticas deben acogerse a una de las cuatro categorías en las que se divide este plan de regularización fiscal.

Los bancos suizos tienen hasta hoy para pronunciarse ante la Autoridad Federal de Vigilancia de Mercados Financieros (FINMA) de Suiza e incorporarse a este programa gestionado por el Departamento (Ministerio) de Justicia de EEUU en la categoría 2, en la que se insertan bancos que sospechan haber tenido clientes estadounidenses que evadieron impuestos en su país.

Entre las entidades que se han adherido a esta categoría destacan casi todos los bancos cantonales del país -como los de Ginebra, Berna, Argovia, Grisones, Lucerna Nidwald, Zug y Saint Gallen-, así como los bancos Migros y Coop, pertenecientes a los mayores grupos de distribución de Suiza; el Post Finance, la financiera del servicio de Correos; la Unión Bancaria Privada o el Lombard Odier.

Ninguna de estas entidades ha sido denunciada por EEUU, pero tampoco considera imposible haber violado el derecho estadounidense en evasión fiscal, por lo que se expone a una multa al término de la investigación, aunque elude un procedimiento penal con relación a depósitos no declarados.

En la categoría 1 se sitúan los catorce bancos que, antes del acuerdo, ya se investigaban por haber ayudado al parecer a sus clientes estadounidenses a eludir sus obligaciones con el fisco de EEUU, como Credit Suisse, Julius Baer, Pictet, los bancos cantonales de Zúrich y Basilea o las filiales suizas de entidades extranjeras como la británica HSBC o la israelí Leumi.

Estas entidades negocian actualmente de forma separada arreglos extrajudiciales con EEUU para evitar una denuncia penal, aunque se anticipa que cualquier arreglo pasará por multas cuyo importe dependerá de la gravedad de la falta.

Según el acuerdo de regularización fiscal, las categorías 3 y 4 se reservan, respectivamente, para los bancos que creen que sus clientes estadounidenses han cumplido con sus obligaciones fiscales, y para los bancos locales con menos de un 2 % de clientela extranjera.

Las entidades que se quieran adherir a cualquiera de estas dos categorías tienen de plazo hasta el 31 de octubre de 2014.

FICHA del despacho de agencia en la web

Enlace de la web en la que se encuentra: <http://es.investing.com/news/noticias-del-mercado-de-valores/30-bancos-suizos-se-unen-al-plan-de-regularización-fiscal-con-eeuu-206293>

Pestaña: noticias

Subpestaña: bolsa

Antetítulo: no

Título: "Treinta bancos suizos se unen al plan de regularización fiscal con Estados Unidos"

Subtítulo: no

Número de caracteres (con espacio) del titular: 66

Número de caracteres (con espacio) del cuerpo de la nota: 2.534

Fotografía: una foto

Firma: Efe

Lugar de la firma: Ginebra

Otros (documentos adjuntos, etcétera): no

LEXDIR
La Caixa lidera una inversión en la firma

■ La Caixa, a través de su gestora de capital riesgo Caixa Capital Risc, ha liderado una inversión de 420.000 euros en Lexdir, empresa on line que ofrece profesionales jurídicos a particulares y empresas. Lexdir tiene la sede en Barcelona y presencia en Colombia, México y Chile. / Redacción

PASIONA
La plantilla crece el 20% en el 2013

■ La plantilla de Pasiona Consulting, especializada en tecnologías Microsoft, ha crecido un 20% en el 2013, hasta 95 trabajadores, y espera superar el centenar antes de que acabe este 2014. Todo este crecimiento confirma el interés de la firma por un crecimiento basado en el alto valor añadido. / Redacción

LLUSCÀ DESIGN
Lanzamiento del modelo Spot

■ La compañía Lluscà Design, con despacho en Barcelona, ha anunciado el lanzamiento de Spot, modelo de silla elaborada en polipropileno que permite trabajar con formas cilíndricas huecas y fabricar productos de líneas sutiles, con estructuras delgadas pero a la vez muy resistentes. / Redacción

ROOMTAB
Ampliación de capital a través del BANC

■ La red de inversores Business Angels Network de Catalunya (BANC) ha permitido que RoomTab Systems, que instala tabletas en las habitaciones de hotel (que permiten al huésped solicitar servicios de habitación) y cuenta con nueve empleados, haya ampliado su capital social a finales del 2013. / Redacción

---

EMPRENDEDORES

Oryzon se focaliza en la leucemia y ultima su entrada en EE.UU.

La biotec empieza los ensayos de un nuevo fármaco en Vall d'Hebron

ROSA SALVADOR
Barcelona

La biotecnológica catalana Oryzon Genomics va a empezar los ensayos clínicos de su nuevo fármaco contra la leucemia aguda, denominado ORY-1001, en el hospital Vall d'Hebron, un estudio que prevé ampliar a otros seis hospitales, tres en España y el resto en otros países europeos.

El inicio de la fase clínica del ORY-1001 es un hito para Oryzon, que ha afrontado la crisis focalizándose en este fármaco, según explicó su fundador y presidente, Carlos Buesa. "Somos una de las pocas empresas del mundo que tiene en fase clínica un fármaco de estas características, y eso ha despertado gran expectación internacional", explica. La firma ha pasado "dos años muy difíciles por el recorte de las ayudas a la I+D y la menor facturación por servicios a la industria farmacéutica, que también sufre los recortes", explica Buesa. Eso la ha obligado a hacer un esfuerzo de contención de gastos: ha reducido su plantilla hasta 20 personas, sobre todo clínicos, y no tanto investigadores, para centrarse en la validación y salida al mercado de su nuevo fármaco, un proceso que requerirá invertir al menos 15 millones de euros. "Es-

Carlos Buesa, fundador y presidente de Oryzon Genomics, en los laboratorios de la empresa

SERGI ALCÀZAR

La firma participa la semana próxima en el Health Care Forum de San Francisco, que organiza JP Morgan

peramos incorporar a lo largo del año a inversores internacionales o a un socio industrial que nos acompañe en esta última fase", asegura. Oryzon facturó 4,3 millones en el 2012 (3,8 de ellos por activación de gastos de I+D), con 0,8 millones de pérdidas, que ha reducido en el 2013.

Oryzon ha focalizado la búsqueda de inversores en Estados Unidos, y prevé abrir una filial en ese país antes del verano. "A diferencia de lo que sucede en España, allí hay un boom de inversores en biotecs y de salidas a bolsa", señala. Allí, la firma participa la semana que viene en el Health Care Forum que organiza JP Morgan "pero ante posibles inversores hace falta tener una presencia permanente, y no solo mantener contactos 3

o 4 veces al año", explica Buesa.

Para facilitar esta operación, Oryzon se ha dividido en dos divisiones, la de terapia (que desarrolla fármacos, y es la más apetecida por los inversores) y la de diagnóstico. Esta última, que en el 2012 desarrolló un novedoso test para detectar el cáncer de endometrio, no ha conseguido que lo financie la Seguridad Social. "España no incorpora nuevos tratamientos para reducir gasto, pero en otros países eso se ve como una falta de confianza en el producto", lamenta.●

Cirsa coloca una emisión de bonos de 120 millones de euros al 6,4%

D. ÁLVAREZ Barcelona

El grupo de juego y ocio Cirsa anunció ayer la colocación de una emisión de bonos por importe de 120 millones de euros a un tipo del 6,4% anual. Es significativa la mejora en los costes de financiación, pues la anterior emisión se hizo al 8,75%.

La demanda superó cuatro veces el importe de la emisión, que se colocó en un solo día mayoritariamente entre fondos de inversión europeos y americanos. La operación ha estado dirigida por el Deutsche Bank.

Según explicó la compañía, los fondos obtenidos con esta emisión se destinarán a cancelar deuda financiera de corto plazo, dotar de mayor liquidez a la compañía y realizar posibles inversiones si aparecen oportunidades que aseguren una rentabilidad.

La empresa que preside Manuel Lao y dirige Joaquim Agut ha realizado ocho colocaciones de bonos en los mercados internacionales desde el 2004, y actualmente tiene en circulación bonos por un importe total de 900 millones de euros con vencimiento en 2018. En total, el grupo tiene una deuda neta de 916 millones, incluida la nueva emisión de bonos. Recientemente, la agencia de rating Moody's mejoró la perspectiva de la calificación crediticia del grupo Cirsa, B2, que ahora define como "estable".●

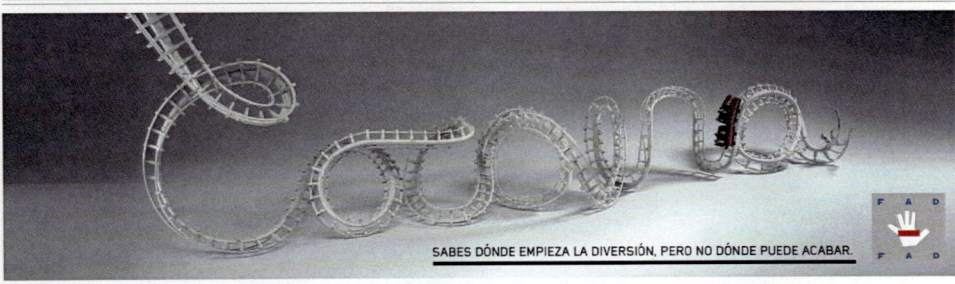

2. La Vanguardia   **Numeración para la muestra: 3**

Jueves 9 de enero del 2014

La plantilla crece el 20% en el 2013

La plantilla de Pasiona Consulting, especializada en tecnologías Micro-soft, ha crecido un 20% en el 2013, hasta 95 trabajadores, y espera su-perar el centenar antes de que acabe este 2014. Todo este crecimiento confirma el interés de la firma por un crecimiento basado en el alto valor añadido. / Redacción

FICHA del breve en el diario

Número de página: 55
Sección: Economía
Subsección: En Línea
Número de breves de la subsección: cuatro
Ladillo: Pasiona
Número de líneas del titular: dos
Número de líneas del cuerpo: diez
Fotografía: no
Firma: Redacción

Nota de prensa original, publicada por la agencia de comunicación Bcnpress News (www.bcnpress.com), el 8 de enero del 2014:

Pasiona cierra 2013 con un aumento del 20% en su plantilla
· La compañía, especializada en soluciones Microsoft, supera la cifra de 90 empleados y espera superar el centenar en 2014.

Pasiona Consulting (www.pasiona.com), empresa especializada en tecnologías Microsoft, ha incrementado un 20% su plantilla durante el ejercicio 2013, alcanzando la cifra de 95 empleados. Este aumento se suma al ya experimentado en 2012, cuando la compañía pasó de 67 a 80 empleados.

Para el año 2014, Pasiona Consulting prevé mantener un ritmo similar en lo que concierne a contratación de personal, de forma que prevé superar ampliamente la cifra de 100 empleados. Actualmente, más del 80% de la plantilla de Pasiona cuenta con certificaciones oficiales Microsoft. Este incremento confirma la apuesta de la consultora por un crecimiento basado en servicios de alto valor añadido.

A la espera de cerrar el ejercicio económico, las cifras de Pasiona Consulting constatan una línea clara de crecimiento sostenido. Durante 2013, se ha consolidado la apuesta por la expansión, tanto nacional (la empresa tiene sede en Barcelona, Madrid y Bilbao) como internacional (Regensburg y Londres).

Cambio de tendencia
Durante el ejercicio 2013, Pasiona ha cerrado contratos con más de una docena de clientes internacionales que le han confiado el desarrollo de sus proyectos estratégicos. Estas empresas han optado por la compañía española en lugar de sus habituales proveedores de *offshoring* situados en países emergentes pero de bajo coste como son India y/o Argentina. David Teixidó, director general de Pasiona, considera este cambio de tendencia *"muy positivo para Pasiona, pero también para el desarrollo económico del país si se confirma que diferentes clientes internacionales empiezan a optar por la adquisición de tecnología española"*. Según el director de la firma esto significa que *"podemos ser competitivos y ofrecer a su vez productos de mayor calidad"*.

Sobre Pasiona Consulting
Fundada en marzo de 2007 y con sede en Barcelona, Madrid, Bilbao, Londres y Munich (Regensburg), Pasiona Consulting es una compañía de servicios informáticos que, bajo un modelo de consultoría cercano, flexible y humano, se ha situado como *líder* tecnológico en el conocimiento de la arquitectura .net de Microsoft [ver Anexo II: "El lenguaje subordinado. Los términos de marketing y economía en los breves de empresa"].

FICHA de la nota de prensa en la web

Enlace de la web en la que se encuentra: <http://bcnpress.com/news/pasiona-cierra-2013-con-un-aumento-del-20-en-su-plantilla/>
Pestaña: economía
Subpestaña: notas de prensa
Antetítulo: no
Título: "Pasiona cierra 2013 con un aumento del 20% en su plantilla"
Subtítulo: un subtítulo
Número de caracteres (con espacio) del titular: 58
Número de caracteres (con espacio) del cuerpo de la nota: 2.090
Fotografía: una fotografía (logo de Pasiona)
Firma: David
Lugar de la firma: Barcelona
Otros (documentos adjuntos, etcétera): no

BOLSA

	IBEX 35 Madrid	EUROSTOXX 50 París	FTSE 100 Londres	DAX 30 Francfort	DOW JONES Nueva York	NASDAQ Nueva York	NIKKEI Tokio	PETRÓLEO Dólares / barril	EURIBOR %	ORO Dólares / onza
Cotización →	10.253,60	3.110,66	6.721,78	9.497,84	16.462,74	4.165,61	16.121,45	107,42	0,5520	1.223,80
En el día →	+0,74%	-0,01%	-0,50%	-0,09%	-0,41%	+0,30%	+1,94%	-0,09%	+0,36%	-0,64%
En el año →	+3,40%	+0,05%	-0,40%	-0,57%	-0,69%	-0,26%	-1,04%	-3,14%	-0,72%	+1,58%

IBEX 35

LAS MAYORES SUBIDAS	%		LAS MAYORES BAJADAS	%
Banco Popular	+8,94		Gamesa	-3,35
Indra	+4,21		Sacyr	-2,65
Mapfre	+4,14		Enagás	-1,63
CaixaBank	+3,18		Gas Natural	-1,02
BME	+3,03		FCC	-0,91
Banco Sabadell	+2,50		Inditex	-0,67
Jazztel	+2,03		Bankia	-0,63
IAG	+1,99		Ebro Foods	-0,35

SUBASTAS TESORO

	Tir media
Letras 6 Meses	0,69
Letras 9 Meses	0,84
Letras 12 Meses	0,88
Letras 18 Meses	1,69
Bonos 2,5 Años	4,34
Bonos 2 Años	1,90
Bonos 3 Años	2,18
Bono 4 Años	5,97

TIPOS OFICIALES

	%
España	0,25
Alemania	0,25
Zona euro	0,25
Reino Unido	0,50
EE UU.	0,00-0,25
Japón	0,00-0,10
Suiza	0,00-0,25
Canadá	1,00

DIVISAS

	1 euro
Dólares USA	1,3594
Yenes japoneses	142,33
Coronas danesas	7,4605
Libras esterlinas	0,8277
Coronas suecas	8,8964
Francos suizos	1,2383
Coronas noruegas	8,411
Yuanes chinos	8,2249

CIFRAS ECONÓMICAS

ESPAÑA

IPC	0,2%	Desempleo	25,98%
PIB	-1,1%	Tipos de interés	0,5%

ZONA EURO

IPC	0,9%	Desempleo	12,1%
PIB	-0,4%	Tipos de interés	0,5%

EEUU

IPC	1,20%	Desempleo	7%
PIB	2%	Tipos de interés	0,25%

■ Banco Santander — Último cierre: 6,783 euros ▲ 0,770%

6,422
6,396
6,370

10.00   12.00   14.00   16.00   18.00

FUENTE: Bloomberg.   EL MUNDO

MERCADO CONTINUO
CONTRATACIÓN EN EUROS

IBEX 35

TÍTULO	ÚLTIMA COTIZACIÓN	VARIACIÓN DIARIA EUROS	%	AYER MÍN.	MÁX.	VARIACIÓN AÑO % ANTERIOR	ACTUAL
Abertis	16,510	0,115	0,70	16,380	16,600	43,02	2,23
Acciona	43,785	0,585	1,35	43,000	44,000	-21,20	4,84
ACS	25,940	0,015	0,06	25,620	26,065	38,86	3,68
Amadeus It Holding	30,705	0,215	0,71	30,375	30,705	67,15	-1,29
ArcelorMittal	12,765	0,010	0,08	12,660	12,800	2,60	-1,35
B. Popular	5,400	0,443	8,94	4,950	5,400	49,66	23,15
B. Sabadell	2,050	0,050	2,50	1,963	2,050	5,25	8,12
B. Santander	6,783	0,052	0,77	6,654	6,820	18,76	4,26
Bankia	1,263	-0,008	-0,63	1,224	1,288	-74,12	2,35
Bankinter	5,485	0,013	0,24	5,357	5,650	154,69	9,99
BBVA	9,386	0,065	0,70	9,230	9,555	36,37	4,89
BME	29,630	0,870	3,03	28,550	29,780	63,51	7,12
CaixaBank	4,282	0,132	3,18	4,012	4,290	53,91	13,04
Dia	6,611	0,032	0,49	6,562	6,623	38,25	1,71
Ebro Foods	17,000	-0,060	-0,35	16,855	17,085	17,99	-0,21
Enagás	18,975	-0,315	-1,63	18,870	19,275	25,31	-0,11
FCC	17,985	-0,165	-0,91	17,710	18,625	72,63	11,19
Ferrovial	14,445	0,245	1,73	14,160	14,445	31,78	2,70
Gamesa	8,634	-0,299	-3,35	8,532	9,250	356,63	13,91
Gas Natural	18,390	-0,190	-1,02	18,160	18,700	49,38	-1,63
Grifols	36,005	0,570	1,61	35,400	36,110	32,80	3,57
IAG	5,273	0,103	1,99	5,163	5,288	117,00	8,97
Iberdrola	4,715	0,010	0,21	4,682	4,734	19,18	1,73
Inditex	118,650	-0,800	-0,67	118,100	119,700	15,86	-0,96
Indra	13,125	0,530	4,21	12,545	13,455	25,40	7,96
Jazztel PLC	8,385	0,167	2,03	8,221	8,420	48,03	7,79
Mapfre	3,374	0,134	4,14	3,233	3,390	40,57	8,38
Mediaset	8,997	0,089	1,00	8,912	9,086	64,81	7,25
Obrascón H.L.	29,820	0,140	0,47	29,450	30,170	37,28	1,27
Red Eléctrica	48,900	-0,080	-0,16	48,310	49,110	37,93	2,34
Repsol	18,670	0,060	0,32	18,485	18,700	26,18	1,91
Sacyr	3,453	-0,094	-2,65	3,410	3,590	139,43	-8,34
Técnicas Reunidas	39,535	-0,005	-0,01	39,260	39,800	16,96	0,13
Telefónica	11,965	0,065	0,55	11,820	12,000	19,41	1,10
Viscofan	42,160	0,580	1,39	41,470	42,220	-0,61	1,96

RESTO DE VALORES

TÍTULO	ÚLTIMA COTIZACIÓN	DIF. %	RENTA. 2013	TÍTULO	ÚLTIMA COTIZACIÓN	DIF. %	RENTA. 2013
Abengoa	2,551	-0,66	5,41	Indo Interna.	0,600	=	0,00
Abengoa B	2,240	-1,84	2,94	Inmobiliaria Del Sur	15,000	-6,25	-6,25
Acerinox	9,200	-0,14	-0,51	Inypsa	0,820	=	-2,38
Adolfo Domínguez	6,290	1,45	11,13	Liberbank	0,850	2,41	18,06
Adveo	15,050	-1,51	0,74	Lingotes Especiales	3,420	-0,87	-0,73
Alba	43,910	0,62	3,32	Martinsa-Fadesa	7,300	=	0,00
Almirall	12,700	1,76	7,26	Meliá Hotels Int.	9,865	2,76	5,68
Amper	1,060	=	0,00	Miquel y Costas	30,790	=	0,95
Aperam	12,990	-2,48	-3,06	Montebalito	1,195	0,84	5,75
Atresmedia	13,070	3,08	8,74	N. Correa	1,455	-3,64	12,36
Azkoyen	2,200	5,26	4,76	Natra	2,385	1,71	7,92
Barón de Ley	59,500	2,50	0,85	Natraceutical	0,310	5,44	8,01
Bayer Ag.	100,500	=	-1,76	NH Hoteles	4,840	2,22	12,95
Biosearch	0,780	3,31	13,04	Nyesa	0,170	=	0,00
Bodegas Riojanas	5,450	4,81	1,49	Pescanova	5,910	=	0,00
C. A. F.	386,500	-0,13	0,57	Prim	5,900	0,85	2,43
CAM	1,340	=	0,00	Prisa	0,379	-6,42	-5,25
Campofrío	6,910	-0,43	0,14	Prosegur	5,000	0,60	0,40
Cem.Portland	6,110	2,69	9,89	Quabit	0,120	=	1,69
Cie Automotive	7,965	-1,85	-0,44	Realia Business	0,780	-1,89	-6,02
Cleop	1,150	=	0,00	Reno de Medici	0,290	1,75	9,43
Clínica Baviera	10,000	0,81	-4,40	Renta Corp.	0,570	=	0,00
Codere	1,080	63,64	56,52	Renta 4 Banco	5,700	-1,55	12,87
Colonial	0,869	7,28	-17,00	Reyal Urbis	0,124	=	0,00
C.V.N.E	15,000	=	-1,32	Rovi	9,760	-1,71	-2,20
Deoleo	0,465	=	-1,96	Seda Barra	0,729	=	0,00
Dinamia	7,050	0,71	0,71	Service Point Solution	0,101	7,45	7,45
Dogi	0,640	=	0,00	Sniace	0,196	=	0,00
Duro Felguera	4,890	-0,61	-0,20	Solaria	0,820	=	7,19
EADS	55,400	-0,72	-0,54	Sotogrande	2,640	=	-1,49
Elecnor	11,240	-0,09	0,54	Tecnocom	1,305	-2,97	7,85
Ence	2,895	2,84	6,24	Testa Inm.Renta	7,520	=	-0,53
Endesa	21,715	0,46	-0,39	Tubacex	2,900	-1,36	0,35
Enel Green Power	1,823	-0,38	1,17	Tubos Reunidos	1,780	-1,66	0,56
Ercros	0,514	-4,64	8,21	Uralita	1,260	-1,18	5,88
Europac	3,850	-0,26	0,13	Urbas Gr.Financiero	0,031	14,81	24,00
Ezentis	1,620	3,38	5,19	Vértice 360	0,062	31,91	34,78
Faes	2,775	2,40	5,11	Vidrala	36,000	-0,63	-3,85
Fergo Aisa	0,017	=	0,00	Vocento	1,580	-1,25	4,64
Fersa	0,410	=	5,13	Zardoya Otis	13,510	0,82	2,74
Fluidra	2,760	-2,13	1,47	Zeltia	2,670	-1,48	15,58
Funespaña	6,210	=	3,50				
GAM	0,690	-1,43	-4,17				
General Inversiones	1,660	=	0,00				
Grupo Catalana Occ.	27,700	2,52	6,46				
Grupo Sanjosé	1,210	0,83	0,83				
Grupo Tavex	0,265	0,76	15,22				
Iberpapel	15,120	0,27	0,13				

EMPRESAS

El capital riesgo frena sus inversiones

La inversión de las entidades de capital riesgo en España cayó un 31% en 2013, hasta los 1.701 millones, por la tendencia bajista iniciada en 2010. Estas cifras no incluyen el repunte que hubo en el segundo semestre de 2013, en el que se concentró el 70% del volumen total invertido, lo que augura una recuperación «lenta pero sostenida» en 2014. Según la Asociación Española de Entidades de Capital Riesgo, la caída se debe a la menor inversión de los fondos internacionales en operaciones de más de 100 millones. / E.P.

Lord Burns deja el consejo del Santander

El Santander dejará de tener a Lord Burns como miembro de su consejo de administración. Así lo anunció el banco en un comunicado, donde precisó que el británico presentó su renuncia. Fuentes cercanas apuntaron que seguirá siendo presidente no ejecutivo de la entidad en Reino Unido y se incorporará al consejo internacional del banco. / M. RECUERO

Codere sube un 60% al prorrogar un pago

Las acciones del grupo de juego Codere se dispararon ayer más de un 60% tras acordar la extensión del vencimiento de un crédito senior –firmado el 5 julio tras no abonar a la fecha de vencimiento los 127,1 millones dispuestos en el contrato– con un aumento del tipo de interés. / E.P.

13 millones del AVE para ACS y FCC

ACS y FCC se han adjudicado contratos de construcción de líneas ferroviarias de Alta Velocidad por un presupuesto total de 13 millones. / E.P.

Cirsa coloca 120 millones en bonos

La compañía de juego Cirsa ha colocado una emisión de bonos de 120 millones al 6,4% anual, que usará para cancelar deuda e invertir. / E.P.

Más 'ladrillo' para Ortega
El fundador de Inditex aumenta sus inversiones inmobiliarias

Madrid
El imperio inmobiliario de Amancio Ortega crece sin cesar. El fundador de Inditex ha empezado 2014 siguiendo la senda de inversión en el *ladrillo* por la que ya caminaba en 2013. Su más reciente operación ha sido la compra, por 44 millones de euros, del edificio que fue la sede de Banesto en Barcelona.

Tras haber adquirido en 2012 el local comercial de este edificio (en el que hoy se ubica una tienda de Apple), Ortega se ha hecho, a través de su sociedad inversora Pontegadea, con este inmueble mediante la compra de la hipoteca que gravaba el edificio, que concedieron inicialmente el Banco de Valencia y Bancaja, pero que tras el proceso de reestructuración bancaria pasó a la Sareb, según *La Vanguardia*. La venta del crédito, cerrada en los últimos días del 2013, se ha realizado con un descuento del 33% sobre el valor de la hipoteca en 2006.

Entre las inversiones inmobiliarias del empresario gallego en 2013 se cuentan un bloque de oficinas de un edificio histórico del West End de Londres –zona de previsible crecimiento del alquiler– por 480 millones de euros y otro edificio de oficinas en Nueva York por 69,15 millones.

A esta última adquisición podría sumarse en breve otra, pues Ortega podría haber hecho una oferta por el edificio de Apple en Valencia.

2. El Mundo   **Numeración para la muestra: 4**

Jueves 9 de enero del 2014

El capital riesgo frena sus inversiones

La inversión de las entidades de capital riesgo en España cayó un 31% en 2013, hasta los 1.701 millones, por la *tendencia* bajista [ver Anexo II: "El lenguaje subordinado. Los términos de marketing y economía en los breves de empresa"] iniciada en 2010. Estas cifras no incluyen el repunte que hubo en el segundo semestre de 2013, en el que se concentró el 70% del volumen total invertido, lo que augura una recuperación «lenta pero sostenida» en 2014. Según la Asociación Española de Entidades de Capital Riesgo, la caída se debe a la menor inversión de los fondos internacionales en operaciones de más de 100 millones. / E. P.

FICHA del breve en el diario

Número de página: 30
Sección: bolsa
Subsección: empresas
Número de breves de la subsección: cinco
Ladillo: no
Número de líneas del titular: dos
Número de líneas del cuerpo: quince
Fotografía: no
Firma: E. P. (Europa Press)

Despacho de agencia publicado por Europa Press (www.europapress.es), el 8 de enero del 2014:

Ascri espera una recuperación "lenta pero sostenida" en 2014

La inversión del capital riesgo en España cayó un 31% en 2013, hasta los 1.701 millones

La inversión de las entidades de capital riesgo en España cayó un 31% en 2013, hasta los 1.701 millones de euros, debido a la tendencia bajista iniciada en el año 2010. Estas cifras no contemplan el repunte de la actividad que se ha producido en el segundo semestre del año, donde se ha concentrado el 70% del volumen total invertido, y que permite augurar una recuperación "lenta pero sostenida" en 2014.

Según los datos aportados por la Asociación Española de Entidades de Capital riesgo (Ascri), la caída del volumen inversor se debe a la menor intensidad de la inversión en operaciones superiores a los 100 millones de euros de los fondos internacionales. Mientras, la inversión de los fondos nacionales se mantuvo en los niveles de 2012.

Las primeras estimaciones de cierre de año indican que en 2013 se cerraron 462 operaciones, de las que el 90% fueron inferiores a cinco millones de euros de capital. Esto evidencia que las receptoras de capital riesgo fueron las pymes españolas en fases de arranque y expansión.

En concreto, se han realizado 18 operaciones entre los 10 y los 100 millones de euros de importe con una inversión total de 440 millones de euros, entre las que se encuentran Softonic, por Partners Group, o Salto Systems, de N+1 Mercapital. Solo tres operaciones superaron el listón de los 100 millones de euros de capital invertido, todas realizadas por fondos internacionales: Befesa, Grupo Quirón y Dorna Sports.

Fondos internacionales

A lo largo del año pasado, un total de 15 entidades realizaron su primera operación de capital riesgo en España, de las que 14 fueron fondos internacionales. Este conjunto aportó el 51% del volumen total invertido en capital riesgo en España, hasta los 863,8 millones de euros, sin incluir las operaciones del sector inmobiliario o financiero.

A nivel general, se mantiene el apetito por los sectores innovadores y fácilmente internacionalizables, como las tecnologías de la información, la salud, la medicina o la biotecnología. Los sectores que más volumen de inversión han recibido son productos y servicios industriales (43%), otros servicios (11,6%), medicina/salud (11,5%) e informática (11%).

Durante el año pasado se captaron 1.346 millones de euros como nuevos fondos, de los que 864 millones de euros fueron aplicación de fondos internacionales a sus inversiones, 312 millones captados por operadores nacionales privados y 170 millones por operadores nacionales públicos.

El 'fundraising', el mayor problema

Según ha explicado el presidente de Ascri, Carlos Lavilla, el 'fundraising' *(captación de fondos)* [ver Anexo IV: "captación de fondos"] ha sido uno de los grandes problemas vividos por el sector en los años de crisis, al tiempo que ha augurado que mejorará "notablemente" con la creación del FOND-ICO Global, "que animará a la captación de nuevos fondos provenientes del sector privado, nacional e internacional".

Asimismo ha señalado que a lo largo de 2013 no se han observado operaciones de capital riesgo relacionadas con el sector energético, que podrían estar afectadas por la inestabilidad de su marco regulatorio.

También ha apuntado que uno de los datos más positivos del año se encuentra en las desinversiones, que registraron un volumen a precio de coste de 1.451 millones de euros --un 21% más respecto a 2012--, con un crecimiento del 21,3% con respecto al año anterior, en 268 operaciones.

El mecanismo más empleado para llevar a cabo estas desinversiones fue la venta a terceros (41,4%), seguido de otros mecanismos (21,5%) y la *recompra por accionistas mayoritarios* [ver

Anexo IV: "recompra de acciones"].

Previsiones

Ascri espera que el 2014 sea el año de una recuperación, "lenta pero progresiva", que se consolidará en 2015 y 2016, años que deberían ser "muy positivos" para el capital riesgo, aunque para ello es necesario que el crédito se recupere.

También se prevé que el cambio de tendencia iniciado en 2013 en las desinversiones permanezca a lo largo del 2014, sobre todo con aquellas empresas de la cartera con mayor antigüedad y que hayan logrado crecer e internacionalizarse.

FICHA del despacho de agencia en la web

Enlace de la web en la que se encuentra: <http://www.europapress.es/economia/finanzas-00340/noticia-economia-finanzas-inversion-capital-riesgo-espana-cayo-31-2013-1701-millones-20140108130301.html>

Pestaña: economía

Subpestaña: finanzas

Antetítulo: sí

Título: "La inversión del capital riesgo en España cayó un 31% en 2013, hasta los 1.701 millones"

Subtítulo: no

Número de caracteres (con espacio) del titular: 87

Número de caracteres (con espacio) del cuerpo de la nota: 4.025

Fotografía: no

Firma: Europa Press

Lugar de la firma: Madrid

Otros (documentos adjuntos, etcétera): no

Nota de prensa original, publicada por Ascri (www.ascri.org), el 8 de enero del 2014:

<u>2013 termina con un repunte global de la actividad de Capital Riesgo en España, aunque este cambio aún no se ve reflejado en las estadísticas del año</u>

· Tras cinco años de crisis, el volumen de inversión estimado (1.701M€) del 2013 sigue siendo bajo, pero es importante destacar el cambio de tendencia en el segundo semestre del año, ya que la inversión en este periodo ha superado los 1.200M€. Varias operaciones anunciadas en prensa recientemente pueden aún inclinar la balanza hacia un importe de inversión definitiva del año algo más elevado.

· 1.701M€ en 462 operaciones, es decir, una caída del 31% en el volumen y del 15% en el número de operaciones si comparamos con la actividad del año 2012. Estamos, por lo tanto, aún lejos de los niveles de actividad pre-crisis, que se situaban por encima de los 3.000-4.000 millones de euros. Los fondos internacionales fueron responsables del 51% del volumen invertido en 2013 con 14 operaciones (en las que estuvieron involucrados 23 operadores).

· El 74% del número de operaciones fueron pequeñas, de menos de 1 millón de euros de capital, casi el 4% han sido operaciones de midmarket y solo tres operaciones superaron los 100 millones de euros.

· El dato estadístico de captación de nuevos fondos para invertir arrojó un importe de 1.346 millones de euros, (-33,5% con respecto de 2012). Si bien este dato es aún muy reducido, la aportación de FOND- ICO Global sobre el fundraising empezará a notarse en 2014 al haberse atribuido mediante concurso, a finales de diciembre, unos 189 millones de euros a 6 operadores (3 de capital expansión y 3 de Venture Capital). El segundo concurso está previsto para finales de febrero y el siguiente para el verano. Fond- ICO Global pretende inyectar en el Capital Riesgo español unos 1.200 millones de euros entre 2014 y 2017 en cerca de 40 gestoras con un efecto "arrastre" sobre otros inversores, cifrado en otros 1.800 millones de euros.

· El dato estadístico, sin duda, más positivo del año ha sido el de las desinversiones, que alcanzaron (a precio de coste) los 1.451 millones de euros (+21,3% respecto del 2012) en 268 operaciones.

Madrid, 8 de enero de 2014. – Las primeras estimaciones del año 2013 apuntan a que la inversión de las entidades de Capital Riesgo en España en 2013 alcanzó 1.701M€ en 462 operaciones, según la Asociación Española de Entidades de Capital Riesgo (ASCRI) en colaboración con Webcapitalriesgo.com. Estos datos estadísticos preliminares muestran un nivel estadístico de actividad aún bajo, que contrasta con el repunte de actividad que está viviendo el sector en los últimos meses del año en casi todos los apartados: fundraising, inversión y *desinversión* [ver Anexo IV: "desinversión"]. Es importante señalar que el 90,7% fueron operaciones de menos de 5 millones de euros de capital, lo que evidencia que las receptoras del Capital Riesgo fueron, sobre todo, las pymes españolas en fases arranque y expansión.

El middle market (operaciones entre 10 y 100M€) ha protagonizado 18 operaciones en el año (3,9% del número de operaciones) con una inversión total de 440 millones de euros (24,6% del volumen). Las operaciones de midmarket más importantes fueron: Softonic por Partners Group (operación de expansión en el sector de internet), Iberchem por Magnum (operación de SBO en el sector de aromas y perfumes), Probos Plásticos (doble operación de SBO en el sector de plásticos) y Salto Systems (Buy Out) por N+1 Mercapital, Gestamp por Cofides, Gamo por BRS, Aston Martin por Torreal, Agromillora y Fritta por Nazca Capital y En Campus por Artá Capital. Solo 3 operaciones han superado el listón de los 100 millones de euros de capital invertido, todas ellas realizadas por fondos internacionales: Befesa (por Triton Partners), Grupo Quirón (por Doughty Hanson) y la operación de secondary en Dorna Sports (por Bridgepoint).

A lo largo de 2013 destacó el número de operaciones de capital expansión (60% del total, con un volumen de inversión de cercano a los 560 millones de euros). Destacan por volumen de inversión las inversiones en Gestamp, Aston Martin, Agromillora, En Campus e Ibermática (por PROA). También han sido relevantes el número de operaciones en etapas iniciales (36% del total de operaciones, aunque solo representa un volumen total de inversión de 75,6 millones de euros). Algunas operaciones de Venture Capital destacadas del año 2013 fueron las de Adara y Neotec (y otros inversores internacionales) en Alien Vault (seguridad informática), Ysios Capital y Caixa Capital Risc (y otros inversores internacionales) en Stat Diagnóstica, Axis y CCMP en Volotea, Seaya Ventures en Plenummedia y Réstalo, Ysios Capital en VCRX y Telefónica Ventures en BOX.

Los sectores que más volumen de inversión recibieron fueron: Productos y Servicios Industriales (43%, por operaciones como Befesa o Probos Plásticos), Otros Servicios (11,6%, por operaciones como Dorna Sports y Vértice 360), Medicina/Salud (11,5%, por Tecknon y Croasa), e Informática (11%, por operaciones como Softonic e Ibermática). Los sectores que mayor número de operaciones concentraron fueron: Informática (36,4%), Productos y Servicios Industriales (12,6%) y Biotecnología y Otros Servicios (ambos con el 8,4%).

En cuanto a la captación de nuevos fondos para invertir, en 2013 se captaron 1.346 millones de euros como "nuevos fondos", de los cuales 864 millones fueron aplicación de fondos internacionales a sus inversiones, 312 millones de euros captados por operadores nacionales privados y el resto (170 millones) por operadores nacionales públicos. Podemos destacar los primeros cierres de Seaya Capital (40M€), de Axón Amérigo Ventures (40M€), de Adara Ventures II, de Inveready Venture e Inveready Biotech, de Mediterranea Capital y de Institut Catalá de Finances (20M€). El fundraising ha sido uno de los grandes problemas vivido por el sector en estos años de crisis y que mejorará notablemente con la creación del fondo de fondos público FOND-ICO Global, que animará la captación de nuevos fondos provenientes del sector privado, nacional e internacional. Asimismo, el positivo dato de desinversiones, que señalamos a continuación, también animará a que los inversores actuales vuelvan a aportar nuevos fondos al sector.

Uno de los datos más positivos del año, y en el que ya se observa un claro cambio de tendencia, fue el apartado de desinversiones. Éstas registraron un volumen (a precio de coste) de 1.451 millones de euros (crecimiento del 21,3% con respecto al año 2012) en 268 operaciones. El mecanismo de desinversión más utilizado (en función del volumen) fue la "Venta a terceros" (41,4%), seguido de "Otros mecanismos" (21,5%, influido por la desinversión en Orizonia) y "Recompra por accionistas mayoritarios" (20,4%). Entre las desinversiones destacadas están las llevadas a cabo por Doughty Hanson en Avanza Grupo, Vista y Portobello en Indas, CVC en Revlon, Magnum en Teknon, Mercapital y Carlyle en Arsys, Arnela en Vetra Energia y MCH en Gamo y en Televida & Hogar.

¿Qué nos espera en el año 2014?

Inversión: A nivel económico general, el 2014 será el primer año de una recuperación lenta pero progresiva y, por lo tanto, se consolidará sobre todo en 2015 y 2016. La economía española ha ganado en competitividad (aumento de la productividad, reducción del coste laboral unitario, aumento de las exportaciones y reducción de las importaciones...). Para el Capital Riesgo, los años 2014 a 2016 deberían ser años muy positivos, aunque para que el número de operaciones crezca con fuerza es necesario que el crédito se recupere. Varias operaciones están en fase avanzada de cierre o de negociación, alguna de elevado importe, como por ejemplo la compra del 49,9% de Port Aventura por parte de KKR a Investindustrial, la ampliación de capital de CVC en R Cable. Hay que destacar que en 2013 quince entidades de Capital Riesgo realizaron su primera operación de Capital Riesgo en España, de las cuales 14 fueron fondos internacionales, como Springwaters, Partners Group y Triton Partners, lo que demuestra que el inversor extranjero tiene a España en el punto de mira para sus inversiones. Esto, previsiblemente, seguirá siendo la tónica del 2014 y 2015.

Captación de nuevos fondos: La noticia que está centrando todo el interés del sector ha sido la puesta en funcionamiento del fondo de fondos público FOND-ICO Global, que supone una importante inyección de liquidez, condicionada a que el sector consiga atraer a inversores privados, que deberán aportar entre el 50 y el 70% de los fondos. La puesta en marcha de FOND-ICO ha permitido que muchas gestoras den el primer paso para anunciar el levantamiento de nuevos fondos. Fondos como Corpfin Capital, Portobello o Diana Capital están en pleno proceso de fundraising y otros han anunciado que lo estarán próximamente, como TEA y Black Toro Capital, que ha anunciado su intención de levantar un fondo de 500 millones de euros. En cuanto a fondos internacionales, varias gestoras han anunciado la creación de nuevos fondos importantes, como HIG European Capital Group, que ha cerrado en 2013 un nuevo fondo de 825M€ para invertir en Europa y una parte se podrá destinar a compras en España y CVC, que con su sexto fondo por un total de 10.600 millones de euros se posiciona como el tercer fondo de mayor tamaño levantado en Europa.

Desinversión/cartera: En los últimos años se viene observando cierta presión por parte de los Limited Partners para acelerar algunas desinversiones y así poder devolver el capital, ya que el tiempo de permanencia había superado los 6 años de media. Se prevé que el cambio de tendencia iniciado en 2013 en las desinversiones permanezca a lo largo del 2014, sobre todo con aquellas empresas de la cartera con mayor antigüedad y que hayan logrado crecer e internacionalizarse. Algunas desinversiones anunciadas en 2013 terminarán de cerrarse en 2014, como la venta por parte de Blackstone y Dinamia en Mivisa o la desinversión de 3i, Landon y Hutton Collins en Everis. Para las empresas que permanecen en cartera, las perspectivas mejoran gracias a una leve mejoría del consumo interno, que esperamos se consolide en este año.

Marco legislativo: La transposición de la Directiva AIFM a la legislación española ha sufrido cierto retraso (debía haberse finalizado antes del 23 de julio 2013), ya que se espera una nueva Ley para el sector de Capital Riesgo a lo largo de 2014 (presumiblemente para el verano). El nuevo marco legal supondrá nuevas reglas y obligaciones para el sector, aunque el sector espera que la nueva Ley proporcione un marco favorable para un nuevo desarrollo de esta industria en los próximos años.

Nota para el editor:

La Asociación Española de Entidades de Capital Riesgo (ASCRI), tiene como misión principal desarrollar y fomentar la inversión en capital de compañías no cotizadas. La Asociación, presidida por Carlos Lavilla, tiene actualmente 140 asociados. Webcapitalriesgo.com realiza para ASCRI la captación y tratamiento de los datos estadísticos del sector.

El Informe "Capital Riesgo & Private Equity en España 2013" ha sido patrocinado por Accuracy y Diana Capital. Accuracy es la mayor consultora europea independiente en el ámbito del asesoramiento en transacciones (due diligence), valoraciones, litigios y reestructuraciones (www.accuracy.com).

Diana Capital tiene como objetivo de inversión compañías con un gran potencial de crecimiento y proyección internacional. Diana juega un papel muy activo en el diseño e implementación de la estrategia global de sus participadas, con la finalidad de incrementar su valor para accionistas y directivos (www.dianacapital.com)

FICHA de la nota de prensa en la web

Enlace de la web en la que se encuentra: <http://www.ascri.org/
upload/documentos/20140108_125643_1059559589.pdf>
Pestaña: documentos
Subpestaña: --
Antetítulo: no
Título: "2013 termina con un repunte global de la actividad de Capi-
tal Riesgo en España, aunque este cambio aún no se ve reflejado en
las estadísticas del año"
Subtítulo: cinco subtítulos
Número de caracteres (con espacio) del titular: 154
Número de caracteres (con espacio) del cuerpo de la nota: 11.616
Fotografía: no
Firma: Silvia Martín
Lugar de la firma: Madrid
Otros (documentos adjuntos, etcétera): no

EN LÍNEA

COCA-COLA

Impugnaciones y paros contra el ERE

■ El sindicato Comisiones Obreras ha anunciado paros inmediatos e impugnaciones al expediente de regulación de empleo (ERE) de Coca-Cola Iberian Partners si la compañía no acredita que consolida como grupo laboral y redirecciona sus posiciones y pretensiones en materia de pérdida de empleo. / Efe

SYNERGIC PARTNERS

Jordi Casas entra en el consejo

■ Synergic Partners, consultora estratégica y tecnológica fundada en el 2007 especializada en gestión, gobierno y análisis de datos, incorpora a su consejo al abogado y expolítico Jordi Casas. El foco de la compañía es ayudar a las empresas a conocer mejor al cliente y luchar contra el fraude. / Redacción

CBRE

Los alquileres de oficinas ya no bajan

■ Las rentas de las oficinas en la zona *prime* de Barcelona se han estabilizado en torno a los 17,75 euros mensuales por metro cuadrado, según la consultora CBRE. La firma recuerda que la demanda comienza a dar signos de recuperación, porque las empresas ya han ajustado plantillas y algunas incluso las aumenta. / Redacción

ARCHIVO
Edificio de viviendas

UVINUM

Doble de facturación en el 2013

■ El *marketplace* líder de venta de vinos y destilados sigue con su fuerte crecimiento, superando los 3.5 millones de euros en ventas. El crecimiento se basa en la consolidación de cuatro mercados clave: España, Reino Unido, Alemania y Francia, así como el desarrollo de negocio en otros países. / Redacción

---

EMPRENDEDORES

Layetana lleva a concurso el hotel La Mola

El complejo quiere reestructurar su deuda, de 60 millones

ROSA SALVADOR
Barcelona

La inmobiliaria Layetana ha llevado a concurso el Gran Hotel La Mola de Terrassa y su centro de conferencias, con un pasivo de 60 millones de euros vinculado a los enormes costes que asumió en la compra de los terrenos y la construcción del hotel, que inauguró justo al inicio de la crisis, en el 2008. La firma, controlada por la familia Mercadé y los antiguos propietarios de Prodesfarma, tiene más del 90% de su pasivo concentrado en la banca: el primer acreedor es Banesto (47 millones), seguido por el ICF (6) y Barclays (3), y también el anterior gestor del hotel, el británico Principal Hayley (1).

La Mola Hotel and Conference Centre, representada en el concurso por el bufet Arraut y Asociados, ha presentado en el juzgado mercantil 4 que dirige el juez Luis Rodríguez Vega una propuesta de continuidad que pasa por pactar una quita y un aplazamiento del pago con la banca. Fuentes judiciales explicaron que el hotel ya ha ajustado la plantilla, que ha dejado en 65 personas, e incorporó hace un año como gestora al grupo Double Tree, una de las enseñas del grupo Hilton, unos cambios que han saneado la cuenta de explotación de la empresa y la ha-

GEMMA MIRALDA
El hotel La Mola, de Terrassa, está gestionado por Hilton

EL DATO

Barcelona, líder de inversión en el 2013

■ Barcelona "ha sido la protagonista del 2013 en el sector hotelero", señala un estudio de la consultora Irea. "Muchos inversores internacionales, cadenas y fondos quieren entrar porque a nivel operativo funciona muy bien", según su socio Miguel Vázquez.

cen viable. El hotel, de 186 habitaciones y un restaurante de élite, tiene además el atractivo de estar junto al Club de Golf El Prat, diseñado por Greg Norman y uno de los mejores de España. El juzgado ha nombrado administrador concursal a la firma Addvante. El hotel La Mola y su centro de conferencias es uno de los activos de Layetana que han sobrevivido a la crisis, junto con las residencias Las Arcadias. La firma, que refinanció su deuda corporativa hace dos años, se ha desprendido en cambio de sus proyectos inmobiliarios con daciones a la banca.●

El vino catalán sube su cuota de mercado en España al 6,4%

RAMON FRANCÀS
Vilafranca del Penedès

El vino catalán con denominación de origen escaló ligeramente cuotas de participación en el mercado español en el último año (de septiembre del 2012 a septiembre del año pasado), según datos de la consultora Nielsen que ayer reveló el Departament d'Agricultura de la Generalitat. Las ventas de los vinos de las DO Terra Alta y Catalunya son las principales responsables de que el conjunto de las 11 denominaciones de origen vitivinícoles de Catalunya aumentaran su participación un 0,3 puntos y lograran una cifra del 6,4%, lo cual las sitúa en el quinto lugar del ranking español.

El resto de las denominaciones logran mantener su cuota de mercado. En la Generalitat se destaca que este incremento de 0,3 puntos para lograr el 6,4% es el mayor aumento que se produce en las 10 primeras posiciones del mercado español. En cuanto a los datos del mercado de Catalunya, el incremento de cuota es de 0,7 puntos, lo que supone conseguir una participación del 29,6% y alcanzar el segundo lugar, a sólo 3 puntos de La Rioja. En Catalunya son las denominaciones Empordà y Montsant las que han experimentado mayores crecimientos.

JORDI PLAY / ARCHIVO
Vendimia en Sant Sadurní

En los últimos tres años, la posición que ocupa el primer lugar, La Rioja, ha perdido 3,3 puntos de cuota y el conjunto de las DO de Catalunya ha aumentado 1,1 puntos su participación. Si se segregan los datos por canales de alimentación y hostelería, en el canal de alimentación, el vino catalán logra por primera vez la posición de liderazgo con una participación del 30,5%. En el canal de hostelería, las DO catalanas ocupan la segunda posición en el ranking, con un aumento interanual de 0,1 puntos y una participación del 27,7%, mientras que La Rioja cayó 1,9 puntos en el periodo.●

3. La Vanguardia   **Numeración para la muestra: 5**

Viernes 17 de enero del 2014

Doble de facturación en el 2013

El *marketplace* líder de venta de vinos y destilados sigue con su fuerte crecimiento, superando los 3.5 millones de euros en ventas. El crecimiento se basa en la consolidación de cuatro mercados clave: España, Reino Unido, Alemania y Francia, así como el desarrollo de negocio en otros países. / Redacción

FICHA del breve en el diario

Número de página: 63
Sección: economía
Subsección: En Línea
Número de breves de la subsección: cuatro
Ladillo: Uvinum
Número de líneas del titular: dos
Número de líneas del cuerpo: diez
Fotografía: no
Firma: Redacción

Nota de prensa original, publicada por la revista digital del vino Vinitur (www. vinetur.com), el 17 de enero del 2014:

Dobla su facturación en 2013
Uvinum supera los 3,5 millones de euros en ventas de vino online
El marketplace líder de venta de vinos y destilados sigue con su fuerte crecimiento y expansión, superando los 3,5 millones de euros en ventas

Según informa Uvinum, sitio web dedicado a la venta online de vino perteneciente al Grupo Verticomm (Verticomm Network, S.L.), durante el 2013 se han triplicado las ventas del año anterior, llegando a superar la cifra de 3,5 millones de euros.

Así según destaca Nico Bour, CEO y co-fundador de Uvinum, "teníamos que seguir apostando por el crecimiento. Este crecimiento se ha basado en la consolidación de cuatro mercados clave: España como mercado local, Reino Unido, Alemania y Francia, así como el desarrollo de negocio en otros países europeos como Italia, Holanda y Portugal".

Bour señala además que la apuesta por el crecimiento internacional "es clara", y "haber conseguido el 70% del total de nuestra facturación desde fuera de España nos da la razón. Igualmente, hemos realizado un gran esfuerzo para lograr mejorar nuestro margen bruto, que ha obtenido una subida del 30% en los últimos 12 meses".

En tan solo tres años Uvinum se ha consolidado como uno de los líderes en venta online para vinos, destilados cervezas y productos gourmet, por encima de empresas con mucho más recorrido. El Ecommerce del sector está en sus inicios, y -según Nico Bour- "tenemos claro que más del 10% de las compras se harán vía internet en los próximos años, y nos estamos posicionándonos como uno de los referentes europeos en la venta online de este tipo de productos".

Por último subraya que en 2014, "otras aventuras europeas nos esperan, así como nuevos servicios para seguir fidelizando a nuestros más de 32.000 clientes y partners".

Por su parte, Albert López, CCO y también co-fundador de Uvinum, matiza que durante 2013 se han superado los 11 millones de visitas web, obteniendo 1.5 millones en el mes de diciembre del 2013. Para López resulta fundamental la movilidad: "Hemos prestado también especial atención al tráfico móvil, con la creación de nuestra app de compra para dispositivos iOS y versión móvil de la web, que representan un 30% de la audiencia total de las visitas a nuestro site".

El fundador de Uvinum destaca el esfuerzo por conseguir el mejor catálogo online a nivel europeo, con ya más de 65.000 ofertas de producto a un precio único, así como tener un contenido de máxima calidad con más de 300.000 opiniones. "La presencia de nuestro Personal Shopper vía chat y de sus videocatas, o la creación de una red social con más de 20.000 seguidores, son el camino a seguir" concluye López.

Fue en diciembre del 2009 cuando Nico Bour, Albert García y Albert López lanzaron Uvinum. Ubicados en Barcelona en el @22, cuenta con el apoyo de importantes inversores y business angels como Cabiedes & Partners, Grupo Intercom o Tomás Diago (fundador de Softonic) entre otros que han invertido más de 1,1 millones de euros en la empresa y que posibilitan el crecimiento y expansión de la compañía. Uvinum forma parte de Verticomm Network, red de marketplace de verticales que incluye además a Sportivic, Babibum y Mascotic.

FICHA de la nota de prensa en la web

Enlace de la web en la que se encuentra: <https://www.vinetur.com/2014011714330/uvinum-supera-los-35-millones-de-euros-en-ventas-de-vino-online.html>
Pestaña: noticias
Subpestaña: nacional
Antetítulo: sí
Título: "Uvinum supera los 3,5 millones de euros en venta de vino online"
Subtítulo: un subtítulo
Número de caracteres (con espacio) del titular: 64
Número de caracteres (con espacio) del cuerpo de la nota: 2.923
Fotografía: sí
Firma: sin firma
Lugar de la firma: Barcelona
Otros (documentos adjuntos, etcétera): no

BOLSA

	IBEX 35 Madrid	EUROSTOXX 50 París	FTSE 100 Londres	DAX 30 Francfort	DOW JONES Nueva York	NASDAQ Nueva York	NIKKEI Tokio	PETRÓLEO Dólares / barril	EURIBOR %	ORO Dólares / onza
Cotización →	10.455,50	3.150,20	6.815,42	9.717,71	16.417,01	4.218,69	15.747,20	107,06	0,5720	1.242,30
En el día →	-0,66%	-0,59%	-0,07%	-0,17%	-0,39%	+0,09%	-0,39%	-0,01%	+1,24%	+0,09%
En el año →	+5,43%	+1,33%	+0,98%	+1,73%	-0,96%	+1,01%	-3,34%	-3,46%	+2,88%	+3,11%

IBEX 35

LAS MAYORES SUBIDAS	%	LAS MAYORES BAJADAS	%
FCC	+6,18	BBVA	-2,52
Arcelor Mittal	+2,00	Bankia	-2,10
Indra	+0,83	Banco Popular	-1,91
Enagás	+0,77	Acciona	-1,86
Abertis	+0,74	Gamesa	-1,68
CaixaBank	+0,71	Santander	-1,45
BME	+0,49	Bankinter	-1,09
Técnicas Reunidas	+0,48	IAG	-1,00

SUBASTAS TESORO

	Tir media
Letras 6 Meses	0,69
Letras 9 Meses	0,84
Letras 12 Meses	0,88
Letras 18 Meses	1,69
Bonos 2,5 Años	4,34
Bonos 2 Años	1,90
Bonos 3 Años	1,60
Bono 4 Años	5,97

TIPOS OFICIALES

	%
España	0,25
Alemania	0,25
Zona euro	0,25
Reino Unido	0,50
EE.UU.	0,00-0,25
Japón	0,00-0,10
Suiza	0,00-0,25
Canadá	1,00

DIVISAS

	1 euro
Dólares USA	1,3597
Yenes japoneses	142,21
Coronas danesas	7,462
Libras esterlinas	0,8322
Coronas suecas	8,8174
Francos suizos	1,235
Coronas noruegas	8,389
Yuanes chinos	8,236

CIFRAS ECONÓMICAS

ESPAÑA

IPC	0,2%	Desempleo	25,98%
PIB	-1,1%	Tipos de interés	0,5%

ZONA EURO

IPC	0,8%	Desempleo	12,1%
PIB	-0,4%	Tipos de interés	0,5%

EEUU

IPC	1,20%	Desempleo	6,7%
PIB	2%	Tipos de interés	0,25%

■ Acciona

Último cierre: 47,45 euros ▼ -1,86 %

48,0
47,2
46,4

10.00   12.00   14.00   16.00   18.00

FUENTE: Bloomberg.   EL MUNDO

MERCADO CONTINUO

CONTRATACIÓN EN EUROS

IBEX 35

TÍTULO	ÚLTIMA COTIZACIÓN	VARIACIÓN DIARIA EUROS	%	AYER MÍN.	MÁX.	VARIACIÓN AÑO % ANTERIOR	ACTUAL
Abertis	17,120	0,125	0,74	16,950	17,160	43,02	6,01
Acciona	47,450	-0,900	-1,86	44,970	48,175	-21,20	-13,61
ACS	27,780	0,030	0,11	27,360	27,920	38,86	11,03
Amadeus It Holding	30,590	-0,125	-0,41	30,550	30,895	67,15	-1,66
ArcelorMittal	12,990	0,255	2,00	12,760	13,050	2,60	0,39
B. Popular	5,388	-0,105	-1,91	5,388	5,550	49,66	22,87
B. Sabadell	2,130	-0,019	-0,88	2,123	2,149	5,25	12,34
B. Santander	6,731	-0,099	-1,45	6,720	6,850	21,53	3,46
Bankia	1,349	-0,029	-2,10	1,341	1,388	-74,12	9,32
Bankinter	5,638	-0,062	-1,09	5,616	5,738	154,69	13,05
BBVA	9,676	-0,250	-2,52	9,676	9,959	36,37	8,14
BME	30,750	0,150	0,49	30,505	30,865	63,51	11,17
Caixabank	4,390	0,031	0,71	4,322	4,422	53,91	15,89
Dia	6,612	-0,040	-0,60	6,581	6,674	38,25	1,72
Ebro Foods	16,945	0,035	0,21	16,840	17,070	17,99	-0,53
Enagás	20,305	0,155	0,77	19,975	20,565	25,31	6,90
FCC	19,750	1,150	6,18	18,275	19,800	72,63	22,10
Ferrovial	14,735	0,005	0,03	14,640	14,790	31,78	4,76
Gamesa	8,560	-0,144	-1,68	8,560	8,870	356,63	12,93
Gas Natural	18,690	-0,050	-0,27	18,630	18,820	49,38	-0,03
Grifols	38,350	0,175	0,46	38,200	38,805	32,80	10,31
IAG	5,729	-0,053	-1,00	5,202	5,319	117,00	8,06
Iberdrola	4,685	0,011	0,24	4,649	4,698	22,50	1,08
Inditex	119,500	-0,050	-0,04	118,500	120,000	15,96	-0,25
Indra	13,955	0,115	0,83	13,845	14,125	25,40	14,81
Jazztel PLC	8,592	-0,032	-0,37	8,511	8,628	48,03	10,45
Mapfre	3,447	0,007	0,20	3,418	3,460	40,57	10,73
Mediaset	9,162	0,010	0,11	9,077	9,200	64,81	9,21
Obrascón H.L.	32,220	=	=	31,960	32,435	37,28	9,42
Red Eléctrica	53,630	-0,370	-0,69	53,520	54,580	37,93	12,24
Repsol	19,035	0,030	0,16	18,920	19,065	26,18	3,90
Sacyr	3,760	-0,017	-0,45	3,750	3,859	139,43	-0,19
Técnicas Reunidas	40,900	0,195	0,48	40,700	41,400	18,87	3,66
Telefónica	12,415	-0,025	-0,20	12,335	12,475	19,41	4,90
Viscofán	41,415	0,070	0,17	41,200	41,740	-0,61	0,16

RESTO DE VALORES

TÍTULO	ÚLTIMA COTIZACIÓN	DIF. %	RENTA. 2013
Abengoa	3,130	7,05	29,34
Abengoa B	2,550	0,79	17,19
Acerinox	9,652	-0,02	4,36
Adolfo Domínguez	6,460	1,73	14,13
Adveo	16,770	0,84	12,25
Alba	44,350	0,54	4,35
Almirall	12,650	-0,24	6,84
Amper	1,100	-0,90	3,77
Aperam	13,250	=	-1,12
Atresmedia	13,350	0,45	11,06
Azkoyen	2,440	3,83	16,19
Barón de Ley	62,000	=	5,08
Bayer Ag.	101,900	0,54	-0,39
Biosearch	0,810	6,58	17,39
Bodegas Riojanas	5,610	5,85	4,47
C. A. F.	385,950	-2,78	0,43
CAM	1,340	=	0,00
Campofrío	6,910	=	0,14
Cem.Portland	6,810	4,77	22,48
Cie Automotive	7,895	0,32	-1,31
Cleop	1,150	=	0,00
Clínica Baviera	9,890	-1,20	-5,45
Codere	0,970	-1,02	40,58
Colonial	1,400	6,06	33,72
C.V.N.E	15,000	-6,83	-1,32
Deoleo	0,475	=	1,06
Dinamia	7,430	1,92	6,14
Dogi	0,640	=	0,00
Duro Felguera	5,200	2,16	6,12
EADS	56,800	0,53	1,97
Elecnor	11,060	0,18	-1,07
Ence	3,010	=	10,46
Endesa	22,460	1,26	3,03
Enel Green Power	1,909	-0,05	5,94
Ercros	0,580	3,94	22,11
Europac	4,100	=	6,63
Ezentis	1,627	0,87	5,65
Faes	2,865	-1,38	8,52
Fergo Aisa	0,017	=	0,00
Fersa	0,510	10,87	30,77
Fluidra	2,770	1,28	1,84
Funespaña	6,320	=	5,33
GAM	0,710	4,41	-1,39
General Inversiones	1,660	=	0,00
Grupo Catalana Occ.	29,020	-0,27	11,53
Grupo Sanjosé	1,200	-0,83	0,00
Grupo Tavex	0,296	1,37	28,70
Iberpapel	16,550	3,44	9,60

TÍTULO	ÚLTIMA COTIZACIÓN	DIF. %	RENTA. 2013
Indo Interna.	0,600	=	0,00
Inmobiliaria Del Sur	14,500	=	-9,38
Inypsa	1,050	5,00	25,00
Liberbank	0,844	-1,17	17,22
Lingotes Especiales	3,550	5,97	3,05
Martinsa-Fadesa	7,300	=	0,00
Meliá Hotels Int.	9,915	0,81	6,21
Miquel y Costas	29,850	2,05	-2,13
Montebalito	1,230	=	8,85
N. Correa	1,420	-1,39	9,65
Natra	2,305	=	4,30
Natraceutical	0,298	-0,33	3,83
NH Hoteles	4,940	0,30	15,29
Nyesa	0,170	=	0,00
Pescanova	5,910	=	0,00
Prim	5,760	0,35	0,00
Prisa	0,408	-1,69	2,00
Prosegur	5,060	-0,78	1,61
Quabit	0,121	0,83	2,54
Realia Business	0,900	-2,70	8,43
Reno de Medici	0,332	4,08	25,28
Renta Corp.	0,570	=	0,00
Renta 4 Banco	5,840	0,69	15,64
Reyal Urbis	0,124	=	0,00
Rovi	9,860	1,65	-1,20
Seda Barna	0,729	=	0,00
Service Point Solution	0,096	-2,04	2,13
Sniace	0,196	=	0,00
Solaria	0,995	15,03	30,07
Sotogrande	2,750	=	2,61
Tecnocom	1,330	-0,75	9,92
Testa Inm.Renta	7,520	=	-0,53
Tubacex	3,000	0,33	3,81
Tubos Reunidos	1,860	=	5,08
Uralita	1,350	0,37	13,45
Urbas Gr.Financiero	0,028	-3,45	12,00
Vértice 360	0,058	=	26,09
Vidrala	36,630	0,36	-2,16
Vocento	1,675	-0,89	10,93
Zardoya Otis	13,860	-0,14	1,40
Zeltia	2,910	-1,69	25,97

EMPRESAS

CCOO amenaza con paros en Coca-Cola

El sindicato Comisiones Obreras ha anunciado paros inmediatos e impugnaciones al Expediente de Regulación de Empleo (ERE) de Coca-Cola Iberian Partners si la compañía no acredita que consolida como grupo laboral y redirecciona sus posiciones y pretensiones en materia de pérdida de empleo y condiciones de trabajo. A finales de 2013, la dirección de Coca-Cola Iberian Partners –compañía resultante de la integración de las siete embotelladoras de Coca-Cola en España– comunicó la reorganización del embotellador único, que afectará a cerca de 1.200 empleados. / E.P.

Primera emisión de deuda de Acciona

Acciona ha cerrado una colocación de obligaciones convertibles por 325 millones, en su primera emisión de deuda corporativa en el mercado de capitales. Los bonos, con vencimiento a cinco años, devengarán un interés del 3%, con pagos semestrales los 30 de enero y los 30 de julio. La emisión, susceptible de ampliarse en 50 millones, permitirá a Acciona diversificar su financiación, extender el plazo medio de su deuda, reducir su coste y aumentar la liquidez. / E.P.

Borges eleva un 25% el beneficio en 2013

Borges Mediterranean Group ha registrado un beneficio neto de 13,3 millones de euros en 2013, con un incremento del 25% respecto al año anterior. La compañía atribuye la mejora de los resultados a la gestión empresarial, la innovación, la apuesta por la integración vertical en origen vía plantaciones agrícolas y la internacionalización. Las ventas se situaron en 610 millones de euros, un 17% más que en 2012, y las toneladas totales comercializadas alcanzaron las 316.000. La exportación del grupo llegó al 79% de sus ventas, con fuertes crecimientos en mercados como Brasil, India y China, de reciente implantación. / E.P.

Más desinversiones bancarias

Bankia y CaixaBank ponen a la venta su parte en NH y BME

MARISA RECUERO / Madrid

Los bancos españoles no dejan de desinvertir. Todo sea por reforzar su capital y deshacerse de sus participaciones empresariales de cara a la nueva normativa internacional bancaria, conocida como Basilea III/CRD IV. Ayer le tocó el turno a Bankia y CaixaBank.

En el primer caso, el grupo que preside José Ignacio Goirigolzarri puso a la venta la participación que controla en el grupo NH Hoteles. Es decir, un 12,597% de la cadena. Aunque la entidad comunicó primero su intención de vender sólo un 10%, apenas tardó nueve minutos en rectificar y anunciar que se deshará de todo el paquete de acciones que posee. La matriz, Banco Financiero y de Ahorros (BFA), controla el 4,53%, mientras que Bankia posee el 8,07%.

En cuanto a la entidad que pre-

side Isidro Fainé, culminó ayer con éxito la venta del 5,01% que tenía en Bolsas y Mercados Españoles (BME) por un importe de 124 millones de euros. En ambos casos, las operaciones de desinversión se llevaron a cabo mediante un proceso de colocación acelerada.

Las acciones de NH cerraron ayer a 4,90 euros. Las de Bankia llegaron a cambiarse a 1,34 euros, tras ceder un 2,1%. Los títulos de BME terminaron la jornada a 30,75 euros, y CaixaBank, a 4,39 euros.

3. El Mundo   **Numeración para la muestra: 6**

Viernes 17 de enero del 2014

Borges eleva un 25% el beneficio en 2013

Borges Mediterranean Group ha registrado un beneficio neto de 13,3 millones de euros en 2013, con un incremento del 25% respecto al año anterior. La compañía atribuye la mejora de los resultados a la gestión empresarial, la innovación, la apuesta por la integración vertical en origen vía plantaciones agrícolas y la internacionalización. Las ventas se situaron en 610 millones de euros, un 17% más que en 2012, y las toneladas totales comercializadas alcanzaron las 316.000. La exportación del grupo llegó al 79% de sus ventas, con fuertes crecimientos en mercados como Brasil, India y China, de reciente implantación. / E.P.

FICHA del breve en el diario

Número de página: 36
Sección: bolsa
Subsección: empresas
Número de breves de la subsección: tres
Ladillo: no
Número de líneas del titular: dos
Número de líneas del cuerpo: 18
Fotografía: no
Firma: E. P. (Europa Press)

Despacho de agencia publicado por Europa Press (www.europapress.es), el 16 de enero del 2014:

Borges gana 13,3 millones en 2013, un 25% más
Borges Mediterranean Groupha registrado un beneficio neto de 13,3 millones de euros en 2013, lo que supone un incremento del 25% respecto al año anterior.

Así lo ha informado este jueves la compañía catalana, que ha destacado que las claves de estos resultados son la mejora de la gestión, la innovación, la apuesta por la integración vertical en origen vía plantaciones agrícolas y la internacionalización.

Las ventas se han situado en 610 millones de euros, un 17% más que en 2012, y las toneladas totales comercializadas han alcanzado las 316.000.

La exportación del grupo ha llegado al 79% de sus ventas, con fuertes crecimientos en mercados como Brasil, India y China, de reciente implantación, y ya vende en 110 países en los cinco continentes.

La compañía ha señalado como algunos de los principales hitos del año la consolidación en su portafolio de empresas la adquisición de Capricho Andaluz, líder mundial en venta de monodosis de aceites y vinagres, y el crecimiento del 54% y del 30% en sus más recientes lanzamientos de nuevos productos, las Popitas Zero y las Cremas Balsámicas.

Actualmente, Borges Mediterranean Group está presente fuera de España con filiales propias en Estados Unidos, Brasil, Francia, Polonia, Rusia, India, China, Túnez, Marruecos y Egipto, y cuenta con 941 personas, tras incrementar la plantilla en un 16% en 2013.

FICHA del despacho de agencia en la web

Enlace de la web en la que se encuentra: <http://www.europapress.es/catalunya/noticia-borges-gana-133-millones-2013-25-mas-20140116132900.html>
Pestaña: catalunya
Subpestaña: --
Antetítulo: no
Título: "Borges gana 13,3 millones en 2013, un 25% más"
Subtítulo: no
Número de caracteres (con espacio) del titular: 45
Número de caracteres (con espacio) del cuerpo de la nota: 1.365
Fotografía: sí
Firma: sin firma (Europa Press)
Lugar de la firma: Barcelona
Otros (documentos adjuntos, etcétera): no

Nota de prensa original, publicada por Borges Mediterranean Group (www.borgesmediterraneangroup.com), el 16 de enero del 2014:

Borges Mediterranean Group incrementa sus beneficios netos dn un 25%

Borges Mediterranean Group alcanza beneficios netos de 13,3M €. La compañía que cuenta con 941 trabajadores, un 16% más que en el ejercicio anterior, creció en ventas un 17% hasta los 610 millones de euros.

La mejora de la gestión, nuestro compromiso con la innovación, la apuesta por la integración vertical en origen vía plantaciones agrícolas, y la internacionalización son las claves de estos resultados. Las ventas se sitúan en 610 millones de euros. De esta manera, Borges Mediterranean Group se centra en su estrategia basada en productos de calidad y valor añadido como el aceite de oliva virgen extra y sus marcas propias, con el soporte agrícola de sus plantaciones en California, Extremadura y Granada. Las toneladas totales comercializadas se sitúan en las 316 mil.

En Borges Mediterranean Group exportamos ya el 79% de nuestras ventas, experimentando fuertes crecimientos en mercados como Brasil, India o China, de reciente implantación y por los que la compañía está realizando una fuerte apuesta, y en los que ya tiene trabajando 95 empleados propios.

Un referente del Estilo de Vida Mediterráneo

Con un proyecto empresarial que abarca 110 países en los cinco continentes, Borges es la marca de aceite con mayor distribución en el mundo, uno de los cinco primeros operadores mundiales de nueces y el primer exportador nacional de frutos secos. Borges Mediterranean Group está presente en toda la cadena de producción. Cuenta con plantaciones propias, más de 1.500 hectáreas en California, Extremadura y Granada, así como doce factorías.

En la actualidad, Borges Mediterranean Group está presente fuera de España con filiales propias en Estados Unidos (3 filiales), Brasil, Francia, Polonia, Rusia, India, China, Túnez, Marruecos y Egipto.

Con una apertura internacional que se traduce en el 79% de exportaciones respecto al total de facturación, nuestro grupo se consolida como un referente en la comercialización de productos saludables propios de la dieta mediterránea. Nuestro nuevo posicionamiento en *mediterranean life & quality* nos ayuda a contribuir a que los consumidores de todo el mundo disfruten de los estándares y cualidades del estilo de vida mediterráneo como un concepto global cultural que integra la alimentación como fuente de salud y placer.

FICHA de la nota de prensa en la web

Enlace de la web en la que se encuentra: <http://www.borgesme-diterraneangroup.com/noticies/borges-mediterranean-group-incre-menta-sus-beneficios-netos-en-un-25/>
Pestaña: actualidad
Subpestaña: noticias
Antetítulo: no
Título: "Borges Mediterranean Group incrementa sus beneficios netos dn un 25%"
Subtítulo: no
Número de caracteres (con espacio) del titular: 68
Número de caracteres (con espacio) del cuerpo de la nota: 2.273
Fotografía: sí (logo)
Firma: sin firma
Lugar de la firma: sin especificar
Otros (documentos adjuntos, etcétera): no

EN LÍNEA

CATALUNYA BANC

Previsión de 5.000 millones en créditos

■ Catalunya Banc tiene previsto conceder 5.000 millones en créditos a empresas este año, para lo que contará con 200 asesores especializados, y la incorporación de 88 nuevos gestores de microempresas. Con la nueva organización y su modelo comercial, quiere potenciar la banca de proximidad. / Redacción

ENGLISH SUMMER

300 monitores para este verano

■ English Summer, empresa propiedad de la familia Fleix-Wright dedicada a las colonias de inglés, que cada verano moviliza a más de 3.000 niños en sus centros de Tarragona, ha empezado la selección de los 300 monitores y profesores que cubrirán sus actividades de primavera-verano. / Redacción

SERHS NATAL

Reconocimiento al hotel de Brasil

■ El Serhs Natal Grand Hotel, establecimiento en Brasil y único hotel que tiene el grupo del Maresme en el extranjero, ha sido considerado por TripAdvisor el sexto mejor hotel de América del Sur para viajar en familia, según el ranking elaborado para los premios Travellers' Choice 2014. / Redacción

El Serhs Natal, en Brasil

BONPREU

Robotización del almacén de Balenyà

■ La comisión de urbanismo de la Catalunya Central ha aprobado la robotización del almacén de Bonpreu en Balenyà, una obra que hará crecer la actual nave hasta los 25 metros de altura. Bonpreu aumentará así la capacidad de almacenamiento y permitirá su utilización por empresas proveedoras. / Redacción

---

EMPRENDEDORES

La envasadora de aceite absorbe competidores y busca crecer en Asia y América

Bargalló estrena molino

MAR GALTÉS
Barcelona

La normativa que desde enero impide a los restaurantes poner en la mesa aceiteras a granel ha disparado en un 150% las ventas de botellas pequeñas no rellenables de Olis Bargalló. Para Francesc Bargalló, esta es una buena noticia para su negocio, pero cree que lo es para el sector: "Todavía hay poca cultura del aceite. La gente ha aprendido de vinos, pero no distingue un aceite de arbequina, un picual o un hojiblanca. Y ahora, las botellas etiquetadas con la procedencia, la variedad y la añada, ayudarán a su conocimiento".

Francesc Bargalló es la cuarta generación de la empresa de envasado y distribución de aceite con planta en Castellví de Rosanes. Está especializada en servir a restauración y muy centrada en Catalunya, aunque también vende un 15% en el canal gourmet y otro 15% es exportación. En el 2013 dice que facturó 15 millones de euros. Emplea a 40 personas. Compra el aceite a cooperativas, en Córdoba o Toledo. El grueso es girasol y oliva, y una pequeña parte son otras variedades, aromáticos, vinagres y vinos.

"Durante la crisis hemos ido absorbiendo empresas que cerraban. Conseguimos facturar más y quitarnos competidores". Explica que en Catalunya había un centenar de envasadores, "ahora apenas seremos cuatro", a parte de

VICENÇ LLURBA

Bargalló en el molino de La Gramanosa, que este año ha sacado una producción de 150.000 kilos

Con un inversor privado ha destinado más de seis millones para producir aceite de arbequina propio

muchos molinos que venden directamente su producción.

La última operación de Bargalló, en el 2013, fue la compra de Basseda, de Granollers, que facturaba unos 2,5 millones, y que ha aportado siete empleados.

"El sector está difícil. No teníamos capacidad de crear marca en el canal alimentación, la hemos

creado en los restaurantes. Y ahora empezamos a vender en los supermercados". Acaban de entrar en Caprabo, como producto de gama alta (en botella de vidrio), y segmentado como de proximidad y etiquetado en catalán.

Además, Bargalló está haciendo una fuerte apuesta por la producción, con el apoyo de un inversor privado, un rico empresario enamorado de los olivos, que ha invertido 6 millones de euros sólo en el molino de aceite en la finca La Gramanosa, en Avinyonet del Penedès. Además, compra plantaciones de olivos. "Entre Mont-roig del Camp y Avinyonet del Penedès tenemos 270 hectáreas plantadas", explica Bargalló. Este invierno han sacado una producción de 150.000 kilos de aceite arbequina: representa apenas un 1% de las ventas del grupo, pero puede duplicarse a corto plazo. Y convertirán 20 hectáreas a la producción ecológica.

La empresa también se prepara para que la exportación sea su principal motor de crecimiento. "Vendemos en Shanghai, Taiwán y Hong Kong. Y hemos entrado con Tesco en Reino Unido". Bargalló etiqueta en inglés, chino, checo o árabe. "Dentro de cuatro años, deberíamos exportar el 40%, de unas ventas totales de 20 o 25 millones". Este 2014 van a atacar los mercados de Estados Unidos, México y Brasil.●

El ajuste de 1.253 empleos en Coca-Cola afectará a 77 en Catalunya

EDUARDO MAGALLÓN
Barcelona

El ajuste de empleo que afectará a 1.253 trabajadores de la embotelladora de Coca-Cola en toda España será de 77 en Catalunya. Según fuentes sindicales, de la documentación entregada esta semana sobre el plan de recorte la afectación en los cinco centros de trabajo que la embotelladora de Coca-Cola (Iberian Partners) tiene en Catalunya se reduce a los citados 77, lo que representa algo más del 10% de la plantilla en la comunidad.

Fuente sindicales dijeron que la empresa no ha precisado si los ajustes serán despidos o prejubilaciones. Al mismo tiempo que se produce ese ajuste en Catalunya habrá previsiblemente un aumento de la plantilla proveniente de otras plantas del grupo. El plan de la compañía es que las siete plantas que quedarán abiertas como la de Barcelona aumentarán la producción para absorber la que se realizaba en las cinco que se clausurarán: Fuenlabrada (Madrid), Alicante, Colloto (Asturias) y Palma de Mallorca. Fuente sindicales explicaron que la plantilla está sorprendida por el cierre de la factoría de Fuenlabrada ya que es junto con la de Barcelona la mayor del grupo.

Los trabajadores ya han comenzado actos de protesta espontáneos contra el plan de ajuste.●

4. La Vanguardia   **Numeración para la muestra: 7**

Sábado 25 de enero del 2014

Previsión de 5.000 millones en créditos

Catalunya Banc tiene previsto conceder 5.000 millones en créditos a empresas este año, para lo que contará con 200 asesores especializados, y la incorporación de 88 nuevos gestores de microempresas. Con la nueva organización de su modelo comercial, quiere potenciar la banca de proximidad. / Redacción

FICHA del breve en el diario

Número de página: 71
Sección: economía
Subsección: En Línea
Número de breves de la subsección: cuatro
Ladillo: Catalunya Banc
Número de líneas del titular: dos
Número de líneas del cuerpo: diez
Fotografía: no
Firma: Redacción

Nota de prensa original, publicada por Catalunya Caixa (www.catalunyacaixa. com), el 21 de enero del 2014:

CatalunyaCaixa destinará 5.000 millones a la concesión de crédito en el 2014
· CX cuenta con 200 especialistas dedicados en exclusiva al asesoramiento de Empresas
· CatalunyaCaixa intensifica su especialización en banca de empresa con la incorporación de 88 nuevos gestores de microempresas
· La proximidad al cliente, *Banca de Km. 0,* eje básico de la área de servicio a empresas liderada por Lluís Chamorro
· Es la única entidad catalana que financia exclusivamente a empresas que operan o tienen sede en Cataluña y pretende ser la entidad de referencia de las microempresas y las pymes del territorio

CatalunyaCaixa potencia el servicio de Banca de Empresas en la nueva organización de su modelo comercial, con la voluntad de ser una entidad financiera de referencia para las empresas catalanas y con el valor que aporta ser el único banco catalán que financia exclusivamente a empresas del territorio.

La división de Empresas, Corporativa e Instituciones, dirigida por Lluís Chamorro, cuenta ahora con una potente estructura comercial y técnica para asesorar a las empresas de todas las dimensiones, desde las más pequeñas hasta las de mayor volumen, a través de profesionales especializados con dedicación exclusiva. Así, la entidad dispone de un equipo de especialistas en el negocio de empresa distribuidos por todo el territorio catalán, que se encuentran muy próximos a los clientes, y, también, con un equipo de directores de negocio en la sede central que asesoran a grandes corporaciones e instituciones públicas.

Banca de Km. 0, una banca de proximidad. La especialización de CatalunyaCaixa en Banca de Empresa abarca, ahora también, a las microempresas

Siguiendo el nuevo modelo de banca de proximidad, *Banca de Km. 0,* impulsado por la entidad para ofrecer un servicio de la máxima cercanía al cliente la entidad dispondrá de especialistas en el ámbito de empresas distribuidos por todo el territorio catalán para atender sus necesidades financieras.

El nuevo modelo comercial mantiene la intensa capilaridad de la red de oficinas CX, con una cobertura superior al 90% del territorio habitado de Catalunya y se concreta en un nuevo concepto de oficina, de mayor dimensión, con más empleados, más clientes gestionados y que ofrece un servicio de atención específica a través de especialistas.

Este modelo de oficina constituye una apuesta para potenciar, entre otros, el servicio a las microempresas —las empresas que facturan menos de 1 millón de euros-, un colectivo repartido por todo el territorio catalán con un fuerte peso en el tejido económico y que constituye un segmento con recorrido para la entidad, dado que hay más de 135.000 en el mercado.

La atención de las microempresas se hace ahora con gestores especializados, una nueva figura profesional ya que hasta ahora este servicio se ofrecía solo a las empresas de mayor dimensión desde las oficinas de empresa.

Los gestores de microempresas están localizados en 88 oficinas "universales" ubicadas en diferentes puntos de distintas partes de Cataluña donde se encuentra una significativa concentración de actividad económica. Son 34 oficinas de la dirección territorial de Barcelona -que comprende Barcelona ciudad más la mayor parte de las poblaciones del área metropolitana- 31 oficinas de la dirección territorial de Cataluña Este -que abarca la Cataluña central, el Vallès, el Maresme y el Gironès- y 23 de la dirección territorial de Cataluña Oeste —cubriendo el territorio de las comarcas de la provincia de Tarragona, la mayor parte de las de Lleida, el Garraf y una parte del Baix Llobregat-.

Este equipo, que es objeto de un plan de formación específico, gestiona carteras de clientes bajo criterios de vinculación y rentabilidad. Su actuación se focaliza en el conocimiento, la proximidad y la calidad de servicio, los cuales constituyen las premisas de la filosofía de banca km0 que promueve CatalunyaCaixa. Por ello proporcionan soluciones financieras a la medida de cada caso, con el objetivo de ser referente en el día a día de las empresas y de crecer en número de clientes y en financiación otorgada.

La banca de empresa en CatalunyaCaixa

La división de Banca de Empresas, Corporativa e Instituciones de CatalunyaCaixa cuenta, actualmente, con un equipo de 200 gestores especializados, dedicados en exclusiva al servicio a empresas, que trabajan con un horario comercial extenso y prestan un servicio a domicilio del cliente.

A la tarea de los 88 gestores de microempresas, que trabajan desde las oficinas universales, se les añade la disponibilidad de 15 centros de Empresas, donde se encuentran 101 profesionales dedicados en exclusiva en dar servicio a las pymes y grandes empresas -las que facturan entre 1 y 100 millones de euros-, que acostumbran a estar situadas en diferentes puntos neurálgicos de negocios del territorio catalán.

Asimismo, CX dispone de 10 gestores especializados en el servicio financiero a grandes corporaciones y a instituciones públicas, ubicado s a la sede central de la entidad.

Para completar la tarea, la división de empresas cuenta, también, con expertos que, en colaboración con el gestor, asesoran a los clientes en soluciones financieras de comercio internacional, comercio electrónico, leasing, factoring, confirming y forfaiting, así como en productos de cobertura de riesgos y de tesorería.

Lluís Chamorro, director de Banca de Empresas, Corporativa e Instituciones, ha explicado en la presentación interna del nuevo modelo de banca de empresa que *"nos centraremos principalmente en asesorar y financiar las necesidades de circulante de las empresas catalanas. Constatamos que existen proyectos viables de empresas solventes y, desde CX, estaremos con ellas para financiarlos"*. Y añade que *"más allá de las líneas de crédito, desde CX asesoramos al cliente en la implantación de soluciones de comercio internacional y de comercio electrónico, a nivel técnico y también de procedimientos, que son unos aspectos clave para que las ventas del cliente se acaben completando con éxito"*.

El valor de financiar exclusivamente a empresas del territorio

El hecho de operar en un área de mercado delimitada, de forma descentralizada y sin intermediarios, haciendo banca km0, le otorga a CX la capacidad de gestionar las relaciones con los clientes y proveedores a nivel absolutamente personal, y en línea con el talante catalán, lo que representa un rasgo diferencial del servicio.

Este enfoque relacional, basado en el conocimiento y la voluntad de servicio a la comunidad local, toma todo su sentido en la concesión del crédito a las empresas.

Este año, la perspectiva de mejora significativa del contexto económico, basada en la recuperación de tres indicadores clave como son el PIB, la ocupación y el comportamiento de los mercados financieros, las empresas se plantean emprender proyectos de crecimiento y CX tiene previsto conceder créditos a clientes por valor de hasta 5.000 millones de euros, con un control exhaustivo de la *tasa* de morosidad [ver Anexo IV: "tasa"].

Lluís Chamorro, ha destacado que *"tenemos las bases, estructura y equipo para llevar a cabo una Banca de Empresas de Cliente que, seguro, será positiva para la entidad y para las empresas catalanas. Sin duda, ahora es el momento de hacer Empresa"*.

FICHA de la nota de prensa en la web

Enlace de la web en la que se encuentra: <https://www.catalunya-caixa.com/Portal/es/Comunes/SalaPrensaCX?subtipus=5&sp=cx>
Pestaña: particulares
Subpestaña: sala de prensa
Antetítulo: no
Título: "CatalunyaCaixa destinará 5.000 millones a la concesión de crédito en el 2014"
Subtítulo: cuatro subtítulos
Número de caracteres (con espacio) del titular: 76
Número de caracteres (con espacio) del cuerpo de la nota: 7.138
Fotografía: no
Firma: sin firma
Lugar de la firma: Barcelona
Otros (documentos adjuntos, etcétera): sí

Impreso por Francesc Pozo Montero. Prohibida su reproducción.

36   EL MUNDO. SÁBADO 25 DE ENERO DE 2014

BOLSA

	IBEX 35 Madrid	EUROSTOXX 50 París	FTSE 100 Londres	DAX 30 Francfort	DOW JONES Nueva York	NASDAQ Nueva York	NIKKEI Tokio	PETRÓLEO Dólares / barril	EURIBOR %	ORO Dólares / onza
Cotización →	9.868,90	3.028,20	6.663,74	9.392,02	15.879,11	4.128,17	15.391,56	107,90	0,5670	1.267,20
En el día →	-3,64%	-2,85%	-1,62%	-2,48%	-1,96%	-2,15%	-1,94%	+0,31%	-0,53%	+0,42%
En el año →	-0,48%	-2,60%	-1,26%	-1,68%	-4,21%	-1,16%	-5,52%	-2,47%	+1,98%	+5,18%

IBEX 35

LAS MAYORES SUBIDAS	%
Enagás	-0,70
Ebro Foods	-1,09
REC	-1,38
Banco Sabadell	-1,39
Viscofan	-1,83
Grifols	-2,06
Jazztel	-2,25
Iberdrola	-2,28

LAS MAYORES BAJADAS	%
Mapfre	-5,95
IAG	-5,83
Gamesa	-5,33
BBVA	-5,15
Indra	-4,77
Telefónica	-4,55
Dia	-4,37
Arcelor Mittal	-4,34

SUBASTAS TESORO

	Tir media
Letras 6 Meses	0,51
Letras 9 Meses	0,84
Letras 12 Meses	0,73
Letras 18 Meses	1,69
Bonos 2,5 Años	4,34
Bonos 2 Años	1,90
Bonos 3 Años	1,60
Bono 4 Años	5,97

TIPOS OFICIALES

	%
España	0,25
Alemania	0,25
Zona euro	0,25
Reino Unido	0,50
EE.UU.	0,00-0,25
Japón	0,00-0,10
Suiza	0,00-0,25
Canadá	1,00

DIVISAS

	1 euro
Dólares USA	1,3687
Yenes japoneses	140,18
Coronas danesas	7,4621
Libras esterlinas	0,8291
Coronas suecas	8,8197
Francos suizos	1,2256
Coronas noruegas	8,3915
Yuanes chinos	8,281

CIFRAS ECONÓMICAS

ESPAÑA
IPC	0,2%	Desempleo	26,03%
PIB	-1,1%	Tipos de interés	0,5%

ZONA EURO
IPC	0,8%	Desempleo	12,1%
PIB	-0,4%	Tipos de interés	0,5%

EEUU
IPC	1,20%	Desempleo	6,7%
PIB	2%	Tipos de interés	0,25%

■ Telefónica   Último cierre: 11,55 euros ▼ -4,55%

FUENTE: Bloomberg.   EL MUNDO

MERCADO CONTINUO
CONTRATACIÓN EN EUROS

IBEX 35

TÍTULO	ÚLTIMA COTIZACIÓN	VARIACIÓN DIARIA EUROS	%	AYER MIN.	MÁX.	VARIACIÓN AÑO % ANTERIOR	ACTUAL
Abertis	16,375	-0,596	-3,51	16,325	17,050	43,02	1,39
Acciona	46,070	-1,550	-3,25	45,855	47,985	-21,20	10,31
ACS	26,400	-1,080	-3,93	26,360	27,610	38,86	5,52
Amadeus It Holding	29,835	-0,705	-2,31	29,735	30,740	67,15	-4,08
ArcelorMittal	12,020	-0,545	-4,34	12,000	12,610	2,60	-7,11
B. Popular	4,969	-0,201	-3,89	4,952	5,230	49,66	13,32
B. Sabadell	2,122	-0,030	-1,39	2,075	2,170	5,25	11,92
B. Santander	6,337	-0,232	-3,53	6,318	6,595	21,53	-2,60
Bankia	1,263	-0,050	-3,81	1,236	1,314	-74,12	2,35
Bankinter	5,152	-0,187	-3,50	5,086	5,382	154,69	3,31
BBVA	8,850	-0,480	-5,14	8,737	9,190	36,37	-1,10
BME	28,540	-1,155	-3,89	28,505	29,830	63,51	3,18
Caixabank	4,210	-0,147	-3,37	4,200	4,370	53,91	11,14
Dia	6,193	-0,283	-4,37	6,150	6,480	38,25	-4,72
Ebro Foods	16,800	-0,185	-1,09	16,715	17,050	17,99	-1,38
Enagás	20,000	-0,140	-0,70	19,830	20,150	25,31	5,29
FCC	19,165	-0,740	-3,72	18,790	19,990	72,63	18,49
Ferrovial	14,255	-0,400	-2,73	14,165	14,780	31,78	1,35
Gamesa	7,845	-0,442	-5,33	7,835	8,300	356,63	3,50
Gas Natural	18,175	-0,695	-3,68	18,120	18,995	49,38	-2,78
Grifols	37,800	-0,795	-2,06	37,710	38,775	32,80	6,73
IAG	4,896	-0,303	-5,83	4,894	5,250	117,00	1,18
Iberdrola	4,540	-0,106	-2,28	4,532	4,669	22,50	-2,05
Inditex	113,150	-3,500	-3,00	112,800	117,550	15,86	-5,55
Indra	13,065	-0,655	-4,77	13,000	13,770	25,40	7,49
Jazztel PLC	8,830	-0,203	-2,25	8,710	9,032	48,03	13,51
Mapfre	3,100	-0,196	-5,95	3,069	3,291	50,47	-0,42
Mediaset	8,711	-0,212	-2,38	8,663	8,997	64,81	3,84
Obrascón H.L.	31,600	-0,950	-2,91	31,610	32,890	37,28	7,52
Red Eléctrica	53,020	-0,740	-1,38	52,880	54,130	37,93	10,97
Repsol	17,680	-0,670	-3,65	17,600	18,350	26,18	-3,49
Sacyr	3,611	-0,153	-4,06	3,601	3,799	139,43	-4,14
Técnicas Reunidas	39,080	-1,035	-2,58	39,000	40,350	16,87	-1,03
Telefónica	11,550	-0,550	-4,55	11,465	12,030	19,41	-2,41
Viscofan	39,815	-0,740	-1,82	39,540	40,325	-0,61	-3,71

RESTO DE VALORES

TÍTULO	ÚLTIMA COTIZACIÓN	DIF. %	RENTA. 2013
Abengoa	2,870	-5,44	18,60
Abengoa B	2,440	-3,17	12,13
Acerinox	9,493	-1,41	2,66
Adolfo Domínguez	6,310	-0,47	11,48
Adveo	15,750	-2,17	5,42
Alba	41,200	-3,22	-3,06
Almirall	11,600	-0,51	-2,03
Amper	1,120	-3,45	5,66
Aperam	12,590	-1,45	-6,04
Atresmedia	12,740	-4,57	5,99
Azkoyen	2,600	0,58	23,81
Barón de Ley	62,800	0,24	6,44
Bayer Ag.	100,300	-2,15	-1,96
Biosearch	0,770	-3,75	11,59
Bodegas Riojanas	5,350	-1,83	-0,37
C. A. F.	372,000	-1,20	-3,20
CAM	1,340	=	0,00
Campofrío	6,920	0,14	0,29
Cem. Portland	7,230	-2,69	30,04
Cie Automotive	7,435	-2,17	-7,06
Cleop	1,150	=	0,00
Clínica Baviera	9,740	-2,70	-6,88
Codere	0,900	=	30,43
Colonial	1,165	-2,18	11,27
C.V.N.E.	16,410	7,96	7,96
Deoleo	0,475	-2,06	1,96
Dinamia	7,290	0,26	4,14
Dogi	0,640	=	0,00
Duro Felguera	4,990	-2,54	1,84
EADS	52,900	-3,99	-5,03
Elecnor	10,650	-3,71	-4,74
Ence	2,750	-5,17	0,92
Endesa	22,295	-1,13	2,27
Enel Green Power	1,907	-0,16	5,83
Ercros	0,510	-5,03	7,37
Europac	3,900	-1,89	1,43
Ezentis	1,454	-4,97	-5,58
Faes	2,660	-3,10	0,76
Fergo Aisa	0,017	=	0,00
Fersa	0,540	-5,26	38,46
Fluidra	2,825	-0,88	3,86
Funespaña	6,250	=	4,17
GAM	0,740	-2,63	2,78
General Inversiones	1,660	=	0,00
Grupo Catalana Occ.	27,920	-2,41	7,30
Grupo Sanjosé	1,400	-4,11	16,67
Grupo Tavex	0,275	-0,36	19,57
Iberpapel	16,000	-1,78	5,96

TÍTULO	ÚLTIMA COTIZACIÓN	DIF. %	RENTA. 2013
Indo Interna.	0,600	=	0,00
Inmobiliaria Del Sur	14,500	=	-9,38
Inypsa	0,910	-4,71	8,33
Liberbank	0,800	-3,85	11,11
Lingotes Especiales	3,800	-1,04	10,30
Martinsa-Fadesa	7,300	=	0,00
Meliá Hotels Int.	9,280	-4,28	-0,59
Miquel y Costas	28,700	-0,38	-5,90
Montebalito	1,250	-7,06	10,62
N. Correa	1,460	-1,02	12,74
Natra	2,250	-4,26	1,81
Natraceutical	0,303	-5,31	5,17
NH Hoteles	4,550	-3,40	6,18
Nyesa	0,170	=	0,00
Pescanova	5,910	=	0,00
Prim	5,650	-1,74	-1,91
Prisa	0,401	-0,99	0,25
Prosegur	4,520	-4,64	-9,24
Quabit	0,120	-1,64	1,69
Realia Business	0,990	-2,94	19,28
Reno de Medici	0,326	-5,51	23,02
Renta Corp.	0,570	=	0,00
Renta 4 Banco	5,850	-1,85	15,84
Royal Urbis	0,124	=	0,00
Rovi	9,500	-2,06	-4,81
Seda Barna	0,729	=	0,00
Service Point Solution	0,075	-6,25	-20,21
Sniace	0,196	=	0,00
Solaria	1,360	-5,56	77,78
Sotogrande	2,900	=	0,00
Tecnocom	1,325	-0,38	9,50
Testa Inm.Renta	7,500	-1,96	-0,79
Tubacex	2,790	-2,62	-3,46
Tubos Reunidos	1,785	-1,65	0,85
Uralita	1,270	-0,78	6,72
Urbas Gr.Financiero	0,028	=	12,00
Vértice 360	0,053	-5,36	15,22
Vidrala	35,980	-2,28	-3,90
Vocento	1,620	-1,82	7,28
Zardoya Otis	13,250	-1,63	0,76
Zeltia	2,730	-5,04	18,18

EMPRESAS

HSBC declara un 5,32% en Acciona

HSBC ha declarado una participación del 5,32% en el capital social de Acciona, un porcentaje valorado en 143,2 millones de euros, conforme a los actuales precios de mercado. La entidad británica cuenta con un paquete de 3,04 millones de títulos Acciona, según consta en los registros de la Comisión Nacional del Mercado de Valores (CNMV). / E.P.

Los seguros de vida de Mutua crecen más

El Grupo Mutua Madrileña ha logrado más que duplicar su volumen de primas en seguros de vida en 2013, hasta los 195,5 millones a cierre del año, un 122,86% más que en 2012. Según datos del organismo de Investigación Cooperativa entre Entidades Aseguradoras y Fondos de Pensiones (ICEA), es la compañía que más creció en este ramo del negocio en 2013 y ocupa la séptima posición del ranking por aumento absoluto en primas, con 107 millones. / E.P.

Microsoft eleva su beneficio un 2,8%

La compañía tecnológica estadounidense Microsoft obtuvo un beneficio neto de 6.558 millones de dólares (4.782 millones de euros) al cierre del segundo trimestre de su año fiscal, lo que supone una mejora del 2,8% respecto a hace un año. / E.P.

Ganancias récord de Samsung en 2013

El fabricante surcoreano de teléfonos móviles Samsung Electronics ha logrado un beneficio neto anual récord de 20.612 millones de euros en 2013, un 27,7% más que en 2012. / E.P.

ACS vuelve a abonar dividendo

ACS ha fijado en 0,446 euros por acción el importe del dividendo a cuenta que repartirá entre sus accionistas mediante scrip dividend. Vuelve así a abonar esta retribución tras suspender el pago de 2012. / E.P.

Telefónica renegocia deuda

Trata de refinanciar 3.000 millones y prevé amortizar 2.000

Madrid
Telefónica negocia con las entidades financieras refinanciar y amortizar deuda por un valor conjunto de casi 5.000 millones de euros. En concreto, la firma española negocia, por una parte, la refinanciación de un crédito sindicado de 3.000 millo-

nes y, por otra parte, quiere amortizar deuda por un valor cercano a los 2.000 millones.

Según confirmaron ayer fuentes del mercado a Europa Press, la compañía que preside César Alierta pretende abaratar y alargar los plazos del crédito que financió la compra

de Vivo en 2010, así como amortizar el resto de la deuda que vence en 2015, lo que ratifica la información adelantada por Expansión.

Con la primera operación, Telefónica lograría, además de alargar los vencimientos de la deuda, reducir el precio del crédito de 3.000 millones

hasta los 85 puntos básicos sobre Euribor desde los 110 puntos en vigor. Respecto a la deuda de 2.000 millones que vence el próximo año la amortizará gracias al dinero que obtenga de la venta al grupo holandés PPF de su negocio en República Checa (que la Comisión Europea autorizó la semana pasada). Esta operación se valora en 2.467 millones.

La deuda neta de Telefónica se situaba a septiembre de 2013 en los 46.101 millones de euros, con el ratio de endeudamiento en 2,30 veces.

4. El Mundo   **Numeración para la muestra: 8**

Sábado 25 de enero del 2014

Los seguros de vida de Mutua crecen más

El Grupo Mutua Madrileña ha logrado más que duplicar su volumen de primas en seguros de vida en 2013, hasta los 195,5 millones a cierre del año, un 122,86% más que en 2012. Según datos del organismo de Investigación Cooperativa entre Entidades Aseguradoras y Fondos de Pensiones (ICEA), es la compañía que más creció en este ramo del negocio en 2013 y ocupa la séptima posición del *ranking* por aumento absoluto en primas, con 107 millones. / E. P.

FICHA del breve en el diario

Número de página: 36
Sección: bolsa
Subsección: empresas
Número de breves de la subsección: cinco
Ladillo: no
Número de líneas del titular: dos
Número de líneas del cuerpo: 13
Fotografía: no
Firma: E. P. (Europa Press)

Despacho de agencia publicado por Europa Press (www.europapress.es), el 24 de enero del 2014:

El volumen de primas de Mutua Madrileña crece un 112,86% a cierre de año, hasta los 195,5 millones

El Grupo Mutua Madrileña ha conseguido más que duplicar su volumen de primas en seguros de vida en 2013, hasta alcanzar los 195,5 millones de euros a cierre de año, un 122,86% más que el ejercicio anterior.

Según datos de ICEA, Mutua Madrileña es la compañía que más crece en este ramo del negocio en 2013 y se coloca en la séptima posición del ránking por aumento absoluto en primas, con un total de 107 millones de euros.

El crecimiento experimentado por Mutua en este ramo contrasta con la evolución media del sector en este segmento, que experimentó una caída en los ingresos por primas del 3,89% a cierre del año. Los buenos resultados de este ramo se deben a la estrategia de diversificación y al diseño de productos adaptados a las necesidades del mercado, según destaca la compañía.

En el último año, la aseguradora ha enfocado su acción comercial al lanzamiento de nuevos productos que ofrecen seguridad y garantías para el ahorro.

FICHA del despacho de agencia en la web

Enlace de la web en la que se encuentra: <http://www.europapress.es/economia/finanzas-00340/noticia-economia-finanzas-volumen-primas-mutua-madrilena-crece-11286-cierre-ano-1955-millones-20140124124958.html>

Pestaña: economía

Subpestaña: finanzas

Antetítulo: no

Título: "El volumen de primas de Mutua Madrileña crece un 112,86% a cierre de año, hasta los 195,5 millones"

Subtítulo: no

Número de caracteres (con espacio) del titular: 98

Número de caracteres (con espacio) del cuerpo de la nota: 946

Fotografía: sí

Firma: sin firma (Europa Press)

Lugar de la firma: Madrid

Otros (documentos adjuntos, etcétera): no

Nota de prensa original, publicada en Grupo Mutua Madrileña (www.grupo-mutua.es), el 24 de enero del 2014:

Mutua Madrileña, la compañía que más crece en seguros de vida en 2013

El Grupo Mutua Madrileña ha conseguido más que duplicar su volumen de primas en seguros de vida en 2013, hasta alcanzar los 195,5 millones de euros a cierre de año, un 122,86% más que en el año anterior.

Según datos de ICEA, Mutua Madrileña es la compañía que más crece en este ramo del negocio en 2013. Se trata de cifras especialmente significativas teniendo en cuenta que Mutua Madrileña distribuye este tipo de seguros exclusivamente a través del canal directo.

Mutua se coloca, además, en la séptima posición del ránking por crecimiento absoluto en primas, con un total de 107 millones de euros.

El crecimiento experimentado por Mutua en este ramo contrasta con la evolución media del sector en este segmento, que experimentó una caída en los ingresos por primas del 3,89% a cierre del año.

Los buenos resultados de este ramo se deben a la acertada estrategia de diversificación y al diseño de productos adaptados a las necesidades del mercado. En un entorno como el actual, marcado por la caída de las rentabilidades de los depósitos aconsejada por el Banco de España a principios de año, la aseguradora ha aprovechado los cambios para atraer a los inversores conservadores que buscan rentabilidad, solvencia y seguridad. En este contexto, los seguros de vida-ahorro con liquidez y atractivos rendimientos han experimentado un importante crecimiento. Oferta actual

En el último año, la aseguradora ha enfocado su acción comercial al lanzamiento de nuevos productos que ofrecen seguridad y garantías para el ahorro en estos momentos de incertidumbre económica.

En la actualidad, Mutua Madrileña comercializa el Plan Ahorro Garantía, un seguro de ahorro que garantiza el 100% del capital invertido y ofrece una rentabilidad anual bruta del 2,37%, la máxima establecida por la Dirección General de Seguros y Fondos de Pensiones, más una participación en los beneficios que genere la cartera de inversiones ligada al seguro.

FICHA de la nota de prensa en la web

Enlace de la web en la que se encuentra: <http://www.grupomutua.es/salaprensa/detalle&cid=1181566096109>

Pestaña: sala de prensa

Subpestaña: noticias

Antetítulo: no

Título: "Mutua Madrileña, la compañía que más crece en seguros de vida en 2013"

Subtítulo: no

Número de caracteres (con espacio) del titular: 69

Número de caracteres (con espacio) del cuerpo de la nota: 1.921

Fotografía: no

Firma: sin firma

Lugar de la firma: Madrid

Otros (documentos adjuntos, etcétera): sí

JORDI PRIU PONT, CONSEJERO DELEGADO DE MMM Y COFUNDADOR DE 101STARTUPS

Chip industrial y digital

MAR GALTÉS
Barcelona

Los empresarios industriales suelen recelar de los negocios de internet, quizás les asusta su efervescencia. Y las empresas tecnológicas pecan de fijarse poco en los sectores tradicionales, y deberían, aunque sólo sea por aprender de lo que sabe el diablo por viejo. Jordi Priu Pont es consciente de que rompe este tópico. Es tercera generación de empresa industrial, y por partida doble, aunque en circunstancias bien distintas. Su abuelo paterno Joan Priu fundó Manufactura Moderna de Metales (MMM), el fabricante de tubos para el automóvil de la que Jordi Priu es consejero delegado desde el 2009. Por línea materna, su abuelo Josep Pont fue cofundador del grupo alimentario Borges, que ahora es propiedad de sus tres hermanos Antoni, Ramon y Josep Pont Amenós, pero en el que nunca han participado sus dos hermanas. "Cosas de otros tiempos", dice Jordi Priu. Su madre Teresa Pont Amenós es una reconocida psicoterapeuta.

Jordi Priu también está trazando su propia trayectoria como *business angel* en internet. Lo que empezó casi como un juego con sus ahorros, se ha convertido en cofundador de 101 Startups, vehículo para financiar proyectos en el mundo digital.

La trayectoria de Jordi Priu Pont (Barcelona, 1976) contrasta con un aspecto que bien le podría hacer pasar por un recién licenciado, aunque esa etapa la pasó hace años: pertenece a la primera promoción de la Escola Superior de Comerç Internacional de la Pompeu Fabra. Empezó a trabajar en un fabricante de lámparas de Sant Joan Despí para crear el departamento de exportación. Pero la empresa tenía el viento en contra y estuvo allí poco más de un año. "Se aprende más cuando las cosas van mal, que cuando van bien", fue la lección. Y se marchó seis meses a Friburgo, al instituto Goethe para aprender alemán.

Al volver ya le esperaban en MMM. "A mi padre le hacía ilusión, y yo tenía claro que podía aportar: me gusta hacer crecer proyectos, y entiendo que el mercado es global". Priu pasó tres años en comercial, y empezó a contactar con proveedores en China, Brasil, México, Tailandia. "Luego vimos que si no abríamos fábrica en un país *low cost*, nos quedaríamos fuera del mercado". Los fabricantes de automóviles dictan las normas, y son estrictos con sus proveedores. En el 2006 Priu estuvo haciendo viajes, y en el 2007 se instaló en Rumanía con su mujer, "Jan tenía un año y estábamos embarazados de Aitana" (luego vendría Paola). En la tercera ciudad del país, "cuando llegamos no había ningún gran su-

permercado ni centro comercial". En tres años presenciaron grandes cambios, pero aún así, "los camiones que venían de Molins nos traían siempre una caja con Cola Cao, embutidos" y otros productos que echaban de menos. Pero la experiencia valió la pena: "Monté la fábrica desde cero, aprendí rumano leyendo contratos".

En el 2007, MMM facturó 30 millones, y en julio de 2008 "estábamos en máximos históricos". Trabajaban 350 personas en Molins, 200 en Rumanía. Y petó Lehman, "y Nissan canceló sus pedidos. Y los bancos no nos renovaron las pólizas.". La empresa presentó suspensión de pagos. "Una situación así te pone al límite. Y lo difícil fue convencer a todos que queríamos seguir: el 95% de concursos acaban en liquidación". Priu vivió

la situación yendo y viniendo de Rumanía, pero salieron del concurso y entonces regresó a casa, y asumió el puesto de consejero delegado. "El reto era buscar nuevos clientes y nuevos proyectos. Y recuperar la confianza de los clientes, pero hemos salido reforzados". Ahora que llevan tres años de beneficios, Priu recuerda que "nos salvamos por los pelos". Ahora está muy centrado en triplicar ventas en tres años (prevé facturar 65 millones en el 2017).

Durante los años en Rumanía, "ahorré mucho, y al volver queríamos comprar un apartamento en la playa. Pero yo empecé a ir a foros de inversión"... Y conoció a Pablo Villalba, y financió la primera ronda de Teambox –escritorio de software colaborativo– con 60.000 euros. La empresa iba bien, y convenció a su padre para entrar en la segunda ronda. "Le pareció que yo tenía buen criterio. Cuando vienes del mundo industrial, las valoraciones de internet te parecen de locos, y no es fácil cambiar el chip". En octubre Teambox cerró una ronda de 3,7 millones en EE.UU. "Hubiéramos podido salir, multiplicando por diez la primera inversión, pero estamos cómodos, y si hay más recorrido, yo me apunto".

Priu explica que en internet "siempre invertimos a largo plazo, como cuando compras maquinaria en una empresa". El bolsillo familiar se les quedaba corto para las operaciones que estudiaban. Y entonces Jordi Priu decidió cursar el master en negocios digitales de Isdi. Y con otros trece compañeros crearon 101startups, en la que han puesto 600.000 euros y que esperan abrir a terceros "para que sea un vehículo de inversión, como yo no encontré cuando empezaba". Ya están en nueve empresas, "diferentes, escalables, con equipo potente y difíciles de copiar".

"Lo bueno del mundo industrial es que tocas de pies en el suelo, mides en céntimos los márgenes de cada pieza... Por eso puedo ser crítico con *business plans* si hacen castillos en el aire", y asegura que intenta alejarse de las valoraciones que huelen a burbuja. Priu compatibiliza sus dos empresas, "lo importante es tener buenos equipos y ver dónde puedes apostar más valor añadido". "En los foros de inversores soy de los más jóvenes. Y aún así, me sorprende cómo los emprendedores colaboran entre ellos, da gusto. Acostumbrado a que en los sectores tradicionales, al competidor, ni agua".

Priu sí cumple con un tópico que confirman la mayoría de empresarios catalanes, que es la voluntad de pasar desapercibido. "Empiezo a ser *business angel* de referencia, pero yo no me considero de éxito: ¡todavía no he vendido nada! Cuando venda lo explicaré: no para fardar, sino para que la gente pierda el miedo a invertir". Y entonces, también, dice que seguramente pensará en comprar un apartamento en la Costa Brava.■

GOSI BELER

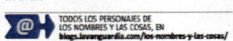

> "En el mundo industrial tocas de pies en el suelo; puedo ser crítico con emprendedores que hacen castillos en el aire"

TODOS LOS PERSONAJES DE LOS NOMBRES Y LAS COSAS, EN blogs.lavanguardia.com/los-nombres-y-las-cosas/

AEBALL/UPMBALL

Acuerdo con BCN Business Angels

■ La Associació Empresarial y la Unión Patronal Metal·lúrgica con sede en l'Hospitalet y el Baix Llobregat han firmado un acuerdo de colaboración que permitirá a los empresarios contar con una red profesional para diversificar su área de negocio y el acceso a una nueva vía de apoyo y financiación para sus proyectos empresariales. / Redacción

PGI ENGINEERING

Participa en complejo de lujo en México

■ PGI Engineering participará en el desarrollo del complejo mixto-residencial de lujo Sphera en Monterrey (México), que tendrá 120.000 metros cuadrados y supone una inversión de más de 74 millones de euros hasta el 2018. Frederic Gil, director general de la entidad, destacó que el complejo es obra de la arquitecta iraquí Zaha Hadid (premio Pritzker). / EP

ROUSAUD COSTAS DURAN SLP

El abogado Pablo Bieger se incorpora como socio

■ Rousaud Costas Duran SLP ha incorporado como socio a Pablo Bieger, abogado experto en operaciones mercantiles, bancarias y del mercado de valores. Pablo Bieger se encargará de ayudar a impulsar y liderar el crecimiento de la firma en la ciudad de Madrid, y será una pieza clave en la consolidación de un equipo de Mercantil Bancario y Mercado de Valores. / Redacción

Pablo Bieger

ACAVE

Nueva patronal de agencias de viajes

■ La nueva patronal catalana de las agencias de viajes, fruto de la fusión de Acav y Ucave, pasará a llamarse Acave. La entidad presidida por Martí Sarrate celebró esta semana su primera asamblea general, en la que se eligió la nueva junta directiva, integrada por cinco vicepresidentes, y se aprobó un plan estratégico a cinco años. / Efe

5. La Vanguardia   **Numeración para la muestra: 9**

Domingo 2 de febrero del 2014

<u>El abogado Pablo Bieger se incorpora como socio</u>

Rousaud Costas Duran SLP ha incorporado como socio a Pablo Bieger, abogado experto en operaciones mercantiles, bancarias y del mercado de valores. Pablo Bieger se encargará de ayudar a impulsar y liderar el crecimiento de la oficina de la firma en la ciudad de Madrid, y será una pieza clave en la consolidación de un equipo de Mercantil Bancario y Mercado de Valores. / Redacción

FICHA del breve en el diario

Número de página: 87
Sección: economía
Subsección: En Línea
Número de breves de la subsección: cuatro
Ladillo: Rousaud Costas Duran SLP
Número de líneas del titular: tres
Número de líneas del cuerpo: 19
Fotografía: sí
Firma: Redacción

Nota de prensa original, publicada por la agencia de comunicación especializada en abogacía Lawyerpress (www.lawyerpress.com), el 22 de enero del 2014:

El abogado Pablo Bieger se incorpora a Rousaud Costas Duran

Rousaud Costas Duran SLP ha incorporado como socio a Pablo Bieger, un abogado experto en complejas operaciones mercantiles, bancarias y del mercado de valores (se dedica a las fusiones y adquisiciones, a la financiación de adquisiciones y de proyectos, a las reestructuraciones, las emisiones, las ofertas públicas y las titulizaciones). Bieger se encargará de ayudar a impulsar y liderar el desarrollo de la oficina de la Firma en Madrid y será una pieza clave en la consolidación de un equipo de Mercantil Bancario y Mercado de Valores altamente competitivo. El nuevo socio de Rousaud Costas Duran, que ha sido socio de Clifford Chance durante los últimos quince años, es licenciado en Derecho por la Universidad Autónoma de Madrid; Master en Asesoría Jurídica por el IE y Master en Derecho Europeo por la London School of Economics. Asimismo, dirigió la oficina de Clifford Chance en Barcelona entre 2002 y 2005, tras haber sido sucesivamente letrado del Banco de España, director de la asesoría jurídica de Citibank España, y socio del despacho Garrigues. Entre las grandes operaciones en que ha participado a lo largo de su carrera destacan, entre otras, la venta de Galerías Preciados a El Corte Inglés, el asesoramiento al Fondo de Garantía en el caso Banesto, la compra por Abertis de la compañía aeroportuaria inglesa TBI, la OPA de Gas Natural sobre Endesa, la venta del grupo Chupa Chups a la italiana Perfetti Van Melle o la "guerra de OPAs" sobre Metrovacesa que protagonizaron la familia Sanahuja y D. Joaquín Rivero, así como las reestructuraciones de deuda de compañías como CEMEX, Fagor o Hesperia. Adolf Rousaud, socio director de la firma, asegura que la incorporación de Bieger supone un complemento estratégico para la firma dentro de su plan para potenciar la oficina de Madrid: «La incorporación de un abogado del peso de Pablo Bieger es un ejemplo más de nuestra apuesta de crecimiento y consolidación en Madrid. Estamos convencidos de que su aportación será clave y reforzará nuestra presencia en un mercado en el que no hemos parado de crecer en los últimos cinco años». Bieger, por su parte, confiesa que «ha habido otras ofertas encima de la mesa, pero la más interesante e ilusionante ha sido la de Rousaud Costas Duran. Estoy realmente encantado de formar parte de un equipo joven y entusiasta, que lo viene haciendo tan bien en los diez años de vida del despacho. Espero poder aportar experiencia a un proyecto que estoy convencido que va a ser un éxito colectivo».

FICHA de la nota de prensa en la web

Enlace de la web en la que se encuentra: <http://www.lawyerpress.
com/news/2014_01/2201_14_011.html>
Pestaña: comunicación
Subpestaña: noticias de despachos
Antetítulo: no
Título: "El abogado Pablo Bieger se incorpora a Rousaud Costas
Duran"
Subtítulo: no
Número de caracteres (con espacio) del titular: 59
Número de caracteres (con espacio) del cuerpo de la nota: 2.500
Fotografía: sí
Firma: sin firma
Lugar de la firma: Madrid
Otros (documentos adjuntos, etcétera): no

BOLSA

	IBEX 35 Madrid	EUROSTOXX 50 París	FTSE 100 Londres	DAX 30 Francfort	DOW JONES Nueva York	NASDAQ Nueva York	NIKKEI Tokio	PETRÓLEO Dólares / barril	EURIBOR %	ORO Dólares / onza
Cotización →	9.982,70	3.032,53	6.591,55	9.289,86	15.801,79	4.148,17	14.718,34	108,55	0,5510	1.274,50
En el día →	-0,89%	-0,20%	+0,30%	-0,13%	+0,05%	+0,54%	+1,77%	-0,78%	-0,18%	+0,58%
En el año →	+0,67%	-2,46%	-2,33%	-2,75%	-4,67%	-0,68%	-9,66%	-1,88%	-0,90%	+5,79%

IBEX 35

LAS MAYORES SUBIDAS

	%
Sacyr	+2,61
Banco Popular	+1,99
Jazztel	+1,24
Amadeus It Holding	+0,94
Acciona	+0,85
Dia	+0,53
Mapfre	+0,38
Enagás	+0,37

LAS MAYORES BAJADAS

	%
Arcelor Mittal	-3,24
OHL	-2,02
BBVA	-1,86
Santander	-1,63
BME	-1,39
Ebro Foods	-1,36
IAG	-1,36
Inditex	-1,35

SUBASTAS TESORO

	Tir media
Letras 6 Meses	0,51
Letras 9 Meses	0,66
Letras 12 Meses	0,73
Letras 18 Meses	1,69
Bonos 2,5 Años	4,34
Bonos 2 Años	1,90
Bonos 3 Años	1,56
Bono 4 Años	5,97

TIPOS OFICIALES

	%
España	0,25
Alemania	0,25
Zona euro	0,25
Reino Unido	0,50
EE UU.	0,00-0,25
Japón	0,00-0,10
Suiza	0,00-0,25
Canadá	1,00

DIVISAS

	1 euro
Dólares USA	1,3638
Yenes japoneses	139,26
Coronas danesas	7,4623
Libras esterlinas	0,8316
Coronas suecas	8,8457
Francos suizos	1,2234
Coronas noruegas	8,358
Yuanes chinos	8,2652

CIFRAS ECONÓMICAS

ESPAÑA
IPC	0,2%	Desempleo	26,03%
PIB	-1,1%	Tipos de interés	0,5%

ZONA EURO
IPC	0,8%	Desempleo	12,1%
PIB	-0,4%	Tipos de interés	0,5%

EEUU
IPC	1,20%	Desempleo	6,7%
PIB	2%	Tipos de interés	0,25%

■ Telefónica

Último cierre: 11,280 euros ▼ -1,180 %

FUENTE: infobolsa. EL MUNDO

MERCADO CONTINUO

CONTRATACIÓN EN EUROS

IBEX 35

TÍTULO	ÚLTIMA COTIZACIÓN	VARIACIÓN DIARIA EUROS	%	AYER MÍN.	MÁX.	VARIACIÓN AÑO % ANTERIOR	ACTUAL
Abertis	16,850	-0,130	-0,77	16,775	16,995	43,02	4,33
Acciona	47,900	0,405	0,85	47,150	47,980	-21,20	14,69
ACS	26,580	-0,340	-1,26	26,510	27,070	41,22	6,24
Amadeus It Holding	30,115	0,280	0,94	29,835	30,140	68,83	-3,18
ArcelorMittal	12,990	-0,405	-3,24	12,040	12,560	2,60	-6,57
B. Popular	5,376	0,105	1,99	5,213	5,394	50,85	22,60
B. Sabadell	2,263	-0,008	-0,35	2,235	2,271	5,25	19,36
B. Santander	6,443	-0,107	-1,63	6,410	6,576	21,53	-0,97
Bankia	1,400	0,001	0,07	1,382	1,400	-74,12	13,45
Bankinter	6,008	-0,034	-0,56	5,910	6,090	154,69	20,47
BBVA	8,882	-0,168	-1,86	8,835	9,129	36,37	-0,74
BME	29,180	-0,410	-1,39	29,060	29,750	63,51	5,50
Caixabank	4,736	-0,022	-0,46	4,702	4,780	53,91	25,03
Dia	6,128	0,032	0,52	6,075	6,180	38,25	-5,72
Ebro Foods	15,955	-0,220	-1,36	15,875	16,210	17,99	-6,34
Enagás	20,395	0,075	0,37	20,195	20,490	25,31	7,37
FCC	19,100	-0,050	-0,26	19,000	19,340	72,63	18,08
Ferrovial	14,300	-0,090	-0,63	14,245	14,480	31,78	1,67
Gamesa	8,994	-0,086	-1,05	8,939	8,250	356,63	6,78
Gas Natural	18,445	0,015	0,08	18,070	18,455	49,36	-1,34
Grifols	38,330	0,125	0,33	38,160	38,635	32,80	10,25
IAG	5,094	-0,070	-1,36	5,050	5,200	117,00	5,27
Iberdrola	4,553	-0,015	-0,33	4,530	4,590	22,50	-1,77
Inditex	110,000	-1,500	-1,35	109,500	112,150	55,86	-8,18
Indra	12,920	-0,100	-0,77	12,900	13,165	25,40	6,29
Jazztel PLC	9,384	0,115	1,24	9,281	9,440	48,03	20,63
Mapfre	3,134	0,012	0,38	3,122	3,158	40,57	0,67
Mediaset	8,862	-0,098	-1,09	8,840	9,017	64,81	5,64
Obrasción H.L.	31,290	-0,645	-2,02	31,230	32,005	37,28	6,27
Red Eléctrica	52,890	-0,110	-0,21	52,600	53,140	37,93	10,70
Repsol	17,570	-0,095	-0,54	17,480	17,790	26,18	-4,09
Sacyr	3,775	0,096	2,61	3,711	3,780	139,43	0,21
Técnicas Reunidas	38,595	-0,105	-0,27	38,550	39,235	18,87	-2,25
Telefónica	11,280	-0,135	-1,18	11,225	11,480	19,41	-4,69
Viscofan	37,490	0,010	0,03	37,250	37,795	-0,61	-9,33

RESTO DE VALORES

TÍTULO	ÚLTIMA COTIZACIÓN	DIF. %	RENTA. 2013
Abengoa	3,341	1,43	38,06
Abengoa B	2,917	0,38	34,05
Acerinox	9,783	-0,01	5,80
Adolfo Domínguez	6,150	0,49	8,66
Adveo	16,080	0,06	7,63
Alba	41,500	-0,53	-2,35
Almirall	11,680	-0,76	-1,35
Amper	1,190	-4,80	12,26
Aperam	15,400	-0,32	14,93
Atresmedia	14,340	2,58	19,30
Azkoyen	2,595	-0,57	23,57
Barón de Ley	70,300	4,93	19,15
Bayer Ag.	95,000	=	-7,14
Biosearch	0,835	-0,60	21,01
Bodegas Riojanas	5,200	0,39	-3,17
C. A. F.	362,550	-1,53	-5,66
CAM	1,340	=	0,00
Campofrío	6,910	=	0,14
Cem.Portland	8,890	4,59	59,89
Cie Automotive	7,610	0,73	-4,88
Cleop	1,150	=	0,00
Clínica Baviera	10,020	0,20	-4,21
Codere	0,960	5,49	39,13
Colonial	1,365	-1,09	30,37
C.V.N.E	17,720	=	16,58
Deoleo	0,465	-2,11	-1,06
Dinamia	7,280	0,14	4,00
Dogi	0,640	=	0,00
Duro Felguera	4,810	-1,23	-1,84
EADS	52,250	-0,48	-6,19
Elecnor	11,300	1,80	1,07
Ence	2,670	-3,44	-2,02
Endesa	22,490	0,63	3,17
Enel Green Power	1,960	-0,25	8,77
Ercros	0,539	1,89	13,47
Europac	3,815	0,26	-0,78
Ezentis	1,420	-2,07	-7,79
Faes	2,615	-0,57	-0,95
Fergo Aisa	0,017	=	0,00
Fersa	0,580	-0,85	48,72
Fluidra	2,850	0,71	4,78
Funespaña	6,370	=	6,17
GAM	0,780	=	8,33
General Inversiones	1,670	=	0,60
Grupo Catalana Occ.	28,240	-0,91	8,53
Grupo Sanjosé	1,300	=	8,33
Grupo Tavex	0,280	-1,06	21,74
Iberpapel	15,700	=	3,97

TÍTULO	ÚLTIMA COTIZACIÓN	DIF. %	RENTA. 2013
Indo Interna.	0,600	=	0,00
Inmobiliaria Del Sur	14,500	=	-9,38
Inypsa	0,960	1,05	14,29
Liberbank	0,800	-0,62	11,11
Lingotes Especiales	3,800	4,11	10,30
Martinsa-Fadesa	7,300	=	0,00
Meliá Hotels Int.	9,420	0,75	0,91
Miquel y Costas	28,060	-1,09	-8,00
Montebalito	1,320	1,93	16,81
N. Correa	1,790	5,92	38,22
Natra	2,275	-0,87	2,94
Natraceutical	0,308	1,65	7,32
NH Hoteles	4,680	-1,06	9,22
Nyesa	0,170	=	0,00
Pescanova	5,910	=	0,00
Prim	5,650	-0,18	-1,91
Prisa	0,400	-1,48	0,00
Prosegur	4,460	0,22	-10,44
Quabit	0,129	2,38	9,32
Realia Business	1,140	2,70	37,35
Reno de Medici	0,325	1,25	22,64
Renta Corp.	0,570	=	0,00
Renta 4 Banco	5,800	0,52	14,85
Reyal Urbis	0,124	=	0,00
Rovi	9,730	-0,71	-2,51
Seda Barna	0,729	=	0,00
Service Point Solution	0,071	=	-24,47
Sniace	0,196	=	0,00
Solaria	1,345	=	75,82
Sotogrande	3,150	=	17,54
Tecnocom	1,285	0,39	6,20
Testa Inm.Renta	7,700	=	1,85
Tubacex	2,805	-0,53	-2,94
Tubos Reunidos	1,735	-0,57	-1,98
Uralita	1,200	-2,04	0,84
Urbas Gr.Financiero	0,027	-3,57	8,00
Vértice 360	0,051	-3,77	10,87
Vidrala	37,700	0,83	0,69
Vocento	1,660	1,22	9,93
Zardoya Otis	12,410	-0,48	-5,63
Zeltia	2,705	-1,64	17,10

EMPRESAS

Medio millón de multa a Telefónica

La CNMC ha impuesto dos multas a Telefónica tipificadas en la Ley General de Telecomunicaciones como «muy graves» por 250.000 euros cada una. En concreto, el regulador ha sancionado a la multinacional española por no informar a tiempo de dos ofertas de banda ancha y televisión y por impedir el acceso a números de SMS Premium. / E.P.

Pocoyó pide hacer una nueva emisión

Zinkia Entertainment, la productora de Pocoyó, solicita hoy autorización para una nueva emisión de obligaciones o bonos convertibles en acciones. Está a punto de agotar el plazo estipulado para decidir si se acoge al concurso de acreedores o presenta un acuerdo de refinanciación de su deuda, de 11 millones. / E.P.

Barclays multiplica por 11 su beneficio

El banco británico Barclays, que hoy presenta sus cuentas definitivas, logró al cierre de 2013 un beneficio bruto de 2.900 millones de libras (3.488 millones de euros), lo que supone multiplicar por 11 las ganancias antes de impuestos de 246 millones de libras (296 millones de euros) de 2012. / E.P.

E.Leclerc incrementa sus ventas un 4,4%

El grupo de distribución francés E. Leclerc alcanzó en 2013 una cifra de negocio de 45.600 millones de euros, lo que supone 4,4% más que el año anterior. Para 2014 prevé un menor incremento de las ventas. / E.P.

Las preferentes, culpa de los consejos

El director de la Oficina Antifraude, Daniel de Alfonso, ha culpado de la venta irregular de preferentes a las direcciones de los consejos de las antiguas cajas, tras calificar de «gran estafa» una operación que atrapó a miles de pequeños inversores. / EFE

Récord de deuda en Japón

Supera a la de Alemania, Francia y Reino Unido juntos

M. V. / Madrid

La deuda nacional de Japón batió en 2013 un récord histórico y mundial al alcanzar los 7,3 billones de euros (1.017,9 billones de yenes). Así, el endeudamiento público y privado del país nipón supera al de Alemania, Francia y Reino Unido juntos.

Con un PIB nominal de 4,3 billones de euros en 2012, la deuda pública se situó a cierre del pasado año en seis millones de euros (849 billones de yenes), con lo que cada japonés tiene una deuda pendiente con los mercados financieros superior a los 57.200 euros. Pese a la magnitud de la cifra, el Ministerio de Economía japonés prevé que la deuda vuelva a incrementarse a cierre del primer trimestre de 2014, cuando termina su año fiscal.

Japón cerró el pasado año con un crecimiento del 2,7% impulsado por el generoso programa de estímulos puesto en marcha por su banco central para relanzar la economía y luchar contra la deflación.

Sin embargo, pese a ese programa el Nikkei pierde este año más de un 9% por el impacto de la crisis de los emergentes en la Bolsa asiática y las dudas que generan entre los inversores algunos retos a los que se enfrenta su economía, como el impacto en la demanda interna de una inminente subida de impuestos en el país.

5. El Mundo   **Numeración para la muestra: 10**

Martes 11 de febrero del 2014

E. Leclerc incrementa sus ventas un 4,4%

El grupo de distribución francés E. Leclerc alcanzó en 2013 una cifra de negocio de 45.600 millones de euros, lo que supone 4,4% más que el año anterior. Para 2014 prevé un menor incremento de las ventas / E. P.

FICHA del breve en el diario

Número de página: 34
Sección: bolsa
Subsección: empresas
Número de breves de la subsección: cinco
Ladillo: no
Número de líneas del titular: dos
Número de líneas del cuerpo: 6
Fotografía: no
Firma: E. P. (Europa Press)

Despacho de agencia publicado por la agencia Europa Press (www.europapress.es), el 10 de febrero del 2014:

E. Leclerc aumenta sus ventas un 4,4% en 2013 y prevé un 2014 "difícil"

El grupo de distribución francés E. Leclerc alcanzó en 2013 una cifra de negocio de 45.600 millones de euros, lo que supone 4,4% más que el año anterior, aunque de cara a 2014 prevé un "año difícil" con un menor incremento de las ventas que el registrado el pasado año, según informó en un comunicado.

La compañía gala destaca que su facturación sin tener en cuenta la venta de carburantes aumentó un 4,7%, hasta los 36.500 millones de euros, lo que confirma la eficacia de sus decisiones estratégicas en un contexto económico y de competencia "particularmente difícil".

En el mercado francés, las ventas de E.Leclerc aumentaron un 3,1%, hasta los 42.000 millones de euros, aunque sin tener en cuenta los carburantes su incremento fue del 4,9%, hasta los 33.900 millones de euros. Desde 2002, la facturación del grupo en Francia ha repuntado un 59.5%.

Su cuota de mercado en el país galo aumentó ocho décimas, hasta el 19,5%, lo que confirma la eficacia de su posicionamiento y el funcionamiento de su modelo económico, que seduce cada vez a más consumidores. Así, 17,8 millones de hogares compraron al menos una vez al mes en un supermercado E.Leclerc, 412.000 más que en 2012.

Respecto a las perspectivas para 2014, E.Leclerc anticipa "un año difícil" desde el punto de vista del consumidor, que sufrirá casi un "estancamiento" de su poder adquisitivo después de un año de descensos. En este contexto, espera que su cifra de negocio aumente entre un 3,5% y un 4% y su cuota de mercado en Francia cinco décimas.

"En 2014 el proyecto económico de los centros E.Leclerc permitirá la creación de 2.500 empleos adicionales", confirmó el presidente del grupo de distribución francés, Michel-Edouard Leclerc.

FICHA del despacho de agencia en la web

Enlace de la web en la que se encuentra: <http://www.europapress.es/economia/noticia-economia-empresas-eleclerc-aumenta-ventas-44-2013-preve-2014-dificil-20140210134635.html>

Pestaña: economía

Subpestaña: empresas

Antetítulo: no

Título: "E. Leclerc aumenta sus ventas un 4,4% en 2013 y prevé un 2014 'difícil'"

Subtítulo: no

Número de caracteres (con espacio) del titular: 70

Número de caracteres (con espacio) del cuerpo de la nota: 1.713

Fotografía: no

Firma: sin firma (Europa Press)

Lugar de la firma: París

Otros (documentos adjuntos, etcétera): no

Nota de prensa original, publicada por la agencia de comunicación Ágora Comunicación y Análisis, el 10 de febrero del 2014:

Alza en el negocio de E.Leclerc
· Factura 36.500 millones de euros en 2013, un 4,7% más

El grupo de distribución francés E.Leclerc ha registrado una cifra de negocio de 36.500 millones de euros en 2013, lo que representa un incremento del 4,7% respecto al año anterior (34.900 millones).

Si se incluye la venta de carburantes, la facturación de la compañía gala ha crecido un 4,4%, hasta los 45.600 millones de euros frente a los 43.700 millones de 2012.

El grupo de distribución ha señalado en un comunicado que estos resultados confirman la eficacia de sus decisiones estratégicas en un contexto económico y de competencia "particularmente difícil".

En el mercado francés, las ventas de E.Leclerc han crecido un 3,1%, hasta los 42.000 millones de euros, aunque sin tener en cuenta los carburantes su incremento ha sido del 4,9%, hasta los 33.900 millones de euros. Desde 2002, la facturación del grupo en Francia ha repuntado un 59,5%.

Por su parte, la cuota de mercado en el país galo ha aumentado ocho décimas en 2013, hasta alcanzar el 19,5%, "lo que confirma la eficacia de su posicionamiento y el funcionamiento de su modelo económico, que seduce cada vez a más consumidores", añade la firma.

En este sentido, el distribuidor señala que 17,8 millones de hogares compraron al menos una vez al mes en un punto de venta de la enseña E.Leclerc durante el año pasado, 412.000 más que en 2012.

De cara al ejercicio 2014, E.Leclerc vaticina "un año difícil" desde el punto de vista del consumidor, que sufrirá casi un "estancamiento" de su poder adquisitivo después de un año de descensos. Así, prevé que su cifra de negocio se eleve entre un 3,5% y un 4% y su cuota de mercado en Francia crezca cinco décimas.

"En 2014 el proyecto económico de los centros E.Leclerc permitirá la creación de 2.500 empleos adicionales", ha confirmado el presidente del grupo de distribución francés, Michel-Edouard Leclerc.

FICHA de la nota de prensa en la web

Enlace de la web en la que se encuentra: <http://revistainforetail.genericwebdomain.com/noticiadet/alza-en-el-negocio-de-eleclerc-/d8861021e5761840c42065cc1254f4e7>

Pestaña: noticias del sector

Subpestaña: --

Antetítulo: no

Título: "Alza en el negocio de E.Leclerc"

Subtítulo: un subtítulo

Número de caracteres (con espacio) del titular: 31

Número de caracteres (con espacio) del cuerpo de la nota: 1.812

Fotografía: sí (logo)

Firma: Inforetail

Lugar de la firma: sin especificar

Otros (documentos adjuntos, etcétera): no

EN LÍNEA

PATCHWORKS

La empresa triunfa con una app musical

■ La *start-up* prevé multiplicar por 15 su facturación este año gracias a la comercialización del Conductr para iPad, que controla el programa de creación musical Ableton Live, y que llega a más de 150 países a través del App Store de Apple. La empresa ha facturado 12.000 euros en tres meses. / Redacción

SECTOR TURÍSTICO

El empleo cae un 5,8% en el 2013

■ El empleo turístico cayó un 5,8% en Catalunya durante el año 2013, período en que se registró un récord histórico de visitantes extranjeros. El sector turístico español cerró 2013 con una tasa de paro del 18,9%, alrededor de un punto inferior a la registrada un año antes (19,8%), según la EPA. / Redacción

DERBY HOTELS

La cadena centra su expansión en Europa

■ El director general de Derby Hotels Collection, Joaquim Clos, asegura que la cadena concentrará su crecimiento en hoteles en capitales europeas, mientras que frenará su expansión en Barcelona y en Madrid. La cadena, propiedad de Jordi Clos, busca inversiones para el próximo año. / Redacción

PEDRO MADUEÑO

El presidente, Jordi Clos

COLONIAL

La constructora busca 700 millones

■ Colonial ha encomendado a Crédit Agricole que articule un nuevo préstamo sindicado de entre 600 y 700 millones de euros con el que la inmobiliaria pagará parte del actualmente en vigor, de unos 1.800 millones de euros, que vence en este ejercicio 2014, según fuentes del mercado. / Redacció

EMPRENDEDORES

Synergic Partners abre oficina en Zurich y prepara las de Londres y Nueva York

Datos para la anticipación

MAR GALTÉS
Barcelona

Hasta ahora la informática se ha preocupado de las tuberías. Pero no de que el agua (los datos) que pasa por dentro sea potable". Así describen Carme Artigas y Jaume Agut la actividad de su compañía, Synergic Partners, consultora estratégica y tecnológica especializada en la gestión y el análisis de datos. Y lo explican así porque es una manera de traducir el concepto de *big data*, del que todos hablan, pero que pocos entienden. A la tradicional información interna, ahora se añade la ingente cantidad de datos no estructurados que se generan en el universo web (redes sociales, Google, sensores...) y hay que darles un sentido para la gestión empresarial.

Synergic Partners ha visto la oportunidad de coger la bandera del sector, formando la que denomina primera generación de *data scientists* en España: ya sean sus propios técnicos, o haciendo formación para clientes. "En este trabajo hay una base de tecnología, pero sobre todo unas habilidades. Es matemática y estadística, y capacidad creativa y de visualización y conocimiento de negocio". En este contexto, Synergic ha firmado un acuerdo de colaboración con la Universidad de Columbia, a través del Institute for Data Science and Engineering.

Carme Artigas y Jaume Agut, en la sede de Terrassa　GEMMA MIRALDA

El matrimonio Artigas y Agut creó la compañía en el 2007, después de desarrollar sendas carreras profesionales en el mundo tecnológico. "Tras el 11-S, escuchamos a Bill Clinton hablar del potencial del análisis de datos para prever acontecimientos". Fueron a investigar a Silicon Valley, y lanzaron su propia compañía. "Hasta ahora ha funcionado el *business intelligence*: eso es analizar los datos del pasado. Pero con el *big data* puedes ser predictivo y anticiparte a los acontecimientos". Pero "el mercado de datos estaba inmaduro, y empezamos con consultoría, luego implantación". "Con la crisis, las empresas se replantean por qué pierden clientes, cómo fidelizarlos". En Synergic también hacen estudios de impacto económico. Y han desarrollado grandes proyectos, como la fusión de bases de clientes de Vodafone con Tele2. "Antes sólo las grandes empresas podían encargar estudios de mercado. Ahora la información está disponible para todos. Y ayudamos a las empresas a transformarse".

Explican que en el 2012 Synergic facturó dos millones de euros; en el 2013 saltaron a cuatro millones, y para este 2014 se han propuesto volver a doblar, hasta siete u ocho millones. Y las previsiones son enormes. "En tres años tenemos que estar en quince millones". La empresa tuvo en su accionariado al capital riesgo de Caja Navarra, y los socios recompraron en agosto del 2013 esa participación del 25%, que había ido a parar a manos de La Caixa. Tie-

La empresa factura cuatro millones y ha firmado una alianza estratégica con la Columbia University

nen clientes en el sector bancario, asegurador, *retail* o farmacéutico, "y eso nos llevó a abrir oficina en Zurich en el 2013 –y esponsorizan la selección suiza de hockey hierba–. Con oficinas en Terrassa y en Madrid, el grupo emplea a unas 50 personas. "En el 2014 abriremos oficinas comerciales en Londres y Nueva York" aseguran. "Nuestro modelo es hacer la producción desde España, pero buscar mercados internacionales".●

Air Products invertirá 5 millones en un proyecto de I+D en la UAB

BARCELONA Efe

La multinacional Air Products, a la que pertenece la empresa de gases industriales y medicinales Carburos Metálicos, ha elegido al centro de referencia en materia de investigación de ambas en España, Matgas, ubicado en el campus de la UAB, para que lidere a nivel internacional un proyecto de I+D.

La responsable de I+D de Carburos Metálicos y directora de Matgas, Lourdes Vega, asegura que Air Products prevé destinar unos cinco millones este año a un proyecto que hará que Matgas lidere la investigación global en tres áreas: la aplicación de gases en el sector agroalimentario, en el tratamiento de aguas y la búsqueda de nuevos usos para el dióxido de carbono.

Matgas es un centro de excelencia en la investigación del CO_2 y en materia de sostenibilidad que es fruto de la alianza entre Carburos Metálicos, el Consejo Superior de Investigaciones Científicas (CSIC) y la UAB.

La apuesta de la multinacional estadounidense por Matgas implicará la contratación de personal tanto en ese centro como en otros que trabajan para él, si bien Vega no dispone por el momento de una estimación de las contrataciones que se llevarán a cabo en este proyecto de colaboración público-privada.●

6. La Vanguardia   **Numeración para la muestra: 11**

Lunes 3 de febrero del 2014

<u>La empresa triunfa con una app musical</u>

La *start-up* prevé multiplicar por 15 su facturación este año gracias a la comercialización del Conductr para iPad, que controla el programa de creación musical Ableton Live, y que llega a más de 150 países a través del App Store de Apple. La empresa ha facturado 12.000 euros en tres meses. / Redacción

FICHA del breve en el diario

Número de página: 63
Sección: economía
Subsección: En Línea
Número de breves de la subsección: cuatro
Ladillo: Patchworks
Número de líneas del titular: dos
Número de líneas del cuerpo: diez
Fotografía: no
Firma: Redacción

Despacho de agencia publicado en Europa Press (www.europapress.es), el 2 de febrero del 2014:

Patchworks prevé multiplicar por 15 su facturación este año

La 'start-up' catalana Patchworks prevé multiplicar por 15 su facturación este año gracias a la comercialización del Conductr para iPad, que controla el programa de creación musical Ableton Live, y que llega a más de 150 países a través del App Store de Apple.

Según ha informado este domingo la Conselleria de Empresa y Empleo de la Generalitat, esta empresa de base tecnológica, creada en 2010, empezó a vender esta aplicación pensada para músicos y pantallas multitáctiles en septiembre, y en tres meses ha facturado más de 12.000 euros, sobre todo en EE.UU., Alemania, Reino Unido y Francia.

La compañía, que ha recibido el impulso del Programa Catalunya Emprèn de la Generalitat, se dirige a los cerca de 15 millones de usuarios de Ableton Live en todo el mundo, y prevé alcanzar los 60.000 usuarios y haciendo que su aplicación sea compatible con otros sistemas como Traktor, el programa más utilizado por dj's.

FICHA del despacho de agencia en la web

Enlace de la web en la que se encuentra: <http://www.europapress.es/catalunya/noticia-patchworks-preve-multiplicar-15-facturacion-ano-20140202123729.html>

Pestaña: --

Subpestaña: --

Antetítulo: no

Título: "Patchworks prevé multiplicar por 15 su facturación este año"

Subtítulo: no

Número de caracteres (con espacio) del titular: 59

Número de caracteres (con espacio) del cuerpo de la nota: 923

Fotografía: no

Firma: sin especificar (Europa Press)

Lugar de la firma: Barcelona

Otros (documentos adjuntos, etcétera): no

Nota de prensa original, publicada en el Departament d'Empresa i Ocupació de la Generalitat de Catalunya (www.gencat.cat), el 2 de febrero del 2014:

L'start-up catalana Patchworks comercialitza la seva aplicació a més de 150 països i aquest any preveu multiplicar per 15 la seva facturació

· Patchworks ha desenvolupat Conductr, una aplicació per iPad que controla el programari de creació musical Ableton Live, un dels més utilitzats per músics i dj's d'arreu del món.

· Patchworks va començar a vendre el seu producte el setembre passat i en tres mesos va aconseguir facturar més de 12.000 euros. Els seus principals mercats són Estats Units, Alemanya, Regne Unit i França.

· La seva participació en la xarxa d'Acceleradores Start-Up Catalonia d'ACCIÓ ha ajudat l'empresa catalana a professionalitzar-se i assolir un ràpid creixement durant el 2013.

L'empresa catalana Patchworks Makes Tendertech S.L. comercialitza la seva aplicació Conductr a través de l'App Store d'Apple. Això li proporciona accedir a un mercat de més de 150 països als quals en els tres primers mesos de posar Conductr al mercat ha aconseguit més de 600 vendes, principalment a Estats Units, Alemanya, Regne Unit i França.

L'empresa catalana va participar l'any passat en la primera edició de la Xarxa d'Acceleradores Start-Up Catalonia d'ACCIÓ que s'emmarca dins del Programa Catalunya Emprèn de la Generalitat i això la va ajudar a professionalitzar-se i créixer d'una forma ràpida.

L'Start-Up catalana es va crear el 2010 i el setembre de 2013 va posar a la venda la seva aplicació. La previsió de Patchworks per al 2014 és multiplicar per 15 els ingressos obtinguts el 2013 i el 2015 triplicar la xifra d'enguany. Actualment, els tres socis de Patchworks desenvolupen el seu producte comptant amb 5 llocs de treball. Preveuen crear-ne 3 més aquest any i fins a 7 el que ve, a part de mantenir diversos llocs de treball indirectes.

Patchworks és una empresa de base tecnològica dedicada a la tecnologia musical que ha creat Conductr, una aplicació pensada per músics i per a músics. Aquesta app per a iPad serveix per controlar Ableton Live, un dels programaris de creació musical més utilitzats per músics i dj's d'arreu del món. Conductr és la primera app que no intenta imitar els controladors maquinaris ja existents, sinó que està pensada des de l'òptica d'ús a partir d'una pantalla multitàctil.

El seu públic objectiu són aficionats i professionals de la música, i els prop de 15 milions d'usuaris d'Ableton Live d'arreu del món que tenen un iPad. Aquest 2014 Patchworks preveu aconseguir 60 mil usuaris i ampliar el seu mercat fent que la seva aplicació sigui compatible amb altres sistemes com Traktor, el programari més utilitzat per dj's.

FICHA de la nota de prensa en la web

Enlace de la web en la que se encuentra: <http://premsa.gencat.
cat/pres_fsvp/AppJava/notapremsavw/detall.do?id=244812&idio-
ma=0&departament=26&canal=>
Pestaña: Empresa i Ocupació
Subpestaña: --
Antetítulo: no
Título: "L'start-up catalana Patchworks comercialitza la seva aplica-
ció a més de 150 països i aquest any preveu multiplicar per 15 la seva
facturació"
Subtítulo: tres subtítulos
Número de caracteres (con espacio) del titular: 140
Número de caracteres (con espacio) del cuerpo de la nota: 2.452
Fotografía: no
Firma: sin especificar
Lugar de la firma: sin especificar
Otros (documentos adjuntos, etcétera): no

BOLSA

	IBEX 35 Madrid	EUROSTOXX 50 París	FTSE 100 Londres	DAX 30 Francfort	DOW JONES Nueva York	NASDAQ Nueva York	NIKKEI Tokio	PETRÓLEO Dólares / barril	EURIBOR %	ORO Dólares / onza
Cotización →	10.042,70	3.117,44	6.796,43	9.659,78	16.130,40	4.272,78	14.843,24	110,52	0,5470	1.322,40
En el día →	-0,75%	-0,05%	+0,90%	+0,03%	-0,15%	+0,68%	+3,13%	+1,30%	=-%	-0,50%
En el año →	+1,27%	+0,27%	+0,70%	+1,13%	-2,69%	+2,30%	-8,89%	-0,10%	-1,62%	+9,76%

IBEX 35

LAS MAYORES SUBIDAS	%		LAS MAYORES BAJADAS	%
Acciona	+2,70		Sacyr	-4,87
Jazztel	+1,59		Inditex	-4,02
Bankia	+1,33		Mediaset	-3,39
IAG	+0,89		Viscofan	-2,73
REC	+0,58		Mapfre	-2,30
Grifols	+0,54		Gas Natural	-1,66
Abertis	+0,50		Arcelor Mittal	-1,63
Dia	+0,43		CaixaBank	-1,26

SUBASTAS TESORO

	Tir media
Letras 6 Meses	0,38
Letras 9 Meses	0,66
Letras 12 Meses	0,62
Letras 18 Meses	1,69
Bonos 2,5 Años	4,34
Bonos 2 Años	1,90
Bonos 3 Años	1,56
Bono 4 Años	5,97

TIPOS OFICIALES

	%
España	0,25
Alemania	0,25
Zona euro	0,25
Reino Unido	0,50
EE.UU.	0,00-0,25
Japón	0,00-0,10
Suiza	0,00-0,25
Canadá	1,00

DIVISAS

	1 euro
Dólares USA	1,3731
Yenes japoneses	140,77
Coronas danesas	7,4619
Libras esterlinas	0,8233
Coronas suecas	8,922
Francos suizos	1,2221
Coronas noruegas	8,343
Yuanes chinos	8,3323

CIFRAS ECONÓMICAS

ESPAÑA

IPC	0,2%	Desempleo	26,03%
PIB	-1,1%	Tipos de interés	0,5%

ZONA EURO

IPC	0,8%	Desempleo	12,1%
PIB	-0,4%	Tipos de interés	0,5%

EEUU

IPC	1,20%	Desempleo	6,7%
PIB	2%	Tipos de interés	0,25%

■ **Iberdrola** Último cierre: 4,608 euros ▼ -0,300 %

4.631
4.613
4.595
4.577

10.00 12.00 14.00 16.00 18.00

FUENTE: Infobolsa. EL MUNDO

MERCADO CONTINUO
CONTRATACIÓN EN EUROS

IBEX 35

TÍTULO	ÚLTIMA COTIZACIÓN	VARIACIÓN DIARIA EUROS	%	AYER MÍN.	MÁX.	VARIACIÓN AÑO % ANTERIOR	ACTUAL
Abertis	17,110	0,085	0,50	16,910	17,145	43,02	5,94
Acciona	54,030	1,420	2,70	52,520	54,210	-21,20	29,37
ACS	26,380	=	=	26,160	26,500	41,22	5,44
Amadeus It Holding	31,385	0,130	0,42	31,085	31,865	68,83	0,90
ArcelorMittal	12,045	-0,200	-1,63	12,000	12,295	2,60	-6,92
B. Popular	5,304	0,001	0,02	5,230	5,324	50,86	20,96
B. Sabadell	2,379	-0,003	-0,13	2,344	2,389	5,25	25,47
B. Santander	6,512	-0,048	-0,73	6,450	6,572	21,53	0,09
Bankia	1,520	0,020	1,33	1,493	1,520	-74,12	23,18
Bankinter	5,967	0,004	0,07	5,866	5,995	154,69	19,65
BBVA	8,903	-0,105	-1,17	8,860	9,040	36,37	-0,50
BME	29,820	-0,270	-0,90	29,800	30,300	63,51	7,81
Caixabank	4,721	-0,060	-1,25	4,706	4,790	53,91	24,63
Dia	6,135	0,026	0,43	6,105	6,166	38,25	-5,62
Ebro Foods	15,970	-0,125	-0,78	15,815	16,130	17,99	-6,25
Enagás	20,500	-0,175	-0,85	20,100	20,750	25,31	7,92
FCC	17,800	-0,225	-1,25	17,670	18,125	72,63	10,05
Ferrovial	14,445	-0,160	-1,10	14,320	14,560	31,78	2,70
Gamesa	8,365	0,014	0,17	8,280	8,412	356,63	10,36
Gas Natural	18,365	-0,310	-1,66	18,165	18,880	49,38	-1,77
Grifols	39,350	0,210	0,54	38,955	39,400	32,80	13,19
IAG	5,467	0,048	0,89	5,392	5,472	117,00	12,98
Iberdrola	4,608	-0,014	-0,30	4,575	4,637	22,50	-0,58
Inditex	105,150	-4,400	-4,02	104,700	107,100	15,86	-12,23
Indra	13,295	0,035	0,26	13,200	13,390	25,40	9,38
Jazztel PLC	9,652	0,151	1,59	9,401	9,950	48,03	24,08
Mapfre	3,070	-0,070	-2,30	2,961	3,057	40,57	-4,50
Mediaset	8,659	-0,304	-3,39	8,640	9,019	64,81	3,22
Obrascón H.L.	31,370	0,130	0,42	30,880	31,455	37,28	6,54
Red Eléctrica	54,350	0,310	0,58	53,810	54,490	37,93	13,12
Repsol	17,575	-0,050	-0,28	17,360	17,680	26,18	-4,07
Sacyr	3,884	-0,199	-4,87	3,844	4,146	139,43	3,11
Técnicas Reunidas	39,310	=	=	39,020	39,600	18,87	-0,44
Telefónica	11,290	=	=	11,185	11,330	19,41	-4,60
Viscofan	36,890	-1,035	-2,73	36,750	38,050	-0,61	-10,79

RESTO DE VALORES

TÍTULO	ÚLTIMA COTIZACIÓN	DIF. %	RENTA. 2013	TÍTULO	ÚLTIMA COTIZACIÓN	DIF. %	RENTA. 2013
Abengoa	3,520	0,11	45,45	Indo Interna.	0,600	=	0,00
Abengoa B	2,938	2,01	35,02	Inmobiliaria del Sur	14,500	=	-9,38
Acerinox	10,320	-0,58	11,60	Inypsa	1,050	-1,87	25,00
Adolfo Domínguez	6,070	-1,46	7,24	Liberbank	0,806	0,25	11,94
Adveo	16,150	-0,62	8,10	Lingotes Especiales	3,600	-0,55	4,50
Alba	42,000	=	-1,18	Martinsa-Fadesa	7,300	=	0,00
Almirall	12,350	0,16	4,31	Meliá Hotels Int.	9,395	-0,90	0,64
Amper	1,140	-3,39	7,55	Miquel y Costas	28,750	1,05	-5,74
Aperam	16,300	-0,37	21,64	Montebalito	1,375	6,59	21,68
Atresmedia	14,050	-4,87	16,89	N. Correa	1,740	-1,97	34,36
Azkoyen	2,860	2,14	36,19	Natra	2,250	=	1,81
Barón de Ley	72,000	0,84	22,03	Natraceutical	0,323	0,31	12,54
Bayer Ag.	101,500	=	0,78	NH Hoteles	4,500	-2,28	5,02
Biosearch	0,910	1,68	31,88	Nyesa	0,170	=	0,00
Bodegas Riojanas	5,270	-0,57	-1,86	Pescanova	5,910	=	0,00
C. A. F.	378,600	-0,30	-1,48	Prim	5,630	=	-2,26
CAM	1,340	=	0,00	Prisa	0,390	=	-2,50
Campofrío	6,910	=	0,14	Prosegur	4,360	-1,13	-12,45
Cem.Portland	8,910	-2,62	60,25	Quabit	0,142	7,58	20,34
Cie Automotive	7,870	-1,01	-1,63	Realia Business	1,150	=	38,55
Cleop	1,150	=	0,00	Reno de Medici	0,351	-0,28	32,45
Clínica Baviera	9,750	-2,50	-6,79	Renta Corp.	0,570	=	0,00
Codere	0,970	-1,02	40,58	Renta 4 Banco	5,850	0,17	15,84
Colonial	1,410	0,71	34,67	Reyal Urbis	0,124	=	0,00
C.V.N.E	16,310	=	7,30	Rovi	9,620	-1,03	-3,61
Deoleo	0,400	-2,44	-14,89	Seda Barna	0,729	=	0,00
Dinamia	7,240	-1,63	3,43	Service Point Solution	0,071	=	-24,47
Dogi	0,640	=	0,00	Sniace	0,196	=	0,00
Duro Felguera	4,800	0,21	-2,04	Solaria	1,460	=	90,85
EADS	52,800	-0,95	-5,21	Sotogrande	3,030	-6,77	13,06
Elecnor	11,330	-0,26	1,34	Tecnocom	1,270	=	4,96
Ence	2,560	=	-6,06	Testa Inm.Renta	7,990	=	5,69
Endesa	23,055	0,02	5,76	Tubacex	3,010	-0,82	4,15
Enel Green Power	1,973	-1,20	9,49	Tubos Reunidos	1,850	1,93	4,52
Ercros	0,520	-0,95	9,47	Uralita	1,180	-1,67	-0,84
Europac	3,805	0,66	-1,04	Urbas Gr.Financiero	0,034	-5,56	36,00
Ezentis	1,335	-2,98	-13,31	Vértice 360	0,860	8,86	19,44
Faes	2,585	0,19	-2,08	Vidrala	35,940	0,62	-4,01
Fergo Aisa	0,017	=	0,00	Vocento	1,925	1,32	27,48
Fersa	0,715	5,93	83,33	Zardoya Otis	12,620	-0,63	-4,03
Fluidra	2,895	-0,52	6,43	Zeltia	2,690	-0,37	16,45
Funespaña	6,150	=	2,50				
GAM	0,960	8,86	19,44				
General Inversiones	1,670	=	0,60				
Grupo Catalana Occ.	29,000	-1,13	11,45				
Grupo Sanjosé	1,300	-0,76	8,33				
Grupo Tavex	0,305	-2,24	32,61				
Iberpapel	15,350	=	1,66				

EMPRESAS

El juego de moda llega a la Bolsa

King, la compañía que desarrolla *Candy Crush Saga*, el juego para móviles más descargado del pasado año, inició ayer los trámites para saltar al parqué en Nueva York. La compañía británica ganó 412 millones en 2013 gracias al título, que tiene 93 millones de usuarios al día. Los analistas ven la principal debilidad de King en su dependencia de *Candy Crush*, que aporta el 78% de los ingresos. La operación puede abrir la veda a otras colocaciones tecnológicas, como la de Spotify o Airbnb. / JOSE A. NAVAS

El Supremo anula un contrato de 'swap'

El tribunal confirma la nulidad de un contrato de *swap* de inflación porque Caixa de Penedès no informó debidamente al cliente de sus riesgos y no comprobó si tenía conocimientos financieros adecuados. Además, el contrato fue ofrecido al cliente por el subdirector de la oficina aprovechando la relación de confianza que había entre ambos, según la sentencia. / EL MUNDO

Préstamo de 3.000 millones a Telefónica

La empresa firma el crédito, que vence en 2019, con 26 entidades. El precio del préstamo sindicado se sitúa en 85 puntos básicos, lo que supone un ahorro del 60% respecto al fijado en el firmado a principios de 2013 y un precio inferior al de una operación similar realizada en 2010. / EUROPA PRESS

Escaparates de Ikea en centros urbanos

La empresa de muebles estudia abrir tiendas en el centro de Madrid que sirvan de «escaparate» de sus productos para que los consumidores puedan probarlos antes de acercarse a uno de sus grandes almacenes. La iniciativa sería pionera a nivel mundial dentro del grupo, según explicó ayer un directivo de Ikea España. / EFE

Iberdrola aprueba su dividendo
Pagará 0,27 euros por acción, un 11% menos que en 2012

Madrid

El consejo de administración de Iberdrola ha acordado fijar en 0,27 euros por acción el dividendo bruto para sus accionistas con cargo al pasado año. El abono de esta retribución a los inversores supone así una rebaja del 11% con respecto al dividendo total de 0,305 euros abonado con cargo al ejercicio anterior, informa la agencia Europa Press.

Ya el pasado mes de octubre, Iberdrola indicó que el impacto regulatorio de 1.010 millones de euros en sus resultados le obligaría a reducir el pago a sus inversores, fijando el *pay out* (la parte del beneficio que destina a dividendo) entre el 65% y el 75%, en línea con el de las compañías con un perfil de negocio similar.

Así, en la Junta de Accionistas que se celebrará el próximo 28 de marzo se propondrá que el dividendo se estructure en cuatro partes: 0,03 euros en efectivo, 0,005 euros de prima de asistencia, un dividendo complementario a pagar en julio y el dividendo a cuenta ya abonado en enero.

El dividendo a cuenta de los resultados de 2013 distribuido en enero supuso 0,126 euros por título para los accionistas que lo cobraron en efectivo y un nuevo título por cada 36 antiguos para quienes lo prefirieron en especie.

6. El Mundo   **Numeración para la muestra: 12**

19 de febrero del 2014

Préstamo de 3.000 millones a Telefónica

La empresa firma el crédito, que vence en 2019, con 26 entidades. El precio del préstamo sindicado se sitúa en 85 puntos básicos, lo que supone un ahorro del 60% respecto al fijado en el firmado a principios de 2013 y un precio inferior al de una operación similar realizada en 2010. / EUROPA PRESS

FICHA del breve en el diario

Número de página: 32
Sección: bolsa
Subsección: empresas
Número de breves de la subsección: cuatro
Ladillo: no
Número de líneas del titular: dos
Número de líneas del cuerpo: nueve
Fotografía: no
Firma: Europa Press

Despacho de agencia publicado por Europa Press (www.europapress.es), el 18 de febrero del 2014:

Telefónica firma un crédito sindicado por 3.000 millones de euros con vencimiento a cinco años

Telefónica ha firmado una nueva *línea de crédito* [ver Anexo II: "El lenguaje subordinado. Los términos de marketing y economía en los breves de empresa"] sindicada con 26 entidades financieras por importe de 3.000 millones de euros y vencimiento en 2019, según han informado fuentes de la compañía.

En términos de precio, el préstamo sindicado se sitúa en 85 puntos básicos, lo que supone un ahorro del 60% respecto al precio fijado en el sindicado firmado a principios de 2013 y un precio inferior al de una operación similar realizada en 2010.

Las fuentes han destacado además el "extraordinario" apoyo recibido de las entidades financieras, ya que casi todas las instituciones invitadas han decidido participar en esta nueva operación de financiación del grupo, comprometiéndose en su gran mayoría con el importe máximo solicitado por la compañía.

Así, con la participación de 26 entidades la sobresuscripción se ha situado por encima del 40%, por encima de operaciones similares firmadas en los últimos meses en el mercado.

Las fuentes han señalado que esta nueva operación se enmarca dentro de la "prudente" política de financiación puesta en práctica por Telefónica los últimos años y que en este 2014 se caracteriza por un ajuste de su posición de liquidez, con una mejora de su calidad vía ampliación de plazo y ajustando su volumen mediante un uso más eficiente de los recursos.

FICHA del despacho de agencia en la web

Enlace de la web en la que se encuentra: <http://www.europa-press.es/economia/noticia-economia-empresas-telefonica-firma-credito-sindicado-3000-millones-euros-vencimiento-cinco-anos-20140218200541.html>
Pestaña: economía
Subpestaña: empresas
Antetítulo: no
Título: "Telefónica firma un crédito sindicado por 3.000 millones de euros con vencimiento a cinco años"
Subtítulo: no
Número de caracteres (con espacio) del titular: 94
Número de caracteres (con espacio) del cuerpo de la nota: 1.291
Fotografía: no
Firma: sin especificar (Europa Press)
Lugar de la firma: Madrid
Otros (documentos adjuntos, etcétera): no

Nota de prensa original, publicada en la agencia Reuters (www.es.reuters.com), el 18 de febrero del 2014:

Telefónica refinancia un crédito sindicado de 3.000 millones de euros
La operadora española ha firmado con un sindicato de 26 entidades bancarias una línea de crédito de 3.000 millones de euros con vencimiento a 5 años que refinancia otra anterior de igual importe a un tipo de interés más favorable, dijo el martes una fuente del mercado.
"El interés de la operación se ha fijado en 85 puntos básicos sobre euribor (...) en torno al 60 por ciento del precio fijado en el sindicado firmado a principios de 2013", dijo la fuente, que destacó que la demanda total para participar en el crédito, con vencimiento en 2019, fue de 4.200 millones de euros.
Telefónica declinó hacer comentarios.
Varias fuentes dijeron en enero a raíz de una información del diario Expansión que Telefónica estaba negociando la *refinanciación* de deuda [ver Anexo IV: "refinanciación"] por 5.000 millones de euros que vencía en 2014 con vistas a entonar su músculo financiero de cara a eventuales adquisiciones, particularmente en Brasil.

FICHA de la nota de prensa en la web

Enlace de la web en la que se encuentra: <http://es.reuters.com/article/businessNews/idESMAEA1H06O20140218>
Pestaña: noticias
Subpestaña: negocios
Antetítulo: no
Título: "Telefónica refinancia un crédito sindicado de 3.000 millones de euros"
Subtítulo: no
Número de caracteres (con espacio) del titular: 69
Número de caracteres (con espacio) del cuerpo de la nota: 906
Fotografía: sí (logo)
Firma: sin especificar
Lugar de la firma: Madrid
Otros (documentos adjuntos, etcétera): no

ARQUIMA

Convenio con el estudio A-cero

■ La compañía de construcción modular con estructura de madera Arquima ha firmado un acuerdo de colaboración con el estudio de arquitectura A-cero, liderado por Joaquín Torres y Rafael Llamazares. Ambos pretenden comercializar viviendas diseñadas por A-cero con módulos de Arquima. / Redacción

SECTOR ECOLÓGICO

24 empresas en la feria Biofach

■ El Departament d'Agricultura, Ramaderia i Pesca, a través de la empresa Prodeca, ha organizado la presencia de 24 empresas catalanas del sector de la producción ecológica en Biofach. Esta feria, que se celebra en Nuremberg, está considerada la más importante de Europa en este ámbito. / Redacción

ENTORN URBÀ

Acuerdo con la firma americana Segway

■ Entorn Urbà, empresa de parques infantiles, mobiliario urbano, equipamientos deportivos y seguridad viaria, ha llegado a un acuerdo con la firma estadounidense Segway para comercializar el vehículo inteligente Segway Personal Transporter entre los más de 8.000 ayuntamientos españoles. / Redacción

Policía local sobre ruedas

CAPRABO

La filial de Eroski abre 12 franquicias el 2013

■ La cadena de supermercados Caprabo, propiedad de Eroski, inauguró 12 tiendas bajo el régimen de franquicias en el 2013, lo que supuso la creación de 200 puestos de trabajo y la incorporación de 8.000 metros cuadrados de superficie comercial. La compañía prevé abrir 25 franquicias este año. / EP

EMPRENDEDORES

Copisa ofrece activos hipotecados a la banca

La propuesta persigue cerrar la refinanciación de 300 millones

EDUARDO MAGALLÓN
Barcelona

La segunda constructora de Catalunya, Copisa, ha ofrecido a sus bancos acreedores la venta o entrega de activos inmobiliarios como una parte del proceso de refinanciación de la deuda, que en términos globales asciende a 300 millones de euros. Con esa operación de refinanciación, la compañía –controlada por la familia Cornadó– persigue adaptarse a su nueva estrategia, en la que ganan mayor presencia las actividades en los mercados internacionales.

Fuentes consultadas explican que los principales bancos acreedores son Santander, BBVA, CaixaBank, Banc Sabadell, Banco Popular, Catalunya Banc y Bankinter. El que tiene una mayor exposición es el Santander con alrededor de una cuarta parte. La Sareb (o banco malo) es también acreedor como consecuencia de que Catalunya Banc y Bankia le traspasaran algunos activos de la compañía.

Las mismas fuentes explican que la propuesta de Copisa es que algunos de los bancos que tienen constituidas hipotecas sobre determinados activos inmobiliarios se queden con esos activos a precio de tasación. En la práctica este proceso supone una dación en pago, ya que dada

La sede central de Copisa en l'Hospitalet de Llobregat

El proyecto de la constructora, que es similar a una dación en pago, podría estar listo el mes próximo

la caída del sector, la mayoría de los bancos sufrirán minusvalías porque el valor del activo será inferior a la hipoteca o deuda sobre el citado activo, explicaron fuentes financieras.

A finales de este mes de febrero finaliza la prórroga que se había dado las dos partes para llegar a un acuerdo para la refinanciación. Por ello se espera para finales de marzo o principios de abril el acuerdo definitivo. El movimiento de Copisa es similar al que han seguido otras empresas constructoras en los últimos meses.

Aunque la empresa no ha cerrado definitivamente las cuentas, la facturación del grupo se situará por encima de los 400 millones de euros con un resultado bruto (ebitda) positivo. En cambio, el resultado será negativo por las provisiones y depreciaciones de algunos activos.●

Kantox consigue 6,4 millones para cuadruplicar su negocio en Europa

M. GALTÉS Barcelona

Kantox, empresa creada en Barcelona en 2011 para dar servicios de cobertura de tipo de cambio de divisas sin intermediación bancaria, enfocada a pymes y empresas, ha conseguido 6,4 millones de euros en su segunda ronda de financiación con los que consolidar su negocio en Europa. De esta cifra, unos 4,4 millones los han aportado los franceses Partech Ventures e Idinvest Partners, y los otros 2 millones los han puesto Cabiedes & Partners y los business angels que ya participaron en la primera ronda de la empresa, en verano de 2012, con una inversión de un millón de euros.

El equipo cofundador y directivo de Kantox –Philippe Gelis, consejero delegado; Antonio Rami, director de operaciones; John Carbajal, director de tecnología; Laurent Descout, director financiero, y Marek Fodor (cofundador de Atrápalo), presidente– mantienen la mayoría del capital de la compañía.

En las últimas semanas Kantox ha incorporado a 13 personas (ahora son 45) y se ha trasladado a la Torre Mapfre, "una oficina grande y seria para una compañía de servicios financieros", dice Gelis. Kantox tiene oficina en Londres –donde está el ecosistema europeo de divisas–, pero es en su sede de Bar-

Philippe Gelis

celona desde donde se dirige el negocio, que para la expansión prevista en los próximos años se focalizará en los mercados de España, Reino Unido, Francia, Italia y Alemania.

En 2013 se calcula que Kantox ingresó en comisiones unos 500.000 euros. Gelis asegura que en 2014 quiere multiplicar "por 4 o por 5" el negocio y alcanzar la intermediación de operaciones valoradas en un total de 1.000 millones de euros, lo que significaría que la facturación de Kantox crezca de forma proporcional hasta más de 2 millones de euros.●

   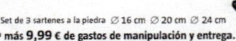

7. La Vanguardia   Numeración para la muestra: 13

Martes 11 de febrero del 2014

Convenio con el estudio A-cero

La compañía de construcción modular con estructura de madera Arquima ha firmado un acuerdo de colaboración con el estudio de arquitectura A-cero, liderado por Joaquín Torres y Rafael Llamazares. Ambos pretenden comercializar viviendas diseñadas por A-cero con módulos de Arquima. / Redacción

FICHA del breve en el diario

Número de página: 55
Sección: economía
Subsección: En Línea
Número de breves de la subsección: cuatro
Ladillo: Arquima
Número de líneas del titular: dos
Número de líneas del cuerpo: diez
Fotografía: no
Firma: Redacción

Nota de prensa original, publicada en la "asesoría integral en comunicación corporativa para empresas y profesionales liberales" Singular Press (www.singularpress.com), el 10 de febrero del 2014:

ARQUIMA firma un acuerdo de colaboración con el estudio de arquitectura A-cero
A-cero diseñará viviendas realizadas con el sistema modular de entramado ligero de ARQUIMA, tanto a nivel nacional como internacional.
ARQUIMA ha firmado un acuerdo de colaboración con el estudio de arquitectura A-cero, liderado por los prestigiosos arquitectos Joaquín Torres y Rafael Llamazares.
A través del presente contrato, ambas compañías pretenden promocionar viviendas diseñadas por A-cero, realizadas con el sistema modular de entramado ligero de madera de ARQUIMA en cualquier ubicación física, tanto a nivel nacional como internacional.
Según José Antonio González, Fundador y Gerente de Arquima: "Que una *empresa líder* [ver Anexo IV: "empresa líder", y ver Anexo II: "El lenguaje subordinado. Los términos de marketing y economía en los breves de empresa"] en arquitectura y diseño como A-cero colabore y confíe en nosotros para diseñar viviendas utilizando nuestro sistema modular de madera, es todo un privilegio y una verdadera oportunidad".
ARQUIMA, con una dilatada experiencia en el mercado nacional y en proceso de expansión internacional, ha desarrollado dos sistemas constructivos, SEA y CA2D, que le permiten fabricar cualquier tipo de proyecto de edificación, desde viviendas unifamiliares de una sola planta hasta edificios de cuatro plantas para cualquier tipo de uso.
El SEA (Sistema Envolvente ARQUIMA) es un sistema modular con estructura de madera traidicional utilizado especialmente para la fabricación de viviendas unifamiliares y pequeños edificios de hasta dos plantas de altura. Se trata de un sistema basado en un entramado ligero de madera que ha sido mejorado hasta obtener un sistema sólido, seguro y rápido con el que construir viviendas de gran calidad a precios competitivos y en plazos muy reducidos.
ARQUIMA también ha desarrollado el CA2D: un sistema constructivo modular con estructura de madera totalmente innovador, destinado a la construcción de edificios en altura para todo tipo de uso, especialmente residencial y de equipamientos. Su prototipo, construido en 2011, se encuentra en el municipio de LLinars del Ballès (Barcelona), edificio que ARQUIMA cedió al Ayuntamiento de la localidad y que a su vez está destinado a la Cruz Roja y a la Asociación de Defensa Forestal. "En la actualidad contamos con diez trabajadores y una muy buena posición en el mercado, que valora nuestra experiencia, nuestra seriedad y un precio y un plazo de ejecución competitivo en la gama de la alta calidad", comenta González
Sostenibilidad
ARQUIMA ofrece una alternativa sostenible para la construcción de edificios, respetuosa con el medio ambiente y energéticamente eficiente que reduce el consumo excesivo de energía y de emisiones de CO_2 en el planeta.
Estos resultados son posibles utilizando madera procedente de bosques gestionados de forma sostenible, con un coste energético de transformación mínimo y con unas mínimas emisiones de CO_2, para la construcción de edificios de consumo energético casi nulo (NZEB: Nearly Zero-Energy Buildings)
ARQUIMA, quiere ser una empresa exportadora de referencia mundial por la innovación continua en sus sistemas constructivos modulares, en materiales sostenibles y en la fabricación de edificios de consumo energético nulo (ZEB) o casi nulo (NZEB)
También trabaja para introducir en sus edificios los más altos estándares de *eficiencia* energética [ver Anexo II: "El lenguaje subordinado. Los términos de marketing y economía en los breves de empresa"] y certificarlos con entidades certificadoras internacionales como Leed, Bream, GBC o Passivhaus Institut.
ARQUIMA dispone de varios proyectos en estudio en Europa, en especial en Francia y Malta, que espera poder materializar durante este año.

FICHA de la nota de prensa en la web

Enlace de la web en la que se encuentra: <http://www.singular-press.com/index.php/es/actualidad/603-arquima-firma-un-acuerdo-de-colaboracion-con-a-cero>

Pestaña: actualidad

Subpestaña: --

Antetítulo: no

Título: "ARQUIMA firma un acuerdo de colaboración con el estudio de arquitectura A-cero"

Subtítulo: un subtítulo

Número de caracteres (con espacio) del titular: 78

Número de caracteres (con espacio) del cuerpo de la nota: 3.521

Fotografía: no

Firma: Publiditec

Lugar de la firma: Sant Andreu de la Barca

Otros (documentos adjuntos, etcétera): no

BOLSA

	IBEX 35 Madrid	EUROSTOXX 50 París	FTSE 100 Londres	DAX 30 Francfort	DOW JONES Nueva York	NASDAQ Nueva York	NIKKEI Tokio	PETRÓLEO Dólares / barril	EURIBOR %	ORO Dólares / onza
Cotización →	10.224,30	3.148,19	6.799,15	9.661,73	16.229,90	4.314,11	14.970,97	109,65	0,5510	1.328,50
En el día →	-0,18%	-0,29%	-0,46%	-0,39%	+0,31%	+0,62%	-0,54%	+0,08%	-0,36%	-0,98%
En el año →	+3,10%	+1,26%	+0,74%	+1,15%	-2,09%	+3,29%	-8,10%	-0,89%	-0,90%	+10,27%

IBEX 35

LAS MAYORES SUBIDAS	%		LAS MAYORES BAJADAS	%
Ferrovial	+3,24		Arcelor Mittal	-1,76
Técnicas Reunidas	+2,78		Mediaset	-1,69
Sacyr	+1,94		OHL	-1,59
IAG	+1,13		Gamesa	-1,58
Repsol	+1,01		Abertis	-1,50
FCC	+0,92		Jazztel	-1,31
Iberdrola	+0,71		Banco Popular	-1,30
Telefónica	+0,61		REC	-1,24

SUBASTAS TESORO

	Tir media
Letras 6 Meses	0,38
Letras 9 Meses	0,46
Letras 12 Meses	0,62
Letras 18 Meses	1,69
Bonos 2,5 Años	4,34
Bonos 2 Años	1,90
Bonos 3 Años	1,56
Bonos 4 Años	5,97

TIPOS OFICIALES

	%
España	0,25
Alemania	0,25
Zona euro	0,25
Reino Unido	0,50
EE.UU.	0,00-0,25
Japón	0,00-0,10
Suiza	0,00-0,25
Canadá	1,00

DIVISAS

	1 euro
Dólares USA	1,3726
Yenes japoneses	140,5
Coronas danesas	7,4623
Libras esterlinas	0,8226
Coronas suecas	8,9287
Francos suizos	1,2198
Coronas noruegas	8,307
Yuanes chinos	8,4073

CIFRAS ECONÓMICAS

ESPAÑA
IPC	0,2%	Desempleo	26,03%
PIB	-1,1%	Tipos de interés	0,5%

ZONA EURO
IPC	0,8%	Desempleo	12,1%
PIB	-0,4%	Tipos de interés	0,5%

EEUU
IPC	1,20%	Desempleo	6,7%
PIB	2%	Tipos de interés	0,25%

■ Abertis — Último cierre: 17,350 euros ▼ -1,50%

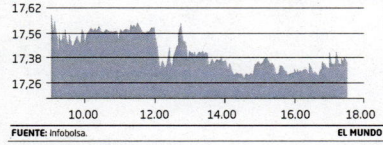

17,62 · 17,56 · 17,38 · 17,26
10.00 · 12.00 · 14.00 · 16.00 · 18.00

FUENTE: Infobolsa. EL MUNDO

MERCADO CONTINUO
CONTRATACIÓN EN EUROS

IBEX 35

TÍTULO	ÚLTIMA COTIZACIÓN	VARIACIÓN DIARIA EUROS	%	AYER MÍN.	MÁX.	VARIACIÓN AÑO % ANTERIOR	ACTUAL
Abertis	17,350	-0,265	-1,50	17,275	17,600	43,02	7,43
Acciona	56,220	-0,120	-0,21	54,650	56,750	-21,20	34,61
ACS	26,760	-0,040	-0,15	26,730	27,090	41,22	6,95
Amadeus It Holding	31,805	-0,010	-0,03	31,700	32,045	68,83	2,25
ArcelorMittal	11,450	-0,205	-1,76	11,360	11,625	2,60	-11,51
B. Popular	5,182	-0,068	-1,30	5,171	5,280	50,85	18,18
B. Sabadell	2,401	0,001	0,04	2,391	2,416	5,25	26,64
B. Santander	6,585	-0,035	-0,53	6,552	6,636	21,53	1,21
Bankia	1,594	=	=	1,590	1,600	-74,12	29,17
Bankinter	5,931	-0,057	-0,95	5,925	6,003	154,69	18,93
BBVA	9,087	-0,078	-0,85	9,053	9,180	36,37	1,55
BME	30,300	-0,145	-0,48	30,180	30,450	63,51	9,54
Caixabank	4,633	-0,049	-1,05	4,602	4,675	53,91	22,31
Dia	6,334	-0,004	-0,69	6,315	6,389	38,25	-2,55
Ebro Foods	15,725	0,055	0,35	15,530	15,850	17,99	-7,69
Enagás	21,015	0,005	0,02	20,895	21,045	25,31	10,63
FCC	18,045	0,165	0,92	17,900	18,220	72,63	11,56
Ferrovial	15,465	0,485	3,24	15,085	15,560	31,78	9,95
Gamesa	7,972	-0,128	-1,58	7,972	8,158	356,63	5,17
Gas Natural	18,740	-0,120	-0,64	18,600	18,925	49,38	0,24
Grifols	40,115	-0,330	-0,82	39,900	40,395	32,80	15,39
IAG	5,550	0,062	1,13	5,468	5,569	117,00	14,69
Iberdrola	4,813	0,034	0,71	4,782	4,835	22,50	3,84
Inditex	105,050	-0,500	-0,47	104,850	106,250	15,86	-12,31
Indra	13,810	-0,100	-0,72	13,730	13,960	25,40	13,62
Jazztel PLC	9,809	-0,130	-1,31	9,801	9,945	48,03	26,10
Mapfre	3,024	-0,023	-0,75	3,005	3,048	40,57	-2,86
Mediaset	8,879	-0,153	-1,69	8,834	9,046	64,81	5,84
Obrascón H.L.	32,245	-0,520	-1,59	32,105	32,915	37,28	9,51
Red Eléctrica	55,110	-0,690	-1,24	54,930	56,250	37,93	15,34
Repsol	18,555	0,185	1,01	18,100	18,670	26,18	1,28
Sacyr	4,519	0,086	1,94	4,445	4,548	139,43	19,96
Técnicas Reunidas	41,000	1,095	2,78	39,550	40,515	18,87	2,61
Telefónica	11,480	0,070	0,61	11,365	11,520	19,41	-3,00
Viscofan	37,560	-0,195	-0,52	37,365	37,725	-0,61	-9,17

RESTO DE VALORES

TÍTULO	ÚLTIMA COTIZACIÓN	DIF. %	RENTA. 2014		TÍTULO	ÚLTIMA COTIZACIÓN	DIF. %	RENTA. 2014
Abengoa	4,044	-0,64	67,11		Indo Interna.	0,600	=	0,00
Abengoa B	3,330	-3,34	53,03		Inmobiliaria Del Sur	14,500	=	-9,38
Acerinox	10,170	-2,16	9,98		Inypsa	1,045	-2,79	24,40
Adolfo Domínguez	6,250	0,16	10,42		Liberbank	0,834	1,96	15,83
Adveo	16,720	-0,30	11,91		Lingotes Especiales	3,690	0,82	7,11
Alba	42,600	0,76	0,24		Martinsa-Fadesa	7,300	=	0,00
Almirall	12,770	0,31	7,85		Meliá Hotels Int.	8,950	-0,39	-4,12
Amper	1,170	=	10,38		Miquel y Costas	29,850	1,19	-2,13
Aperam	15,905	=	18,69		Montebalito	1,510	7,09	33,63
Atresmedia	12,990	-2,77	8,07		N. Correa	1,790	-0,56	38,22
Azkoyen	3,210	4,56	52,86		Natra	2,255	-1,96	2,04
Barón de Ley	75,200	-1,05	27,46		Natraceutical	0,324	-1,22	12,89
Bayer Ag.	101,400	=	-0,88		NH Hoteles	4,620	-0,11	7,82
Biosearch	0,915	=	32,61		Nyesa	0,170	=	0,00
Bodegas Riojanas	5,400	2,08	0,56		Pescanova	5,910	=	0,00
C. A. F.	388,350	-0,22	1,05		Prim	5,650	-0,53	-1,91
CAM	1,340	=	0,00		Prisa	0,474	1,72	18,50
Campofrío	6,910	=	0,14		Prosegur	4,350	0,46	-12,65
Cem.Portland	8,350	-3,80	50,18		Quabit	0,148	-0,67	25,42
Cie Automotive	7,850	0,26	-1,88		Realia Business	1,190	6,25	43,37
Cleop	1,150	=	0,00		Reno de Medici	0,359	1,99	35,47
Clínica Baviera	10,550	0,48	0,86		Renta Corp.	0,570	=	0,00
Codere	0,980	1,03	42,03		Renta 4 Banco	5,960	2,23	18,02
Colonial	1,650	6,45	57,59		Reyal Urbis	0,124	=	0,00
C.V.N.E	19,400	-0,51	27,63		Rovi	9,970	3,10	-0,10
Deoleo	0,400	-1,23	-14,89		Seda Barna	0,729	=	0,00
Dinamia	7,490	3,88	7,00		Service Point Solution	0,071	=	-24,47
Dogi	0,640	=	0,00		Sniace	0,196	=	0,00
Duro Felguera	4,720	1,07	-3,67		Solaria	1,490	2,76	94,77
EADS	53,950	1,70	-3,14		Sotogrande	3,230	=	20,52
Elecnor	10,900	-1,45	-2,50		Tecnocom	1,390	0,72	14,88
Ence	2,460	-3,53	-9,72		Testa Inm.Renta	7,990	=	5,69
Endesa	23,880	0,19	9,54		Tubacex	3,010	-0,17	4,15
Enel Green Power	1,999	-0,05	10,93		Tubos Reunidos	1,980	=	11,86
Ercros	0,520	=	9,47		Uralita	1,265	-0,39	6,30
Europac	3,825	-0,65	18,60		Urbas Gr.Financiero	0,038	5,56	52,00
Ezentis	1,439	3,82	-6,56		Vértice 360	0,054	-1,82	17,39
Faes	2,645	0,19	0,19		Vidrala	36,760	0,99	-1,82
Fergo Aisa	0,017	=	0,00		Vocento	2,015	1,51	33,44
Fersa	0,700	2,94	79,49		Zardoya Otis	12,510	-0,16	-4,87
Fluidra	3,020	1,68	11,03		Zeltia	2,785	-0,89	20,56
Funespaña	6,150	=	0,60					
GAM	0,820	=	13,89					
General Inversiones	1,670	=	0,60					
Grupo Catalana Occ.	28,870	-1,13	10,95					
Grupo Sanjosé	1,360	3,03	13,33					
Grupo Tavex	0,313	0,97	36,09					
Iberpapel	15,600	2,83	3,31					

Abertis gana un 40% menos
Pese a las menores plusvalías, se anota 617 millones de beneficio

Madrid
El grupo de infraestructuras Abertis ganó 617 millones en 2013, un 40% menos que el año anterior debido a los extraordinarios obtenidos en 2012 por la venta de participaciones financieras. Según informó ayer la multinacional, sin tener en cuenta este efecto, el beneficio recurrente creció en un 6,5% en 2013 comparado con el resultado del año 2012.

La facturación de Abertis en 2013 alcanzó los 4.654 millones, un 25% más que el año anterior, y el margen bruto o Ebitda creció un 24%, hasta los 2.923 millones, informa Efe.

En el ejercicio del año 2013, el grupo consolidó por primera vez de forma global sus nuevos negocios de autopistas en Brasil y Chile, que incorporaron al Ebitda de la compañía 500 millones, e incluyó la desconsolidación del negocio de aeropuertos y la aportación de dos meses por integración global de Hispasat y el negocio de torres de telefonía móvil. El tráfico en el conjunto de la red de autopistas de Abertis creció un 1,5% en 2013, aunque en España cayó un 5,2%, pese a que el tráfico de vehículos pesados volvió a aumentar por primera vez desde 2007.

El negocio de autopistas de Abertis aportó 4.140 millones de ingresos y 2.698 millones en Ebitda, mientras que el de las telecomunicaciones generó ingresos por 511 millones y 258 millones de Ebitda.

EMPRESAS

Brufau cobró de Repsol un 5% menos

El presidente de Repsol, Antonio Brufau, recibió 4,9 millones por el desempeño de sus funciones durante 2013, lo que supone un recorte del 5% con respecto al ejercicio anterior. Los 4,9 millones se desglosan a razón de 4,64 millones de retribución en metálico y 266.000 euros por su participación en sociedades del grupo, según el informe remitido a la CNMV. / E.P.

Ebro Foods reduce un 16% su beneficio

La empresa de alimentación Ebro Foods redujo un 16% su beneficio neto en 2013, hasta los 132,7 millones, por menores extraordinarios. En el ejercicio precedente contabilizó tanto el beneficio de la venta de Nomen como importantes reversiones por el exceso de provisiones en los litigios pendientes de los negocios azucarero y lácteo. La cifra de negocios fue de 1.957 millones, un 1,2% menos. / E.P.

Jazztel gana un 9% más en 2013

Jazztel obtuvo un beneficio neto de 67,6 millones en 2013, un 9% más respecto al año previo. Los ingresos subieron un 15% respecto a 2012, hasta los 1.044,3 millones, y superaron el objetivo para el ejercicio de entre 1.000 y 1.025 millones. / E.P.

Las ganancias de Indra bajan un 13%

Indra logró en 2013 un beneficio neto de 115,8 millones, un 13% menos. Las ventas del grupo tecnológico ascendieron a 2.914 millones, nivel similar al de 2012, ajustando el impacto de la desinversión de la venta del negocio de Servicios. / E.P.

Nueva central para Técnicas Reunidas

Técnicas Reunidas se ha adjudicado la construcción de una nueva central de ciclo combinado en Bangladesh por unos 220 millones de euros. / E.P.

7. El Mundo

Jueves 27 de febrero del 2014

Jazztel gana un 9% más en 2013

Jazztel obtuvo un beneficio neto de 67,6 millones en 2013, un 9% más respecto al año previo. Los ingresos subieron un 15% respecto a 2012, hasta los 1.044,3 millones, y superaron el objetivo para el ejercicio de entre 1.000 y 1.025 millones. / E. P.

FICHA del breve en el diario

Número de página: 40
Sección: bolsa
Subsección: empresas
Número de breves de la subsección: cinco
Ladillo: no
Número de líneas del titular: dos
Número de líneas del cuerpo: siete
Fotografía: no
Firma: Europa Press

Despacho de agencia publicado por Europa Press (www.europapress.es), el 26 de febrero del 2014:

Jazztel gana 67,6 millones de euros en 2013, un 9% más

Jazztel obtuvo un beneficio neto de 67,6 millones de euros en el ejercicio 2013, lo que supone un incremento del 9% respecto al año precedente, según ha informado la compañía en un comunicado remitido a la Comisión Nacional del Mercado de Valores (CNMV).

El grupo español alcanzó unos ingresos durante el ejercicio de 1.044,3 millones de euros, lo que supone un aumento del 15% respecto a los 908,6 millones de euros obtenidos en 2012. De esta forma, los ingresos superaron el objetivo para el ejercicio de entre 1.000 y 1.025 millones de euros.

La operadora presidida por Leopoldo Fernández Pujals ha explicado que el crecimiento de los ingresos se debe principalmente al comportamiento de la división minorista, que aumentó su facturación un 18%, hasta los 856,3 millones de euros, debido sobre todo a las tarifas convergentes.

La compañía cerró el año con un beneficio bruto de explotación (Ebitda) de 184 millones de euros, lo que supone un aumento del 7% anual y situarse en línea con el objetivo para 2013 de entre 175 y 195 millones de euros.

Las inversiones de la compañía ascendieron a 294,3 millones de euros en 2013 como consecuencia del comienzo del despliegue de fibra óptica hasta el hogar (FTTH). Las inversiones se han situado muy por debajo del objetivo de la compañía para 2013 de entre 350 y 375 millones de euros debido a que el coste real por hogar pasado es aproximadamente un 20% inferior al coste presupuestado en el plan de negocio.

Con estas inversiones, el número de hogares pasados con la red de fibra se sitúa en la actualidad en 1,2 millones de hogares, lo que prácticamente supone la mitad del proyecto de 3 millones de hogares y en línea con las previsiones de despliegue de fibra del plan de negocio en 2014.

En cuanto a la situación financiera, la liquidez de Jazztel a cierre de 2013 ascendió a 105 millones de euros, lo que supone incremento del 5% respecto al ejercicio anterior. Además, la deuda financiera neta de la compañía se situó en 114,3 millones de euros a finales de 2013, lo que supone un aumento del 138% respecto al ejercicio anterior debido a la utilización adicional durante el ejercicio de líneas de financiación para financiar los diferentes proyectos de inversión de la compañía.

LOS SERVICIOS MÓVILES CRECEN UN 240%

En lo que respecta a los resultados operativos, la base de servicios de banda ancha contratados, incluyendo ADSL y fibra, superó los 1,449 millones de clientes, un 8% más, tras sumar 33.879 clientes durante el trimestre y en 109.629 durante el año.

En cuanto a los clientes de móvil, la compañía sumaba a finales de año 1,16 millones de clientes, lo que supone un 240% más tras obtener 172.109 nuevos servicios en el trimestre y 822.264 en el ejercicio.

La compañía ha alcanzado una base de servicios de fibra contratados de 6.468 servicios. El lanzamiento comercial de servicios de fibra tuvo lugar a finales del mes de octubre y desde entonces y a cierre de ejercicio la compañía ha alcanzado una base de servicios FTTH contratados de 6.468 servicios.

En el mes de enero la compañía lanzó su nueva gama de servicios de fibra que incluye el 200 Mb simétrico en fibra, lo que ha hecho que las altas de servicios FTTH se hayan ido incrementando hasta alcanzar actualmente un ritmo cercano de 10.000 altas al mes.

FICHA del despacho de agencia en la web

Enlace de la web en la que se encuentra: <http://www.europapress.
es/economia/noticia-economia-empresas-jazztel-gana-676-millo-
nes-euros-2013-mas-20140226181713.html>
Pestaña: economía
Subpestaña: empresas
Antetítulo: sí
Título: "Jazztel gana 67,6 millones de euros en 2013, un 9% más"
Subtítulo: no
Número de caracteres (con espacio) del titular: 54
Número de caracteres (con espacio) del cuerpo de la nota: 3.304
Fotografía: sí
Firma: sin especificar (Europa Press)
Lugar de la firma: Madrid
Otros (documentos adjuntos, etcétera): no

Nota de prensa original, publicada por la empresa de telefonía Jazztel (http://corporativo.jazztel.com), el 26 de febrero del 2014:

La Compañía cierra 2013 con 1.449.625 clientes de banda ancha y 1.165.504 servicios móviles

JAZZTEL OBTIENE UN BENEFICIO NETO DE 67,6 MILLONES DE EUROS Y AUMENTA SUS INGRESOS UN 15 POR CIENTO EN 2013

Despliegue de Fibra hasta el hogar de la compañía alcanza ya 1.204.357 hogares pasados

· Los ingresos del ejercicio alcanzaron los 1.044 millones de euros, lo que representa un crecimiento del 15 por ciento respecto al ejercicio anterior.

· Supera ampliamente sus previsiones de servicios móviles para 2013, con 1.165.504 a cierre de 2013, un 240 por ciento más que en 2012

· A pesar del significativo crecimiento en móvil, el EBITDA se situó en 184 millones de euros en 2013, lo que implica un crecimiento del 7 por ciento respecto al ejercicio anterior y un margen del 18 por ciento sobre los ingresos.

· En 2013 el beneficio neto se situó en 67,6 millones de euros en el ejercicio, lo que representa un crecimiento del 9 por ciento anual.

· Las inversiones se sitúan por debajo de las previsiones para el ejercicio debido a ahorros cercanos al 20 por ciento en el despliegue de red FTTH.

Jazztel, p.l.c. (Mercado Continuo en España: JAZZ), uno de los principales proveedores de servicios de telecomunicaciones con red propia en España, alcanza en el cuarto trimestre de 2013 la cifra de 1.449.625 clientes de banda ancha [Objetivo Plan de Negocio: 1.425.000-1.450.000 clientes de BA en 2013]. Además, la Compañía ha obtenido hasta 2013 unos ingresos de 1.044 millones de euros [Objetivo anual para 2013 Plan de Negocio: 1.000-1.025 millones de euros]; un EBITDA de 184 millones de euros en 2013 [Objetivo plan de negocio 2013: 175-195 millones de euros], y un beneficio neto en 2013 de 67,6 millones de euros [Objetivo plan de negocio 2012: 65-75 millones de euros].

Además, a 31 de diciembre de 2013 la liquidez de Jazztel era de 105 millones de euros y su deuda financiera neta se ha situado en 114,3 millones de euros en 2013 [Objetivo plan de negocio 2013: <200 millones de euros]. A fecha de hoy, la Compañía cuenta ya con más de 1.200.000 UUII, prácticamente la mitad de su objetivo de despliegue de fibra para 2014 [3 millones de hogares pasados]

Jazztel supera sus previsiones de servicios móviles con un incremento del 240 por ciento en su base

La base de servicios de banda ancha (ADSL y fibra) contratados (clientes en servicio más clientes en pro- ceso de provisión) aumentó en 33.879 clientes durante el trimestre y en 109.629 durante el año, lo que supone un 8 por ciento de aumento anual de la base que alcanza así la cifra de 1.449.625 clientes.

La base de servicios de banda ancha (ADSL y fibra) activos (en servicio) aumentó en 41.019 clientes en el trimestre y en 108.790 en el año, con lo que la base activa se sitúa en 1.426.381 clientes, lo que supone un crecimiento anual de la base de un 8 por ciento.

El lanzamiento comercial de servicios de fibra tuvo lugar a finales del mes de octubre, y desde entonces, y a cierre de ejercicio, la Compañía ha alcanzado una base de servicios FTTH contratados de 6.468 servicios. En el mes de enero la Compañía lanzó su nueva gama de servicios de fibra que incluye el 200 Mb simétrico en fibra, lo que ha hecho que las altas de servicios FTTH se hayan ido incrementando hasta alcanzar actualmente un ritmo cercano de 10.000 altas al mes.

El número de altas netas de banda ancha ha aumentado respecto al tercer trimestre del año debido a la reducción de la tasa de churn (bajas de servicios de banda ancha) como resultado del aumento del peso de los packs convergentes en la base de servicios de banda ancha, packs que cuentan con una tasa de churn muy reducida.

La base de servicios de telefonía móvil ha continuado su elevado crecimiento al obtener 172.109 nuevos servicios en el trimestre y 822.264 en el ejercicio.

En consecuencia, la base de servicios móviles se situó en 1.165.504 servicios, lo que supone un creci- miento del 240 por ciento anual, superando ampliamente el objetivo del plan de negocio para el año 2013 de entre 750.000 y 850.000 servicios.

Dicho crecimiento en la base de servicios de telefonía móvil se debe, como en trimestres anteriores, al éxito comercial de las ofertas convergentes de la Compañía.

El porcentaje de la base de servicios de banda ancha que son convergentes, es decir, hoga- res que dis- ponen al menos de un servicio móvil, se situó en un 63 por ciento a finales del cuarto trimestre frente a un 53 por ciento del tercer trimestre.

Los ingresos de Jazztel crecen un 15 por ciento y superan el objetivo del plan de negocio para 2013

Los ingresos del ejercicio se situaron en 1.044,3 millones de euros, un aumento del 15 por ciento res- pecto a los 908,6 millones de euros obtenidos en 2012. Los ingresos superaron el objetivo para el ejercicio de entre 1.000 y 1.025 millones de euros.

El crecimiento de los ingresos de la Compañía ha venido impulsado por la división minoris- ta, cuyos in- gresos aumentaron un 18 por ciento hasta los 856,3 millones de euros en 2013, frente a los 726,4 millo- nes de euros obtenidos en el ejercicio anterior y es debido al éxito de la oferta convergente de la Compa- ñía.

Así, los ingresos de la división minorista se situaron en 693,8 millones de euros, lo que supo- ne un au- mento del 2 por ciento en el ejercicio, con un crecimiento del 4 por ciento anual en los ingresos de datos hasta los 594,2 millones de euros debido al aumento de la base de clien- tes de banda ancha, una caída de los ingresos de voz de un 8 por ciento anual hasta los 99,6 millones de euros, que se debe principalmente a la progresiva inclusión de minutos gratis de llamadas de fijo a móvil en los paquetes de ADSL y a los ingresos móviles que experimentan un importante crecimiento anual del 257 por ciento hasta los 162,5 millones de euros en el ejercicio, en línea con el éxito comercial de las ofertas convergentes.

En cuanto a los ingresos de la división mayorista se han situado en 186,9 millones de euros en 2013, lo que supone un aumento del 4 por ciento en comparación con el ejercicio anterior.

El margen bruto de la Compañía se situó en un 53,9 por ciento de los ingresos en 2013, estable frente a un 54,4por ciento en 2012. En el cuarto trimestre de 2013, el margen bruto de la Compañía se situó en un 53,4por ciento de los ingresos. Dicha reducción se debe prin- cipalmente al fuerte incremento de los ingresos de móvil cuyo margen bruto es ligeramente inferior al de los ingresos de fijo.

En términos absolutos, el margen bruto se ha situado en 563 millones de euros en el ejerci- cio, un creci- miento del 14 por ciento comparado con los 494,3 millones de euros obtenidos en el mismo periodo de 2012, en línea con el crecimiento de los ingresos.

Los gastos generales, de venta y administración (SG&A) se situaron en 379 millones de euros en el ejer- cicio, lo que supone un crecimiento del 18 por ciento respecto al ejercicio anterior. Dicha evolución se debe principalmente al aumento de los gastos de captación y marketing, debido al significativo crecimiento experimentado por la base de servicios móviles durante el ejercicio, compen- sado en parte con la disminución del churn en la base de servicios ADSL, al aumento de los gastos de móvil, derivado principalmente de los costes del renting de terminales a clientes, y a la estabilización del resto de los gastos de SG&A , como son los gastos de atención al cliente, personal, red y sistemas, otras líneas de negocio y otros, en el ejercicio en comparación con el ejercicio anterior, demostrando una vez más un elevado apalancamiento operativo.

El EBITDA registró un crecimiento del 7 por ciento anual, al situarse en 184 millones de euros en el ejer- cicio frente a los 172,9 millones de euros registrados en 2012. Como por- centaje de los ingresos, el margen EBITDA se situó en un 17,6 por ciento, en línea con el objetivo para 2013 de entre 175 y 195 millones de euros.

El beneficio neto del ejercicio se situó en 67,6 millones de euros, lo que supone un incremen- to del 9 por ciento en el ejercicio y representa un 6 por ciento de los ingresos.

Los costes del despliegue de FTTH de Jazztel, un 20 por ciento por debajo de esperado
Las inversiones de la Compañía ascendieron a 294,3 millones de euros en 2013 como consecuencia del comienzo de las inversiones en el despliegue de red FTTH en el ejercicio y cabe destacar que dichas inversiones se han situado muy por debajo del objetivo de la Compañía para 2013 de entre 350 y 375 millones de euros, principalmente debido a los ahorros obtenidos en el despliegue de red FTTH, de ma- nera que el coste real por hogar pasado es aproximadamente un 20 por ciento inferior al coste presu- puestado en el plan de negocio.
El número de hogares pasados con la red de FTTH, horizontal y vertical terminado, se sitúa en la actua- lidad en 1.204.357 hogares, lo que prácticamente supone la mitad del proyecto de 3 millones de hogares, y en línea con las previsiones de despliegue de fibra del plan de negocio en 2014.
Asimismo, el pasado mes de enero de 2014 la Compañía lanzó su nueva gama de servicios de fibra, que incluye el servicio de 200 Mb simétricos, solo disponibles sobre esta tecnología. Así, Jazztel se sitúa como el operador alternativo líder en el desarrollo de fibra hasta el hogar en España.
Además, la Compañía continúa incrementando su cobertura ULL y por ello ha desplegado 33 centrales ULL en el trimestre, alcanzando un total de 1.074 centrales ULL en el cuarto trimestre de 2013. El número de centrales ULL conectadas con fibra o con circuitos de alta capacidad se ha situado en 929, lo que supone el 86 por ciento del total de centrales y un aumento de 21 centrales respecto al tercer trimestre de 2013.
De esta forma, los kilómetros de fibra de acceso local han aumentado hasta los 6.954 kilómetros, lo que implica un aumento del 13 por ciento con respecto al tercer trimestre de 2013.
El pasado 25 de febrero, la compañía anunció la conclusión de las pruebas comerciales para la implanta- ción de la tecnología 10G PON en su red FTTH. La tecnología 10G PON es la siguiente generación de la tecnología GPON que la compañía está implantando en la actualidad en su red FTTH y permite multiplicar la capacidad de dicha red sobre la misma fibra óptica.
Sólida situación financiera, 105 millones de euros en caja y uno de los niveles de endeudamiento más bajos del sector
La liquidez de Jazztel a 31 de diciembre de 2013 ascendió a 105 millones de euros, lo que supone incre- mento del 5 por ciento respecto al ejercicio anterior. Dicha positiva evolución se debe al aumento de la generación de EBITDA del negocio durante el ejercicio y a la financiación de la mayor parte de las inver- siones relacionadas con el proyecto de despliegue de red FTTH.
La deuda financiera neta de la Compañía se situó en 114,3 millones de euros a finales de 2013, lo que supone un aumento del 138 por ciento respecto al ejercicio anterior debido a la utilización adicional durante el ejercicio de líneas de financiación para financiar los diferentes proyectos de inversión de la compañía.
El ratio de deuda neta sobre EBITDA se situó en 0,58x, frente a 0,27x en el ejercicio anterior y mejorando significativamente el objetivo del plan de negocio para 2013 de 1,1x, debido principalmente a los im- portantes ahorros en las inversiones en FTTH mencionados anteriormente.

FICHA de la nota de prensa en la web

Enlace de la web en la que se encuentra: <http://corporativo.jazztel.com/documents/10156/52144/Jazztel+obtiene+un+beneficio+neto+-de+67,6+millones+de+euros.>

Pestaña: --
Subpestaña: --
Antetítulo: sí
Título: "Jazztel obtiene un beneficio neto de 67,6 millones de euros y aumenta sus ingresos un 15 por ciento en 2013 "
Subtítulo: cinco subtítulos
Número de caracteres (con espacio) del titular: 108
Número de caracteres (con espacio) del cuerpo de la nota: 11.219
Fotografía: no
Firma: sin especificar
Lugar de la firma: Madrid
Otros (documentos adjuntos, etcétera): sí

EN LÍNEA

PUERTO DE TARRAGONA
El tráfico de vehículos sube un 10% el 2013

■ Las terminales del puerto de Tarragona gestionaron el transporte de 61.487 vehículos durante el 2013, un 10% más que el año anterior. El puerto exportó 34.134 vehículos el pasado ejercicio, que se destinaron a Italia, Corea del Sur y Turquía, mientras que gestionó la importación de 27.353 automóviles. / EP

IMESAPI ACS
Juicio contra la rebaja salarial

■ El juzgado social 16 de Barcelona juzgará hoy la decisión de la empresa Imesapi, dedicada al mantenimiento de cabinas telefónicas y perteneciente al grupo ACS, que preside Florentino Pérez, de imponer a sus trabajadores de forma unilateral una rebaja salarial del 75% hasta equipararla al SMI. / Redacción

GENERAL ÓPTICA
Venta del taller y logística a Essilor

■ General Óptica ha subrogado al Grupo Essilor la actividad de montaje y logística que da servicio a la cadena de 250 tiendas. El centenar de trabajadores que llevan a cabo estas actividades en el centro de la calle Pujades de Barcelona se incorporan al grupo Essilor, informaron ayer ambas compañías. / Redacción

General Óptica tiene 250 tiendas

BLUESPACE
Ampliación de la red de centros asociados

■ Bluespace, líder del sector del *self-storage*, con una cuota en España del 50%, ha ampliado en seis la red de centros asociados, a los que aporta conocimiento del sector, herramientas de internet, marketing, colaboración en operativa y asesoramiento financiero. Fue fundada en el año 2002. / Redacción

---

EMPRENDEDORES

Venair mira a Estados Unidos para fabricar tubos de silicona de altas prestaciones

Tubos de Terrassa en el A380

ARIADNA BOADA
Barcelona

Venair es una compañía familiar de Terrassa especializada en ingeniería y fabricación de tubos de silicona para sectores como el farmacéutico, biotecnológico y aeronáutico. Sus productos se pueden encontrar actualmente en las cocinas de los nuevos Airbus A380 o en las conducciones internas de los últimos submarinos construidos por Navantia. Esta compañía, nacida en 1986 como filial de una firma suiza, y que 1993 se independiza de su matriz, ya exporta el 87% de su producción a 65 países, siendo Francia, Italia, Alemania, Estados Unidos y China sus principales mercados.

Su apuesta por la innovación les ha situado entre los 5 principales fabricantes de tubos de silicona del mundo, explica Miguel Fernández, socio fundador de Venair. Para este año, la compañía invertirá medio millón de euros en I+D, un departamento en el que trabajan 10 personas, entre ingenieros y químicos.

Actualmente, Venair está impulsando un proyecto pionero en Europa que consiste en la fabricación de tubos de altas prestaciones mediante la síntesis de su propia materia prima a partir de componentes químicos básicos. "Una vez culminado, se traducirá en productos a medida, especializados y adaptados

Miguel Fernández, consejero delegado de Venair   GEMMA MIRALDA

La empresa, con plantas en China y Vietnam, factura 22 millones de euros y crece un 15%

a los requerimientos de cada cliente, con mayor durabilidad, resistencia y un elevado componente tecnológico", destaca Miguel Fernández. También estudian nuevos tubos que regulen la temperatura del fluido o la presión, gracias a nanosenso-

res, así como la introducción de grafeno en la mezcla de silicona. Además de 25.000 referencias de producto estándar, Venair realiza un 20% de la producción en producto a medida.

En Terrassa se fabrican los prototipos y piezas especiales. El resto se produce en las plantas de China y Vietnam. El siguiente paso será una planta en Estados Unidos, entre Florida y Georgia. "Es un tema de costes. Además, el producto fabricado en EE.UU. está más valorado".

La compañía está inmersa en un plan de expansión con la inauguración de sedes en Indonesia, Rusia, China, México, Austria y Canadá en el 2014. A lo largo del 2015, se prevé la entrada en Australia, Chile, Sudáfrica, Turquía, Taiwán y Filipinas.

La facturación de la firma, que emplea a 300 personas, alcanzó los 22 millones de euros en el 2013. En el 2014 las previsiones de crecimiento son del 15%, y alcanzar una facturación de 36 millones en 5 años. Entre sus principales clientes figuran Johnson&Johnson, Pfizer, Sanofi, Colgate, Novartis, Bayer, Danone, Nestlé, L'Oréal, Henkel, Coca-Cola, New Flyer, Porsche, Audi, Fiat, Bosch o Iveco.●

MAT Holding crece un 4% y alcanza unas ventas de 136 millones

BARCELONA Redacción

El grupo MAT Holding, de sales de cobre para agricultura y número uno español en distribución de productos para riego por goteo, registró en el 2013 un aumento de su facturación del 4,2%, hasta alcanzar los 136,1 millones de euros.

El consejero delegado de MAT Holding, Pau Relat, consideró que "a pesar de la coyuntura económica, el 2013 ha sido un buen año. El buen comportamiento del mercado nacional y de mercados como Asia y África nos permite compensar la ligera desaceleración del mercado europeo".

La división de aguas –formada por las compañías Regaber e Hidroglobal– sigue ganando peso dentro del grupo con un crecimiento del 11% y una facturación de 45,9 millones de euros en el 2013, lo que representa un 34% de la facturación total del grupo. Por su parte la división fitosanitaria (IQV), que supone el 66% del peso total del grupo, ha conseguido un ligero aumento del 1% en sus ventas hasta alcanzar los 90,2 millones de euros.

MAT Holding prevé este año reforzar su internacionalización: África es estratégica para la división de aguas, y Estados Unidos y China, para la fitosanitaria. Además, contempla continuar con la política de adquisiciones estratégicas en el presente ejercicio.●

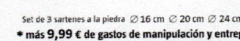
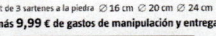

8. La Vanguardia   **Numeración para la muestra: 15**

Miércoles 19 de febrero del 2014

El tráfico de vehículos sube un 10% el 2013

Las terminales del puerto de Tarragona gestionaron el transporte de 61.487 vehículos durante el 2013, un 10% más que el año anterior. El puerto exportó 34.134 vehículos el pasado ejercicio, que se destinaron a Italia, Corea del Sur y Turquía, mientras que gestionó la importación de 27.353 automóviles. / EP

FICHA del breve en el diario

Número de página: 55
Sección: economía
Subsección: En Línea
Número de breves de la subsección: cuatro
Ladillo: Puerto de Tarragona
Número de líneas del titular: dos
Número de líneas del cuerpo: diez
Fotografía: no
Firma: EP (Europa Press)

Despacho de agencia publicado por Europa Press (www.europapress.es), el 18 de febrero del 2014:

El Puerto de Tarragona aumenta un 10% el tráfico de transporte de vehículos
Las terminales del Puerto de Tarragona gestionaron, vía marítima, el transporte de 61.487 vehículos durante el ejercicio 2013, lo que supone un incremento del 10% en comparación con los 55.903 del año precedente.
El puerto exportó 34.134 vehículos el pasado año, que se destinaron a Italia, Corea del Sur y Turquía, mientras que gestionó la importación de 27.353 automóviles.
Según detalló el puerto en un comunicado, la terminal especializada en el tráfico de vehículos del Puerto, Bergé Carport, tiene la capacidad operativa para consolidar Tarragona como el 'hub' portuario de distribución de vehículos para el Norte de África y el Mediterráneo.
Grupo Bergé, cuya terminal se ubica en el Moll de Cantàbria, gestionó en 2013 un 13,63% más de automóviles respecto al año anterior, hasta los 107.715 vehículos, de los que 61.255 fueron de carga y descarga en embarcación, y 46.460 unidades vía terrestre.
Asimismo, según datos facilitados por Adif, 120 trenes con 28.077 vehículos accedieron al Puerto en 2013, lo que se traduce en un movimiento de 40.323 toneladas.

FICHA del despacho de agencia en la web

Enlace de la web en la que se encuentra: <http://www.europapress. es/motor/noticia-puerto-tarragona-aumenta-10-trafico-transporte-ve- hiculos-20140218174640.html>
Pestaña: --
Subpestaña: --
Antetítulo: no
Título: "El Puerto de Tarragona aumenta un 10% el tráfico de trans- porte de vehículos"
Subtítulo: no
Número de caracteres (con espacio) del titular: 75
Número de caracteres (con espacio) del cuerpo de la nota: 1.074
Fotografía: sí
Firma: sin especificar (Europa Press)
Lugar de la firma: Barcelona
Otros (documentos adjuntos, etcétera): no

Nota de prensa original, publicada por el Port de Tarragona (www.porttarragona.cat), el 18 de febrero del 2014:

EL TRÀFIC DE VEHICLES CREIX UN 10% AL PORT DE TARRAGONA DURANT EL 2013

· Es mantenen els índex d'exportació i les importacions incrementen un 21,92%, i s'assoleix la xifra de 61.487 unitats de les quals 34.134 són d'exportació

Les terminals del Port de Tarragona han gestionat, via marítima, 61.487 vehicles de gener a desembre de l'any passat davant dels 55.903 del 2012, el que suposa un augment del 10% del tràfic. També s'han registrat increments notables en la descàrrega (+21,92%); cal destacar que el Port de Tarragona exporta més nombre de vehicles que importa (34.134 export - 27.353 import).

El moviment d'automòbils al Port de Tarragona durant el 2013 ha mantingut els índex d'exportació a països com Itàlia, Corea del Sud i Turquia. Pel que fa als països receptors, cal destacar la destinació de països com Itàlia, Algèria i Regne Unit.

La terminal especialitzada en el tràfic de vehicles del Port de Tarragona, Bergé Carport, té la capacitat operativa per consolidar Tarragona com a port hub de distribució de vehicles per al nord d'Àfrica i el Mediterrani i la capacitat de creixement d'aquesta terminal posa de manifest les perspectives de creixement d'aquest tràfic en els propers anys.

Grupo Bergé mou 107.715 vehicles al Port de Tarragona durant el 2013

Grupo Bergé ha gestionat durant el 2013 un 13,63% més d'automòbils respecte el l'any anterior. Grupo Bergé és un holding que opera en ports internacionals, i té una presència rellevant al Port de Tarragona en diferents activitats com estibador i consignatari a través de Bergé Marítima Tarragona. Carport Tarragona realitza operacions portuàries d'importació i exportació i emmagatzematge de vehicles. Bergé Automotive Logístics realitza operacions d'emmagatzematge, inspecció, preinstal·lació i expedició de vehicles per via terrestre.

Grupo Bergé ha operat 107.715 vehicles al Port de Tarragona, durant el 2013, dels quals 61.255 (56,86%) han estat moviments de càrrega i descàrrega en vaixell; aquestes operacions via marítima representen un increment de l'11,74% respecte el 2012. Pel que fa a les entrades de vehicles, via terrestre, a la terminal l'any 2013 Grupo Bergé ha registrat un creixement del 16,22% (46.460 unitats) respecte l'any anterior.

La terminal de vehicles de Grupo Bergé al Port de Tarragona està ubicada estratègicament al moll de Cantàbria.

28.077 vehicles accedeixen al Port amb ferrocarril

Segons dades facilitades per ADIF (Administrador De Infraestructuras Ferroviarias), al llarg del 2013 120 trens, amb 28.077 vehicles van accedir al Port de Tarragona; aquestes xifres suposen un moviment de 40.323 tones.

FICHA de la nota de prensa en la web

Enlace de la web en la que se encuentra: <http://www.porttarrago-na.cat/es/sala-de-premsa/notes-de-premsa/2012-2014-02-18-12-14-59.html>

Pestaña: sala de prensa

Subpestaña: notas de prensa

Antetítulo: no

Título: "El Puerto de Tarragona aumenta un 10% el tráfico de transporte de vehículos"

Subtítulo: un subtítulo

Número de caracteres (con espacio) del titular: 70

Número de caracteres (con espacio) del cuerpo de la nota: 2.527

Fotografía: sí

Firma: sin especificar

Lugar de la firma: sin especificar

Otros (documentos adjuntos, etcétera): no

BOLSA

	IBEX 35 Madrid	EUROSTOXX 50 París	FTSE 100 Londres	DAX 30 Francfort	DOW JONES Nueva York	NASDAQ Nueva York	NIKKEI Tokio	PETRÓLEO Dólares / barril	EURIBOR %	ORO Dólares / onza
Cotización →	10.304,00	3.144,53	6.788,49	9.542,87	16.421,89	4.352,13	15.134,75	108,36	0,5510	1.350,30
En el día →	+0,87%	+0,27%	+0,19%	+0,01%	+0,38%	-0,13%	+1,59%	+0,64%	-0,18%	+0,94%
En el año →	+3,91%	+1,14%	+0,58%	-0,10%	-0,93%	+4,20%	-7,10%	-2,05%	-0,90%	+11,98%

IBEX 35

LAS MAYORES SUBIDAS	%	LAS MAYORES BAJADAS	%
FCC	+4,21	Gamesa	-0,11
Gas Natural	+2,54	BBVA	+0,10
Grifols	+2,11	Indra	+0,26
Ferrovial	+2,06	REC	+0,26
Telefónica	+1,61	Repsol	+0,30
Dia	+1,57	BME	+0,30
Jazztel	+1,57	Iberdrola	+0,39
Sacyr	+1,51	IAG	+0,45

SUBASTAS TESORO

	Tir media
Letras 6 Meses	0,38
Letras 9 Meses	0,46
Letras 12 Meses	0,62
Letras 18 Meses	1,69
Bonos 2,5 Años	4,34
Bonos 2 Años	1,90
Bonos 3 Años	1,31
Bono 4 Años	5,97

TIPOS OFICIALES

	%
España	0,25
Alemania	0,25
Zona euro	0,25
Reino Unido	0,50
EE.UU.	0,00-0,25
Japón	0,00-0,10
Suiza	0,00-0,25
Canadá	1,00

DIVISAS

	1 euro
Dólares USA	1,3745
Yenes japoneses	141,22
Coronas danesas	7,4627
Libras esterlinas	0,8234
Coronas suecas	8,83
Francos suizos	1,219
Coronas noruegas	8,2265
Yuanes chinos	8,4128

CIFRAS ECONÓMICAS

ESPAÑA
IPC	-0,1%	Desempleo	26,03%
PIB	-0,2%	Tipos de interés	0,5%

ZONA EURO
IPC	0,8%	Desempleo	12%
PIB	0,5%	Tipos de interés	0,5%

EEUU
IPC	1,6%	Desempleo	6,6%
PIB	2,5%	Tipos de interés	0,25%

Orange

Último cierre: 10,13 euros ▲ 10,53%

10,21
9,88
9,55

10.00   12.00   14.00   16.00   18.00

FUENTE: Bloomberg.   EL MUNDO

MERCADO CONTINUO

CONTRATACIÓN EN EUROS

IBEX 35

TÍTULO	ÚLTIMA COTIZACIÓN	VARIACIÓN DIARIA EUROS	%	AYER MÍN.	MÁX.	VARIACIÓN AÑO ANTERIOR	% ACTUAL
Abertis	16,975	0,105	0,62	16,875	17,075	43,02	5,11
Acciona	58,000	0,510	0,89	57,480	58,360	-21,20	38,87
ACS	26,300	0,335	1,29	26,080	26,690	41,22	5,12
Amadeus It Holding	31,350	0,270	0,87	31,100	31,570	68,83	0,79
ArcelorMittal	11,320	0,055	0,49	11,250	11,375	2,60	-12,52
B. Popular	5,459	0,043	0,79	5,417	5,500	50,85	24,49
B. Sabadell	2,420	0,019	0,79	2,397	2,425	5,25	27,64
B. Santander	6,877	0,052	0,78	6,642	6,736	21,53	2,63
Bankia	1,591	0,011	0,70	1,585	1,598	-74,12	28,93
Bankinter	6,009	0,075	1,26	5,935	6,037	154,69	20,49
BBVA	9,199	0,009	0,10	9,182	9,325	36,37	2,81
BME	30,250	0,090	0,30	29,950	30,350	63,51	8,64
Caixabank	4,726	0,067	1,44	4,645	4,732	55,65	24,76
Dia	6,266	0,097	1,57	6,181	6,290	38,25	-3,60
Ebro Foods	16,400	0,095	0,58	16,330	16,540	17,99	-3,73
Enagás	21,840	0,180	0,83	21,610	22,050	25,31	14,98
FCC	16,230	0,655	4,21	15,700	16,375	72,63	0,34
Ferrovial	15,870	0,320	2,06	15,580	15,920	31,78	12,83
Gamesa	8,760	-0,010	-0,11	8,672	8,913	356,63	15,57
Gas Natural	19,400	0,480	2,54	18,930	19,570	49,38	3,77
Grifols	41,865	0,865	2,11	41,205	42,095	32,80	20,42
IAG	5,420	0,024	0,44	5,396	5,489	117,00	12,01
Iberdrola	4,850	0,019	0,39	4,835	4,888	22,50	4,64
Inditex	106,950	0,900	0,85	106,050	107,550	15,86	-10,73
Indra	13,650	0,035	0,26	13,600	13,790	25,40	12,30
Jazztel PLC	9,852	0,152	1,57	9,687	9,886	48,03	26,65
Mapfre	3,021	0,040	1,34	2,990	3,039	40,57	-2,96
Mediaset	8,815	0,118	1,36	8,692	8,833	64,81	5,08
Obrascón H.L.	32,445	0,430	1,34	32,090	32,500	37,28	10,19
Red Eléctrica	57,250	0,150	0,26	56,920	57,500	37,93	19,82
Repsol	18,395	0,055	0,30	18,360	18,595	26,18	0,41
Sacyr	4,559	0,068	1,51	4,460	4,606	139,43	21,02
Técnicas Reunidas	39,015	0,190	0,49	38,820	39,260	18,87	-1,19
Telefónica	11,390	0,180	1,61	11,245	11,420	19,41	-3,76
Viscofan	36,925	0,415	1,14	36,500	37,240	-0,61	-10,70

RESTO DE VALORES

TÍTULO	ÚLTIMA COTIZACIÓN	DIF. %	RENTA. 2014	TÍTULO	ÚLTIMA COTIZACIÓN	DIF. %	RENTA. 2014
Abengoa	4,123	1,30	70,37	Indo Interna.	0,600	=	0,00
Abengoa B	3,400	=	56,25	Inmobiliaria Del Sur	14,500	=	-9,38
Acerinox	10,755	0,47	16,31	Iryrpsa	0,995	-2,45	18,45
Adolfo Domínguez	6,090	0,33	7,60	Lar España	10,200	-0,49	
Adveo	16,570	-1,07	10,91	Liberbank	0,889	1,02	23,47
Alba	42,750	0,99	0,59	Lingotes Especiales	3,710	1,09	7,69
Almirall	12,710	-0,08	7,35	Martinsa-Fadesa	7,300	=	0,00
Amper	1,150	-2,54	8,49	Meliá Hotels Int.	9,530	0,11	2,09
Aperam	16,985	2,20	26,75	Miquel y Costas	29,800	1,40	-2,30
Atresmedia	13,000	0,39	8,15	Montebalito	1,450	=	28,32
Azkoyen	3,010	1,69	43,33	N. Correa	1,780	0,85	37,45
Barón de Ley	75,400	0,53	27,80	Natra	2,100	0,96	-4,98
Bayer Ag.	101,000	=	-1,27	Natraceutical	0,307	2,68	6,97
Biosearch	0,900	0,56	30,43	NH Hoteles	4,890	0,72	14,12
Bodegas Riojanas	5,230	0,19	-2,61	Nyesa	0,170	=	0,00
C. A. F.	381,550	-0,35	-0,72	Pescanova	5,910	=	0,14
CAM	1,340	=	0,00	Prim	5,700	0,35	-1,04
Campofrío	6,910	=	0,14	Prisa	0,449	13,67	12,25
Cem.Portland	8,280	1,72	48,92	Prosegur	4,260	0,47	-14,46
Cie Automotive	8,100	2,34	1,25	Quabit	0,138	-0,72	16,95
Cleop	1,150	=	0,00	Realia Business	1,285	2,80	54,82
Clínica Baviera	10,980	-1,52	4,97	Reno de Medici	0,340	-0,87	26,30
Codere	0,950	2,15	37,68	Renta Corp.	0,570	=	0,00
Colonial	1,903	7,45	61,76	Renta 4 Banco	5,950	0,17	17,82
C.V.N.E	17,550	-0,45	15,46	Reyal Urbis	0,124	=	0,00
Deoleo	0,385	=	-18,09	Rovi	10,050	0,70	0,70
Dinamia	7,310	0,14	4,43	Seda Barna	0,729	=	0,00
Dogi	0,640	=	0,00	Service Point Solution	0,071	=	-24,47
Duro Felguera	4,740	0,64	-3,27	Sniace	0,196	=	0,00
EADS	52,900	0,47	-5,03	Solaria	1,455	-0,34	90,20
Elecnor	10,420	1,26	4,99	Sotogrande	2,900	11,11	8,21
Ence	2,440	-0,41	-10,46	Tecnocom	1,485	12,50	22,73
Endesa	24,025	-0,39	10,21	Testa Inm. Renta	8,500	=	12,43
Enel Green Power	2,023	1,20	12,26	Tubacex	2,980	1,02	3,11
Ercros	0,515	-0,96	8,42	Tubos Reunidos	1,935	2,11	9,32
Europac	3,910	0,13	1,69	Uralita	1,225	0,41	2,94
Ezentis	1,207	-3,29	-21,62	Urbas Gr.Financiero	0,036	=	44,00
Faes	2,560	0,20	-3,03	Vértice 360	0,050	-1,96	8,70
Fergo Aisa	0,017	=	0,00	Vidrala	37,150	1,06	-0,77
Fersa	0,720	3,60	84,62	Vocento	1,910	-1,29	26,49
Fluidra	2,920	-2,01	7,35	Zardoya Otis	12,740	0,16	-3,12
Funespaña	6,000	-0,83	0,00	Zeltia	2,810	2,74	21,65
GAM	0,780	-2,50	8,33				
General Inversiones	1,670	=	0,00				
Grupo Catalana Occ.	30,340	1,51	16,60				
Grupo Sanjosé	1,250	0,81	4,17				
Grupo Tavex	0,263	0,25	23,04				
Iberpapel	15,110	-1,56	0,07				

Orange mantiene ingresos

La filial española factura un 0,6% más, mientras Francia pierde

Madrid

Orange ha mantenido casi invariable sus ingresos en España, al incrementar su facturación un 0,6%, mientras perdía negocio en su propia casa, Francia, donde registró una caída del 6,6%, y en Polonia, país en el que descendió un 8,9%.

Así, la filial española de la operadora francesa de telecomunicaciones registró una facturación de 4.052 millones de euros en 2013, a la vez que mejoró en un 9,2% su beneficio bruto de explotación (Ebitda), hasta los 1.038 millones.

Los ingresos en España de la unidad de negocio fijo fueron mejores que los de los móviles. Alcanzaron en 2013 los 842 millones, un 12,5% más que en 2012, mientras, sólo en el cuarto cuatrimestre, los servicios móviles cayeron un 15%, hasta 651 millones. Orange España ha precisado que, sin tener en cuenta los impactos regulatorios, la facturación el pasado año habría crecido un 4,4%. El margen sobre ingresos mejora dos puntos sobre el del año pasado, hasta alcanzar el 25,6%.

En cómputo global, la compañía francesa logró un beneficio neto atribuido de 1.873 millones, lo que implica una mejora del 128,4% respecto al anterior ejercicio. Este buen resultado en 2013 se explica, según Orange, por el «nivel significativamente inferior de impago en el fondo de comercio respecto a 2012».

EMPRESAS

IAG repartirá 10,6 millones a directivos

IAG, el *holding* que agrupa a Iberia, British Airways (BA) y Vueling, ha concedido 1,96 millones de derechos sobre acciones a 10 altos directivos, cuyo valor a precio de mercado supera los 10,6 millones. Estos derechos están vinculados a un bonus y a un plan a largo plazo que se consolidarán en 2017 si se cumplen los objetivos. IAG aprobó la entrega de acciones por desempeño y un plan de diferimiento de incentivos de carácter trianual; es el primer ejercicio en el que se otorga. Entre los beneficiarios, el consejero delegado de IAG, Willie Walsh, el director financiero, Enrique Dupuy; el presidente de Iberia, Luis Gallego; el presidente de BA, Keith Williams, y el de Vueling, Álex Cruz. En 2013, el consejo cobró una retribución de 16 millones, 2,6 veces más que en 2012. / E.P.

Aviva deja atrás los 'números rojos'

El grupo asegurador británico Aviva ganó 2.151 millones de libras (2.600 millones de euros) en 2013, en contraste con las pérdidas de 2.934 millones de libras esterlinas (3.543 millones de euros) de 2012. La mejora se debe a que su flujo de caja ha crecido al salir de negocios que tenían un margen de beneficios bajo. / E.P.

eDreams anuncia su salida a Bolsa

La empresa eDreams, del grupo europeo de viajes *on line* Odigeo, anunció ayer su intención de salir a Bolsa en España mediante una oferta de acciones nuevas (OPS), con la que espera captar 50 millones, y la venta de acciones existentes (OPV) en manos de sus accionistas. / E.P.

CaixaBank abre otra oficina en Marruecos

CaixaBank ha inaugurado en Tánger su segunda oficina en Marruecos. Es el único banco español operativo en esta región del norte del país, donde operan más de 250 empresas españolas. / E.P.

8. El Mundo   Numeración para la muestra: 16

Viernes 7 de marzo del 2014

CaixaBank abre otra oficina en Marruecos

    CaixaBank ha inaugurado en Tánger su segunda oficina en Marruecos. Es el único banco español operativo en esta región del norte del país, donde operan más de 250 empresas españolas. / E. P.

FICHA del breve en el diario

Número de página: 42
Sección: bolsa
Subsección: empresas
Número de breves de la subsección: cuatro
Ladillo: no
Número de líneas del titular: dos
Número de líneas del cuerpo: seis
Fotografía: no
Firma: Europa Press

Despacho de agencia publicado por Europa Press (www.europapress.es), el 6 de marzo del 2014:

CaixaBank inaugura en Tánger su segunda oficina en Marruecos
CaixaBank ha inaugurado en Tánger su segunda oficina en Marruecos, de forma que se convierte en el único banco español operativo en esta región del norte del país, donde operan más de 250 empresas españolas, ha señalado en un comunicado este jueves.
El acto de inauguración, el miércoles por la tarde, contó con la asistencia de destacados empresarios y autoridades locales, incluyendo al embajador de España en Marruecos, José de Carvajal, ha informado este jueves CaixaBank en un comunicado.
La entidad abrió hace cuatro años una oficina en Casablanca, la capital económica del país, y la de Tánger en noviembre de 2013, para acompañar a las empresas que quieran aprovechar el potencial de crecimiento de Marruecos.
La oficina de Tánger, dirigida por Mohamed Mesbah, acompañará y ayudará a todos sus clientes tanto en la fase de implantación como en la fase de desarrollo y consolidación de sus empresas en territorio marroquí.
La de Casablanca ya cuenta con un 30% de la cuota de mercado del total de empresas españolas en el país y con una cuota de mercado del 50% en emisión de garantías para empresas españolas en Marruecos.
Actualmente, hay más de 900 empresas españolas instaladas en diferentes sectores productivos de la economía marroquí, un 25% de ellas en la región de Tánger, y más de 20.000 pymes exportan directamente a Marruecos.
Los sectores prioritarios para la empresa española son las energías renovables, las infraestructuras, la agroindustria y alimentación, el tratamiento de aguas, la automoción y el equipamiento industrial.
España es el primer cliente y el primer proveedor de Marruecos: las exportaciones españolas al país magrebí crecieron un 28% en 2012, cifra que triplica el crecimiento europeo, y Marruecos se ha convertido en el segundo destino principal de exportaciones españolas fuera de la UE, con 18.839 empresas que exportaron a este país a lo largo de 2012.
OBRA SOCIAL
CaixaBank también contribuye a la lucha contra la exclusión social en Marruecos a través de diversas acciones financiadas por la Obra Social La Caixa, como el Programa Incorpora --para fomentar el empleo, con 2.500 beneficiarios desde 2009 en Tánger y Casablanca-- y el proyecto Mirall-Mraya de atención a personas en situación de vulnerabilidad.
Este segundo proyecto ha contribuido desde el año 2011 al desarrollo y profesionalización de 16 pequeñas asociaciones de Tánger que atendieron a más de 13.000 personas como madres solteras, niños en riesgo de fracaso escolar, exconsumidores de drogas y todo tipo de colectivos con dificultades para acceder al empleo, ya sea por falta de formación o por estar afectados por una deficiencia física o mental.

FICHA del despacho de agencia en la web

Enlace de la web en la que se encuentra: <http://www.europapress.
es/catalunya/noticia-caixabank-inaugura-tanger-segunda-oficina-ma-
rruecos-20140306122055.html>
Pestaña: finanzas
Subpestaña: --
Antetítulo: no
Título: "CaixaBank inaugura en Tánger su segunda oficina en Ma-
rruecos"
Subtítulo: no
Número de caracteres (con espacio) del titular: 70
Número de caracteres (con espacio) del cuerpo de la nota: 2.681
Fotografía: sí
Firma: sin especificar (Europa Press)
Lugar de la firma: Barcelona
Otros (documentos adjuntos, etcétera): no

Nota de prensa original, publicada por "la Caixa" (www.lacaixa.es), el 6 de marzo del 2014:

El acto ha contado con destacadas autoridades locales y empresarios
CaixaBank inaugura su nueva oficina en Tánger, la segunda de Marruecos
• La entidad cuenta desde hace cuatro años con una oficina operativa en Casablanca, a la que ahora suma la de Tánger, para ofrecer los servicios de banca de empresas y corporativa
CaixaBank, el mayor banco del mercado español por cuota de mercado, inauguró ayer por la tarde su nueva oficina de Tanger en un acto que contó con la presencia de destacados empresarios y autoridades locales, entre los que destaca el embajador de España en Marruecos, José de Carvajal, y el alcalde de Tánger, Fouad El Omari, quienes acompañaron en la inauguración al director general adjunto de CaixaBank, Ignacio Álvarez-Rendueles y al country manager de CaixaBank en Marruecos, Ali Kadiri.
Esta oficina, que está operativa desde el pasado mes de noviembre, es ya la segunda oficina de CaixaBank en Marruecos y se suma a la de Casablanca, que está operativa desde hace cuatro años, para ofrecer también sus servicios de banca de empresas y corporativa.
Ignacio Álvarez-Rendueles destacó el gran potencial de crecimiento de Marruecos y las oportunidades que abre para las empresas españolas. "Esta oficina nos permitirá cumplir mejor nuestro objetivo de acompañar al cliente allá donde nos necesite", añadió. Con la apertura de la oficina de Tánger la entidad está ofreciendo sus servicios de forma cercana en la zona norte del país, donde operan más de 250 empresas españolas.
Con licencia bancaria en Marruecos y estatuto jurídico de Sucursal desde mayo de 2009, CaixaBank es un banco plenamente operativo en el país, lo que le permite ofrecer todo tipo de servicios bancarios, de financiación y comercio exterior, tanto a las empresas establecidas en el territorio como para las que quieren establecerse. La entidad cuenta con un conocimiento profundo del mercado marroquí, con un equipo mixto, formado por personal local y español.
Apuesta firme por las relaciones comerciales con Marruecos
La inauguración de la segunda oficina operativa de CaixaBank en Marruecos, cuyo Country Manager es Ali Kadiri, es un paso más de la entidad por fomentar y apoyar a las relaciones entre el Reino de Marruecos y el Reino de España. Actualmente, hay más de 900 empresas españolas instaladas en diferentes sectores productivos de la economía marroquí, un 25% de ellas en la región de Tánger y más de 20.000 pymes exportan directamente a Marruecos. Los sectores prioritarios para la empresa española son las energías renovables, las infraestructuras, la agroindustria y alimentación, el tratamiento de aguas, la automoción y el equipamiento industrial.
La oficina de CaixaBank en la ciudad de Tánger está dirigida por Mohamed Mesbah, profesional con contrastada experiencia y desde ella la entidad acompañará y ayudará a todos sus clientes, tanto en la fase de implantación como en la fase de desarrollo y consolidación de sus empresas en territorio marroquí.
CaixaBank opera en Marruecos desde el año 2009, en la ciudad de Casablanca, la cual, con cuatro años de experiencia en el mercado marroquí, se ha convertido en un referente para la empresa española en el país. Esta sucursal cuenta actualmente un 30% de la cuota de mercado del total de empresas españolas en el país y con una cuota de mercado del 50% en emisión de garantías para empresas españolas en Marruecos.
CaixaBank en Marruecos proporciona productos y servicios adaptados al mercado local y a las necesidades de los clientes. Estos servicios se amplian ahora con la oficina de Tánger, un área en la que la tipología de empresas es diferente a la de Casablanca, con pymes fundamentalmente industriales y una fuerte demanda de alta transaccionalidad.
Marruecos y España, cada vez más cerca
La economía de Marruecos cuenta con un importante potencial de crecimiento. En los úl-

timos años, los intercambios comerciales marroquíes han experimentado un fuerte incremento, impulsados por el desarrollo económico del país y su integración en los mercados internacionales. La progresión del sector de servicios y las fuertes inversiones en el sector industrial hacen *prever* [ver Anexo IV: "prever"] un crecimiento económico medio por encima del 4,5% para el periodo 2013-2017.

Actualmente, España es ya el primer cliente y el primer proveedor de Marruecos. Las exportaciones españolas al país magrebí crecieron un 28% en 2012, cifra que triplica el crecimiento europeo. Marruecos se ha convertido en el segundo destino principal de exportaciones españolas, fuera de la UE, con 18.839 empresas que exportaron a este país a lo largo de 2012. Según la Office des Changes, Europa ocupa el primer puesto como socio comercial del país. En 2012, el 60% del total de los intercambios comerciales de Marruecos se efectuaron con Europa y, según la misma fuente marroquí, los principales países proveedores de Marruecos fueron: España (13,2%), Francia (12,5%), China (6,8%), Estados Unidos (6,6%) y Arabia Saudita (6,2%). Los principales países clientes de Marruecos, en el mismo periodo, fueron: Francia (22,6%), España (16,9%), Brasil (5,6%), India (5,2%) y Estados Unidos (4,0%).

Obra Social "la Caixa" en Marruecos

A través de diversas acciones sociales financiadas por la Obra Social "la Caixa", CaixaBank contribuye a la lucha contra la exclusión social en Marruecos. Entre las diversas iniciativas, destacan el Programa Incorpora y el proyecto Mirall-Mraya, dirigidos por la asociación Casal dels Infants.

El Programa Incorpora, implantado en Tánger y Casablanca y que cuenta con la Confédération Générale des Entreprises du Maroc (CGEM) como socio destacado, ha propiciado desde el año 2009 que 2.500 personas en riesgo de exclusión social accedan a un puesto de trabajo en una de las 415 empresas solidarias que han decidido sumarse a la iniciativa.

En cuanto al proyecto Mirall-Mraya, ha contribuido desde el año 2011 al desarrollo y profesionalización de 16 pequeñas asociaciones de Tánger que atendieron a más de 13.000 personas en situación de vulnerabilidad: madres solteras, niños en riesgo de fracaso escolar, ex consumidores de drogas y todo tipo de colectivos con dificultades para acceder al empleo, ya sea por falta de formación o por estar afectados por una deficiencia física o mental.

Sólida estrategia internacional

La nueva sucursal de CaixaBank en Tánger se enmarca dentro de la estrategia internacional de la entidad, que ya contaba con una sucursal propia en Casablanca (Marruecos) y en Varsovia (Polonia), países en los que fue la primera entidad española en abrir una sucursal. Además, la entidad dispone de oficinas de representación en Londres (Reino Unido), París (Francia), Milán (Italia), Stuttgart y Frankfurt (Alemania), Estambul (Turquía), Pekín y Shanghai (China), Dubái (Emiratos Árabes Unidos), Nueva Delhi (India), El Cairo (Egipto), Santiago de Chile (Chile), Bogotá (Colombia) y Singapur. Asimismo, CaixaBank mantiene acuerdos con más de 2.900 bancos internacionales para facilitar la operativa internacional y el comercio exterior de las empresas y de los particulares en cualquier país del mundo.

CaixaBank también participa en el capital de entidades financieras de varios países, con las que ha desarrollado estrategias de colaboración conjunta, en especial para prestar apoyo recíproco a las empresas-cliente. La entidad cuenta con un 9% del grupo mexicano GFInbursa; un 46,2% de Banco BPI, en Portugal; un 16,5% en The Bank of East Asia, entidad con sede en Hong Kong; un 9,1% de la entidad austriaca Erste Group; y un 20,7% de la entidad francesa Boursorama.

Información corporativa

CaixaBank es un grupo financiero integrado –con negocio bancario, actividad aseguradora e inversiones en bancos internacionales– líder del mercado español, donde inició la actividad financiera hace más de cien años, y con una firme apuesta por el crecimiento, tanto en el ámbito nacional como en el internacional, gracias a su probada experiencia en inversiones en el sector bancario y la prudencia que le caracteriza.

CaixaBank comparte con la Caja de Ahorros y Pensiones de Barcelona-"la Caixa", su *accionista de referencia* [ver Anexo IV: "accionista de referencia"], el compromiso con las personas y el entorno, con la voluntad de crear valor para sus accionistas y de realizar una decidida aportación a la sociedad en general. En este ámbito, Caja de Ahorros y Pensiones de Barcelona, a través de Obra Social "la Caixa", financia y mantiene actividades de carácter social, educativo, cultural y científico con un presupuesto anual de 500 millones de euros, lo que la convierte en la segunda fundación europea y la quinta del mundo. Además, desarrolla actividades de cooperación internacional en más de 30 países.

La entidad presidida por Isidro Fainé, y cuyo consejero delegado es Juan María Nin, ha consolidado su liderazgo en banca minorista, gracias a la intensa actividad comercial, a la gestión anticipada y adecuada de los riesgos y al continuado esfuerzo en innovación.

FICHA de la nota de prensa en la web

Enlace de la web en la que se encuentra: <http://prensa.lacaixa. es/caixabank/notas-de-prensa/caixabank-inaugura-su-nueva-ofici-na-en-tanger-la-segunda-de-marruecos__1775-c-19684__.html>

Pestaña: sala de prensa
Subpestaña: notas de prensa
Antetítulo: sí
Título: "CaixaBank inaugura su nueva oficina en Tánger, la segunda de Marruecos"
Subtítulo: un subtítulo
Número de caracteres (con espacio) del titular: 70
Número de caracteres (con espacio) del cuerpo de la nota: 8.565
Fotografía: sí
Firma: sin especificar
Lugar de la firma: Tánger
Otros (documentos adjuntos, etcétera): sí

EN LÍNEA

RENTA

Los resultados caen por el concurso

■ Renta Corporación perdió 5,4 millones en el 2013, frente a las ganancias de 3,6 millones en el ejercicio anterior, un resultado "muy influenciado" por su entrada voluntaria en concurso el pasado 27 de marzo. La firma negocia con sus acreedores para levantar el concurso en las próximas semanas. / EP

AESEG

Díaz-Varela, reelegido presidente

■ Raúl Díaz-Varela, consejero delegado de Kern Pharma, ha sido reelegido por cuarto mandato consecutivo como presidente de AESEG (Asociación Española de Medicamentos Genéricos) y continuará al frente de la patronal y de sus laboratorios asociados durante los próximos dos años. / EP

SAGARDI

Locales en Shanghai, Nueva York y México

■ El grupo de restauración Sagardi prevé la apertura de restaurantes propios en Nueva York, Shanghai y México durante el 2014, según ha informado en un comunicado. El grupo que preside Iñaki López de Viñaspre, facturó 36 millones en el 2013, un 8,5% más que el ejercicio anterior. / Redacción

Iñaki López de Viñaspre

ALMIRALL

El consejo cobró 3,9 millones, un 25% más

■ El consejo de administración de Almirall aumentó un 24,6% su remuneración en el 2013 respecto al año anterior, pasando de 3,13 millones de euros a 3,9 millones de euros, según informó la farmacéutica a CNMV. La compañía presentará en breve un ERE que afectará a 180 trabajadores. / Redacción

---

EMPRENDEDORES

Caprabo congela el proceso para convertirse en cooperativa

La cadena retrasa el cambio por la caída de las ventas y la crisis de Eroski

AINTZANE GASTESI
Barcelona

La caída de las ventas durante los últimos años y la crisis de Eroski y de la cooperativa Mondragón han obligado a Caprabo a posponer el proceso para convertirse en cooperativa previsto para el 2015. Fuentes próximas al proceso aseguran que la crisis y los problemas financieros del grupo matriz, Eroski, desaconsejan abordar ahora el cambio de modelo. Desde la empresa aseguran que continúa la labor de explicar el cambio cultural a los 8.000 trabajadores y que no se renuncia al proceso, pero admiten que no se podrá concluir en el 2015; "necesita más tiempo", afirman. "El tema de la cooperativa no se ha planteado en serio desde hace mucho tiempo, no parece el momento más adecuado", reconocen fuentes sindicales.

Integrar Caprabo en el modelo de cooperativa de Eroski es una estrategia que se planteó desde el momento de la compra de la cadena catalana, en verano del 2007. El primer director general nombrado por Eroski, Javier Amezaga, y el actual, Alberto Ojinaga, han sido firmes defensores del modelo, pero Ojinaga asegura que "hay que explicarlo bien y esperar al momento adecuado". El mecanis-

Una empleada de la sección de embutidos de Caprabo
MARC ARIAS

mo de conversión en cooperativa consiste en que cada trabajador realiza una aportación de capital a cambio de la cual recibe participaciones de la empresa. De esta forma, los empleados pueden cobrar dividendos si la empresa gana dinero y decide de repartirlos. En Caprabo trabajan actualmente 8.000 personas, cifra que se ha reducido desde la venta de la cadena en el 2007, cuando contaba con más de 10.000 empleados.

Aunque Caprabo siempre ha defendido la autonomía de gestión, la crisis financiera de Eroski, que sigue negociando una refinanciación de la deuda con la banca, ha terminado salpicando a la cadena con supermercados en Catalunya, Madrid y Navarra. Aparte de los rumores de venta de Caprabo, que el director general, Alberto Ojinaga, niega insistentemente, se ha retrasado el proceso de conversión en cooperativa hasta recuperar

un buen ritmo de crecimiento y también se han aplazado durante varios meses decisiones que afectan a la reorganización del trabajo en los supermercados. Según fuentes sindicales, la reestructuración de los mandos intermedios que se pactó con la firma del convenio lleva varios meses paralizada. "Todo va más lento, cuesta más tomar decisiones y hacer cambios aunque ya estuvieran anunciados", destacan desde CC.OO.●

La Generalitat se compromete a desbloquear el conflicto en Alstom

BARCELONA Europa Press

La Generalitat se ha comprometido a hacer "todo lo que haga falta" para intentar retomar el diálogo entre los representantes de la dirección y el comité de empresa de Alstom en la planta de Santa Perpètua de Mogoda (Barcelona), después de reunirse por separado con las dos partes, según fuentes de la Conselleria d'Empresa i Ocupació. Los representantes del comité de empresa se reunieron ayer con el secretario d'Ocupació i Relacions Laborals de la Generalitat, Joan Aregio, y el director general de Relacions Laborals, Jordi Miró, para informarles de las gestiones realizadas por la Conselleria con la dirección de la compañía tras la reunión del 14 de febrero, según ha explicado el comité de empresa en un comunicado interno.

Fuentes del comité de empresa explican que la Generalitat se ha comprometido a convocar a las dos partes a una reunión de forma inmediata, y que la dirección ha accedido a asistir, aunque no hay fecha. El comité de empresa ha explicado que en la reunión de este martes el Govern planteó que, en caso de que persista esta situación, se debería analizar a través de un gabinete de consultoría si hay un grupo industrial o financiero interesado en comprar los activos de Alstom en Santa Perpètua.●

9. La Vanguardia   **Numeración para la muestra: 17**

Jueves 27 de febrero del 2014

Locales en Shanghai, Nueva York y México

El grupo de restauración Sagardi prevé la apertura de restaurantes propios en Nueva York, Shanghai y México durante el 2014, según ha informado en un comunicado. El grupo que preside Iñaki López de Viñaspre, facturó 36 millones en el 2013, un 8,5% más que el ejercicio anterior. / Redacción

FICHA del breve en el diario

Número de página: 63
Sección: economía
Subsección: En Línea
Número de breves de la subsección: cuatro
Ladillo: Sagardi
Número de líneas del titular: dos
Número de líneas del cuerpo: diez
Fotografía: sí
Firma: Redacción

Nota de prensa original, publicada por el Grupo Sargardi (www.gruposargardi. com), el 26 de febrero del 2014:

SAGARDI presenta importante plan de expansión en 2014
Este año SAGARDI dará importantes pasos para la consolidación del proyecto internacional
El grupo de restauración, referente de la cocina vasca de calidad, abrirá restaurantes propios en México, Nueva York y Shanghai
Dichas aperturas se unen a la inauguración de otros tres restaurantes en lugares emblemáticos de España
Madrid, 26 de febrero 2014. SAGARDI, referente de la cocina vasca de calidad, impulsa su presencia internacional y nacional con un consistente plan de aperturas en 2014. Su presidente y fundador, Iñaki Lz. de Viñaspre, ha anunciado que "este año SAGARDI dará importantes pasos para la consolidación del proyecto internacional con el propósito de llevar la pasión por la gastronomía vasca de los orígenes a las principales metrópolis del mundo".
SAGARDI es una compañía de restaurantes que basa su modelo en la gastronomía vasca de los orígenes con la gestión propia de sus establecimientos. A nivel internacional, mantiene la gestión en joint venture con un socio inversor local que le permite arraigar el modelo de negocio en el país.
El Grupo inició su incursión internacional en 2008, cruzando el atlántico para abrir su primer restaurante en Buenos Aires. A continuación, amplió su presencia en Santiago de Chile, gracias a una alianza del Grupo con Bodegas Torres Chile, la filial del grupo vitivinícola Miguel Torres. Por último en 2013, inauguró en Oporto Vinum. Restaurant&Wine Bar, que ha ganado el premio Best of Wine Tourism great wine capitals 2014, concedido por la Red de Capitales de Grandes Viñedos, y ha sido reconocido como el mejor restaurante de 2013 de Portugal por la Revista de Vinhos. Así, durante 2014, SAGARDI ampliará su presencia internacional con la apertura de restaurantes en México, Nueva York y Shanghai.
Para Iñaki Lz. de Viñaspre, "estamos presentes a nivel internacional porque SAGARDI tiene mucho que decir a nivel mundial. La tendencia en los mercados *maduros* [ver Anexo IV: "activo maduro"], como las ciudades cosmopolitas, es que el consumidor no solo quiere gastronomía local sino que quiere tener referentes de cocina especializada internacional. Y SAGARDI –matiza Viñaspre– es el referente de restaurantes de cocina vasca de calidad en el mundo".

FICHA de la nota de prensa en la web

Enlace de la web en la que se encuentra: <http://www.gruposagar-di.com/admin/documents_noticias/617255764140226_SAG_NP%20 Expasion%20Grupo%20SAGARDI%202014.pdf>
Pestaña: --
Subpestaña: --
Antetítulo: sí
Título: "Este año SAGARDI dará importantes pasos para la consolidación del proyecto internacional"
Subtítulo: dos subtítulos
Número de caracteres (con espacio) del titular: 88
Número de caracteres (con espacio) del cuerpo de la nota: 2.092
Fotografía: no
Firma: sin especificar
Lugar de la firma: Madrid
Otros (documentos adjuntos, etcétera): no

BOLSA

	IBEX 35 Madrid	EUROSTOXX 50 París	FTSE 100 Londres	DAX 30 Francfort	DOW JONES Nueva York	NASDAQ Nueva York	NIKKEI Tokio	PETRÓLEO Dólares / barril	EURIBOR %	ORO Dólares / onza
Cotización →	9.812,00	3.004,64	6.527,89	9.056,41	16.065,67	4.245,40	14.327,66	108,54	0,5700	1.382,00
	⬇	⬇	⬇	⬆	⬇	⬇	⬇	⬆	⬇	⬆
En el día →	-1,39%	-0,49%	-0,40%	+0,43%	-0,27%	-0,35%	-3,30%	+1,07%	-0,52%	+0,67%
En el año →	-1,06%	-3,36%	-3,28%	-5,19%	-3,08%	+1,65%	-12,05%	-1,89%	+2,52%	+14,61%

IBEX 35

LAS MAYORES SUBIDAS	%	LAS MAYORES BAJADAS	%
Iberdrola	+0,63	Gamesa	-4,51
Jazztel	+0,39	Sacyr	-4,40
Viscofan	+0,07	Banco Sabadell	-4,34
Arcelor Mittal	--	Bankinter	-3,58
CaixaBank	-0,14	Banco Popular	-3,57
Ebro Foods	-0,25	IAG	-3,28
Inditex	-0,44	Mediaset	-3,26
BME	-0,51	ACS	-3,09

SUBASTAS TESORO

	Tir media
Letras 6 Meses	0,37
Letras 9 Meses	0,46
Letras 12 Meses	0,54
Letras 18 Meses	1,69
Bonos 2,5 Años	4,34
Bonos 2 Años	1,90
Bonos 3 Años	1,31
Bono 4 Años	5,97

TIPOS OFICIALES

	%
España	0,25
Alemania	0,25
Zona euro	0,25
Reino Unido	0,50
EE.UU.	0,00-0,25
Japón	0,00-0,10
Suiza	0,00-0,25
Canadá	1,00

DIVISAS

	1 euro
Dólares USA	1,3884
Yenes japoneses	140,63
Coronas danesas	7,4633
Libras esterlinas	0,8367
Coronas suecas	8,8676
Francos suizos	1,2124
Coronas noruegas	8,3075
Yuanes chinos	8,5385

CIFRAS ECONÓMICAS

ESPAÑA
IPC	-0,1%	Desempleo	26,03%
PIB	-0,2%	Tipos de interés	0,5%

ZONA EURO
IPC	0,8%	Desempleo	12%
PIB	0,5%	Tipos de interés	0,5%

EEUU
IPC	1,6%	Desempleo	6,6%
PIB	2,5%	Tipos de interés	0,25%

■ Sacyr

Último cierre: 4,307 euros ▼ -4,4%

FUENTE: Bloomberg.   EL MUNDO

MERCADO CONTINUO

CONTRATACIÓN EN EUROS

IBEX 35

TÍTULO	ÚLTIMA COTIZACIÓN	VARIACIÓN DIARIA EUROS	%	AYER MÍN.	MÁX.	VARIACIÓN AÑO % ANTERIOR	ACTUAL
Abertis	15,790	-0,350	-2,17	15,650	16,070	43,02	-2,23
Acciona	56,870	-1,400	-2,40	55,370	58,300	-21,20	36,17
ACS	25,690	-0,820	-3,09	25,475	26,260	41,22	2,68
Amadeus It Holding	29,275	-0,575	-1,93	29,075	29,815	68,83	-5,88
ArcelorMittal	10,720	--	--	10,530	10,935	2,60	-17,16
B. Popular	5,265	-0,195	-3,57	5,170	5,439	50,85	20,07
B. Sabadell	2,226	-0,101	-4,34	2,196	2,330	5,25	17,41
B. Santander	6,359	-0,083	-1,29	6,268	6,459	21,53	-2,26
Bankia	1,463	-0,038	-2,53	1,426	1,494	-74,12	16,56
Bankinter	5,677	-0,211	-3,58	5,576	5,809	154,69	13,84
BBVA	8,702	-0,128	-1,45	8,570	8,859	36,37	-2,75
BME	29,350	-0,150	-0,51	29,110	29,480	63,51	6,11
Caixabank	4,236	-0,006	-0,14	4,135	4,269	55,65	11,83
Dia	5,900	-0,074	-1,24	5,710	5,956	38,25	-9,23
Ebro Foods	16,195	-0,040	-0,25	16,015	16,370	17,99	-4,93
Enagás	21,655	-0,285	-1,30	21,550	21,955	25,31	14,00
FCC	14,835	-0,270	-1,79	14,500	15,090	72,63	-8,28
Ferrovial	14,820	-0,215	-1,43	14,690	14,995	31,78	5,37
Gamesa	7,832	-0,370	-4,51	7,711	8,130	356,63	3,32
Gas Natural	18,975	-0,355	-1,84	18,585	19,310	49,38	1,50
Grifols	39,430	-0,590	-1,47	38,800	39,795	32,80	13,42
IAG	5,020	-0,170	-3,28	4,956	5,170	117,00	3,74
Iberdrola	4,816	0,030	0,63	4,753	4,871	22,50	3,91
Inditex	101,650	-0,450	-0,44	100,050	102,700	15,86	-15,15
Indra	13,590	-0,215	-1,56	13,510	13,755	25,40	11,81
Jazztel PLC	10,005	0,039	0,39	9,740	10,040	48,03	26,62
Mapfre	2,879	-0,033	-1,13	2,840	2,894	40,57	-7,52
Mediaset	8,490	-0,286	-3,26	8,287	8,720	64,81	1,20
Obrascón H.L.	30,580	-0,745	-2,38	30,200	31,300	37,28	3,85
Red Eléctrica	57,530	-0,910	-1,56	57,260	58,480	37,93	20,41
Repsol	17,385	-0,215	-1,22	17,185	17,530	26,18	-5,10
Sacyr	4,307	-0,198	-4,40	4,205	4,444	139,43	14,34
Técnicas Reunidas	38,020	-0,220	-0,58	37,460	38,145	18,87	-3,71
Telefónica	10,945	-0,135	-1,22	10,835	11,075	19,41	-7,52
Viscofan	36,525	0,025	0,07	36,235	36,615	-0,61	-11,67

RESTO DE VALORES

TÍTULO	ÚLTIMA COTIZACIÓN	DIF. %	RENTA. 2014
Abengoa	3,770	-3,58	55,79
Abengoa B	3,100	-5,31	42,46
Acerinox	11,010	-1,70	19,07
Adolfo Domínguez	5,960	2,76	5,30
Adveo	16,900	-0,47	13,12
Alba	43,000	0,07	1,18
Almirall	12,390	0,08	4,65
Amper	1,050	-3,67	-0,94
Aperam	17,020	=	27,01
Atresmedia	11,920	-3,72	-0,83
Azkoyen	2,950	-0,67	40,48
Barón de Ley	72,550	-2,62	22,97
Bayer Ag.	94,000	-1,26	-8,11
Biosearch	0,795	-5,92	15,22
Bodegas Riojanas	4,900	-6,13	-8,75
C. A. F.	380,100	1,04	-1,09
CAM	1,340	=	0,00
Campofrío	6,900	-0,14	0,00
Cem.Portland	7,640	-3,90	37,41
Cie Automotive	7,710	-0,77	-3,63
Cleop	1,150	=	0,00
Clínica Baviera	10,500	1,25	0,38
Codere	0,870	-3,33	26,09
Colonial	1,760	-4,09	68,10
C.V.N.E	16,700	=	9,87
Decileo	0,385	-1,28	-18,09
Dinamia	7,490	-2,60	7,00
Dogi	0,640	=	0,00
Duro Felguera	4,770	0,42	-2,65
EADS	49,730	-1,72	-10,72
Elecnor	10,500	-0,57	-6,08
Ence	2,190	-0,68	-19,63
Endesa	24,400	0,14	11,93
Enel Green Power	1,953	-2,59	8,38
Ercros	0,484	-2,02	1,89
Europac	3,910	=	1,69
Ezentis	1,061	-4,50	-31,10
Faes	2,375	-2,26	-10,04
Fergo Aisa	0,017	=	0,00
Fersa	0,625	-6,02	60,26
Fluidra	3,055	1,83	12,32
Funespaña	6,000	=	0,00
GAM	0,720	-5,26	0,00
General Inversiones	1,670	=	0,60
Grupo Catalana Occ.	30,460	-0,52	17,06
Grupo Sanjosé	1,220	-0,81	1,67
Grupo Tavex	0,252	-5,26	9,57
Hispania Activos Inmob.	10,325	3,25	

TÍTULO	ÚLTIMA COTIZACIÓN	DIF. %	RENTA. 2014
Iberpapel	14,780	-1,40	-2,12
Indo Interna.	0,600	=	0,00
Inmobiliaria Del Sur	13,340	=	-16,63
Inypsa	0,955	-2,55	13,69
Lar España	10,550	-0,47	
Liberbank	0,844	-1,29	17,22
Lingotes Especiales	3,380	-6,63	-1,89
Martinsa-Fadesa	7,300	=	0,00
Meliá Hotels Int.	9,440	0,11	1,12
Miquel y Costas	29,760	-1,59	-2,43
Montebalito	1,410	-1,40	24,78
N. Correa	1,610	-2,42	24,32
Natra	1,910	-3,78	-13,57
Natraceutical	0,257	-1,15	-10,45
NH Hoteles	4,590	-2,86	7,12
Nyesa	0,170	=	0,00
Pescanova	5,910	=	0,00
Prim	5,810	-3,17	0,87
Prisa	0,390	1,30	-2,50
Prosegur	4,260	1,43	-14,46
Quabit	0,126	-3,08	6,78
Realia Business	1,150	-3,36	38,55
Reno de Medici	0,317	-3,06	19,62
Renta Corp.	0,570	=	0,00
Renta 4 Banco	5,850	-0,51	15,84
Reyal Urbis	0,124	=	0,00
Rovi	9,500	0,32	-4,81
Seda Barna	0,729	=	0,00
Service Point Solution	0,071	=	-24,47
Sniace	0,196	=	0,00
Solaria	1,300	-5,11	69,93
Sotogrande	2,900	=	8,21
Tecnocom	1,370	-2,14	13,22
Testa Inm.Renta	9,200	0,66	21,69
Tubacex	2,905	-1,53	0,52
Tubos Reunidos	1,865	0,27	5,37
Uralita	1,190	0,85	0,00
Urbas Gr.Financiero	0,032	-5,88	28,00
Vértice 360	0,048	=	4,35
Vidrala	37,180	-1,43	-0,69
Vocento	1,995	1,79	32,12
Zardoya Otis	12,390	-0,96	-5,78
Zeltia	2,600	-4,06	12,55

EMPRESAS

Cepsa ve recortarse su beneficio un 7%

Cepsa obtuvo un beneficio neto de 533 millones de euros en 2013, un 7% menos que en 2012, tras un ejercicio marcado por el descenso en los precios del crudo, una menor demanda nacional de combustible y carburantes, la nueva regulación sobre los precios de la energía y los bajos márgenes de refino. El 66% del beneficio neto procedió de las actividades fuera de España, principalmente de las áreas de exploración y producción, petroquímica y exportaciones de combustibles, mientras que el 34% restante ha correspondido al mercado nacional. / E.P.

Repsol da más voz a los minoritarios

Repsol ha creado un comité consultivo formado por accionistas minoritarios para fomentar la transparencia y establecer una comunicación bidireccional entre el equipo gestor de la compañía y sus minoritarios. La creación de este comité, único entre las empresas energéticas del Ibex 35, es una iniciativa del consejo de administración de la compañía presidida por Antonio Brufau y se enmarca en la política de relaciones con sus inversores. / E.P.

Mapfre prevé 30.000 millones de ingresos

El presidente de Mapfre, Antonio Huertas, dijo ayer que prevén superar los 30.000 millones en ingresos en 2016 y mantener el ratio combinado del grupo por debajo del 96% y el dividendo en los niveles actuales de rentabilidad los próximos tres años. Estos objetivos, aseguró a los accionistas, son compatibles con una contención de costes que permitirá reducir los gastos internos. / E.P.

Isolux coloca sobre lo previsto 200 millones

Isolux Corsán ha cerrado con éxito una emisión de bonos que asciende a 600 millones, frente a los 400 millones previstos, a un plazo de siete años y a un interés del 6,625%. / E.P.

El Canal se acabará en 2015

Sacyr y la ACP firman el acuerdo que pone fin al conflicto

Madrid

El grupo Unidos por el Canal, liderado por Sacyr y la Autoridad del Canal de Panamá (ACP), ha firmado el acuerdo que soluciona los problemas económicos del proyecto de ampliación de la vía interoceánica. Esto garantiza la continuidad de las obras y su finalización en diciembre de 2015.

El pacto rubricado ayer recoge los términos del acuerdo que las dos partes alcanzaron el pasado 28 de febrero e «involucra» a Zúrich, la aseguradora del proyecto, dado que establece que se buscará financiación para la obra a partir de los 400 millo-

nes de dólares (289 millones de euros) con que esta sociedad la avala.

La demora en la conclusión de las obras será de medio año respecto a la vigente (junio de 2015) y de más de un año respecto a la originaria (agosto de 2014), informa Europa Press. En cuanto a los sobrecostes

que, según el consorcio, han surgido en el proyecto (unos 1.200 millones de euros), las adjudicatarias convienen en que «sigan su procedimiento en los organismos de arbitraje».

La ACP hará una aportación de capital a las obras de 100 millones de dólares (unos 72,5 millones de euros) y el consorcio contribuirá con el mismo importe. Además, el consorcio logra una extensión en la moratoria para devolver a la ACP los anticipos ya cobrados, de forma que tendrán hasta 2018 para reintegrarlos.

9. El Mundo   **Numeración para la muestra: 18**

Sábado 15 de marzo del 2014

Isolux coloca sobre lo previsto 200 millones

Isolux Corsán ha cerrado con éxito una emisión de bonos que asciende a 600 millones, frente a los 400 millones previstos, a un plazo de siete años y a un interés del 6,625%. / E. P.

FICHA del breve en el diario

Número de página: 46
Sección: bolsa
Subsección: empresas
Número de breves de la subsección: cuatro
Ladillo: no
Número de líneas del titular: dos
Número de líneas del cuerpo: cinco
Fotografía: no
Firma: Europa Press

Despacho de agencia publicado por Europa Press (www.europapress.es), el 14 de marzo del 2014:

<u>Isolux coloca 600 millones de euros en bonos a un interés del 6,625%</u>

Isolux Corsán ha cerrado con éxito una emisión de bonos que finalmente asciende a 600 millones de euros, frente a los 400 millones inicialmente previstos, a un plazo de siete años y a un tipo de interés del 6,625%, según informó el grupo de construcción y concesiones.

La compañía que preside Luis Delso indicó que el objetivo de la emisión se ha ampliado por "la buena acogida" que ha tenido entre los inversores cualificados, de forma que registró una sobredemanda de ocho veces la oferta.

Con esta operación, destinada a reemplazar deuda bancaria, Isolux diversifica asimismo sus fuentes de financiación, accede al mercado de capitales y mejora su estructura financiera alargando la vida media de su deuda corporativa.

El consejero delegado del grupo, Antonio Portela, enmarcó el "éxito" de la emisión en "la apuesta que el grupo realizó en 2008 por convertirse en una compañía global y en los resultados obtenidos en 2013".

Isolux concluyó el pasado ejercicio con un beneficio antes de impuestos de 43 millones y un beneficio bruto de explotación (Ebitda) de 569 millones, importe que arroja un incremento del 9% respecto al año precedente.

Durante el pasado año, la compañía continuó avanzando en su estrategia de internacionalización, dado que los negocios que desarrolla en el exterior generaron el 77% de la cifra de negocio y el 95% de la contratación.

A cierre del pasado año, Isolux sumaba una cartera de contratos de ingeniería y obra pendientes de ejecutar por valor de 6.626 millones de euros, un 4% superior a la del año anterior. Durante 2013 logró una contratación récord de 3.200 millones.

FICHA del despacho de agencia en la web

Enlace de la web en la que se encuentra: <http://www.europapress.
es/economia/noticia-economia-empresas-isolux-coloca-600-millo-
nes-euros-bonos-interes-6625-20140314120403.html>
Pestaña: economía
Subpestaña: empresas
Antetítulo: no
**Título: "Isolux coloca 600 millones de euros en bonos a un interés
del 6,625%"**
Subtítulo: no
Número de caracteres (con espacio) del titular: 68
Número de caracteres (con espacio) del cuerpo de la nota: 1.601
Fotografía: sí
Firma: sin especificar (Europa Press)
Lugar de la firma: Madrid
Otros (documentos adjuntos, etcétera): no

Nota de prensa original, publicada por Isolux (www.isoluxcorsan.com), el 13 de marzo del 2014:

Isolux Corsán consigue 600 M€ en su emisión de bonos a siete años

La previsión inicial de la emisión, situada en 400 M€, se ha visto ampliamente superada por la buena acogida que los bonos han tenido entre los inversores cualificados

Los resultados del Grupo en 2013, su consolidación global y la proyección de su cartera de negocio han sido claves para alcanzar este éxito. El EBITDA alcanzó en 2013 los 569 M€, un 9% más que en 2012.

En 2013, la cartera de Ingeniería y Construcción superó los 6.600 M€ y la cifra de contratación alcanzó su récord histórico con más de 3.200 M€, el 95% en el exterior ["beneficio récord", ver Anexo IV].

Isolux Corsán ha completado su emisión de bonos con 600 M€, 200 M€ más de los previstos. El objetivo de 400 M€ fijado inicialmente se ha visto ampliamente superado por la buena acogida que los bonos han tenido entre los inversores cualificados, alcanzando una sobredemanda de aproximadamente 8 veces.

En opinión del Consejero Delegado del Grupo, Antonio Portela, el éxito de la emisión de bonos obedece a la suma de tres factores clave: "la apuesta que realizamos en 2008 por la conversión de la compañía en un Grupo de carácter global, la organización de las operaciones en dos grandes áreas de negocio acometida hace unos meses y los resultados que hemos obtenido en 2013".

Esta emisión de bonos, destinada a reemplazar deuda bancaria, permite al Grupo la diversificación de fuentes de financiación, el acceso a los mercados de capitales y la mejora de su estructura financiera que alarga la vida media de la deuda corporativa.

El tipo de interés del bono se ha situado en 6,625%

Buenos resultados en 2013

Isolux Corsán cerró 2013 con un EBITDA de 569 M€, un 9% más que el año anterior, y una cartera de negocio de Ingeniería y Construcción de 6.626 M€, lo que supone un crecimiento del 4%. Incluyendo Concesiones la cartera del Grupo alcanza los 49.107 M€. La compañía obtuvo un Beneficio antes de Impuestos de 45M€ en 2013, y ha mantenido el nivel de la deuda neta con recurso por debajo de 2,8 veces el EBITDA.

En este ejercicio, el Grupo volvió a reforzar su posición internacional: el mercado exterior representó en 2013 el 77% de la cifra de negocio total (3.202 M€) y el 95% de la contratación anual.

Entre los grandes hitos de 2013 destaca la contratación en Brasil de la construcción de la carretera BR-381, la principal conexión entre las ciudades de Belo Horizonte y Governador Valadares, en el Estado de Minas Gerais y el primer lote del tramo norte del Rodoanel Mario Covas en Sao Paulo con una inversión total de más de 600 M€.

En el área de Ingeniería destaca el proyecto de rehabilitación y modernización de las unidades 1 y 2 de la Central Termoeléctrica de Altamira, en México, por un importe de 380 millones de dólares.

Junto a esta vocación global, que ha sabido combinar la presencia en países emergentes con economías consolidadas, los resultados del pasado ejercicio respaldan la estructura operativa puesta en marcha en 2013 basada en dos grandes unidades de negocio: concesiones y EPC.

Isolux Corsán es una compañía global de referencia en las áreas de energía, concesiones, construcción y mantenimiento de grandes infraestructuras que en la actualidad opera en 43 países de cuatro continentes, con una importante presencia en América (EEUU y América Latina), donde se concentra el 71% del negocio internacional.

Aviso importante a efectos de regulación

Este anuncio no constituye ni forma parte de ninguna oferta o solicitud de compra o suscripción de valores en Estados Unidos. Los Bonos y las Garantías que se mencionan en el presente no se han registrado ni se registrarán con arreglo a la Ley de valores (Securities Act). Los Bonos y las Garantías no pueden ofrecerse ni venderse en Estados Unidos a falta de registro, o si no cuentan con una exención de los requisitos de registro de la Ley de valores. No se realizará ninguna oferta pública de los Bonos o las Garantías en Estados Unidos.

Este anuncio se distribuye y está dirigido únicamente a aquellas personas que (i) tengan experiencia profesional en cuestiones relativas a inversiones del tipo contemplado en el Artículo 19(5) de la Orden de 2005 (promoción financiera) promulgada con arreglo a la Ley de servicios y mercados financieros de 2000 (Financial Services and Markets Act 2000 (Financial Promotion) Order 2005), en su versión modificada (la "Orden de Promoción Financiera"), (ii) sean personas de las contempladas en el Artículo 49(2)(a) a (d) (sociedades con alto patrimonio neto, asociaciones no constituidas, etc.) de la Orden de Promoción Financiera, (iii) se encuentren fuera del Reino Unido, o (iv) sean personas a las cuales se pueda comunicar o hacer que se comunique legalmente una invitación o inducción a realizar una actividad de inversión según el significado del Artículo 21 de la Ley de servicios y mercados financieros de 2000 (la "FSMA") en relación con la emisión o venta de cualquier valor (todas esas personas se denominan conjuntamente las "personas relevantes"). Este documento está dirigido únicamente a personas relevantes, y ninguna persona podrá actuar en función del mismo, ni basarse en el mismo, si no es una persona relevante. Cualquier inversión o actividad de inversión a la que se haga alusión en este anuncio se encuentra disponible únicamente para personas relevantes, y solo podrá ser realizada por personas relevantes.

Este documento ha sido elaborado sobre la base de que cualquier oferta de los Bonos en un Estado miembro del Espacio Económico Europeo ("EEE") que haya transpuesto la Directiva de folletos (2003/71/CE), en su versión modificada por la Directiva 2010/73/UE (cada uno de ellos, un "Estado miembro relevante") se realizará de conformidad con la exención contemplada en la Directiva de folletos, tal y como se haya transpuesto en el Estado miembro relevante, en lo que respecta al requisito de publicación de un folleto para la oferta de Bonos. Por consiguiente, cualquier persona que realice o que pretenda realizar una oferta, en ese Estado miembro relevante, de los Bonos objeto de la colocación contemplada en este anuncio, únicamente podrá hacerlo en circunstancias que no supongan ninguna obligación, para el emisor ni ninguno de los compradores iniciales de esos Bonos, de publicar un folleto de conformidad con el Artículo 3 de la Directiva de folletos o complementar un folleto de conformidad con el Artículo 16 de la Directiva de folletos, en cada caso en relación con esa oferta. Ni el emisor ni los compradores iniciales de estos Bonos han autorizado ni autorizan la realización de ninguna oferta de Bonos en circunstancias tales en las que se produzca una obligación para el emisor o cualquiera de los compradores iniciales de estos Bonos, de publicar o complementar un folleto para esta oferta.

Ni el contenido de la web del Grupo Isolux Corsán ni ninguna web a la cual se pueda acceder a través de los hipervínculos de la web del Grupo Isolux Corsán se incorporan a este anuncio ni forman parte del mismo. La distribución de este anuncio en jurisdicciones distintas a la del Reino Unido puede que esté restringida por la ley. Las personas que posean este anuncio se informarán acerca de tales restricciones, y deberán cumplirlas. El incumplimiento de tales restricciones podrá constituir una vulneración de las leyes de valores de esa jurisdicción.

Este anuncio contiene previsiones e información que necesariamente están sujetas a riesgos, incertidumbres e hipótesis. No puede garantizarse que las operaciones que aquí se describen vayan a consumarse ni que vayan a hacerlo según las condiciones de tales operaciones. El Grupo Isolux Corsán no asume ninguna obligación de actualizar o corregir la información que se contiene en este anuncio.

FICHA de la nota de prensa en la web

Enlace de la web en la que se encuentra: <http://www.isoluxcorsan.com/es/comunicacion/notas-de-prensa/isolux-corsan-consigue-600-m-en-su-emision-de-bonos-a-siete-anos.html?texto=&idCategoria=0&fechaDesde=&fechaHasta=>

Pestaña: comunicación

Subpestaña: notas de prensa

Antetítulo: no

Título: "Isolux Corsán consigue 600 M€ en su emisión de bonos a siete años"

Subtítulo: tres subtítulos

Número de caracteres (con espacio) del titular: 65

Número de caracteres (con espacio) del cuerpo de la nota: 7.629

Fotografía: no

Firma: sin especificar

Lugar de la firma: sin especificar

Otros (documentos adjuntos, etcétera): no

MERCADOS

La posibilidad de una isla

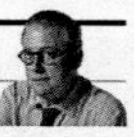

ANÁLISIS

José Manuel Garayoa

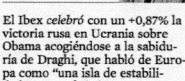

El Ibex *celebró* con un +0,87% la victoria rusa en Ucrania sobre Obama acogiéndose a la sabiduría de Draghi, que habló de Europa como "una isla de estabilidad", que enfatizó Cameron, que deja ambiguas notas perdidas.

Después de que a Obama se le asociara en EE.UU. con el lamentable presidente Jimmy Carter, juicio que confirmó ayer aquel con su propuesta de la presencia de observadores internacionales "para asegurar que los derechos de todos los ucranianos sean respetados, incluidos los de etnia rusa" y por "comenzar las consultas" entre Rusia y Ucrania "con la participación de la comunidad internacional", el sentimiento de claudicación se extendió.

Las bolsas no hacen juicios morales ni históricos. Pero ahí estaba Draghi mejorando expectativas de crecimiento en Europa, descartando rebajas de tipos y con el euro al alza. El resto, las bolsas, fueron consecuencia.

Índices

	ACTUAL	VARIACIÓN DÍA %	AÑO %
ESPAÑA			
IBEX 35	**10.304,00**	0,87	3,91
LATIBEX	**1.832,20**	0,49	-11,77
IND. G. MADRID	**1.053,05**	0,83	4,06
BCN MID50	**19.217,50**	0,95	16,16
BCN GLOBAL 100	**858,63**	0,86	6,12
BCN I. ALIM. AGR.	**796,50**	0,77	-7,78
BCN I. BANCOS	**1.368,17**	0,65	9,69
BCN I. CEM. CON.	**1.494,25**	1,82	18,38
BCN I. COM. FI.	**399,79**	1,43	-3,07
BCN I. ELECTRIC.	**910,12**	0,33	9,20
BCN I. QUÍMICAS	**905,81**	0,62	3,65
BCN I. SERV. VAR.	**2.000,15**	1,31	1,93
BCN I. SID. MINER.	**369,22**	0,29	1,09
BCN I. TEXT. PAP.	**982,04**	0,83	-10,56
EUROPA			
EURO STOXX 50	**3.144,53**	0,27	1,14
PARIS CAC40	**4.417,04**	0,59	2,82
FRANKFURT DAX X	**9.542,87**	0,01	-0,10
MILAN MIBTEL	**22.207,20**	0,39	9,92
AMSTERDAM AEX	**400,06**	0,36	-0,43
LISBOA BVL30	**7.515,12**	1,32	14,58
HELSINKI HEX	**7.539,10**	0,38	2,75
VIENA ATX	**2.577,27**	1,24	1,21
BRUSELAS B20	**3.123,10**	0,48	6,82
LONDRES FTSE	**6.788,49**	0,19	0,58
ZURICH SMI	**8.484,21**	0,29	3,43
AMÉRICA			
NEW YORK DJ	**16.421,89**	0,38	-0,93
NASDAQ	**4.352,12**	-0,13	4,20
S & P 500	**1.877,03**	0,17	1,55
TORONTO TSE300	**14.271,90**	-0,23	4,77
BRASIL BOVESPA	**47.093,10**	1,08	-8,57
ASIA			
TOKIO NIKKEI	**15.134,70**	1,59	-7,10
HONG KONG HS	**22.702,90**	0,55	-2,59

Prima de riesgo

ESPAÑA			ITALIA			FRANCIA			BÉLGICA		
	175	00		179	+2		56	00		70	+2

Ibex 35. Evolución en el año.
Ibex 35 recoge los 35 valores de mayor capitalización en la bolsa española. Base 3.000 a 31 de diciembre de 1989

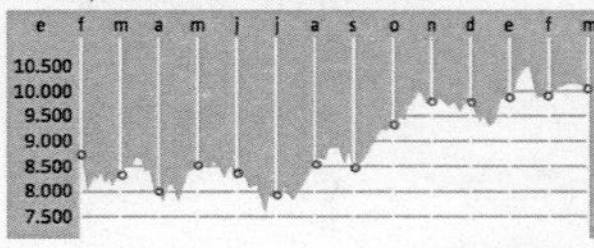

Evolución en el día.
Volumen de contratación al contado:
3.104,81 millones de euros

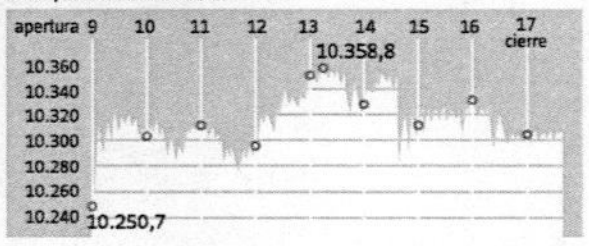

Mayores alzas

	%	CIERRE
TECNOCOM	**12,88**	1,49
PRISA	**12,50**	0,45
FIN. SOTOGRANDE	**11,11**	2,90
INM. COLONIAL	**7,34**	1,90
FERSA E. RENOV.	**4,35**	0,72
F. C. C.	**4,24**	16,23
NATRACEUTICAL	**3,33**	0,31
ZELTIA	**2,93**	2,81

Mayores bajas

	%	CIERRE
EZENTIS	**-3,20**	1,21
AMPER	**-2,54**	1,15
GRAL. ALQ. MAQ.	**-2,50**	0,78
FLUIDRA	**-2,01**	2,92
INYPSA	**-1,96**	1,00
IBERPAPEL	**-1,56**	15,11
VOCENTO	**-1,55**	1,91
CLÍN. BAVIERA	**-1,52**	10,98

Más negociados

	Nº. DE TÍTULOS	EFECTIVO
SAN	49.270.488	**329,8**
BBVA	24.235.237	**224,1**
TELEFÓNICA	16.473.591	**187,2**
AMADEUS	5.412.363	**170,1**
BANKIA	72.397.861	**115,2**
ENAGAS	4.505.241	**98,1**
INDITEX	870.269	**93,0**
POPULAR	16.370.057	**89,4**

Mercado continuo EN NEGRITA LOS VALORES PERTENECIENTES AL IBEX 35

Cotizaciones actualizadas cada veinte minutos en **http://www.lavanguardia.com/economia**

		Cotización Euros	Var.%	Cotiz. Día Máx.	Mín.	Nº tít. negoc.	Días cotiz.	Rent. año%
Abengoa	↑	4,12	1,23	4,20	4,12	633.771	46	70,25
Abertis	↑	**16,98**	**0,65**	**17,07**	**16,88**	**1.353.249**	**46**	**5,14**
Acciona	↑	**58,00**	**0,89**	**58,36**	**57,48**	**184.060**	**46**	**38,86**
Acerinox	↑	10,76	0,47	10,81	10,66	727.172	46	16,32
Ad. Domínguez	↑	6,09	0,33	6,15	6,00	25.456	46	7,60
Almirall		12,71	-0,08	12,79	12,65	134.784	46	7,35
Amadeus	↑	**31,35**	**0,87**	**31,57**	**31,10**	**5.412.363**	**46**	**1,74**
Amper		1,15	-2,54	1,20	1,14	1.585.272	46	8,49
Antena 3 TV	↑	13,00	0,39	13,10	12,89	956.808	46	8,15
Aperam	↑	16,98	2,17	17,27	16,55	1.452	46	26,72
Arcelor Mit.	↑	**11,32**	**0,44**	**11,38**	**11,25**	**1.452.179**	**46**	**-12,52**
Auxil.FF.CC.		381,55	-0,35	387,00	381,00	2.486	46	-0,72
Azkoyen	↑	3,01	1,69	3,10	2,99	48.454	46	43,33
A.C.S.(*)	↑	**26,30**	**1,27**	**26,69**	**26,08**	**1.618.708**	**46**	**8,68**
B.M.E.	↑	**30,05**	**0,30**	**30,35**	**29,95**	**308.876**	**46**	**8,64**
Bankia	↑	**1,59**	**0,63**	**1,60**	**1,59**	**72.397.861**	**46**	**29,27**
Bankinter	↑	**6,01**	**1,35**	**6,04**	**5,93**	**4.660.592**	**46**	**20,44**
Barón de Ley	↑	75,40	0,53	76,00	75,40	8.716	46	27,80
Bayer AG		101,00	0,00	101,00	99,85	451	46	-1,27
BBVA •	↑	**9,20**	**0,11**	**9,32**	**9,18**	**24.235.237**	**46**	**2,79**
Biosearch		0,90	0,00	0,94	0,90	1.312.487	46	30,43
Bod. Riojanas	↑	5,23	0,19	5,30	5,22	1.015	46	-2,61
C.V.N.E.		17,55	-0,45	17,55	16,25	623	27	15,46
CaixaBank (Ac)	↑	**4,73**	**1,50**	**4,73**	**4,64**	**18.721.729**	**46**	**27,53**
CAM		1,34	0,00			0	0	0,00
Campofrío		6,91	0,00	6,92	6,91	9.930	46	0,14
Catalana Occ.	↑	30,34	1,51	30,50	30,06	52.917	46	17,05
Cem.Portland	↑	8,28	1,72	8,40	8,10	27.872	46	48,92
Cie Automot.	↑	8,10	2,27	8,12	7,93	96.543	46	2,37
Cleop		1,15	0,00			0	0	0,00
Clín.Baviera		10,98	-1,52	11,20	10,95	13.006	46	4,97
Codere	↑	0,95	2,15	0,95	0,92	94.111	46	37,68
Corp.F. Alba	↑	42,75	0,99	42,79	42,21	21.899	46	0,59
Deoleo		0,39	0,00	0,40	0,39	3.517.995	46	-17,02
Dinamia	↑	7,31	0,14	7,35	7,30	2.784	46	4,43
Dist.Int.Alim.	↑	**6,27**	**1,62**	**6,29**	**6,18**	**2.383.939**	**46**	**-3,54**
Duro Felguera	↑	4,74	0,64	4,81	4,70	322.860	46	-3,27
EADS	↑	52,90	0,47	53,50	52,80	5.089	46	-5,03
Ebro	↑	**16,40**	**0,55**	**16,54**	**16,33**	**528.379**	**46**	**-3,76**
Elecnor	↑	10,42	1,26	10,50	10,27	21.102	46	-2,33
Enagas	↑	**21,84**	**0,83**	**22,05**	**21,61**	**4.505.241**	**46**	**14,95**

		Cotización Euros	Var.%	Cotiz. Día Máx.	Mín.	Nº tít. negoc.	Días cotiz.	Rent. año%
Ence		2,44	-0,41	2,48	2,41	434.721	46	-10,62
Endesa		24,02	-0,41	24,20	23,98	221.731	46	9,53
Enel G.P.	↑	2,02	1,00	2,05	2,01	63.753	46	12,22
Ercros		0,52	0,00	0,52	0,50	398.246	46	10,64
Ezentis		1,21	-3,20	1,26	1,17	2.502.944	46	-21,43
Faes		2,56	0,00	2,59	2,53	172.688	46	-3,03
Fergo Aisa		0,02	0,00			0	0	0,00
Ferrovial	↑	**15,87**	**2,06**	**15,92**	**15,58**	**2.326.575**	**46**	**12,79**
Fersa E.Renov.	↑	0,72	4,35	0,72	0,69	3.711.872	46	84,62
Fin.Sotogrande	↑	2,90	11,11	2,90	2,69	26.409	32	8,21
Fluidra		2,92	-2,01	2,96	2,88	35.696	46	7,35
Funespaña		6,00	-0,83	6,00	6,00	610	32	0,00
F. C. C.	↑	**16,23**	**4,24**	**16,38**	**15,70**	**2.986.931**	**46**	**0,31**
Gamesa		**8,76**	**-0,11**	**8,91**	**8,67**	**2.686.556**	**46**	**15,57**
Gas Natural	↑	**19,40**	**2,54**	**19,57**	**18,93**	**2.230.474**	**46**	**5,84**
Gral.Alq.Maq.		0,78	-2,50	0,81	0,78	379.294	46	8,33
Gral.Invers.		1,67	0,00			0	32	0,60
Grifols	↑	**41,87**	**2,12**	**42,09**	**41,20**	**965.282**	**46**	**20,42**
I.A.G.	↑	**5,42**	**0,37**	**5,49**	**5,40**	**4.030.226**	**46**	**11,98**
Iberdrola (*) •	↑	**4,85**	**0,41**	**4,88**	**4,84**	**15.286.995**	**46**	**7,67**
Iberpapel		15,11	-1,56	15,38	15,03	933	46	1,06
Inditex	↑	**106,95**	**0,85**	**107,55**	**106,05**	**870.269**	**46**	**-10,73**
Indo Intern.		0,60	0,00			0	0	0,00
Indra	↑	**13,65**	**0,22**	**13,79**	**13,60**	**509.443**	**46**	**12,35**
Inm.Colonial	↑	1,90	7,34	1,95	1,78	4.119.205	46	80,95
Inm.del Sur		14,50	0,00			0	6	-9,38
Inypsa		1,00	-1,96	1,02	1,00	37.293	45	19,05
Jazztel	↑	**9,85**	**1,55**	**9,89**	**9,69**	**1.151.526**	**46**	**26,61**
La Seda Barna		0,73	0,00			0	0	0,00
Liberbank	↑	0,89	1,14	0,89	0,88	4.799.059	46	23,61
Lingotes Esp.	↑	3,71	1,09	3,75	3,68	3.788	45	7,85
Mapfre	↑	**3,02**	**1,34**	**3,04**	**2,99**	**10.412.605**	**46**	**-2,89**
Martinsa-Fadesa		7,30	0,00			0	0	0,00
Mediaset Esp.	↑	**8,81**	**1,26**	**8,83**	**8,69**	**1.454.145**	**46**	**5,01**
Meliá Hotels	↑	9,53	0,11	9,53	9,46	514.128	46	2,03
Miquel Costas	↑	29,80	1,40	29,99	28,71	14.040	46	-2,30
Montebalito		1,45	0,00	1,49	1,45	48.599	46	28,32
Natra	↑	2,10	0,96	2,11	2,09	83.572	46	-4,98
Natraceutical	↑	0,31	3,33	0,31	0,30	846.912	46	6,90
Nic. Correa	↑	1,78	1,14	1,82	1,77	91.831	46	37,98
Nyesa		0,17	0,00			0	0	0,00

		Cotización Euros	Var.%	Cotiz. Día Máx.	Mín.	Nº tít. negoc.	Días cotiz.	Rent. año%
N.H. Hoteles	↑	4,89	0,62	4,94	4,85	1.122.920	46	13,99
O.H.L.	↑	**32,45**	**1,34**	**32,50**	**32,09**	**785.568**	**46**	**10,19**
Papel.C.E	↑	3,91	0,26	3,92	3,86	35.369	46	2,60
Pescanova		5,91	0,00			0	0	0,00
Popular (*)	↑	**5,46**	**0,74**	**5,50**	**5,42**	**16.370.057**	**46**	**26,56**
Prim	↑	5,70	0,35	5,70	5,62	3.358	45	-0,17
Prisa	↑	0,45	12,50	0,51	0,44	55.912.390	46	12,50
Prosegur	↑	4,26	0,47	4,32	4,25	1.424.155	46	-13,92
Quabit		0,14	0,00	0,14	0,14	13.704.980	46	16,67
Realia	↑	1,28	2,40	1,30	1,22	2.562.745	46	54,22
Reno Medici		0,34	0,00	0,35	0,33	711.659	46	25,93
Renta 4	↑	5,95	0,17	5,95	5,91	2.756	46	17,82
Renta Corp.		0,57	0,00			0	0	0,00
Repsol •	↑	**18,40**	**0,33**	**18,59**	**18,36**	**3.878.133**	**46**	**0,44**
Reyal Urbis		0,12	0,00			0	0	0,00
Rovi	↑	10,05	0,70	10,14	9,94	371.082	46	0,70
R.E.C.	↑	**57,25**	**0,26**	**57,50**	**56,92**	**327.210**	**46**	**19,53**
SAN (*) •	↑	**6,68**	**0,75**	**6,74**	**6,64**	**49.270.488**	**46**	**7,33**
Sabadell	↑	**2,42**	**0,83**	**2,42**	**2,40**	**23.880.742**	**46**	**27,37**
Sacyr	↑	**4,56**	**1,56**	**4,61**	**4,46**	**6.869.791**	**46**	**20,95**
San José	↑	1,25	0,81	1,29	1,24	128.165	46	4,17
Service Point		0,07	0,00			0	22	-22,22
Sniace		0,20	0,00			0	0	0,00
Solaria		1,46	0,00	1,50	1,46	414.624	46	89,61
Tavex Algodon.		0,28	0,00	0,29	0,28	367.491	46	21,74
Técnicas Rdas.	↑	**39,02**	**0,49**	**39,26**	**38,82**	**242.421**	**46**	**0,52**
Tecnocom	↑	1,49	12,88	1,49	1,33	307.043	46	23,14
Telefónica •	↑	**11,39**	**1,61**	**11,42**	**11,24**	**16.473.591**	**46**	**-3,80**
Testa Inm.		8,50	0,00	8,50	8,50	676	24	12,43
Tubacex	↑	2,98	1,02	3,00	2,94	266.603	46	3,11
Tubos Reunidos	↑	1,94	2,11	1,95	1,88	204.021	46	9,60
Unipapel		16,57	-1,07	16,85	16,41	51.212	46	10,91
Uralita	↑	1,23	0,82	1,24	1,21	27.383	46	3,36
Urbas		0,04	0,00	0,04	0,04	13.837.707	46	33,33
Vertice 360		0,05	0,00	0,05	0,05	4.132.313	46	0,00
Vidrala	↑	37,15	1,06	37,40	36,50	4.258	46	-0,67
Viscofan	↑	**36,92**	**1,12**	**37,24**	**36,50**	**550.284**	**46**	**-10,71**
Vocento		1,91	-1,55	1,96	1,89	98.184	46	26,49
Zardoya	↑	12,74	0,16	12,94	12,71	299.837	46	-2,43
Zeltia	↑	2,81	2,93	2,87	2,73	1.232.842	46	21,65

• Valor perteneciente al índice EURO STOXX 50 (*) Ha ampliado capital durante el año (Ac) Ampliación de capital (c.s.) Cotización suspendida (dv) Pago dividendo Para el cálculo de la rentabilidad se han incorporado los dividendos percibidos durante este año, y la cotización, si procede, se ha ajustado cuando la sociedad ha realizado ampliación de capital

Merck duplica sus ganancias

■ Merck, compañía química y farmacéutica alemana, obtuvo en el 2013 un beneficio neto de 1.202,2 millones de euros, un 112,1% más que en el 2012. La cifra de negocio de la firma alcanzó los 11.905,1 millones de euros, lo que supone un descenso del 0,7%. Karl-Ludwig Kley, presidente ejecutivo de Merck, destacó que se cumplieron los objetivos en un entorno de mercado "complicado". / Agencias

Deutsche Telekom regresa al beneficio

■ La compañía de telecomunicaciones Deutsche Telekom cerró el 2013 con un beneficio neto de 930 millones de euros, en contraste con las pérdidas de 5.353 millones del año precedente. La cifra de negocio también experimentó un cambio positivo, al crecer un 3,4%, hasta los 60.132 millones de euros, aupada por el aumento de facturación del 20,7% en Estados Unidos. A pesar de los resultados, su deuda se elevó en 2.200 millones de euros. / EP

Continental mantiene el resultado positivo

■ El fabricante de neumáticos y componentes para automóviles Continental registró un leve aumento del 0,9% en sus beneficios, que se situaron en 1.923 millones de euros durante el 2013. La compañía destaca el difícil entorno de mercado, con el efecto negativo derivado de los tipos de cambio, en el que se ha logrado aumentar la cifra de negocio un 1,8%, hasta los 33.331 millones. / Agencias

Banca March logra 57,8 millones el 2013

■ Banca March registró en el 2013 beneficios de 57,8 millones de euros, en claro contraste con las pérdidas de 141,8 millones de el 2012. El gasto de la entidad aumentó un 6%, al aprovechar las oportunidades de la crisis para invertir más, como en la expansión en Catalunya o la consolidación en País Vasco. La entidad se destaca por su solvencia ante los test de estrés del BCE y su bajo ratio de morosidad. / EP

Bouygues lanza una oferta por SFR

■ El grupo industrial francés Bouygues anunció ayer su intención de hacerse con SFR, filial telefónica del gigante de servicios y ocio Vivendi, al presentar una oferta valorada en 14.500 millones de euros. Bouygues ofrece 10.500 millones de euros en dinero a cambio de un 46% del capital de la empresa resultante, que de confirmarse la compra, se convertiría en líder del mercado francés en telefonía fija y el segundo en telefonía móvil. /Agencias

Sabadell vende su participación en Fersa

■ Banco Sabadell anunció ante la CNMV la venta de su participación en Fersa, compañía dedicada a las energías limpias, de la que poseía el 3,8% del capital social a través de su filial Explotaciones Energéticas Sinia XXI. Cifrada en 3,7 millones de euros, la operación ha supuesto la venta de 5.316.570 acciones del capital de Fersa. / Agencias

10. La Vanguardia   **Numeración para la muestra: 19**

Viernes 7 de marzo del 2014

Banca March logra 57,8 millones el 2013

Banca March registró en el 2013 beneficios de 57,8 millones de euros, en claro contraste con las pérdidas de 141,8 millones de el 2012. El gasto de la entidad aumentó un 6%, al aprovechar las oportunidades de la crisis para invertir más, como en la expansión en Catalunya o la consolidación en País Vasco. La entidad se destaca por su solvencia ante los test de estrés del BCE y su bajo ratio de morosidad./EP

FICHA del breve en el diario

Número de página: 58
Sección: economía
Subsección: mercados
Número de breves de la subsección: seis
Ladillo: no hay
Número de líneas del titular: una
Número de líneas del cuerpo: siete
Fotografía: no
Firma: EP (Europa Press)

Despacho de agencia publicado por Europa Press (www.europapress.es), el 6 de marzo del 2014:

El Grupo Banca March abandona los 'números rojos' en 2013
Banca March se marca como objetivo crecer en Baleares, donde menos mora tiene y más conoce a los clientes

· El Grupo Banca Marcha registró un beneficio neto atribuido de 57,8 millones de euros a cierre de 2013, frente a las pérdidas de 141,8 millones de hace un año, según ha anunciado este jueves el consejero delegado de la entidad, José Nieto.

El grupo incrementó su margen de intereses un 5,5% debido a la reducción del coste del pasivo, fundamentalmente en la segunda parte del año, y por la mejora de la posición de tesorería de Corporación Financiera Alba.

Su ratio de liquidez es del 105,6%, cifra "tremendamente holgada", según Nieto, que le permitirá ser competitivo a la hora de conceder crédito a las empresas. La inversión crediticia de la entidad ha caído un 8% el pasado ejercicio.

El ratio de morosidad a cierre de 2013 se situó en el 5,5% frente al 13,6% del sistema. "En este periodo de crisis más profunda, la mora se ha incrementado un punto para el banco frente a los 6 puntos básicos del sistema. Nuestra cifra de activos en mora es la misma que hace un año", ha señalado Nieto.

REDUCCIÓN DE LA MORA A FUTURO

El consejero delegado ha anunciado que el grupo va a reducir la mora "de una forma importante este año" debido a que su exposición al sector inmobiliario es muy baja. "Nuestra zona de actuación es Baleares y allí no nos está afectando mucho", ha explicado.

El directivo ha señalado que en 2013 la entidad provisionó 113 millones de euros, frente a los 112 millones de un año antes, cuando se emitieron los dos decretos De Guindos. En este punto, ha señalado que un 20% de esas *provisiones* fueron genéricas [ver Anexo IV: "proviones atípicas" y "provisiones extraordinarias"]. "Banca March ha tenido unas provisiones superiores a la media del mercado, incluso en los peores años de la crisis", ha precisado.

La entidad ha elevado su cifra de comisiones un 19,3%, hasta los 121 millones de euros, gracias a los fondos y los seguros. "Son sostenibles y estables en el tiempo, lo que nos da una visión de futuro muy favorable", ha dicho Nieto.

Banca Marcha incrementó sus gastos un 6% debido a que ha aprovechado la crisis para dar un mayor dinamismo a sus actividades, entre las que se encuentra el negocio de Luxemburgo, la expansión en Cataluña o la consolidación en País Vasco.

El número de clientes de más de 100.000 euros de negocio en Banca March ha crecido un 22,4% sobre 2012, incluido Consulnor, y su volumen de negocio asciende a 10.404 millones de euros (+22,8%). Los recursos bancarios de los clientes se han incrementado un 2,9% y la desintermediación un 42,6%, ascendiendo el patrimonio gestionado en Sicav a 1.875 millones de euros.

OBEJTIVOS A MEDIO PLAZO

Nieto ha adelantado que entre los objetivos de la entidad en el medio plazo se encuentra la intención de duplicar el negocio de banca privada, para lo que están poniendo todos los medios necesarios. También se han marcado como meta ser una entidad de referencia en asesoramiento corporativo.

En cuanto a la banca comercial, Banca March apostará por su negocio de origen en Baleares, manteniendo unos ratios similares a los que tienen en estos momentos. El grupo no se plantea ampliar la red de oficinas, pero sí el tamaño de las mismas. "Nos sentimos cómodos con nuestra red", ha dicho el consejero delegado.

TEST DE ESTRÉS

Con las cifras obtenidas al cierre del ejercicio, la entidad no se muestra preocupada por los test de estrés que el Banco Central Europeo (BCE) realizará a finales de año, pese a que el organismo que encabeza Mario Draghi no será su supervisor.

Por otra parte, Nieto ha hecho alusión a su situación en Consulnor y ha adelantado que es "muy probable" que tomen una posición mayor, al tiempo que ha afirmado que, por el momento, no se plantean realizar más adquisiciones.

"No tenemos planteadas más adquisiciones, pero si hubiera más posibilidades de hacer compras, las consideraríamos. Tenemos el capital y la liquidez para hacerlo. En estos momentos no estamos mirando nada porque es muy difícil encontrar un compañía como Consulnor en otro sitio", ha concluido.

FICHA del despacho de agencia en la web

Enlace de la web en la que se encuentra: <http://www.europapress.es/illes-balears/noticia-banca-march-abandona-numeros-rojos-gana-578-millones-euros-2013-20140306111847.html>

Pestaña: --

Subpestaña: --

Antetítulo: sí

Título: **"Banca March se marca como objetivo crecer en Baleares, donde menos mora tiene y más conoce a los clientes"**

Subtítulo: un subtítulo

Número de caracteres (con espacio) del titular: 57

Número de caracteres (con espacio) del cuerpo de la nota: 3.893

Fotografía: no

Firma: sin especificar (Europa Press)

Lugar de la firma: Madrid

Otros (documentos adjuntos, etcétera): no

Nota de prensa original, publicada por Banca March (www.bancamarch.es), el 6 de marzo del 2014:

Banca March obtuvo en 2013 un beneficio de 57,8 millones de euros
· El beneficio neto atribuido del Grupo Banca March ascendió a 57,8 M€. El volumen de negocio en Banca Privada/Banca Patrimonial alcanza 10.404 M€ con un crecimiento interanual del 22,8%.
El resultado neto atribuido al Grupo Banca March en el año 2013 ascendió a 57,8 millones de euros. Destaca el buen comportamiento de las comisiones (+21,3% sobre el mismo periodo del año anterior) procedentes mayoritariamente de la gestión de fondos de inversión y SICAV y de la distribución de seguros y medios de pago.
Particularmente notable ha sido el comportamiento de Banca Privada/Banca Patrimonial. El número de clientes de más de 100.000 € de negocio en Banca March ha crecido un 22,4% sobre la cifra de 2012, incluido Consulnor, y su volumen de negocio asciende a 10.404 M€ (+22,8% sobre 2012).
Los recursos bancarios de clientes se han incrementado en el periodo un 2,9% y la desintermediación un 42,6%, ascendiendo el patrimonio gestionado en SICAV a 1.875 M€, incluida Consulnor, que sitúan a Banca March como la tercera entidad en la gestión de estas instituciones.
La morosidad de Banca March se ha situado en diciembre de 2013 en el 5,5%, distanciándose cada vez más de la del sector(13,6%), en tanto que ha mantenido el ritmo de dotaciones alcanzando la cobertura de riesgos morosos el 76,1% frente al 57,5% de la media del sector.
La agencia Moody's confirmó el rating de Banca March para la deuda a corto y largo plazo así como para sus depósitos, manteniéndolo en Baa3. El rating consolida a Banca March como una de las entidades españolas con mejor calificación crediticia. Solo seis entidades financieras españolas, entre las que se encuentra Banca March, tienen la calificación de "investment grade".
El 5 de noviembre Banca March se convirtió en accionista único de Banco Inversis, S.A. al comprar la participación al resto de accionistas tras haber recibido todas las autorizaciones pertinentes. El objeto de esta adquisición es asegurar y mantener la calidad de servicio prestado a sus clientes y desarrollar el negocio institucional, tanto en España como en su expansión internacional. Banco Inversis es proveedor estratégico de servicios a Banca March en el ámbito de los mercados de valores.
A diciembre de 2013, Banca March poseía, a través de Corporación Financiera Alba, una amplia y diversificada cartera industrial con un 16,3% de ACS; 23.5% de Acerinox; 11,3% de Indra; 8,2% de Ebro Foods; 20,0% en Clínica Baviera y 18,7% de Antevenio. A través del fondo de capital desarrollo Deyá Capital, las participaciones en empresas no cotizadas eran: Ros Roca (17,4%), Ocibar (21,7%), Pepe Jeans (12,1%), Mecalux (24,4%), Panasa (26,4%), Flex (19,8%), EnCampus (47,2%) y Siresa Campus (17,6%).

FICHA de la nota de prensa en la web

Enlace de la web en la que se encuentra: <https://www.banca-march.es/es/index.asp?MP=133&MS=642&MN=2&accion=si&texto=&fdesde=&fhasta=&categoria=&tipo=&textobusqueda=&pag=0&TR=A&IDR=8&id=148&r=1024*600>

Pestaña: quiénes somos

Subpestaña: noticias

Antetítulo: no

Título: "Isolux Corsán consigue 600 M€ en su emisión de bonos a siete años"

Subtítulo: un subtítulo

Número de caracteres (con espacio) del titular: 65

Número de caracteres (con espacio) del cuerpo de la nota: 2.699

Fotografía: no

Firma: sin especificar

Lugar de la firma: sin especificar

Otros (documentos adjuntos, etcétera): sí

	IBEX 35 Madrid	EUROSTOXX 50 París	FTSE 100 Londres	DAX 30 Fráncfort	DOW JONES Nueva York	NASDAQ Nueva York	NIKKEI Tokio	PETRÓLEO Dólares / barril	EURIBOR %	ORO Dólares / onza
Cotización →	10.340,50	3.161,60	6.598,37	9.555,91	16.457,66	4.199,00	14.827,83	107,73	0,5900	1.284,00
En el día →	+0,11%	-0,34%	-0,26%	-0,33%	+0,82%	+1,04%	+0,90%	-0,20%	+0,85%	-0,69%
En el año →	+4,27%	+1,69%	-2,23%	+0,04%	-0,72%	+0,54%	-8,98%	-2,86%	+6,12%	+6,49%

IBEX 35

LAS MAYORES SUBIDAS	%	LAS MAYORES BAJADAS	%
Sacyr	+3,97	Ebro Foods	-1,50
CaixaBank	+3,48	Viscofan	-1,26
Amadeus It Holding	+2,22	Mapfre	-1,23
FCC	+2,19	Bankinter	-1,03
Banco Popular	+2,01	Inditex	-1,00
Santander	+1,33	Enagás	-0,79
Jazztel	+1,28	Repsol	-0,43
Arcelor Mittal	+1,17	Iberdrola	-0,37

SUBASTAS TESORO

	Tir media
Letras 6 Meses	0,37
Letras 9 Meses	0,48
Letras 12 Meses	0,54
Letras 18 Meses	1,69
Bonos 2,5 Años	4,34
Bonos 2 Años	1,90
Bonos 3 Años	1,33
Bono 4 Años	5,97

TIPOS OFICIALES

	%
España	0,25
Alemania	0,25
Zona euro	0,25
Reino Unido	0,50
EE.UU.	0,00-0,25
Japón	0,00-0,10
Suiza	0,00-0,25
Canadá	1,00

DIVISAS

	1 euro
Dólares USA	1,3788
Yenes japoneses	142,42
Coronas danesas	7,4659
Libras esterlinas	0,8282
Coronas suecas	8,9483
Francos suizos	1,2194
Coronas noruegas	8,255
Yuanes chinos	8,5754

CIFRAS ECONÓMICAS

ESPAÑA

	%		
IPC	-0,1%	Desempleo	26,03%
PIB	-0,2%	Tipos de interés	0,5%

ZONA EURO

IPC	0,8%	Desempleo	12%
PIB	0,5%	Tipos de interés	0,5%

EEUU

IPC	1,6%	Desempleo	6,6%
PIB	2,5%	Tipos de interés	0,25%

■ FCC

Último cierre: 16,535 euros ▲ 2,19%

17,04 / 16,88 / 16,72 / 16,56 / 16,40 — 10.00 / 12.00 / 14.00 / 16.00 / 18.00

FUENTE: Bloomberg.   EL MUNDO

MERCADO CONTINUO

CONTRATACIÓN EN EUROS

IBEX 35

TÍTULO	ÚLTIMA COTIZACIÓN EUROS	VARIACIÓN DIARIA EUROS	%	AYER MÍN.	MÁX.	VARIACIÓN AÑO % ANTERIOR	ACTUAL
Abertis	16,575	-0,040	-0,24	16,575	16,770	43,02	2,63
Acciona	62,640	0,360	0,58	62,150	63,890	-21,20	50,46
ACS	28,515	-0,025	-0,09	28,510	28,980	41,22	13,97
Amadeus It Holding	30,150	0,655	2,22	29,390	30,750	68,83	-3,07
ArcelorMittal	11,690	0,135	1,17	11,600	11,810	2,60	-9,66
B. Popular	5,480	0,108	2,01	5,390	5,540	50,85	24,97
B. Sabadell	2,242	-0,003	-0,13	2,240	2,263	6,21	18,25
B. Santander	6,921	0,091	1,33	6,830	6,990	21,53	6,38
Bankia	1,532	-0,002	-0,13	1,515	1,552	-74,12	24,15
Bankinter	5,840	-0,061	-1,03	5,840	5,960	154,69	17,10
BBVA	8,718	-0,003	-0,03	8,705	8,829	39,05	-2,57
BME	29,535	0,185	0,63	29,350	29,630	63,51	6,78
Caixabank	4,670	0,157	3,48	4,530	4,679	55,65	23,28
Dia	6,632	0,062	0,94	6,561	6,690	38,25	2,03
Ebro Foods	16,790	-0,255	-1,50	16,770	17,200	17,99	-1,44
Enagás	22,075	-0,175	-0,79	22,065	22,400	25,31	16,21
FCC	16,535	0,355	2,19	16,380	16,970	72,63	2,23
Ferrovial	15,725	0,050	0,32	15,720	15,850	31,78	11,80
Gamesa	7,886	0,034	0,43	7,834	7,950	356,63	3,96
Gas Natural	20,410	-0,035	-0,17	20,360	20,540	49,38	9,17
Grifols	39,775	-0,090	-0,23	39,505	40,335	32,80	14,41
IAG	5,076	-0,005	-0,10	5,030	5,102	117,00	4,57
Iberdrola	5,076	-0,019	-0,37	5,061	5,101	22,50	9,51
Inditex	108,900	-1,100	-1,00	108,700	110,950	15,86	-9,10
Indra	14,585	0,100	0,69	14,500	14,800	25,40	19,99
Jazztel PLC	11,040	0,140	1,28	10,920	11,110	48,03	41,92
Mapfre	3,060	-0,038	-1,23	3,045	3,140	40,57	-1,70
Mediaset	8,455	0,091	1,09	8,365	8,529	64,81	0,79
Obrascón H.L.	31,550	0,150	0,48	31,435	31,985	37,28	7,19
Red Eléctrica	59,000	0,100	0,17	58,800	59,080	37,93	23,48
Repsol	18,525	-0,080	-0,43	18,480	18,750	26,18	1,12
Sacyr	4,820	0,184	3,97	4,641	4,840	139,43	27,95
Técnicas Reunidas	41,005	0,210	0,51	40,610	41,460	18,87	3,85
Telefónica	11,485	0,015	0,13	11,465	11,596	19,41	-2,96
Viscofan	37,965	-0,485	-1,26	37,830	38,520	-0,61	-8,19

RESTO DE VALORES

TÍTULO	ÚLTIMA COTIZACIÓN	DIF. %	RENTA. 2014	TÍTULO	ÚLTIMA COTIZACIÓN	DIF. %	RENTA. 2014
Abengoa	4,062	1,63	67,85	Iberpapel	14,380	-1,51	-4,77
Abengoa B	3,374	1,02	55,06	Indo Interna.	0,600	=	0,00
Acerinox	11,660	-1,02	26,09	Inmobiliaria Del Sur	12,280	=	-23,25
Adolfo Domínguez	5,500	-1,08	-2,83	Inypsa	0,795	-5,36	-5,36
Adveo	17,370	1,64	16,27	Lar España	10,380	-0,67	
Airbus (EADS)	52,150	-0,57	-6,37	Liberbank	0,900	4,29	25,00
Alba	43,320	-1,10	1,93	Lingotes Especiales	3,750	1,35	8,85
Almirall	12,390	-0,96	4,65	Martinsa-Fadesa	7,300	=	0,00
Amper	1,090	-0,91	2,83	Meliá Hotels Int.	9,340	0,43	0,05
Aperam	19,400	1,12	44,78	Miquel y Costas	30,000	-3,23	-1,64
Atresmedia	11,170	-4,28	-7,07	Montebalito	1,400	-1,41	23,89
Azkoyen	2,905	-0,17	38,33	N. Correa	1,685	0,60	30,12
Barón de Ley	73,150	=	23,96	Natra	1,975	3,40	-10,63
Bayer Ag.	99,100	=	-3,13	Natraceutical	0,271	1,50	-5,57
Biosearch	0,805	3,21	16,67	NH Hoteles	5,160	-0,10	20,42
Bodegas Riojanas	5,200	=	-3,17	Nyesa	0,170	=	0,00
C. A. F.	372,450	0,47	-3,06	Pescanova	5,910	=	0,00
CAM	1,340	=	0,00	Prim	5,860	=	1,74
Campofrío	6,900	=	0,00	Prisa	0,420	-0,47	5,00
Cem Portland	7,500	-0,79	34,89	Prosegur	4,670	-1,27	-6,22
Cie Automotive	8,605	0,64	7,56	Quabit	0,138	3,76	16,95
Cleop	1,150	=	0,00	Realia Business	1,225	4,70	47,59
Clínica Baviera	10,610	-1,58	1,43	Reno de Medici	0,319	-1,85	20,38
Codere	0,870	-4,40	26,09	Renta Corp.	0,570	=	0,00
Colonial	1,870	-0,21	78,61	Renta 4 Banco	5,760	-0,17	14,06
C.V.N.E	15,770	=	3,75	Reyal Urbis	0,124	=	0,00
Deoleo	0,435	=	-7,45	Rovi	9,750	=	-2,30
Dinamia	7,420	-0,40	6,00	Seda Barna	0,729	=	0,00
Dogi	0,640	=	0,00	Service Point Solution	0,071	=	-24,47
Duro Felguera	4,970	0,81	1,43	Sniace	0,196	=	0,00
Elecnor	10,640	0,57	-4,83	Solaria	1,310	2,75	71,24
Ence	2,190	0,92	-19,63	Sotogrande	3,100	=	15,67
Endesa	26,125	-0,67	19,84	Tecnocom	1,770	1,43	46,28
Enel Green Power	2,019	-0,30	12,04	Testa Inm.Renta	12,200	-5,43	61,38
Ercros	0,870	-0,59	6,53	Tubacex	3,340	0,45	15,57
Europac	3,915	0,64	1,82	Tubos Reunidos	2,055	2,24	16,10
Ezentis	1,274	-0,23	-17,27	Uralita	1,260	7,69	5,88
Faes	2,495	1,42	-5,49	Urbas Gr.Financiero	0,032	-3,03	28,00
Fergo Aisa	0,017	=	0,00	Vértice 360	0,052	-1,89	13,04
Fersa	0,810	-0,81	56,41	Vidrala	38,990	1,27	4,14
Fluidra	3,630	0,55	33,46	Vocento	2,520	-4,18	66,89
Funespaña	5,790	-0,69	-3,50	Zardoya Otis	12,360	-0,80	-6,01
GAM	0,780	1,30	8,33	Zeltia	2,665	-0,19	15,37
General Inversiones	1,700	=	2,41				
Grupo Catalana Occ.	29,490	-2,74	13,34				
Grupo Sanjosé	1,260	4,13	5,00				
Grupo Tavex	0,266	=	15,65				
Hispania Activos Inmob.	10,440	-0,95					

EMPRESAS

FCC se dispara por su refinanciación

FCC se disparó ayer en Bolsa un 2,19% ante el cierre de su plan para refinanciar 4.600 millones de euros de deuda. La compañía controlada por Esther Koplowitz cerró este lunes el proceso por el que extenderá hasta 2017 el vencimiento del pasivo y transformará una parte en crédito convertible en capital. Con el acuerdo, en el que han estado implicados 37 bancos, FCC logra reestructurar las tres cuartas partes (el 77%) del endeudamiento neto de 5.975 millones de euros que concluyó 2013. / E. M.

Repsol explota ya un campo de gas en Perú

Repsol ha comenzado la producción de gas en el campo Kinteroni (Perú), uno de los 10 proyectos clave del Plan Estratégico de la compañía para el periodo 2012-2016 y que producirá inicialmente cerca de 20.000 barriles equivalentes de petróleo al día. Espera duplicar la cifra en 2016. / E.P.

Técnicas de Grifols en la Cruz Roja de Japón

Grifols ha firmado un contrato con la Sociedad Cruz Roja Japonesa, por 274 millones de euros y para siete años, por el que ésta usará la técnica Procleix de Grifols para analizar las donaciones de sangre. / E.P.

Huawei aumenta un 34% sus ganancias

El fabricante de tecnología chino Huawei obtuvo un beneficio neto de 21.003 millones de yuanes (2.454 millones de euros) en 2013, un 34,4% más que en 2012. / E.P.

Azuaga, nuevo consejero de Ceiss

El consejo de Banco Ceiss (Caja España de Inversiones, Salamanca y Soria) ha aceptado la dimisión del consejero Pablo Pérez Robla y acordado el nombramiento en su sustitución de Manuel Azuaga, ya consejero delegado de Unicaja. / E.P.

Mutua busca gangas en ladrillo

Competirá con los fondos oportunistas para vender en 2016

MARÍA VEGA / Madrid

El fuerte apetito de los fondos extranjeros por invertir en *ladrillo* español ha obligado a Mutua Madrileña a replantearse la estrategia de su negocio inmobiliario a corto plazo para no quedarse fuera de la recuperación que el sector inmobiliario podría experimentar en los próximos años. El grupo de seguros está evaluando cerrar algunas «operaciones oportunistas» con la compra de inmuebles para desinvertir en el plazo de dos o tres años, según avanzó ayer su presidente, Ignacio Garralda.

«No vamos a dejar que todas las oportunidades se las lleven los fondos extranjeros», afirmó el directivo. Pero también insistió en que la estrategia a medio y largo plazo de Mutua pasa por reducir su exposición al inmobiliario, que representa el 25% de su patrimonio, frente al 8% de la media del sector, y presume de estar compuesto por activos emblemáticos en renta en el codiciado Paseo de la Castellana.

Mutua anunció ayer que en 2013 logró un beneficio neto de 196 millones de euros, un 3,6% más que un año antes, tras elevar el volumen de primas hasta 3.872 millones de euros (+6,3%). Esa ganancia le permitió devolver a sus mutualistas (como las cotizadas hacen con el dividendo a sus accionistas) 177,9 millones, un 8% más que en 2012, en forma de descuentos, becas y asistencia.

10. El Mundo   **Numeración para la muestra: 20**

Martes 1 de abril del 2014

Huawei aumenta un 34% sus ganancias

El fabricante de tecnología chino Huawei obtuvo un beneficio neto de 21.003 millones de yuanes (2.454 millones de euros) en 2013, un 34,4% más que en 2012. / E. P.

FICHA del breve en el diario

Número de página: 35
Sección: bolsa
Subsección: empresas
Número de breves de la subsección: cinco
Ladillo: no
Número de líneas del titular: dos
Número de líneas del cuerpo: cinco
Fotografía: no
Firma: E. P. (Europa Press)

Despacho de agencia publicado por Europa Press (www.europapress.es), el 31 de marzo del 2014:

Huawei gana un 34,4% más en 2013, hasta los 2.454 millones de euros

El fabricante de tecnología chino Huawei obtuvo un beneficio neto de 21.003 millones de yuanes (unos 2.454 millones de euros a tipos de cambio actual) en el ejercicio 2013, lo que supone un aumento del 34,4% respecto al año anterior, según ha informado este lunes la compañía.

Las ventas de la firma mejoraron un 8,5%, hasta los 239.025 millones de yuanes (27.937 millones de euros), mientras que el beneficio operativo se sitúo en los 29.128 millones de yuanes (3.404 millones de euros), lo que supone una mejora del 41%.

Por regiones, las ventas de la compañía en China alcanzaron los 84.017 millones de yuanes (9.827 millones de euros), mientras que en el resto de la región de Asia Pacífico la firma ingresó 38.925 millones de yuanes (4.552 millones de euros), un 4,2% más.

Por su parte, las ventas en América disminuyeron un 1,3%, hasta los 31.428 millones de yuanes (3.676 millones de euros) y en Europa, Oriente Medio y África (EMEA) las ventas de la compañía crecieron un 9,4%, hasta los 84.655 millones de yuanes (9.901 millones de euros). El actual consejero delegado rotativo de Huawei, Eric Xu, ha explicado que la mejora de los resultados responde a la mejora de la economía mundial y del ambiente de negocios, así como a la ejecución efectiva de la estrategia corporativa del grupo.

FICHA del despacho de agencia en la web

Enlace de la web en la que se encuentra: <http://www.europapress.es/economia/noticia-economia-empresas-huawei-gana-344-mas-2013-2454-millones-euros-20140331111012.html>

Pestaña: economía

Subpestaña: empresas

Antetítulo: no

Título: "Huawei gana un 34,4% más en 2013, hasta los 2.454 millones de euros"

Subtítulo: no

Número de caracteres (con espacio) del titular: 67

Número de caracteres (con espacio) del cuerpo de la nota: 1.292

Fotografía: sí

Firma: sin especificar (Europa Press)

Lugar de la firma: Pekín

Otros (documentos adjuntos, etcétera): no

Nota de prensa original, publicada por Huawei (www.huawei.com), el 31 de marzo del 2014:

<u>Huawei presenta los resultados financieros de 2013, reportando un crecimiento del 8,5% de sus ingresos por ventas</u>

Eric Xu, CEO de Huawei, ha presentado el Informe Anual 2013, en el que se plasma la estrategia de la compañía

Huawei, proveedor líder global de Tecnologías de Información y Comunicación (TIC), ha publicado hoy sus resultados financieros auditados correspondientes al ejercicio fiscal 2013, que muestran unos ingresos por ventas y un beneficio neto récord. *["beneficio récord", ver Anexo IV]* El rendimiento financiero de Huawei fue sólido en todas las áreas de negocio, alcanzando un crecimiento sostenido e ingresos por ventas de 239.000 millones de yuanes (39.459,12 millones de dólares), lo que supone un crecimiento del 8,5% con respecto al año anterior, (11,6% más según la referencia en dólares), así como un beneficio neto de 21.000 millones de yuanes (3.467,12 millones de dólares).

"Gracias a un entorno macroeconómico e industrial favorable a nivel global, así como a la ejecución efectiva de nuestra estrategia empresarial, Huawei ha alcanzado sus objetivos de negocio para el año 2013", afirmó Eric Xu. "Huawei nunca ha estado tan conectada con el mundo como lo está ahora. Este nivel de conectividad tiene dos implicaciones. En primer lugar, las TIC han sido desplegadas por la compañía en más de 170 países y regiones, ayudando así a que más de 3.000 millones de personas puedan conectarse con el mundo, comunicarse en cualquier momento y en cualquier lugar, y adquirir y compartir información fácilmente. En segundo lugar, este mundo conectado está remodelando la política, la economía, los negocios, y la producción a una velocidad y ritmo formidables".

Nuestra significativa presencia a nivel global nos ha ayudado a alcanzar un crecimiento estable y continuo en los negocios de carrier, empresas y consumo. En 2013, el negocio de carrier de Huawei tuvo un sólido rendimiento, alcanzando los 166.500 millones de yuanes (27.489,31 millones de dólares) en ingresos por ventas, un 4% más con respecto al año anterior. Los ingresos por ventas de los negocios de empresas y consumo se incrementaron de forma notable en 2013, en un 32,4% y un 17,8%, hasta los 15.200 millones de yuanes (2.509,53 millones de dólares) y 57.000 millones de yuanes (9.410,75 millones de dólares), respectivamente. Huawei obtuvo el 65% de los ingresos de mercados fuera de China en 2013, alcanzando en este país unos ingresos por ventas de 84.000 millones de yuanes (13.868,48 millones de dólares), un 14,2% más que el año anterior.

La innovación continua es esencial para un crecimiento efectivo. Por ello, en 2013 Huawei invirtió 30.700 millones de yuanes (5.068,60 millones de dólares) en I+D, lo que supone un 12,8% de sus ingresos por ventas. En su conjunto, la inversión en I+D de Huawei a lo largo de los últimos 10 años superó los 151.000 millones de yuanes (24.930,24 millones de dólares). Huawei innova en función de las necesidades del cliente, y planea aumentar su inversión en tecnología científica y de ingeniería todo lo necesario para mantener su posición de liderazgo en el sector TIC.

En palabras de Eric Xu, "el pasado año, con el objetivo de adaptarse a las futuras tendencias de desarrollo, Huawei lanzó la arquitectura de red SoftCOM, destinada a desarrollar productos y soluciones TIC convergentes. El futuro traerá un mundo mejor conectado, en el que todo el mundo pueda compartirlo todo. Junto a nuestros clientes y partners, pondremos en marcha el sistema de logística digital más eficiente e integrado del mundo. Hacerlo de este modo facilitará la libre compartición de ideas. Por ello, seguiremos persiguiendo los sueños, impulsando la innovación y la evolución de las tecnologías, de las industrias y de la interacción humana para crear un mundo mejor conectado".

En 2014, Huawei ve la creciente penetración de la banda ultra ancha y de la banda ancha móvil, particularmente del LTE, como una oportunidad estratégica importante. Los dispositivos inteligentes serán otra área clave para la compañía, a medida que se convierten cada vez más en una necesidad intrínseca para los "nativos digitales" y en extensiones de los sistemas sensoriales de las personas. Las TIC se están convirtiendo en un elemento central para las empresas, impulsadas por la transformación de los sistemas TI actuales y la reconversión de las industrias tradicionales en digitales.

Para terminar, Eric Xu afirmó que "2014 marca un nuevo comienzo, no solo para Huawei, sino para toda la industria. Huawei sigue siendo una compañía joven, y la industria TIC está explosionando. Un mundo conectado ha abierto las puertas a una gran cantidad de oportunidades más allá de nuestra imaginación. Al tiempo que perseguimos una estrategia más enfocada y un estilo de gestión más austero en 2014, trabajaremos para impulsar un crecimiento que nos permita sentar las bases del desarrollo de la compañía durante los próximos diez años, especialmente con el objetivo de alcanzar una posición de liderazgo en el negocio empresarial".

Los resultados anuales de Huawei, que se han sometido a una auditoría independiente por parte de la firma internacional de contabilidad KPMG, se describen en el Informe Anual 2013, que puede encontrarse en http://www.huawei.com/en/annualreport2013

FICHA de la nota de prensa en la web

Enlace de la web en la que se encuentra: <http://www.huawei.com/es/about-huawei/newsroom/press-release/hw-331363.htm>
Pestaña: corporativo-acerca de Huawei
Subpestaña: sala de prensa-notas de prensa
Antetítulo: no
Título: "Huawei presenta los resultados financieros de 2013, reportando un crecimiento del 8,5% de sus ingresos por ventas"
Subtítulo: sí
Número de caracteres (con espacio) del titular: 113
Número de caracteres (con espacio) del cuerpo de la nota: 5.114
Fotografía: sí
Firma: sin especificar
Lugar de la firma: Shenzhen (China)
Otros (documentos adjuntos, etcétera): sí

PIMEC

Campaña en favor de productos catalanes

■ Unos 80 empresarios dieron ayer su apoyo al proyecto empresarial "Producte nostre", impulsado por la patronal Pimec para promocionar la excelencia de los productos y servicios catalanes. La iniciativa se se presentó ayer en el monasterio de Sant Benet, en Sant Fruitós del Bages. / Redacción

GRUP MCI

Luminarias para La Meca

■ El grupo MCI ha llevado a cabo el proyecto lumínico de la nueva estructura que se construye en la mezquita Masijd al Haram de La Meca para albergar a un mayor número de peregrinos. MCI ha diseñado y desarrollado modelos de luminarias que se integran en la arquitectura de la mezquita. / Redacción

AMEC

La inversión de 10 millones se mantiene

■ Amec presentó esta semana en el Círculo Ecuestre de Barcelona su plan de actuaciones para el 2014, en el que se mantiene la inversión del año anterior, unos 10 millones de euros para hasta 137 actividades, aportados en su mayor parte por sus asociados. Amec está presidida por Manel Xifra. / Redacción

Manel Xifra

ARCHIVO

SALDO EXTERIOR

Las exportaciones suben un 4,1%

■ Las exportaciones catalanas de mercancías alcanzaron en el mes de enero los 4.711 millones de euros, un 4,1% más que en el mismo mes del 2013. Las exportaciones de productos energéticos descendieron un 8,4%, mientras que las no energéticos subieron un 4,52%. Suponen el 25,6% del total español. / Redacción

---

EMPRENDEDORES

Iberochina invierte 2,5 millones en un centro logístico en Montcada y venderá en Sorli Discau

El negocio del sabor oriental

MAR GALTÉS
Barcelona

La comida oriental es cada vez menos exótica para los paladares occidentales, porque los restaurantes chinos, japoneses... ya forman parte del paisaje habitual de las ciudades, porque la alta gastronomía juega a la cocina de fusión, y porque cada vez más gente se atreve en casa con las recetas extranjeras. Por todo ello, se calcula que el consumo de productos de alimentación oriental crecerá en los próximos años a ritmos de entre el 10% y el 15%.

Y para hacer frente a este crecimiento, Iberochina-Oriental Delicatessen, uno de los principales importadores de productos de alimentación y gastronomía asiáticos en España, ha puesto en marcha un plan de inversión que incluye potenciar su negocio en Catalunya, Andorra y Baleares. Iberochina invierte 2,5 millones de euros en la construcción de un centro logístico en Montcada i Reixac, que deberá entrar en funcionamiento antes del verano, en sustitución del actual almacén en Martorell, explica Christian Lee, director comercial de Iberochina-Oriental Delicatessen. "Esta zona representa el 35% de nuestras ventas, y además, las tendencias van más rápidas en Barcelona, las modas surgen antes", dice Lee (en Barcelona desde 1992, tiene mu-

Christian Lee, en Catalunya desde 1992, es el director comercial del grupo familiar

JORDI ROVIRALTA

La empresa importa productos de alimentación de 14 países asiáticos y factura 22 millones

jer e hijos catalanes, explica).

Iberochina fue creada en Madrid en 1987 por la familia Lee, que llegó de Taiwan en 1978, y regentaron hasta cinco restaurantes chinos. El negocio les llevó a importar productos para su consumo, hasta que dejaron

los restaurantes y se centraron en la importación.

La compañía dispone de más de 5.000 referencias de productos de 14 países asiáticos. En el 2013 la facturación fue de 22 millones, y la plantilla suma unas 80 personas (25 en Barcelona), con 30 camiones, dice Lee. Sus clientes son los restaurantes asiáticos, y la restauración en general, pero también la industria alimentaria ("nos piden ingredientes para sus recetas"). "Y ahora estamos entrando en la gran distribución, hemos firmado un primer acuerdo con Sorli Discau", Además, la em-

presa cuenta con tres tiendas en Madrid y una en Barcelona.

Iberochina es también la importadora de las Kimidolls, "muñecas japonesas que se regalaban para desear buena suerte"; desde el 2009 una empresa australiana la ha modernizado y Iberochina las distribuye como objeto de regalo en más de 300 puntos de venta.

Iberochina sólo vende en España y Portugal, porque cada país ya tiene sus importadores, "y en los países europeos, con más inmigración asiática, las tendencias van un par de años por delante".●

Hostelería Unida declara deudas de 218 millones y activos de sólo 168 millones

LALO AGUSTINA
Barcelona

Hostelería Unida, sociedad de Husa en concurso de acreedores desde hace un mes, ha declarado al juzgado deudas por 218 millones de euros, a las que deberá hacer frente con activos valorados en 168 millones, lo que arroja un desfase patrimonial de 50 millones. La empresa debe 60 millones a la Seguridad Social (35) y Hacienda (25) y tiene una deuda bancaria de 50 millones. Banc Sabadell es el primer acreedor financiero con 20 millones y el Institut Català de Finances reclama 4 millones. El pasivo declarado por Hostelería Unida se completa con otros 108 millones de los proveedores y trabajadores. Los acreedores deberán notificar los importes que se les adeudan a partir de la próxima semana.

El activo de Hostelería Unida alcanza los 168 millones, pero cerca de una tercera parte de esta cantidad (más de 60 millones) corresponde a diversas filiales con hoteles en propiedad o alquiler cuyo valor será residual si entran en concurso. Además, la empresa cuenta con el inmueble de la masía Torre Rodona –junto al hotel Princesa Sofía de Barcelona–, donde está la sede social del grupo. La entrada en concurso ha permitido frenar embargos, pagar atrasos a la plantilla y recuperar cierta normalidad operativa.●

11. La Vanguardia   **Numeración para la muestra: 21**

Sábado 15 de marzo del 2014

Luminarias para La Meca

El grupo MCI ha llevado a cabo el proyecto lumínico de la nueva estructura que se construye en la mezquita Masijd al Haram de La Meca para albergar a un mayor número de peregrinos. MCI ha diseñado y desarrollado modelos de luminarias que se integran en la arquitectura de la mezquita. / Redacción

FICHA del breve en el diario

Número de página: 71
Sección: economía
Subsección: En Línea
Número de breves de la subsección: cuatro
Ladillo: Grupo MCI
Número de líneas del titular: dos
Número de líneas del cuerpo: diez
Fotografía: no
Firma: Redacción

Nota de prensa original, publicada por Grupo MCI (www.grupo-mci.org), sin datar:

Mobile Floor for Mataf, Meca
Con el fin de poder aumentar el número de peregrinos que visita cada año la mezquita sagrada Masijd Al-Haram, en la Meca, se ha construido una circunvalación con tres entradas, en la parte central de la plaza que rodea la Kaaba. La nueva construcción alberga hasta 130.000 peregrinos por hora, mientras que la capacidad del Mataf anterior era de 52.000 peregrinos. Grupo MCI ha sido la empresa encargada de llevar a cabo todo el proyecto lumínico de la nueva estructura. Para ello el Departamento de I+D+i ha diseñado y desarrollado varios modelos de luminarias totalmente custom made que se integran perfectamente en la arquitectura, sin alterar el diseño de la misma.
Datos de la circunvalación
Diámetro exterior: 94 metros
Diámetro interior: 70 metros
Ancho: 12 metros
Total m^2: 3000m2
Luminarias Instaladas
Downlight 5x5 20°: Estas luminarias con reflectores especiales se han instalada justo por debajo de la circunvalación y sirven para iluminar a los peregrinos que pasan por debajo de la misma. El consumo de cada Downlight es de 30W y en total se han colocado más de 1100 unidades.
Line Grazers®: Estos Line Grazer® se han colocados en soportes especiales y con formatos de diversos tipos, tipo D y tipo C, y han sido instalados alrededor de la parte inferior de la circunvalación y sirven para iluminar a los peregrinos que pasan por debajo de la misma. Estas luminarias quedan totalmente integradas por detrás de los "cladding", lo que hacen que la luminaria no se vea en ningún momento y solo se vea el efecto lumínico. En total se han instalado unos 624 Line Grazers®(alrededor de 1000 metros) con consumos que van de los 200W (Line Grazer® Tipo D) a los 430W (Line Grazer® Tipo C).
Farolas de Luz: Para iluminar la circunvalación y los puentes de entrada se han diseñado 2 farolas (Farolas FG y Farolas F) de 3 metros de altura cada una.
. Las Farolas FG van instaladas en la parte interior y tienen dos funciones; iluminar a los peregrinos que dan vueltas por la circunvalación e iluminar la kaaba. Estas luminarias tienen un consumo de 384W y se han instalado un total de 48 unidades.
. Las Farolas F van instaladas en la parte exterior de la circunvalación, y en los tres puentes de entrada. Estas farolas sirven para iluminar solamente a los peregrinos que dan vueltas alrededor de la misma. Tienen un consumo de 240W y se han instalado también un total de 48 unidades.
Masjid al-Haram es la mezquita más importante de la ciudad de La Meca y el primer lugar santo del islam. En su centro se encuentra la Kaaba, en la que hay incrustada la piedra negra que los musulmanes tratan de tocar en el curso de las circunvalaciones durante la peregrinación. Es considerada la mezquita más grande del mundo.
Arquitecto: SL Rasch · Stuttgart
Constructora: PCT · Dubai
Ingeniería de Cálculos Lumínicos: Bartenbach Lichtlabor · Austria
Fabricantes Luminarias: Grupo MCI · Barcelona

FICHA de la nota de prensa en la web

Enlace de la web en la que se encuentra: <http://www.grupo-mci.
org/mci-detalle-proyecto.php?cod=70>
Pestaña: proyectos
Subpestaña: --
Antetítulo: no
Título: "Mobile Floor for Mataf, Meca"
Subtítulo: no
Número de caracteres (con espacio) del titular: 28
Número de caracteres (con espacio) del cuerpo de la nota: 2.885
Fotografía: no
Firma: sin especificar
Lugar de la firma: sin especificar
Otros (documentos adjuntos, etcétera): sí

BOLSA

	IBEX 35 Madrid	EUROSTOXX 50 París	FTSE 100 Londres	DAX 30 Fráncfort	DOW JONES Nueva York	NASDAQ Nueva York	NIKKEI Tokio	PETRÓLEO Dólares / barril	EURIBOR %	ORO Dólares / onza
Cotización →	10.480,50	3.177,66	6.590,69	9.490,79	16.256,14	4.112,99	14.606,88	107,59	0,5990	1.307,80
En el día →	-1,19%	-0,26%	-0,49%	-0,21%	+0,06%	+0,81%	-1,36%	+1,47%	-0,17%	+0,79%
En el año →	+5,69%	+2,21%	-2,35%	-0,64%	-1,93%	-1,52%	-10,34%	-2,98%	+7,73%	+8,46%

IBEX 35

LAS MAYORES SUBIDAS	%		LAS MAYORES BAJADAS	%
Arcelor Mittal	+1,44		Grifols	-4,79
Viscofan	+0,21		Bankinter	-3,75
Santander	-0,01		FCC	-3,73
Técnicas Reunidas	-0,19		Sacyr	-3,69
Telefónica	-0,51		Bankia	-3,57
BME	-0,59		IAG	-2,92
Abertis	-0,63		Gamesa	-2,75
BBVA	-0,65		Mediaset	-2,71

SUBASTAS TESORO

	Tir media
Letras 6 Meses	0,37
Letras 9 Meses	0,48
Letras 12 Meses	0,54
Letras 18 Meses	1,69
Bonos 2,5 Años	4,34
Bonos 2 Años	1,90
Bonos 3 Años	1,33
Bono 4 Años	5,97

TIPOS OFICIALES

	%
España	0,25
Alemania	0,25
Zona euro	0,25
Reino Unido	0,50
EE.UU.	0,00-0,25
Japón	0,00-0,10
Suiza	0,00-0,25
Canadá	1,00

DIVISAS

	1 euro
Dólares USA	1,3774
Yenes japoneses	140,9
Coronas danesas	7,4659
Libras esterlinas	0,8242
Coronas suecas	8,9653
Francos suizos	1,22
Coronas noruegas	8,236
Yuanes chinos	8,5353

CIFRAS ECONÓMICAS

ESPAÑA			
IPC	-0,1%	Desempleo	26,03%
PIB	-0,2%	Tipos de interés	0,5%
ZONA EURO			
IPC	0,8%	Desempleo	12%
PIB	0,5%	Tipos de interés	0,5%
EEUU			
IPC	1,6%	Desempleo	6,6%
PIB	2,5%	Tipos de interés	0,25%

■ **Iberdrola** — Último cierre: 5,027 euros ▼ -1,00%

FUENTE: Bloomberg. — EL MUNDO

MERCADO CONTINUO

CONTRATACIÓN EN EUROS

IBEX 35

TÍTULO	ÚLTIMA COTIZACIÓN	VARIACIÓN DIARIA EUROS	%	AYER MÍN.	MÁX.	VARIACIÓN AÑO % ANTERIOR	ACTUAL
Abertis	16,585	-0,105	-0,63	16,100	16,750	45,85	2,69
Acciona	59,960	-1,540	-2,50	58,940	61,440	-21,20	43,57
ACS	28,525	-0,585	-2,01	28,160	29,180	41,22	14,01
Amadeus It Holding	30,235	-0,465	-1,51	29,860	30,820	68,83	-2,80
ArcelorMittal	11,990	0,170	1,44	11,790	12,045	2,60	-7,34
B. Popular	5,679	-0,106	-1,83	5,560	5,788	50,85	29,51
B. Sabadell	2,314	-0,050	-2,12	2,295	2,375	6,68	22,05
B. Santander	7,174	-0,001	-0,01	7,035	7,199	21,53	10,27
Bankia	1,484	-0,055	-3,57	1,473	1,546	-74,12	20,26
Bankinter	6,168	-0,240	-3,75	6,120	6,417	154,74	23,68
BBVA	9,131	-0,060	-0,65	8,995	9,228	39,05	2,05
BME	29,660	-0,175	-0,59	29,600	29,895	63,51	7,23
Caixabank	4,615	-0,083	-1,77	4,574	4,696	55,65	21,83
Día	6,417	-0,131	-2,00	6,273	6,520	38,25	-1,28
Ebro Foods	16,300	-0,140	-0,85	16,220	16,485	18,87	-4,31
Enagás	22,230	-0,325	-1,44	22,190	22,690	25,31	17,03
FCC	16,020	-0,620	-3,73	15,960	16,600	72,63	-0,96
Ferrovial	15,705	-0,190	-1,20	15,570	15,940	31,78	11,66
Gamesa	8,043	-0,227	-2,74	7,880	8,240	356,53	6,11
Gas Natural	20,395	-0,215	-1,04	20,270	20,650	49,38	9,09
Grifols	38,660	-1,945	-4,79	38,580	40,690	32,80	11,20
IAG	5,060	-0,152	-2,92	4,916	5,238	117,00	4,57
Iberdrola	5,027	-0,051	-1,00	5,007	5,103	22,50	8,46
Inditex	109,500	-1,800	-1,62	108,850	111,700	15,86	-8,50
Indra	14,215	-0,215	-1,49	14,040	14,500	23,40	16,95
Jazztel PLC	10,600	-0,265	-2,44	10,450	10,925	48,03	36,26
Mapfre	3,037	-0,047	-1,52	3,011	3,090	40,57	-2,44
Mediaset	8,200	-0,228	-2,71	8,071	8,448	64,81	-2,25
Obrasción H.L.	31,855	-0,825	-2,53	31,540	32,590	37,28	8,01
Red Eléctrica	59,150	-0,890	-1,48	59,050	60,440	37,93	23,80
Repsol	18,695	-0,145	-0,77	18,575	18,890	26,18	2,05
Sacyr	4,849	-0,186	-3,69	4,760	5,014	139,43	28,72
Técnicas Reunidas	41,595	-0,080	-0,19	40,600	41,695	18,87	5,34
Telefónica	11,660	-0,060	-0,51	11,565	11,785	19,41	-1,48
Viscofan	38,370	0,080	0,21	37,905	38,370	-0,61	-7,21

RESTO DE VALORES

TÍTULO	ÚLTIMA COTIZACIÓN	DIF. %	RENTA. 2014		TÍTULO	ÚLTIMA COTIZACIÓN	DIF. %	RENTA. 2014
Abengoa	4,230	-5,16	74,79		Hispania Activos Inmob.	10,280	-0,39	
Abengoa B	3,580	-3,24	64,52		Iberpapel	14,570	0,83	-3,51
Acerinox	11,975	-0,21	29,50		Indo Interna.	0,600	=	0,00
Adolfo Domínguez	5,500	-2,48	-2,83		Inmobiliaria Del Sur	10,810	=	-32,44
Adveo	17,440	-0,34	16,73		Inypsa	0,790	1,28	-5,95
Airbus (EADS)	51,650	-3,28	-7,27		Lar España	10,370	0,24	
Alba	43,950	0,41	3,41		Liberbank	0,837	-2,45	16,25
Almirall	11,840	-1,25	0,00		Lingotes Especiales	3,690	-1,34	7,11
Amper	1,060	-2,75	0,00		Martinsa-Fadesa	7,300	=	0,00
Aperam	17,730	-3,41	32,31		Meliá Hoteles Int.	9,530	-1,45	2,09
Atresmedia	11,880	-1,57	-1,16		Miquel y Costas	30,590	-0,29	0,30
Azkoyen	2,715	1,12	29,29		Montebalito	1,375	=	21,68
Barón de Ley	74,500	1,29	26,27		N. Correa	1,645	-3,24	27,03
Bayer Ag.	98,400	=	-3,81		Natra	1,940	-0,77	-12,22
Biosearch	0,780	-0,64	13,04		Natraceutical	0,291	4,30	1,39
Bodegas Riojanas	5,100	=	-5,03		NH Hoteles	4,890	-3,55	14,12
C. A. F.	367,500	-1,46	-4,37		Nyesa	0,170	=	0,00
CAM	1,340	=	0,00		Pescanova	5,910	=	0,00
Campofrío	7,000	1,16	1,45		Prim	5,950	-1,65	3,30
Cem. Portland	7,850	-1,13	41,19		Prisa	0,445	1,83	11,25
Cie Automotive	8,900	0,62	11,25		Prosegur	4,690	1,30	-5,82
Cleop	1,150	=	0,00		Quabit	0,137	=	16,10
Clínica Baviera	10,790	-0,09	3,15		Quabit			
Codere	0,860	-4,44	24,64		Realia Business	1,190	-0,83	43,37
Colonial	1,975	5,61	88,63		Reno de Medici	0,324	-0,92	22,26
C.V.N.E	15,990	=	5,20		Renta Corp.	0,570	=	0,00
Deoleo	0,430	2,38	-8,51		Renta 4 Banco	5,760	0,17	14,06
Dinamia	7,510	0,94	7,29		Reyal Urbis	0,124	=	0,00
Dogi	0,640	=	0,00		Rovi	9,600	-2,34	-3,81
Duro Felguera	4,950	-1,39	1,02		Seda Barna	0,729	=	0,00
Edreams Odigeo	9,810	-4,29			Service Point Solution	0,071	=	-24,47
Elecnor	10,680	-0,09	-4,47		Sniace	0,196	=	0,00
Ence	2,210	-2,64	-18,90		Solaria	1,330	-2,92	73,86
Endesa	26,140	-1,10	19,91		Sotogrande	2,970	=	10,82
Enel Green Power	1,970	-4,92	9,32		Tecnocom	1,740	-3,33	43,80
Ercros	0,508	-1,36	6,95		Testa Inm. Renta	13,390	0,15	77,12
Europac	4,030	0,25	4,81		Tubacex	3,360	-0,59	16,26
Ezentis	1,250	-3,03	-18,83		Tubos Reunidos	2,130	0,24	20,34
Faes	2,240	-1,75	-11,79		Uralita	1,240	-2,75	4,20
Fergo Aisa	0,017	=	0,00		Urbas Gr.Financiero	0,033	-2,94	32,00
Fersa	0,680	-1,45	74,36		Vértice 360	0,048	-2,04	4,35
Fluidra	3,500	=	28,68		Vidrala	38,130	-0,94	1,84
Funespaña	5,950	=	-0,83		Vocento	2,385	-4,60	57,95
GAM	0,760	=	5,56		Zardoya Otis	12,660	-0,94	-3,73
General Inversiones	1,750	=	5,42		Zeltia	2,830	-0,70	22,51
Grupo Catalana Occ.	28,320	-2,48	8,84					
Grupo Sanjosé	1,250	-1,57	4,17					
Grupo Tavex	0,269	-0,37	16,96					

EMPRESAS

Colonial firma otro crédito sindicado

Colonial ha firmado un nuevo crédito sindicado por 1.040 millones y vencimiento en 2018, con el que abonará gran parte del que tenía y que vencía este año. La inmobiliaria anunció la firma de este préstamo en la junta extraordinaria que aprobó elevar la ampliación de capital que prevé realizar hasta los 1.266 millones, frente a los 1.000 iniciales. Con el préstamo y los recursos que logre de la ampliación, prevé cancelar su deuda bruta, que asciende a unos 2.100 millones, según el presidente de Colonial, Juan José Brugera. / E.P.

Emisión de Iberdrola para proyectos verdes

Iberdrola ha cerrado a través de su filial Iberdrola International una emisión de bonos verdes en el euromercado por 750 millones, gracias a la cual financiará proyectos sostenibles. Los bonos vencen en 2022 y tienen un cupón asociado del 2,5% anual. El precio de la emisión, colocada por el Santander, Goldman Sachs, HSBC, JP Morgan, Lloyds TSB Bank y Merrill Lynch, se fijó en el 99,72% de su valor nominal. / E.P.

Nazca compra Gestair y el 50% de Corjet

Nazca Capital, sociedad gestora de fondos de capital riesgo enfocada en invertir en pymes no cotizadas, ha comprado a través de su fondo Nazca III el 100% del capital de Gestair y el 50% de su filial Corjet, que estaba en manos de Iberia, por lo que controlará también el 100% de Corjet. Además, el fondo ha realizado una ampliación de capital para cancelar la deuda de ambas compañías. / E.P.

CaixaBank emite acciones nuevas

La entidad CaixaBank emitió ayer 323,14 millones de nuevas acciones ordinarias, equivalentes al 6,4% de su capital social, por valor de 1.179 millones. El objetivo es canjearlas por obligaciones subordinadas convertibles en acciones. / E.M.

---

eDreams pierde en su debut

El valor de salida a Bolsa de la agencia de viajes cae un 4,29%

Madrid

La agencia de viajes *on line* eDreams Odigeo debutó ayer en Bolsa con resultado amargo: una caída del 4,29% respecto al precio de salida. Así, de los 10,25 euros por título con los que saltó al parqué cerró a 9,81 euros.

Durante la sesión en el Mercado Continuo la empresa movió 15,44 millones de títulos, con un volumen efectivo de 153 millones. Minutos después salir a cotización, los títulos de eDreams se dejaban casi un 6,2%.

Pese a ello, el fundador y consejero delegado de eDreams Odigeo, Javier Pérez-Tenessa, confío en que volverá a subir el valor pues sigue existiendo una revolución tecnológica «espectacular» y la gente ha dejado de acudir a las agencias tradicionales. De hecho, eDreams Odigeo prevé alcanzar un crecimiento de dos dígitos en España para 2014, tras los años anteriores de «sequía», reveló.

Pérez-Tenessa explicó que los inversores desembolsaron 433 millones, de los que «casi la mitad son ingleses», pero también franceses, alemanes, españoles –entre los que la demanda fue «fuerte»– y estadounidenses, informa Europa Press.

Por su parte, la presidenta de la Comisión Nacional del Mercado de Valores, Elvira Rodríguez, adelantó que han recibido otras «dos o tres» propuestas de compañías que tienen intención de salir a Bolsa en España, lo que consideró una «buena señal».

11. El Mundo   **Numeración para la muestra: 22**

Miércoles 9 de abril del 2014

Emisión de Iberdrola para proyectos verdes

Iberdrola ha cerrado a través de su filial Iberdrola International una emisión de bonos *verdes* en el euromercado por 750 millones, gracias a la cual financiará proyectos sostenibles. Los bonos vencen en 2022 y tienen un cupón asociado del 2,5% anual. El precio de la emisión, colocada por el Santander, Goldman Sachs, HSBC, JP Morgan, Lloyds TSB Bank y Merrill Lynch, se fijó en el 99,72% de su valor nominal. / E. P.

FICHA del breve en el diario

Número de página: 36
Sección: bolsa
Subsección: empresas
Número de breves de la subsección: cuatro
Ladillo: no
Número de líneas del titular: dos
Número de líneas del cuerpo: 12
Fotografía: no
Firma: E. P. (Europa Press)

Despacho de agencia publicado por Europa Press (www.europapress.es), el 8 de abril del 2014:

Iberdrola cierra una emisión de bonos por 750 millones para financiar proyectos sostenibles
Iberdrola ha cerrado a través de su filial Iberdrola International una emisión de bonos 'verdes' en el euromercado por valor de 750 millones de euros, en la que se han captado recursos para financiar proyectos sostenibles, anunció la compañía.
Los bonos vencen el 24 de octubre de 2022 y tienen un cupón asociado del 2,5% anual. El precio de la emisión, colocada por el Santander, Goldman Sachs, HSBC, JP Morgan, Lloyds TSB Bank y Merrill Lynch, ha quedado fijado en el 99,72% de su valor nominal.
Los bonos, ya sea en su totalidad o en parte, serán permutados por parte de los bonos emitidos por Iberdrola Finanzas con la garantía incondicional e irrevocable de Iberdrola.
En una nota, Iberdrola señala que el intercambio de bonos permitirá aumentar el perfil de vencimiento de deuda y la liquidez, y que los recursos captados se destinarán a refinanciar inversiones realizadas en proyectos de sostenibilidad.
La compañía señala que esta emisión de bonos 'verdes' es la primera realizada por una compañía española y la segunda llevada a cabo por una 'utility' europea.
Una de las principales características de este tipo de operaciones es que los fondos obtenidos se destinan a proyectos sostenibles y socialmente responsables, utilización que es validada por la agencia independiente Vigeo.
En el caso de Iberdrola, el importe de la emisión se destinará a refinanciar fondos ya dedicados a inversiones en proyectos energéticos que cumplen los criterios de sostenibilidad requeridos por Vigeo. Estas inversiones fueron realizadas en los periodos 2005-2006, 2010-2011 y 2012.
Vigeo ha certificado que, durante los años mencionados, los fondos que ahora se refinancian fueron utilizados por la compañía española para financiar proyectos relacionados con las energías renovables, la distribución, el transporte y las redes inteligentes.
DEMANDA CUATRO VECES SUPERIOR.
Iberdrola indica que estos bonos 'verdes' suelen generar una mayor demanda, ya que se incorpora el interés de los fondos de inversión socialmente responsables (ISR). De esta forma, consigue diversificar su base inversora con costes similares a los de un bono tradicional.
El importe de la emisión, señala, ha superado en cuatro veces la oferta inicial, lo que pone de manifiesto el interés del mercado en Iberdrola y en las inversiones socialmente responsables.

FICHA del despacho de agencia en la web

Enlace de la web en la que se encuentra: <http://www.europapress.es/economia/noticia-economia-ampl-iberdrola-cierra-emision-bonos-750-millones-financiar-proyectos-sostenibles-20140408192616.html>
Pestaña: economía
Subpestaña: --
Antetítulo: no
Título: "Iberdrola cierra una emisión de bonos por 750 millones para financiar proyectos sostenibles"
Subtítulo: no
Número de caracteres (con espacio) del titular: 91

Número de caracteres (con espacio) del cuerpo de la nota: 2.344
Fotografía: sí
Firma: sin especificar (Europa Press)
Lugar de la firma: Madrid
Otros (documentos adjuntos, etcétera): no

Nota de prensa original, publicada por Iberdrola (www.iberdrola.es), el 8 de abril del 2014:

Emisión de bonos en el euromercado y permuta de bonos
Muy señores nuestros:
En virtud de lo dispuesto en el artículo 82 de la Ley 24/1988, de 28 de julio, del Mercado de Valores y disposiciones concordantes, ponemos en su conocimiento que Iberdrola, S.A. ("Iberdrola"), a través de su filial Iberdrola International B.V., ha cerrado en el día de hoy una emisión de bonos en el euromercado, con la garantía de Iberdrola, por un importe de 750 millones de euros (los "Bonos").
Los Bonos vencen el 24 de octubre de 2022 y tienen un cupón del 2,50 % anual, habiéndose fijado el precio de emisión en el 99,720 % de su valor nominal.
La emisión ha sido dirigida por HSBC Bank plc y colocada por Banco Santander, S.A., Goldman Sachs International, HSBC Bank plc, JP Morgan Securities plc, Lloyds TSB Bank plc y Merrill Lynch International.
Los Bonos, en su totalidad o en parte, serán permutados por parte de los bonos emitidos por Iberdrola Finanzas, S.A. Unipersonal, con la garantía incondicional e irrevocable de Iberdrola, que se indican más abajo, que hayan sido adquiridos por HSBC Bank plc como resultado de la oferta de compra realizada por dicha entidad en esta misma fecha, de acuerdo con los términos y condiciones establecidos en el correspondiente folleto de oferta de compra de bonos (Tender Offer Memorandum) de fecha 8 de abril de 2014.
Bonos emitidos por Iberdrola Finanzas, S.A. Unipersonal
• 750.000.000 € bonos garantizados cupón 3,50 % y vencimiento 2015 (código ISIN XS0222372178) (Serie 57).
• 750.000.000 € bonos garantizados cupón 3,50 % y vencimiento 2016 (código ISIN XS0548801207) (Serie 92).

FICHA de la nota de prensa en la web

Enlace de la web en la que se encuentra: <https://www.iberdrola.
es/webibd/gc/prod/es/comunicacion/hechosrelevantes/140408_
HR_01.pdf>
Pestaña: --
Subpestaña: --
Antetítulo: no
Título: "Emisión de bonos en el euromercado y permuta de bonos"
Subtítulo: no
Número de caracteres (con espacio) del titular: 55
Número de caracteres (con espacio) del cuerpo de la nota: 1.560
Fotografía: no
Firma: sin especificar
Lugar de la firma: Bilbao
Otros (documentos adjuntos, etcétera): no

PAU GARCIA-MILÀ, FUNDADOR DE EYEOS, BANANITY, IDEAFOSTER

La persona bajo el personaje

MAR GALTÉS
Barcelona

Pau Garcia-Milà es un "optimista enfermizo", dicen sus amigos: la persona a quien acudir cuando todo se ve negro. "Esa es parte de su fuerza, de su magnetismo", añaden. Pau Garcia-Milà (1987) fue un niño prodigio del emprendimiento, porque con diecisiete años, con un amigo, ideó un software para compartir archivos en la nube, cuando todavía nadie sabía lo que era la nube (informáticamente hablando). "Entonces me dijeron que para hacerlo tenía que crear una empresa". Y una vez convertido en joven empresario buscado por los focos, le encontró el gusto a comunicar y a salir en la tele, a hablar de las ideas y a escribir libros sobre actitud emprendedora, hasta el punto de que muchos pensaron que su vertiente mediática se había comido al empresarial.

Él no se define como empresario, porque "ser empresario es una consecuencia de querer hacer un proyecto de innovación, no una finalidad". Sí se considera "un apasionado de la innovación en el mundo digital. Lo que me mueve es imaginar soluciones a problemas que me voy encontrando. Y la comunicación: aquí no se da valor a la oratoria, al que habla bien se le considera un vendedor de humo". Y es sorprendentemente pragmático respecto a la palabra emprendedor: "Significa la voluntad de hacer cosas, tener inquietud por crear. Pero en sí misma no significa nada, es humo. Lo importante es lo que hagas".

Pau tiene 26 años, la misma cara de niño que tenía hace diez, y más experiencia que muchos que le doblan la edad. Sabe que su personaje es un imán, que tiene la capacidad de atraer la atención y de que pasen cosas a su alrededor. El impacto mediático de sus empresas está a años luz de sus niveles de facturación, y es un genio para echar pelotas fuera cuando se le pregunta por los números. Porque lo suyo es motivar y convencer, con palabras mágicas de prestidigitador, de que se puede hacer cualquier cosa, al menos intentarlo. Se ha creado esta imagen arrolla-

GUSI BEJER

> "Emprendedor significa inquietud por crear, pero en sí mismo es humo: lo importante es lo que hagas"

dora de hombre atrevido, que él desmiente: "¡Tengo muchos miedos!". Le da miedo, asegura, "que no se entienda lo que hago". Y no lo tiene fácil, porque las tres empresas que ha montado no son nada fáciles de explicar.

EyeOs es una tecnología de virtualización de escritorios (?), y sufrió un bache financiero que ahora Garcia-Milà da por superado. Bananity es una plataforma para gestionar comunidades de intereses, que fue famosa en su lanzamiento más como divertimento en el que participaba Buenafuente, pero que no acaba de encontrar modelo de negocio, y ahora para conseguir ingresos está virando del concepto red social a un modelo "que vendrá del *big data*".

Y acaba de lanzar un tercer proyecto para el que, digno de su creatividad, se ha inventado hasta el concepto: IdeaFoster es "una materializadora de ideas", por no llamarle consultora de servicios de innovación, ni incubadora, ni aceleradora, que son otra cosa. Pau pone la cara y la comunicación y vende el proyecto para su expansión internacional, y sus cuatro socios analistas son los que pedalean sobre el terreno.

Su currículum es también original. "Empecé informática, pero la carrera y yo no nos gustamos, mutuamente". Didac Lee le animó a presentarse con Eyeos a un programa de emprendimiento en Cambridge, que ganó, "y allí descubrí la pasión por estudiar". Luego Esade le becó para un master ejecutivo, y hace tres años que es profesor asociado de la institución.

El personaje dicharachero dice que en realidad le tiene respeto al fracaso, "que es distinto a tener miedo bloqueante". Pero "estadísticamente es más posible el fracaso que el éxito, en el emprendimiento es inevitable". Muchas veces he tenido la sensación de no llegar donde quería". Como cuando le costó admitir que su segundo libro no tuviera el mismo éxito que el primero... aunque de allí sacó fuerzas para el tercero, que ya es el más vendido.

Y acostumbrado a ilusionarse con nuevos proyectos, el próximo será la firma del resto de su vida, en junio, con Anna. "Al revés que la mayoría de la gente, no temo el caos en la vida profesional, siempre estoy dispuesto a probar cosas nuevas. Pero en lo personal aprecio la estabilidad", dice la persona que se esconde detrás del personaje.●

 LOS PERSONAJES DE LOS NOMBRES Y LAS COSAS, EN www.lavanguardia.com

---

Bionure se enfoca a EE.UU. para captar 4 millones de euros

M. GALTÉS Barcelona

Albert G. Zamora hace apenas un mes que ha abandonado su puesto de director de gestión de la innovación en el hospital Clínic, que ocupaba desde 2007, para concentrarse en la que de hecho ya era su principal ocupación, la de consejero delegado de la biotech Bionure.

La empresa, creada en 2010 junto a Pablo Villalba, investigador en el Idibaps, para desarrollar un medicamento contra la esclerosis múltiple, afronta una nueva fase de desarrollo para la que necesita 4 millones de euros. "En Palo Alto hay más empresas de capital riesgo que en todo el sur de Europa", dice Zamora, que vive a caballo entre Barcelona y California.

Bionure, con un equipo de seis personas, lleva gastados 5 millones de euros (la última inyección, de 1 millón, fue en 2013), explica Zamora. En el capital es mayoritaria la familia Monràs (vinculada al Banc Sabadell); además de Joaquín y Juan Uriach, Ignasi Biosca i Reig Jofre, Galenicum, Pascal

Nizet, la familia Prous, y TechnoMark, de Nueva York.

"Buscamos un neuroprotector que pare la degeneración, que también podría tratar el alzheimer, el parkinson, el glaucoma. Estamos una decena de empresas en esta carrera", explica Zamora. "Ahora debemos acabar la fase preclínica de enfermedad rara –es la vía que tomamos para acortar y abaratar el proceso–. Llevamos años al borde del precipicio, pero hasta ahora todo ha salido bien. Y si demostramos que funciona, será más fácil encontrar dinero para acabar los ensayos".●

QPO LENSES

Nueva empresa de Ascamm y UPC

■ El centro tecnológico Ascamm y el CD6 (Centre de Desenvolupament de Sensors, Instrumentació i Sistemes de la UPC) han invertido medio millón de euros para crear la empresa QPO Lenses, proyecto que ofrece al sector óptico la nueva tecnología AOD de diseño y fabricación de lentes de plástico con calidad óptica. / Redacción

IDP

Fin de las obras del centro en Tarragona

■ IDP ha acabado las obras del nuevo centro de bricolaje de la firma Brico Dépôt en Tarragona. El centro, en una parcela junto a la carretera N-340, ocupa 7.033 m², con 6.900 m² de sala de venta. Las obras, ejecutadas en cinco meses, han cumplido con la planificación temporal y de coste prevista. Es el cuarto proyecto de IDP para Brico Dépôt. / Redacción

COL·LEGI DE MERCANTILS

Eduard Soler, reelegido como decano

■ Eduard Soler fue reelegido esta semana por unanimidad decano del Col·legi de Titulats Mercantils i Empresarials de Catalunya. El nuevo mandato durará hasta que se formalice el proceso de fusión con el Col·legi d'Economistes. El ente es una institución dotada de personalidad jurídica propia que agrupa a 1.800 profesionales del asesoramiento mercantil y empresarial en Catalunya. / Redacción

Eduard Soler

MUNTAÑOLA COMUNICACIÓ

Premio a la creatividad

■ La agencia catalana Muntañola Comunicació ha sido galardonada con el premio a la mejor campaña publicitaria gráfica por el *Smile Festival*. La campaña, bajo el título *No es broma*, rompe el esquema clásico de la publicidad al aportar un punto de humor muy poco corriente entre concesionarios de automóviles y clientes. / Redacción

---

12. La Vanguardia   **Numeración para la muestra: 23**

Domingo 23 de marzo del 2014

Fin de las obras del centro en Tarragona

IDP ha acabado las obras del nuevo centro de bricolaje de la firma Brico Dépôt en Tarragona. El centro, en una parcela junto a la carretera N-340, ocupa 7.033 m², con 6.900 m² de sala de venta. Las obras, ejecutadas en cinco meses, han cumplido con la planificación temporal y de coste prevista. Es el cuarto proyecto de IDP para Brico Dépôt. / Redacción

FICHA del breve en el diario

Número de página: 95
Sección: economía
Subsección: En Línea
Número de breves de la subsección: cuatro
Ladillo: Grupo IDP
Número de líneas del titular: dos
Número de líneas del cuerpo: 12
Fotografía: no
Firma: Redacción

Nota de prensa original, publicada por IDP (www.idp.es), el 21 de marzo del 2014:

IDP finaliza las obras del nuevo centro de bricolaje de Brico Depôt

IDP ha finalizado las obras del nuevo centro de bricolaje de la firma BRICO DEPÔT en la ciudad de Tarragona. El centro está ubicado en una parcela de 20.680 m2 en la N-340a, y tiene una superficie construida de 7.033 m2 con 6.900 m2 de sala de venta. Las obras se han ejecutado en cinco meses, cumpliendo con la planificación temporal y de coste prevista. Para conseguir el cumplimiento de la planificación, IDP realiza, no solo la proyección y dirección facultativa de las obras, sino que también asume las funciones de Project Management de la actuación. Además destacamos, que con el objetivo de reducir el tiempo de la actuación, los proyectos y el control de ejecución de las obras e instalaciones se ha realizado mediante la tecnología BIM (Building Information Modeling) permitiendo un control de diseño, planificación, coste y calidad en todas las fases del proceso.

Éste es el cuarto centro que IDP finaliza para BRICO DEPÔT, consolidándose la relación entre las dos empresas. Dentro de esta colaboración se enmarcan, también, nuevos proyectos en desarrollo, que generarán nuevas aperturas en los próximos meses tanto en la Península como en las Islas Canarias.

FICHA de la nota de prensa en la web

Enlace de la web en la que se encuentra: <http://www.idp.es/noticia-ingenieria-arquitectura.php?idioma=cs&ida=1&idn=59&pag=4#.U_Nw_sV_usw>

Pestaña: comunicación

Subpestaña: noticias

Antetítulo: no

Título: "IDP finaliza las obras del nuevo centro de bricolaje de Brico Depôt"

Subtítulo: no

Número de caracteres (con espacio) del titular: 66

Número de caracteres (con espacio) del cuerpo de la nota: 1.168

Fotografía: sí

Firma: sin especificar

Lugar de la firma: sin especificar

Otros (documentos adjuntos, etcétera): no

BOLSA

	IBEX 35 Madrid	EUROSTOXX 50 París	FTSE 100 Londres	DAX 30 Francfort	DOW JONES Nueva York	NASDAQ Nueva York	NIKKEI Tokio	PETRÓLEO Dólares / barril	EURIBOR %	ORO Dólares / onza
Cotización →	10.267,90	3.139,26	6.584,17	9.317,82	16.424,85	4.086,23	14.417,68	109,79	0.5980	1.301,10
En el día →	+1,63%	+1,54%	+0,65%	+1,57%	+1,00%	+1,29%	+3,01%	+0,98%	=-%	-0,14%
En el año →	+3,54%	+0,97%	-2,44%	-2,45%	-0,92%	-2,16%	-11,50%	-0,53%	+7,55%	+7,90%

IBEX 35

LAS MAYORES SUBIDAS

	%
IAG	+5,44
Bankia	+4,48
Banco Popular	+4,04
CaixaBank	+3,90
Bankinter	+3,27
Jazztel	+2,93
Mediaset	+2,92
BME	+2,41

LAS MAYORES BAJADAS

	%
Técnicas Reunidas	+0,19
Inditex	+0,28
REC	+0,50
ACS	+0,51
Ebro Foods	+0,53
Indra	+0,56
Viscofan	+0,62
Iberdrola	+0,69

SUBASTAS TESORO

	Tir media
Letras 6 Meses	0,37
Letras 9 Meses	0,48
Letras 12 Meses	0,56
Letras 18 Meses	1,69
Bonos 2.5 Años	4,34
Bonos 2 Años	1,90
Bonos 3 Años	1,33
Bono 4 Años	5,97

TIPOS OFICIALES

	%
España	0,25
Alemania	0,25
Zona euro	0,25
Reino Unido	0,50
EE.UU.	0,00-0,25
Japón	0,00-0,10
Suiza	0,00-0,25
Canadá	1,00

DIVISAS

	1 euro
Dólares USA	1,384
Yenes japoneses	141,55
Coronas danesas	7,4664
Libras esterlinas	0,8239
Coronas suecas	9,092
Francos suizos	1,2169
Coronas noruegas	8,24
Yuanes chinos	8,6124

CIFRAS ECONÓMICAS

ESPAÑA
IPC	-0,1%	Desempleo	26,03%
PIB	-0,2%	Tipos de interés	0,5%

ZONA EURO
IPC	0,8%	Desempleo	12%
PIB	0,5%	Tipos de interés	0,5%

EEUU
IPC	1,6%	Desempleo	6,6%
PIB	2,5%	Tipos de interés	0,25%

■ Iberdrola

Último cierre: 4,840 euros ▲ 0,69%

4.858
4.846
4.834
4.822

10.00   12.00   14.00   16.00   18.00

FUENTE: Bloomberg.   EL MUNDO

MERCADO CONTINUO

CONTRATACIÓN EN EUROS

IBEX 35

TÍTULO	ÚLTIMA COTIZACIÓN	VARIACIÓN DIARIA EUROS	%	AYER MÍN.	MÁX.	VARIACIÓN AÑO ANTERIOR	ACTUAL
Abertis	15,840	0,150	0,96	15,755	15,980	45,85	-1,92
Acciona	57,870	0,740	1,30	57,280	58,000	-21,20	38,56
ACS	29,665	0,150	0,51	29,420	29,965	41,22	18,57
Amadeus It Holding	29,490	0,280	0,96	29,150	29,555	68,83	-5,19
ArcelorMittal	11,685	0,115	0,99	11,570	11,750	2,60	-9,70
B. Popular	5,463	0,212	4,04	5,307	5,463	50,85	24,58
B. Sabadell	2,257	0,048	2,17	2,220	2,259	6,68	19,04
B. Santander	7,050	0,119	1,72	6,975	7,055	24,15	8,36
Bankia	1,470	0,063	4,48	1,416	1,470	-74,12	19,12
Bankinter	5,595	0,177	3,27	5,462	5,612	154,74	12,19
BBVA	8,876	0,156	1,79	8,754	8,876	39,05	-0,80
BME	29,700	0,700	2,41	29,160	29,735	63,51	7,36
Caixabank	4,556	0,171	3,90	4,421	4,563	55,65	20,27
Día	6,200	0,068	1,11	6,136	6,200	38,25	-4,62
Ebro Foods	16,150	0,085	0,53	15,965	16,260	18,87	-5,20
Enagás	22,230	0,170	0,77	22,040	22,295	25,31	17,03
FCC	15,390	0,165	1,06	15,150	15,645	72,63	-4,85
Ferrovial	15,605	0,310	2,03	15,405	15,605	31,78	10,95
Gamesa	7,034	0,161	2,34	6,955	7,175	356,63	-7,20
Gas Natural	20,225	0,290	1,45	19,950	20,250	49,38	8,18
Grifols	36,405	0,630	1,76	35,995	36,520	32,80	4,72
IAG	4,808	0,248	5,44	4,618	4,808	117,00	-0,64
Iberdrola	4,840	0,033	0,69	4,822	4,855	22,50	4,42
Inditex	106,200	0,300	0,28	105,350	107,450	15,86	-11,35
Indra	13,365	0,075	0,56	13,270	13,545	25,40	9,95
Jazztel PLC	10,550	0,300	2,93	10,285	10,560	48,03	35,62
Mapfre	2,988	0,059	2,01	2,946	2,988	40,57	-4,02
Mediaset	7,926	0,225	2,92	7,760	7,957	64,81	-5,52
Obrascón H.L.	31,145	0,395	1,28	30,755	31,170	37,28	5,77
Red Eléctrica	57,860	0,290	0,50	57,570	58,370	37,93	21,10
Repsol	18,790	0,160	0,86	18,665	18,885	26,18	2,57
Sacyr	4,434	0,034	0,77	4,332	4,539	139,43	17,71
Técnicas Reunidas	41,405	0,080	0,19	41,270	42,110	18,87	4,86
Telefónica	11,755	0,175	1,51	11,655	11,790	19,41	-0,68
Viscofan	38,180	0,235	0,62	37,760	38,290	-0,61	-7,67

RESTO DE VALORES

TÍTULO	ÚLTIMA COTIZACIÓN	DIF. %	RENTA. 2014	TÍTULO	ÚLTIMA COTIZACIÓN	DIF. %	RENTA. 2014
Abengoa	4,050	5,47	67,36	Hispania Activos Inmob.	10,290	1,18	
Abengoa B	3,170	4,62	45,68	Iberpapel	14,570	2,75	-3,51
Acerinox	12,125	2,36	31,12	Indo Interna.	0,600	=	0,00
Adolfo Domínguez	5,290	5,80	-6,54	Inmobiliaria Del Sur	10,810	=	-32,44
Adveo	16,800	0,48	12,45	Inypsa	0,610	-10,29	-27,38
Airbus (EADS)	50,200	1,56	-9,87	Lar España	10,240	0,69	
Alba	45,000	0,78	5,88	Liberbank	0,837	-1,53	16,25
Almirall	10,800	-0,26	-8,78	Lingotes Especiales	3,680	=	6,82
Amper	0,780	-1,27	-26,42	Martinsa-Fadesa	7,300	=	0,00
Aperam	17,500	1,16	30,60	Meliá Hotels Int.	8,900	4,71	-4,66
Atresmedia	11,070	0,64	-7,90	Miquel y Costas	30,130	-0,33	-1,21
Azkoyen	2,650	2,12	26,19	Montebalito	1,190	0,85	5,31
Barón de Ley	71,500	-1,38	21,19	N. Correa	1,570	0,32	21,24
Bayer Ag.	92,500	=	-9,58	Natra	1,905	-1,30	-13,80
Biosearch	0,745	4,20	7,97	Natraceutical	0,273	-1,80	-4,88
Bodegas Riojanas	5,100	=	-5,03	NH Hoteles	4,550	3,41	6,18
C. A. F.	372,050	0,64	-3,19	Nyesa	0,170	=	0,00
CAM	1,340	=	0,00	Pescanova	5,910	=	0,00
Campofrío	6,960	0,58	0,87	Prim	5,900	-0,84	2,43
Cem.Portland	7,250	0,55	30,40	Prisa	0,414	2,99	3,50
Cie Automotive	9,100	0,44	13,75	Prosegur	4,680	0,65	-6,02
Cleop	1,150	=	0,00	Quabit	0,127	0,79	7,63
Clínica Baviera	11,060	-0,09	5,74	Realia Business	1,310	-0,76	57,83
Codere	0,800	3,90	15,94	Reno de Medici	0,293	-1,68	10,57
Colonial	0,564	-7,08	115,84	Renta Corp.	0,570	=	0,00
C.V.N.E	16,350	=	7,57	Renta 4 Banco	5,750	0,17	13,86
Deoleo	0,395	1,28	-15,96	Reyal Urbis	0,124	=	0,00
Dinamia	7,490	1,49	7,00	Rovi	9,550	-0,83	-4,31
Dogi	0,640	=	0,00	Seda Barna	0,729	=	0,00
Duro Felguera	4,910	0,41	0,20	Service Point Solution	0,071	=	-24,47
Edreams Odigeo	10,500	-1,87		Sniace	0,196	=	0,00
Elecnor	10,410	-1,33	-6,89	Solaria	1,175	-0,42	53,59
Ence	2,075	1,22	-23,85	Sotogrande	3,190	0,63	19,03
Endesa	26,135	0,33	19,89	Tecnocom	1,690	-2,31	39,67
Enel Green Power	2,020	0,05	12,10	Testa Inm.Renta	13,300	0,83	75,93
Ercros	0,480	=	1,05	Tubacex	3,250	-1,22	12,46
Europac	3,970	0,13	3,25	Tubos Reunidos	2,055	-0,48	16,10
Ezentis	1,128	-1,23	-26,75	Uralita	1,240	1,22	4,20
Faes	2,220	2,07	-12,57	Urbas Gr.Financiero	0,033	3,13	32,00
Fergo Aisa	0,017	=	0,00	Vértice 360	0,044	=	-4,35
Fersa	0,620	-1,59	58,97	Vidrala	38,050	0,13	1,63
Fluidra	3,305	3,61	21,51	Vocento	2,340	4,00	54,97
Funespaña	5,950	=	-0,83	Zardoya Otis	12,210	0,74	-7,15
GAM	0,700	1,45	-2,78	Zeltia	2,465	0,61	6,71
General Inversiones	1,720	=	3,61				
Grupo Catalana Occ.	27,660	1,10	6,30				
Grupo Sanjosé	1,220	-1,61	1,67				
Grupo Tavex	0,244	-2,40	6,09				

Zinkia entra en concurso

El juzgado declara su quiebra y designa a un administrador

Madrid

Pocoyó está oficialmente en quiebra. El Juzgado de lo Mercantil número 8 de Madrid ha declarado el concurso de acreedores de su productora, Zinkia, que había presentado la solicitud voluntaria el pasado 26 de febrero, según ha informado a la Comisión Nacional del Mercado de Valores (CNMV).

En el auto, al que ha tenido acceso Europa Press, la productora de Pocoyó ha presentado un inventario de activo declarado por un valor de 83,4 millones de euros y una relación de acreedores declarada por un total de pasivo que asciende a 13,5 millones.

La compañía, que presentó el concurso tras no lograr alcanzar un acuerdo con sus acreedores para refinanciar su deuda, también ha comunicado que la sociedad Attest Integra ha sido designada tanto por la CNMV como por el propio juzgado para que se convierta en el administrador concursal del proceso.

Zinkia ha subrayado que el procedimiento concursal se presentó «con el objeto de lograr la viabilidad y continuidad del negocio de la sociedad» y ha reiterado que están trabajando en diversas alternativas.

La productora de Pocoyó elevó la semana pasada de nuevo la desviación presupuestaria para la cifra de negocio de 2013 al estimar una reducción de los ingresos del 45%.

EMPRESAS

Hispania compra el Hotel Guadalmina

Hispania ha comprado el Hotel Guadalmina de Marbella (Málaga) por 21,5 millones de euros, en la primera operación de la sociedad inmobiliaria cotizada y participada por George Soros. La compañía enmarca la operación en su estrategia de invertir en activos de alta calidad en los que haya un claro potencial de creación de valor a través de un plan de inversión y gestión. Hispania ha costeado con fondos propios esta adquisición que ha supuesto la compra a una entidad financiera de la deuda del hotel, hasta ahora era propiedad de un grupo familiar. / E.P.

Estación hidráulica de Iberdrola en Rusia

Iberdrola Ingeniería ha empezado a construir la subestación de Votkinskaya, su primer gran proyecto en el negocio de las redes de transmisión de energía eléctrica en Rusia, tras adjudicarse un contrato por valor de 32 millones de euros por parte de RusHydro, la segunda mayor hidroeléctrica del mundo. / E.P.

El beneficio bruto de Pascual sube un 7%

Corporación Pascual elevó un 7% su beneficio bruto de explotación (Ebitda) recurrente en 2013, hasta los 68 millones. Cerró el ejercicio con una facturación de 731 millones, lo que supone un 2% respecto a 2012. / E.P.

Credit Suisse reduce sus ganancias un 34%

El banco suizo Credit Suisse ha logrado un beneficio neto atribuido de 859 millones de francos suizos (706 millones de euros) al cierre del primer trimestre de 2014, un 34% menos que el año anterior. / E.P.

Qatar incrementa su parte en Colonial

El fondo soberano de Qatar ha duplicado su apuesta por la inmobiliaria Colonial, al elevar su participación del 3,78% al 8,78%. / E.P.

12. El Mundo   **Numeración para la muestra: 24**

Jueves 17 de abril del 2014

Hispania compra el Hotel Guadalmina

Hispania ha comprado el Hotel Guadalmina de Marbella (Málaga) por 21,5 millones de euros, en la primera operación de la sociedad inmobiliaria cotizada y participada por George Soros. La compañía enmarca la operación en su estrategia de invertir en activos de alta calidad en los que haya un claro potencial de creación de valor a través de un plan de inversión y gestión. Hispania ha costeado con fondos propios esta adquisición que ha supuesto la compra a una entidad financiera de la deuda del hotel, hasta ahora era propiedad de un grupo familiar. / E. P.

FICHA del breve en el diario

Número de página: 33
Sección: bolsa
Subsección: empresas
Número de breves de la subsección: cinco
Ladillo: no
Número de líneas del titular: dos
Número de líneas del cuerpo: 16
Fotografía: no
Firma: E. P. (Europa Press)

Despacho de agencia publicado por Europa Press (www.europapress.es), el 16 de abril del 2014:

Hispania compra el Hotel Guadalmina de Marbella por 21,5 millones de euros

Hispania ha comprado el Hotel Guadalmina de Marbella (Málaga) por un importe de 21,5 millones de euros, en lo que constituye la primera operación la sociedad inmobiliaria cotizada y participada por George Soros.

La compañía enmarca la operación en su estrategia de invertir en activos de alta calidad en los que exista un claro potencial de creación de valor a través de un plan de inversión y gestión. Hispania ha costeado con fondos propios esta primera adquisición. El hotel se ha adquirido al grupo familiar que hasta ahora era propietaria en una operación que ha sido precedida por la compra a una entidad financiera de la deuda que recaía sobre el activo.

La sociedad prevé abordar ahora en el hotel un "importante" plan de inversión con el fin de "reposicionarlo como uno de los hoteles más singulares y atractivos de Marbella, y uno de los destinos turísticos más prestigiosos y consolidados de Europa".

Hispania destacó además su apueta por la zona de la Costa del Sol un área en la que pretende seguir invirtiendo.

La sociedad cotizada considera que el Hotel Guadalmina constituye un "activo único". Con categoría de cuatro estrellas y en primera línea de playa, cuenta con una superficie de 22.537 metros cuadrados de superficie y 178 habitaciones.

En la actualidad, está gestionado por un grupo hotelero independiente a través de un contrato de alquiler que finaliza en marzo de 2015.

La cofundadora de Azora y consejera de Hispania, Concha Osacar, ha destacado la "ventaja competitiva" que supone para su compañía poder acceder a este tipo de activos, "de alta calidad", en operaciones fuera de mercado.

Azora es el grupo promotor de Hispania, a quien ha concedido exclusividad para todo su flujo de oportunidades de inversión en España, salvo las referidas a residencias de estudiantes.

Azora ya cuenta con experiencia en la gestión de hoteles a través de su equipo hotelero, que gestiona un fondo propietario de diez hoteles en Europa y Estados Unidos.

Hispania, que debutó en Bolsa el pasado 14 de marzo, tiene como objetivo aprovechar oportunidades de inversión en el sector inmobiliario español, especialmente en los sectores residencial, hotelero y de oficinas. Entre sus inversores iniciales, además de Quantum (Soros), se encuentran Paulson & Inc, Moore Capital, Canepa, Cohen & Steers y APG.

Hispania subió un 1,18% en los primeros compases de la sesión de este miércoles de la Bolsa de Madrid, donde sus títulos se intercambiaban a 10,290 euros.

FICHA del despacho de agencia en la web

Enlace de la web en la que se encuentra: <http://www.europapress.
es/economia/noticia-economia-empresas-ampl-hispania-compra-ho-
tel-guadalmina-marbella-215-millones-euros-20140416113647.html>
Pestaña: economía
Subpestaña: empresas
Antetítulo: no
Título: "Hispania compra el Hotel Guadalmina de Marbella por 21,5
millones de euros"
Subtítulo: no
Número de caracteres (con espacio) del titular: 74
Número de caracteres (con espacio) del cuerpo de la nota: 2.490
Fotografía: sí
Firma: sin especificar (Europa Press)
Lugar de la firma: Madrid
Otros (documentos adjuntos, etcétera): no

Nota de prensa original, publicada por la inmobiliaria Hispania (www.hispania. es), el 16 de abril del 2014:

Hispania adquiere el Hotel Guadalmina

Hispania Activos Inmobiliarios, S.A. junto con otra sociedad de su grupo, (en adelante "Hispania") ha adquirido, en una operación fuera de mercado, el Hotel Guadalmina SPA & Golf Resort en Marbella, España, por un importe total de €21,5 millones pagados íntegramente con fondos propios de Hispania.

La adquisición se ha efectuado al grupo familiar propietario y ha sido precedida por la compra, a una entidad financiera, de la deuda hipotecaria que recaía sobre el hotel.

El Hotel Guadalmina SPA & Golf Resort (en adelante, "Hotel Guadalmina") es un activo único, en primera línea de playa con acceso directo a uno de los mejores campos de golf de la zona, situado en una de las localizaciones más exclusivas de Marbella. Con su calificación actual de cuatro estrellas, el hotel ofrece 178 habitaciones más toda una serie de instalaciones y servicios. El Hotel Guadalmina se encuentra en la actualidad gestionado por un grupo hotelero independiente a través de un contrato de alquiler que termina en marzo de 2015.

La estrategia de Hispania para el Hotel Guadalmina contempla un importante plan de inversión para su reposicionamiento como uno de los hoteles más singulares y atractivos de Marbella, uno de los destinos turísticos más prestigiosos y consolidados de Europa.

"Esta primera adquisición de Hispania responde a nuestra estrategia de invertir en activos de alta calidad en los que exista además un claro potencial de creación de valor a través de un plan de inversión y de gestión que permita el reposicionamiento del activo en el mercado. La Costa del Sol y en concreto Marbella, es una zona por la que apostamos desde Hispania y en la que pretendemos continuar invirtiendo. Asimismo esta operación confirma nuestra ventaja competitiva que supone acceder a activos de calidad a través de posiciones de deuda y en operaciones fuera de mercado" comenta Concha Osacar, Consejera de Hispania y co-fundadora de Azora, gestor de Hispania.

Azora cuenta con una amplia experiencia en la inversión, reposicionamiento y gestión de hoteles a través de su equipo hotelero, que gestiona, entre otros, Carey Value Added, un fondo propietario de 10 hoteles en Europa y EEUU.

Sobre Hispania

Hispania es una sociedad de nueva creación que debutó en las Bolsas españolas el 14 de marzo de 2014 y que cuenta con un capital inicial de €550 millones. Hispania nace con el objetivo de aprovechar oportunidades de inversión en el sector inmobiliario español y crear un patrimonio de alta calidad, principalmente en los sectores residencial, hotelero y de oficinas.

Entre los inversores iniciales de Hispania que han hecho público su apoyo y participación en su salida a bolsa, se encuentran Quantum Strategic Partners, Paulson & C Inc, Moore capital, Canepa, Cohen & Steers y APG

En línea con las mejores prácticas de gobierno corporativo, el Consejo de Administración de Hispania, presidido por Rafael Miranda, está compuesto en su mayoría por consejeros independientes.

Azora gestiona externamente Hispania a quien ha concedido exclusividad para todo su flujo de oportunidades de inversión en España, excepto para las referidas a alojamientos para estudiantes.

Sobre Azora

Grupo Azora (en adelante "Azora") es una gestora independiente, líder en España, que comenzó su actividad en 2004 y que en la actualidad gestiona activos con una valor superior a los €3.000 millones. Azora gestiona Hispania a través de su filial Azora Gestión S.G.I.I.C., S.A., sociedad regulada por la CNMV.

Su plataforma, una de las más importantes en España, cuenta con cerca de 300 profesionales con gran experiencia en todo el espectro del ciclo inmobiliario, incluyendo la originación, estructuración e inversión, nuevos desarrollos y reposicionamientos, gestión integral, alquiler y venta de activos individuales o carteras. Azora está especializada en cuatro tipologías de activos: residencial, hoteles, oficinas y alojamientos para estudiantes. Azora gestiona en la actualidad la mayor cartera de residencial en alquiler en España aproximadamente 10,300 viviendas.

Dentro de los inversores que han confiado su capital a Azora en el pasado, se encuentran los principales grupos financieros españoles, las mayores gestoras institucionales españolas, family offices y grupos internacionales.

FICHA de la nota de prensa en la web

Enlace de la web en la que se encuentra: <http://www.hispania.es/wp-content/uploads/2014/03/Hispania-adquiere-el-Hotel-Guadalmina.pdf>

Pestaña: --
Subpestaña: --
Antetítulo: no
Título: "Hispania adquiere el Hotel Guadalmina"
Subtítulo: no
Número de caracteres (con espacio) del titular: 37
Número de caracteres (con espacio) del cuerpo de la nota: 4.247
Fotografía: no
Firma: sin especificar
Lugar de la firma: Madrid
Otros (documentos adjuntos, etcétera): no

PANORAMA

Acciona inaugura su proyecto en Australia tras invertir 200 millones

▶ Acciona ha puesto en servicio su segundo gran proyecto de instalaciones de agua en Australia, la potabilizadora de Mundaring, la primera construida en el país mediante colaboración con el capital privado y que ha supuesto una inversión de 200 millones de euros. La compañía refuerza de esta forma su negocio en Australia, en el que está presente con sus tres áreas de negocio. En materia de infraestructuras de agua, Acciona construyó y puso en servicio a finales del 2012 una desalinizadora en Adelaida, en el Estado de Australia Meridional. / Ep

España, segundo destino de los fondos para invertir en ladrillo

▶ España es el segundo país con las mejores oportunidades para invertir en el sector inmobiliario por detrás de Alemania, según un informe de la consultora KPMG difundido ayer sobre las previsiones de inversión en inmobiliario para este ejercicio. El informe, basado en opiniones de directivos de medio centenar de fondos, sitúa a Alemania como el destino más interesante para invertir, citado por el 71% de los encuestados. Por detrás España, citado por el 45%; Reino Unido, con un 42%; Francia, con un 29%, y Estados Unidos, con un 29%. / Efe

Cristóbal Montoro y Luisa Fernanda Rudi, presidenta del PP de Aragón, ayer en Zaragoza   JAVIER BELVER / EFE

La rebaja impositiva afectará "a todos"

▶ El ministro de Hacienda, Cristóbal Montoro, aseguró ayer que la bajada de impuestos prevista para el 1 de enero del 2015 y que afectará "a todos" no se va a compensar con ninguna otra subida, porque el escenario económico "ha cambiado" y permitirá efectuarlo. Montoro, que clausuró en Zaragoza la convención del PP regional de Aragón, se refirió a la reforma tributaria y aseguró que España está en disposición de implantar los cambios que el PP le "gustan", en el sentido de bajar los impuestos a "todos", pero más a los que menos capacidad económica tienen. La lucha contra el fraude, que está "funcionando", también es una de las claves a las que se refirió Montoro y que afirma que permitirán una reforma que beneficiará a "todos", más a los que menos tienen, porque es así "la forma de gobernar del PP", dijo. Se refirió a las restricciones de gasto aplicadas por el Gobierno, que, según dijo, "no han afectado a los servicios públicos básicos y fundamentales". También se refirió a los pensionistas, "que no han perdido poder adquisitivo", porque con el PP "son los primeros". / Efe

Los inspectores de la Unión Europea vuelven hoy a Madrid

▶ Los inspectores de la Comisión y del Banco Central Europeo (BCE) regresan hoy a Madrid, en su primera visita tras el fin del rescate bancario el pasado enero, con el fin de evaluar el estado del sector financiero y la situación económica y presupuestaria. En la misión participará también el mecanismo europeo de estabilidad (MEDE), responsable del préstamo de 41.300 millones de euros a la banca, en calidad de observador. La visita de los inspectores "se centrará principalmente en cuestiones relacionadas con el sector financiero". / Ep

Lanzado un satélite de Hispasat que cubrirá el Mundial de Brasil

▶ La presidenta de Hispasat, Elena Pisonero, se felicitó por el lanzamiento y puesta en órbita del satélite Amazonas 4A en Kurú (Guayana francesa) y avanzó que dará cobertura audiovisual al Mundial de fútbol de Brasil de junio. Al cumplirse en el 2014 los 25 años de existencia de la compañía y 13 implantada en Latinoamérica, Pisonero afirmó que este lanzamiento refleja la fortaleza del grupo y el compromiso con la presencia española en la fabricación de satélites. / Efe

---

13. La Vanguardia   **Numeración para la muestra: 25**

Lunes 24 de marzo del 2014

Acciona inaugura su proyecto en Australia tras invertir 200 millones

Acciona ha puesto en servicio su segundo gran proyecto de instalaciones de agua en Australia, la potabilizadora de Mundaring, la primera construida en el país mediante colaboración con el capital privado y que ha supuesto una inversión de 200 millones de euros. La compañía refuerza de esta forma su negocio en Australia, en el que está presente con sus tres áreas de negocio. En materia de infraestructuras de agua, Acciona construyó y puso en servicio a finales del 2012 una desalinizadora en Adelaida, en el Estado de Australia Meridional. / Ep

FICHA del breve en el diario

Número de página: 62
Sección: economía
Subsección: Panorama
Número de breves de la subsección: cinco
Ladillo: no
Número de líneas del titular: tres
Número de líneas del cuerpo: 16
Fotografía: no
Firma: Ep (Europa Press)

Despacho de agencia publicado por Europa Press (www.europapress.es), el 23 de marzo del 2014:

Acciona inaugura su segundo gran proyecto de agua en Australia

Acciona ha puesto en servicio su segundo gran proyecto de instalaciones de agua en Australia, la potabilizadora de Mundaring, la primera construida en el país mediante colaboración con el capital privado y que ha supuesto una inversión de 200 millones de euros.

La compañía que preside José Manuel Entrecanales refuerza de esta forma su negocio en Australia, un país estratégico para el grupo, en el que está presente con sus tres áreas de negocio.

En materia de infraestructuras de Agua, Acciona construyó y puso en servicio a finales de 2012 una desaladora en Adelaida, en el Estado de South Australia.

En cuanto a la potabilizadora de Mundaring, Acciona lidera el consorcio que ha diseñado y construido la planta, y que a partir de ahora se encargará de su operación durante los próximos 35 años.

La planta cuenta con una capacidad inicial para tratar unos 165 millones de litros diarios de agua, si bien su capacidad máxima será de 240 millones de litros diarios, con lo que se convertirá en la fuente principal del agua para 100.000 personas. No obstante, está preparada para atender las exigencias de una población superior en el futuro, según datos del grupo que recoge Europa Press.

La instalación, que ha sido inaugurada por el primer ministro del Estado de Western Australia, Colin Barnett, abastecerá a la red de la empresa pública de distribución Goldfield and Agricultural Water Systems.

El proyecto obtuvo en 2012 el reconocimiento como 'Mejor Contrato del Año' en los premios de 'Global Water Intelligence', una de las principales publicaciones del sector.

AUSTRALIA, PAÍS ESTRATÉGICO.

Con la entrada en servicio de esta planta de tratamiento de agua, Acciona da un paso más en la internacionalización de su negocio y en su expansión por Australia.

La compañía está en el país con sus tres áreas de 'core business' desde que en 2010 entró en el negocio constructor, al hacerse con el contrato de construcción y posterior mantenimiento durante diez años de un túnel de 4,3 kilómetros por un importe de 1.100 millones de euros.

El proyecto supone la construcción en Brisbane, en el Estado de Queensland, del Northern Link, un túnel de dos tubos que unirá la autovía Centenary Motorway con el anillo metropolitano, y se sumó entonces a los que Acciona ya tenía de agua y energías renovables en el país.

FICHA del despacho de agencia en la web

Enlace de la web en la que se encuentra: <http://www.europa-press.es/economia/noticia-economia-empresas-acciona-inaugura-segundo-gran-proyecto-agua-australia-inversion-200-millones-20140323115534.html>

Pestaña: economía

Subpestaña: --

Antetítulo: sí

Título: "Acciona inaugura su segundo gran proyecto de agua en Australia"

Subtítulo: no

Número de caracteres (con espacio) del titular: 62

Número de caracteres (con espacio) del cuerpo de la nota: 2.331

Fotografía: sí

Firma: sin especificar (Europa Press)

Lugar de la firma: Madrid

Otros (documentos adjuntos, etcétera): no

Nota de prensa original, publicada por Acciona (www.acciona.es), el 24 de marzo del 2014:

Inaugurada la potabilizadora de Mundaring (Australia), una de las joyas de ACCIONA en el tratamiento de agua

· Abastecerá a más de 100.000 personas y es un proyecto -de unos 200 millones de euros-, pionero en colaboración público-privada en infraestructuras de agua.

La potabilizadora de agua de Mundaring ha sido inaugurada por el Primer Ministro del Estado de Western Australia, Colin Barnett. Se trata de un proyecto de 300 millones de dólares australianos -unos 200 millones de euros- a cargo del consorcio Helena Water, -integrado por ACCIONA Agua, Trility, una filial de Corporación Mitsubishi y un fondo de inversión de Banco de Lloyds-, que fue seleccionado para diseñar, construir y operar durante 35 años en régimen de concesión la instalación, ubicada en el área de Perth.

La planta abastecerá a la red Goldfield and Agricultural Water System (G&AWS) en el Estado de Western Australia, y se trata del primer proyecto de infraestructura de agua de sus características en régimen de PPP (Public Private Partnership). Su capacidad inicial será de 165 millones de litros diarios, con una capacidad máxima de 240 millones de litros al día y se convertirá en la fuente principal del agua para 100.000 personas, aunque está preparada para atender las exigencias de una población superior en el futuro.

"La red Goldfield and Agricultural Water System (G & AWS) ha estado a la vanguardia de la innovación desde su creación en 1890", afirma François Gouws, Presidente de Helena Water, quien elogió al Gobierno del Estado de Western Australia por su implicación en el proyecto.

En 2012, la planta obtuvo el reconocimiento en la categoría de "Mejor Contrato del Año" en los premios de Global Water Intelligence, la publicación de mayor prestigio internacional en el mercado del agua. Mundaring fue galardonada con una distinción en la categoría "Mejor contrato del año" como reconocimiento a su contribución al avance de los modelos de financiación público-privada (PPP) en el sector del agua a nivel internacional. Es el primer proyecto de ACCIONA en dicho Estado, lo que marcó un nuevo hito en la consolidación de su presencia en el país.

Este proyecto está consolidando la presencia de ACCIONA Agua en Australia y le permite ampliar su espectro de actividad al tratamiento de aguas. Además de dicha planta, ACCIONA Agua participa en el consorcio AdelaidaAqua que ha construido la desaladora de Adelaida, en South Australia, operativa desde diciembre de 2012.

FICHA de la nota de prensa en la web

Enlace de la web en la que se encuentra: <http://www.acciona.es/ noticias/inauguracion-potabilizadora-mundaring-australia-tratamiento-agua>
Pestaña: sala de prensa
Subpestaña: noticias
Antetítulo: no
Título: "Inaugurada la potabilizadora de Mundaring (Australia), una de las joyas de ACCIONA en el tratamiento de agua"
Subtítulo: un subtítulo
Número de caracteres (con espacio) del titular: 108
Número de caracteres (con espacio) del cuerpo de la nota: 2.342
Fotografía: sí
Firma: sin especificar
Lugar de la firma: sin especificar
Otros (documentos adjuntos, etcétera): no

BOLSA

	IBEX 35 Madrid	EUROSTOXX 50 París	FTSE 100 Londres	DAX 30 Fráncfort	DOW JONES Nueva York	NASDAQ Nueva York	NIKKEI Tokio	PETRÓLEO Dólares / barril	EURIBOR %	ORO Dólares / onza
Cotización →	9.341,50	2.933,02	6.460,01	8.689,14	15.191,70	3.817,98	14.464,72	107,77	0,5370	1.290,30
En el día →	+1,69%	+1,38%	-0,03%	+1,10%	+0,41%	+1,23%	+0,20%	-0,47%	-0,37%	-2,87%
En el año →	+14,37%	+11,27%	+9,53%	+14,14%	+15,93%	+26,44%	+39,34%	-1,30%	-0,92%	-23,08%

IBEX 35

LAS MAYORES SUBIDAS	%	LAS MAYORES BAJADAS	%
Banco Sabadell	+2,78	Gamesa	-2,12
IAG	+1,64	CaixaBank	-1,76
Técnicas Reunidas	+1,48	Día	-1,70
FCC	+1,31	Sacyr	-1,61
BBVA	+1,16	Bankinter	-1,17
Acciona	+0,99	Jazztel	-1,09
Santander	+0,74	Bankia	-0,99
Telefónica	+0,63	Banco Popular	-0,97

SUBASTAS TESORO

	Tir media
Letras 6 Meses	0,37
Letras 9 Meses	0,47
Letras 12 Meses	0,56
Letras 18 Meses	1,69
Bonos 2.5 Años	4,34
Bonos 2 Años	1,90
Bonos 3 Años	1,02
Bonos 4 Años	5,97

TIPOS OFICIALES

	%
España	0,25
Alemania	0,25
Zona euro	0,25
Reino Unido	0,50
EE.UU.	0,00-0,25
Japón	0,00-0,10
Suiza	0,00-0,25
Canadá	1,00

DIVISAS

	1 euro
Dólares USA	1,382
Yenes japoneses	141,63
Coronas danesas	7,4665
Libras esterlinas	0,823
Coronas suecas	9,069
Francos suizos	1,2203
Coronas noruegas	8,2785
Yuanes chinos	8,6381

CIFRAS ECONÓMICAS

ESPAÑA

IPC	-0,2%	Desempleo	26,03%
PIB	-0,2%	Tipos de interés	0,5%

ZONA EURO

IPC	0,8%	Desempleo	11,9%
PIB	0,5%	Tipos de interés	0,5%

EEUU

IPC	1,6%	Desempleo	6,6%
PIB	2,5%	Tipos de interés	0,25%

■ Sacyr

Último cierre: 4,643 euros ▼-1,610%

4,74
4,68
4,62
4,56

10.00 12.00 14.00 16.00 18.00

FUENTE: Bloomberg.   EL MUNDO

MERCADO CONTINUO

CONTRATACIÓN EN EUROS

IBEX 35

TÍTULO	ÚLTIMA COTIZACIÓN EUROS	VARIACIÓN DIARIA EUROS	%	AYER MÍN.	MÁX.	VARIACIÓN AÑO % ANTERIOR	ACTUAL
Abertis	16,155	-0,065	-0,40	15,990	16,390	45,85	0,03
Acciona	59,170	0,580	0,99	57,910	59,600	-21,20	41,67
ACS	30,940	0,065	0,22	29,620	30,325	41,22	20,06
Amadeus It Holding	30,175	0,115	0,38	29,755	30,275	68,83	-2,99
ArcelorMittal	11,870	=	=	11,785	12,030	2,60	-8,27
B. Popular	5,529	-0,054	-0,97	5,475	5,695	50,85	26,05
B. Sabadell	2,440	0,066	2,78	2,379	2,474	6,68	28,69
B. Santander	7,100	0,052	0,74	7,000	7,137	24,15	9,13
Bankia	1,503	-0,015	-0,99	1,480	1,539	-74,12	21,80
Bankinter	5,727	-0,068	-1,17	5,651	5,885	154,74	14,84
BBVA	9,000	0,103	1,16	8,856	9,065	39,05	0,58
BME	30,155	0,030	0,10	29,910	30,275	63,51	9,02
CaixaBank	4,513	-0,081	-1,76	4,473	4,666	55,65	19,14
Día	6,404	-0,111	-1,70	6,304	6,530	38,25	-1,48
Ebro Foods	16,225	0,045	0,28	16,020	16,335	18,87	-4,75
Enagás	22,620	0,020	0,09	22,440	22,790	25,31	19,08
FCC	16,230	0,210	1,31	15,910	16,545	72,63	0,34
Ferrovial	15,980	-0,010	-0,06	15,775	16,100	31,78	13,62
Gamesa	7,197	-0,156	-2,12	7,160	7,488	356,63	-5,05
Gas Natural	21,700	0,040	0,19	20,395	20,765	49,38	10,78
Grifols	38,250	-0,030	-0,13	37,750	38,555	32,80	10,02
IAG	5,030	0,081	1,64	4,931	5,099	117,00	3,95
Iberdrola	4,967	0,016	0,32	4,901	4,991	22,50	7,16
Inditex	107,650	0,400	0,37	106,500	108,200	15,86	-10,14
Indra	13,900	-0,090	-0,64	13,755	14,090	25,40	14,89
Jazztel PLC	10,470	-0,115	-1,09	10,400	10,700	46,03	34,59
Mapfre	3,070	0,001	0,03	3,026	3,099	40,57	-1,38
Mediaset	8,088	-0,028	-0,34	7,988	8,190	64,81	-3,59
Obrascón H.L.	32,320	-0,125	-0,39	31,980	32,830	37,28	9,76
Red Eléctrica	59,060	0,060	0,10	58,510	59,460	37,93	23,61
Repsol	19,000	0,040	0,21	18,755	19,140	26,18	3,71
Sacyr	4,643	-0,076	-1,61	4,570	4,719	139,43	23,25
Técnicas Reunidas	42,540	0,620	1,48	41,980	42,790	18,87	7,74
Telefónica	12,075	0,075	0,63	11,955	12,095	19,41	2,03
Viscofan	38,135	-0,195	-0,51	37,620	38,565	-0,61	-7,78

RESTO DE VALORES

TÍTULO	ÚLTIMA COTIZACIÓN	DIF. %	RENTA. 2014	TÍTULO	ÚLTIMA COTIZACIÓN	DIF. %	RENTA. 2014
Abengoa	4,074	-1,62	68,35	Hispania Activos Inmob.	10,350	=	
Abengoa B	3,259	-3,15	49,77	Iberpapel	14,470	-1,77	-4,17
Acerinox	12,595	-0,04	36,21	Indo Interna.	0,600	=	0,00
Adolfo Domínguez	5,000	-0,40	-11,66	Inmobiliaria Del Sur	10,810	=	-32,44
Adveo	17,100	-0,29	14,46	Inypsa	0,650	-9,09	-22,62
Airbus (EADS)	50,450	-1,18	-9,43	Lar España	10,195	0,34	
Alba	44,900	0,07	5,65	Liberbank	0,892	3,12	23,89
Almirall	11,430	0,97	-3,46	Lingotes Especiales	3,790	1,07	10,01
Amper	0,800	5,26	-24,53	Martinsa-Fadesa	7,300	=	0,00
Aperam	18,930	3,41	41,27	Melià Hotels Int.	9,130	1,44	-2,20
Atresmedia	11,500	-1,46	-4,33	Miquel y Costas	30,000	1,01	-1,64
Azkoyen	2,705	-2,87	28,81	Montebalito	1,240	=	9,73
Barón de Ley	73,550	3,59	24,66	N. Correa	1,630	0,62	25,87
Bayer Ag.	95,700	-2,00	-6,45	Natra	1,910	-0,26	-13,57
Biosearch	0,725	-2,03	5,07	Natraceutical	0,276	-1,43	-3,83
Bodegas Riojanas	5,010	=	-6,70	NH Hoteles	4,735	-0,84	10,50
C. A. F.	370,550	-0,59	-3,58	Nyesa	0,170	=	0,00
CAM	1,340	=	0,00	Pescanova	5,910	=	0,00
Campofrío	6,900	=	0,00	Prim	6,000	=	4,17
Cem.Portland	7,240	-2,16	30,22	Prisa	0,419	2,20	4,75
Cie Automotive	9,580	2,46	19,75	Prosegur	4,710	0,64	-5,42
Cleop	1,150	=	0,00	Quabit	0,128	-0,78	8,47
Clínica Baviera	11,000	1,38	5,16	Realia Business	1,390	0,36	67,47
Codere	0,810	5,19	17,39	Reno de Medici	0,298	-0,67	12,45
Colonial	0,584	1,57	123,50	Renta Corp.	0,570	=	0,00
C.V.N.E	15,880	=	4,47	Renta 4 Banco	5,740	=	13,66
Deoleo	0,400	=	-14,89	Reyal Urbis	0,124	=	0,00
Dinamia	7,550	1,21	7,86	Rovi	9,610	-0,93	-3,71
Dogi	6,400	=	0,00	Seda Barra	0,729	=	0,00
Duro Felguera	4,980	=	1,63	Service Point Solution	0,071	=	-24,47
Edreams Ódigeo	11,000	2,80		Sniace	0,196	=	0,00
Elecnor	10,410	-0,38	-6,89	Solaria	1,290	-3,37	68,63
Ence	2,130	0,24	-21,83	Sotogrande	3,670	4,86	36,94
Endesa	27,140	0,78	24,50	Tecnocom	1,685	0,90	39,26
Enel Green Power	2,011	-1,18	11,60	Testa Inm.Renta	13,400	3,08	77,25
Ercros	0,478	-0,42	0,63	Tubacex	3,420	-0,87	18,34
Europac	4,010	-0,37	4,29	Tubos Reunidos	2,250	=	27,12
Ezentis	1,094	0,09	-26,96	Uralita	1,220	-2,40	2,52
Faes	2,240	0,22	-11,79	Urbas Gr.Financiero	0,032	-3,03	28,00
Fergo Aisa	0,017	=	0,00	Vértice 360	0,044	=	-4,35
Fersa	0,630	-0,79	61,54	Vidrala	38,120	-0,96	1,82
Fluidra	3,385	-1,60	24,45	Vocento	2,330	2,87	54,30
Funespaña	5,950	=	-0,83	Zardoya Otis	12,740	1,19	-3,12
GAM	0,730	-1,35	1,39	Zeltia	2,640	-1,12	14,29
General Inversiones	1,720	=	3,61				
Grupo Catalana Occ.	26,560	0,39	9,76				
Grupo Sanjosé	1,250	1,63	4,17				
Grupo Tavex	0,248	-0,80	7,83				

EMPRESAS

El BCE estudia «todas las medidas posibles»

El vicepresidente del Banco Central Europeo (BCE), Vítor Constancio, reconoció ayer que la política monetaria es «menos eficaz» en un escenario de tipos de interés muy bajos. Durante una conferencia organizada por el Máster en Banca y Regulación Financiera de la Universidad de Navarra, reiteró que la institución está estudiando «todas las medidas posibles» que pueda utilizar en caso de que la evolución de los precios en la eurozona así lo justifique. / E.P.

Argentina aprueba el acuerdo con Repsol

El Parlamento argentino aprobó ayer el acuerdo de compensación sellado con Repsol por la expropiación del 51% de las acciones de YPF, tras un largo y tenso debate en el que la oposición cargó con dureza contra el Gobierno de Cristina Fernández. La iniciativa recibió la luz verde del Congreso por 135 votos a favor del gobernante Frente para la Victoria y sus aliados, 59 en contra y 42 abstenciones. / EFE

Nuevo fondo de Mutua Madrileña

Mutuactivos, la gestora de fondos de Mutua Madrileña, ha lanzado al mercado Mutuafondo Dólar. El nuevo fondo de renta fija internacional invierte su patrimonio en una cartera diversificada de deuda pública y privada a corto plazo denominada en dólares (con una duración no superior a los dos años). / E.M.

Orange lanza sus tarifas 'flexibles'

Orange ha lanzado un nuevo concepto «innovador» que permite a los clientes añadir a las tarifas estándar nuevos servicios adicionales, como megas, *roaming*, una segunda SIM, llamadas ilimitadas o SMS ilimitados por un euro cada «extra» añadido, según informó ayer la compañía. / E.P.

Espaldarazo a Sacyr

El grupo financia 416 millones de euros en los mercados

Madrid

Sacyr destinará 416 millones de euros a impulsar sus negocios de concesiones de infraestructuras y construcción industrial. El grupo de servicios ha captado estos recursos en el mercado con una ampliación de capital y una emisión de bonos que ha cerrado de forma simultánea.

Sacyr se incorpora así a la lista de grandes compañías del Ibex como Santander, BBVA, Telefónica e Iberdrola que pasan página a las dificultades para captar financiación en los mercados. Hace un año, las dudas sobre la solvencia de la economía española hacían que la situación fuera la contraria. El presidente de la compañía, Manuel Manrique, subrayó que los fondos captados demuestran la confianza de los mercados financieros en los planes de desarrollo del grupo. La ampliación de capital ha supuesto la colocación de 36,29 millones de nuevas acciones por 166,24 millones de euros entre inversores institucionales. Por su parte, la emisión de bonos convertibles quedó finalmente fijada en un importe de 250 millones de euros.

Los bonos tendrán un plazo de vencimiento de cinco años y un tipo de interés del 4%. Su conversión en acciones quedó establecido en 5,725 euros por acción, lo que supone una prima del 25% sobre el precio de la suscripción de la ampliación, que se fijó en 4,58 euros por título.

13. El Mundo   **Numeración para la muestra: 26**

Viernes 25 de abril del 2014

Nuevo fondo de Mutua Madrileña

Mutuactivos, la gestora de fondos de Mutua Madrileña, ha lanzado al mercado Mutuafondo Dólar. El nuevo fondo de renta fija internacional invierte su patrimonio en una cartera diversificada de deuda pública y privada a corto plazo denominada en dólares (con una duración no superior a los dos años). / E. M.

FICHA del breve en el diario

Número de página: 36
Sección: bolsa
Subsección: empresas
Número de breves de la subsección: cuatro
Ladillo: no
Número de líneas del titular: dos
Número de líneas del cuerpo: nueve
Fotografía: no
Firma: E. M. (EL MUNDO)

Nota de prensa original publicada por Mutua Madrileña (www.grupomutua. es), el 24 de abril del 2014:

MUTUACTIVOS LANZA UN NUEVO FONDO DE INVERSIÓN EN DÓLARES PARA APROVECHAR EL POTENCIAL DE LA DIVISA AMERICANA

Mutuactivos, la gestora de fondos de Mutua Madrileña, acaba de lanzar al mercado Mutuafondo Dólar. El nuevo fondo de renta fija internacional invierte su patrimonio en una cartera diversificada de deuda pública y privada a corto plazo denominada en dólares (con una duración no superior a los dos años). Todos los activos tendrán una calificación de "investment grade" (AAA–BBB).

Los gestores de Mutuactivos consideran que estamos ante un momento idóneo para lanzar un fondo que apueste por el dólar, dada la infravaloración de la moneda frente al euro. Eduardo Roque, director de renta fija de Mutuactivos, señala que "desde el punto de vista fundamental, el dólar debería estar más fuerte frente al euro".

En su opinión, los bancos centrales fomentarán a partir de ahora una mayor apreciación de la divisa americana frente a la europea por varios motivos. "En primer lugar, desde principios de 2014 la Reserva Federal está expandiendo su balance a un ritmo más reducido y dejará de hacerlo, si los datos acompañan, en octubre. En Europa, sin embargo, el Banco Central Europeo tiene una gran presión para hacer nuevas medidas de política monetaria expansiva por el riesgo de deflación y el débil crecimiento. Además, un euro a 1,40 dólares, como cotiza en la actualidad, incomoda al BCE ya que pone en riesgo su objetivo de inflación del 2% (actualmente, en el 0,5%)", comenta Roque.

Desde la gestora estiman, además, que el mayor crecimiento y potencial de la economía estadounidense invita a pensar en una revalorización futura de su moneda. Para este año, la estimación de PIB americano alcanza el 2,7%, lo que contrasta con el 1,1% previsto para la eurozona.

Perfil de riesgo medio

Mutuafondo Dólar está dirigido a inversores de perfil de riesgo medio que deseen diversificar su cartera y aprovecharse del potencial que presenta el dólar, cuya exposición en el fondo estará en torno al 90-100%. El horizonte temporal mínimo recomendado para mantener la inversión en el producto es de un año.

El fondo se puede contratar en las oficinas de Mutua Madrileña, por teléfono (902 555 999) o a través de internet (www.mutua.es) con una inversión mínima de 10 euros.

Sobre Mutuactivos

Mutuactivos, la gestora de fondos de inversión y planes de pensiones de Mutua Madrileña, es una de las mayores gestoras independiente de grupos financieros de España y una de las referencias del sector. A cierre de marzo de 2014 contaba con un patrimonio de 3.614 millones de euros en fondos de inversión, un 12% más que a cierre del ejercicio anterior.

FICHA de la nota de prensa en la web

Enlace de la web en la que se encuentra: <http://www.grupomutua.
es/salaprensa/detalle&cid=1181568738243>
Pestaña: sala de prensa
Subpestaña: noticias
Antetítulo: no
Título: "Mutuactivos lanza un nuevo fondo de inversión en dólares
para aprovechar el potencial de la divisa americana"
Subtítulo: un subtítulo
Número de caracteres (con espacio) del titular: 108
Número de caracteres (con espacio) del cuerpo de la nota: 2.528
Fotografía: no
Firma: sin especificar
Lugar de la firma: Madrid
Otros (documentos adjuntos, etcétera): no

MERCADOS

El triunfo póstumo de Cádiz sobre Napoléon

ANÁLISIS

José Manuel Garayoa

Gran polémica ayer en la bolsa, que anotaba un alza del 0,11% del Ibex, y lo curioso es que no era por el Cholo, los penaltis y otros robos habituales.

Era por el BCE y la inflación europea, de un 0,5% en marzo. Para algunos, esa tasa debía obligar a Draghi a actuar. Pero otros escucharon a Weidmann, presidente del Bundesbank, para quien la clave no es que la inflación esté en ese nivel sino que se mantenga hasta que afecte a todo el sector productivo, y sea así más competitivo. O sea, una segunda vuelta, que al criticar el FMI en plan Keynes/Yellen, seguro 100% que mantiene el BCE.

El Ibex estaba además feliz porque Francia va a estar gobernada por españoles, Manuel Valls de primer ministro, y la gaditana Hidalgo de alcaldesa de París. Será el triunfo póstumo de Cádiz sobre Napoléon. Acerinox, que traslada su sede allí, y una prima en mínimos fueron a la Caleta.

Repsol inicia una producción clave en Perú

■ Repsol ha comenzado la producción de gas en el campo Kinteroni, en Perú, que producirá 20.000 barriles equivalentes de petróleo al día, cifra que espera duplicar en el 2016. Repsol es el operador del proyecto, con una participación del 53,84%, junto a Petrobras (46,16%). El de Perú es uno de los diez proyectos clave a nivel global del plan estratégico 2012-2016. / EP

Huawei gana 2.454 millones en el 2013

■ El fabricante de tecnología chino Huawei obtuvo en el 2013 un beneficio neto de 2.454 millones de euros, un 34,4% más respecto al año anterior. Las ventas crecieron un 8,5% hasta los 27.937 millones de euros (el 35% en China), con una mejora del 4,2% en la región Asia Pacífico y un 9,4% en Europa, Oriente Medio y África. / EP

Mutua Madrileña eleva un 3,6% su beneficio

■ El grupo Mutua Madrileña cerró el 2013 con un beneficio de 196 millones de euros, un 3,6% más que el 2012. En los seguros de No vida, los ingresos por primas crecieron un 3,4%, hasta los 3.677,2 millones de euros, mientras que en Vida aumentaron un 122,9%, hasta 195,6 millones. / EP

OHL se adjudica un contrato en México

■ OHL se ha adjudicado el contrato de obras de construcción y explotación durante 30 años de una autopista en el estado de México por 520 millones de euros. La empresa inciará las obras antes del 30 de abril y concluirán en el 2016. Actualmente, OHL construye o administra en México seis autopistas de peaje y un aeropuerto. /Agencias

FCC vende su filial de logística

■ El grupo de infraestructuras y servicios FCC ha vendido su división logística a Corpfin Capital por 32 millones de euros. Esta operación, enmarcada en el plan de ajuste de hasta 2.200 millones que puso en marcha hace un año para volver a beneficios, permitirá al grupo restar 27 millones de euros de deuda financiera. / EP

Alstom construirá en Iraq por 400 millones

■ El grupo francés Alstom se ha hecho con un contrato de 400 millones de euros para construir una central de gas en Iraq. Se encargará de la ingeniería, construcción y puesta en servicio de la central, fabricando las turbinas en Mannheim, Alemania, con apoyo técnico en Suiza. / Efe

Florette obtiene 125 millones en ventas

■ Florette Ibérica, especializada en vegetales listos para el consumo, cerró el 2013 con una facturación de 125 millones de euros. Las ventas se sustentan en nuevos productos lanzados en los últimos tres años, que suponen el 25%. En el 2014 la empresa prevé un crecimiento del 3%. / EP

Índices

	ACTUAL	VARIACIÓN DÍA %	AÑO %
ESPAÑA			
IBEX 35	10.340,50	0,11	4,27
LATIBEX	1.960,30	0,83	-5,60
IND. G. MADRID	1.056,06	0,07	4,36
BCN MIDSO	19.110,20	0,14	15,51
BCN GLOBAL 100	865,81	0,40	7,00
BCN I. ALIM. AGR.	820,19	-1,17	-5,03
BCN I. BANCOS	1.369,75	0,99	9,82
BCN I. CEM. CON.	1.536,10	1,28	21,70
BCN I. COM. FI.	413,33	-0,17	0,21
BCN I. ELECTRIC.	951,58	-0,29	14,18
BCN I. QUÍMICAS	901,57	-0,37	3,16

	ACTUAL	VARIACIÓN DÍA %	AÑO %
BCN I. SERV. VAR.	2.012,12	0,22	2,54
BCN I. SID. MINER.	368,96	0,36	1,02
BCN I. TEXT. PAP.	998,67	-0,97	-9,05
EUROPA			
EURO STOXX 50	3.161,60	-0,34	1,69
PARIS CAC40	4.391,50	-0,45	2,22
FRANKFURT DAX X	9.555,91	-0,33	0,04
MILAN MIBTEL	23.142,60	0,99	14,55
AMSTERDAM AEX	403,21	0,35	0,35
LISBOA BVL30	7.607,55	0,43	15,99
HELSINKI HEX	7.351,47	0,59	0,20
VIENA ATX	2.523,82	1,69	-0,89

	ACTUAL	VARIACIÓN DÍA %	AÑO %
BRUSELAS B20	3.129,94	0,27	7,05
LONDRES FTSE	6.598,37	-0,26	-2,23
ZURICH SMI	8.453,82	0,96	3,06
AMÉRICA			
NEW YORK DJ	16.457,66	0,82	-0,72
NASDAQ	4.198,99	1,04	0,54
S & P 500	1.872,34	0,79	1,30
TORONTO TSE300	14.335,30	0,52	5,24
BRASIL BOVESPA	50.295,40	1,06	-2,35
ASIA			
TOKIO NIKKEI	14.827,80	0,90	-8,98
HONG KONG HS	22.151,00	0,39	-4,96

Prima de riesgo

| ESPAÑA | 166 | -2 | ITALIA | 172 | -3 | FRANCIA | 51 | = | BÉLGICA | 65 | +1 |

Ibex 35. Evolución en el año.
Ibex 35 recoge los 35 valores de mayor capitalización en la bolsa española. Base 3.000 a 31 de diciembre de 1989

Evolución en el día.
Volumen de contratación al contado: 3.507,94 millones de euros

Mayores alzas

	%	CIERRE
URALITA	7,69	1,26
QUABIT	7,69	0,14
REALIA	5,13	1,23
LIBERBANK	4,65	0,90
SAN JOSÉ	4,13	1,26
SACYR	3,88	4,82
BIOSEARCH	3,85	0,81
NATRA	3,66	1,98

Mayores bajas

	%	CIERRE
TESTA INM.	-5,43	12,20
INYPSA	-4,76	0,80
CODERE	-4,40	0,87
ANTENA 3 TV	-4,28	11,17
VOCENTO	-4,18	2,52
MIQUEL COSTAS	-3,23	30,00
RENO MEDICI	-3,03	0,32
CATALANA OCC.	-2,74	29,49

Más negociados

	N°. DE TÍTULOS	EFECTIVO
SAN	73.862.674	511,1
IBERDROLA	62.961.427	319,6
BBVA	24.660.606	216,2
TELEFÓNICA	14.355.817	165,2
REPSOL	6.857.597	127,4
POPULAR	19.775.300	108,4
CAIXABANK	20.108.753	93,2
INDITEX	803.999	87,9

Mercado continuo

EN NEGRITA LOS VALORES PERTENECIENTES AL IBEX 35   Cotizaciones actualizadas cada veinte minutos en http://www.lavanguardia.com/economia

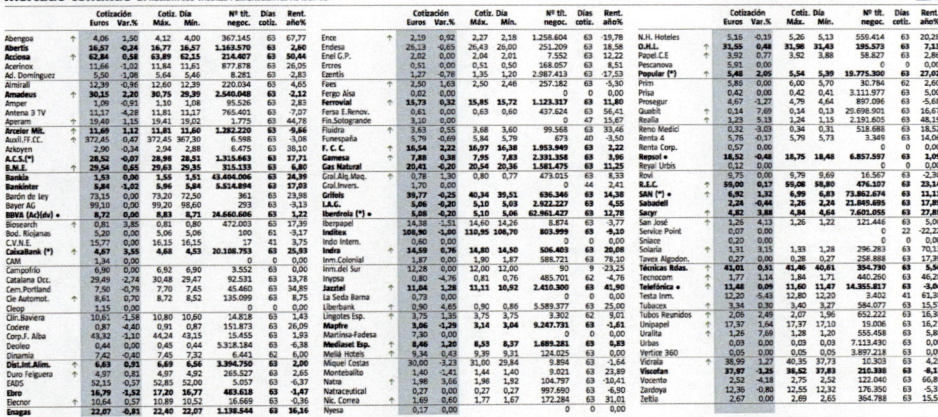

● Valor perteneciente al índice EURO STOXX 50   (**) Ha ampliado capital durante el año   (Ac) Ampliación de capital   (c.s.) Cotización suspendida   (Ad) Pago dividendo   Para el cálculo de la rentabilidad se han incorporado los dividendos percibidos durante este año, y la cotización, si procede, se ha ajustado cuando la sociedad ha realizado ampliación de capital

14. La Vanguardia   **Numeración para la muestra: 27**

Martes 1 de abril del 2014

Repsol inicia una producción clave en Perú

Repsol ha comenzado la producción de gas en el campo Kinteroni, en Perú, que producirá 20.000 barriles equivalentes de petróleo al día, cifra que espera duplicar en el 2016. Repsol es el operador del proyecto, con una participación del 53,84%, junto a Petrobras (46,16%). El de Perú es uno de los diez proyectos clave a nivel global del plan estratégico 2012-2016. / EP

FICHA del breve en el diario

Número de página: 58
Sección: economía
Subsección: Mercados
Número de breves de la subsección: siete
Ladillo: no
Número de líneas del titular: una
Número de líneas del cuerpo: siete
Fotografía: no
Firma: EP (Europa Press)

Despacho de agencia publicado por Europa Press (www.europapress.es), el 31 de marzo del 2014:

<u>Repsol inicia producción de gas del campo Kinteroni (Perú), con unos 20.000 barriles equivalentes de petróleo</u>

Repsol ha comenzado la producción de gas en el campo Kinteroni, en Perú, uno de los diez proyectos clave del Plan Estratégico de la compañía para el periodo 2012-2016 y que producirá inicialmente cerca de 20.000 barriles equivalentes de petróleo al día, que se espera duplicar en 2016, informó la compañía.

La petrolera presidida por Antonio Brufau es el operador del proyecto, con una participación del 53,84%, que comparte con la compañía brasileña Petrobras (46,16%).

El campo Kinteroni, que se localiza en el Bloque 57 -una de las zonas gasíferas más prolíficas a nivel exploratorio de Perú-, fue descubierto en 2008, año en el que fue uno de los cinco descubrimientos más importantes del mundo. Repsol realizó en 2012 otro gran hallazgo en esta zona, denominado Sagari.

Las estimaciones preliminares, en todo el bloque, apuntan a unos recursos de entre 2 y 3 TCF (trillones de pies cúbicos) de gas. Con la puesta en marcha de Kinteroni, Repsol ha iniciado la producción en siete de los diez proyectos clave de crecimiento contemplados en su Plan Estratégico 2012-2016: Sapinhoa (Brasil), Midcontinent (EE.UU.), AROG (Rusia), Margarita-Huacaya (Bolivia), Lubina y Montanazo (España), Carabobo (Venezuela) y el citado Kinteroni (Perú).

La entrada en producción de estos proyectos ha permitido al grupo incrementar notablemente su producción desde 2011, a una tasa media del 7%, hasta alcanzar en 2013 los 346.000 barriles al día, al tiempo que la tasa de reemplazo de reservas alcanzaba el pasado ejercicio un nivel récord del 275% [*"beneficio récord"*, ver Anexo IV].

FICHA del despacho de agencia en la web

Enlace de la web en la que se encuentra: <http://www.europapress.es/economia/noticia-economia-repsol-inicia-produccion-gas-campo-kinteroni-peru-20000-barriles-equivalentes-petroleo-20140331170452.html>

Pestaña: economía

Subpestaña: --

Antetítulo: sí

Título: "Repsol inicia producción de gas del campo Kinteroni (Perú), con unos 20.000 barriles equivalentes de petróleo"

Subtítulo: no

Número de caracteres (con espacio) del titular: 109

Número de caracteres (con espacio) del cuerpo de la nota: 1.543

Fotografía: no

Firma: sin especificar (Europa Press)

Lugar de la firma: Madrid

Otros (documentos adjuntos, etcétera): no

Nota de prensa original, publicada por Repsol (www.repsol.com), el 31 de marzo del 2014:

Situado en una de las zonas con mayor potencial gasífero de Perú
Repsol comienza la producción de gas del campo Kinteroni en Perú
· Kinteroni producirá inicialmente cerca de 20.000 barriles equivalentes de petróleo al día, que se espera duplicar en el año 2016. Repsol es el operador del bloque que comparte con Petrobras.
· El campo Kinteroni fue descubierto en 2008, año en el que fue uno de los 5 descubrimientos más importantes del mundo. Se ubica en el Bloque 57, donde Repsol ha descubierto otro gran campo denominado Sagari. Las estimaciones preliminares, en todo el bloque, apuntan a unos recursos de entre 2 y 3 TCF (trillones de pies cúbicos) de gas.
· El Bloque 57 está localizado al este de la Cordillera de los Andes, una de las zonas gasíferas más prolíficas de Perú.
· Con la puesta en marcha de Kinteroni, Repsol cumple con otro de sus objetivos estratégicos. La compañía ha iniciado la producción en siete de los diez proyectos clave de crecimiento contemplados en su Plan Estratégico 2012-2016.
· Gracias a estos proyectos la compañía ha aumentado notablemente su producción desde 2011, a una media del 7% anual, hasta alcanzar en 2013 los 346 mil barriles al día, al tiempo que incrementaba en ese mismo ejercicio su tasa de reemplazo de reservas hasta un nivel récord del 275% ["beneficio récord", ver Anexo IV].
Repsol ha comenzado la producción de gas en el campo Kinteroni, en Perú, uno de los diez proyectos clave del Plan Estratégico de la compañía para el periodo 2012-2016. El campo, situado en el departamento de Cuzco al este de Lima, Perú, producirá inicialmente cerca de 20.000 barriles equivalentes de petróleo al día, que se espera duplicar en el año 2016.
Repsol es el operador del proyecto con una participación del 53,84% que comparte con la compañía brasileña Petrobras (46,16%). El Bloque 57 cuenta con un gran potencial exploratorio adicional.
Kinteroni se localiza en el Bloque 57, al este de la Cordillera de los Andes, una de las zonas gasíferas más prolíficas a nivel exploratorio de Perú. Repsol realizó en 2012 otro gran hallazgo en esta zona, denominado Sagari. Las estimaciones preliminares, en todo el bloque, apuntan a unos recursos de entre 2 y 3 TCF (trillones de pies cúbicos) de gas.
Con la puesta en marcha de Kinteroni, uno de los cinco mayores descubrimientos del mundo en 2008, Repsol ha iniciado la producción en siete de los diez proyectos clave de crecimiento contemplados en su Plan Estratégico 2012-2016: Sapinhoa (Brasil), Midcontinent (EE.UU.), AROG (Rusia), Margarita-Huacaya (Bolivia), Lubina y Montanazo (España), Carabobo (Venezuela) y el citado Kinteroni (Perú).
Gracias a la entrada en producción de estos proyectos, la compañía ha incrementado notablemente su producción desde 2011, a una tasa media del 7%, hasta alcanzar los 346 mil barriles al día de 2013, al tiempo que la tasa de reemplazo alcanzaba el pasado ejercicio un nivel récord del 275%.
Repsol en Perú
Repsol es uno de los principales operadores energéticos de Perú, donde cuenta con derechos sobre seis bloques mineros, tres en etapa de exploración y tres en producción. Además, la compañía opera la Pampilla, principal refinería de petróleo en el país, posee más de 300 estaciones de servicio y participa en el mercado de lubricantes, combustible de aviación y asfaltos, entre otros.

FICHA de la nota de prensa en la web

Enlace de la web en la que se encuentra: <http://www.repsol.
com/es_es/corporacion/prensa/notas-de-prensa/ultimas-no-
tas/31032014-repsol-comienza-produccion-gas-campo-kinteroni-peru.
aspx>
Pestaña: sala de prensa
Subpestaña: notas de prensa
Antetítulo: sí
Título: "Repsol comienza la producción de gas del campo Kinteroni
en Perú"
Subtítulo: cinco subtítulos
Número de caracteres (con espacio) del titular: 64
Número de caracteres (con espacio) del cuerpo de la nota: 3.149
Fotografía: no
Firma: sin especificar
Lugar de la firma: sin especificar
Otros (documentos adjuntos, etcétera): sí

BOLSA

	IBEX 35 Madrid	EUROSTOXX 50 París	FTSE 100 Londres	DAX 30 Francfort	DOW JONES Nueva York	NASDAQ Nueva York	NIKKEI Tokio	PETRÓLEO Dólares / barril	EURIBOR %	ORO Dólares / onza
Cotización	10.474,50	3.177,89	6.822,42	9.556,02	16.512,89	4.123,90	14.457,51	108,61	0,6120	1.299,70
En el día	+0,15%	-0,65%	+0,20%	-0,49%	-0,28%	-0,09%	-0,19%	+0,74%	-0,33%	+1,12%
En el año	+5,62%	+2,22%	+1,09%	+0,04%	-0,38%	-1,26%	-11,26%	-1,83%	+10,07%	+7,77%

IBEX 35

LAS MAYORES SUBIDAS
	%
BME	+4,22
Sacyr	+3,55
Técnicas Reunidas	+3,32
Indra	+2,41
Gamesa	+2,14
OHL	+1,92
Jazztel	+1,81
FCC	+1,61

LAS MAYORES BAJADAS
	%
Dia	-1,99
Bankia	-1,50
Bankinter	-1,09
Ferrovial	-0,91
Banco Popular	-0,62
Mediaset	-0,49
Inditex	-0,47
Enagás	-0,45

SUBASTAS TESORO

	Tir media
Letras 6 Meses	0,37
Letras 9 Meses	0,47
Letras 12 Meses	0,56
Letras 18 Meses	1,69
Bonos 2,5 Años	4,34
Bonos 2 Años	1,90
Bonos 3 Años	1,02
Bono 4 Años	5,97

TIPOS OFICIALES

	%
España	0,25
Alemania	0,25
Zona euro	0,25
Reino Unido	0,50
EE.UU.	0,00-0,25
Japón	0,00-0,10
Suiza	0,00-0,25
Canadá	1,00

DIVISAS

	1 euro
Dólares USA	1,3862
Yenes japoneses	142,06
Coronas danesas	7,4641
Libras esterlinas	0,8214
Coronas suecas	9,0246
Francos suizos	1,2189
Coronas noruegas	8,2355
Yuanes chinos	8,6772

CIFRAS ECONÓMICAS

ESPAÑA
IPC	-0,2%	Desempleo	26,03%
PIB	-0,2%	Tipos de interés	0,5%

ZONA EURO
IPC	0,8%	Desempleo	11,9%
PIB	0,5%	Tipos de interés	0,5%

EEUU
IPC	1,6%	Desempleo	6,6%
PIB	2,5%	Tipos de interés	0,25%

Ibex 35
Último cierre: 10.474,50 puntos ▲0,15%

FUENTE: Bloomberg. — EL MUNDO

MERCADO CONTINUO
CONTRATACIÓN EN EUROS

IBEX 35

TÍTULO	ÚLTIMA COTIZACIÓN	VARIACIÓN DIARIA EUROS	%	AYER MÍN.	MÁX.	VARIACIÓN AÑO % ANTERIOR	ACTUAL
Abertis	16,280	0,075	0,46	16,080	16,370	45,85	0,80
Acciona	59,000	0,500	0,85	58,450	59,750	-21,20	41,27
ACS	30,910	0,035	0,11	30,760	31,030	41,22	23,54
Amadeus It Holding	30,180	0,225	0,75	29,670	30,180	68,83	-2,97
ArcelorMittal	11,740	0,045	0,38	11,650	11,790	2,60	-9,27
B. Popular	5,267	-0,033	-0,62	5,210	5,338	50,85	20,11
B. Sabadell	2,462	0,012	0,49	2,441	2,471	6,68	29,85
B. Santander	7,152	-0,015	-0,21	7,140	7,227	24,15	9,93
Bankia	1,447	-0,022	-1,50	1,445	1,473	-74,12	17,26
Bankinter	5,453	-0,060	-1,09	5,440	5,534	154,74	9,34
BBVA	8,847	0,002	0,02	8,770	8,887	39,05	-1,13
BME	32,720	1,325	4,22	31,400	32,895	63,51	18,29
Caixabank	4,457	0,067	1,53	4,388	4,499	55,65	17,66
Dia	6,310	-0,128	-1,99	6,297	6,418	38,25	-2,92
Ebro Foods	16,620	0,020	0,12	16,585	16,900	18,87	-2,44
Enagás	22,100	-0,100	-0,45	22,025	22,310	25,31	16,35
FCC	16,120	0,255	1,61	15,880	16,220	72,63	-0,34
Ferrovial	15,855	-0,145	-0,91	15,790	16,080	31,78	12,73
Gamesa	7,304	0,153	2,14	7,166	7,385	356,63	-3,64
Gas Natural	20,715	0,050	0,24	20,610	20,865	49,38	10,81
Grifols	38,610	0,110	0,29	38,390	38,855	32,80	11,06
IAG	4,950	0,020	0,40	4,940	5,008	117,00	2,29
Iberdrola	5,078	0,043	0,85	5,070	5,120	22,50	9,56
Inditex	106,450	-0,500	-0,47	106,350	108,100	17,16	-11,14
Indra	13,835	0,325	2,41	13,510	14,055	25,40	13,82
Jazztel PLC	11,260	0,200	1,81	11,015	11,290	48,03	44,75
Mapfre	3,041	0,006	0,20	3,016	3,050	40,57	-2,31
Mediaset	7,941	-0,039	-0,49	7,901	8,060	64,81	-5,34
Obrascón H.L.	34,025	0,640	1,92	33,425	34,390	37,28	15,49
Red Eléctrica	59,670	0,390	0,66	59,440	60,430	37,93	24,99
Repsol	19,385	-0,015	-0,08	19,270	19,580	26,18	3,51
Sacyr	4,898	0,168	3,55	4,730	4,930	139,43	30,02
Técnicas Reunidas	44,825	1,440	3,32	43,385	44,825	18,87	13,52
Telefónica	12,200	0,130	1,08	12,090	12,275	19,41	3,08
Viscofan	37,600	0,050	0,13	37,465	37,880	-0,61	-9,07

RESTO DE VALORES

TÍTULO	ÚLTIMA COTIZACIÓN	DIF. %	RENTA. 2014
Abengoa	4,060	1,20	67,77
Abengoa B	3,250	1,21	49,36
Acerinox	12,670	0,56	37,02
Adolfo Domínguez	5,200	1,96	-8,13
Adveo	17,350	1,17	16,13
Airbus (EADS)	49,240	-0,49	-11,60
Alba	44,230	-0,49	4,07
Almirall	12,390	2,65	4,65
Amper	0,830	1,22	-21,70
Aperam	19,000	1,60	41,79
Atresmedia	10,340	0,10	-13,96
Azkoyen	2,510	-2,71	19,52
Barón de Ley	74,950	-0,07	27,03
Bayer Ag.	100,550	=	-1,71
Biosearch	0,710	-2,07	2,90
Bodegas Riojanas	5,000	0,20	-6,89
C. A. F.	344,000	-0,29	-10,49
CAM	1,340	=	0,00
Campofrío	6,900	=	0,00
Cem.Portland	7,260	-1,36	30,58
Cie Automotive	9,200	0,55	15,00
Cleop	1,150	=	0,00
Clínica Baviera	11,470	2,69	9,66
Codere	0,910	5,61	31,88
Colonial	0,650	-2,90	148,76
C.V.N.E.	16,250	5,52	6,91
Decleo	0,395	=	-15,96
Dinarria	7,940	0,51	13,43
Dogi	6,400	=	0,00
Duro Felguera	4,930	0,20	0,61
Edreams Odigeo	10,625	2,66	
Elecnor	10,390	0,29	-7,07
Ence	2,115	-0,24	-22,39
Endesa	27,645	1,21	26,81
Enel Green Power	2,043	-0,68	13,37
Ercros	0,483	0,63	1,68
Europac	3,960	-0,63	2,99
Ezentis	1,155	-1,70	-25,00
Faes	2,210	-0,90	-12,97
Fergo Aisa	0,017	=	0,00
Fersa	0,640	0,79	64,10
Fluidra	3,350	2,45	23,16
Funespaña	6,150	3,36	2,50
GAM	0,720	-1,37	0,00
General Inversiones	1,720	=	3,61
Grupo Catalana Occ.	28,100	-0,25	7,99
Grupo Sanjosé	1,240	=	3,33
Grupo Tavex	0,235	=	2,17

TÍTULO	ÚLTIMA COTIZACIÓN	DIF. %	RENTA. 2014
Hispania Activos Inmob.	10,250	1,08	
Iberpapel	13,760	-2,96	-8,87
Indo Interna.	0,600	=	0,00
Inmobiliaria Del Sur	10,810	=	-32,44
Inypsa	0,835	=	-0,60
Lar España	10,220	-0,78	
Liberbank	0,930	3,45	29,17
Lingotes Especiales	3,800	-0,39	10,30
Martinsa-Fadesa	7,300	=	0,00
Meliá Hotels Int.	9,200	1,10	-1,45
Miquel y Costas	29,550	-1,66	-3,11
Montebalito	1,125	-4,66	-0,44
N. Correa	1,580	0,32	22,01
Natra	1,890	-0,53	-14,48
Natraceutical	0,282	1,81	-1,74
NH Hoteles	4,715	2,50	10,04
Nyesa	0,170	=	0,00
Pescanova	5,910	=	0,00
Prim	6,010	=	4,34
Prisa	0,395	-1,50	-1,25
Prosegur	4,910	1,66	-1,41
Quabit	0,128	=	8,47
Realia Business	1,350	1,50	62,65
Reno de Medici	0,311	-1,27	17,36
Renta Corp.	0,570	=	0,00
Renta 4 Banco	5,870	=	16,24
Reyal Urbis	0,124	=	0,00
Rovi	9,770	-1,01	-2,10
Seda Barna	0,729	=	0,00
Service Point Solution	0,071	=	-24,47
Sniace	0,000	=	0,00
Solaria	1,235	-0,80	61,44
Sotogrande	4,180	=	55,97
Tecnocom	1,730	=	42,98
Testa Inm.Renta	14,950	11,15	97,75
Tubacex	3,545	0,42	22,66
Tubos Reunidos	2,255	1,12	27,40
Uralita	1,185	-1,25	-0,42
Urbas Gr.Financiero	0,033	3,13	32,00
Vértice 360	0,044	=	-4,35
Vidrala	38,760	1,60	3,53
Vocento	2,280	-1,94	50,99
Zardoya Otis	12,740	0,79	-3,12
Zeltia	2,650	-2,39	14,72

EMPRESAS

Mayor producción manufacturera

El ritmo de crecimiento de la actividad manufacturera en España en abril se ralentizó hasta los 52,7 puntos básicos, frente a los 52,8 de marzo, lo que supone el nivel más bajo en dos meses, según el indicador PMI manufacturero elaborado por Markit, que considera que el sector no alcanzó su máximo potencial de expansión por las reticencias de las empresas a aumentar el empleo, lo que impidió que la producción cubriera el aumento de pedidos. No obstante, el informe destaca que el sector manufacturero español mantuvo su reciente racha de crecimiento en abril, cuando, además, el dato del PMI señaló el mayor aumento de la producción en cuatro años. / E. P.

Acciona aumentará su cartera de renovables

Acciona incorporará este año a su cartera de energías renovables nuevas instalaciones que suman una potencia total de 324 megavatios de potencia, todos ellas ubicadas en el exterior. Son instalaciones que están ya en construcción y que la compañía concluirá este año. / E. P.

La inversión en I+D+i de ACS cae un 9,3%

ACS realizó una inversión en I+D+i en 2013 de 44,5 millones de euros, un 9,3% menos respecto al ejercicio anterior. A cierre del pasado ejercicio, la compañía contaba con 247 proyectos de este tipo en curso, tras haber registrado durante el año siete patentes, según el informe de responsabilidad social del grupo. / E. P.

AstraZeneca rechaza otra oferta de Pfizer

El consejo de administración de AstraZeneca ha rechazado la nueva oferta presentada por su homóloga estadounidense Pfizer, que valora al segundo mayor laboratorio de Reino Unido en unos 76.755 millones de euros, al considerar la nueva proposición y que «infravalora sustancialmente» a la compañía británica. / E. P.

Pescanova alcanza su salvación
El 63,65% de los acreedores respalda el nuevo convenio

NATALIA PUGA / Vigo
Especial para EL MUNDO

Los planes de la banca se han impuesto en el futuro de Pescanova. El 63,65% de los acreedores de la compañía ha apoyado la propuesta de convenio presentada al juzgado que lleva el concurso de acreedores, en el que los bancos incluyeron una modificación *in extremis* que permitirá evitar la liquidación.

Banco Sabadell, Banco Popular, CaixaBank, NCG Banco, BBVA, Bankia y UBI Banca tomaron las riendas en los últimos días con una propuesta de viabilidad que corregía el acuerdo inicial del consorcio entre Damm y el fondo luxemburgués Luxempart, abandonando estos el consejo de administración.

Estos planes se plasmaron en una modificación de la propuesta de convenio que pudieron votar todos los acreedores y ayer, finalizado el recuento de adhesiones, el secretario judicial certificó el resultado favorable a su aprobación, dejando a Pescanova en una situación que la compañía califica de «momento histórico».

Pescanova ha comunicado a la Comisión Nacional del Mercado de Valores (CNMV) que la aprobación del convenio «marca el principio de una nueva fase» en la que «se mantendrá» como una de las grandes multinacionales gallegas y cabecera de un grupo de referencia en la actividad pesquera y acuícola mundial.

14. El Mundo   **Numeración para la muestra: 28**

Sábado 3 de mayo del 2014

Mayor producción manufacturera

El ritmo de crecimiento de la actividad manufacturera en España en abril se ralentizó hasta los 52,7 puntos básicos, frente a los 52,8 de marzo, lo que supone el nivel más bajo en dos meses, según el indicador PMI manufacturero elaborado por Markit, que considera que el sector no alcanzó su máximo potencial de expansión por las reticencias de las empresas a aumentar el empleo, lo que impidió que la producción cubriera el aumento de pedidos. No obstante, el informe destaca que el sector manufacturero español mantuvo su reciente racha de crecimiento en abril, cuando, además, el dato del PMI señaló el mayor aumento de la producción en cuatro años. / E. P.

FICHA del breve en el diario

Número de página: 34
Sección: bolsa
Subsección: empresas
Número de breves de la subsección: cuatro
Ladillo: no
Número de líneas del titular: dos
Número de líneas del cuerpo: 19
Fotografía: no
Firma: E. P. (Europa Press)

Despacho de agencia publicado por Europa Press (www.europapress.es), el 2 de mayo del 2014:

La expansión de la actividad manufacturera en España, frenada por las reticencias de las empresas a contratar

El indicador PMI constata que la producción avanzó al ritmo más fuerte en cuatro años, pero la creación de empleo es solo marginal

El ritmo de crecimiento de la actividad manufacturera en España durante el pasado mes de abril se ralentizó hasta los 52,7 puntos básicos, frente a los 52,8 del mes anterior, lo que supone el nivel más bajo en dos meses, según el indicador PMI manufacturero elaborado por Markit, que considera que el sector no alcanzó su máximo potencial de expansión por las reticencias de las empresas a aumentar el empleo, lo que impidió que la producción cubriera el aumento de pedidos.

En este sentido, Andrew Harker, responsable del informe para España destaca que el sector manufacturero español mantuvo su reciente racha de crecimiento en abril, cuando, además, el dato del PMI señaló el mayor aumento de la producción en cuatro años.

No obstante, el experto señala que «el crecimiento podría haber sido aún más rápido si la marginal creación de empleo no hubiese impedido que la producción fuese suficiente para cumplir con el nivel de nuevos pedidos».

En este sentido, Harker considera que "la reticencia de las empresas a aumentar el empleo a un ritmo más fuerte" pone de relieve la fragilidad de la recuperación en un contexto en el que las firmas siguen destacando su necesidad de controlar los costes, lo que ha supuesto que los precios disminuyan por segundo mes consecutivo en abril.

Una lectura del indicador PMI manufacturero por encima del umbral del 50% implica que el sector se encuentra en expansión, mientras que una dato inferior a este límite supone una caída de la actividad.

FICHA del despacho de agencia en la web

Enlace de la web en la que se encuentra: <http://www.europa-press.es/economia/macroeconomia-00338/noticia-expansion-acti-vidad-manufacturera-espana-frenada-reticencias-empresas-contra-tar-20140502101309.html>

Pestaña: economía

Subpestaña: --

Antetítulo: no

Título: "La expansión de la actividad manufacturera en España, frenada por las reticencias de las empresas a contratar"

Subtítulo: un subtítulo

Número de caracteres (con espacio) del titular: 109

Número de caracteres (con espacio) del cuerpo de la nota: 1.493

Fotografía: no

Firma: sin especificar (Europa Press)

Lugar de la firma: Londres

Otros (documentos adjuntos, etcétera): no

Nota de prensa original, publicada por Markit PMI (www.markiteconomics. com), el 2 de mayo del 2014:

El sólido crecimiento del sector manufacturero se mantiene en abril

Conclusiones principales:

· La producción manufacturera aumenta al ritmo más fuerte desde abril de 2010
· La tasa de creación de empleo es apenas marginal
· Los precios de compra disminuyen por segundo mes consecutivo

Resumen:

Las condiciones operativas en el sector manufacturero español mejoraron de nuevo en abril, ayudadas por el incremento más fuerte de la producción en cuatro años. El aumento de las cargas de trabajo llevó a las empresas a contratar a más personal durante el mes, aunque la tasa de creación de empleo se mantuvo solo marginal. Entretanto, se registraron nuevas reducciones tanto de los precios de compra como de los precios de venta.

El Índice de Gestión de Compras de Markit Purchasing Managers' Index®(PMI®) ajustado estacionalmente – índice compuesto diseñado para medir el comportamiento de la economía manufacturera – continuó por encima del nivel de ausencia de cambios de 50.0 en abril, indicando un fortalecimiento de las condiciones operativas en el sector. La lectura de 52.7 fue prácticamente igual a la de 52.8 registrada en marzo, mostrando una sólida mejora de las condiciones empresariales.

La producción manufacturera aumentó por quinto mes consecutivo en abril, y el ritmo de expansión se aceleró hasta alcanzar el más fuerte desde abril de 2010. Los encuestados principalmente vincularon el incremento de la producción al aumento de los nuevos pedidos recibidos.

Los nuevos pedidos aumentaron por décima vez en los últimos once meses, y a un ritmo sólido. No obstante, el ritmo de expansión disminuyó respecto al mes anterior. Lo mismo ocurrió en lo que respecta a los nuevos pedidos para exportaciones, que han aumentado ininterrumpidamente durante los últimos doce meses.

A pesar del notable aumento de la producción, los colaboradores del panel comentaron que el nivel de producción fue insuficiente para cumplir con las necesidades impuestas por los nuevos pedidos, conduciendo a una acumulación de los trabajos por realizar. Los pedidos pendientes de realización aumentaron por cuarto mes consecutivo.

Las empresas utilizaron los inventarios para ayudar a cumplir con los nuevos pedidos en abril y como resultado los stocks de productos terminados disminuyeron. No obstante, el ritmo de reducción se ralentizó hasta alcanzar el más lento desde abril de 2013.

Aunque el empleo siguió aumentando de acuerdo con unas mayores cargas de trabajo, la tasa de creación de empleo fue de nuevo solo marginal ya que algunas empresas informaron que tienen que considerar el coste cuando se toman decisiones de contratación.

Los precios de compra disminuyeron por tercera vez en los últimos cuatro meses, y se mencionó que el coste de algunos alimentos disminuyó en abril. Los fabricantes españoles redujeron sus precios de venta como parte de los esfuerzos para estimular la demanda del cliente. Los precios cobrados cayeron por cuarto mes consecutivo, aunque al ritmo más lento de dicha secuencia.Los plazos de entrega de los proveedores se alargaron de nuevo en medio de observaciones sobre la escasez de stocks en las unidades de los proveedores. El último deterioro del comportamiento de los proveedores fue sólido, y estuvo prácticamente de acuerdo con el registrado en marzo.

La actividad compradora aumentó firmemente durante el mes, aunque a un ritmo ligeramente más lento que en marzo. Pese al aumento de la compra de insumos, los stocks de materias primas continuaron disminuyendo, y el ritmo de reducción se aceleró respecto al mes anterior.

Comentario:

Comentando sobre los resultados del estudio PMI® del Sector Manufacturero Español, Andrew Harker,

Economista Senior de Markit y autor del informe, subrayó:

"El sector manufacturero español mantuvo su reciente racha de crecimiento en abril, y el dato del PMI señaló el mayor aumento de la producción en cuatro años. Hubo señales de que el crecimiento podría haber sido aún más rápido si la marginal creación de empleo no hubiese impedido que la producción fuese suficiente para cumplir con el nivel de nuevos pedidos. La reticencia de las empresas a aumentar el empleo a un ritmo más fuerte pone de relieve la fragilidad de la recuperación, y las empresas encuestadas destacaron la necesidad de controlar los costes. En este respecto, los precios disminuyeron por segundo mes consecutivo en abril".

FICHA de la nota de prensa en la web

Enlace de la web en la que se encuentra: <http://www.markiteconomics.com/Survey/PressRelease.mvc/384600ef944b47fa9732441c-ba88b051>

Pestaña: --

Subpestaña: --

Antetítulo: no

Título: "El sólido crecimiento del sector manufacturero se mantiene en abril"

Subtítulo: no

Número de caracteres (con espacio) del titular: 67

Número de caracteres (con espacio) del cuerpo de la nota: 4.282

Fotografía: no

Firma: varias personas

Lugar de la firma: sin especificar

Otros (documentos adjuntos, etcétera): sí

MERCADOS

En un mundo de progres, rusos y etcétera

ANÁLISIS

José Manuel Garayoa

Moscú no quiere superlíos en Ucrania y EE.UU. no acepta lo de Crimea. ¿Qué es? Con Wall Street en su pico, las bolsas perciben vacilaciones, lo que explica que el Ibex bajara un 1,19%.

Al parecer, el mercado esperaba al FMI, que mejoró el crecimiento de España al 0,9% en el 2014, algo que nadie hizo caso porque es un albur tonto. España puede crecer un 2%, al tiempo.

El problema de España es que no acepta el euro, sino que es pro dólar como Antón Costas, el presidente del Círculo de Economía, a quien gusta la creación artificial de dinero. Si España ha cambiado de modelo de crecimiento no es porque sí, sino porque no ha habido dinero fácil. El paro se soluciona dentro de Europa, como decía Sardà. Y la deuda empezará a arreglarse cuando haya un superávit primario, en el 2016, según Barclays. El *seny* no es progre, es una cosa más sutil. De Mas ni hablemos.

Índices

	ACTUAL	VARIACIÓN DÍA %	AÑO %
ESPAÑA			
IBEX 35	10.480,50	-1,19	5,69
LATIBEX	2.081,40	1,58	0,23
IND. G. MADRID	1.072,40	-1,10	5,97
BCN MID50	19.133,00	-0,99	15,65
BCN GLOBAL 100	880,55	-1,06	8,83
BCN I. ALIM. AGR.	812,14	-0,12	-5,97
BCN I. BANCOS	1.415,60	-0,81	13,50
BCN I. CEM. CON.	1.527,43	-2,09	21,01
BCN I. COM. FI.	404,81	-1,74	-1,85
BCN I. ELECTRIC.	945,14	-1,10	13,41
BCN I. QUÍMICAS	903,89	-1,39	3,43
BCN I. SERV. VAR.	2.028,21	-1,13	3,36
BCN I. SID. MINER.	376,82	-0,38	3,17
BCN I. TEXT. PAP.	1.004,31	-1,61	-8,54
EUROPA			
EURO STOXX 50	3.177,66	-0,26	2,21
PARIS CAC40	4.424,83	-0,25	3,00
FRANKFURT DAX X	9.490,79	-0,21	-0,64
MILAN MIBTEL	23.115,40	-1,46	14,41
AMSTERDAM AEX	402,54	-0,37	0,19
LISBOA BVL30	7.465,32	-1,95	13,82
HELSINKI HEX	7.419,15	0,14	1,12
VIENA ATX	2.499,34	-1,22	-1,85
BRUSELAS B20	3.098,07	-0,94	5,96
LONDRES FTSE	6.590,69	-0,49	-2,35
ZURICH SMI	8.423,36	0,22	2,69
AMÉRICA			
NEW YORK DJ	16.256,14	0,06	-1,93
NASDAQ	4.112,98	0,81	-1,52
S & P 500	1.851,96	0,38	0,19
TORONTO TSE300	14.372,40	0,72	5,51
BRASIL BOVESPA	51.629,00	-1,01	0,24
ASIA			
TOKIO NIKKEI	14.606,80	-1,36	-10,34
HONG KONG HS	22.596,90	0,98	-3,04

Prima de riesgo

ESPAÑA			ITALIA			FRANCIA			BÉLGICA		
	164	=		166	+2		50	=		62	+1

Ibex 35. Evolución en el año.
Ibex 35 recoge los 35 valores de mayor capitalización en la bolsa española. Base 3.000 a 31 de diciembre de 1989

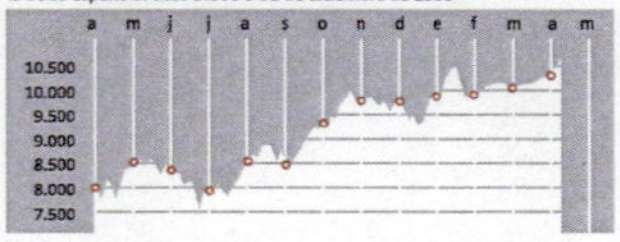

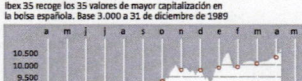

Evolución en el día.
Volumen de contratación al contado: **3.515,95 millones de euros**

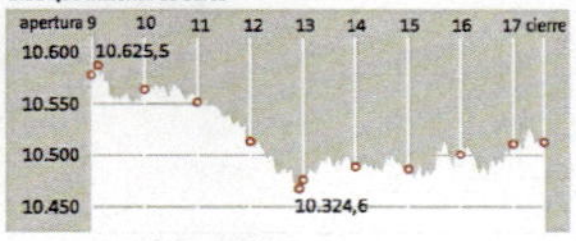

Mayores alzas

	%	CIERRE
INM. COLONIAL	5,88	1,98
NATRACEUTICAL	3,57	0,29
DEOLEO	2,38	0,43
PRISA	2,27	0,45
ARCELOR MIT.	1,44	11,99
PROSEGUR	1,30	4,69
BARÓN DE LEY	1,29	74,50
INYPSA	1,28	0,79

Mayores bajas

	%	CIERRE
ABENGOA	-5,16	4,23
ENEL G.P.	-4,83	1,97
VOCENTO	-4,80	2,38
GRIFOLS	-4,78	38,66
CODERE	-4,44	0,86
BANKIA	-3,90	1,48
SACYR	-3,77	4,85
BANKINTER	-3,74	6,17

Más negociados

	Nº. DE TÍTULOS	EFECTIVO
SAN	61.023.183	435,9
BBVA	29.061.690	264,4
IBERDROLA	35.267.625	177,4
REPSOL	8.747.392	163,5
INDITEX	1.362.347	149,3
TELEFÓNICA	12.576.355	146,8
POPULAR	16.440.566	93,0
BANKIA	59.536.087	89,0

Mercado continuo EN NEGRITA LOS VALORES PERTENECIENTES AL IBEX 35

Cotizaciones actualizadas cada veinte minutos en http://www.lavanguardia.com/economia

	Cotización Euros	Var.%	Cotiz. Día Máx.	Mín.	Nº tít. negoc.	Días cotiz.	Rent. año%
Abengoa	4,23	-5,16	4,45	4,18	1.125.542	69	74,79
Abertis (dv)	16,59	-0,60	16,75	16,10	4.466.135	69	4,77
Acciona	59,96	-2,50	61,44	58,94	212.591	69	43,55
Acerinox	11,98	-0,17	12,00	11,66	744.654	69	29,51
Ad. Domínguez	5,50	-2,48	5,64	5,47	10.403	69	-2,83
Almirall	11,84	-1,25	12,03	11,75	207.389	69	-0,00
Amadeus	30,23	-1,53	30,82	29,86	1.259.575	69	-1,86
Amper	1,06	-2,75	1,09	1,05	195.495	69	0,00
Antena 3 TV	11,88	-1,57	12,17	11,57	503.825	69	-1,16
Aperam	17,73	-3,43	18,00	17,61	2.398	69	32,31
Arcelor Mit. ↑	11,99	1,44	12,05	11,79	1.374.255	69	-7,34
Auxil.FF.CC.	367,50	-1,46	373,00	365,95	6.701	69	-4,37
Azkoyen ↑	2,71	0,74	2,72	2,69	19.661	69	29,05
A.C.S.(*)	28,52	-2,03	29,18	28,16	1.603.784	69	17,71
B.M.E.	29,66	-0,60	29,90	29,60	478.243	69	7,23
Bankia	1,48	-3,90	1,55	1,47	59.536.087	69	20,33
Bankinter	6,17	-3,74	6,42	6,12	10.633.582	69	23,67
Barón de Ley ↑	74,50	1,29	74,50	72,40	615	69	26,27
Bayer AG	98,40	0,00	96,40	95,35	288	69	-3,81
BBVA (Ac) •	9,13	-0,65	9,23	8,99	29.061.690	69	5,89
Biosearch	0,78	-1,27	0,79	0,77	195.749	69	13,04
Bod. Riojanas	5,10	0,00	5,10	5,10	999	67	-5,03
C.V.N.E.	15,99	0,00	15,99	15,99	1	47	5,20
CaixaBank (*)	4,62	-1,70	4,70	4,57	9.915.184	69	24,59
CAM	1,34	0,00			0	0	0,00
Campofrío ↑	7,00	1,16	7,40	6,78	1.059.283	69	1,45
Catalana Occ.	28,32	-2,48	29,10	28,08	79.436	69	9,29
Cem.Portland	7,85	-1,13	7,94	7,80	36.214	69	41,19
Cie Automot. ↑	8,90	0,56	8,93	8,77	135.772	69	12,38
Cleop	1,15	0,00			0	0	-0,00
Clín.Baviera	10,79	-0,09	10,90	10,71	2.194	69	3,15
Codere	0,86	-4,44	0,89	0,86	112.604	69	24,64
Corp.F. Alba ↑	43,95	0,41	44,20	43,50	13.373	69	3,41
Deoleo ↑	0,43	2,38	0,44	0,41	12.318.546	69	-8,51
Dinamia ↑	7,51	0,94	7,51	7,40	3.889	68	7,29
Dist.Int.Alim.	6,42	-1,98	6,52	6,27	3.576.915	69	-1,23
Duro Felguera	4,95	-1,39	5,04	4,89	1.474.791	69	2,24
EADS	51,65	-3,28	53,25	50,95	13.574	69	-7,27
Ebro	16,30	-0,85	16,48	16,22	1.353.698	69	-3,61
Elecnor	10,68	-0,09	10,68	10,61	5.647	69	-0,00
Enagas	22,23	-1,46	22,69	22,19	1.103.182	69	17,00

	Cotización Euros	Var.%	Cotiz. Día Máx.	Mín.	Nº tít. negoc.	Días cotiz.	Rent. año%
Ence	2,21	-2,64	2,31	2,19	1.650.451	69	-19,05
Endesa	26,14	-1,10	26,66	26,08	239.663	69	18,63
Enel G.P.	1,97	-4,83	2,02	1,96	12.982	69	9,44
Ercros	0,51	-1,92	0,52	0,50	354.760	69	8,51
Ezentis	1,25	-3,10	1,30	1,24	1.308.844	69	-18,83
Faes (Ac)	2,24	-1,75	2,29	2,22	325.593	69	-11,75
Fergo Aisa	0,02	0,00			0	0	0,00
Ferrovial	15,71	-1,19	15,94	15,57	1.231.762	69	11,66
Fersa E.Renov.	0,68	-1,45	0,69	0,66	1.299.960	69	74,36
Fin.Sotogrande	2,97	0,00			0	51	10,82
Fluidra	3,50	0,00	3,54	3,44	48.946	69	28,68
Funespaña	5,95	0,00	6,22	5,96	2	46	-0,83
F. C. C.	16,02	-3,73	16,60	15,96	1.716.830	69	-0,99
Gamesa	8,04	-2,78	8,24	7,88	2.751.584	69	6,07
Gas Natural	20,40	-1,02	20,65	20,27	1.304.176	69	11,19
Gral.Alq.Maq.	0,76	0,00	0,78	0,75	521.741	69	5,56
Gral.Invers.	1,75	0,00	1,75	1,75	20	47	5,42
Grifols	38,66	-4,78	40,69	38,58	955.190	69	11,19
I.A.G.	5,06	-2,88	5,24	4,92	4.877.265	69	4,55
Iberdrola (*) •	5,03	-0,98	5,10	5,01	35.267.625	69	11,67
Iberpapel ↑	14,57	0,83	14,57	14,30	8.598	69	-2,52
Inditex	109,50	-1,62	111,70	108,85	1.362.347	69	-8,60
Indo Intern.	0,60	0,00			0	0	-0,00
Indra	14,22	-1,46	14,50	14,04	604.685	69	17,04
Inm.Colonial ↑	1,98	5,88	2,02	1,85	4.565.883	69	88,57
Inm.del Sur	10,81	0,00			0	11	-32,44
Inypsa ↑	0,79	1,28	0,79	0,77	25.903	68	-5,95
Jazztel	10,60	-2,48	10,93	10,45	3.127.068	69	36,25
La Seda Barna	0,73	0,00			0	0	-0,00
Liberbank	0,84	-2,33	0,86	0,83	1.534.862	69	16,67
Lingotes Esp.	3,69	-1,34	3,75	3,69	1.800	68	7,27
Mapfre	3,04	-1,30	3,09	3,01	6.412.474	69	-2,25
Martinsa-Fadesa	7,30	0,00			0	0	-0,00
Mediaset Esp.	8,20	-2,73	8,45	8,07	5.081.515	69	-2,26
Meliá Hotels	9,53	-1,45	9,72	9,30	399.509	69	2,03
Miquel Costas	30,59	-0,29	30,68	30,29	865	69	0,30
Montebalito	1,38	0,00	1,38	1,34	15.117	69	22,12
Natra	1,94	-1,02	2,00	1,91	608.672	69	-12,22
Natraceutical ↑	0,29	3,57	0,30	0,28	4.883.266	69	-0,00
Nic. Correa	1,65	-2,94	1,70	1,63	19.852	69	27,91
Nyesa	0,17	0,00			0	0	0,00

	Cotización Euros	Var.%	Cotiz. Día Máx.	Mín.	Nº tít. negoc.	Días cotiz.	Rent. año%
N.H. Hoteles	4,89	-3,55	5,06	4,84	826.134	69	13,99
O.H.L.	31,81	-2,51	32,59	31,54	329.554	69	8,01
Papel.C.E ↑	4,03	0,25	4,04	3,93	52.379	69	5,71
Pescanova	5,91	0,00			0	0	0,00
Popular (*)	5,68	-1,90	5,79	5,56	16.440.566	69	31,62
Prim	5,95	-1,65	5,95	5,95	620	68	4,17
Prisa ↑	0,45	2,27	0,45	0,42	6.959.576	69	12,50
Prosegur ↑	4,69	1,30	4,69	4,58	5.198.942	69	-5,28
Quabit	0,14	0,00	0,14	0,13	7.579.290	69	16,67
Realia	1,19	-0,83	1,21	1,18	1.754.528	69	43,37
Reno Medici	0,32	-3,03	0,33	0,32	317.083	69	18,52
Renta 4 ↑	5,76	0,17	5,77	5,73	2.885	69	14,06
Renta Corp.	0,57	0,00			0	0	-0,00
Repsol •	18,70	-0,74	18,89	18,57	8.747.392	69	2,07
Reyal Urbis	0,12	0,00			0	0	-0,00
Rovi	9,60	-2,34	9,93	9,52	49.552	69	-3,81
R.E.C.	59,15	-1,48	60,44	59,05	616.809	69	23,45
SAN (*) •	7,17	0,00	7,20	7,04	61.023.183	69	15,03
Sabadell	2,31	-2,12	2,38	2,29	36.364.308	69	22,11
Sacyr	4,85	-3,77	5,01	4,76	9.740.034	69	28,65
San José	1,25	-1,57	1,27	1,24	31.894	69	4,17
Service Point	0,07	0,00			0	22	-22,22
Sniace	0,20	0,00			0	0	0,00
Solaria	1,33	-2,92	1,37	1,31	344.287	69	72,73
Tavex Algodon.	0,27	0,00	0,28	0,27	279.059	69	17,39
Técnicas Rdas.	41,59	-0,19	41,70	40,60	191.304	69	7,03
Tecnocom	1,74	-3,33	1,80	1,72	97.387	69	43,80
Telefónica •	11,66	-0,51	11,79	11,57	12.576.355	69	-1,52
Testa Inm. ↑	13,39	0,15	13,39	13,39	1.286	47	77,12
Tubacex	3,36	-0,59	3,40	3,26	366.950	69	16,26
Tubos Reunidos	2,13	0,00	2,15	2,09	189.009	69	20,34
Unipapel	17,44	-0,34	17,50	17,16	8.581	69	16,73
Uralita	1,24	-2,36	1,27	1,24	38.384	69	4,20
Urbas	0,03	0,00	0,04	0,03	5.299.982	69	-0,00
Vertice 360	0,05	0,00	0,05	0,05	2.770.875	69	0,00
Vidrala	38,13	-0,94	38,83	38,13	5.200	69	1,95
Viscofan ↑	38,37	0,21	38,37	37,91	178.586	69	-7,21
Vocento	2,38	-4,80	2,54	2,34	186.683	69	57,62
Zardoya	12,66	-0,94	12,79	12,50	216.286	69	-3,04
Zeltia	2,83	-0,70	2,92	2,75	758.050	69	22,51

• Valor perteneciente al índice EURO STOXX 50 (*) Ha ampliado capital durante el año (Ac) Ampliación de capital (c.s.) Cotización suspendida (dv) Pago dividendo Para el cálculo de la rentabilidad se han incorporado los dividendos percibidos durante este año, y la cotización, si procede, se ha ajustado cuando la sociedad ha realizado ampliación de capital

Cie lanza una opa sobre su filial brasileña

Cie Automotive, compañía española especializada en el diseño y fabricación de componentes de automoción, formulará una opa sobre su filial brasileña Autometal por valor de 199 millones de euros, con el fin de excluirla de cotización en la bolsa brasileña. La operación se dirige a todas las acciones en circulación, 31,77 millones de títulos, representativos del 25,24% del capital social. / EP

Los concesionarios regresan al beneficio

Los concesionarios españoles de automóviles cerraron 2013 con una rentabilidad media sobre facturación del 0,09%, por encima de lo previsto, y representa la primera cifra positiva desde finales del 2010. Por departamentos, la rentabilidad del área de ventas se situó en el 3,9% al cierre del año, con un beneficio sobre facturación del 4% en el área de vehículos nuevos y del 7,8% en usados. / EP

OHL cobra 53 millones de dividendo de Abertis

La multinacional de infraestructuras OHL cobró ayer 53,43 millones en concepto del dividendo de Abertis, compañía en la que es segundo accionista con un 18,9% de las participaciones. Al pago en metálico es preciso sumar las acciones que OHL haya recibido en virtud de las ampliaciones de capital que realice Abertis para complementar la retribución en efectivo a sus accionistas. / EP

Cofidis presta un 10% más en el 2013

La financiera Cofidis concedió en 2013 préstamos por valor de 406,95 millones de euros, un 10,4% más que en el año anterior. Al cierre del ejercicio, la firma contaba con 569.894 clientes activos, un 1,5% más que en 2012. El número de operaciones de crédito nuevas se elevó a 213.152, un 8,2% más. De las concesiones directas al cliente, un 37% se efectuaron a través de internet. / Agencias

Medcomtech duplica su beneficio

Medcomtech, compañía española especializada en biotecnología, obtuvo un beneficio neto de 766.000 euros en 2013, un 117% más que en 2012, y facturó 18,9 millones de euros, un 16,2% más. El peso del sector público en la empresa ha pasado d el 73% de la facturación en 2009 al 50% en 2013, cumpliendo el objetivo de la empresa de reducir su dependencia del ámbito público. / Agencias

L'Oréal cierra la compra de Magic Holdings

La francesa L'Oréal ha cerrado la adquisición de la compañía de cosméticos china Magic Holdings, la mayor inversión de la europea en el país. La operación se cerraría en torno a los 636 millones de euros negociados en agosto de 2013, cuando se anunció. El presidente del grupo francés, Jean-Paul Agon, declaró que la compra supone una "aceleración" en la conquista de nuevos consumidores del continente asiático. / Efe

15. La Vanguardia   **Numeración para la muestra: 29**

Miércoles 9 de abril del 2014

Medcomtech duplica su beneficio

Medcomtech, compañía española especializada en biotecnología, obtuvo un beneficio neto de 766.000 euros en 2013, un 117% más que en 2012, y facturó 18,9 millones de euros, un 16,2% más. El peso del sector público en la empresa ha pasado del 73% de la facturación en 2009 al 50% en 2013, cumpliendo el objetivo de la empresa de reducir su dependencia del ámbito público. / Agencias

FICHA del breve en el diario

Número de página: 58
Sección: economía
Subsección: Mercados
Número de breves de la subsección: seis
Ladillo: no
Número de líneas del titular: una
Número de líneas del cuerpo: siete
Fotografía: no
Firma: Agencias

Despacho de agencia publicado por Europa Press (www.europapress.es), el 8 de abril del 2014:

Medcomtech factura 18,9 millones en 2013, un 16,2% más
La compañía biotecnológica Medcomtech facturó 18,9 millones en 2013, un 16,2% más que el año anterior, y generó un beneficio neto de 766.000 euros, lo que supone un incremento del 117% respecto a 2012.
El resultado bruto de explotación (Ebitda) ha alcanzado 3,03 millones de euros, un 47% más, y el peso del sector público en la empresa ha pasado de un 73% de la facturación en 2009 a un 50% en 2013, ha informado la compañía este martes en un comunicado.
La empresa, líder en comercialización de productos de cirugía ortopédica y traumatológica en España, ha dado un giro hacia la fabricación de productos con patentes propias para crecer internacionalmente a través de la apertura de nuevas sociedades y de alianzas con socios estratégicos.

FICHA del despacho de agencia en la web

Enlace de la web en la que se encuentra: <http://www.europapress. es/economia/finanzas-00340/noticia-economia-finanzas-medcom-tech-factura-189-millones-2013-162-mas-20140408131325.html>
Pestaña: economía
Subpestaña: finanzas
Antetítulo: no
Título: "Medcomtech factura 18,9 millones en 2013, un 16,2% más"
Subtítulo: no
Número de caracteres (con espacio) del titular: 54
Número de caracteres (con espacio) del cuerpo de la nota: 749
Fotografía: no
Firma: sin especificar (Europa Press)
Lugar de la firma: Barcelona
Otros (documentos adjuntos, etcétera): no

Nota de prensa original, publicada por Bcnpress Comunicación (www.bcnpress.com), el 8 de abril del 2014:

Medcomtech factura 18,9 millones en 2013, un 16,2% más
· La compañía biotecnológica ha generado un beneficio neto de 766.000 euros, lo que supone un incremento del 117%.
· El EBITDA supera ya los 3 millones de euros, lo que representa un crecimiento del 47% respecto a 2012.
La compañía biotecnológica Medcomtech (www.medcomtech.es) ha cerrado el ejercicio 2013 con una facturación de 18,9 millones de euros. Esta cifra representa un crecimiento del 16,2% con respecto al ejercicio 2012. Durante 2013 Medcomtech ha generado un beneficio neto de 766.000 euros, lo que supone un incremento del 117% respecto a los 353.000 euros del ejercicio anterior.
El EBITDA ha alcanzado los 3,03 millones de euros, lo que representa un crecimiento del 47%. Por otro lado, continuando con la política comercial que la Compañía viene llevando a cabo en los últimos ejercicios, enfocada en una reducción de la dependencia del sector público e incentivando las ventas en sectores privados y mutuas, el peso del sector público ha disminuido 23 puntos, pasando de representar el 73% de la facturación en 2009 a representar un 50% en 2013.
Asimismo, la Compañía ha cerrado el ejercicio con un período medio de cobro de clientes de un -26,3% inferior al año anterior, pasando de 247 días a 182 en 2013. A estos resultados se le suma la reducción del gasto financiero en un 29%, de 929.000 euros en 2012 a 662.000 euros en 2013.
Nuevas áreas de negocio y crecimiento internacional Medcomtech ha dado un giro estratégico hacia la fabricación de productos con patentes propias con el objetivo de crecer internacionalmente a través de la apertura de nuevas sociedades. Estas sociedades permiten a la compañía obtener soluciones tecnológicamente avanzadas en otros nichos de mercado a través de alianzas con socios estratégicos. Además, el mercado está acogiendo positivamente tanto las buenas perspectivas económicas de la compañía, como los nuevos retos en el campo de la investigación y desarrollo tecnológico de sus filiales.
De hecho, la compañía Medcom Flow va a empezar a comercializar su primera patente Totaltrack-VLM (Video Laringeal Mask), en el mes de junio de este año. La compañía está trabajando la comercialización de esta patente con más de 45 países y ha iniciado el desarrollo de 3 nuevas patentes que se darán a conocer durante este año. El importe derivado de la venta de este dispositivo es de 100 millones de dólares en 2019.
Respecto a Medcom Advance, la empresa sigue desarrollando su tecnología de detección de microorganismos de forma instantánea y prevé su aplicación en 6 campos diferentes: sanidad, alimentación humana, alimentación animal, agricultura, tratamiento de aguas y militar o seguridad nacional. La primera de estas tecnologías que va a salir al mercado es Nanomods (Nano Microorganisms Detection System) durante el segundo semestre de 2015. Medcom Advance está desarrollando esta tecnología en sus laboratorios de Tarragona (URV y CTQC).
Adicionalmente, la apertura de MCT República Dominicana responde también al cambio estratégico de la compañía, que apuesta por el crecimiento internacional y posicionamiento entre los líderes de la comercialización de productos sanitarios en nuevos mercados. Una vez realizados los trámites regulatorios y administrativos, la empresa ha anunciado el inicio de la comercialización de sus productos durante el mes de junio de este año.
Sobre Medcomtech Medcomtech (www.medcomtech.es) es una firma puntera del sector biotecnológico y líder en comercialización de productos de cirugía ortopédica y traumatológica en España. La compañía cotiza en el MAB (Ticker: MED) desde marzo de 2010.

FICHA de la nota de prensa en la web

Enlace de la web en la que se encuentra: <http://www.
google.es/url?sa=t&rct=j&q=&esrc=s&source=web&c-
d=3&sqi=2&ved=0CC0QFjAC&url=http%3A%2F%2Fwww.med-
comtech.es%2Fdownload%2Fnews%2F36%2F333%2F908263232
%2F121580%2Fcms%2Fnp_resultadosmedcomtech%2B2013.pd-
f%2F&ei=euE8VKuqPNetab2CgNgB&usg=AFQjCNHfOidRWr5y-
9beUR2NtN5mD46Ylkg&sig2=uwCc2xPSaRADaMUK4SItbg&b-
vm=bv.77161500,d.d2s>

Pestaña: --
Subpestaña: --
Antetítulo: --
Título: "Medcomtech factura 18,9 millones en 2013, un 16,2% más"
Subtítulo: dos subtítulos
Número de caracteres (con espacio) del titular: 54
Número de caracteres (con espacio) del cuerpo de la nota: 3.575
Fotografía: no
Firma: Aureli Vázquez, Irina Tasias
Lugar de la firma: Viladecans (Barcelona)
Otros (documentos adjuntos, etcétera): no

BOLSA

	IBEX 35 Madrid	EUROSTOXX 50 París	FTSE 100 Londres	DAX 30 Francfort	DOW JONES Nueva York	NASDAQ Nueva York	NIKKEI Tokio	PETRÓLEO Dólares / barril	EURIBOR %	ORO Dólares / onza
Cotización →	10.425,50	3.169,90	6.844,55	9.659,39	16.511,86	4.125,82	14.006,44	109,40	0,5860	1.293,30
En el día →	-0,51%	-0,09%	-0,16%	+0,31%	+0,12%	+0,86%	-0,64%	-0,33%	=-%	+0,01%
En el año →	+5,13%	+1,96%	+1,41%	+1,12%	-0,39%	-1,22%	-14,03%	-1,35%	+5,40%	+7,24%

IBEX 35

LAS MAYORES SUBIDAS	%		LAS MAYORES BAJADAS	%
IAG	+3,20		Bankia	-2,97
Indra	+1,84		Banco Sabadell	-2,26
Dia	+1,27		Sacyr	-1,95
Mediaset	+1,06		Inditex	-1,72
Grifols	+1,02		Banco Popular	-1,62
Jazztel	+0,94		Amadeus It Holding	-1,47
BME	+0,63		Gamesa	-1,29
REC	+0,61		Mapfre	-1,12

SUBASTAS TESORO

	Tir media
Letras 6 Meses	0,36
Letras 9 Meses	0,47
Letras 12 Meses	0,60
Letras 18 Meses	1,69
Bonos 2.5 Años	4,34
Bonos 2 Años	1,90
Bonos 3 Años	1,04
Bono 4 Años	5,97

TIPOS OFICIALES

	%
España	0,25
Alemania	0,25
Zona euro	0,25
Reino Unido	0,50
EE.UU.	0,00-0,25
Japón	0,00-0,10
Suiza	0,00-0,25
Canadá	1,00

DIVISAS

	1 euro
Dólares USA	1,3715
Yenes japoneses	138,79
Coronas danesas	7,4645
Libras esterlinas	0,8146
Coronas suecas	9,0461
Francos suizos	1,2228
Coronas noruegas	8,1355
Yuanes chinos	8,5545

CIFRAS ECONÓMICAS

ESPAÑA
IPC	0,4%	Desempleo	25,93%
PIB	0,2%	Tipos de interés	0,25%

ZONA EURO
IPC	0,5%	Desempleo	11,8%
PIB	0,4%	Tipos de interés	0,25%

EEUU
IPC	1,5%	Desempleo	6,3%
PIB	2,3%	Tipos de interés	0/0,25%

■ Ryanair — Último cierre: 7,02 peniques ▲ 10,62%

7,12 / 6,96 / 6,80 / 6,64 / 6,48 — 08.00 10.00 12.00 14.00 16.00 18.00

FUENTE: Bloomberg. — EL MUNDO

MERCADO CONTINUO
CONTRATACIÓN EN EUROS

IBEX 35

TÍTULO	ÚLTIMA COTIZACIÓN	VARIACIÓN DIARIA EUROS	%	AYER MÍN.	MÁX.	VARIACIÓN AÑO % ANTERIOR	ACTUAL
Abertis	15,895	0,040	0,25	15,725	16,025	45,85	3,32
Acciona	56,710	-0,560	-0,98	55,060	57,760	-21,20	35,78
ACS	30,550	0,090	0,30	30,100	31,025	41,22	22,10
Amadeus It Holding	30,925	-0,460	-1,47	30,835	31,515	66,83	-0,58
ArcelorMittal	11,570	-0,110	-0,94	11,540	11,680	3,68	-10,59
B. Popular	4,812	-0,079	-1,62	4,683	4,929	50,85	9,74
B. Sabadell	2,294	-0,053	-2,26	2,214	2,363	6,68	20,99
B. Santander	7,250	-0,055	-0,75	7,159	7,340	24,15	11,44
Bankia	1,438	-0,044	-2,97	1,430	1,487	-74,12	16,53
Bankinter	5,255	0,016	0,31	5,140	5,300	155,77	5,37
BBVA	8,858	-0,041	-0,46	8,710	8,905	39,05	-1,01
BME	31,150	0,195	0,63	30,855	31,675	66,63	12,62
Caixabank	4,253	-0,043	-1,00	4,195	4,337	55,65	12,28
Dia	6,676	0,084	1,27	6,515	6,696	38,25	2,71
Ebro Foods	16,735	0,050	0,30	16,550	16,830	18,87	-1,76
Enagás	20,865	-0,190	-0,90	20,720	21,270	25,31	9,84
FCC	15,440	0,080	0,52	15,155	15,725	72,63	-4,54
Ferrovial	15,560	0,075	0,48	15,320	15,675	31,78	10,63
Gamesa	7,675	-0,100	-1,29	7,565	7,849	356,63	1,25
Gas Natural	20,310	-0,190	-0,90	20,225	20,670	49,38	8,64
Grifols	39,160	0,395	1,02	38,570	39,285	32,80	12,64
IAG	4,551	0,141	3,20	4,342	4,559	117,00	-5,95
Iberdrola	5,146	-0,014	-0,27	5,098	5,185	22,50	11,02
Inditex	105,450	-1,850	-1,72	105,350	108,150	17,16	-11,98
Indra	12,990	0,235	1,84	12,505	13,045	25,40	6,87
Jazztel PLC	10,800	0,100	0,93	10,675	10,985	48,03	38,84
Mapfre	2,918	-0,033	-1,12	2,900	2,968	40,57	-6,26
Mediaset	7,502	0,079	1,06	7,281	7,557	64,81	-10,57
Obrascón H.L.	31,255	-0,020	-0,06	30,640	31,585	37,28	6,15
Red Eléctrica	59,700	0,360	0,61	59,150	60,250	37,93	24,96
Repsol	20,240	0,030	0,15	20,020	20,290	26,18	10,48
Sacyr	4,436	-0,088	-1,95	4,340	4,611	139,43	17,76
Técnicas Reunidas	44,115	-0,115	-0,26	43,650	44,790	18,87	11,73
Telefónica	12,115	-0,020	-0,16	11,970	12,125	23,43	2,37
Viscofan	41,525	0,130	0,31	41,220	41,760	-0,61	0,42

RESTO DE VALORES

TÍTULO	ÚLTIMA COTIZACIÓN	DIF. %	RENTA. 2014
Abengoa	3,562	0,28	47,19
Abengoa B	3,000	5,04	37,87
Acerinox	12,580	0,92	36,04
Adolfo Domínguez	5,050	-0,39	-10,78
Adveo	17,030	-0,35	13,99
Airbus (EADS)	51,250	1,79	-7,99
Alba	43,030	-2,32	1,25
Almirall	11,780	-0,17	-0,51
Amper	0,640	-4,48	-39,62
Aperam	20,500	2,50	52,99
Applus Services	15,000	0,67	
Atresmedia	9,990	3,10	-16,89
Azkoyen	2,520	-1,95	20,00
Barón de Ley	73,400	1,31	24,41
Bayer Ag.	103,150		0,83
Biosearch	0,670		-2,90
Bodegas Riojanas	5,080	3,67	-5,40
C. A. F.	340,300	0,96	-11,45
CAM	1,340		0,00
Campofrío	6,900		0,00
Cem. Portland	6,700	-0,30	20,50
Cie Automotive	9,100	1,51	13,75
Cleop	1,150		0,00
Clínica Baviera	10,970	-0,09	4,88
Codere	0,820	-4,65	18,84
Colonial	0,569	0,53	117,76
C.V.N.E	15,600		2,63
Deoleo	0,395		-15,96
Dinamia	8,400	1,82	20,00
Dogi	6,400		0,00
Duro Felguera	4,940	-0,60	0,82
Edreams Odigeo	10,890	-1,31	
Elecnor	10,700	1,90	-4,29
Ence	2,105	0,96	-22,75
Endesa	27,540	0,58	26,33
Enel Green Power	2,054	0,54	13,98
Ercros	0,461	-1,07	-2,95
Europac	3,855	-2,41	0,26
Ezentis	0,973	0,83	-36,82
Faes	2,145	0,94	-15,53
Fergo Aisa	0,017		0,00
Fersa	0,570	4,59	46,15
Fluidra	3,170	-2,16	16,54
Funespaña	6,190		3,17
GAM	0,670	-1,47	-6,94
General Inversiones	1,720		3,61
Grupo Catalana Occ.	26,380	0,92	1,38
Grupo Sanjosé	1,180	-3,28	-1,67

TÍTULO	ÚLTIMA COTIZACIÓN	DIF. %	RENTA. 2014
Grupo Tavex	0,234	-3,70	1,74
Hispania Activos Inmob.	10,150	-0,49	
Iberpapel	12,870	-2,20	-14,77
Indo Interna.	0,600	=	0,00
Inmobiliaria Del Sur	10,810	=	-32,44
Inypsa	0,700	2,19	-16,67
Lar España	10,000	-1,91	
Liberbank	0,872	-0,91	21,11
Lingotes Especiales	4,730	0,42	37,30
Martinsa-Fadesa	7,300	=	0,00
Meliá Hotels Int.	9,195	-1,02	-1,50
Miquel y Costas	29,170	0,76	-4,36
Montebalito	1,080	2,86	-4,42
N. Correa	1,350	-2,88	4,25
Natra	1,670		-24,43
Natraceutical	0,249	-0,80	-13,24
NH Hoteles	4,320	=	0,82
Nyesa	0,170	=	0,00
Pescanova	5,910	=	0,00
Prim	6,010	-1,15	4,34
Prisa	0,354	-1,67	-11,50
Prosegur	5,090	0,79	2,21
Quabit	0,114	-3,39	-3,39
Realia Business	1,175	-2,08	41,57
Reno de Medici	0,298	0,68	12,45
Renta Corp.	0,570	=	0,00
Renta 4 Banco	5,720	0,35	13,27
Reyal Urbis	0,124	=	0,00
Rovi	9,870	0,41	-1,10
Seda Barna	0,729	=	0,00
Service Point Solution	0,071	=	-24,47
Sniace	0,196	=	0,00
Solaria	1,150	=	50,33
Sotogrande	3,800	=	41,79
Tecnocom	1,715	0,88	41,74
Testa Inm. Renta	15,000	=	98,41
Tubacex	3,605	3,00	24,74
Tubos Reunidos	2,170	1,40	22,60
Uralita	1,080	1,41	-9,24
Urbas Gr.Financiero	0,032	=	28,00
Vértice 360	0,044	=	-4,35
Vidrala	36,580	-0,19	-2,30
Vocento	2,045	-1,21	35,43
Zardoya Otis	13,030	1,01	-0,91
Zeltia	2,590	-1,15	12,12

El gasto lastra a Ryanair
Gana un 8% menos tras cuatro años de aumentos del beneficio

Dublín
El beneficio de Ryanair está de capa caída. Por primera vez tras cuatro años de aumentos consolidados en sus ganancias, la aerolínea de bajo coste registró en su último ejercicio fiscal (que concluyó el pasado 31 de marzo) un beneficio neto un 8% inferior al de un año antes. Obtuvo un 522,8 millones de euros frente a los 569,3 millones del ejercicio precedente, informa Europa Press.

La compañía ha achacado este descenso en la reducción del 4% de sus tarifas, la debilidad de la ley y el aumento del coste de combustible.

No obstante, la aerolínea irlandesa incrementó un 3% sus ingresos, hasta los 5.036,7 millones, tras aumentar un 3% el número de pasajeros, hasta los 81,7 millones, frente a los 79,3 millones de viajeros del año previo. Según explica la compañía, este aumento ayudó a compensar la contracción de las tarifas medias por la ola de calor veraniega en el norte de Europa, el debilitamiento de la libra esterlina, las vacaciones de Pascua, la huelga del sindicato francés en junio, y un descenso medio del 8% en las tarifas en el segundo semestre.

No obstante, la low cost también aumentó sus gastos un 5%, por el encarecimiento del 6,7% del combustible, que ahora representa el 40% del gasto total. Excluyendo esta partida, los costes unitarios crecieron un 1%.

EMPRESAS

Qatar llega al capital del Deutsche Bank

Deutsche Bank llevará a cabo una ampliación de capital por importe de hasta 8.000 millones de euros, de los que 1.750 millones serán aportados por el vehículo inversor de la familia real de Qatar, que pasará a convertirse así en accionista de referencia del mayor banco alemán. En concreto, Paramount Holdings Services, entidad controlada por un miembro de la familia real qatarí, ha adquirido unos 60 millones de acciones a 29,20 euros por acción. / E.P.

AstraZeneca rechaza la oferta de Pfizer

La farmacéutica suecobritánica AstraZeneca rechazó ayer la oferta final de compra de la estadounidense Pfizer por 69.000 millones de libras (84.674 millones de euros). Según, AstraZeneca la oferta «infravalora» a la compañía y sus atractivas perspectivas y estaba más orientada al «ahorro de costes y la minimización de impuestos». Además, acarrearía «incertidumbre y riesgos» para los accionistas. / DPA

Kutxabank coloca en cédulas 1.000 millones

Kutxabank cerró ayer con éxito la segunda emisión de cédulas hipotecarias de su historia por 1.000 millones, con un plazo de amortización de siete años. El rendimiento de los bonos se estableció en 70 puntos básicos sobre mid swap. BBVA, HSBC, Commerzbank, Credit Agricole y Nomura fueron los colocadores. / E.P.

ISS España prevé facturar 700 millones

ISS España facturó 564 millones en 2013 y prevé superar los 700 en 2016 a través del crecimiento de su división de servicios integrados (limpieza, mantenimiento y restauración colectiva) y la adquisición de compañías en zonas donde tiene más recorrido, como Canarias, Baleares, Andalucía, Galicia y Extremadura. Dicha división, nacida hace cinco años, creció un 20% en 2013. / E.P.

15. El Mundo   **Numeración para la muestra: 30**

Martes 20 de mayo del 2014

Kutxabank coloca en cédulas 1.000 millones

Kutxabank cerró ayer con éxito la segunda emisión de cédulas hipotecarias de su historia por 1.000 millones, con un plazo de amortización de siete años. El rendimiento de los bonos se estableció en 70 puntos básicos sobre *mid swap*. BBVA, HSBC, Commerzbank, Credit Agricole y Nomura fueron los colocadores. / E. P.

FICHA del breve en el diario

Número de página: 40
Sección: bolsa
Subsección: empresas
Número de breves de la subsección: cuatro
Ladillo: no
Número de líneas del titular: dos
Número de líneas del cuerpo: 9
Fotografía: no
Firma: E. P. (Europa Press)

Despacho de agencia publicado por Europa Press (www.europapress.es), el 19 de mayo del 2014:

Kutxabank coloca con éxito una nueva emisión de 1.000 millones de euros en cédulas hipotecarias

Kutxabank ha cerrado este lunes con éxito una nueva emisión de cédulas hipotecarias -la segunda de su historia- por un importe de 1.000 millones de euros y con un plazo de amortización de siete años.

Según ha informado la entidad en un comunicado, el rendimiento de los bonos se ha establecido en 70 puntos básicos sobre mid-swap, referencia utilizada en estas emisiones.

El lanzamiento, que ha contado con una demanda superior al importe de la operación (106 solicitudes de compra por un importe superior a los 1.500 millones de euros), ha sido suscrito por inversores institucionales procedentes de países europeos y asiáticos. "El éxito de la operación vuelve a ratificar la confianza de los mercados en el Grupo financiero vasco", ha valorado Kutxabank.

BBVA, HSBC, Commerzbank, Credit Agricole y Nomura han sido los bancos colocadores en esta operación. La emisión ha sido valorada por las agencias internacionales Moody's y Standard & Poor's con una calificación a largo plazo de A2 y AA-, respectivamente.

Kutxabank realizó su primera emisión de cédulas hipotecarias en enero de 2013. En aquella ocasión colocó en el mercado en menos de una hora un total de 750 millones de euros, con un plazo de amortización de cuatro años.

Las cédulas hipotecarias son títulos de renta fija que están garantizados por la cartera hipotecaria y por el balance de las entidades financieras. La emisión refuerza "la solidez y la óptima posición de liquidez de Kutxabank, una de las entidades más *capitalizadas* del sector financiero [ver Anexo II: "El lenguaje subordinado. Los términos de marketing y economía en los breves de empresa"]".

FICHA del despacho de agencia en la web

Enlace de la web en la que se encuentra: <http://www.europapress. es/euskadi/noticia-kutxabank-coloca-exito-nueva-emision-1000-millones-euros-cedulas-hipotecarias-20140519160149.html>

Pestaña: --

Subpestaña: --

Antetítulo: --

Título: "Kutxabank coloca con éxito una nueva emisión de 1.000 millones de euros en cédulas hipotecarias"

Subtítulo: dos subtítulos

Número de caracteres (con espacio) del titular: 95

Número de caracteres (con espacio) del cuerpo de la nota: 1.517

Fotografía: no

Firma: sin especificar (Europa Press)

Lugar de la firma: Bilbao

Otros (documentos adjuntos, etcétera): no

Nota de prensa original, publicada por Kutxabank (www.kutxabank.com), el 19 de mayo del 2014:

<u>Kutxabank coloca con éxito una nueva emisión de 1.000 millones de euros en cédulas hipotecarias</u>

· El precio de los bonos se ha fijado en 70 puntos básicos sobre el mid-swap, y el plazo de amortización, en siete años

· Ha sido suscrita por inversores internacionales, lo que ratifica la confianza del mercado en el Grupo financiero vasco

Kutxabank ha conseguido hacer hoy frente a las últimas turbulencias y a la *volatilidad de los mercados* [ver Anexo IV: "volatilidad de los precios"] al cerrar con éxito y con una gran acogida una nueva emisión de cédulas hipotecarias –la segunda en la historia del Grupo financiero– por un importe de 1.000 millones de euros y con un plazo de amortización de siete años.

El rendimiento de los bonos se ha establecido en 70 puntos básicos sobre mid-swap, referencia utilizada en estas emisiones. El lanzamiento, que ha contado con una demanda superior al importe de la operación –106 solicitudes de compra por un importe superior a los 1.500 millones de euros–, ha sido suscrita por inversores institucionales procedentes de países europeos y asiáticos. El éxito de la operación vuelve a ratificar la confianza de los mercados en el Grupo financiero vasco.

BBVA, HSBC, Commerzbank, Credit Agricole y Nomura han sido los bancos colocadores en esta operación. La emisión ha sido valorada por las agencias internacionales Moody´s y Standard & Poor´s con una calificación a largo plazo de A2 y AA-, respectivamente. Kutxabank realizó su primera emisión de cédulas hipotecarias en enero de 2013. En aquella ocasión colocó en el mercado en menos de una hora, un total de 750 millones de euros, con un plazo de amortización de cuatro años.

Las cédulas hipotecarias son títulos de renta fija que están garantizados por la cartera hipotecaria y por el balance de las entidades financieras. La emisión refuerza la solidez y la óptima posición de liquidez de Kutxabank, una de las entidades más capitalizadas del sector financiero.

FICHA de la nota de prensa en la web

Enlace de la web en la que se encuentra: <http://www.kutxabank. com/cs/Satellite?blobcol=urldata&blobheader=application%2Fpdf&blobheadername1=Expires&blobheadername2=content-type&blobheadername3=MDT-Type&blobheadername4=Content-disposition&blobheadervalue1=Thu%2C+10+Dec+2020+16%3A00%3A00+GMT&blobheadervalue2=application%2Fpdf&blobheadervalue3=abinary%3Bcharset%3DUTF-8&blobheadervalue4=inline%3B+filename%3D19052014+Ce%C2%B4dulas+hipotecarias+2014. pdf&blobkey=id&blobtable=MungoBlobs&blobwhere=1311870728823&ssbinary=true>

Pestaña: --

Subpestaña: --

Antetítulo: --

Título: "Kutxabank coloca con éxito una nueva emisión de 1.000 mi

llones de euros en cédulas hipotecarias"
Subtítulo: dos subtítulos
Número de caracteres (con espacio) del titular: 99
Número de caracteres (con espacio) del cuerpo de la nota: 1.813
Fotografía: no
Firma: sin especificar
Lugar de la firma: Bilbao
Otros (documentos adjuntos, etcétera): no

MOROSIDAD EN CATALUNYA

Baja el plazo de cobro en el sector privado

■ Según el informe sobre plazos de cobro elaborado por Pimec, la demora de cobro en el sector privado catalán se ha reducido un 8,5%. De esta forma, se precisan 75 días de media para cobrar entre empresas privadas, aun así lejos de los 134 precisados para cobrar de las administraciones catalanas. / Redacción

GRUPO PRINON

Adquisición de la clínica Dentalium

■ El grupo médico Clínica Prinon ha adquirido la Clínica Dentalium, especializada en odontología integral y ubicada en la ciudad de Barcelona. Tras la adquisición, Grupo Prinon se refuerza como líder en la odontología microinvasiva a través de diferentes técnicas avanzadas. / Redacción

LA ROCA VILLAGE

Oferta de 300 puestos de trabajo

■ La Roca Village abre el próximo jueves, a partir de las nueve, la tercera edición de la Job Fair, convocatoria que ofrece 300 puestos de trabajo para especialistas en turismo de compras. La multinacional británica Hays será la encargada de realizar el proceso de selección de las distintas candidaturas. / Redacción

La Roca Village

PURINES

Las plantas reclamarán daños

■ Las plantas de tratamiento de purines y cogeneración energética barajan la posibilidad de reclamar al Ministerio de Industria daños patrimoniales por las pérdidas que les ocasiona el cierre de las instalaciones a causa de la reforma eléctrica. Antes las empresas quieren agotar todas las negociaciones. / Efe

---

EMPRENDEDORES

Corporate Jets suspende pagos y deja de volar

La empresa de Festina tiene deudas de 9 millones de euros

LALO AGUSTINA
Barcelona

Corporate Jets XXI, empresa de aviación privada del entorno del Grupo Festina y del empresario Miguel Rodríguez, ha suspendido pagos en Barcelona con deudas superiores a los 9 millones de euros. La compañía era líder en Catalunya en el negocio de los vuelos corporativos, que ha sufrido en sus carnes la dureza de la crisis, aunque el año pasado el negocio remontó ligeramente tras tocar fondo en el 2012.

En el caso de Corporate Jets, fuentes del sector explicaron ayer que su reducido tamaño le complicaba la explotación del negocio al contar con unos costes fijos muy elevados. La empresa sólo disponía de cuatro aviones, dos Falcon y dos Cessna, dos de ellos financiados por empresas relacionadas con Festina. Fuentes conocedoras del concurso de acreedores explicaron ayer que a día de hoy Corporate Jets ya no cuenta con ningún aparato. De hecho, dejó de volar a finales del año pasado y despidió a sus cerca de 35 trabajadores en enero. Según datos de Aena, en el 2013 realizó 552 operaciones con origen y destino en el aeropuerto de El Prat, menos de dos al día. Muy poco para cuatro aviones.

Avión de Corporate Jets en el aeropuerto de El Prat

La compañía tenía dos aviones Falcon y otros dos Cessna en Barcelona y dejó de operar en diciembre

Los acreedores –entre los que destacan FinCorp (también relacionada con el Grupo Festina, con 6 millones) y Banc Sabadell (1,6 millones)– se enfrentan a un concurso de liquidación en el que no hay activos para hacer frente a las deudas.

El servicio que prestaba Corporate Jets era para clientes VIP, entre los que se encontraban empresarios, artistas, deportistas y miembros de la nobleza. Un Barcelona-Madrid-Barcelona en el mismo día podía salir por entre 6.000 euros más IVA para el avión de ocho plazas y 11.000 euros en el de catorce. Pero la empresa hacía muchos servicios –cerca del 80%– que no tenían ninguna relación con Catalunya. Volaba regularmente, siempre que era requerida, a todo Europa, el golfo Pérsico y Estados Unidos. Ahora afronta la liquidación.●

Alier presenta concurso con un pasivo de 37 millones

LLEIDA Europa Press

El consejo de administración del grupo Alier, propietario de la papelera ubicada en Rosselló (Lleida), presentó en el juzgado Mercantil número 5 un concurso voluntario de acreedores por la falta de acuerdo entre la banca y un fondo de inversiones interesado en la compra de la fabricante de papel.

El director del grupo, Antonio Pinos, cifró el pasivo del concurso en 37 millones de euros y en 46 el activo. La papelera se encuentra desde el martes parada debido al corte de suministro de Gas Natural, según un comunicado del grupo. Alier había firmado un preacuerdo de compra con un fondo, según el cual este último ponía como condición la renegociación de la deuda bancaria. La imposibilidad de formalizar un pacto entre los bancos y la firma inversora para refinanciar la deuda ha llevado al concurso.

La presentación del concurso es una medida de protección de la compañía para intentar mantener la actividad del Grupo Alier, donde trabajan 142 personas, según la empresa.

El concurso conlleva la puesta en marcha de un plan de viabilidad para continuar con la producción y salvar alrededor de 70 puestos de trabajo como último recurso para evitar el cie-

rre de la fábrica de Rosselló. Con el concurso se renegocia la deuda con los acreedores para hacer viable la empresa.

Desde octubre del año 2013, Alier ha intentado varias medidas de emergencia, como la parada de la máquina 3 –dedicada a la producción de sacos y bolsas recicladas–, el cierre de la planta de manipulados Celsum y la aplicación de un ERE (expediente de regulación de empleo) temporal. Este plan tenía

La empresa quiere poner en marcha un plan de viabilidad y salvar setenta de los 142 empleos

como objetivo reducir la estructura empresarial mientras se buscaban inversores y se renegociaba la deuda con los bancos y los proveedores.

El Grupo Alier explicó que ha tenido que hacer frente a pérdidas económicas importantes durante los últimos años. A partir de 2013, la situación se agravó con la supresión de las ayudas a la cogeneración, la reforma energética y, más concretamente, al llegar a los 15 años de vida de la planta generadora de vapor y electricidad.●

16. La Vanguardia   **Numeración para la muestra: 31**

17-18 de abril del 2014

Adquisición de la clínica Dentalium

El grupo médico Clínica Prinon ha adquirido la Clínica Dentalium, especializada en odontología integral y ubicada en la ciudad de Barcelona. Tras la adquisición, Grupo Prinon se refuerza como líder en la odontología microinvasiva a través de diferentes técnicas avanzadas. / Redacción

FICHA del breve en el diario

Número de página: 63
Sección: economía
Subsección: En línea
Número de breves de la subsección: cuatro
Ladillo: Grupo Prinon
Número de líneas del titular: dos
Número de líneas del cuerpo: diez
Fotografía: no
Firma: Redacción

Nota de prensa original, publicada por Kutxabank (www.bcnpress.com), el 15 de abril del 2014:

Grupo Prinon adquiere la Clínica Dentalium para consolidarse en Barcelona
· Clínica Prinon, nacida en Barcelona hace 5 años, se consolida tras esta operación como grupo de referencia de la ciudad condal en odontología avanzada.
El grupo médico Clínica Prinon ha adquirido la Clínica Dentalium, especializada en odontología integral y ubicada en la céntrica calle Mallorca de la ciudad condal. Con esta operación, el grupo liderado por el Doctor Xabier Arévalo se sitúa como centro de referencia en odontología avanzada.
Según ha informado Grupo Prinon tras la operación de compra, la compañía ha reforzado su posicionamiento como líder en el ámbito de la odontología microinvasiva a través de técnicas avanzadas para la prevención. Dentalium, que cuenta con una plantilla de cuatro doctores, está especializada en implantes sin dolor, estética dental, ortodoncia, odontopediatría, periodoncia, y endodoncia, entre otras especialidades.
Grupo Prinon, por su parte, aplica técnicas innovadoras y evolutivas de Odontología Micro Invasina, método utilizado para prevenir y tratar problemas dentales evitando daños innecesarios a tejidos sanos. Es una de las pocas clínicas españolas que cuenta con modernos equipos (microscopio dental y Radiología Digital 3D) que garantizan un alto nivel de precisión en el diagnóstico (solo un 2% está equipada en España) y reducen las molestias típicas de los tratamientos dentales.
De cara al ejercicio 2014, el centro médico se encuentra inmerso en la negociación de una nueva adquisición estratégica.

FICHA de la nota de prensa en la web

Enlace de la web en la que se encuentra: <http://bcnpress.com/ news/grupo-prinon-adquiere-la-clinica-dentalium-para-consolidar- se-en-barcelona/>
Pestaña: economía
Subpestaña: notas de prensa
Antetítulo: no
Título: "Grupo Prinon adquiere la Clínica Dentalium para consoli- darse en Barcelona"
Subtítulo: un subtítulo
Número de caracteres (con espacio) del titular: 73
Número de caracteres (con espacio) del cuerpo de la nota: 1.458
Fotografía: no
Firma: Irina Tasias
Lugar de la firma: sin especificar
Otros (documentos adjuntos, etcétera): no

BOLSA

	IBEX 35 Madrid	EUROSTOXX 50 París	FTSE 100 Londres	DAX 30 Fráncfort	DOW JONES Nueva York	NASDAQ Nueva York	NIKKEI Tokio	PETRÓLEO Dólares / barril	EURIBOR %	ORO Dólares / onza
Cotización →	10.714,20	3.244,28	6.844,94	9.940,82	16.675,50	4.237,07	14.636,52	110,08	0,5730	1.265,70
En el día →	+0,25%	+0,12%	+0,43%	+0,49%	+0,42%	+1,22%	+0,23%	-0,28%	-0,52%	-2,10%
En el año →	+8,04%	+4,35%	+1,42%	+4,07%	+0,60%	+1,45%	-10,16%	-0,74%	+3,06%	+4,95%

IBEX 35

LAS MAYORES SUBIDAS	%	LAS MAYORES BAJADAS	%
Banco Popular	+2,11	FCC	-1,35
Bankinter	+2,00	Acciona	-1,13
Sacyr	+1,65	OHL	-1,00
IAG	+1,57	Indra	-0,49
Banco Sabadell	+1,07	Amadeus It Holding	-0,45
Mapfre	+0,87	Ebro Foods	-0,42
BME	+0,59	Viscofan	-0,42
BBVA	+0,55	Dia	-0,40

SUBASTAS TESORO

	Tir media
Letras 6 Meses	0,36
Letras 9 Meses	0,55
Letras 12 Meses	0,60
Letras 18 Meses	1,69
Bonos 2,5 Años	4,34
Bonos 2 Años	1,07
Bonos 3 Años	1,90
Bonos 3 Años	1,04
Bono 4 Años	5,97

TIPOS OFICIALES

	%
España	0,25
Alemania	0,25
Zona euro	0,25
Reino Unido	0,50
EE.UU.	0,00-0,25
Japón	0,00-0,10
Suiza	0,00-0,25
Canadá	1,00

DIVISAS

	1 euro
Dólares USA	1,3638
Yenes japoneses	139,01
Coronas danesas	7,4634
Libras esterlinas	0,811
Coronas suecas	9,0393
Francos suizos	1,2221
Coronas noruegas	8,1185
Yuanes chinos	8,5228

CIFRAS ECONÓMICAS

ESPAÑA
IPC	0,4%	Desempleo	25,93%
PIB	0,2%	Tipos de interés	0,25%

ZONA EURO
IPC	0,5%	Desempleo	11,8%
PIB	0,4%	Tipos de interés	0,25%

EEUU
IPC	1,5%	Desempleo	6,3%
PIB	2,3%	Tipos de interés	0/0,25%

■ Colonial

Último cierre: 0,600 euros ▼ -0,660%

FUENTE: Bloomberg. EL MUNDO

MERCADO CONTINUO
CONTRATACIÓN EN EUROS

IBEX 35

TÍTULO	ÚLTIMA COTIZACIÓN	VARIACIÓN DIARIA EUROS	%	AYER MÍN.	MÁX.	VARIACIÓN AÑO % ANTERIOR	ACTUAL
Abertis	15,900	-0,010	-0,06	15,850	16,005	45,85	3,35
Acciona	56,640	-0,670	-1,13	56,320	59,740	-21,20	40,40
ACS	31,675	0,155	0,49	31,360	31,675	41,22	26,60
Amadeus It Holding	31,895	-0,145	-0,45	31,780	32,070	66,83	2,54
ArcelorMittal	11,420	0,015	0,13	11,390	11,525	3,68	-11,75
B. Popular	5,121	0,106	2,11	5,013	5,145	50,85	16,78
B. Sabadell	2,365	0,025	1,07	2,328	2,380	6,68	24,74
B. Santander	7,484	0,033	0,44	7,414	7,500	24,15	15,03
Bankia	1,472	0,001	0,07	1,467	1,482	-74,12	19,29
Bankinter	5,713	0,112	2,00	5,580	5,722	155,77	14,56
BBVA	9,344	0,051	0,55	9,232	9,379	39,05	4,43
BME	32,680	0,190	0,58	32,345	32,695	66,83	18,15
Caixabank	4,412	0,022	0,50	4,384	4,450	55,65	16,47
Dia	6,758	-0,027	-0,40	6,680	6,820	38,25	3,97
Ebro Foods	16,430	-0,070	-0,42	16,420	16,560	18,87	-3,55
Enagás	21,535	0,065	0,30	21,270	21,585	25,31	13,37
FCC	15,315	-0,210	-1,35	15,305	15,645	72,63	-5,32
Ferrovial	15,865	-0,025	-0,16	15,840	15,965	31,78	12,80
Gamesa	8,363	0,006	0,07	8,235	8,390	356,63	10,33
Gas Natural	21,160	-0,010	-0,05	20,980	21,260	49,38	13,19
Grifols	39,530	-0,100	-0,25	39,295	39,680	32,80	13,71
IAG	4,846	0,075	1,57	4,738	4,854	117,00	0,14
Iberdrola	5,224	-0,007	-0,13	5,215	5,245	22,50	12,71
Inditex	106,050	-0,150	-0,14	105,500	106,700	17,16	-11,48
Indra	13,230	-0,065	-0,49	13,150	13,340	25,40	8,84
Jazztel PLC	10,855	0,035	0,32	10,825	11,065	48,03	39,54
Mapfre	3,001	0,026	0,87	2,969	3,014	40,57	-3,60
Mediaset	8,002	-0,013	-0,16	7,935	8,039	64,81	-4,61
Obrasción H.L.	31,715	-0,320	-1,00	31,660	32,190	37,28	7,71
Red Eléctrica	61,800	-0,030	-0,05	61,520	62,300	37,93	29,34
Repsol	20,600	-0,040	-0,19	20,580	20,770	26,18	12,45
Sacyr	4,879	0,079	1,65	4,738	4,924	139,43	29,52
Técnicas Reunidas	44,655	0,010	0,02	44,365	45,175	18,87	13,09
Telefónica	12,225	0,015	0,12	12,210	12,315	23,43	3,30
Viscofan	41,425	-0,175	-0,42	41,205	41,660	-0,61	0,18

RESTO DE VALORES

TÍTULO	ÚLTIMA COTIZACIÓN	DIF. %	RENTA 2014
Abengoa	3,901	1,67	61,20
Abengoa B	3,110	0,65	42,92
Acerinox	12,585	0,64	36,10
Adolfo Domínguez	5,150	0,78	-9,01
Adveo	17,100	0,29	14,46
Airbus (EADS)	53,050	1,93	-5,21
Alba	44,430	2,02	4,54
Almirall	11,530	0,17	-2,62
Amper	0,790	23,44	-25,47
Aperam	23,860	-0,13	78,06
Applus Services	16,500	3,13	
Atresmedia	11,300	2,36	-5,99
Azkoyen	2,630	-0,38	25,24
Barón de Ley	73,850	=	25,17
Bayer Ag.	105,550	1,10	3,18
Biosearch	0,710	-1,39	2,90
Bodegas Riojanas	5,050	=	-5,96
C. A. F.	339,750	-0,61	-11,59
CAM	1,340	=	0,00
Campofrío	6,910	0,14	0,14
Cem.Portland	7,160	-0,56	28,78
Cie Automotive	9,000	-0,55	12,50
Cleop	1,150	=	0,00
Clínica Baviera	10,800	1,60	3,25
Codere	0,810	-4,71	17,39
Colonial	0,600	-0,66	129,62
C.V.N.E.	15,600	=	2,63
Deoleo	0,390	=	-17,02
Dinamia	8,440	1,69	20,57
Dogi	6,400	=	0,00
Duro Felguera	4,890	0,20	-0,20
Edreams Odigeo	10,500	-0,47	
Elecnor	10,490	1,06	-6,17
Ence	2,150	1,42	-21,10
Endesa	28,235	-0,58	29,52
Enel Green Power	2,035	-0,73	12,93
Ercros	0,461	0,66	-2,96
Europac	3,890	0,26	1,17
Ezentis	1,040	-0,95	-32,47
Faes	2,155	-0,69	-15,13
Fergo Aisa	0,017	=	0,00
Fersa	0,570	-1,72	46,15
Fluidra	3,220	0,31	18,38
Funespaña	6,190	=	3,17
GAM	0,670	-2,90	-6,94
General Inversiones	1,720	=	3,61
Grupo Catalana Occ.	27,750	=	6,65
Grupo Sanjosé	1,210	-0,82	0,83

TÍTULO	ÚLTIMA COTIZACIÓN	DIF. %	RENTA 2014
Grupo Tavex	0,241	5,24	4,78
Hispania Activos Inmob.	10,190	0,10	
Iberpapel	12,900	=	-14,57
Indo Interna.	0,600	=	0,00
Inmobiliaria Del Sur	10,810	=	-32,44
Inypsa	0,615	-5,38	-26,79
Lar España	9,910	0,10	
Liberbank	0,880	0,46	22,22
Lingotes Especiales	4,380	-3,95	27,14
Martinsa-Fadesa	7,300	=	0,00
Meliá Hotels Int.	9,330	-1,58	-0,05
Miquel y Costas	29,050	0,52	-4,75
Montebalito	1,145	2,69	1,83
N. Correa	1,520	0,66	17,37
Natra	1,810	3,43	-18,10
Natraceutical	0,278	-1,42	-3,14
NH Hoteles	4,390	-2,77	2,45
Nyesa	0,170	=	0,00
Pescanova	5,910	=	0,00
Prim	5,980	-1,81	3,82
Prisa	0,358	1,70	-10,50
Prosegur	5,040	-0,98	1,20
Quabit	0,113	-1,74	-4,24
Realia Business	1,250	0,81	50,60
Reno de Medici	0,306	2,68	15,47
Renta Corp.	0,570	=	0,00
Renta 4 Banco	5,730	-0,17	13,47
Reyal Urbis	0,124	=	0,00
Rovi	9,980	0,30	0,00
Seda Barna	0,729	=	0,00
Service Point Solution	0,071	=	-24,47
Sniace	0,196	=	0,00
Solaria	1,220	-1,21	59,48
Sotogrande	3,800	=	41,79
Tecnocom	1,665	-0,30	37,60
Testa Inm.Renta	15,500	0,91	105,03
Tubacex	3,640	-1,09	25,95
Tubos Reunidos	2,300	0,66	29,94
Uralita	1,100	2,80	-7,56
Urbas Gr.Financiero	0,034	=	36,00
Vértice 360	0,044	=	-4,35
Vidrala	36,570	-1,46	-2,32
Vocento	2,115	0,71	40,07
Zardoya Otis	13,290	0,30	1,06
Zeltia	2,650	-0,56	14,72

EMPRESAS

Bonus en Colonial tras la refinanciación

Colonial pagará un bonus de 2,5 millones a su presidente, Juan José Bruguera, y a su consejero delegado, Pere Viñolas, como retribución extraordinaria por cerrar con éxito la refinanciación y reestructuración de la inmobiliaria. Bruguera percibirá 1,05 millones y Viñolas de 1,47. /E.P.

Bankinter coloca 500 millones en bonos

Bankinter ha colocado con éxito 500 millones de euros en bonos senior a un plazo de cinco años y a un margen de 108 puntos básicos sobre mid swap, lo que significa una rentabilidad del 1,84%. Más de 90 inversores institucionales han participado en el proceso de comercialización, que ha durado poco más de dos horas. Como entidades colocadoras han participado Bankinter, Barclays, BBVA, Natixis y Royal Bank of Scotland. /E.P.

Financiación para 100 empresas de Fond-ICO

Un centenar de empresas españolas recibirán financiación con los fondos de la segunda convocatoria de Fond-ICO Global, en la que se invertirán 248 millones de euros para comprometer un fondo objetivo de 3.785 millones. Del total de fondos movilizados, los seleccionados tienen el compromiso de invertir 665 millones en España. Los fondos adjudicatarios son cuatro de Venture Capital (compromiso de 57 millones para movilizar 280 millones) y cuatro de Expansión (compromiso de 191 millones para levantar 3.505 millones). /E.P.

Accor compra activos de 97 hoteles

Accor ha comprado activos de 97 establecimientos hoteleros en Europa que operaba bajo arrendamiento a través de su brazo inversor, HotelInvest, en dos carteras que representan 86 y 11 hoteles, para una oferta total de 12.838 habitaciones. El monto de la operación asciende a 900 millones de euros. /E.P.

El AMB rescatará los polígonos
Prevé invertir hasta 100 millones para atraer nuevas empresas

Barcelona
El Área Metropolitana de Barcelona (AMB) invertirá en los próximos tres años un total de 30 millones de euros –ampliables a 100– en la mejora de los polígonos industriales metropolitanos con el objetivo de atraer la instalación de nuevas empresas.

La vicepresidenta del Área de Desarrollo Económico del AMB, Sònia Recasens, ha dado a conocer este martes las características del plan de inversión para la mejora de los polígonos industriales, que se ejecutará en tres fases a lo largo de los próximos tres años.

El plan de inversiones en los polígonos industriales forma parte del *Friendly for Business*, un nuevo proyecto del AMB que pretende incrementar las inversiones empresariales industriales en Barcelona y su entorno. En el marco de este proyecto, el Área Metropolitana creará a finales de este año una base de datos y un buscador con información de 236 polígonos industriales y de las ofertas inmobiliarias industriales.

En paralelo, el organismo supramunicipal anunció ayer que ha conseguido un crédito bancario de 160 millones de euros para financiar su plan de apoyo a los ayuntamientos.

El plan de apoyo a los ayuntamientos se aprobó el mes de julio del pasado año y está centrado en la creación de empleo.

16. El Mundo   **Numeración para la muestra: 32**

Miércoles 28 de mayo del 2014

Bankinter coloca 500 millones en bono

Bankinter ha colocado con éxito 500 millones de euros en bonos senior a un plazo de cinco años y a un margen de 108 puntos básicos sobre *mid swap*, lo que significa una rentabilidad del 1,84%. Más de 90 inversores institucionales han participado en el proceso de comercialización, que ha durado poco más de dos horas. Como entidades colocadoras han participado Bankinter, Barclays, BBVA, Natixis y Royal Bank of Scotland. / E. P.

FICHA del breve en el diario

Número de página: 36
Sección: bolsa
Subsección: empresas
Número de breves de la subsección: cuatro
Ladillo: no
Número de líneas del titular: dos
Número de líneas del cuerpo: 13
Fotografía: no
Firma: E. P. (Europa Press)

Despacho de agencia publicado por Europa Press (www.europapress.es), el 27 de mayo del 2014:

Bankinter coloca 500 millones de euros en bonos senior a cinco años
Bankinter ha colocado con éxito 500 millones de euros en bonos senior a un plazo de cinco años y a un margen de 108 puntos básicos sobre 'mid swap', lo que significa una rentabilidad del 1,84%, según ha informado la entidad.
Más de 90 inversores institucionales han participado en el proceso de comercialización, que ha durado poco más de dos horas. La fecha de desembolso está fijada para el 10 de junio de este año, y la amortización está prevista para el 10 de junio de 2019.
La emisión ha estado dos veces sobresuscrita. La colocación entre inversores institucionales internacionales ha supuesto el 56% del total. En esta operación han participado como entidades colocadoras Bankinter, Barclays, BBVA, Natixis y Royal Bank of Scotland.
Se trata de la primera emisión de estas características que realiza Bankinter desde mayo de 2006, cuando se colocaron 1.000 millones de euros en bonos senior.

FICHA del despacho de agencia en la web

Enlace de la web en la que se encuentra: <http://www.europapress.es/economia/finanzas-00340/noticia-economia-finanzas-bankinter-coloca-500-millones-euros-bonos-senior-cinco-anos-20140527164815.html>
Pestaña: economía
Subpestaña: finanzas
Antetítulo: no
Título: "Bankinter coloca 500 millones de euros en bonos senior a cinco años"
Subtítulo: un subtítulo
Número de caracteres (con espacio) del titular: 67
Número de caracteres (con espacio) del cuerpo de la nota: 907
Fotografía: no
Firma: sin especificar (Europa Press)
Lugar de la firma: Madrid
Otros (documentos adjuntos, etcétera): no

Nota de prensa original, publicada por Bankinter (www.bankinter.com), el 27 de mayo del 2014:

Bankinter coloca con éxito en el mercado mayorista una emisión de bonos senior por importe de 500 millones de euros

Bankinter ha colocado con éxito 500 millones de euros en bonos senior a un plazo de cinco años y a un margen de 108 puntos básicos sobre mid swap, lo que significa una rentabilidad del 1,84%. Más de 90 inversores institucionales han participado en el proceso de comercialización, que ha durado poco más de 2 horas.

La fecha de desembolso está fijada para el 10 de junio de este año; y su fecha de amortización, el 10 de junio de 2019.

La emisión ha estado dos veces sobresuscrita. La colocación entre inversores institucionales internacionales ha supuesto el 56% del total.

Se trata de la primera emisión de estas características que realiza Bankinter desde mayo de 2006, cuando se colocaron 1.000 millones de euros en bonos senior.

Los bancos colocadores han sido Bankinter, Barclays, BBVA, Natixis y Royal Bank of Scotland.

FICHA de la nota de prensa en la web

Enlace de la web en la que se encuentra: <https://webcorporativa.bankinter.com/www2/corporativa/es/sala_prensa/notas_prensa/fechas/2014/mayo/dt.Emisi%C3%B3n+500+millones>

Pestaña: sala de prensa

Subpestaña: notas de prensa

Antetítulo: no

Título: "Bankinter coloca con éxito en el mercado mayorista una emisión de bonos senior por importe de 500 millones de euros"

Subtítulo: no

Número de caracteres (con espacio) del titular: 115

Número de caracteres (con espacio) del cuerpo de la nota: 821

Fotografía: no

Firma: sin especificar

Lugar de la firma: sin especificar

Otros (documentos adjuntos, etcétera): no

EPSON IBÉRICA

Ernest Quingles, nuevo presidente

■ Ernest Quingles Blasi ha sido nombrado presidente y director general de Epson Ibérica, en sustitución de Juan Coromines. Quingles (Barcelona, 1965), formado en Esade e Iese, ha sido hasta ahora consejero delegado de Tech Data en Italia y en Portugal; anteriormente había trabajado en Océ o Riso. / Redacción

EUROFRAGANCE

Nuevos perfumistas para crecer en Asia

■ Eurofragance ha incorporado a dos expertos en fragancias, Henry Van Den Heuvel y Wea San Yeo, que pasarán un año en la sede de Sant Cugat para luego liderar el crecimiento en Asia desde la filial de Singapur. La firma que preside Santiago Sabatés factura 49,7 millones, el 85% fuera de la UE. / Redacción

AKAMON

Entrada en un estudio de juegos de Israel

■ Akamon, firma de juegos de casino que dirige Vicenç Martí, ha tomado una participación del 25%, con opción al 100%, en el estudio de juegos israelí Xpinator, que se integra en su estructura en Barcelona y Valencia. Además, Akamon ha fichado a Alex Cohen como responsable de producto. / Redacción

Vicenç Martí

UPM RAFLATAC

Anuncio de 86 despidos en Polinyà

■ La papelera UPM Raflatac ha anunciado 86 despidos para la planta que tiene en Polinyà (Barcelona), y otros 36 en su casa matriz de Finlandia, por el traslado de parte de la actividad a Polonia, en el marco de su plan de reorganización del negocio de etiquetas autoadhesivas. / Agencias

---

EMPRENDEDORES

La corchera Francisco Oller mira a Asia y Brasil

La empresa exporta el 70% de la producción de Cassà

SÍLVIA OLLER
Cassà de la Selva

La empresa corchera Francisco Oller, con sede en Cassà de la Selva, tiene la vista puesta en el mercado asiático, donde desde hace un año y medio ha empezado a vender tapones a India, Turquía e Indonesia. Aunque la producción de vinos espumosos en estos países no es demasiado elevada, se prevé un crecimiento sostenido tanto en calidad como en cantidad a lo largo de los próximos años. "Son países productores de vino blanco y tinto, que actualmente están apostando por la elaboración de espumosos. Nosotros les acompañamos y les asesoramos en este proceso", explica el director general del grupo Oller, Joan Puig. En el 2013, la compañía vendió en estos mercados un millón de tapones.

La empresa, que sigue consolidando su posición en los mercados europeos y norteamericanos, también tiene quiere trabajar a corto plazo con China y Brasil. "En los últimos tres años, la tasa de crecimiento de vino espumoso en Brasil rondó el 15%", afirma el director general del grupo. Francisco Oller fabrica unos 200 millones de tapones al año, el 10% del mercado

AGUSTÍ ENSESA
Joan Puig y Jaume Nadal, director general y presidente de Oller

El grupo Oller, con una plantilla total de 140 personas, facturó 26 millones de euros en el 2013

mundial. La previsión es alcanzar el 15% en un plazo de tres a cinco años. Además de Cassà de la Selva, el grupo tiene plantas en San Vicente de Alcántara (Extremadura) y otra en Reims (Francia).

Más del 70% de la producción de Cassà se exporta. En los últimos cinco años, la facturación del grupo Oller, que cuenta con una plantilla de 140 empleados, ha pasado de los 18 millones de euros a los 26 del pasado ejercicio 2013. El presidente del grupo Oller, Jaume Nadal, atribuye el crecimiento de la firma a la apuesta por la innovación tecnológica, la racionalización del proceso productivo y el elevado ritmo exportador. La firma invirtió antes de la crisis 3,5 millones de euros para mejora de la maquinaria.●

Puig denuncia un nuevo recorte de Madrid a las políticas de empleo

BARCELONA Europa Press

El conseller de Empresa i Ocupació de la Generalitat, Felip Puig, acusó ayer al Gobierno de castigar absurdamente a Catalunya en la distribución de los recursos para políticas activas de empleo. En declaraciones a los periodistas en los pasillos del Parlament, Puig aseguró que el recorte del Estado por este concepto ha sido drástico en los últimos años, al haber pasado de 444 millones de euros que destinó a Catalunya en el 2011 a los 176 millones de este año.

El conseller considera incomprensible que el Gobierno aplique este recorte a Catalunya porque es "el territorio, la nación dentro del Estado español, que más eficazmente está luchando contra el paro" y donde, según dijo, se está registrando una mayor disminución. El conseller afirmó que, debido al recorte de un 60% en esta partida entre el 2011 y el 2014, la situación "empieza a ser dramática", y destacó que esta disminución de recursos se ha producido en el momento en que la crisis se ha manifestado con mayor crudeza.

Puig también cargó contra "los criterios opacos y sin objetividad" que el Gobierno ha utili-

zado para aplicar este recorte, y que fue comunicado a las autonomías el pasado miércoles en una reunión de la conferencia sectorial de trabajo y asuntos sociales. El conseller desvinculó el recorte aplicado por el Estado en esta partida del proceso soberanista ya que, según argu-

MARC ARIAS / ARCHIVO
Felip Puig, conseller de Empresa

mentó, la decisión de recortar ha sido "genérica" para el conjunto de las comunidades, aunque se han visto algo más afectadas Andalucía, Catalunya y la Comunidad Valenciana.

Puig defendió que esta política del Estado reafirma la necesidad de que Catalunya pueda, en el futuro, gestionar las prestaciones por desempleo ya que, combinadas con las políticas de empleo, permitirán a la Generalitat ser "más eficaz" en la lucha contra el paro.●

17. La Vanguardia   **Numeración para la muestra: 33**

Viernes 25 de abril del 2014

Nuevos perfumistas para crecer en Asia

Eurofragance ha incorporado a dos expertos en fragancias, Henry Van Den Heuvel y Wea San Yeo, que pasarán un año en la sede de Sant Cugat para luego liderar el crecimiento en Asia desde la filial de Singapur. La firma que preside Santiago Sabatés factura 49,7 millones, el 85% fuera de la UE. / Redacción

FICHA del breve en el diario

Número de página: 63
Sección: economía
Subsección: En línea
Número de breves de la subsección: cuatro
Ladillo: Eurofragance
Número de líneas del titular: dos
Número de líneas del cuerpo: diez
Fotografía: no
Firma: Redacción

Nota de prensa original, publicada por Eurofragance (www.eurofragance. com), el 24 de abril del 2014:

Eurofragance incorpora a los expertos en fragancias Henry Van Den Heuvel y Wea San Yeo con la vista puesta en Asia

Eurofragance, empresa española dedicada al diseño y producción de fragancias con presencia en más de 60 países, ha hecho pública la incorporación del perfumista Henry Van Den Heuvel a su equipo de diseño como Senior Perfumer, y de Wea San Yeo como nueva Senior Evaluator.

Ambos especialistas ocuparán su cargo durante un año en la sede de la empresa en Sant Cugat, antes de trasladarse definitivamente a la filial de Singapur, que constituye una prioridad para la compañía barcelonesa dentro de su plan de negocio a nivel internacional, que pasa por crecer en Asia y establecer un centro creativo en los próximos años.

Van Den Heuvel acumula más de 25 años de experiencia en la creación de perfumes, destacando especialmente en la categoría de Home Fragances, es decir, fragancias para productos de limpieza y ambientación del hogar. Ha desarrollado su carrera en las empresas Takasago, Kao España, Firmenich, PFW y HLA Consulting, donde ha gestionado equipos y *grandes cuentas* (ver Anexo II: "El lenguaje subordinado. Los términos de marketing y economía en los breves de empresa"). El perfumista se ha especializado en la interpretación de las necesidades de clientes y consumidores para crear fragancias que marcan tendencia. Su incorporación es clave para el equipo de diseño con el fin de potenciar la categoría de fragancias de household e impulsar el mercado asiático.

Por su parte, Wea San Yeo cuenta con más de 15 años de experiencia en la industria de las fragancias, habiendo desarrollado buena parte de su actividad profesional en las oficinas de Singapur y Shanghai de la compañía Firmenich. Especializada en la gestión de equipos y el desarrollo de producto, especialmente en el segmento del home care (limpieza y ambientación del hogar), la técnica evaluadora ha participado en proyectos a nivel mundial, concentrados sobre todo en el mercado de Asia Pacífico.

Sobre Eurofragance

Eurofragance es una empresa dedicada al diseño y producción de fragancias para Perfumería, Cosmetica, Cuidado Personal, Productos de Limpieza del Hogar, que ya ha conseguido "capturar sensaciones" en gran parte del mundo desde su creación.

En Eurofragance, nuestro alcance es global y una de nuestras prioridades es la expansión internacional. Desde nuestras oficinas centrales en Barcelona, Eurofragance inició su proceso de internacionalización en 1993, con la construcción de una extensa red de agentes y distribuidores que han crecido junto a Eurofragance. Más de 24 años de estable y duradera relación con algunos de nuestros distribuidores avalan el compromiso y la calidad de Eurofragance hacia nuestros clientes.

Eurofragance cuenta con filiales internacionales en Turquía, México, Dubai y Singapur, plantas de fabricación en Barcelona y Mexico DF, distribuidores exclusivos en Filipinas, oficina de representación en Polonia, y con presencia local en más de 60 países que nos permite trabajar estrechamente con nuestros clientes en su propio idioma y contexto cultural.

Empresa Certificada ISO 9001 y 14001 para garantizar nuestro compromiso con la calidad, el medio ambiente y la sostenibilidad en todas nuestras actividades.

FICHA de la nota de prensa en la web

Enlace de la web en la que se encuentra: <http://www.eurofragance. com/docs/nota34_esp.pdf>
Pestaña: --
Subpestaña: --
Antetítulo: no
Título: "Eurofragance incorpora a los expertos en fragancias Henry Van Den Heuvel y Wea San Yeo con la vista puesta en Asia"
Subtítulo: no
Número de caracteres (con espacio) del titular: 115
Número de caracteres (con espacio) del cuerpo de la nota: 3.076
Fotografía: no
Firma: Robert Sendra y Miguel Ramos
Lugar de la firma: Barcelona
Otros (documentos adjuntos, etcétera): no

BOLSA

	IBEX 35 Madrid	EUROSTOXX 50 París	FTSE 100 Londres	DAX 30 Francfort	DOW JONES Nueva York	NASDAQ Nueva York	NIKKEI Tokio	PETRÓLEO Dólares / barril	EURIBOR %	ORO Dólares / onza
Cotización →	10.755,60	3.237,93	6.818,63	9.926,67	16.737,53	4.251,64	15.067,96	108,31	0,5620	1.243,70
En el día →	-0,20%	-0,10%	-0,26%	+0,07%	+0,09%	+0,41%	+0,22%	-0,49%	-0,88%	-0,19%
En el año →	+8,46%	+4,15%	+1,03%	+3,92%	+0,97%	+1,80%	-7,51%	-2,34%	+1,08%	+3,13%

IBEX 35

LAS MAYORES SUBIDAS %

	%
Grifols	+2,59
Gamesa	+2,03
Jazztel	+1,47
Bankinter	+1,27
IAG	+0,96
Ferrovial	+0,89
BME	+0,78
Bankia	+0,61

LAS MAYORES BAJADAS %

	%
Repsol	-3,62
OHL	-1,29
Indra	-1,00
Sacyr	-0,79
Mapfre	-0,77
Inditex	-0,75
Gas Natural	-0,66
Ebro Foods	-0,64

SUBASTAS TESORO

	Tir media
Letras 6 Meses	0,36
Letras 9 Meses	0,55
Letras 12 Meses	0,60
Letras 18 Meses	1,69
Bonos 2,5 Años	4,34
Bonos 2 Años	1,90
Bonos 3 Años	1,04
Bono 4 Años	5,97

TIPOS OFICIALES

	%
España	0,25
Alemania	0,25
Zona euro	0,25
Reino Unido	0,50
EE.UU.	0,00-0,25
Japón	0,00-0,10
Suiza	0,00-0,25
Canadá	1,00

DIVISAS

	1 euro
Dólares USA	1,3627
Yenes japoneses	139,78
Coronas danesas	7,4635
Libras esterlinas	0,813
Coronas suecas	9,074
Francos suizos	1,2204
Coronas noruegas	8,1655
Yuanes chinos	8,518

CIFRAS ECONÓMICAS

ESPAÑA
IPC	0,4%	Desempleo	25,93%
PIB	0,2%	Tipos de interés	0,25%

ZONA EURO
IPC	0,5%	Desempleo	11,8%
PIB	0,4%	Tipos de interés	0,25%

EEUU
IPC	1,5%	Desempleo	6,3%
PIB	2,3%	Tipos de interés	0,25%

■ IAG

Último cierre: 4,962 euros ▲ 0,96%

FUENTE: Bloomberg.   EL MUNDO

MERCADO CONTINUO

CONTRATACIÓN EN EUROS

IBEX 35

TÍTULO	ÚLTIMA COTIZACIÓN	VARIACIÓN DIARIA EUROS	%	AYER MÍN.	MÁX.	VARIACIÓN AÑO % ANTERIOR	ACTUAL
Abertis	16,075	-0,005	-0,03	15,865	16,125	45,85	4,49
Acciona	59,770	-0,180	-0,30	59,400	60,130	-21,20	43,11
ACS	32,675	0,020	0,06	32,300	32,765	41,22	30,60
Amadeus It Holding	31,900	0,040	0,13	31,535	32,030	66,83	2,56
ArcelorMittal	11,050	-0,020	-0,18	10,970	11,155	3,68	-14,61
B. Popular	5,031	-0,016	-0,32	4,972	5,074	50,85	14,73
B. Sabadell	2,435	0,011	0,45	2,404	2,442	6,68	28,43
B. Santander	7,532	0,015	0,20	7,450	7,532	24,15	15,77
Bankia	1,487	0,009	0,61	1,469	1,493	-74,12	20,50
Bankinter	5,826	0,073	1,27	5,726	5,829	155,77	16,82
BBVA	9,395	0,016	0,17	9,281	9,425	39,05	5,00
BME	34,215	0,265	0,78	33,520	34,215	66,83	23,70
Caixabank	4,505	-0,021	-0,46	4,430	4,536	55,65	20,29
Dia	6,635	-0,028	-0,42	6,581	6,678	38,25	2,08
Ebro Foods	16,195	-0,105	-0,64	16,065	16,295	18,87	-4,93
Enagás	21,515	-0,085	-0,39	21,505	21,640	25,31	13,27
FCC	16,385	0,055	0,34	16,150	16,415	72,63	1,30
Ferrovial	15,930	0,140	0,89	15,670	15,930	31,78	13,26
Gamesa	9,058	0,180	2,03	8,679	9,079	356,63	19,50
Gas Natural	21,230	-0,140	-0,66	21,195	21,490	49,38	13,56
Grifols	40,005	1,010	2,59	38,900	40,050	32,80	15,07
IAG	4,962	0,047	0,96	4,881	4,980	117,00	2,54
Iberdrola	5,282	-0,008	-0,15	5,254	5,290	22,50	13,96
Inditex	105,550	-0,800	-0,75	104,450	106,300	17,16	-11,89
Indra	13,345	-0,135	-1,00	13,265	13,485	25,40	9,79
Jazztel PLC	10,690	0,155	1,47	10,455	10,690	48,03	37,42
Mapfre	2,982	-0,023	-0,77	2,968	3,006	40,57	-4,21
Mediaset	8,267	0,027	0,33	8,139	8,349	64,81	-1,45
Obrascón H.L.	30,555	-0,400	-1,29	30,550	30,940	40,25	3,77
Red Eléctrica	62,270	-0,260	-0,42	61,840	62,610	37,93	30,33
Repsol	17,000	-0,755	-3,62	19,985	20,160	26,18	9,77
Sacyr	5,000	-0,040	-0,79	4,912	5,094	139,43	32,73
Técnicas Reunidas	45,010	-0,140	-0,31	44,600	45,235	18,87	13,99
Telefónica	12,175	-0,030	-0,25	12,070	12,180	23,43	2,87
Viscofan	40,750	-0,155	-0,38	40,480	41,000	1,09	-1,45

RESTO DE VALORES

TÍTULO	ÚLTIMA COTIZACIÓN	DIF. %	RENTA. 2014
Abengoa	4,265	3,12	76,24
Abengoa B	3,600	2,86	65,44
Acerinox	12,600	0,80	36,26
Adolfo Domínguez	5,310	1,14	-6,18
Adveo	17,000	-0,53	13,79
Airbus (EADS)	52,600	=	-5,57
Alba	45,000	0,85	5,88
Almirall	11,680	1,57	-1,35
Amper	0,740	2,78	-30,19
Aperam	23,580	0,34	75,97
Applus Services	16,000	0,50	
Atresmedia	11,420	1,87	-4,99
Azkoyen	2,635	-3,30	25,48
Barón de Ley	72,300	-1,50	22,54
Bayer Ag.	105,450	=	3,08
Biosearch	0,770	1,99	11,59
Bodegas Riojanas	5,000	=	-6,89
C. A. F.	336,450	0,19	-12,45
CAM	1,340	=	0,00
Campofrío	6,940	0,29	0,58
Cem.Portland	7,140	-1,92	28,42
Cie Automotive	9,530	0,26	19,13
Cleop	1,150	=	0,00
Clínica Baviera	10,570	-1,03	1,05
Codere	0,840	5,00	21,74
Colonial	0,618	-0,16	136,51
C.V.N.E	15,600	=	2,63
Deoleo	0,410	2,50	-12,77
Dinamia	9,090	1,11	29,86
Dogi	6,400	=	0,00
Duro Felguera	4,850	0,41	-1,02
Edreams Odigeo	9,940	-0,80	
Elecnor	10,520	-0,38	-5,90
Ence	2,060	-2,37	-24,40
Endesa	27,770	-0,29	27,39
Enel Green Power	2,072	-0,77	14,98
Ercros	0,497	-1,78	4,63
Europac	3,930	-0,51	2,21
Ezentis	0,826	-6,14	-40,86
Faes	2,175	-1,14	-14,35
Fergo Aisa	0,017	=	0,00
Fersa	0,580	-0,85	48,72
Fluidra	3,205	0,16	17,83
Funespaña	5,970	=	-0,50
GAM	0,670	-2,90	-6,94
General Inversiones	1,750	=	5,42
Grupo Catalana Occ.	27,250	-0,62	4,73
Grupo Sanjosé	1,200	-0,83	0,00

TÍTULO	ÚLTIMA COTIZACIÓN	DIF. %	RENTA. 2014
Grupo Tavex	0,254	2,83	10,43
Hispania Activos Inmob.	10,200	-0,10	
Iberpapel	13,500	=	-10,60
Indo Interna.	0,000	=	0,00
Inmobiliaria Del Sur	10,810	=	-32,44
Inypsa	0,820	-3,53	-2,38
Lar España	9,980	=	
Liberbank	0,777	0,39	29,74
Lingotes Especiales	4,305	-1,94	24,96
Martinsa-Fadesa	7,300	=	0,00
Melià Hotels Int.	9,515	-1,50	1,93
Miquel y Costas	29,560	1,23	3,08
Montebalito	1,235	0,41	9,29
N. Correa	1,420	-2,41	9,65
Natra	1,865	-0,27	-15,61
Natraceutical	0,268	-1,47	-6,62
NH Hoteles	4,470	0,45	4,32
Nyesa	0,170	=	0,00
Pescanova	5,910	=	0,00
Prim	6,150	=	6,77
Prisa	0,360	=	-10,00
Proseguir	5,240	=	5,22
Quabit	0,116	-0,85	-1,69
Realia Business	1,390	=	67,47
Reno de Medici	0,300	-1,64	13,21
Renta Corp.	0,570	=	0,00
Renta 4 Banco	5,730	=	13,47
Reyal Urbis	0,124	=	0,00
Rovi	9,930	0,40	-0,50
Seda Barna	0,729	=	0,00
Service Point Solution	0,071	=	-24,47
Sniace	0,196	=	0,00
Solaria	1,215	=	56,82
Sotogrande	3,780	=	41,04
Tecnocom	1,685	-0,86	39,26
Testa Inm.Renta	16,590	-7,83	119,44
Tubacex	3,910	0,77	35,29
Tubos Reunidos	2,495	3,10	40,96
Uralita	1,120	0,90	-5,88
Urbas Gr.Financiero	0,033	-2,94	32,00
Vértice 360	0,044	=	-4,35
Vidrala	37,000	-0,03	-1,18
Vocento	2,175	=	44,04
Zardoya Otis	13,190	0,30	0,30
Zeltia	2,850	3,07	23,38

EMPRESAS

Panrico presenta un ERTE en Barcelona

Panrico ha presentado un Expediente de Regulación Temporal de Empleo (ERTE) para reactivar la fábrica de Santa Perpètua de Mogoda de forma progresiva y para que los empleados del centro empiecen a cobrar. La decisión cogió por sorpresa a los trabajadores y la Generalitat. La plantilla decidió ayer mantener la huelga indefinida. / E.M.

CatalunyaCaixa vende activos a Blackstone

CatalunyaCaixa ha firmado la venta de su plataforma de gestión de activos inmobiliarios, CX Inmobiliaria, al fondo de inversión Blackstone Real Estate por un importe máximo de 40 millones de euros, de acuerdo con el cumplimiento de objetivos. Blackstone gestionará un volumen cercano a los 9.000 millones de activos inmobiliarios propiedad de CatalunyaCaixa y de la Sareb, y 150 empleados mantendrán su puesto de trabajo en la plataforma inmobiliaria. / E.P.

Fluidra estará en Vietnam en 2014

Fluidra, multinacional especializada en gestión del agua y material para piscinas, dentro de sus planes de expansión reforzará su presencia en el mercado asiático con la apertura de una delegación en Vietnam, antes de finalizar este año. La firma, que celebró junta de accionistas, anunció que ha puesto a la venta determinados activos no estratégicos del grupo para acelerar su desapalancamiento, cifrado en 17 millones. / E.P.

Pescanova perdía ya en marzo 16,9 millones

Pescanova registró unas pérdidas de 16,93 millones en el primer trimestre, según informó a la CNMV. El grupo precisa que sus «extraordinarias circunstancias» no permiten determinar con precisión los resultados y que sean comparables con el mismo periodo de este año, por lo que no los facilita. / E.P.

Sexta demanda por las renovables

El fondo InfraRed también denuncia a España por los recortes

Madrid

El fondo británico InfraRed Environmental Infrastructure ha presentado ante el Centro Internacional de Arreglo de Diferencias Relativas a Inversiones (Ciadi), dependiente del Banco Mundial, la sexta denuncia contra España por los recortes a las energías renovables.

En este caso, el fondo presenta la reclamación junto a otras firmas de inversión y contará con el asesoramiento jurídico del despacho de abogados español Cuatrecasas.

Las denuncias presentadas se concentran hasta la fecha en el sector de la energía solar y, en concreto, en los recortes que comenzaron a aplicarse a finales de 2010, como parte del real decreto ley 14/2010, informa Europa Press.

Hace apenas una semana, el Ciadi registró la denuncia presentada por NextEra Energy Holdings y NextEra Energy Spain, que se suma a las presentadas por la firma de Abu Dabi Masdar Solar y por los fondos europeos Eiser Infrastructure Limited, RREEF y Antin.

Al conocerse las primeras denuncias el 9 de diciembre, el ministro de Industria, Energía y Turismo, José Manuel Soria, ya indicó que los servicios jurídicos del Estado han respaldado los recortes a las renovables y consideró que los demandantes aspiraban a rentabilidades del 20%.

17. El Mundo   **Numeración para la muestra: 34**

Jueves 5 de junio del 2014

CatalunyaCaixa vende activos a Blackstone

CatalunyaCaixa ha firmado la venta de su plataforma de gestión de activos inmobiliarios, CX Inmobiliaria, al fondo de inversión Blackstone Real Estate por un importe máximo de 40 millones de euros, de acuerdo con el cumplimiento de objetivos. Blackstone gestionará un volumen cercano a los 9.000 millones de activos inmobiliarios propiedad de CatalunyaCaixa y de la Sareb, y 150 empleados mantendrán su puesto de trabajo en la plataforma inmobiliaria. / E. P.

FICHA del breve en el diario

Número de página: 46
Sección: bolsa
Subsección: empresas
Número de breves de la subsección: cuatro
Ladillo: no
Número de líneas del titular: dos
Número de líneas del cuerpo: 14
Fotografía: no
Firma: E. P. (Europa Press)

Despacho de agencia publicado por Europa Press (www.europapress.es), el 4 de junio del 2014:

CatalunyaCaixa vende su plataforma inmobiliaria a Blackstone por hasta 40 millones

CatalunyaCaixa ha firmado la venta de su plataforma de gestión de activos inmobiliarios, CX Inmobiliaria, al fondo de inversión Blackstone Real Estate por un importe máximo de 40 millones de euros, de acuerdo con el cumplimiento de objetivos, ha informado este miércoles en un comunicado.

Tras el acuerdo alcanzado en abril entre ambas partes, Blackstone gestionará un volumen cercano a los 9.000 millones de activos inmobiliarios propiedad de CatalunyaCaixa y de la Sociedad de Activos Procedentes de la Reestructuración Bancaria (Sareb), y 150 empleados mantendrán su puesto de trabajo en la plataforma inmobiliaria.

Eduard Mendiluce continuará como consejero delegado al frente de la nueva compañía, que en 2013 vendió o alquiló 6.000 unidades inmobiliarias por valor de 680 millones.

Esta venta de la plataforma de 'servicing' inmobiliario forma parte del programa de desinversiones en actividades que no forman parte del negocio bancario nuclear de Catalunya-Caixa, ha recordado la entidad.

Blackstone Real Estate es el mayor gestor de inversiones de bienes inmuebles en el mundo y cuenta con más de 79.000 millones de dólares de capital de inversores bajo gestión, con una cartera que incluye hoteles, oficinas, espacios comerciales, industriales y propiedades residenciales en Estados Unidos, Europa y Asia.

FICHA del despacho de agencia en la web

Enlace de la web en la que se encuentra: <http://www.europa-press.es/economia/finanzas-00340/noticia-economia-finanzas-ca-talunyacaixa-vende-plataforma-inmobiliaria-blackstone-40-millo-nes-20140604121345.html>

Pestaña: economía
Subpestaña: finanzas
Antetítulo: no
Título: "CatalunyaCaixa vende su plataforma inmobiliaria a Blackstone por hasta 40 millones"
Subtítulo: no
Número de caracteres (con espacio) del titular: 82
Número de caracteres (con espacio) del cuerpo de la nota: 1.320
Fotografía: no
Firma: sin especificar (Europa Press)
Lugar de la firma: Barcelona
Otros (documentos adjuntos, etcétera): no

Nota de prensa original, publicada por Catalunya Caixa (www.catalunyacaixa.com), el 4 de junio del 2014:

CatalunyaCaixa firma la venta de su plataforma inmobiliaria a Blackstone por 40 millones de euros
· El perímetro de la transacción abarca la gestión de un volumen de préstamos y de activos inmobiliarios cercanos a los 9.000 millones de euros
· 150 empleados de CX Inmobiliaria mantienen su puesto de trabajo en la plataforma inmobiliaria

CatalunyaCaixa ha firmado el contrato de venta de su plataforma de *gestión de activos inmobiliarios* [ver Anexo IV: "gestión de activos"], CX Inmobiliaria, al fondo de inversión Blackstone Real Estate por un importe máximo de 40 millones de euros, de acuerdo con el cumplimiento de los objetivos.

Tras el acuerdo alcanzado el mes pasado entre ambas partes, el perímetro de la transacción ha quedado finalmente definido de forma que se traspasa a Blackstone la gestión de un volumen cercano a los 9.000 millones de activos, propiedad de CatalunyaCaixa y de la Sociedad de Activos Procedentes de la Reestructuración Bancaria (Sareb).

Asimismo, y después de cerrar la negociación de los aspectos operativos de la transacción, 150 empleados conservan su puesto de trabajo en la plataforma inmobiliaria, ahora propiedad de Blackstone, y se desvinculan de la entidad financiera. Para CX este ha sido un aspecto clave de la negociación de la venta, en el contexto del acuerdo laboral alcanzado con la totalidad de los representantes sindicales de los trabajadores de la entidad financiera, de acuerdo con el plan de restructuración aprobado por Bruselas.

Se ha firmado, también, la continuidad de Eduard Mendiluce como consejero delegado al frente de la nueva compañía, que un referente de la gestión inmobiliaria en España, dado el elevado volumen de activos bajo gestión, cercanos a los 9.000 millones de euros, y su destacada capacidad de comercialización, con 6.000 unidades vendidas o alquiladas en 2013. La operación de venta de la plataforma inmobiliaria, llevada a cabo con celeridad dada la buena disposición de las partes, ha contado con el asesoramiento financiero, legal y laboral de las firmas N+1, Deloitte Abogados y Sagardoy, respectivamente.

La venta de la plataforma de *servicing* inmobiliario forma parte del programa de desinversiones en actividades que no forman parte del negocio bancario nuclear, del mismo modo que recientemente se ha hecho con CXTelentrada, que se suma a la ejecución de otros aspectos clave del proceso de reestructuración de la entidad, como son el canje de instrumentos híbridos, el cierre de un acuerdo laboral para la realización del ERE y la venta de una cartera de créditos fallidos de 1.480 millones de euros. De este modo, la entidad, que ha recuperado ya la senda de generación de resultados positivos, presenta hoy un balance saneado, un nivel de activos inmobiliarios de tan solo el 2,5% del total de activos de balance, una elevada solvencia y una holgada liquidez, lo que la hace más atractiva para afrontar una eventual *privatización* [ver Anexo II: "El lenguaje subordinado. Los términos de marketing y economía en los breves de empresa"].

Sobre CatalunyaCaixa Inmobiliaria

CXI es una de las plataformas de *servicing* líderes en España, con amplia presencia en todo el territorio nacional, así como en Portugal y Polonia. Se sitúa como un operador con capacidad, tecnología y conocimientos en todo el ciclo de vida del producto inmobiliario así como en el propio crédito inmobiliario, con una dilatada experiencia al frente de la división inmobiliaria de la entidad bancaria con más de 40.000 inmuebles vendidos en los últimos años, desarrollo de oficinas como Torre Puig y alquiler de más de 10.000 inmuebles. Durante 2013, la entidad ha vendido o alquilado 6.000 inmuebles por valor de 680 millones de euros.

Sobre Blackstone Real Estate

Fundada en1991, Blackstone Real Estate es el mayorgestor de inversionesde bienes inmueblesen el mundo ycuenta con más de$79000 millones de capitalde inversoresbajo gestión. La cartera deBlackstoneincluyehoteles, oficinas, retail, industrial y propiedades residenciales enlos EE.UU., Europa y Asia.Blackstonebusca crearvalormediante la mejora desus propiedades yel medio ambienteenel que se encuentran. Además dela gestión delos fondos inmobiliarios, sus negociosde gestión de activosincluyenvehículos de inversión enfocados a capital riesgo, hedge Funds, créditos yotros activos financieros.Blackstonetambiénofrecediversosservicios de asesoría financiera, incluyendo consultoría estratégica, reestructuraciones, reorganizaciones y servicios de inversión.

FICHA de la nota de prensa en la web

Enlace de la web en la que se encuentra: <http://www.catalunya-caixa.com/Portal/es/Comunes/SalaPrensaCX?subtipus=5&pagina=1&texte=&desde=&fins=&idNoticia=5321>

Pestaña: conócenos

Subpestaña: sala de prensa

Antetítulo: no

Título: "CatalunyaCaixa firma la venta de su plataforma inmobiliaria a Blackstone por 40 millones de euros"

Subtítulo: dos subtítulos

Número de caracteres (con espacio) del titular: 97

Número de caracteres (con espacio) del cuerpo de la nota: 4.220

Fotografía: no

Firma: sin especificar

Lugar de la firma: Barcelona

Otros (documentos adjuntos, etcétera): sí

MERCADOS

Digamos que fue una sesión de trámite

ANÁLISIS

José Manuel Garayoa

En casi silencio y tenues luces preprimaverales, el Ibex cerró con un alza del 0,15% una sesión que, al final, por esconder la tristeza se calificó de trámite.

De hecho, hubo buenas noticias, como el dato de empleo americano, con la creación de 288.000 puestos de trabajo, aun cuando un sector lo juzgó perjudicial para la bolsa aun cuando la Reserva Federal ya redujo el jueves en 10.000 millones de dólares las compras de deuda.

Aquí también, el tipo de la deuda llegó a caer por debajo del 3%, pero las alzas del Ibex se concentraron en unas pocas empresas, Telefónica, BME, Sacyr, Técnicas Reunidas e Indra.

El conflicto en Ucrania trajo víctimas, malas noticias y melancolía. Queda mucha acción diplomática pendiente y se alarga. Y, bueno, el Ibex ganó en la semana un 1,6% quizá por Lisboa, pero la cita del 24 huele a pelea de *gatos*. Ni rastro de glamur, bah.

Índices

	ACTUAL	VARIACIÓN DÍA %	AÑO %
ESPAÑA			
IBEX 35	**10.474,50**	0,15	5,62
LATIBEX	**2.029,70**	1,78	-2,26
IND. G. MADRID	**1.071,98**	0,18	5,93
BCN MID50	**18.886,60**	0,30	14,16
BCN GLOBAL 100	**884,14**	0,19	9,27
BCN I. ALIM. AGR.	**806,04**	0,10	-6,67
BCN I. BANCOS	**1.403,81**	-0,13	12,55
BCN I. CEM. CON.	**1.578,16**	0,85	25,03
BCN I. COM. FI.	**401,74**	-0,91	-2,60
BCN I. ELECTRIC.	**956,88**	0,84	14,82
BCN I. QUÍMICAS	**929,85**	-0,02	6,40
BCN I. SERV. VAR.	**2.075,25**	0,95	5,76
BCN I. SID. MINER.	**368,75**	0,81	0,96
BCN I. TEXT. PAP.	**976,20**	-1,54	-11,10
EUROPA			
EURO STOXX 50	**3.171,67**	-0,84	2,02
PARIS CAC40	**4.458,17**	-0,65	3,78
FRANKFURT DAX X	**9.556,02**	-0,49	0,04
MILAN MIBTEL	**23.226,50**	0,03	14,96
AMSTERDAM AEX	**399,23**	-0,33	-0,64
LISBOA BVL30	**7.530,85**	0,99	14,82
HELSINKI HEX	**7.358,24**	0,08	0,29
VIENA ATX	**2.527,51**	0,09	-0,75
BRUSELAS B20	**3.095,66**	0,19	5,88
LONDRES FTSE	**6.822,42**	0,20	1,09
ZURICH SMI	**8.442,71**	-0,40	2,92
AMÉRICA			
NEW YORK DJ	**16.512,89**	-0,28	-0,38
NASDAQ	**4.123,89**	-0,09	-1,26
S & P 500	**1.881,14**	-0,13	1,77
TORONTO TSE300	**14.765,10**	0,69	8,40
BRASIL BOVESPA	**52.904,50**	2,48	2,71
ASIA			
TOKIO NIKKEI	**14.457,51**	-0,19	-11,26
HONG KONG HS	**22.260,67**	0,57	-4,49

Prima de riesgo

ESPAÑA			ITALIA			FRANCIA			BÉLGICA		
	152	-1		159	-1		47	-1		60	=

Ibex 35. Evolución en el año.
Ibex 35 recoge los 35 valores de mayor capitalización en la bolsa española. Base 3.000 a 31 de diciembre de 1989

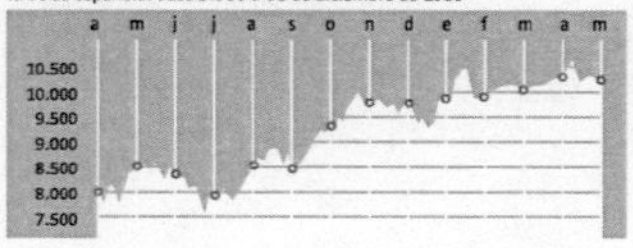

Evolución en el día.
Volumen de contratación al contado:
2.056,5 millones de euros

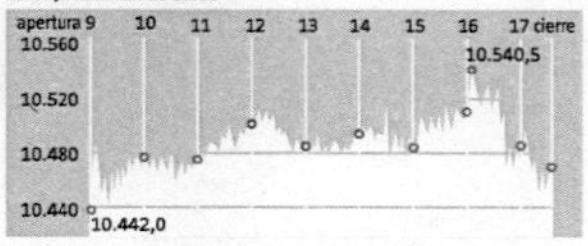

Mayores alzas

	%	CIERRE
TESTA INM.	**11,15**	14,95
CODERE	**5,81**	0,91
C.V.N.E.	**5,52**	16,25
B.M.E.	**4,20**	32,72
SACYR	**3,59**	4,90
FUNESPAÑA	**3,36**	6,15
TÉCNICAS RDAS.	**3,34**	44,83
LIBERBANK	**3,33**	0,93

Mayores bajas

	%	CIERRE
MONTEBALITO	**-4,24**	1,13
RENO MEDICI	**-3,13**	0,31
INM. COLONIAL	**-2,99**	0,65
IBERPAPEL	**-2,96**	13,76
AZKOYEN	**-2,71**	2,51
ZELTIA	**-2,21**	2,65
VOCENTO	**-2,15**	2,28
DIST. INT. ALIM.	**-2,02**	6,31

Más negociados

	Nº. DE TÍTULOS	EFECTIVO
INDITEX	2.737.593	**291,8**
SAN	30.800.065	**221,0**
TELEFÓNICA	16.186.597	**197,4**
IBERDROLA	30.568.086	**155,5**
BBVA	17.482.032	**154,3**
POPULAR	14.210.678	**74,9**
REPSOL	3.767.400	**73,1**
AMADEUS	1.474.458	**44,3**

Mercado continuo EN NEGRITA LOS VALORES PERTENECIENTES AL IBEX 35

Cotizaciones actualizadas cada veinte minutos en **http://www.lavanguardia.com/economia**

		Cotización Euros	Var.%	Cotiz. Día Máx.	Mín.	Nº tít. negoc.	Días cotiz.	Rent. año%
Abengoa (*)	↑	4,06	1,25	4,06	3,98	203.937	84	76,88
Abertis	↑	**16,28**	**0,49**	**16,37**	**16,08**	**1.070.731**	**84**	**2,85**
Acciona	↑	**59,00**	**0,85**	**59,75**	**58,45**	**117.711**	**84**	**41,25**
Acerinox	↑	12,67	0,56	12,74	12,59	412.846	84	36,97
Ad. Domínguez	↑	5,20	1,96	5,28	5,11	2.785	84	-8,13
Almirall	↑	12,39	2,65	12,40	12,05	377.022	84	4,65
Amadeus	↑	**30,18**	**0,77**	**30,18**	**29,67**	**1.474.458**	**84**	**-2,03**
Amper	↑	0,83	1,22	0,83	0,81	152.577	84	-21,70
Antena 3 TV	↑	10,34	0,10	10,53	10,26	647.148	84	-13,98
Aperam	↑	19,00	1,60	19,00	18,82	2.129	84	41,79
Arcelor Mit.	↑	**11,74**	**0,34**	**11,79**	**11,65**	**496.315**	**84**	**-9,27**
Auxil.FF.CC.		344,00	-0,29	349,25	343,00	6.814	84	-10,49
Azkoyen		2,51	-2,71	2,57	2,50	12.380	84	19,52
A.C.S.(*)	↑	**30,91**	**0,10**	**31,03**	**30,76**	**541.804**	**84**	**27,42**
B.M.E.	↑	**32,72**	**4,20**	**33,05**	**31,40**	**624.155**	**84**	**18,29**
Bankia		**1,45**	**-1,36**	**1,47**	**1,45**	**21.391.488**	**84**	**17,89**
Bankinter		**5,45**	**-1,09**	**5,53**	**5,44**	**2.723.478**	**84**	**9,24**
Barón de Ley		74,95	-0,07	77,00	74,40	4.356	83	27,03
Bayer AG		100,55	0,00	101,00	99,85	167	83	-1,71
BBVA (*) •		**8,85**	**0,00**	**8,89**	**8,77**	**17.482.032**	**84**	**2,70**
Biosearch		0,71	-1,39	0,72	0,71	69.833	84	2,90
Bod. Riojanas	↑	5,00	0,20	5,05	4,90	524	80	-6,89
C.V.N.E.	↑	16,25	5,52	16,25	16,25	600	55	9,74
CaixaBank (*)	↑	**4,46**	**1,59**	**4,50**	**4,39**	**8.735.427**	**84**	**20,32**
Campofrío		6,90	0,00	6,94	6,90	11.022	84	0,00
Catalana Occ.		28,10	-0,25	28,50	28,00	40.962	84	8,44
Cem.Portland		7,26	-1,36	7,50	7,12	26.320	84	30,58
Cie Automot.	↑	9,20	0,55	9,23	9,05	105.766	84	16,12
Cleop		1,15	0,00			0	0	0,00
Clín.Baviera	↑	11,47	2,69	11,50	11,30	8.773	84	9,66
Codere	↑	0,91	5,81	0,99	0,90	693.321	84	31,88
Corp.F. Alba		44,23	-0,49	44,92	44,10	5.425	84	4,07
Deoleo		0,40	0,00	0,40	0,39	2.508.524	84	-14,89
Dinamia	↑	7,94	0,51	7,95	7,93	13.285	83	13,43
Dist.Int.Alim.		**6,31**	**-2,02**	**6,42**	**6,30**	**2.632.052**	**84**	**-2,92**
Duro Felguera	↑	4,93	0,20	4,95	4,71	257.996	84	1,84
EADS		49,24	-0,49	50,45	48,85	7.180	84	-11,60
Ebro	↑	**16,62**	**0,12**	**16,90**	**16,59**	**651.567**	**84**	**-1,73**
Edreams Odigeo	↑	10,63	2,71	10,79	10,42	285.677	16	3,71
Elecnor	↑	10,39	0,29	10,40	10,31	10.904	84	-2,59
Enagas		**22,10**	**-0,45**	**22,31**	**22,02**	**1.444.592**	**84**	**16,32**

		Cotización Euros	Var.%	Cotiz. Día Máx.	Mín.	Nº tít. negoc.	Días cotiz.	Rent. año%
Ence		2,12	0,00	2,15	2,10	498.542	84	-22,34
Endesa	↑	27,65	1,21	27,75	27,25	438.562	84	25,11
Enel G.P.		2,04	-0,97	2,08	2,02	30.235	84	13,33
Ercros		0,48	0,00	0,49	0,47	94.260	84	2,13
Ezentis		1,16	-1,69	1,19	1,14	777.758	84	-24,68
Faes (*)		2,21	-0,90	2,23	2,19	183.744	84	-12,93
Fergo Aisa		0,02	0,00			0	0	0,00
Ferrovial		**15,86**	**-0,88**	**16,08**	**15,79**	**1.578.859**	**84**	**12,72**
Fersa E.Renov.		0,64	0,00	0,65	0,63	267.497	84	64,10
Fin.Sotogrande		4,18	0,00			0	64	55,97
Fluidra	↑	3,35	2,45	3,35	3,21	22.094	84	23,16
Funespaña	↑	6,15	3,36	6,15	5,66	3.322	53	2,50
F. C. C.	↑	**16,12**	**1,58**	**16,22**	**15,88**	**596.067**	**84**	**-0,37**
Gamesa	↑	**7,30**	**2,10**	**7,38**	**7,17**	**1.958.630**	**84**	**-3,69**
Gas Natural	↑	**20,72**	**0,29**	**20,86**	**20,61**	**1.093.167**	**84**	**12,90**
Gral.Alq.Maq.		0,72	-1,37	0,73	0,71	44.669	84	0,00
Gral.Invers.		1,72	0,00	1,72	1,72	34	56	3,61
Grifols	↑	**38,61**	**0,29**	**38,85**	**38,39**	**713.586**	**84**	**11,04**
I.A.G.	↑	**4,95**	**0,41**	**5,01**	**4,94**	**2.455.604**	**84**	**2,27**
Iberdrola (*) •	↑	**5,08**	**0,79**	**5,12**	**5,07**	**30.568.086**	**84**	**12,78**
Iberpapel		13,76	-2,96	14,33	13,65	5.342	84	-7,88
Inditex (dv)		**106,45**	**-0,47**	**108,10**	**106,35**	**2.737.593**	**84**	**-10,13**
Indo Intern.		0,60	0,00			0	0	0,00
Indra	↑	**13,84**	**2,44**	**14,06**	**13,51**	**879.634**	**84**	**13,91**
Inm.Colonial(*)		0,65	-2,99	0,67	0,64	6.832.153	84	148,06
Inm.del Sur		10,81	0,00			0	13	-32,44
Inypsa		0,83	0,00	0,85	0,77	207.521	83	-1,19
Jazztel	↑	**11,26**	**1,81**	**11,29**	**11,02**	**1.776.163**	**84**	**44,73**
La Seda Barna		0,73	0,00			0	0	0,00
Liberbank	↑	0,93	3,33	0,94	0,90	3.323.593	84	29,17
Lingotes Esp.		3,80	-0,26	3,90	3,80	5.224	83	10,47
Mapfre		**3,04**	**0,00**	**3,05**	**3,02**	**5.191.382**	**84**	**-2,25**
Martinsa-Fadesa		7,30	0,00			0	0	0,00
Mediaset Esp.		**7,94**	**-0,50**	**8,06**	**7,90**	**1.396.777**	**84**	**-5,36**
Meliá Hotels	↑	9,20	1,10	9,22	9,10	302.413	84	-1,50
Miquel Costas		25,55	-1,66	29,64	29,55	2.498	84	-2,67
Montebalito		1,13	-4,24	1,17	1,12	20.129	84	0,00
Natra		1,89	-0,53	1,90	1,87	48.536	84	-14,48
Natraceutical		0,28	0,00	0,28	0,28	202.766	84	-3,45
Nic. Correa		1,58	0,00	1,63	1,55	9.612	84	22,48
Nyesa		0,17	0,00			0	0	0,00

		Cotización Euros	Var.%	Cotiz. Día Máx.	Mín.	Nº tít. negoc.	Días cotiz.	Rent. año%
N.H. Hoteles	↑	4,71	2,39	4,76	4,62	639.736	84	9,79
O.H.L.	↑	**34,01**	**1,92**	**34,39**	**33,42**	**441.874**	**84**	**15,48**
Papel.C.E		3,96	-0,50	3,99	3,94	17.432	84	3,90
Pescanova		5,91	0,00			0	0	0,00
Popular (*)		**5,27**	**-0,57**	**5,34**	**5,21**	**14.210.678**	**84**	**22,19**
Prim		6,01	0,00	6,01	6,01	3	82	5,21
Prisa		0,40	0,00	0,40	0,39	4.660.410	84	0,00
Prosegur	↑	4,91	1,66	4,92	4,83	373.655	84	-0,34
Quabit		0,13	0,00	0,13	0,13	2.018.805	84	8,33
Realia	↑	1,35	1,50	1,35	1,33	147.992	84	62,65
Reno Medici		0,31	-3,13	0,33	0,31	423.916	84	14,81
Renta 4		5,87	0,00	5,87	5,87	4.395	84	16,24
Renta Corp.		0,57	0,00			0	0	0,00
Repsol •		**19,39**	**-0,05**	**19,58**	**19,27**	**3.767.400**	**84**	**5,84**
Reyal Urbis		0,12	0,00			0	0	0,00
Rovi		9,77	-1,01	9,89	9,61	8.495	84	-2,10
R.E.C.	↑	**59,67**	**0,66**	**60,43**	**59,44**	**417.159**	**84**	**24,52**
SAN (*) •		**7,15**	**-0,28**	**7,23**	**7,14**	**30.800.065**	**84**	**19,43**
Sabadell	↑	**2,46**	**0,41**	**2,47**	**2,44**	**13.510.896**	**84**	**30,00**
Sacyr	↑	**4,90**	**3,59**	**4,93**	**4,73**	**6.111.813**	**84**	**29,97**
San José		1,24	0,00	1,24	1,23	37.464	84	3,33
Service Point		0,07	0,00			0	22	-22,22
Sniace		0,20	0,00			0	0	0,00
Solaria		1,24	-0,80	1,26	1,24	65.642	84	61,04
Tavex Algodon.		0,23	0,00	0,24	0,23	185.713	84	0,00
Técnicas Rdas.	↑	**44,83**	**3,34**	**44,83**	**43,38**	**416.695**	**84**	**15,24**
Tecnocom		1,73	0,00	1,76	1,70	68.373	84	42,98
Telefónica •	↑	**12,20**	**1,08**	**12,28**	**12,09**	**16.186.597**	**84**	**3,04**
Testa Inm.	↑	14,95	11,15	14,95	14,40	10.538	60	97,75
Tubacex	↑	3,54	0,28	3,57	3,49	199.167	84	22,49
Tubos Reunidos	↑	2,25	0,90	2,26	2,22	153.326	84	27,12
Unipapel	↑	17,35	1,17	17,98	17,00	16.131	84	16,13
Uralita		1,19	-0,83	1,22	1,19	27.756	84	0,00
Urbas		0,03	0,00	0,03	0,03	1.199.817	84	0,00
Vertice 360		0,04	0,00			0	73	-20,00
Vidrala	↑	38,76	1,60	38,80	38,03	6.833	84	3,63
Viscofan	↑	**37,60**	**0,13**	**37,88**	**37,47**	**139.634**	**84**	**-9,07**
Vocento		2,28	-2,15	2,32	2,27	17.379	84	50,99
Zardoya	↑	12,74	0,79	12,74	12,60	261.140	84	-1,75
Zeltia		2,65	-2,21	2,71	2,65	292.991	84	14,72

• Valor perteneciente al índice EURO STOXX 50 (*) Ha ampliado capital durante el año (Ac) Ampliación de capital (c.s.) Cotización suspendida (dv) Pago dividendo Para el cálculo de la rentabilidad se han incorporado los dividendos percibidos durante este año, y la cotización, si procede, se ha ajustado cuando la sociedad ha realizado ampliación de capital

BASF eleva un 2,1% las ganancias

■ El grupo químico alemán BASF obtuvo en el primer trimestre del año un beneficio de 1.477 millones de euros, un 2,1% más que en el periodo anterior. La facturación bajó un 1,1%, hasta 19.500 millones, por efectos negativos de los tipos de cambio. BASF prevé que sus ventas se verán reducidas en 2014, pero espera aumentar el beneficio operativo a lo largo del año. /Efe

Royal Bank of Scotland triplica beneficio

■ La entidad británica Royal Bank of Scotland(RBS) registró un beneficio de 1.454 millones de euros hasta marzo, el triple de lo obtenido en el mismo periodo de 2013. La firma, controlada en un 82% por el gobierno británico, ha mejorado el resultado gracias a la reducción de los impagos de créditos y a la mayor rentabilidad del sector minorista. /Agencias

Enersis invierte en Generandes Perú

■ La chilena Enersis, de la que Endesa posee el 60,62%, adquirirá por 299 millones de euros el 39,01% de las acciones de la energética peruana Generandes Perú. Este paquete de acciones, que eran propiedad del grupo israelí Inkia Americas Holding, se financiará con los 1.740 millones captados en una ampliación de capital realizada el pasado mes de marzo. /EP

News Corp adquiere la editora Harlequin

■ El grupo de comunicación News Corp ha cerrado la compra de la editora canadiense Harlequin por 328,18 millones de euros. Especializada en ficción para el público femenino, Harlequin facturó en 2013 un total de 259,66 millones y pasará a formar parte de HarperCollins, la editora de News Corp, con el fin de expandir la marca por el continente europeo y asiático. /Efe

Chevron reduce un 27% su resultado

■ La petrolera americana Chevron vio reducida su ganancia en un 27% durante el primer trimestre de 2014, hasta 3.260 millones de euros. La cifra de negocio se redujo un 6,1%, situándose 36.770 millones, a causa del descenso en la producción por factores meteorológicos, menores precios y peores márgenes en el refinado. El consejero delegado, John Watson, avisó de la necesidad de aumentar la producción a partir de 2015. /Efe

ACS disminuye inversión en I+D+i

■ El grupo español ACS realizó durante 2013 una inversión en investigación, desarrollo e innovación (I+D+i) de 44,5 millones de euros, un 9,3% menor que en 2012. Se desarrollaron un total de 247 proyectos, con un aumento del 38,7% en la inversión en el sector de servicios industriales y un descenso del 38,5% en construcción y 14,5% en medio ambiente. / EP

18. La Vanguardia   Numeración para la muestra: 35

Sábado 3 de mayo del 2014

BASF eleva un 2,1% las ganancias

El grupo químico alemán BASF obtuvo en el primer trimestre del año un beneficio de 1.477 millones de euros, un 2,1% más que en el periodo anterior. La facturación bajó un 1,1%, hasta 19.500 millones, por efectos negativos de los tipos de cambio. BASF prevé que sus ventas se verán reducidas en 2014, pero espera aumentar el beneficio operativo a lo largo del año. /Efe

FICHA del breve en el diario

Número de página: 57
Sección: economía
Subsección: Mercados
Número de breves de la subsección: seis
Ladillo: no
Número de líneas del titular: una
Número de líneas del cuerpo: siete
Fotografía: no
Firma: Efe

Despacho de agencia publicado por Europa Press (www.europapress.es), el 2 de mayo del 2014:

Basf gana un 2,1% más en el primer trimestre, hasta 1.477 millones

El grupo químico alemán Basf obtuvo un beneficio neto de 1.477 millones de euros al cierre del primer trimestre del año, lo que supone una mejora del 2,1% respecto al resultado del mismo periodo de 2013, informó la multinacional.

La cifra de negocio de la compañía alemana registró, no obstante, un retroceso del 2,1%, hasta 19.512 millones de euros. En concreto, las ventas de Basf disminuyeron un 3% en Europa y un 10% en Latianoamérica, mientras crecieron un 5% en Norteamérica y un 1% en Asia Pacífico.

"Para 2014 esperamos un crecimiento de la economía global en cierta medida más fuerte y confiamos en hacerlo bien en un entorno de mercado que continúa siendo volatil y difícil", indicó Kurt Bock, presidente del consejo de Basf.

Por otro lado, Bock indicó que la compañía valora la opción de invertir en un complejo "de escala mundial" para la producción de propileno en EEUU que permitiría a la compañía "aprovechar los bajos precios del gas por la producción de gas de esquisto y mejorar considerablemente los costes".

FICHA del despacho de agencia en la web

Enlace de la web en la que se encuentra: <http://www.europapress. es/economia/noticia-economia-empresas-basf-gana-21-mas-primer-trimestrehasta-1477-millones-20140502154823.html>

Pestaña: economía

Subpestaña: empresas

Antetítulo: no

Título: "Basf gana un 2,1% más en el primer trimestre, hasta 1.477 millones"

Subtítulo: dos subtítulos

Número de caracteres (con espacio) del titular: 65

Número de caracteres (con espacio) del cuerpo de la nota: 1.035

Fotografía: no

Firma: sin especificar (Europa Press)

Lugar de la firma: Ludwigshafen (Alemania)

Otros (documentos adjuntos, etcétera): no

Nota de prensa original, publicada por la industria química BASF (www.basf. es), el 2 de mayo del 2014:

BASF: Buen comienzo de año en la industria química, más complejo para el negocio del petróleo y gas
· Ventas de 19.500 millones de euros (-1%)
· EBIT antes de efectos especiales de 2.100 millones de euros (-3%)
· Sólido aumento de los volúmenes; efectos divisa negativos
· Previsión para 2014 confirmada: se prevé una ligera reducción en EBIT antes de efectos especiales en un entorno todavía complejo
· BASF evalúa la mayor inversión en una única planta en Estados Unidos
"Hemos tenido un buen comienzo de año en nuestra industria química y en el segmento Agricultural Solutions. Hemos vendido más. Esto ha compensado con creces los efectos negativos en las ventas realizadas en dólares estadounidenses y monedas de países emergentes, en comparación más débiles que el euro", ha afirmado Kurt Bock, presidente de la Junta Directiva, en la Junta Anual de Accionistas de BASF SE celebrada en el Centro de Congresos Rosengarten, en Mannheim. Sin embargo, se ha producido una reducción considerable en las ventas realizadas en el segmento Oil & Gas. Las ventas del Grupo BASF han alcanzado los 19.500 millones de euros, un 1% menos respecto al mismo periodo de 2013.
El EBIT antes de efectos especiales ascendió a 2.100 millones de euros, un 3% por debajo del nivel del primer trimestre del pasado año. Si bien las ganancias obtenidas en Performance Products y Functional Products & Solutions aumentaron considerablemente, la aportación del segmento Oil & Gas sufrió una reducción notable.
El EBIT incluyó un total de 109 millones de euros en efectos especiales en el primer trimestre de 2014. Esto se debió principalmente a beneficios especiales derivados de la desinversión de acciones en los yacimientos de petróleo y gas no explotados por BASF en el Mar del Norte. En consecuencia, el EBIT aumentó 80 millones de euros de un año a otro hasta alcanzar 2.200 millones de euros. El EBITDA aumentó 96 millones de euros hasta alcanzar 3.000 millones de euros. El resultado financiero disminuyó en 57 millones de euros hasta alcanzar 183 millones de euros.
Los beneficios antes de impuestos e intereses minoritarios aumentaron 23 millones de euros respecto el mismo periodo de 2013 hasta alcanzar 2.100 millones de euros. El beneficio neto aumentó en 31 millones de euros hasta alcanzar 1.500 millones de euros. Las ganancias por acción ascendieron a 1,61 euros en el primer trimestre de 2014, en comparación con la cifra de 1,57 euros correspondiente al mismo período de 2013.
Previsión para 2014 confirmada
Las previsiones de la compañía para el entorno económico global en 2014 siguen siendo las mismas:
-Crecimiento del producto interior bruto: 2,8%
-Crecimiento de la producción industrial: 3,7%
-Crecimiento de la producción química: 4,4%
-Un tipo de cambio euro/dólar medio de 1,30 dólar por euro
-Un precio del petróleo medio para el año de 110 dólares por barril
Según Bock, "Para 2014, prevemos un crecimiento de la economía global algo más rápido que en 2013. Esperamos obtener buenos resultados en un entorno de mercado que sigue siendo volátil y retador. Por tanto, nos reafirmamos en nuestra previsión para 2014 a pesar de los desfavorables desarrollos de divisas. Prevemos un ligero aumento del EBIT antes de efectos especiales, sobre todo como consecuencia de aportaciones mayores de los segmentos Performance Products y Functional Materials & Solutions". Es probable que las ventas disminuyan ligeramente debido a la desinversión de la actividad del comercio y almacenamiento de gas prevista para mediados de 2014. Es posible que el EBIT aumente considerablemente.

Los beneficios especiales derivados de la desinversión planificada de la actividad del comercio y almacenamiento de gas deberían suponer una gran aportación en este sentido.

Se evalúa una inversión a escala mundial en Estados Unidos

BASF está evaluando realizar una inversión en un complejo de metanol para propileno a escala mundial en la Costa del Golfo de México estadounidense. "La producción de propileno nos permitiría beneficiarnos de unos precios de gas bajos debido a la producción de gas de esquisto, mejorar considerablemente nuestra posición de costes y perfeccionar nuestra integración ascendente en Estados Unidos", ha manifestado Bock. Esta sería la mayor inversión en una única planta de BASF hasta la fecha. El propileno es uno de los productos químicos más importantes en la industria petroquímica y se utiliza en la producción de una amplia gama de productos químicos de alto valor añadido. Los detalles de la potencial inversión están siendo objeto de evaluación.

Desarrollo de negocio por segmentos en el primer trimestre

En el segmento Chemicals, las ventas alcanzaron el nivel del primer trimestre anterior. Los bajos precios y los efectos divisa negativos se compensaron con un aumento en volúmenes. Los volúmenes de ventas crecieron, particularmente como resultado de una mayor demanda en la división de Intermediates y mayores volúmenes en la división Petrochemicals, especialmente en Norteamérica. Las ganancias disminuyeron ligeramente, debido sobre todo a la presión en los márgenes.

Las ventas en el segmento Performance Products alcanzaron el nivel del primer trimestre anterior a pesar de los efectos divisa negativos y a unos precios de venta ligeramente inferiores. Ello se debió a unos mayores volúmenes de ventas. Una estricta gestión de costes fijos contribuyó a un aumento considerable en las ganancias.

En el segmento Functional Material & Solutions, las ventas fueron ligeramente superiores debido a un aumento de los volúmenes, gracias principalmente a una fuerte demanda de la industria del automóvil. Los efectos divisa negativos redujeron el crecimiento de las ventas. En la división Construction Chemicals, las ventas se redujeron ligeramente como consecuencia también de los efectos cartera. Las ganancias superaron considerablemente el nivel del primer trimestre de 2013. Todas las divisiones contribuyeron.

Las ventas aumentaron considerablemente en el segmento Agricultural Solutions debido al sólido comienzo en el Hemisferio Norte. Los efectos divisa negativos se compensaron con un aumento de los volúmenes y los precios. Las ganancias aumentaron ligeramente gracias a estos volúmenes y precios mayores.

Las ventas en el segmento Oil & Gas quedaron muy por debajo del nivel del primer trimestre anterior. En el sector Natural Gas Trading, los volúmenes de ventas se redujeron notablemente de un año a otro como consecuencia del suave invierno de Europa. A pesar de unos precios del crudo más bajos y de la pérdida de volúmenes de producción costera en Libia, los niveles de ventas permanecieron estables en el negocio de Exploration & Production. Esto se debió fundamentalmente a volúmenes adicionales procedentes de Noruega. La presión en los márgenes y unos niveles menores en el comercio del gas natural, así como la menor contribución de Libia, provocaron una importante reducción de ganancias en el segmento.

Las ventas en el sector Other aumentaron ligeramente en comparación con el primer trimestre de 2013 debido a mayores volúmenes en el comercio de materias primas. Sin embargo, el EBIT antes de efectos especiales disminuyó considerablemente. Las pérdidas de divisas y los efectos de valoración para el programa de incentivos a largo plazo desempeñaron un papel fundamental en este caso.

Desarrollo en la región Europa en el primer trimestre

Las ventas en las compañías situadas en Europa disminuyeron de un año a otro en un 3%. El nivel notablemente inferior de las ventas en el segmento Oil & Gas fue el responsable de este hecho. En el negocio Natural Gas Trading, unas temperaturas superiores a la media en los meses de inverno se tradujeron en una reducción en las ventas relacionada principalmente con los volúmenes y los precios. En cambio, las condiciones meteorológicas fueron favorables para el negocio fitosanitario de protección de cultivos; las ventas aumentaron considerablemente en el segmento Agricultural Solutions. El EBIT antes de efectos especiales cayó en 19 millones de euros hasta alcanzar los 1.500 millones de euros debido a la contribución considerablemente inferior del segmento Oil & Gas.

Acerca de BASF
BASF es la empresa química líder en el mundo: The Chemical Company. Su cartera va desde productos químicos, plásticos, productos de acabado y productos de protección de cultivos hasta petróleo y gas natural. Combinamos el éxito económico con la responsabilidad social y la protección del medio ambiente. A través de la ciencia y la innovación, hacemos posible que nuestros clientes de prácticamente todos los sectores puedan satisfacer las necesidades actuales y futuras de la sociedad. Nuestros productos y soluciones contribuyen a la conservación de recursos, a garantizar nuestra nutrición y a mejorar nuestra calidad de vida. Hemos resumido esta contribución a la sociedad en nuestro objeto social: Creamos química para un futuro sostenible. BASF registró unas ventas de aproximadamente 74.000 millones de euros en 2013 y a cierre del ejercicio contaba con más de 112.000 colaboradores. Las acciones de BASF cotizan en las bolsas de Fráncfort (BAS), Londres (BFA) y Zúrich (AN). Para más información sobre BASF, consulte nuestro sitio web: www.basf.com.
Declaraciones y pronósticos mirando al futuro
Esta comunicación contiene declaraciones dirigidas al futuro. Estas declaraciones se basan en opiniones y pronósticos actuales de la junta directiva así como la información disponible en este momento. Las declaraciones dirigidas al futuro no han de entenderse como garantías de los resultados y desarrollos futuros mencionados en esta comunicación. Los resultados y desarrollos futuros dependen de una pluralidad de factores; estos incluyen distintos riesgos y circunstancias imprevisibles y se basan en suposiciones que podrían no resultar acertadas. BASF no asume ninguna obligación de actualizar las previsiones realizadas en esta comunicación.

FICHA de la nota de prensa en la web

Enlace de la web en la que se encuentra: <http://www.basf.es/ecp1/Spain/es/content/Noticias_Prensa/News/assets-14/Buen_comienzo_de_ano_en_la_industria_quimica>
Pestaña: noticias y prensa
Subpestaña: --
Antetítulo: no
Título: "BASF: Buen comienzo de año en la industria química, más complejo para el negocio del petróleo y gas"
Subtítulo: cinco subtítulos
Número de caracteres (con espacio) del titular: 99
Número de caracteres (con espacio) del cuerpo de la nota: 9.867
Fotografía: no
Firma: Noèlia Meijide
Lugar de la firma: sin especificar
Otros (documentos adjuntos, etcétera): sí

BOLSA

	IBEX 35 Madrid	EUROSTOXX 50 París	FTSE 100 Londres	DAX 30 Francfort	DOW JONES Nueva York	NASDAQ Nueva York	NIKKEI Tokio	PETRÓLEO Dólares / barril	EURIBOR %	ORO Dólares / onza
Cotización →	11.088,50	3.284,28	6.843,11	9.938,70	16.791,89	4.321,44	14.973,53	112,16	0,5110	1.272,00
En el día →	+0,12%	-0,15%	+0,06%	-0,11%	-0,31%	-0,24%	-0,64%	+1,88%	-2,67%	+0,87%
En el año →	+11,82%	+5,64%	+1,39%	+4,05%	+1,30%	+3,47%	-8,09%	+1,14%	-8,09%	+5,47%

IBEX 35

LAS MAYORES SUBIDAS / %

	%
FCC	+4,48
Acciona	+2,05
Bankinter	+1,72
Bankia	+1,22
Banco Sabadell	+0,97
Gamesa	+0,91
Técnicas Reunidas	+0,90
Jazztel	+0,90

LAS MAYORES BAJADAS / %

	%
IAG	-1,69
Dia	-1,24
BME	-1,04
Arcelor Mittal	-0,84
OHL	-0,42
Gas Natural	-0,34
Ferrovial	-0,34
Grifols	-0,29

SUBASTAS TESORO

	Tir media
Letras 6 Meses	0,36
Letras 9 Meses	0,55
Letras 12 Meses	0,60
Letras 18 Meses	1,69
Bonos 2,5 Años	4,34
Bonos 2 Años	1,90
Bonos 3 Años	0,97
Bono 4 Años	5,97

TIPOS OFICIALES

	%
España	0,15
Alemania	0,15
Zona euro	0,15
Reino Unido	0,50
EE.UU.	0,00-0,25
Japón	0,00-0,10
Suiza	0,00-0,25
Canadá	1,00

DIVISAS

	1 euro
Dólares USA	1,3528
Yenes japoneses	138,12
Coronas danesas	7,4602
Libras esterlinas	0,8039
Coronas suecas	9,0637
Francos suizos	1,2174
Coronas noruegas	8,1085
Yuanes chinos	8,4127

CIFRAS ECONÓMICAS

ESPAÑA

IPC	-0,4%	Desempleo	25,1%
PIB	0,4%	Tipos de interés	0,15%

ZONA EURO

IPC	0,5%	Desempleo	11,7%
PIB	0,9%	Tipos de interés	0,15%

EEUU

IPC	2,0%	Desempleo	6,3%
PIB	2,0%	Tipos de interés	0%

FCC

Último cierre: 17,595 euros ▲ 4,480%

17,84	
17,68	
17,52	
17,36	
17,20	

10.00 12.00 14.00 16.00 18.00

FUENTE: Bloomberg. EL MUNDO

MERCADO CONTINUO

CONTRATACIÓN EN EUROS

IBEX 35

TÍTULO	ÚLTIMA COTIZACIÓN	VARIACIÓN DIARIA EUROS	%	AYER MÍN.	MÁX.	VARIACIÓN AÑO % ANTERIOR	ACTUAL
Abertis	16,800	-0,045	-0,27	16,745	16,975	45,85	9,20
Acciona	64,130	1,290	2,05	62,800	64,830	-21,20	53,55
ACS	34,010	0,185	0,55	33,635	34,100	41,22	36,93
Amadeus It Holding	31,300	0,190	0,61	31,055	31,585	68,83	0,63
ArcelorMittal	11,185	-0,095	-0,84	11,170	11,370	3,68	-13,56
B. Popular	5,360	0,008	0,15	5,331	5,419	50,85	22,23
B. Sabadell	2,600	0,025	0,97	2,570	2,606	6,68	37,13
B. Santander	7,826	-0,014	-0,18	7,780	7,878	24,15	20,29
Bankia	1,490	0,018	1,22	1,472	1,495	-74,12	20,75
Bankinter	6,042	0,102	1,72	5,928	6,049	155,77	21,16
BBVA	9,714	-0,027	-0,28	9,661	9,817	39,05	8,56
BME	34,240	-0,360	-1,04	34,135	34,700	66,83	23,79
Caixabank	4,693	0,029	0,62	4,630	4,720	55,65	25,31
Dia	6,527	-0,082	-1,24	6,481	6,640	38,25	0,42
Ebro Foods	16,455	0,075	0,46	16,340	16,500	18,87	-3,40
Enagás	21,475	-0,055	-0,26	21,400	21,545	25,31	13,06
FCC	17,595	0,755	4,48	17,210	17,785	72,63	8,78
Ferrovial	16,250	-0,055	-0,34	16,170	16,325	31,78	15,54
Gamesa	8,989	0,081	0,91	8,893	9,070	356,63	18,59
Gas Natural	21,865	-0,075	-0,34	21,790	21,940	49,38	16,96
Grifols	41,800	-0,120	-0,29	41,645	42,140	33,46	20,24
IAG	4,881	-0,084	-1,69	4,840	4,972	117,00	0,87
Iberdrola	5,440	0,026	0,48	5,409	5,451	22,50	17,37
Inditex	111,250	-0,250	-0,22	110,750	112,850	17,16	-7,14
Indra	13,410	0,070	0,52	13,310	13,445	25,40	10,32
Jazztel PLC	10,700	0,095	0,90	10,555	10,715	48,03	37,55
Mapfre	3,080	-0,002	-0,06	3,066	3,094	40,57	-1,06
Mediaset	8,699	0,050	0,58	8,620	8,733	64,81	3,70
Obrascón H.L.	31,715	-0,136	-0,42	31,520	32,045	40,25	7,71
Red Eléctrica	64,510	0,010	0,02	64,230	65,090	37,93	35,02
Repsol	19,400	0,105	0,54	19,245	19,400	32,77	5,90
Sacyr	5,107	0,022	0,43	5,055	5,110	139,43	35,57
Técnicas Reunidas	44,890	0,400	0,90	44,325	44,935	18,87	13,69
Telefónica	12,465	0,075	0,61	12,350	12,535	23,43	5,32
Viscofan	42,015	0,310	0,74	41,575	42,210	1,09	1,61

RESTO DE VALORES

TÍTULO	ÚLTIMA COTIZACIÓN	DIF. %	RENTA. 2014
Abengoa	4,635	4,16	91,53
Abengoa B	4,121	4,81	89,38
Acerinox	12,920	-0,42	39,72
Adolfo Domínguez	5,160	-2,27	-8,83
Adveo	17,050	-0,58	14,12
Airbus Group	51,650	-0,86	-7,27
Alba	46,390	0,19	9,15
Almirall	11,590	=	-2,11
Amper	0,710	-2,74	-33,02
Aperam	22,840	0,40	70,45
Applus Services	16,070	-0,31	
Atresmedia	11,530	-0,26	-4,08
Azkoyen	2,730	-2,50	30,00
Barón de Ley	72,850	1,04	23,47
Bayer Ag.	105,450	=	3,08
Biosearch	0,750	-1,32	8,70
Bodegas Riojanas	5,040	1,00	-6,15
C. A. F.	341,750	0,51	-11,07
CAM	1,340	=	0,00
Campofrío	6,900	=	0,00
Cem.Portland	7,000	0,57	25,90
Cie Automotive	9,800	1,03	22,50
Cleop	1,150	=	0,00
Clínica Baviera	10,500	0,57	0,38
Codere	0,810	=	17,39
Colonial	0,633	-0,78	142,25
C.V.N.E	16,000	=	5,26
Deoleo	0,410	=	-12,77
Dinamia	9,030	-1,85	29,00
Dogi	6,400	=	0,00
Duro Felguera	4,800	=	-2,04
Edreams Odigeo	9,980	1,32	
Elecnor	10,720	0,94	-4,11
Ence	1,915	-2,79	-29,72
Endesa	26,385	0,58	30,21
Enel Green Power	2,103	0,19	16,70
Ercros	0,459	-0,86	-3,37
Europac	3,925	0,64	2,06
Ezentis	0,802	-2,20	-42,57
Faes	2,340	1,08	-7,85
Fergo Aisa	0,017	=	0,00
Fersa	0,615	0,82	57,69
Fluidra	3,220	-0,92	18,38
Funespaña	6,050	=	0,83
GAM	0,690	-1,43	-4,17
General Inversiones	1,760	=	6,02
Grupo Catalana Occ.	27,000	-0,66	3,77
Grupo Sanjosé	1,190	=	-0,83

TÍTULO	ÚLTIMA COTIZACIÓN	DIF. %	RENTA. 2014
Grupo Tavex	0,275	4,17	19,57
Hispania Activos Inmob.	10,400	-0,95	
Iberpapel	12,920	-0,62	-14,44
Indo Interna.	0,600	=	0,00
Inmobiliaria Del Sur	10,810	=	-32,44
Inypsa	0,775	-1,90	-7,74
Lar España	10,000	1,14	
Liberbank	0,790	1,94	31,91
Lingotes Especiales	4,415	0,11	28,16
Martinsa-Fadesa	7,300	=	0,00
Meliá Hotels Int.	9,495	-0,68	1,71
Miquel y Costas	28,640	-0,14	-6,10
Montebalito	1,205	-0,41	6,64
N. Correa	1,470	1,38	13,51
Natra	1,920	-0,78	-13,12
Natraceutical	0,266	-1,48	-7,32
NH Hoteles	4,650	1,53	8,52
Nyesa	0,170	=	0,00
Pescanova	5,910	=	0,00
Prim	6,200	1,64	7,64
Prisa	0,372	-1,59	-7,00
Prosegur	5,160	-2,46	3,61
Quabit	0,116	0,87	-1,69
Realia Business	1,445	1,05	74,10
Reno de Medici	0,306	-2,55	15,47
Renta Corp.	0,570	=	0,00
Renta 4 Banco	5,820	=	15,25
Reyal Urbis	0,124	=	0,00
Rovi	9,860	-0,20	-1,20
Seda Barna	0,729	=	0,00
Service Point Solutions	0,071	=	-24,47
Sniace	0,196	=	0,00
Solaria	1,235	-0,40	61,44
Sotogrande	3,550	=	32,46
Tecnocom	1,725	-1,99	42,56
Testa Inm. Renta	18,000	0,17	138,10
Tubacex	3,905	0,90	35,12
Tubos Reunidos	2,680	-0,56	51,41
Uralita	1,105	-1,34	-7,14
Urbas Gr.Financiero	0,034	-5,56	36,00
Vértice 360	0,044	=	-4,35
Vidrala	37,030	-0,38	-1,10
Vocento	2,215	2,55	46,69
Zardoya Otis	13,480	0,82	2,51
Zeltia	3,000	1,69	29,87

EMPRESAS

El Tesoro capta 9.000 millones a 10 años

El Tesoro colocó ayer 9.000 millones en una emisión sindicada de una nueva referencia a 10 años, con vencimiento en octubre de 2024 y un cupón del 2,75%, a la vez que amortizó mediante canje títulos con vencimiento en 2015. Este volumen de colocación, del que 3.662 millones proceden del canje, es el segundo mayor importe de todas las referencias sindicadas por el Tesoro. / E. P.

Barclays, en el punto de mira de Caixabank

El consejero delegado de Caixabank, Juan María Nin, aseguró en una entrevista en *The Wall Street Journal* que su entidad tiene «mucho interés» en el negocio minorista de Barclays en España. El límite para presentar ofertas no vinculantes expiraría, en principio, este jueves. / E.P.

Portugal rechaza el tramo final del rescate

Portugal ha decidido renunciar al último tramo del rescate acordado con la *Troika* -el Fondo Monetario Internacional (FMI), la Comisión Europea (CE) y el Banco Central Europeo (BCE)-, para evitar tener que reabrir el programa, algo que «afectaría a la credibilidad» del país. / E.P.

Codere no abonará el pago de un cupón

Codere no abonará el pago del cupón de una emisión de bonos con vencimiento en 2015, que expira este 15 de junio, debido «a las actuales circunstancias de la compañía y a las negociaciones en curso», informó la compañía a la Comisión Nacional del Mercado de Valores. / E.P.

Fomento duplica la licitación de obras

El Ministerio de Fomento ha licitado obras por un importe de 2.329 millones de euros durante los cinco primeros meses del año, lo que implica más que duplicar (+124%) el volumen del año anterior. / E.P.

Soros dispara a FCC en Bolsa

Sube un 4,5% en el día ante las negociaciones con el inversor

D.V. / Madrid

Los títulos de la constructora Fomento de Construcciones y Contratas (FCC) lideraron las subidas del Ibex 35 en la sesión bursátil de ayer al dispararse un 4,48%, hasta los 17,5 euros por acción, marcando además máximos del pasado mes de febrero.

El motivo de las fuertes compras de los inversores se encuentra en las negociaciones que la compañía está llevando a cabo con George Soros y por las que el inversor estadounidense de origen húngaro, que ahora mismo controla el 3% del capital de la empresa, elevaría su participación en FCC e incluso podría convertirse en accionista mayoritario de la misma.

En concreto, tal y como adelantó *El Confidencial*, Soros podría tomar posiciones en la sociedad instrumental B-1998 a través de la que Esther Koplowitz y su hija Alicia Alcocer Koplowitz, actual presidenta de FCC, controlan la mayor parte del capital de la compañía constructora.

En caso de que las negociaciones fructifiquen, George Soros se convertiría en el salvador de la familia Koplowitz, que actualmente se encuentra en una compleja situación financiera al no poder hacer frente a una deuda personal de más de 1.000 millones de euros derivado de la compra de acciones de FCC.

18. El Mundo   **Numeración para la muestra: 36**

Viernes 13 de junio del 2014

Fomento duplica la licitación de obras

El Ministerio de Fomento ha licitado obras por un importe de 2.329 millones de euros durante los cinco primeros meses del año, lo que implica más que duplicar (+124%) el volumen del año anterior. / E. P.

FICHA del breve en el diario

Número de página: 36
Sección: bolsa
Subsección: empresas
Número de breves de la subsección: cinco
Ladillo: no
Número de líneas del titular: dos
Número de líneas del cuerpo: seis
Fotografía: no
Firma: E. P. (Europa Press)

Despacho de agencia publicado por Europa Press (www.europapress.es), el 12 de junio del 2014:

Fomento duplica la licitación de obras hasta mayo, que suma 2.329 millones
El Ministerio de Fomento ha licitado obras por un importe de 2.329 millones de euros durante los cinco primeros meses del año, lo que implica más que duplicar (+124%) el volumen del año anterior, según anunció la titular del Departamento, Ana Pastor.
El repunte de la obra civil dependiente de Fomento, primer organismo inversor del Estado, viene impulsado por el incremento de la inversión en las líneas de Alta Velocidad (AVE) en construcción.
Según los datos de cierre de abril, hasta ese mes el Minsiterio, a través de Adif había sacado a concurso contratos de AVE por valor de 1.387 millones de euros, importe que más que triplica (+236%) el de 2013.
Durante su intervención en la XXV Trobada Empresarial al Pirineu, la titular de Fomento destacó así que en lo que va de Legislatura su Departamento ha promovido obras por un total de 27.145 millones de euros. "Inversión pública y productiva desde el punto de vista social y económico", ha subrayado.

FICHA del despacho de agencia en la web

Enlace de la web en la que se encuentra: <http://www.europa-press.es/economia/noticia-economia-macro-fomento-duplica-licitacion-obras-mayo-suma-2329-millones-20140612192403.html>
Pestaña: economía
Subpestaña: macro
Antetítulo: no
Título: "Fomento duplica la licitación de obras hasta mayo, que suma 2.329 millones"
Subtítulo: no
Número de caracteres (con espacio) del titular: 74
Número de caracteres (con espacio) del cuerpo de la nota: 964
Fotografía: no
Firma: sin especificar (Europa Press)
Lugar de la firma: Madrid
Otros (documentos adjuntos, etcétera): no

Nota de prensa original, publicada por el Ministerio de Fomento (www.fomento.gob.es), el 12 de junio del 2014:

<u>Pastor destaca que Fomento ha licitado obras públicas entre enero y mayo de 2014 por valor de 2.329 M€</u>

· El importe de las licitaciones internacionales en infraestructuras adjudicadas entre enero y mayo en las que han participado empresas españolas asciende a 14.800 millones de euros.

La ministra de Fomento, Ana Pastor, ha destacado hoy en La Seu d'Urgell que su Departamento está invirtiendo más que nunca en términos reales y que, entre enero y mayo de 2014, ha licitado obras públicas por valor de 2.329 millones de euros, cifra que representa un 124% más que en el mismo período del año anterior.

Además, ha indicado que la inversión total en el periodo 2012-2014 asciende a 27.145 millones de euros. "Inversión pública y productiva desde el punto de vista social y económico", ha subrayado.

Durante su intervención en la XXV edición de la Trobada Empresarial al Pirineu, Pastor ha señalado que Cataluña es un ejemplo de inversión productiva. El total invertido por Fomento en esta comunidad autónoma entre 2012 y 2014 se eleva a 3.913,4 millones de euros y, desglosada por modos, en ferrocarriles es de 1.697,4 millones de euros; en carreteras, de 648,4 millones de euros; en aeropuertos, de 274,7 millones de euros; y en puertos, de 488,2 millones de euros.

En concreto, en el Corredor Mediterráneo se han invertido 3.438,5 millones de euros para el trienio 2012-2014. En esta infraestructura, actualmente el Ministerio trabaja en dos líneas de actuación. Por un lado, en la implantación del ancho estándar en las líneas ya existentes de ancho convencional mediante el cambio de ancho o tercer carril, según el tramo y, por otro, en la construcción de nuevas líneas que aumenten la capacidad de la red.

En cuanto a la red de Cercanías, la ministra también ha señalado que se trabaja con la Generalitat para definir las actuaciones prioritarias a desarrollar y que la inversión en estaciones en Cataluña en 2012-2013 supera los 145 millones de euros.

En materia de puertos, la ministra ha señalado que, en lo que va de año 2014, las autoridades portuarias catalanas han licitado obras por 45,7 millones de euros, a lo que hay que sumar la inversión privada prevista para este año, que en el caso del Puerto de Barcelona se sitúa en 119 millones de euros y en el de Tarragona en 36 millones de euros.

En el ámbito de las carreteras, se están impulsando actuaciones como la puesta en servicio de 35 kilómetros de nuevas autovías; la finalización de actuaciones clave como la Variante de L´Aldea en la N-340, o el acondicionamiento de la carretera N-145 entre La Seu d´Urgell y Andorra; la conclusión de ampliaciones en vías de gran capacidad, como los 60 kilómetros de terceros y cuartos carriles en la autopista AP-7 y nuevos enlaces o mejora de algunos existentes, como el del Prat o los de Sant Gregori y Fornells de la Selva; y obras de emergencia de la carretera N-230 en el Valle de Arán.

Respecto a las inversiones en infraestructuras aeroportuarias, la titular de Fomento ha subrayado el cumplimiento del compromiso de poner a disposición de Cataluña unos aeropuertos eficientes y con capacidad suficiente para hacer frente a la demanda presente y futura.

Internacionalización de empresas

Por otro lado, en su intervención, Pastor ha señalado que trabaja para contar con modelos competitivos en todos los modos de transporte, ya que "los transportes tienen un peso importante en el proceso de cambio hacia una economía más sostenible y productiva".

Además, ha subrayado que el esfuerzo para lograr mayor competitividad y productividad ha de ir acompañados de un decidido respaldo a la internacionalización de las empresas españolas.

En este sentido, Pastor ha resaltado que el importe de las licitaciones internacionales en infraestructuras adjudicadas entre enero y mayo en las que han participado empresas españolas asciende a 14.800 millones de euros.

Entre los proyectos adjudicados se encuentran la construcción y explotación de la línea 2 del Metro de Lima; la construcción del edificio de aduanas para el puente que conectará Hong Kong con Macao; la construcción y explotación de la autopista urbana Americo Vespucio en Santiago de Chile; y la construcción y explotación de un tramo de la autopista interestatal 69 en el Estado de Indiana.

La ministra ha destacado también la relevancia de la colaboración público-privada y el trabajo en consorcios para aprovechar sinergias y conseguir un mejor posicionamiento en los mercados internacionales.

FICHA de la nota de prensa en la web

Enlace de la web en la que se encuentra: <http://www.fomento.gob.es/MFOM/LANG_CASTELLANO/GABINETE_COMUNICACION/NOTICIAS1/2014/JUNIO/140612-02.htm>

Pestaña: sala de prensa
Subpestaña: noticias
Antetítulo: no
Título: "Pastor destaca que Fomento ha licitado obras públicas entre enero y mayo de 2014 por valor de 2.329 M€"
Subtítulo: un subtítulo
Número de caracteres (con espacio) del titular: 102
Número de caracteres (con espacio) del cuerpo de la nota: 4.165
Fotografía: sí
Firma: sin especificar
Lugar de la firma: sin especificar
Otros (documentos adjuntos, etcétera): sí

GUSTAVO MARTÍNEZ GARCÍA-TUÑÓN, PRESIDENTE EJECUTIVO DE J. WALTER THOMPSON

Uberbarcelonés en el mundo

MAR GALTÉS
Barcelona

GUSI BÉJER

Gustavo Martínez ha reunido esta semana en Barcelona a los 70 principales directivos de J. Walter Thomson (JWT tiene 10.000 empleados en 200 oficinas en 90 países) para hacer balance de sus primeros 90 días como presidente ejecutivo de la que se considera agencia de publicidad más antigua del mundo. "Es una compañía pionera en muchas cosas, también en tener un presidente no anglosajón, o barcelonés", dice este profesional multinacional que, a pesar de o quizás debido a su trayectoria, se dice "muy barcelonés, uberbarcelonés".

Hijo de un directivo catalán de multinacional, Gustavo Martínez nació en Buenos Aires en 1963, creció en Canadá, y a los 12 años recaló en Barcelona, donde estudió Económicas en la UB, un máster en el Iese, trabajó en Henkel como *product manager* de productos de limpieza, se casó y tuvo a dos de sus cuatro hijos. Luego retomó su periplo por el mundo; pero no ha dejado su piso en Sant Gervasi ni su refugio en Aiguablava.

El pasado lunes, Martínez acababa de llegar de Los Ángeles. Y hoy ya está en Bombay, donde tiene reuniones con clientes. Asegura que no tiene ningún remedio contra el jet lag –más que "no comer ni trabajar en los aviones", y compensar el sueño con cafés, y salir a correr cada mañana, allá donde esté–. Pero viaja porque "creo en la cercanía, ni el e-mail ni la videoconferencia pueden sustituir al lenguaje corporal". El precio es pasar "el 40% de mi vida en aeropuertos". Lo aprovecha "para hacer una colección de *selfies* y retratos de las caras de desesperación y agobios de la gente... ¡es muy divertido!".

A sus directivos les ha citado en Barcelona porque "aquí todos quieren venir". Aunque piensa que no tiene reuniones con clientes. Asegura que: "Barcelona es tan maravillosa que te encierra, es cautivadora. Es muy fácil quedarte en el 'triángulo de las Bermudas' con Cerdanya-Costa Brava".

Martínez hacía consultoría estratégica en

Pricewaterhouse en Barcelona cuando dio el salto al sector de la publicidad en una época dorada; en 1993 fue a Saatchi & Saatchi, al año siguiente pasó a McCann; y en el 2000, con Ogilvy, dio el salto a Argentina, donde "ser publicitario o futbolista es lo más relevante". Llegó al país "poco antes de que explotara: aprendí a sobrevivir, ese fue mi segundo MBA". Y en una carrera bien enfocada, dirigió el negocio de Latinoamérica, pasando por México, hasta que en 2009 llegó a Nueva York de los *Mad men* –una serie que sigue "alguna vez: es divertida"–.

Martínez regresó en 2010 a McCann para dirigir Europa y Asia; trasladó la sede de Londres a Milán –"resistí la tentación de poner la sede en Barcelona, pero aquí creé un *hub* creativo"–. Entre otras cosas, porque "a Barcelona le falta algo de internacionalidad, pero se está consiguiendo", dice, ahora que también se ha implicado en la asociación Barcelona Global. Y desde este año vuelve a vivir en Nueva York. "JWT está en un buen momento", y le quiere aportar "más globalización, el mundo va más allá de Nueva York".

Desde que empezó en marketing en 1986, "el mundo es absolutamente distinto. Nunca

> "Es muy fácil quedarte en el 'triángulo de las Bermudas' de Barcelona-Cerdanya-Costa Brava. Es cautivador"

es fácil, pero antes podías hacer planes a largo plazo. Hoy necesitas visión a 30 años, pero los planes son a 6 meses". Parte de su trabajo va a ser crecer con adquisiciones que aporten nuevas habilidades al grupo: de búsqueda, de contenido, de vídeo digital. Para convencer al consumidor, ya no basta con un buen eslogan de Don Draper: "ahora el análisis de tendencias es fundamental. También competimos con Apple o con Google". Dice que en Barcelona "se hacen cosas interesantes y el mercado es competitivo". En cualquier caso, es un entusiasta: "Barcelona tiene un *momentum* que hay que aprovechar": en publicidad "todavía es relevante; lo fue más, y tiene que volver a serlo".

Luce moreno de jugador de tenis y golf y añora dedicar tiempo a la familia, "y a mi mujer, el 80% del mérito de mi carrera es suyo". Le encuentra ventajas a la tecnología –"ser un Skype-papá es una maravilla", pero también "somos esclavos del mensajito. La inmediatez nos lleva a un desenfreno que no sé si es bueno. Tener Instagram o WhatsApp no significa que vayamos a un mundo mejor".●

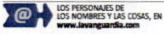
LOS PERSONAJES DE LOS NOMBRES Y LAS COSAS, EN www.lavanguardia.com

---

Julià crece un 13% y alcanza unas ventas de 274 millones de euros

REDACCIÓN Barcelona

El Grupo Julià ha cerrado el ejercicio 2013 con una facturación próxima a los 274 millones, lo que equivale a un crecimiento del 12,9% respecto al ejercicio anterior. A lo largo del pasado año, el Grupo ha incorporado cinco nuevos servicios de bus y tren turístico y ha creado setenta nuevos empleos, con lo que ya cuenta con una plantilla de 1.124 empleados. El año pasado, la inversión ascendió a once millones de euros.

En 2013 se consolidó la tendencia de los años anteriores hacia una mayor internacionalización de la compañía, con casi dos tercios de la facturación en el ámbito internacional y el 34 por ciento restante en el mercado español. Este proceso de internacionalización debería seguir acentuándose en los próximos años, según la empresa.

La principal división del grupo, la de turismo, ha sido la que ha registrado un crecimiento más importante al conseguir más de 216 millones en ventas (un 19,34% más, cerca de siete puntos más que el crecimiento del año anterior). En el caso de Julià Central de Viajes, las ventas crecieron un 9% con respecto al 2012.

Respecto a las filiales internacionales del grupo, destaca Julià Tours Argentina, con un incremento de su facturación del 27%, lo que le lleva a consolidar su liderazgo. Por su parte, Julià Tours México ha conseguido un récord de ventas, tras aumentar un 5% su facturación. Por último, el negocio del transporte de viajeros, Autocares Julià, sólo registró un avance del 1% de sus ventas.●

19. La Vanguardia   **Numeración para la muestra: 37**

Domingo 11 de mayo del 2014

<u>José Adrián Rodríguez Fonollosa, seleccionado</u>

El investigador y profesor José Adrián Rodríguez Fonollosa, del Centre de Tecnologies i Aplicacions del Llenguatge i la Parla de la Universitat Politècnica de Catalunya (UPC), ha sido el primer seleccionado en la segunda fase del concurso internacional Flight Quest, de General Electric para desarrollar algoritmos que hagan más eficientes las rutas de los vuelos de la aviación civil. / Redacción

FICHA del breve en el diario

Número de página: 83
Sección: economía
Subsección: En línea
Número de breves de la subsección: cuatro
Ladillo: General Electric
Número de líneas del titular: tres
Número de líneas del cuerpo: 19
Fotografía: sí
Firma: Redacción

Nota de prensa original, publicada por la Universitat Politècnica de Catalunya (www.upc.edu), el 29 de abril del 2014:

En el concurso internacional Flight Quest, que busca soluciones de innovación para mejorar la eficiencia en la aviación
José Adrián Rodríguez Fonollosa, investigador del TALP, premiado por General Electric
· El investigador y profesor José Adrián Rodríguez Fonollosa, del Centro de Tecnologías y Aplicaciones del Lenguaje y el Habla (TALP) de la Universitat Politècnica de Catalunya · BarcelonaTech (UPC), ha sido el primer seleccionado de la segunda fase del concurso internacional Flight Quest, convocado por la empresa General Electric para fomentar el desarrollo de algoritmos que ayuden a hacer más eficientes las rutas de los vuelos de las compañías aéreas.
Desarrollar una solución innovadora que permita a las aerolíneas determinar la ruta de vuelo más eficiente en tiempo real puede hacer ahorrar a la industria 3.000 millones de dólares al año. En este sentido, el modelo presentado por el investigador José Adrián Rodríguez Fonollosa, del Centro de Tecnologías y Aplicaciones del Lenguaje y el Habla (TALP) -centro miembro de CIT UPC- y profesor del Departamento de Teoría de la Señal y Comunicaciones de la UPC, ha resultado ser hasta un 12 % más eficiente en comparación con el conjunto de datos de vuelos reales. Esta solución ha ganado la segunda fase del concurso internacional Flight Quest, que convoca la empresa General Electric. El premio está dotado con 100.000 dólares y la compañía integrará el modelo ganador en su sistema de vuelos.
Con la colaboración de Alaska Airlines y mediante la plataforma de *crowdsourcing* Kaggel, se ha desafiado a la comunidad científica de datos, *start up* y empresas a encontrar una forma de aumentar la eficiencia del vuelo en tiempo real, reduciendo los retrasos y maximizando la rentabilidad. Los algoritmos de los seleccionados del concurso determinan las rutas más eficientes, las velocidades y las altitudes en cualquier momento de un vuelo teniendo en cuenta variables como las limitaciones del tiempo, del viento y del espacio aéreo.

FICHA de la nota de prensa en la web

Enlace de la web en la que se encuentra: <http://www.upc.edu/saladepremsa/al-dia/mes-noticies/jose-adrian-rodriguez-fonollosa-investigador-del-talp-premiado-por-general-electric?set_language=es>
Pestaña: sala de prensa
Subpestaña: noticias
Antetítulo: sí
Título: "José Adrián Rodríguez Fonollosa, investigador del TALP, premiado por General Electric"
Subtítulo: un subtítulo
Número de caracteres (con espacio) del titular: 85
Número de caracteres (con espacio) del cuerpo de la nota: 1.787
Fotografía: sí
Firma: sin especificar
Lugar de la firma: sin especificar
Otros (documentos adjuntos, etcétera): sí

	IBEX 35 Madrid	EUROSTOXX 50 París	FTSE 100 Londres	DAX 30 Francfort	DOW JONES Nueva York	NASDAQ Nueva York	NIKKEI Tokio	PETRÓLEO Dólares / barril	EURIBOR %	ORO Dólares / onza
Cotización →	11.155,10	3.302,36	6.825,20	9.987,24	16.958,35	4.359,49	15.349,42	114,68	0,4890	1.315,30
En el día →	-0,29%	-0,38%	+0,25%	-0,17%	+0,22%	+0,00%	-0,08%	-0,30%	=-%	-0,18%
En el año →	+12,49%	+6,22%	+1,13%	+4,55%	+2,30%	+4,38%	-5,78%	+3,90%	-12,05%	+9,06%

IBEX 35

LAS MAYORES SUBIDAS	%		LAS MAYORES BAJADAS	%
IAG	+2,22		OHL	-2,30
Repsol	+0,82		Sacyr	-2,28
Gas Natural	+0,74		Ebro Foods	-2,18
CaixaBank	+0,43		Banco Popular	-1,87
Mediaset	+0,39		Bankinter	-1,71
Grifols	+0,38		Banco Sabadell	-1,70
Telefónica	+0,31		Acciona	-1,56
Técnicas Reunidas	+0,17		Abertis	-1,07

SUBASTAS TESORO

	Tir media
Letras 6 Meses	0,14
Letras 9 Meses	0,55
Letras 12 Meses	0,38
Letras 18 Meses	1,69
Bonos 2,5 Años	4,34
Bonos 2 Años	1,90
Bonos 3 Años	0,88
Bono 4 Años	5,97

TIPOS OFICIALES

	%
España	0,15
Alemania	0,15
Zona euro	0,15
Reino Unido	0,50
EE.UU.	0,00-0,25
Japón	0,00-0,10
Suiza	0,00-0,25
Canadá	1,00

DIVISAS

	1 euro
Dólares USA	1,3588
Yenes japoneses	138,68
Coronas danesas	7,4561
Libras esterlinas	0,7975
Coronas suecas	9,149
Francos suizos	1,2169
Coronas noruegas	8,342
Yuanes chinos	8,46

CIFRAS ECONÓMICAS

ESPAÑA

IPC	0,2%	Desempleo	25,1%
PIB	0,4%	Tipos de interés	0,15%

ZONA EURO

IPC	0,5%	Desempleo	11,7%
PIB	0,9%	Tipos de interés	0,15%

EEUU

IPC	2,0%	Desempleo	6,3%
PIB	2,0%	Tipos de interés	0%

■ Ibex 35

Último cierre: **11.155,1 puntos** ▼ -0,29%

FUENTE: Bloomberg. EL MUNDO

MERCADO CONTINUO

CONTRATACIÓN EN EUROS

IBEX 35

TÍTULO	ÚLTIMA COTIZACIÓN	VARIACIÓN DIARIA EUROS	VARIACIÓN DIARIA %	AYER MÍN.	AYER MÁX.	VARIACIÓN AÑO % ANTERIOR	VARIACIÓN AÑO % ACTUAL
Abertis	16,675	-0,180	-1,07	16,675	16,890	45,85	8,39
Acciona	65,220	-1,030	-1,55	64,640	67,650	-21,20	56,16
ACS	34,215	0,005	0,01	34,070	34,345	41,22	36,75
Amadeus It Holding	30,835	-0,010	-0,03	30,700	31,180	68,83	-0,87
ArcelorMittal	11,030	-0,070	-0,63	11,025	11,205	3,68	-14,76
B. Popular	5,255	-0,100	-1,87	5,238	5,397	50,85	19,84
B. Sabadell	2,610	-0,045	-1,69	2,604	2,676	6,68	37,66
B. Santander	7,842	-0,016	-0,20	7,805	7,893	24,15	20,53
Bankia	1,469	-0,006	-0,41	1,461	1,489	-74,12	19,04
Bankinter	5,930	-0,103	-1,71	5,923	6,036	155,77	18,91
BBVA	9,637	-0,073	-0,75	9,637	9,783	39,05	7,70
BME	34,000	-0,160	-0,47	33,900	34,285	66,83	22,92
Caixabank	4,672	0,020	0,43	4,601	4,684	55,65	24,75
Dia	6,563	0,003	0,05	6,538	6,607	38,25	0,97
Ebro Foods	15,940	-0,355	-2,18	15,940	16,325	16,87	-6,43
Enagás	22,910	0,005	0,02	22,880	23,150	25,31	20,61
FCC	18,115	-0,050	-0,27	17,785	18,340	72,63	12,36
Ferrovial	16,335	-0,060	-0,37	16,240	16,475	31,78	16,14
Gamesa	9,263	-0,067	-0,72	9,221	9,360	356,63	22,20
Gas Natural	23,295	0,170	0,74	22,975	23,380	49,38	24,61
Grifols	42,000	0,160	0,38	41,900	42,440	33,46	20,81
IAG	4,800	0,104	2,21	4,675	4,820	117,00	-0,81
Iberdrola	5,519	-0,032	-0,58	5,515	5,563	22,50	19,07
Inditex	112,500	-0,500	-0,44	111,750	113,500	17,16	-6,09
Indra	13,695	-0,065	-0,47	13,630	13,800	25,40	12,18
Jazztel PLC	10,800	0,010	0,09	10,735	10,860	48,03	38,84
Mapfre	2,951	-0,027	-0,90	2,951	2,993	44,35	-5,20
Mediaset	8,523	0,033	0,39	8,491	8,632	64,81	1,60
Obrasción H.L.	33,380	-0,785	-2,30	33,305	34,100	40,25	13,36
Red Eléctrica	65,270	-0,530	-0,81	65,270	66,960	37,93	36,61
Repsol	19,625	0,160	0,82	19,425	19,635	36,18	7,12
Sacyr	4,974	-0,116	-2,28	4,965	5,097	139,43	32,04
Técnicas Reunidas	46,000	0,080	0,17	45,745	46,100	18,87	16,50
Telefónica	12,850	0,040	0,31	12,685	12,865	23,43	8,58
Viscofan	42,120	-0,030	-0,07	42,110	42,350	1,09	1,86

RESTO DE VALORES

TÍTULO	ÚLTIMA COTIZACIÓN	DIF. %	RENTA. 2014		TÍTULO	ÚLTIMA COTIZACIÓN	DIF. %	RENTA. 2014
Abengoa	4,800	0,65	98,35		Grupo Tavex	0,261	-1,14	13,48
Abengoa B	4,177	1,88	91,96		Hispania Activos Inmob.	10,470	1,95	
Acerinox	14,055	2,70	52,00		Iberpapel	13,040	-1,14	-13,64
Adolfo Domínguez	5,370	=	-5,12		Indo Interna.	0,600	=	0,00
Adveo	17,150	-0,29	14,79		Inmobiliaria Del Sur	7,770	-15,17	-51,44
Airbus Group	50,700	1,00	-8,96		Inypsa	0,740	=	-11,90
Alba	46,270	0,46	8,87		Lar España	9,999	0,49	
Almirall	11,470	0,17	-3,13		Liberbank	0,780	1,30	30,24
Amper	0,680	-2,86	-35,85		Lingotes Especiales	4,395	1,74	27,58
Aperam	25,450	2,89	89,93		Martinsa-Fadesa	7,300	=	0,00
Applus Services	16,200	0,87			Meliá Hotels Int.	9,140	0,33	-2,09
Atresmedia	11,010	0,46	-8,40		Miquel y Costas	32,810	13,26	7,57
Azkoyen	2,780	0,36	32,36		Montebalito	1,170	=	3,54
Barón de Ley	71,000	=	20,34		N. Correa	1,455	0,69	12,36
Bayer Ag.	103,700	=	1,37		Natra	1,920	-1,54	-13,12
Biosearch	0,740	-0,67	7,25		Natraceutical	0,278	4,91	-3,14
Bodegas Riojanas	5,050	=	-5,96		NH Hoteles	4,490	0,22	4,78
C. A. F.	350,250	1,23	-8,86		Nyesa	0,170	=	0,00
CAM	1,340	=	0,00		Pescanova	5,910	=	0,00
Campofrío	6,850	=	-0,72		Prim	6,180	0,98	7,29
Cem. Portland	6,940	1,31	24,82		Prisa	0,366	1,10	-8,50
Cie Automotive	9,930	-0,20	24,13		Prosegur	5,190	1,37	4,22
Cleop	1,150	=	0,00		Quabit	0,113	-0,88	-4,24
Clínica Baviera	10,310	-1,25	-1,43		Realia Business	1,425	-0,70	71,69
Codere	0,810	2,53	17,39		Reno de Medici	0,315	1,94	18,87
Colonial	0,618	-0,32	136,51		Renta Corp.	0,570	=	0,00
C.V.N.E	16,800	0,96	10,53		Renta 4 Banco	5,790	0,17	14,65
Deoleo	0,415	2,47	-11,70		Reyal Urbis	0,124	=	0,00
Dinamia	9,020	-0,88	26,86		Rovi	9,720	-1,82	-2,81
Dogi	6,400	=	0,00		Seda Barna	0,729	=	0,00
Duro Felguera	4,690	-1,05	-4,29		Service Point Solution	0,071	=	-24,47
Edreams Odigeo	9,750	1,67			Sniace	0,196	=	0,00
Elecnor	10,950	0,46	-2,06		Solaria	1,200	0,84	56,86
Ence	1,920	-0,26	-29,54		Sotogrande	3,950	8,22	47,39
Endesa	29,190	1,16	33,90		Tecnocom	1,810	-0,55	49,59
Enel Green Power	2,126	0,38	17,98		Testa Inm.Renta	18,000	=	138,10
Ercros	0,460	=	-3,16		Tubacex	3,930	1,29	35,99
Europac	3,925	0,64	2,08		Tubos Reunidos	2,605	2,16	47,18
Ezentis	0,928	-3,83	-33,55		Uralita	1,095	-1,35	-7,98
Faes	2,375	-2,86	-6,47		Urbas Gr.Financiero	0,033	=	32,00
Fergo Aisa	0,017	=	0,00		Vértice 360	0,044	=	-4,35
Fersa	0,610	0,83	56,41		Vidrala	36,900	0,54	-1,44
Fluidra	3,170	=	16,54		Vocento	2,170	3,09	43,71
Funespaña	6,000	=	0,00		Zardoya Otis	13,320	-0,30	1,29
GAM	0,680	=	-5,56		Zeltia	3,050	-0,81	32,03
General Inversiones	1,780	1,14	7,23					
Grupo Catalana Occ.	26,760	1,06	2,84					
Grupo Sanjosé	1,180	-1,67	-1,67					

EMPRESAS

Panrico empieza a aplicar los ERE

Panrico empezará a aplicar el próximo lunes el Expediente de Regulación Temporal de Empleo (ERTE) y el Expediente de Regulación de Empleo (ERE) que presentó en 2013 y que afecta a 133 empleados de la planta de Santa Perpètua. /EP

Visto bueno europeo a la venta de NCG

La Comisión Europea aprobó ayer la venta de Novagalicia (NCG) al grupo de origen venezolano Banesco, así como las modificaciones propuestas de su plan de reestructuración. Bruselas considera que se ajusta a las normas de la UE sobre ayudas públicas. /EP

El Ecofin respalda la entrada de Lituania

Los ministros de Economía de la UE apoyaron ayer que Lituania adopte el euro el 1 de enero de 2015, convirtiéndose así en el decimonoveno Estado miembro de la Eurozona. El Ecofin considera que cumple todos los requisitos de convergencia económica exigidos. /EP

Apple abre una nueva tienda en Madrid

Apple abrirá este sábado la Apple Store Puerta del Sol, su nueva tienda de referencia en Madrid, que contará con algunas peculiaridades con respecto a otras tiendas ya abiertas en España. El centro estará ubicado en el número 1 de la plaza madrileña. /EP

Carrefour, interesado por el Día francés

El grupo Día ha recibido una oferta de compra en firme por parte de Carrefour Francia por la totalidad del negocio en este país, que valora la empresa en 600 millones de euros. La compañía contaba a finales de 2013 con una red de supermercados de 865 en Francia, de los que 635 eran tiendas propias y 230 franquicias. /EP

El Estado francés, en Alstom
Cierra un acuerdo con General Electric y se queda con un 20%

París

El Gobierno francés optó por apoyar con condiciones la nueva oferta presentada por General Electric para adquirir las actividades de energía de Alstom, y se comprometió a quedarse con un 20% de la compañía, que estaba en manos de Bouygues. La oferta presentada por General Electric proponía varias alianzas con el Estado francés para apoyar su transición energética y en materia de energía térmica y nuclear. De esta manera, el Gobierno se convierte en el principal accionista de la empresa y rechaza la propuesta de la alianza formada por la alemana Siemens y la japonesa Mitsubishi Heavy Industries, quienes apenas ayer mejoraron en 1.200 millones de euros su oferta para adquirir distintos activos de Alstom, elevando a 14.600 millones su valoración del negocio energético.

Esta alianza tendrá unas condiciones «rigurosas y respetuosas» con los intereses de Francia, según reconoció, ayer, el ministro de Economía, Arnaud Montebourg, informa Europa Press. Como parte del acuerdo, el Estado tendrá una alianza a partes iguales en materia de energía térmica y nuclear, en la que contará con derecho a veto y podría elegir a la mitad de los consejeros, así como al consejero delegado. Además, podrá multar a General Electric si no crea 1.000 empleos.

19. El Mundo   **Numeración para la muestra: 38**

Sábado 21 de junio del 2014

Apple abre una nueva tienda en Madrid

Apple abrirá este sábado la Apple Store Puerta del Sol, su nueva tienda de referencia en Madrid, que contará con algunas peculiaridades con respecto a otras tiendas ya abiertas en España. El centro estará ubicado en el número 1 de la plaza madrileña. / EP

FICHA del breve en el diario

Número de página: 37
Sección: bolsa
Subsección: empresas
Número de breves de la subsección: cinco
Ladillo: no
Número de líneas del titular: dos
Número de líneas del cuerpo: ocho
Fotografía: no
Firma: E. P. (Europa Press)

Despacho de agencia publicado por Europa Press (www.europapress.es), el 16 de junio del 2014:

Apple Store Puerta del Sol abrirá sus puertas en Madrid este sábado

Apple abrirá su nueva tienda de referencia en Madrid este sábado, 21 de junio. La Apple Store Puerta del Sol contará con algunas peculiaridades con respecto a otras tiendas ya abiertas en España y estará ubicada en el número 1 de la madrileña plaza, donde en otro tiempo estuvo el famoso cartel de Tío Pepe.

La Apple Store Puerta del Sol será la tercera de las tiendas que Apple inaugura restaurando edificios singulares en el centro de ciudades españolas, junto con la Apple Store Calle Colón de Valencia y la Apple Store Paseo de Gracia en Barcelona.

La de Puerta del Sol será la Apple Store número 11 que se inaugura en España. Las dos primeras fueron las de Barcelona La Maquinista y Madrid Xanadú, inauguradas ambas en septiembre de 2010. La Apple Store número 10 abrió sus puertas en Puerto Venecia Zaragoza en octubre de 2012.

Actualmente, hay tres Apple Stores en Madrid: Xanadú, Parque Sur y Gran Plaza 2. Las tres en centros comerciales alrededor de la capital.

MÁS DE 125 EMPLEADOS.

Según ha confirmado Apple, la tienda de Puerta del Sol contará con un equipo de más de 125 empleados, "con un nivel de preparación muy alto". Como ocurre en todos los locales de la compañía, habrá zonas específicas para probar iPads, iPhones, Macs e iPods. Y un gran espacio dedicado a accesorios y complementos creados por terceras partes.

La nueva Apple Store de la capital tendrá una Genius Bar de 360 grados -la primera de este tipo en España-. En ella, los expertos de Apple responderán a preguntas y dudas, darán consejos, resolverán problemas técnicos y, si el producto necesita reparación, lo harán en muchos casos en el acto o en un plazo de 24 horas. Cualquiera podrá reservar cita en la web o usando la app de la Apple Store.

Al igual que ocurre en otras tiendas de la compañía de Cupertino, los empleados de Apple ayudarán a los clientes a configurar de forma personal cualquier Mac, iPhone, iPad o iPod (configuración del correo, redes wi-fi, apps de uso frecuente...), para salir de la tienda con el equipo totalmente operativo.

Por otro lado, en la Apple Store Puerta del Sol habrá una agenda de talleres gratuitos diarios, en los que se podrá aprender a usar cualquier producto o servicio, resolver dudas y saber cómo realizar tareas (mejorar las fotos, editar películas, diseñar documentos de calidad, manejar hojas de cálculo, hacer presentaciones multimedia...). Todos los días habrá varios talleres, de una hora de duración, y se puede reservar plaza en la web o usando la app de la Apple Store.

La tienda de Apple también tiene previstas excursiones para alumnos y profesores con el objetivo de que puedan realizar actividades educativas en la tienda, como creación de películas, composición de música o claves fotografía. Estos visitantes también podrán traer sus trabajos ya realizados para perfeccionarlos con la ayuda de especialistas.

La compañía de la manzana también celebra los llamados Campamentos Apple, que son gratuitos y están destinados a niños de entre 8 y 12 años. Tienen una duración de tres días, en los que los niños aprenden a hacer películas en las instalaciones de la tienda, con la ayuda de los especialistas. Culmina con un festival de cine en el que los participantes estrenan sus creaciones.

Más allá de estas actividades, Apple tiene prevista la celebración de Eventos Especiales durante todo el año, desde actuaciones musicales a encuentros con creadores o presentación de nuevas apps.

Otro servicio que se ofrecerá es el de Formación Personal 'One to One'. Es un programa de formación que se diseña a medida para cada usuario y dura un año completo. Se puede contratar por 99 euros al comprar un ordenador Mac.

FICHA del despacho de agencia en la web

Enlace de la web en la que se encuentra: <http://www.europapress.
es/economia/noticia-economia-empresas-apple-store-puerta-sol-abri-
ra-puertas-madrid-sabado-20140616131947.html>

Pestaña: economía
Subpestaña: empresas
Antetítulo: sí
Título: "Apple Store Puerta del Sol abrirá sus puertas en Madrid este sábado"
Subtítulo: no
Número de caracteres (con espacio) del titular: 67
Número de caracteres (con espacio) del cuerpo de la nota: 3.642
Fotografía: sí
Firma: sin especificar
Lugar de la firma: Madrid
Otros (documentos adjuntos, etcétera): no

EN LÍNEA

EMERGIA

Invierte tres millones y crea 500 empleos

■ Emergia ha anunciado que invertirá 3 millones y creará 500 empleos en su centro del 22@ de Barcelona, para alcanzar 100 millones de ventas con 6.000 empleados en todo el mundo. Emergia, creada en Barcelona en 2005, realiza atención telefónica y externalización de procesos. / Redacción

TEAMLABS

Grado oficial para jóvenes innovadores

■ La Universidad Mondragón y Teamlabs traen a Barcelona el único grado oficial en España para jóvenes innovadores y emprendedores. El grado utiliza una nueva metodología desarrollada con éxito en Finlandia basada en "aprender haciendo" y en sacar la enseñanza fuera del aula. / Redacción

MASIAS RECYCLING

Patente para plantas de residuos

■ Masias REcycling, de Sant Joan Les Fonts (Girona), ha presentado en Munich su "Waste to Cash", sistema de cálculo patentado que contempla todas las variables que afectan al residuo, al margen de su lugar de origen, y que permite aumentar la rentabilidad de las plantas de tratamiento. / Redacción

AGUSTÍ ENSESA
Planta de compost en Olot

METEOSIM

Estudio sobre cambio climático en Costa Rica

■ La consultora de previsiones meteorológicas Meteosim, del Parc Científic de Barcelona, se ha adjudicado el estudio sobre adaptación y mitigación del cambio climático en proyectos de generación hidroeléctrica en Costa Rica, financiado por el Banco Interamericano de Desarrollo. / Redacción

EMPRENDEDORES

Gac3000 se especializa en arquitectura corporativa y de restauración y salta a EE.UU.

Buscar rendimiento a la estética

MAR GALTÉS
Barcelona

Es fácil decir a una empresa que tiene que reinventarse, otra cosa es cómo hacerlo. Gac3000 se presenta como un estudio de arquitectura superviviente de la crisis que ha devastado al sector: se ha especializado en proyectos corporativos de restauración, comercio, automoción y ocio, con fuerte apuesta por el negocio internacional.

"Cuando empezó la crisis nos asustamos y decidimos un reposicionamiento en las áreas donde más experiencia teníamos", explica Enric Picó, socio fundador, con una larga trayectoria en arquitectura efímera y ferial. "En 2008 pasamos de 50 personas a 10, y volvimos a empezar", añade Ángel Negredo, gerente. "Lo que antes hacíamos de volumen, lo hemos transformado en especialización", apunta Alejandro Labeur, jefe de estudio. "Le buscamos el rendimiento a la estética. Un buen proyecto de interiorismo tiene que repercutir en las ventas de nuestros clientes", justifican. Aseguran que el mercado nacional empieza a despertarse, pero su apuesta de crecimiento es global, con especial foco en Estados Unidos, mercado en el que entraron de la mano de las concesiones de Áreas. Gac3000 se ha encargado de los proyectos de siete áreas de servicio de la autopista Florida Turnpike, además

MANÉ ESPINOSA
Alejandro Labeur, Enric Picó y Ángel Negredo en el estudio barcelonés de Gac3000 y Grupo O

El Grupo O integra ocho empresas de interiorismo, ferias, diseño y eventos, y factura 16 millones

de restaurantes en los aeropuertos de Los Ángeles o Chicago. "Y estamos contactando con nuevos clientes americanos". En 2006 facturaban 6,6 millones, en 2013 hicieron 2,5 millones, pero vuelven a crecer.

Otro de sus actividades estre-

lla es (fue) el diseño de concesionarios (para Seat, Volkswagen, Audi, Porsche); firmaron el Centro de Diseño de Seat en Martorell, o la nueva imagen corporativa de las concesionarios de motos de Honda que están implantando en Europa. Sin olvidar oficinas "en India, en Londres, en Suiza, en Boston, próximamente en Tokio". Entre sus clientes destacan Vista-Print, Farggi, Port Aventura.

Gac3000 es el origen de un grupo de empresas de servicios de arquitectura, interiorismo y comunicación de marca que el año pasado se constituyó bajo el

paraguas de Grupo O. "Cuando las empresas tienden a externalizar y al 'menos es más', nosotros creemos que para ser más ágiles y tener más capacidad de reacción necesitamos más potencia de empresa", dice Picó.

Integran el Grupo O ocho empresas, desde la concepción de proyectos hasta la producción del mobiliario, pasando por organización de eventos o audiovisuales". Una facturación global de 16,3 millones en 2013 y plantilla de 124 personas, "y creciendo", a las que hay que añadir más de 30 en carpintería, metalistería y almacén en Pallejà. ●

La plataforma global Zinio adquiere la firma catalana Audience Media

BARCELONA Redacción

La plataforma global para publicaciones digitales Zinio, con sede en San Francisco, ha anunciado la adquisición de la empresa Audience Media, fundada en Barcelona en 2011 y creadora de un sistema de publicación multicanal para empresas de medios, marketing y comunicación.

Audience Media tiene su sede en La Garriga y oficinas en Nueva Zelanda, Sudáfrica, Reino Unido y Vietnam. La empresa fue impulsada por Rolf Rohwer y Andrew Duck, con el apoyo financiero del *family office* Pascual, que encabeza el empresario Marcel Pascual Pascual Forns. El sistema de Audience Media permite hacer llegar sus contenidos de cualquier tipo de publicación a las diferentes plataformas existentes en el mercado (ordenadores personales, smartphones y tabletas), y además gestiona todo el proceso. Según su información corporativa, tiene clientes en 14 países, como Cosmopolitan, CIO, Good Housekeeping, Grazia, Hello! y Marie Claire. Los detalles de la venta a Zinio no han trascendido.

Zinio es el mayor quiosco digital del mundo y su aplicación ha sido descargada por veinticuatro millones de lectores. Su oferta da acceso a más de cinco mil diarios y revistas de todo el mundo a través de smartphones, tabletas y ordenadores personales. ●

20. La Vanguardia   **Numeración para la muestra: 39**

Lunes 12 de mayo del 2014

Patente para plantas de residuos

Masias Recycling, de Sant Joan Les Fonts (Girona), ha presentado en Munich su "Waste to Cash", sistema de cálculo patentado que contempla todas las variables que afectan al residuo, al margen de su lugar de origen, y que permite aumentar la rentabilidad de las plantas de tratamiento. / Redacción

FICHA del breve en el diario

Número de página: 79
Sección: economía
Subsección: En línea
Número de breves de la subsección: cuatro
Ladillo: Masias Recycling
Número de líneas del titular: dos
Número de líneas del cuerpo: diez
Fotografía: sí
Firma: Redacción

Nota de prensa original, publicada por la multinacional Masias Recycling (www.masiasrecycling.com), el 8 de mayo del 2014:

Gran acogida de la presentación del modelo Waste to Cash en IFAT'14
Conseguir una alta rentabilidad en las plantas de tratamiento de residuos de todo el mundo, atendiendo las especificidades propias del residuo que genera cada país y el entorno en el que se ubican. Ésa es una de las premisa a las que el departamento de I+D de la compañíaha querido dar respuesta en los últimos meses y cuya solución tecnológica está presentando en exclusiva bajo el marco de la feria internacional más importante del sector tecnológico y medio ambiental: IFAT'14, que se celebra hasta el 9 de mayo en Munich, Alemania.
Bajo el nombre de Waste to Cash, la compañía ha desarrollado el primer sistema de cálculo que contempla todas las variables que afectan al residuo, independientemente de su lugar origen. Se trata de la primera patente capaz de adaptarse a las necesidades de todos los mercados, haciendo las plantas más rentables y reduciendo al máximo la fracción de desecho que va a parar al vertedero. La compañía ha apostado de nuevo por el evento sectorial más relevante del momento en el que están presentes las mejores y más importantes empresas y países del mundo para la presentación oficial de esta solucióntecnológica que supone un punto de inflexión en el ámbito del diseño y la proyección de plantas de tratamiento de residuo.
"La metodología Waste to Cash es mucho más que una solución tecnológica a la gestión de residuos, ya que además de analizar todos los aspectos relativos al material tratado, también se centra en el entorno micro y macroeconómico del cliente, sector y país, analizando desde los costes derivados de la explotación de planta hasta las posibilidades de financiación, la re-ingeniería y la re-inversión en función del horizonte temporal de cada proyecto", explica Jordi Sala, director general de Masias Recycling. La compañía ya tiene una planta en funcionamiento bajo este modelo en Resitejo (Portugal), donde se minimiza el volumen del residuo tratado que llega al vertedero en menos del 4% de la basura tratada.

FICHA de la nota de prensa en la web

Enlace de la web en la que se encuentra: <http://blog.masiasrecycling.com/gran-acogida-de-la-presentacion-del-modelo-waste-cash-en-ifat14/>
Pestaña: --
Subpestaña: --
Antetítulo: no
Título: "Gran acogida de la presentación del modelo Waste to Cash en IFAT'14"
Subtítulo: no
Número de caracteres (con espacio) del titular: 67
Número de caracteres (con espacio) del cuerpo de la nota: 1.967
Fotografía: sí
Firma: Recycling News
Lugar de la firma: sin especificar
Otros (documentos adjuntos, etcétera): sí

BOLSA

	IBEX 35 Madrid	EUROSTOXX 50 París	FTSE 100 Londres	DAX 30 Francfort	DOW JONES Nueva York	NASDAQ Nueva York	NIKKEI Tokio	PETRÓLEO Dólares / barril	EURIBOR %	ORO Dólares / onza
Cotización →	10.888,50	3.230,92	6.823,51	9.906,07	17.024,21	4.451,53	15.379,44	110,43	0,4860	1.316,10
En el día →	-1,10%	-1,21%	-0,62%	-1,03%	-0,26%	-0,77%	-0,37%	-0,14%	=-%	-0,42%
En el año →	+9,80%	+3,92%	+1,10%	+3,71%	+2,70%	+6,58%	-5,60%	+0,05%	-12,59%	+9,13%

IBEX 35

LAS MAYORES SUBIDAS

	%
Enagás	+4,00
Mediaset	+0,63
Gas Natural	+0,13
REC	-0,22
Jazztel	-0,29
Iberdrola	-0,41
Bankia	-0,42
Bankinter	-0,53

LAS MAYORES BAJADAS

	%
Abengoa B	-4,36
Sacyr	-3,31
BME	-3,01
OHL	-2,79
Gamesa	-2,36
Acciona	-2,32
Arcelor Mittal	-2,26
Banco Popular	-2,11

SUBASTAS TESORO

	Tir media
Letras 6 Meses	0,14
Letras 9 Meses	0,31
Letras 12 Meses	0,38
Letras 18 Meses	1,69
Bonos 2,5 Años	4,34
Bonos 2 Años	1,90
Bonos 3 Años	0,88
Bono 4 Años	5,97

TIPOS OFICIALES

	%
España	0,15
Alemania	0,15
Zona euro	0,15
Reino Unido	0,50
EE.UU.	0,00-0,25
Japón	0,00-0,10
Suiza	0,00-0,25
Canadá	1,00

DIVISAS

	1 euro
Dólares USA	1,3592
Yenes japoneses	138,53
Coronas danesas	7,4562
Libras esterlinas	0,7939
Coronas suecas	9,3098
Francos suizos	1,2155
Coronas noruegas	8,402
Yuanes chinos	8,4325

CIFRAS ECONÓMICAS

ESPAÑA

IPC	0,2%	Desempleo	25,1%
PIB	0,4%	Tipos de interés	0,15%

ZONA EURO

IPC	0,5%	Desempleo	11,7%
PIB	0,9%	Tipos de interés	0,15%

EEUU

IPC	2,0%	Desempleo	6,3%
PIB	2,0%	Tipos de interés	0%

Enagás

Último cierre: 24.055 euros ▲ 4,0%

FUENTE: Bloomberg.   EL MUNDO

MERCADO CONTINUO

CONTRATACIÓN EN EUROS

IBEX 35

TÍTULO	ÚLTIMA COTIZACIÓN	VARIACIÓN DIARIA EUROS	%	AYER MÍN.	MÁX.	VARIACIÓN AÑO % ANTERIOR	ACTUAL
Abengoa B	3,840	-0,175	-4,36	3,822	4,025	0,10	76,47
Abertis	16,790	-0,240	-1,41	16,710	16,980	45,85	9,13
Acciona	65,740	-1,560	-2,32	65,370	67,630	-21,20	57,40
ACS	32,030	-0,375	-1,16	31,900	32,325	44,28	28,02
Amadeus It Holding	30,570	-0,575	-1,85	30,535	31,160	66,83	-1,72
ArcelorMittal	11,015	-0,255	-2,26	10,920	11,230	3,68	-14,88
B. Popular	4,830	-0,104	-2,11	4,822	4,926	51,16	10,15
B. Sabadell	2,441	-0,024	-0,97	2,420	2,461	6,68	28,74
B. Santander	7,632	-0,068	-1,27	7,620	7,719	24,15	17,31
Bankia	1,437	-0,006	-0,42	1,430	1,450	-74,12	16,45
Bankinter	5,810	-0,031	-0,53	5,776	5,854	155,77	16,50
BBVA	9,404	-0,130	-1,36	9,390	9,545	39,05	5,10
BME	34,180	-1,060	-3,01	34,010	34,635	66,83	23,57
Caixabank	4,586	-0,035	-0,76	4,562	4,632	55,65	22,45
Dia	6,960	-0,090	-1,28	6,950	7,080	38,25	7,08
Enagás	24,055	0,925	4,00	23,490	24,305	29,51	26,64
FCC	16,555	-0,300	-1,78	16,465	17,020	72,63	2,35
Ferrovial	15,840	-0,220	-1,37	15,800	15,990	34,19	12,82
Gamesa	8,749	-0,211	-2,35	8,719	8,962	356,63	15,42
Gas Natural	22,805	0,030	0,13	22,760	23,130	52,69	21,96
Grifols	39,700	-0,250	-0,63	39,515	39,965	33,46	14,20
IAG	4,552	-0,087	-1,88	4,540	4,688	117,00	-5,93
Iberdrola	5,408	-0,022	-0,41	5,402	5,455	25,74	16,68
Inditex	113,100	-1,350	-1,18	112,900	114,200	17,16	-5,59
Indra	12,815	-0,180	-1,39	12,815	13,035	25,40	5,43
Jazztel PLC	10,430	-0,030	-0,29	10,275	10,560	48,03	34,08
Mapfre	2,920	-0,048	-1,62	2,916	2,966	44,35	-6,20
Mediaset	8,751	0,055	0,63	8,649	9,017	64,81	4,32
Obrascón H.L.	31,540	-0,905	-2,79	31,540	32,415	40,25	7,11
Red Eléctrica	63,150	-0,140	-0,22	63,150	64,180	41,77	32,17
Repsol	19,200	-0,205	-1,06	19,110	19,405	36,18	4,80
Sacyr	4,494	-0,154	-3,31	4,459	4,648	139,43	19,30
Técnicas Reunidas	44,805	-0,545	-1,20	44,755	45,500	18,87	13,60
Telefónica	12,500	-0,125	-0,99	12,470	12,650	23,43	5,62
Viscofan	43,355	-0,295	-0,68	43,190	43,655	1,09	4,85

RESTO DE VALORES

TÍTULO	ÚLTIMA COTIZACIÓN	DIF. %	RENTA. 2014	TÍTULO	ÚLTIMA COTIZACIÓN	DIF. %	RENTA. 2014
Abengoa	4,596	-0,67	89,92	Grupo Tavex	0,211	-7,86	-6,26
Acerinox	12,820	-0,62	38,64	Hispania Activos Inmob.	10,185	-1,12	
Adolfo Domínguez	5,300	0,76	-6,36	Iberpapel	12,940	1,49	-14,30
Adveo	18,000	-1,42	20,48	Indo Interna.	0,600	=	0,00
Airbus Group	47,400	-2,01	-14,90	Inmobiliaria Del Sur	6,550	3,15	-59,06
Alba	47,740	-0,04	12,33	Inypsa	0,690	3,76	-17,86
Almirall	11,880	=	0,34	Lar España	9,700	0,52	
Amper	0,650	-5,80	-38,68	Liberbank	0,700	-4,89	16,88
Aperam	25,670	-1,40	91,57	Lingotes Especiales	4,280	0,47	24,24
Applus Services	15,365	-1,22		Martinsa-Fadesa	7,300	=	0,00
Atresmedia	10,700	-0,74	-10,98	Melià Hotels Int.	9,090	-1,57	-2,62
Azkoyen	2,520	-2,33	20,00	Merlin Properties	10,490	-0,66	
Barón de Ley	74,550	0,74	26,36	Miquel y Costas	32,930	-0,21	7,97
Bayer Ag.	104,400	=	2,05	Montebalito	1,160	-1,28	2,65
Biosearch	0,610	-6,15	-11,59	N. Correa	1,260	-5,97	-2,70
Bodegas Riojanas	5,120	0,59	-4,66	Natra	1,845	-1,86	-16,52
C. A. F.	342,100	-2,13	-10,98	Natraceutical	0,245	-2,78	-14,63
CAM	1,340	=	0,00	NH Hotel Group	4,300	-2,05	0,35
Campofrío	6,930	0,43	0,43	Nyesa	0,170	=	0,00
Cem.Portland	5,540	-0,36	-0,36	Pescanova	5,910	=	0,00
Cie Automotive	10,095	0,35	26,19	Prim	6,290	1,45	9,20
Cleop	1,150	=	0,00	Prisa	0,355	-2,20	-11,25
Clínica Baviera	9,450	-5,22	-9,66	Proseguir	5,340	-0,19	7,23
Codere	0,780	2,63	13,04	Quabit	0,084	-8,70	-28,81
Colonial	0,566	-0,70	116,61	Realia Business	1,275	-4,85	53,61
C.V.N.E	17,820	=	17,24	Reno de Medici	0,289	-2,03	9,06
Deoleo	0,400	-1,23	-14,89	Renta Corp.	0,570	=	0,00
Dinamia	9,050	0,11	29,29	Renta 4 Banco	5,740	-1,37	13,66
Dogi	1,500	-15,73	-76,56	Reyal Urbis	0,124	=	0,00
Duro Felguera	4,800	-1,64	-2,04	Rovi	9,390	-0,11	-5,91
Ebro Foods	15,840	-1,43	-7,01	Seda Barna	0,729	=	0,00
Edreams Odigeo	4,630	-7,58		Service Point Solution	0,071	=	-24,47
Elecnor	10,500	=	-6,08	Sniace	0,196	=	0,00
Ence	1,900	0,26	-30,28	Solaria	0,975	-3,94	27,45
Endesa	28,390	0,18	30,23	Sotogrande	3,870	=	44,40
Enel Green Power	2,053	-1,63	13,93	Tecnocom	1,627	-2,56	25,62
Ercros	0,453	0,67	-4,63	Testa Inm.Renta	15,500	=	105,03
Europac	4,345	-1,03	13,00	Tubacex	3,690	-0,40	27,68
Ezentis	0,870	-4,40	-37,71	Tubos Reunidos	2,520	-1,56	42,37
Faes	2,240	-1,75	-11,79	Uralita	0,995	-0,50	-16,39
Fergo Aisa	0,017	=	0,00	Urbas Gr.Financiero	0,029	=	16,00
Fersa	0,490	-5,77	25,64	Vértice 360	0,044	=	-4,35
Fluidra	3,280	2,50	20,59	Vidrala	36,370	-0,11	-2,86
Funespaña	6,220	3,67	3,67	Vocento	1,825	-3,95	20,86
GAM	0,520	-11,86	-27,76	Zardoya Otis	12,860	-1,23	-2,21
General Inversiones	1,700	=	6,02	Zelta	2,880	-1,71	24,68
Grupo Catalana Occ.	27,120	-0,55	4,23				
Grupo Sanjosé	1,170	=	-2,50				

Tajo a Enagás y Gas Natural

Sufren un recorte de 165 millones por la reforma del sector

VÍCTOR MARTÍNEZ / Madrid

Enagás y Gas Natural Fenosa son las dos compañías que van a sufrir un mayor impacto por la reforma del sector gasista que aprobó el Gobierno el pasado viernes. El gestor de la red de gasoductos nacional sufrirá un recorte anual en sus ingresos de 120 millones de euros, según comunicó ayer a la Comisión Nacional del Mercado de Valores (CNMV).

El grueso del tajo –equivalente a un 9% de los ingresos totales de la empresa en 2013– está concentrado en la actividad regulada de transporte de gas. La compañía presidida por Antonio Llardén anunció a los inversores que «amortiguará el impacto significativo» de los recortes con una reducción de costes en su plan de eficiencia 2014-2020.

Por otro lado, el recorte de los costes regulados del sistema gasista tendrá un impacto de 45 millones de euros sobre los ingresos de Gas Natural Fenosa en 2014. El grupo presidido por Salvador Gabarró estima que los ajustes incluidos en la reforma del sector «no alterarán significativamente» la actividad de expansión prevista en su último plan estratégico. A pesar del golpe, ambas compañías han valorado positivamente la intención del Gobierno de acabar con el desajuste entre los ingresos y los costes del sector, que ha dado lugar a un déficit estimado de 700 millones de euros al cierre de 2014.

EMPRESAS

El presidente de Damm, a la Audiencia

La Audiencia Nacional tendrá que seguir adelante con el procedimiento abierto contra el presidente de Damm, Demetrio Carceller Arce, por delitos contra la Hacienda Pública. El motivo fue que el Tribunal Supremo admitió el recurso de la Fiscalía Anticorrupción contra la decisión de la Audiencia de archivar la investigación. El fiscal, que presentó escrito de acusación contra Carceller solicitando 14 años de prisión, le atribuye un delito de cooperación necesaria en delitos contra Hacienda por contribuir, presuntamente, a la ocultación de las inversiones inmobiliarias de su padre en Arizona. / EFE

Filiales de Pescanova entran en concurso

Cuatro filiales de Pescanova presentaron concurso de acreedores voluntario, cumpliendo así con el convenio de la compañía aprobado por el juzgado a finales de mayo. Se trata de Bajamar Séptima, Pescanova Alimentación, Frigodis y Frivipesca Chapela. / EP

Gamesa se alía con la francesa Areva

El fabricante español de aerogeneradores Gamesa y el grupo nuclear francés Areva crearán una sociedad de riesgo compartido en la que se desarrollará el negocio de energía eólica marina. Ambos participarán al 50% y dispondrán de unos activos que se valoran en más de 400 millones de euros. / EFE

Bankia triplica sus créditos ICO

La entidad nacionalizada Bankia concedió en los seis primeros meses de este año 1.265 millones de euros a través de las líneas ICO (Instituto de Crédito Oficial). Dicho de otra manera, triplicó la cifra de préstamos que dio en el mismo periodo de 2013. Es más, superó en un semestre la del conjunto del año pasado. / EP

20. El Mundo   **Numeración para la muestra: 40**

Martes 8 de julio del 2014

Bankia triplica sus créditos ICO

La entidad nacionalizada Bankia concedió en los seis primeros meses de este año 1.265 millones de euros a través de las líneas ICO (Instituto de Crédito Oficial). Dicho de otra manera, triplicó la cifra de préstamos que dio en el mismo periodo de 2013. Es más, superó en un semestre la del conjunto del año pasado. / EP

FICHA del breve en el diario

Número de página: 38
Sección: bolsa
Subsección: empresas
Número de breves de la subsección: cuatro
Ladillo: no
Número de líneas del titular: dos
Número de líneas del cuerpo: diez
Fotografía: no
Firma: E. P. (Europa Press)

Despacho de agencia publicado por Europa Press (www.europapress.es), el 7 de julio del 2014:

Bankia concede 1.265 millones en créditos ICO hasta junio, más que en todo 2013
Bankia ha concedido en los seis primeros meses del año 1.265 millones de euros a través de Líneas ICO, lo que supone más que triplicar la cifra concedida en igual periodo de 2013 y superar en solo seis meses la del conjunto del pasado año.
Según ha informado la entidad, en el primer semestre del año pasado Bankia otorgó financiación a través de Líneas ICO por importe de 388,6 millones de euros, cifra que se ha más que triplicado este año, hasta los citados 1.265 millones.
Además, el banco que preside José Ignacio Goirigolzarri consiguió elevar su cuota de mercado en este tipo de financiación, que pasa del 7,83% del primer semestre de 2013 al 11,69% del ejercicio actual.
El ICO concedió en los seis primeros meses de este año 10.822 millones de euros de financiación a través de todas sus líneas, más del doble que en igual periodo de 2013.

FICHA del despacho de agencia en la web

Enlace de la web en la que se encuentra: <http://www.europapress. es/economia/noticia-bankia-concede-1265-millones-creditos-ico-junio-mas-todo-2013-20140707120216.html>
Pestaña: economía
Subpestaña: --
Antetítulo: no
Título: "Bankia concede 1.265 millones en créditos ICO hasta junio, más que en todo 2013"
Subtítulo: no
Número de caracteres (con espacio) del titular: 79
Número de caracteres (con espacio) del cuerpo de la nota: 854
Fotografía: sí
Firma: sin especificar (Europa Press)
Lugar de la firma: Madrid
Otros (documentos adjuntos, etcétera): no

Nota de prensa original, publicada por la entidad financiera Bankia (www.bankia.com), el 7 de julio del 2014:

Bankia concede 1.265 millones en créditos ICO hasta junio, el triple que hace un año y más que en todo 2013

Bankia concedió en los seis primeros meses del año 1.265 millones de euros a través de Líneas ICO, lo que supone más que triplicar la cifra concedida en igual periodo de 2013 y superar en solo seis meses la del conjunto del pasado año.

Las Líneas del Instituto de Crédito Oficial permiten financiar proyectos de inversión y atender las necesidades de liquidez de grandes empresas, pymes y autónomos.

En el primer semestre del año pasado Bankia otorgó financiación a través de Líneas ICO por importe de 388,6 millones de euros, cifra que se ha más que triplicado este año, hasta los citados 1.265 millones.

Además, Bankia consiguió elevar su cuota de mercado en este tipo de financiación, que pasa del 7,83% del primer semestre de 2013 al 11,69% del ejercicio actual.

El ICO concedió en los seis primeros meses de este año 10.822 millones de euros de financiación a través de todas sus líneas, más del doble que en igual periodo de 2013.

FICHA de la nota de prensa en la web

Enlace de la web en la que se encuentra: <http://www.bankia.com/es/comunicacion/actualidad/noticias/bankia-concede-1265-millones-en-creditos-ico-hasta-junio-el-triple-que-hace-un-ano-y-mas-que-en-todo-2013.html>

Pestaña: actualidad

Subpestaña: notas de prensa

Antetítulo: no

Título: "Bankia concede 1.265 millones en créditos ICO hasta junio, el triple que hace un año y más que en todo 2013"

Subtítulo: no

Número de caracteres (con espacio) del titular: 107

Número de caracteres (con espacio) del cuerpo de la nota: 990

Fotografía: sí

Firma: sin especificar

Lugar de la firma: sin especificar

Otros (documentos adjuntos, etcétera): no

FUNDACIÓN SEELIGER Y CONDE
Inserción laboral con Bureau Veritas

■ Los presidentes de Bureau Veritas, José Luis Manglano, y de Fundación Seeliger y Conde, Luis Conde, han firmado un convenio por el cual la fundación asesorará a la multinacional en diversidad y discapacidad para que lleve a cabo una gestión más eficaz y moderna de la inserción laboral. / Redacción

CAPRABO
La oferta se amplía con 1.300 referencias

■ Caprabo introduce más de 1.300 referencias de productos de proximidad en sus 267 supermercados catalanes, con lo que prevé aumentar sus ventas en algo más de 20 millones de euros. Así, 175 pequeños productores y 25 cooperativas agrarias venderán por primera vez en Caprabo. / Redacción

GRUP GIRÓ
Nueva planta en Teruel y 25 empleos

■ Giró, que fabrica malla tejida para la industria hortofrutícola, anunció ayer que construirá una planta en Teruel, que entrará en funcionamiento en el 2016 y empleará a 25 personas. El grupo obtiene el 69% de sus ingresos en el extranjero y tiene plantas en Badalona, Ripoll, Alzira, Francia y EE.UU. / Redacción

MANÉ ESPINOSA/ARCHIVO

Antoni Santamans dirige Giró

ESIC BUSINESS SCHOOL
Encuentro sobre marketing

■ Hoy se celebra en Barcelona el encuentro de profesionales del marketing, la comunicación y las disciplinas digitales que organiza anualmente ESIC Business & Marketing School, que en Barcelona dirige Eduard Prats. En su 11.ª edición, se esperan más de tres mil profesionales y directivos. / Redacción

---

EMPRENDEDORES

La Audiencia ve injustificados hasta 156 despidos de Panrico

CC. OO. anuncia que presentará recurso ante la sentencia

JOSÉ MARÍA BRUNET
Madrid

La Audiencia Nacional declaró ayer injustificados 156 despidos en Panrico, los fijados para el 2015 y 2016, declarándolos no ajustados a derecho. Según la Sala Social, no se ha ofrecido ninguna justificación razonable de tipo organizativo para que de los 745 despidos previstos en el expediente de regulación de empleo (ERE) en cinco plantas, 79 se pospongan al 2015 y 76 al 2016. Su tesis es que los dos últimos bloques carecerían de causa o la causa invocada en el proceso culminado a finales del 2013 habría perdido actualidad en el 2015 y 2016, "por lo que no serviría de soporte para tales decisiones extintivas".

El ERE de Panrico, firmado en noviembre del año pasado, planteaba la extinción de un máximo de 745 contratos en cuatro años: 312 despidos en el 2013; 277 para este año; y las mencionadas 79 extinciones para el 2015 y 77 para el 2016. Según la Sala Social, "si existen previsiones de futuro sobre la situación económica o productiva para dichos años, lo coherente será que llegado el momento se inicie en su caso un nuevo proceso que verifique la concurrencia de causas, su intensidad y las medidas proporcionadas que entonces deberán adoptarse, sin que quepa emplear hoy a modo

MANÉ ESPINOSA / ARCHIVO
Quim Arrufat (CUP) en una reciente sesión del Parlament sobre Panrico

de bola de cristal unas previsiones imposibles de contrastar".

Según el acuerdo alcanzado, las extinciones para los años 2015 y 2016 estaban condicionadas a la evolución de los resultados de la compañía, de modo que en el caso de que lograra un resultado bruto de explotación (ebitda) de 13 millones en el 2014, de 18 millones en el 2015 y de 22 millones en el 2016, se comprometía a no ejecutar los despidos de los dos próximos años. La Sala Social ha estimado así parcialmente la demanda interpuesta por CC.OO., acordando también no ajustada a derecho la decisión de abonar en

diferido las indemnizaciones, porque la empresa no acreditó una situación real de falta de liquidez.

El secretario general de la federación agroalimentaria de CC. OO., Jesús Villar, manifestó que pedirá aclaraciones a la Sala sobre todo en el caso de que lograra un resultado bruto de explotación (ebitda) de tener dudas sobre las indemnizaciones, al tiempo que presentará recurso para "garantizar el mayor número de empleos posible". A su vez, CC.OO. de Catalunya lamentó que el fallo no impida que haya despidos en la planta de Santa Perpètua de Mogoda (Barcelona), y apostó por una solución "negociada" para garantizar el futuro de la planta catalana.●

ISS vuelve a apostar por adquisiciones y por integrar servicios

MAR GALTÉS
Barcelona

La compañía de servicios ISS España tiene previsto retomar su política de adquisiciones para crecer con negocios de restauración colectiva y mantenimiento y en las zonas periféricas donde está menos presente. Desde su creación en España en 1999, ISS Facility Services ha crecido a base de más de cincuenta adquisiciones; pero desde el 2009, coincidiendo con la crisis, se centró en una política de desapalancamiento de cara a la salida a bolsa del grupo, que finalmente se ha producido este marzo. Ahora, con las acciones en la bolsa de Copenhagen por encima del precio de salida, ISS vuelve a disponer de recursos para ir de compras.

ISS España facturó 564 millones en el 2013 (algo por debajo de los 600 millones del 2012), con una plantilla de unas 30.000 personas en servicios de limpieza, mantenimiento, seguridad, jardinería... Su objetivo son las empresas de restauración colectiva y servicios de mantenimiento que facturen entre 10 y 20 millones, y que pueden tener una valoración de 3 o 4 millones, explica el presidente ejecutivo Joaquim Borràs.

La estrategia que Borràs presentó a la matriz prevé un

crecimiento orgánico del 5% e inorgánico del 10% en tres años, hasta alcanzar una facturación superior a los 700 millones en el 2016. La empresa apuesta por la integración de servicios como estrategia de futuro: "los servicios básicos alguien los tiene que hacer. Pero puedes motivar al personal, si en lugar de sólo limpiar también pueden regar las plantas o cambiar bombillas, es más eficiente y más agradecido". Asegura que esta "es una estra-

La filial del grupo danés factura en España 564 millones y da empleo a 30.000 personas

tegia de eficiencia que triunfa en el mundo anglosajón, nosotros lo planteamos también desde un punto de vista de responsabilidad social". Este tipo de servicios aportaron 54 millones en el 2013, pero espera que pueda representar hasta la mitad del negocio en el 2020. Borràs asegura que dentro del grupo –ISS opera en 53 países– han demostrado que los países con mejor índice de satisfacción de clientes y empleados obtienen mejores márgenes de beneficio.●

21. La Vanguardia   **Numeración para la muestra: 41**

Martes 20 de mayo del 2014

La oferta se amplía con 1.300 referencias

Caprabo introduce más de 1.300 referencias de productos de proximidad en sus 267 supermercados catalanes, con lo que prevé aumentar sus ventas en algo más de 20 millones de euros. Así, 175 pequeños productores y 25 cooperativas agrarias venderán por primera vez en Caprabo. / Redacción

FICHA del breve en el diario

Número de página: 63
Sección: economía
Subsección: En línea
Número de breves de la subsección: cuatro
Ladillo: Caprabo
Número de líneas del titular: dos
Número de líneas del cuerpo: diez
Fotografía: no
Firma: Redacción

Despacho de agencia publicado por Europa Press (www.europapress.es), el 19 de mayo del 2014:

Caprabo introduce 1.300 nuevos artículos de pequeños productores y cooperativas catalanas
· Estima que los productos de proximidad generarán 20 millones de facturación este año
Caprabo ha introducido más de 1.300 nuevos productos en sus 267 supermercados de Catalunya procedentes de unos 150 pequeños productores y 25 cooperativas catalanas, tras culminar este mes el plan iniciado en septiembre del año pasado de apuesta por los productos de proximidad.
En rueda de prensa este lunes en Barcelona, el director general de Caprabo, Alberto Ojinaga, ha explicado que la cadena ha llegado a las 41 comarcas catalanas y ha introducido productos de cada una de ellas en sus supermercados, mientras que en Barcelona y su área metropolitana se ha hecho una selección de 130 productos de unos 80 proveedores de todo el territorio.
Ha señalado que prácticamente todos estos artículos son de productores y cooperativas que hasta ahora no distribuían a Caprabo, y ha explicado que la compañía estima que la venta de estos productos se situará en torno a los 20 millones de euros este año e irá creciendo a medida que se consolide.
Ha destacado que es un proyecto de apoyo al sector primario "diferente e innovador", ya que se trata de proveedores pequeños muy cercanos al territorio y no de grandes proveedores para toda la red, el 70% se encuentra a menos de 30 kilómetros de distancia del supermercado y algunos de ellos solo abastecen a pocos puntos de venta.
Ojinaga ha explicado que la iniciativa fue difícil de implantar al principio por la desconfianza que generan las grandes superficies a los pequeños productores, pero ha celebrado que se ha creado una "relación de confianza".
NUEVOS HÁBITOS DE COMPRA
El conseller de Agricultura, Ganadería, Pesca, Alimentación y Medio Natural, Josep Maria Pelegrí, ha destacado que la estrategia de Caprabo genera también confianza en los consumidores, ya que los hábitos de compra y consumo están cambiando a favor de los productos de calidad y de proximidad.
Ha considerado que Caprabo ha de servir de "ejemplo" de lo que debe ser la relación entre grandes distribuidores y pequeños productores, ya que ha señalado que ofrece unos precios justos.
El presidente de la Federación de Cooperativas Agrarias de Catalunya (FCAC), Josep Pere Colat, ha asegurado que esta iniciativa permite a las cooperativas tener continuidad y poder mantenerse en el territorio, un aspecto en el que han coincidido el vicepresidente de la Federación Catalana DOP-IGP, Joan Segura, y el presidente de la Cooperativa de Maials, Josep Segura, que ha participado en representación de los nuevos productores proveedores de Caprabo.

FICHA del despacho de agencia en la web

Enlace de la web en la que se encuentra: <http://www.europapress. es/catalunya/noticia-caprabo-introduce-1300-nuevos-articulos-peque-nos-productores-cooperativas-catalanas-20140519154246.html>
Pestaña: --
Subpestaña: --
Antetítulo: no
Título: "Caprabo introduce 1.300 nuevos artículos de pequeños productores y cooperativas catalanas"

Subtítulo: un subtítulo
Número de caracteres (con espacio) del titular: 89
Número de caracteres (con espacio) del cuerpo de la nota: 2.542
Fotografía: sí
Firma: sin especificar (Europa Press)
Lugar de la firma: sin especificar
Otros (documentos adjuntos, etcétera): no

Nota de prensa original, publicada por la cadena de supermercados Caprabo (www.caprabo.com), el 19 de mayo del 2014:

Radical apuesta de Caprabo por los productos de proximidad con un plan por comarcas
- Caprabo abre la puerta a más de 150 pequeños productores agroalimentarios y 25 cooperativas agrarias catalanas.
- Los productos de proximidad de las comarcas llegan a Barcelona de la mano de Caprabo bajo el lema "Lo mejor de nuestras comarcas".
- Las ventas de los productos de proximidad superarán los 20Mill€ este ejercicio.
- El producto de proximidad es distinto en cada comarca y la distancia entre proveedor y la tienda no supera, en el 70% de los casos, los 30 kilómetros de distancia.
- Caprabo apuesta por los pequeños productores que solo tienen capacidad para servir a unos pocos supermercados.
- El Conseller d´Agricultura, Josep Maria Pelegri, y el Director General de Caprabo, Alberto Ojinaga, han presentado la iniciativa.
Caprabo ha introducido en sus supermercados más de 1.300 referencias de más de 150 pequeños productores y 25 cooperativas agrarias de Catalunya en un plan de compromiso con los productos de proximidad por comarcas que culmina, ahora, en las comarcas de Barcelona y su área metropolitana. La compañía prevé que la venta de estos productos supere los 20Mill€. Caprabo es la compañía de supermercados con más variedad de marcas por metro cuadrado. El compromiso con la producción de proximidad constituye un elemento clave en el posicionamiento corporativo estratégico de la compañía y se enmarca en, precisamente, la libertad de elección.
En el plan de proximidad, Caprabo cuenta con el apoyo del Departament d'Agricultura, Ramaderia, Pesca, Alimentació i Medi Natural,por una parte, y está trabajado de manera estrecha con la Federació de Cooperatives Agràries de Catalunya (FCAC) y la Federació Catalana de DOP i IGP, por otra.
La iniciativa, que no es una campaña, incorpora en los 267 supermercados Caprabo de Catalunya, productores que se encuentran a menos de treinta kilómetros de distancia en un 70% de los casos.
Lo mejor de nuestras comarcas
El Conseller d'Agricultura, Ramaderia, Pesca, Alimentació i Medi Natural, Josep Maria Pelegrí, acompañado de la Segunda Teniente de Alcalde del Ayuntamiento de Barcelona, Sònia Recasens; el Presidente de la Federación de Cooperativas Agrarias de Catalunya (FCAC), Josep Pere Colat; el Vicepresidente de la Federación Catalana DOP-IGP, Joan Segura; el Director General de Caprabo, Alberto Ojinaga, y el Director Comercial de Caprabo, Josep Barceló, han presentado hoy esta iniciativa en el supermercado Caprabo de L'Illa Diagonal. Bajo el lema *"Caprabo te trae lo mejor de nuestras comarcas"*,Caprabo vende en los supermercados de Barcelona y área metropolitana aquellos productos que ya ha introducido en sus tiendas

por comarca en el último año. Con esta iniciativa, Caprabo ofrece a los pequeños productores agroalimentarios un escaparate por el que cada día pasan más de 300.000 personas. Durante el mes de mayo, además, para potenciar el consumo de los productos de proximidad, Caprabo realiza un 10% de descuento en todos los productos vinculados a la iniciativa y lleva a cabo una importante campaña de comunicación, que persigue fomentar el consumo, mejorar el conocimiento de los productos agroalimentarios de Cataluña entre los consumidores y poner en valor la economía local y la calidad y variedad de la producción de proximidad.

Algunas de las categorías de productos de proximidad que Caprabo ha introducido en sus supermercados en el último año son aceites, aceitunas, agua, arroces, cavas, chocolates, pan, conservas vegetales, frutos secos, galletas, licores, miel, huevos, vinagres, leche y derivados, legumbres, embutidos, conservas de pescado, mantequillas, salsas, carnes, pescados, quesos, fruta, verdura y patés. Entre los productos se encuentra la totalidad de las Denominaciones de Origen Protegidas (DOP) y la mayor parte de las Indicaciones Geográficas Protegidas (IGP).

Productos que solo se encuentran en las comarcas catalanas

Caprabo ha llegado a las 41 comarcas catalanas y ha introducido productos de cada una de ellas en sus supermercados de manera progresiva. Ahora, en Barcelona y área metropolitana traslada una selección de esta amplia producción comarcal. En concreto, una selección de 130 referencias de unos 80 proveedores.

Así, en la comarca de La Garrotxa se ha introducido la carne fresca de la cooperativa de La Vall d´En Bas; en las comarcas del Tarragonés, Baix Camp y Alt Camp los embutidos de Bundó; los vinos de la cooperativa de Garriguella; en las comarcas de L´Alt Empordà, Baix Empordà, El Gironès, La Selva, La Garrotxa y El Pla de L´Estany baldanas de arroz de Forés y miel de Apícola el Perelló en Baix Ebre y Montsià, la fleca d´En Jorbà en **L´Anoia**, entre otros muchos.

Detallado conocimiento del territorio

Uno de los aspectos más interesantes de la iniciativa de Caprabo es que ha trabajado con cada proveedor de manera individualizada. Para ello ha desarrollado el proyecto por comarcas, desplazándose a la zona, conociendo las posibilidades de producción de cada productor y comercializando los productos de forma personalizada por comarcas y por supermercado. Para ello ha contado con el trabajo y conocimiento de la zona de los propios trabajadores de los supermercados.

También ha llevado a cabo un programa de cocreacion con los clientes para conocer qué productos de cada zona deseaban encontrar en sus respectivos supermercados. Se trata por lo tanto de un compromiso radical, sostenible, sólido con el trabajo de los pequeños productores agroalimentarios.

El primer supermercado con el sello oficial de "Venta de Proximidad"

Algunos de los productos que se han puesto a la venta cuenta con el sello oficial de la Generalitat de "Venta de Proximidad", como peras de Fruits de Ponent; fruta de hueso de Cooperativa Soses; manzana de Giropomma; carne de la cooperativa Plana de Vic; aceite de Mestral, Maset Plana y Moli d´Oli y arroz de Avi Trias, fruta y verdura de Kopgavà, entre otros.

Un referente en productos de proximidad

Cada año, Caprabo realiza, al menos, una campaña de promoción de los productos catalanes. En su última edición, en septiembre pasado, reunió casi 800 referencias, un 10% más que el año anterior, de 120 proveedores en más de 40 categorías de productos.

El 80% de la manzana de venta en Caprabo es de Girona; el 100% de las peras procede de Lleida, igual que el 25% de la fruta de hueso. El 40% de las hortalizas y verduras proceden de Tarragona, Girona y del Baix Llobregat, de Rams, La Conca de la Tordera y Kopgavà.

El pasado junio, la Generalitat de Catalunya y Caprabo firmaron un acuerdo de colaboración para poner en valor el papel de la agricultura de proximidad a través de la exposición "Del Campo al Mercado. El valor de la agricultura de proximidad" en el Palau Robert de Barcelona. La exposición remarcó el valor de la agricultura de proximidad o agricultura periurbana desde el punto de vista económico, social y paisajístico, y a la vez proponía una reflexión sobre la relación que mantiene el campo con la ciudad y el territorio metropolitano. Caprabo contó con un espacio que dedicó a dar protagonismo a los proveedores.

Caprabo

Caprabo, compañía de supermercados de referencia, nació en Barcelona en 1959 y, actualmente, tiene una red de 365 supermercados, ubicados en el tejido urbano de las zonas estratégicas de Cataluña, Madrid y Navarra. La compañía representa el supermercado urbano de prestaciones con el mayor número de referencias, que combina la oferta de ahorro con la oferta en marcas más amplia del mercado. Cada día, más de 300.000 personas compran en los supermercados Caprabo. Más de 1,3 millones de personas usan de manera regular la tarjeta cliente de Caprabo. Caprabo es pionera en la venta de alimentación por Internet a través de www.caprabocasa.com que cuenta con más de 150.000 clientes. Caprabo forma parte de Grupo Eroski, del que supone el 20% del negocio. En 2014, Caprabo ha lanzado su nueva generación de supermercados que constituyen su modelo de futuro basado en la recuperación de los valores tradicionales del comercio de proximidad, que incrementa el valor del producto fresco, la cantidad de productos en tienda y apuesta por la innovación y la capacidad de elección.

FICHA de la nota de prensa en la web

Enlace de la web en la que se encuentra: <http://www.caprabo.com/es/conoce-caprabo/sala-de-prensa/conoce_prensa_detalle.html?lmx=/contenidos/web/conoce_caprabo/sala_de_prensa/2014/Caprabo_plan_comarcas_proximidad>

Pestaña: conoce Caprabo

Subpestaña: sala de prensa

Antetítulo: no

Título: "Radical apuesta de Caprabo por los productos de proximidad con un plan por comarcas"

Subtítulo: seis subtítulos

Número de caracteres (con espacio) del titular: 83

Número de caracteres (con espacio) del cuerpo de la nota: 8.092

Fotografía: sí

Firma: sin especificar

Lugar de la firma: L'Hospitalet de Llobregat (Barcelona)

Otros (documentos adjuntos, etcétera): no

	IBEX 35 Madrid	EUROSTOXX 50 París	FTSE 100 Londres	DAX 30 Francfort	DOW JONES Nueva York	NASDAQ Nueva York	NIKKEI Tokio	PETRÓLEO Dólares / barril	EURIBOR %	ORO Dólares / onza
Cotización →	10.475,90	3.153,75	6.710,45	9.719,41	17.060,75	4.416,39	15.395,16	105,25	0,4870	1.296,70
En el día →	-1,23%	-1,01%	-0,53%	-0,65%	+0,03%	-0,54%	+0,64%	-1,48%	-0,20%	-0,89%
En el año →	+5,64%	+1,44%	-0,57%	+1,75%	+2,92%	+5,74%	-5,50%	-4,65%	-12,41%	+7,52%

IBEX 35

LAS MAYORES SUBIDAS	%		LAS MAYORES BAJADAS	%
IAG	+1,92		Indra	-3,56
Gamesa	+0,83		Bankia	-3,26
Técnicas Reunidas	+0,19		Mediaset	-2,54
Arcelor Mittal	+0,05		FCC	-2,46
Iberdrola	-0,08		Banco Popular	-1,52
Viscofan	-0,13		Amadeus It Holding	-1,50
Sacyr	-0,16		Acciona	-1,47
Ferrovial	-0,36		BBVA	-1,23

SUBASTAS TESORO

	Tir media
Letras 6 Meses	0,15
Letras 9 Meses	0,31
Letras 12 Meses	0,29
Letras 18 Meses	1,69
Bonos 2,5 Años	4,34
Bonos 2 Años	1,90
Bonos 3 Años	0,88
Bono 4 Años	5,97

TIPOS OFICIALES

	%
España	0,15
Alemania	0,15
Zona euro	0,15
Reino Unido	0,50
EE.UU.	0,00-0,25
Japón	0,00-0,10
Suiza	0,00-0,25
Canadá	1,00

DIVISAS

	1 euro
Dólares USA	1,3613
Yenes japoneses	138,28
Coronas danesas	7,4567
Libras esterlinas	0,7931
Coronas suecas	9,2564
Francos suizos	1,2142
Coronas noruegas	8,4305
Yuanes chinos	8,4448

CIFRAS ECONÓMICAS

ESPAÑA

IPC	0,2%	Desempleo	25,1%
PIB	0,4%	Tipos de interés	0,15%

ZONA EURO

IPC	0,5%	Desempleo	11,7%
PIB	0,9%	Tipos de interés	0,15%

EEUU

IPC	2,0%	Desempleo	6,1%
PIB	2,0%	Tipos de interés	0%

■ IBEX 35

Último cierre: **10.475 puntos** ▼ 1,23%

FUENTE: Infobolsa. EL MUNDO

MERCADO CONTINUO

CONTRATACIÓN EN EUROS

IBEX 35

TÍTULO	ÚLTIMA COTIZACIÓN	VARIACIÓN DIARIA EUROS	%	AYER MÍN.	MÁX.	VARIACIÓN AÑO % ANTERIOR	ACTUAL
Abengoa B	3,728	-0,018	-0,48	3,656	3,750	0,10	71,32
Abertis	16,295	-0,075	-0,46	16,240	16,430	45,85	5,92
Acciona	58,940	-0,880	-1,47	57,730	59,910	-21,20	41,12
ACS	30,955	-0,150	-0,48	30,700	31,140	44,28	23,72
Amadeus It Holding	29,500	-0,450	-1,50	29,295	29,805	68,83	-5,16
ArcelorMittal	10,930	0,005	0,05	10,875	11,010	3,68	-15,53
B. Popular	4,543	-0,070	-1,52	4,425	4,630	51,16	3,60
B. Sabadell	2,307	-0,025	-1,07	2,238	2,352	6,68	21,68
B. Santander	7,295	-0,081	-1,10	7,261	7,405	26,71	12,13
Bankia	1,367	-0,046	-3,26	1,354	1,434	-74,12	10,79
Bankinter	5,797	-0,047	-0,80	5,683	5,887	155,77	16,24
BBVA	8,994	-0,112	-1,23	8,910	9,151	40,25	0,51
BME	32,490	-0,215	-0,66	32,315	32,900	66,83	17,46
Caixabank	4,251	-0,050	-1,16	4,181	4,321	55,65	13,51
Dia	6,584	-0,069	-1,04	6,546	6,710	38,25	1,29
Enagás	24,080	-0,115	-0,48	23,970	24,300	29,51	26,77
FCC	15,650	-0,395	-2,46	15,560	16,040	72,63	-3,25
Ferrovial	15,350	-0,055	-0,36	15,295	15,455	34,19	9,14
Gamesa	7,996	0,066	0,83	7,800	8,020	356,63	5,51
Gas Natural	22,295	-0,110	-0,49	22,100	22,510	52,69	18,78
Grifols	38,350	-0,215	-0,56	38,300	39,140	33,46	10,31
IAG	4,200	0,079	1,92	4,053	4,236	117,00	-13,21
Iberdrola	5,355	-0,004	-0,07	5,310	5,377	25,74	15,53
Inditex	109,650	-0,900	-0,81	109,300	110,950	17,16	-8,47
Indra	11,650	-0,430	-3,56	11,570	11,840	28,82	-4,15
Jazztel PLC	9,896	-0,060	-0,60	9,661	9,985	48,03	27,21
Mapfre	2,826	-0,025	-0,88	2,814	2,862	44,35	4,72
Mediaset	8,164	-0,213	-2,54	8,164	8,459	64,81	-2,68
Obrascón H.L.	30,835	-0,330	-1,06	30,750	31,175	40,25	4,72
Red Eléctrica	61,710	-0,610	-0,98	61,440	62,460	41,77	29,15
Repsol	18,455	-0,185	-0,99	18,400	18,735	36,18	0,74
Sacyr	4,343	-0,007	-0,16	4,257	4,397	139,43	15,29
Técnicas Reunidas	43,525	0,080	0,18	43,095	43,850	20,85	10,23
Telefónica	12,110	-0,060	-0,49	12,080	12,200	23,43	2,32
Viscofan	43,400	-0,055	-0,13	43,115	43,575	1,09	4,96

RESTO DE VALORES

TÍTULO	ÚLTIMA COTIZACIÓN	DIF. %	RENTA. 2014
Abengoa	4,170	-0,71	72,31
Acerinox	12,435	-1,07	34,48
Adolfo Domínguez	5,260	=	-7,07
Adveo	17,430	-2,52	16,67
Airbus Group	46,650	-2,26	-16,25
Alba	45,370	-0,50	6,75
Almirall	10,940	-0,27	-7,60
Amper	0,630	1,61	-40,57
Aperam	25,450	-0,20	89,93
Applus Services	14,350	-3,50	
Atresmedia	9,650	-0,52	-19,72
Axia Real Estate	9,700	-0,50	
Azkoyen	2,350	1,08	11,90
Barón de Ley	75,000	-0,79	27,12
Bayer Ag.	104,400	=	2,05
Biosearch	0,560	-3,45	-18,84
Bodegas Riojanas	5,180	=	-3,54
C. A. F.	339,000	-0,34	-11,79
CAM	1,340	=	0,00
Campofrío	6,920	0,29	0,29
Cem.Portland	5,020	-1,57	-9,71
Cie Automotive	10,310	-0,34	28,86
Cleop	1,150	=	0,00
Clínica Baviera	9,190	2,45	-12,14
Codere	0,720	1,41	4,35
Colonial	0,557	=	113,16
C.V.N.E	16,450	=	21,38
Deoleo	0,390	-1,27	-17,02
Dinamia	8,410	-0,71	20,14
Dogi	1,731	-6,58	-72,95
Duro Felguera	4,860	0,21	-0,82
Ebro Foods	15,650	0,64	-8,13
Edreams Odigeo	4,471	4,46	
Elecnor	10,650	-1,11	-4,74
Ence	1,760	-2,22	-35,41
Endesa	27,750	-0,59	27,29
Enel Green Power	2,023	-0,74	12,26
Ercros	0,436	-0,23	-8,21
Europac	4,300	-0,12	11,83
Ezentis	0,726	-0,95	-48,02
Faes	2,160	-1,82	-14,94
Fergo Aisa	0,017	=	0,00
Fersa	0,465	2,20	37,33
Fluidra	3,435	-1,43	26,29
Funespaña	5,780	=	-3,67
GAM	0,450	2,27	-37,50
General Inversiones	1,760	=	8,72
Grupo Catalana Occ.	26,160	-0,98	0,54

TÍTULO	ÚLTIMA COTIZACIÓN	DIF. %	RENTA. 2014
Grupo Sanjosé	1,130	2,73	-5,83
Grupo Tavex	0,223	2,29	-3,04
Hispania Activos Inmob.	10,200	0,99	
Iberpapel	12,860	1,42	-14,83
Indo Interna.	0,600	=	0,00
Inmobiliaria Del Sur	6,500	3,34	-59,36
Inypsa	0,600	-4,76	-28,57
Lar España	9,500	2,15	
Liberbank	0,658	7,87	9,87
Lingotes Especiales	4,290	2,14	24,53
Logista	14,000	4,48	
Martinsa-Fadesa	7,300	=	0,00
Melià Hotels Int.	9,040	-0,11	-3,16
Merlin Properties	10,000	-0,50	
Miquel y Costas	31,000	-2,91	1,64
Montebalito	1,105	0,91	-2,21
N. Correa	1,270	-2,31	-1,93
Natra	1,825	-1,35	-17,42
Natraceutical	0,237	=	-17,42
NH Hotel Group	3,980	-0,62	-7,12
Nyesa	0,170	=	0,00
Pescanova	5,910	=	0,00
Prim	6,240	0,97	8,33
Prisa	0,320	-4,48	-20,00
Prosegur	5,390	=	8,23
Quabit	0,076	-2,56	-35,59
Realia Business	1,230	-0,81	48,19
Reno de Medici	0,270	-0,37	1,89
Renta Corp.	0,570	=	0,00
Renta 4 Banco	5,640	-1,05	11,68
Reyal Urbis	0,124	=	0,00
Rovi	9,240	0,98	-7,41
Seda Barna	0,729	=	0,00
Service Point Solution	0,071	=	-24,47
Sniace	0,196	=	0,00
Solaria	0,900	-1,10	17,65
Sotogrande	3,870	=	44,40
Tecnocom	1,460	-0,34	20,66
Testa Inm.Renta	14,850	4,14	96,43
Tubacex	3,865	0,39	33,74
Tubos Reunidos	2,510	-0,79	41,81
Uralita	0,885	-3,80	-25,63
Urbas Gr.Financiero	0,026	=	0,00
Vértice 360	0,044	=	-4,35
Vidrala	38,020	-0,66	1,55
Vocento	1,610	-4,73	6,62
Zardoya Otis	11,910	-3,56	-5,84
Zeltia	2,810	-0,35	21,65

EMPRESAS

Condenada Laboral Kutxa por preferentes

Laboral Kutxa deberá devolver a un matrimonio los 51.200 euros que invirtió en aportaciones financieras subordinadas de Eroski y que llegaron a perder más de la mitad de su valor. La Audiencia Provincial de Álava considera que la entidad no dio información suficiente, ni explicó los riesgos del producto. / EFE

El Tesoro prevé una financiación al 2%

La recuperación económica permitirá al Tesoro Público terminar el año con un coste de financiación por debajo del 2%, el nivel más bajo de su historia. Así lo confirmó ayer el secretario general del Tesoro, Iñigo Fernández de Mesa, que apuntó que esta reducción se trasladó también al sector privado. / EP

Ferrovial suscribe una emisión de bonos

El grupo Ferrovial suscribió y desembolsó la emisión de bonos a 10 años de 300 millones de euros que colocó el pasado 8 de julio, con un tipo de interés del 2,5% anual. Un 84% fue suscrito por inversores internacionales, enmarcándose dentro de la búsqueda de fuentes de financiación. / EP

Inditex 'on line' llega a México y Corea

El grupo Inditex pondrá en marcha su canal de venta on line en México y Corea del Sur en septiembre. La empresa ampliará así a casi 30 los mercados donde realiza venta por internet. En 2013, Inditex inauguró portales en Canadá y Rusia. / EP

Ikea, denunciada por explotar conductores

El sindicato de trabajadores holandés FNV denunció a la empresa sueca Ikea por incumplir las leyes holandesas con el uso de conductores eslovacos que trabajan en condiciones pobres y que están mal pagados. / EFE

La banca sigue lastrando al Ibex

La Bolsa pierde los 10.500 puntos por primera vez desde mayo

D. V. / Madrid

Las entidades bancarias que cotizan en el Ibex 35 volvieron a sufrir en la sesión de ayer las ventas de los inversores, situación que el selectivo pagó con una caída del 1,2%. De esta manera, el Ibex cerró en los 10.475 puntos, perdiendo por lo tanto los 10.500 enteros y marcó mínimos del pasado mes de mayo.

Todos los componentes del sector bancario se dejaron más de un punto porcentual, siendo especialmente notable la caída de Bankia, que se dejó un 3,2% en una jornada en la que, de nuevo, los problemas de liquidez de la familia que controla Banco Espírito Santo fueron motivo de tensión en los mercados. La cotización de la entidad lusa dejó un 14%, encadenó su séptima sesión a la baja y marcó un mínimo histórico después de que el pasado lunes se anunciara que los accionistas mayoritarios se deshacían de un 5% de su participación en un intento por tranquilizar a los inversores.

Tampoco supuso un motivo de alegría para el mercado las palabras de la presidente de la Reserva Federal de Estados Unidos (FED), Janet Yellen, quien advirtió que, si se afianza la recuperación del mercado laboral del país, los tipos de interés podrían subir «antes y más rápido» de lo que estaba inicialmente previsto.

21. El Mundo   Numeración para la muestra: 42

Miércoles 16 de julio del 2014

Ferrovial suscribe una emisión de bonos

El grupo Ferrovial suscribió y desembolsó la emisión de bonos a 10 años de 300 millones de euros que colocó el pasado 8 de julio, con un tipo de interés del 2,5% anual. Un 84% fue suscrito por inversores internacionales, enmarcándose dentro de la búsqueda de fuentes de financiación. / EP

FICHA del breve en el diario

Número de página: 35
Sección: bolsa
Subsección: empresas
Número de breves de la subsección: cinco
Ladillo: no
Número de líneas del titular: dos
Número de líneas del cuerpo: nueve
Fotografía: no
Firma: E. P. (Europa Press)

Despacho de agencia publicado por Europa Press (www.europapress.es), el 15 de julio del 2014:

Ferrovial suscribe la emisión de bonos de 300 millones que colocó la pasada semana
Ferrovial ha suscrito y desembolsado la emisión de bonos a diez años de 300 millones de euros que colocó el pasado 8 de julio con un tipo de interés del 2,5% anual, según informó el grupo.
La compañía que preside Rafael del Pino prevé que los títulos sean ahora admitidos a cotización en el mercado de renta fija antes del próximo 15 de agosto, según notificó a la Comisión Nacional del Mercado de Valores (CNMV).
Hace una semana, Ferrovial cerró con éxito la colocación de la emisión de estos bonos, que en un 84% se suscribieron por inversores internacionales.
La operación se enmarca en la estrategia del grupo de construcción, servicios y concesiones de diversificar sus fuentes de financiación, y sucede a las dos realizadas el pasado año, de 500 millones de euros cada una de ellas, en bonos a cinco y ocho años, respectivamente.

FICHA del despacho de agencia en la web

Enlace de la web en la que se encuentra: <http://www.europapress.es/economia/noticia-economia-empresas-ferrovial-suscribe-emision-bonos-300-millones-coloco-pasada-semana-20140715161150.html>
Pestaña: economía
Subpestaña: empresas
Antetítulo: no
Título: "Ferrovial suscribe la emisión de bonos de 300 millones que colocó la pasada semana"
Subtítulo: no
Número de caracteres (con espacio) del titular: 82
Número de caracteres (con espacio) del cuerpo de la nota: 841
Fotografía: sí
Firma: sin especificar (Europa Press)
Lugar de la firma: Madrid
Otros (documentos adjuntos, etcétera): no

Nota de prensa original, publicada por el grupo de construcción Ferrovial (http://newsroom.ferrovial.com), el 8 de julio del 2014:

Ferrovial completa una emisión de bonos de 300 millones de euros a 10 años, con un cupón anual del 2,5%

Ferrovial cerró hoy las condiciones de una emisión de bonos por un importe de 300 millones de euros y vencimiento en el año 2024. Los bonos pagarán un cupón anual del 2,5%.

Ferrovial ha completado hoy con éxito la fijación del precio de la emisión de bonos senior a 10 años por importe de 300 millones de euros. Esta emisión se cerró a un precio de 113 puntos básicos sobre midswap, con un cupón del 2,5%.

Con un libro de órdenes muy diversificado, la operación ha obtenido una excelente acogida entre los inversores internacionales. Más del 84% de la emisión se ha colocado fuera de España, destacando, principalmente, países como Alemania, Francia, Reino Unido y Suiza.

Ayer, la agencia de calificación Fitch ha revisado al alza la calificación crediticia a largo plazo de Ferrovial de "BBB-" a "BBB" con perspectiva estable. S&P había mejorado el rating de la compañía hace unos meses.

Ferrovial completó con éxito en enero y mayo del pasado año dos emisiones de bonos corporativos, la primera a cinco años y la segunda a ocho, cada una por 500 millones de euros y un cupón anual del 3,375%. Los fondos obtenidos permitieron optimizar el calendario de vencimientos de deuda corporativa, reducir su coste y eliminar prácticamente la financiación bancaria. La compañía no cuenta con reembolsos importantes hasta los años 2018 y 2021.

FICHA de la nota de prensa en la web

Enlace de la web en la que se encuentra: <http://newsroom.ferrovial.com/es/prensa/notas_prensa/ferrovial-emision-bonos-julio-2014/>

Pestaña: actualidad

Subpestaña: notas de prensa

Antetítulo: no

Título: "Ferrovial completa una emisión de bonos de 300 millones de euros a 10 años, con un cupón anual del 2,5%"

Subtítulo: no

Número de caracteres (con espacio) del titular: 103

Número de caracteres (con espacio) del cuerpo de la nota: 1.331

Fotografía: sí

Firma: sin especificar

Lugar de la firma: sin especificar

Otros (documentos adjuntos, etcétera): no

MERCADOS

La inaudible caída de las estatuas

ANÁLISIS

José Manuel Garayoa

Se habla de caída de estatuas, de ruinas, secesiones, del regreso a España de los viejos demonios tras el 25-M europeo, pero aquí no pasa nada, al menos en bolsa. Ni tampoco en Europa o en la City... Qué extraño.

Quizá es que haya ganado una derecha que busca más competitividad y empleo para Europa con un grupo socialdemócrata en los mismos términos. El ruido populista es para las bolsas lo mismo que para un megaequipo –sin especificar– en un estadio rival.

Lo mejor de Europa no entiende al otro como adversario, sino como competidor, con lo que posiblemente ganen las buenas formas. Y en España estarán Rajoy y Susana Díaz cuando recomponga la izquierda deshecha. O sea, bipartidismo. El Ibex subió al igual que Frankfurt (Merkel lo tiene claro: Juncker) y hasta el Londres euroescéptico subió un 0,5%. Berlín-Roma-Madrid, nuevo eje europeo más elocuente.

Índices

	ACTUAL	VARIACIÓN DÍA %	AÑO %
ESPAÑA			
IBEX 35	**10.714,20**	0,25	8,04
LATIBEX	**2.077,20**	-1,30	0,03
IND. G. MADRID	**1.097,29**	0,27	8,43
BCN MID50	**18.567,20**	0,25	12,23
BCN GLOBAL 100	**903,72**	0,31	11,69
BCN I. ALIM. AGR.	**834,89**	-0,29	-3,33
BCN I. BANCOS	**1.449,28**	0,67	16,20
BCN I. CEM. CON.	**1.552,27**	-0,05	22,98
BCN I. COM. FI.	**413,46**	0,20	0,24
BCN I. ELECTRIC.	**985,28**	-0,14	18,22
BCN I. QUÍMICAS	**978,99**	-0,21	12,02
BCN I. SERV. VAR.	**2.080,88**	0,10	6,04
BCN I. SID. MINER.	**378,01**	0,17	3,50
BCN I. TEXT. PAP.	**972,56**	-0,12	-11,43
EUROPA			
EURO STOXX 50	**3.244,01**	0,11	4,34
PARIS CAC40	**4.529,75**	0,06	5,44
FRANKFURT DAX X	**9.940,82**	0,49	4,07
MILAN MIBTEL	**22.741,00**	-0,30	12,56
AMSTERDAM AEX	**406,81**	-0,02	1,25
LISBOA BVL30	**7.058,23**	1,00	7,61
HELSINKI HEX	**7.652,29**	-0,06	4,30
VIENA ATX	**2.514,79**	0,91	-1,25
BRUSELAS B20	**3.153,97**	0,27	7,87
LONDRES FTSE	**6.844,94**	0,43	1,42
ZURICH SMI	**8.710,38**	-0,02	6,19
AMÉRICA			
NEW YORK DJ	**16.675,56**	0,42	0,60
NASDAQ	**4.237,06**	1,22	1,45
S & P 500	**1.911,91**	0,60	3,44
TORONTO TSE300	**14.655,40**	-0,41	7,59
BRASIL BOVESPA	**52.177,30**	-1,43	1,30
ASIA			
TOKIO NIKKEI	**14.636,52**	0,23	-10,16
HONG KONG HS	**22.944,30**	-0,08	-1,55

Prima de riesgo

ESPAÑA			ITALIA			FRANCIA			BÉLGICA		
	150	+2		161	+5		40	-1		54	-2

Ibex 35. Evolución en el año.
Ibex 35 recoge los 35 valores de mayor capitalización en la bolsa española. Base 3.000 a 31 de diciembre de 1989

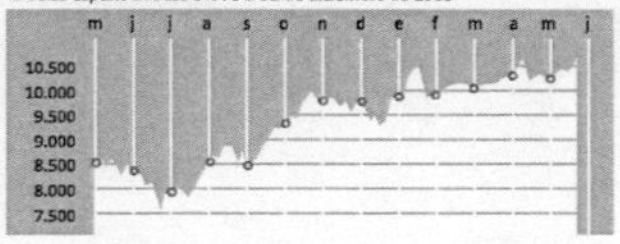

Evolución en el día.
Volumen de contratación al contado:
2.233,77 millones de euros

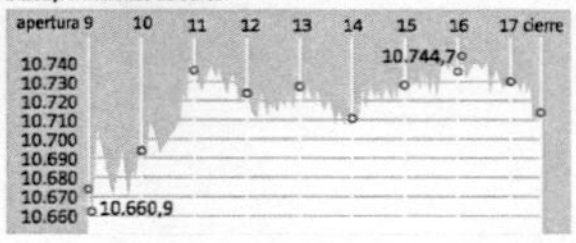

Mayores alzas

	%	CIERRE
AMPER	**23,44**	0,79
TAVEX ALGODON.	**4,35**	0,24
NATRA	**3,43**	1,81
RENO MEDICI	**3,33**	0,31
PRISA	**2,86**	0,36
URALITA	**2,80**	1,10
MONTEBALITO	**2,68**	1,15
ANTENA 3 TV	**2,36**	11,30

Mayores bajas

	%	CIERRE
QUABIT	**-8,33**	0,11
INYPSA	**-6,15**	0,61
CODERE	**-4,71**	0,81
LINGOTES ESP.	**-3,95**	4,38
GRAL.ALQ.MAQ.	**-2,90**	0,67
N.H. HOTELES	**-2,66**	4,39
PRIM	**-1,81**	5,98
FERSA E.RENOV.	**-1,72**	0,57

Más negociados

	Nº. DE TÍTULOS	EFECTIVO
SAN	36.699.265	**274,6**
BBVA	20.998.032	**195,9**
TELEFÓNICA	11.808.179	**144,7**
REPSOL	5.613.622	**115,8**
INDITEX	617.171	**65,5**
POPULAR	12.208.453	**62,3**
IBERDROLA	11.848.221	**61,9**
BANKIA	41.048.726	**60,5**

Mercado continuo EN NEGRITA LOS VALORES PERTENECIENTES AL IBEX 35

Cotizaciones actualizadas cada veinte minutos en **http://www.lavanguardia.com/economia**

		Cotización Euros	Var.%	Cotiz. Día Máx.	Mín.	Nº tít. negoc.	Días cotiz.	Rent. año%
Abengoa (*)	↑	3,90	1,56	3,93	3,84	357.072	101	70,09
Abertis (Ac)		**15,90**	**-0,06**	**16,00**	**15,85**	**1.142.960**	**101**	**5,39**
Acciona		**58,64**	**-1,13**	**59,74**	**58,32**	**126.626**	**101**	**40,39**
Acerinox	↑	12,59	0,54	12,62	12,35	296.284	101	36,11
Ad. Domínguez	↑	5,15	0,78	5,15	5,05	1.550	101	-9,01
Almirall	↑	11,53	0,17	11,60	11,49	242.586	101	-2,62
Amadeus		**31,90**	**-0,44**	**32,07**	**31,78**	**990.406**	**101**	**3,50**
Amper	↑	0,79	23,44	0,79	0,66	3.627.487	101	-25,47
Antena 3 TV	↑	11,30	2,36	11,33	10,97	546.373	101	-5,99
Aperam		23,86	-0,13	24,51	23,86	4.089	101	78,06
Arcelor Mit.	↑	**11,42**	**0,18**	**11,53**	**11,39**	**600.320**	**101**	**-10,80**
Auxil.FF.CC.		339,75	-0,61	342,00	338,35	2.164	101	-11,59
Azkoyen		2,63	-0,38	2,67	2,59	11.508	101	25,24
A.C.S.(*)	↑	**31,68**	**0,51**	**31,68**	**31,36**	**593.040**	**101**	**30,55**
B.M.E.	↑	**32,68**	**0,58**	**32,70**	**32,34**	**241.774**	**101**	**20,50**
Bankia		**1,47**	**0,00**	**1,48**	**1,47**	**41.048.726**	**101**	**19,51**
Bankinter	↑	**5,71**	**1,96**	**5,72**	**5,58**	**4.711.289**	**101**	**15,35**
Barón de Ley		73,85	0,00			0	98	25,17
Bayer AG	↑	105,55	1,10	106,00	104,45	641	100	3,18
BBVA (*) •	↑	**9,34**	**0,54**	**9,38**	**9,23**	**20.998.032**	**101**	**8,28**
Biosearch		0,71	-1,39	0,73	0,70	260.939	101	2,90
Bod. Riojanas		5,05	0,00	4,95	4,95	300	94	-5,96
C.V.N.E.		15,60	0,00	16,35	16,35	65	60	5,46
CaixaBank (*)	↑	**4,41**	**0,46**	**4,45**	**4,38**	**10.695.590**	**101**	**18,99**
Campofrío	↑	6,91	0,14	6,91	6,90	9.717	101	0,14
Catalana Occ.		27,75	0,00	28,27	27,62	91.378	101	8,06
Cem.Portland		7,16	-0,56	7,25	7,09	25.076	101	28,78
Cie Automot.		9,00	-0,55	9,10	8,84	80.411	101	13,63
Cleop		1,15	0,00			0	0	0,00
Clín.Baviera	↑	10,80	1,60	10,80	10,45	7.002	101	7,93
Codere		0,81	-4,71	0,84	0,80	202.585	101	17,39
Corp.F. Alba	↑	44,43	2,02	44,43	43,27	9.378	101	4,54
Deoleo		0,39	0,00	0,39	0,39	896.132	101	-17,02
Dinamía	↑	8,44	1,69	8,49	8,11	6.054	100	20,57
Dist.Int.Alim.		**6,76**	**-0,44**	**6,82**	**6,68**	**2.686.825**	**101**	**4,00**
Duro Felguera	↑	4,89	0,20	4,90	4,85	292.814	101	1,02
EADS	↑	52,80	1,93	52,90	51,70	9.693	101	-5,21
Ebro		**16,43**	**-0,42**	**16,56**	**16,42**	**222.031**	**101**	**-2,85**
Edreams Odigeo		10,50	-0,47	10,53	10,33	70.031	33	2,44
Elecnor	↑	10,49	1,06	10,53	10,37	9.345	101	-1,70
Enagas	↑	**21,54**	**0,33**	**21,59**	**21,27**	**1.832.740**	**101**	**13,37**

		Cotización Euros	Var.%	Cotiz. Día Máx.	Mín.	Nº tít. negoc.	Días cotiz.	Rent. año%
Ence	↑	2,15	1,42	2,17	2,11	945.345	101	-21,25
Endesa		28,23	-0,60	28,49	28,09	177.918	101	27,60
Enel G.P.		2,04	-0,49	2,09	2,04	19.738	101	14,78
Ercros		0,46	0,00	0,47	0,46	127.640	101	-2,13
Ezentis		1,04	-0,95	1,07	1,02	611.428	101	-32,47
Faes (*)		2,15	-0,92	2,18	2,15	127.117	101	-15,29
Fergo Aisa		0,02	0,00			0	0	0,00
Ferrovial		**15,87**	**-0,13**	**15,97**	**15,84**	**908.384**	**101**	**12,79**
Fersa E.Renov.		0,57	-1,72	0,58	0,57	225.747	101	46,15
Fin.Sotogrande		3,80	0,00			0	68	41,79
Fluidra	↑	3,22	0,31	3,24	3,18	23.399	101	18,38
Funespaña		6,19	0,00			0	62	3,17
F. C. C.		**15,32**	**-1,35**	**15,65**	**15,30**	**883.249**	**101**	**-5,32**
Gamesa		**8,36**	**0,00**	**8,39**	**8,23**	**1.963.930**	**101**	**10,29**
Gas Natural		**21,16**	**-0,05**	**21,26**	**20,98**	**1.135.377**	**101**	**15,26**
Gral.Alq.Maq.		0,67	-2,90	0,71	0,67	779.433	101	-6,94
Gral.Invers.		1,72	0,00			0	67	3,61
Grifols		**39,53**	**-0,25**	**39,68**	**39,30**	**506.253**	**101**	**13,69**
I.A.G.	↑	**4,85**	**1,68**	**4,85**	**4,74**	**4.011.427**	**101**	**0,21**
Iberdrola (*) •		**5,22**	**-0,19**	**5,25**	**5,21**	**11.848.221**	**101**	**15,89**
Iberpapel		12,90	0,00	12,98	12,94	339	101	-13,58
Inditex		**106,05**	**-0,14**	**106,70**	**105,50**	**617.171**	**101**	**-10,47**
Indo Intern.		0,60	0,00			0	0	0,00
Indra		**13,23**	**-0,53**	**13,34**	**13,15**	**703.607**	**101**	**8,89**
Inm.Colonial(*)		0,60	0,00	0,60	0,58	19.022.696	101	128,98
Inm.del Sur		10,81	0,00			0	13	-32,44
Inypsa		0,61	-6,15	0,68	0,60	33.900	100	-27,38
Jazztel	↑	**10,86**	**0,37**	**11,07**	**10,82**	**1.278.181**	**101**	**39,59**
La Seda Barna		0,73	0,00			0	0	0,00
Liberbank		0,88	0,00	0,89	0,87	9.870.770	101	22,22
Lingotes Esp.		4,38	-3,95	4,60	4,11	19.874	100	31,02
Mapfre	↑	**3,00**	**0,67**	**3,01**	**2,97**	**8.657.751**	**101**	**-3,54**
Martinsa-Fadesa		7,30	0,00			0	0	0,00
Mediaset Esp.		**8,00**	**-0,25**	**8,04**	**7,93**	**883.018**	**101**	**-4,65**
Meliá Hotels		9,33	-1,58	9,47	9,29	654.740	101	-0,11
Miquel Costas	↑	29,05	0,52	29,05	28,70	6.357	101	-4,30
Montebalito	↑	1,15	2,68	1,15	1,11	18.513	100	1,77
Natra	↑	1,81	3,43	1,87	1,76	236.167	101	-18,10
Natraceutical		0,28	0,00	0,30	0,28	3.228.246	101	-3,45
Nic. Correa	↑	1,52	0,66	1,53	1,45	11.414	101	17,83
Nyesa		0,17	0,00			0	0	0,00

		Cotización Euros	Var.%	Cotiz. Día Máx.	Mín.	Nº tít. negoc.	Días cotiz.	Rent. año%
N.H. Hoteles		4,39	-2,66	4,67	4,37	1.515.842	101	2,33
O.H.L.		**31,72**	**-0,97**	**32,19**	**31,66**	**380.833**	**101**	**7,71**
Papel.C.E	↑	3,89	0,26	3,90	3,86	43.351	101	2,08
Pescanova		5,91	0,00			0	0	0,00
Popular (*)	↑	**5,12**	**2,20**	**5,14**	**5,01**	**12.208.453**	**101**	**18,74**
Prim		5,98	-1,81	6,09	5,98	4.666	99	4,69
Prisa	↑	0,36	2,86	0,36	0,34	1.904.474	101	-10,00
Prosegur		5,04	-0,98	5,10	5,04	194.067	101	2,27
Quabit		0,11	-8,33	0,12	0,11	3.318.932	101	-8,33
Realia	↑	1,25	0,81	1,28	1,23	1.068.280	101	50,60
Reno Medici	↑	0,31	3,33	0,31	0,30	25.504	101	14,81
Renta 4		5,73	-0,17	5,74	5,73	2.737	101	13,88
Renta Corp.		0,57	0,00			0	0	0,00
Repsol •		**20,60**	**-0,19**	**20,77**	**20,58**	**5.613.622**	**101**	**12,45**
Reyal Urbis		0,12	0,00			0	0	0,00
Rovi	↑	9,98	0,30	9,98	9,80	12.600	101	0,00
R.E.C.		**61,80**	**-0,05**	**62,30**	**61,52**	**358.325**	**101**	**28,92**
SAN (*) •	↑	**7,48**	**0,40**	**7,50**	**7,41**	**36.699.265**	**101**	**24,73**
Sabadell	↑	**2,37**	**1,28**	**2,39**	**2,33**	**16.469.741**	**101**	**25,26**
Sacyr	↑	**4,88**	**1,67**	**4,92**	**4,78**	**5.261.839**	**101**	**29,44**
San José		1,21	-0,82	1,22	1,20	14.735	101	0,83
Service Point		0,07	0,00			0	22	-22,22
Sniace		0,20	0,00			0	0	0,00
Solaria		1,22	-1,61	1,25	1,20	144.454	101	58,44
Tavex Algodon.	↑	0,24	4,35	0,25	0,23	504.389	101	4,35
Técnicas Rdas.	↑	**44,66**	**0,02**	**45,17**	**44,37**	**198.109**	**101**	**14,81**
Tecnocom		1,67	0,00	1,71	1,66	42.082	101	38,02
Telefónica •	↑	**12,23**	**0,16**	**12,32**	**12,21**	**11.808.179**	**101**	**6,67**
Testa Inm.	↑	15,50	0,91	15,50	15,50	2.220	76	105,03
Tubacex		3,64	-1,09	3,69	3,63	258.461	101	25,95
Tubos Reunidos	↑	2,30	0,44	2,31	2,26	124.747	101	29,94
Unipapel	↑	17,10	0,29	17,10	17,05	4.078	101	14,46
Uralita	↑	1,10	2,80	1,10	1,08	24.167	101	-7,56
Urbas		0,03	0,00	0,03	0,03	6.436.934	101	0,00
Vertice 360		0,04	0,00			0	73	-20,00
Vidrala		36,57	-1,46	37,11	36,50	6.363	101	-2,22
Viscofan		**41,42**	**-0,43**	**41,66**	**41,20**	**201.901**	**101**	**0,17**
Vocento	↑	2,12	0,95	2,16	2,00	80.791	101	40,40
Zardoya	↑	13,29	0,30	13,35	13,17	180.651	101	2,43
Zeltia		2,65	-0,75	2,72	2,64	759.660	101	14,72

• Valor perteneciente al índice EURO STOXX 50 (*) Ha ampliado capital durante el año (Ac) Ampliación de capital (c.s.) Cotización suspendida (dv) Pago dividendo Para el cálculo de la rentabilidad se han incorporado los dividendos percibidos durante este año, y la cotización, si procede, se ha ajustado cuando la sociedad ha realizado ampliación de capital

Bankinter coloca 500 millones en bonos

Bankinter colocó ayer 500 millones de euros en bonos sénior a cinco años, a un precio de 108 puntos básicos sobre mid swap, índice de referencia. La demanda llegó a los 1.000 millones, con el 56% de los títulos colocados entre inversores internacionales. / Efe

Foxconn entra en operadora taiwanesa

El fabricante de componentes electrónicos taiwanés Foxconn comprará una participación en la operadora Taiwán Asia Pacific Telecom por 285 millones de euros. Así, Foxconn, proveedor de Apple, amplía su diversificación. Con el acuerdo, Asia Pacific y una unidad de Foxconn se fusionarían tras un cambio de acciones. / Reuters

Pilgrim's Pride lanza oferta por Hillshire

El productor avícola Pilgrim's Pride, filial de la brasileña JBS, ha presentado una oferta de 4.670 millones de euros por Hillshire Brands, grupo americano de alimentación. El pasado 12 de mayo, Hillshire y Pinnacle Foods anunciaron un acuerdo para fusionarse, aún pendiente, por lo que esta oferta se erige como alternativa para sus accionistas. / EP

VTB reduce el beneficio un 98%

El banco VTB, segunda mayor entidad financiera rusa, obtuvo un beneficio de 8,5 millones de euros hasta marzo, un 98% menos que en el año anterior. El resultado operativo bajó un 15,9%, a 1.208 millones. La entidad atribuye a la crisis ucraniana la reducción en los resultados. / EP

SG aumenta su participación en Boursorama

Société Générale (SG) anunció ayer que su opa sobre Boursorama tuvo éxito, por lo que aumentará su participación del 55,4% al 75,42% en su filial en línea. Junto con CaixaBank (20,5%) controlarán el 95,92% de Boursorama. Tras esta operación, el capital restante dejará de cotizar en la bolsa parisina. / Efe

Accor invierte 900 millones en hoteles

El grupo francés Accor cerró ayer la compra de dos carteras de hoteles en Alemania, Holanda y Suiza por 900 millones de euros. La operación incluye 67 hoteles alemanes y 19 holandeses, mientras que se negocia un segundo grupo de 11 establecimientos suizos. Todos los hoteles ya eran operados por Accor bajo arrendamiento. / Agencias

Lloyds saca a bolsa el 25% de TSB

El banco británico Lloyds, controlado en un 24,9% por el Gobierno, sacará a bolsa el 25% de su filial TSB en junio y se desprenderá del resto antes de finales de 2015. Los movimientos se enmarcan en las exigencias impuestas por Bruselas por el rescate de la institución. / EP

22. La Vanguardia   **Numeración para la muestra: 43**

Miércoles 28 de mayo del 2014

Accor invierte 900 millones en hoteles

El grupo francés Accor cerró ayer la compra de dos carteras de hoteles en Alemania, Holanda y Suiza por 900 millones de euros. La operación incluye 67 hoteles alemanes y 19 holandeses, mientras que se negocia un segundo grupo de 11 establecimientos suizos. Todos los hoteles ya eran operados por Accor bajo arrendamiento. / Agencias

FICHA del breve en el diario

Número de página: 51
Sección: economía
Subsección: mercados
Número de breves de la subsección: siete
Ladillo: no
Número de líneas del titular: una
Número de líneas del cuerpo: seis
Fotografía: no
Firma: Agencias

Despacho de agencia publicado por Europa Press (www.europapress.es), el 27 de mayo del 2014:

Accor compra activos de 97 hoteles en Europa por 900 millones de euros

Accor ha comprado activos de 97 establecimientos hoteleros en Europa que operaba bajo arrendamiento, a través de su brazo inversor HotelInvest, en dos carteras que representan 86 y 11 hoteles, respectivamente, para una oferta total de 12.838 habitaciones y por un monto que asciende a 900 millones de euros, anunció el grupo hotelero galo.

La finalización de estas dos adquisiciones está sometida a las condiciones habituales para este tipo de *transacciones* [ver Anexo IV: "balanza de pagos"], así como a la autorización de las autoridades competentes.

El impacto de estas dos adquisiciones sobre el resultado de explotación de Accor se notará a partir de 2014. Sobre la base de resultados proforma de 2013, la contribución de los hoteles en propiedad de HotelInvest aumentará unos 14 puntos, hasta alcanzar el 68% del resultado operativo.

De hecho, su brazo inversor HotelInveset se ha marcado como objetivo elevar a más del 75% este porcentaje a en Europa.

"Estas operaciones constituyen una muestra de nuestra fuerte capacidad para implementar una rápida estrategia de reestructuración de la cartera de HotelInvest", destacó el presidente y director general de Accor, Sébastien Bazin, quién explicó que se trata de hoteles ubicados en las principales ciudades europeas, que están generando "un rendimiento operativo excelente" entre los hoteles rentables de la cadena.

La primera cartera de hoteles incluye 86 hoteles en Alemania y Holanda, con una oferta de 11.286 habitaciones ---que Accor operaba desde 2007 a través de contratos de arrendamiento variables-- y que han sido adquiridos a los fondos inmobiliarios Moor Park Fund I y II por 722 millones de euros.

De ellos, 67 se ubican en Alemania y 19 en los Países Bajos. Este primer paquete incluye establecimientos de diferentes marcas: 29 hoteles ibis, 31 ibis budget, 17 hoteles Mercure y 9 hoteles Novotel.

Este primer paquete incluye establecimientos de diferentes marcas: 29 hoteles ibis, 31 ibis budget, 17 hoteles Mercure y 9 hoteles Novotel.

Paralelamente, Accor está en negociaciones con el fondo Axa Real Estate para un segunda cartera de 11 hoteles en Suiza, con una oferta de 1.592 habitaciones, que el grupo galo explota desde 2008, también bajo régimen de alquiler variable. El paquete incluye 5 hoteles ibis, 2 ibis budget, 3 hoteles Novotel y un MGallery.

Accor es actualmente el mayor operador hotelero de Europa, que cuenta con un brazo inversor HotelInvest, propietario de los establecimientos del grupo propiedad, y HotelServices, como operador especializado de establecimientos hoteleros.

En conjunto, cuenta con 3.600 hoteles para una oferta de 460.000habitaciones, que opera bajo las marcas Sofitel, Pullman, MGallery y Gran Mercure, en su gama más alta, además de Novotel, Suite Novotel, Mercure, Adogio en media gama, y sus marcas económicas ibis, ibis Styles, ibis budget y hotelF1.

FICHA del despacho de agencia en la web

Enlace de la web en la que se encuentra: <http://www.europapress.
es/turismo/hoteles/noticia-accor-compra-activos-97-hoteles-euro-
pa-900-millones-euros-20140527111823.html>
Pestaña: --
Subpestaña: --
Antetítulo: no
Título: "Accor compra activos de 97 hoteles en Europa por 900 millo-
nes de euros"
Subtítulo: no
Número de caracteres (con espacio) del titular: 70
Número de caracteres (con espacio) del cuerpo de la nota: 2.822
Fotografía: sí
Firma: sin especificar (Europa Press)
Lugar de la firma: París
Otros (documentos adjuntos, etcétera): no

Nota de prensa original, publicada por la agencia de comunicación Grupo Vía (www.grupovia.net), el 27 de mayo del 2014:

Accor compra 97 hoteles en Europa por 900 Millones de euros

Accor anuncia la compra, a través de su polo HotelInvest, de dos portafolios que representan respectivamente 86 y 11 hoteles (12 838 habitaciones), por un montante global del orden de 900 millones de euros.

« Estas operaciones constituyen un signo fuerte de nuestra capacidad a poner en marcha rápidamente la estrategia de reestructuración del portafolio de HotelInvest. Responden fielmente a nuestros criterios selectivos de compra de activos : hoteles situados en ciudades claves en Europa, generando *excelentes resultados operacionales* [ver Anexo IV: "excelentes resultados" y ver Anexo II: "El lenguaje subordinado. Los términos de marketing y economía en los breves de empresa"], en los segmentos más rentables de nuestra oferta », ha declarado Sébastien Bazin, Presidente-Director General de Accor.

El primer portafolio de hoteles está compuesto por 86 hoteles (11 286 habitaciones) de los cuales 67 en Alemania, 19 en los Países Bajos, explotados desde 2007 por Accor a través de contratos de alquiler variable, de las marcas ibis (29 hoteles), ibis budget (31 hoteles), Mercure (17 hoteles) y Novotel (9 hoteles). El montante global de esta adquisición alcanza los 722 millones de euros. Los vendedores son dos fondos, Moor Park Fund I y II, recomendados por Moor Park Capital Partners, consultora especializada en la inversión de capital inmobiliario a nivel paneuropeo.

Paralelamente, Accor ha entrado en negociaciones exclusivas con Axa Real Estate para un segundo portafolio, representando 11 hoteles (1 592 habitaciones) explotadas desde 2008 por Accor en Suiza, a través de contratos de alquiler variable, bajo las marcas ibis (5 hoteles), ibis budget (2 hoteles), Novotel (3 hoteles) y MGallery (1 hotel).

Estas dos adquisiciones tendrán un efecto sobre el resultado de explotación de Accor desde 2014. Sobre la base de los resultados pro-forma 2013, la contribución de los hoteles en propiedad a NOI(1) de HotelInvest aumentará entorno a 14 puntos, hasta alcanzar un 68%. Un de los objetivos de HotelInvest, primer inversor hotelero en Europa, es llevar esta cifra a más del 75% a medio plazo.

La finalización de estas adquisiciones está sometida a las condiciones habituales para este tipo de transaciones así que a la autorización de las autoridades competentes.

FICHA de la nota de prensa en la web

Enlace de la web en la que se encuentra: <http://www.grupovia. net/index.php/hotelero/252-accor-compra-97-hoteles-en-europa-por-900-millones-de-euros>
Pestaña: notas de prensa
Subpestaña: histórico de eventos
Antetítulo: no
Título: "Accor compra 97 hoteles en Europa por 900 Millones de euros"
Subtítulo: no
Número de caracteres (con espacio) del titular: 59
Número de caracteres (con espacio) del cuerpo de la nota: 2.130
Fotografía: no
Firma: Redacción
Lugar de la firma: sin especificar
Otros (documentos adjuntos, etcétera): no

BOLSA

	IBEX 35 Madrid	EUROSTOXX 50 París	FTSE 100 Londres	DAX 30 Francfort	DOW JONES Nueva York	NASDAQ Nueva York	NIKKEI Tokio	PETRÓLEO Dólares / barril	EURIBOR %	ORO Dólares / onza
Cotización ➡	10.659,10	3.193,13	6.798,15	9.753,56	17.080,42	4.472,98	15.328,56	107,38	0,4890	1.305,70
En el día ➡	+0,10%	+0,12%	+0,04%	+0,20%	-0,19%	+0,38%	-0,10%	+0,07%	+0,20%	-0,12%
En el año ➡	+7,49%	+2,71%	+0,73%	+2,11%	+3,04%	+7,10%	-5,91%	-3,35%	-12,05%	+8,27%

IBEX 35

LAS MAYORES SUBIDAS

	%
BME	+2,24
FCC	+1,72
Banco Sabadell	+0,79
CaixaBank	+0,73
IAG	+0,71
Amadeus It Holding	+0,70
Bankia	+0,66
BBVA	+0,63

LAS MAYORES BAJADAS

	%
Jazztel	-2,27
Abengoa B	-1,90
OHL	-1,53
Grifols	-1,33
Repsol	-1,21
Gas Natural	-1,04
Gamesa	-0,93
Enagás	-0,72

SUBASTAS TESORO

	Tir media
Letras 6 Meses	0,15
Letras 9 Meses	0,21
Letras 12 Meses	0,29
Letras 18 Meses	1,69
Bonos 2,5 Años	4,34
Bonos 2 Años	1,90
Bonos 3 Años	0,69
Bono 4 Años	5,97

TIPOS OFICIALES

	%
España	0,15
Alemania	0,15
Zona euro	0,15
Reino Unido	0,50
EE.UU.	0,00-0,25
Japón	0,00-0,10
Suiza	0,00-0,25
Canadá	1,00

DIVISAS

	1 euro
Dólares USA	1,3465
Yenes japoneses	136,51
Coronas danesas	7,4569
Libras esterlinas	0,7906
Coronas suecas	9,2016
Francos suizos	1,215
Coronas noruegas	8,3235
Yuanes chinos	8,3475

CIFRAS ECONÓMICAS

ESPAÑA

IPC	0,1%	Desempleo	25,93%
PIB	0,5%	Tipos de interés	0,15%

ZONA EURO

IPC	1,7%	Desempleo	11,6%
PIB	0,9%	Tipos de interés	0,15%

EEUU

IPC	2,1%	Desempleo	6,1%
PIB	-2,9%	Tipos de interés	0%

■ Abertis

Último cierre: 16,575 euros ▲ -0,510%

19,20	18,00	16,80	15,60	14,40

En. Feb. Mar. Abr. May. Jun. Jul.

FUENTE: Bloomberg.   EL MUNDO

MERCADO CONTINUO

CONTRATACIÓN EN EUROS

IBEX 35

TÍTULO	ÚLTIMA COTIZACIÓN	VARIACIÓN DIARIA EUROS	%	AYER MÍN.	AYER MÁX.	VARIACIÓN AÑO % ANTERIOR	ACTUAL
Abengoa B	3,869	-0,075	-1,90	3,868	3,960	0,10	77,80
Abertis	16,575	-0,085	-0,51	16,470	17,100	45,85	7,74
Acciona	64,310	0,310	0,48	64,140	64,890	-21,20	53,98
ACS	32,340	0,170	0,53	32,065	32,535	44,28	29,26
Amadeus It Holding	30,240	0,210	0,70	29,900	30,260	68,83	-2,78
ArcelorMittal	11,095	-0,080	-0,72	11,065	11,260	3,66	-14,26
B. Popular	4,510	0,020	0,45	4,450	4,576	51,16	2,85
B. Sabadell	2,433	0,019	0,79	2,421	2,480	6,68	28,32
B. Santander	7,450	0,020	0,27	7,374	7,453	26,71	14,51
Bankia	1,384	0,009	0,65	1,370	1,399	-74,12	12,16
Bankinter	6,120	0,008	0,62	6,031	6,163	155,77	22,72
BBVA	9,201	0,058	0,63	9,080	9,248	40,25	2,83
BME	33,800	0,740	2,24	32,940	34,190	66,83	22,20
Caixabank	4,271	0,031	0,73	4,211	4,304	55,65	14,04
Dia	6,494	-0,024	-0,37	6,445	6,587	41,70	-0,09
Enagás	24,745	-0,180	-0,72	24,590	24,980	29,51	30,27
FCC	16,520	0,280	1,72	16,285	16,650	72,63	2,13
Ferrovial	15,880	-0,005	-0,03	15,800	15,930	34,19	12,90
Gamesa	8,643	-0,081	-0,93	8,600	8,808	356,63	14,02
Gas Natural	22,760	-0,240	-1,04	22,580	22,960	52,69	21,74
Grifols	38,225	-0,515	-1,33	38,185	38,755	33,46	9,95
IAG	4,245	0,030	0,71	4,186	4,310	117,00	-12,28
Iberdrola	5,493	0,022	0,40	5,451	5,531	25,74	18,51
Inditex	110,000	0,350	0,32	109,050	110,150	17,16	-6,18
Indra	11,765	-0,025	-0,21	11,735	11,860	28,62	-3,21
Jazztel PLC	9,861	-0,229	-2,27	9,850	10,165	48,03	26,76
Mapfre	2,854	-0,007	-0,24	2,847	2,879	44,35	-8,32
Mediaset	8,414	0,013	0,15	8,310	8,489	64,61	0,30
Obrascón H.L.	31,235	-0,485	-1,53	30,610	31,420	40,25	6,08
Red Eléctrica	63,390	-0,460	-0,72	63,010	63,880	41,77	32,67
Repsol	18,415	-0,225	-1,21	18,310	18,685	36,18	0,52
Sacyr	4,500	-0,008	-0,18	4,450	4,554	139,43	19,46
Técnicas Reunidas	44,305	0,000	0,07	44,025	44,395	20,85	12,21
Telefónica	12,155	-0,020	-0,16	12,115	12,230	23,43	2,70
Viscofán	43,565	0,105	0,24	43,280	43,855	1,09	5,36

RESTO DE VALORES

TÍTULO	ÚLTIMA COTIZACIÓN	DIF. %	RENTA. 2014
Abengoa	4,382	-4,20	81,07
Acerinox	13,015	0,58	40,75
Adolfo Domínguez	5,270	-0,75	-6,89
Adveo	17,650	0,51	18,14
Airbus Group	45,070	1,37	-19,08
Alba	46,800	1,74	10,12
Almirall	10,860	0,56	-8,28
Amper	0,600	-1,64	-43,40
Aperam	26,470	2,08	97,54
Applus Services	14,215	-0,59	
Atresmedia	10,510	2,94	-12,56
Axia Real Estate	9,700	—	
Azkoyen	2,280	-0,87	8,57
Barón de Ley	74,850	-0,20	26,86
Bayer Ag.	99,950	—	-2,30
Biosearch	0,560	-0,88	-18,84
Bodegas Riojanas	4,950	—	-7,82
C. A. F.	334,450	0,04	-12,97
CAM	1,340	—	0,00
Campofrío	6,880	—	-0,29
Cem.Portland	5,540	2,59	-0,36
Cie Automotive	10,385	2,11	29,81
Cleop	1,150	—	0,00
Clínica Baviera	9,180	3,15	-12,24
Codere	0,690	-2,82	0,00
Colonial	0,569	—	117,76
C.V.N.E	18,450	—	21,38
Deoleo	0,390	1,30	-17,02
Dinamia	8,180	-1,21	16,86
Dogi	1,740	2,35	-72,81
Duro Felguera	4,690	-0,21	-4,29
Ebro Foods	15,755	-0,38	-7,51
Edreams Odigeo	4,423	0,52	
Elecnor	10,760	-0,19	-3,76
Ence	1,695	-0,29	-37,80
Endesa	26,880	-0,09	32,46
Enel Green Power	2,035	-1,21	12,93
Ercros	0,469	5,16	-1,26
Europac	4,285	2,15	11,44
Ezentis	0,750	—	-46,30
Faes	2,080	0,73	-18,09
Fergo Aisa	0,017	—	0,00
Fersa	0,490	-2,00	25,64
Fluidra	3,400	0,89	25,00
Funespaña	5,780	—	-3,67
GAM	0,500	4,17	-30,56
General Inversiones	1,760	—	6,02
Grupo Catalana Occ.	25,620	0,71	-1,54

TÍTULO	ÚLTIMA COTIZACIÓN	DIF. %	RENTA. 2014
Grupo Sanjosé	1,100	—	-8,33
Grupo Tavex	0,217	1,40	-5,65
Hispania Activos Inmob.	10,200	-0,49	
Iberpapel	13,360	4,13	-11,52
Indo Interna.	0,600	—	0,00
Inmobiliaria del Sur	6,650	—	-58,44
Inypsa	0,515	-3,74	-38,69
Lar España	9,660	-0,41	
Liberbank	0,642	3,55	7,20
Lingotes Especiales	4,450	2,53	29,17
Logista	14,100	-0,35	
Martinsa-Fadesa	7,300	—	0,00
Melià Hotels Int.	9,110	1,84	-2,41
Merlin Properties	9,999	-0,01	
Miquel y Costas	26,030	-2,50	-8,10
Montebalito	1,085	-1,81	-3,96
N. Correa	1,300	2,36	0,39
Natra	1,755	0,29	-20,59
Natraceutical	0,244	-1,21	-14,98
NH Hotel Group	3,860	-1,53	-9,92
Nyesa	0,170	—	0,00
Pescanova	5,910	—	0,00
Prim	6,200	—	7,64
Prisa	0,355	7,58	-11,25
Prosegur	5,350	-1,11	7,43
Quabit	0,078	-1,27	-33,90
Realia Business	1,310	2,75	57,83
Reno de Medici	0,276	-1,43	4,15
Renta Corp.	0,570	—	0,00
Renta 4 Banco	5,710	0,71	13,07
Royal Urbis	0,124	—	0,00
Rovi	9,250	-0,32	-7,31
Seda Barna	0,729	—	0,00
Service Point Solution	0,071	—	-24,47
Sniace	0,196	—	0,00
Solaria	0,910	1,68	18,95
Sotogrande	3,870	—	44,40
Tecnocom	1,500	0,98	28,10
Testa Inm. Renta	14,260	—	88,62
Tubacex	3,980	-0,38	37,72
Tubos Reunidos	2,500	-0,60	41,24
Uralita	0,860	-1,15	-27,73
Urbas Gr.Financiero	0,026	—	4,00
Vértice 360	0,044	—	-4,35
Vidrala	36,500	-0,54	-2,51
Vocento	1,630	1,24	7,95
Zardoya Otis	11,830	—	-6,47
Zeltia	2,880	-0,17	24,68

EMPRESAS

El beneficio de Mediaset cae un 29%

Mediaset España obtuvo un beneficio neto de 21,4 millones de euros en el primer semestre del año, lo que representa una caída del 28,9% con respecto al mismo periodo del ejercicio anterior, informó la compañía a la Comisión Nacional del Mercado de Valores (CNMV). El beneficio neto ajustado del primer semestre ascendió a 28,97 millones de euros, lo que supone un margen del 6,2% sobre ingresos netos. / EP

Banco Espírito Santo se dispara un 14%

Las acciones del Banco Espírito Santo (BES) repuntaron ayer con fuerza en la Bolsa de Lisboa después de que se conociera la entrada en su capital de Goldman Sachs y la gestora de fondos estadounidense D.E. Shaw. En concreto, las acciones del banco portugués cerraron la sesión con una subida del 14,53% hasta un máximo intradiario de 0,478 euros. / E.P.

Francia inculpa a UBS por blanqueo

El banco suizo UBS, que ya estaba acusado en Francia por captar clientes allí para ocultar su dinero en Suiza, ha sido inculpado también por blanqueo agravado, lo que va acompañado de una elevación de la fianza de 2,87 a 1.100 millones de euros. Una portavoz de la Fiscalía indicó que este nuevo cargo se refiere también al trabajo realizado por la sección suiza de UBS para atraer residentes en Francia. / EFE

Only-apartments entrará en el MAB

La compañía Only-Apartments, especializada en el alquiler de apartamentos para estancias cortas, debutará en el Mercado Alternativo Bursátil (MAB) el lunes 28 de julio. En un comunicado, la empresa precisó que cuenta con una oferta de 25.000 apartamentos en 2.000 destinos repartidos en 109 países y que se propone seguir expandiéndose. / EFE

Abertis aumenta sus beneficios

Gana 306 millones durante el primer semestre, un 4,6% más

R. P. M. / Madrid

Abertis obtuvo un beneficio neto de 306 millones de euros en el primer semestre del año, cifra que supone un incremento del 4,6% con respecto al mismo periodo de 2013.

Las razones principales de este crecimiento se encuentran en el aumento de tráfico en las autopistas y la consolidación de Hispasat, empresa controlada por Abertis.

Los ingresos de explotación de la compañía crecieron un 5% entre enero y junio, hasta los 2.306 millones, y el Ebitda fue de 1.483 millones de euros, un 10,8% más.

Desde la compañía se aseguró que estos resultados semestrales suponen «una buena muestra de su estrategia» y del avance en la consolidación de su internacionalización, ya que dos tercios de sus beneficios corresponden a sus ingresos del negocio exterior.

Por otra parte, el director financiero de Abertis, José Aljaro, admitió ayer que existen «desacuerdos importantes» entre las partes para cerrar la compra del 64,5% del operador israelí de satélites Spacecom.

En una conferencia con analistas, Aljaro se refirió así a las negociaciones entre Hispasat y Eurocom para adquirir su 64,5 % en ese operador israelí de satélites, unos contactos que, según fuentes financieras, están en suspenso.

22. El Mundo   **Numeración para la muestra: 44**

Jueves 24 de julio del 2014

Only-apartments entrará en el MAB

La compañía Only-Apartments, especializada en el alquiler de apartamentos para estancias cortas, debutará en el Mercado Alternativo Bursátil (MAB) el lunes 28 de julio. En un comunicado, la empresa precisó
que cuenta con una oferta de 25.000 apartamentos en 2.000 destinos
repartidos en 109 países y que se pro- pone seguir expandiéndose. / EFE

FICHA del breve en el diario

Número de página: 36
Sección: bolsa
Subsección: empresas
Número de breves de la subsección: cuatro
Ladillo: no
Número de líneas del titular: dos
Número de líneas del cuerpo: diez
Fotografía: no
Firma: Efe

Despacho de agencia publicado por la agencia Efe (www.efe.com), el 23 de julio del 2014:

Only-apartments debutará el lunes en el Mercado alternativo bursátil MAB

La compañía Only-apartments empezará a cotizar el próximo lunes en el Mercado Alternativo Bursátil MAB, el primer debut que se produce en ese mercado, tras el escándalo protagonizado por la empresa de redes wifi Gowex.

En una nota remitida hoy, el MAB explica que el debut de la compañía de alquileres de apartamentos a través de internet será posible gracias a un informe favorable al respecto enviado al Consejo de administración del organismo por la comisión de incorporaciones tras estudiar toda la información presentada por la compañía.

La sociedad cotizará en el segmento de empresas en expansión del MAB y su estreno, condicionado aún a la aprobación del citado Consejo del mercado, está programado para el próximo lunes 28 de julio.

La empresa ha realizado una ampliación de capital previa a su incorporación al MAB por un importe superior a los 2 millones de euros, explica la nota.

El código de negociación de la compañía será ONL y su contratación se realizará a través de un sistema de fijación de precios mediante la confluencia de la oferta y la demanda en dos períodos de subasta o "fixings" diarios, a las 12.00 y a las 16.00 horas.

Estratelis Advisors actúa como Asesor Registrado y MG Valores como Proveedor de Liquidez, finaliza la nota del MAB.

FICHA del despacho de agencia en la web

Enlace de la web en la que se encuentra: <http://www.elconfidencial.com/ultima-hora-en-vivo/2014-07-23/only-apartments-debutara-el-lunes-en-el-mercado-alternativo-bursatil-mab_321437/#lpu6byYepHa6unWl>

Pestaña: --

Subpestaña: --

Antetítulo: no

Título: "Only-apartments debutará el lunes en el Mercado alternativo bursátil MAB"

Subtítulo: no

Número de caracteres (con espacio) del titular: 72

Número de caracteres (con espacio) del cuerpo de la nota: 1.260

Fotografía: no

Firma: sin especificar (Agencia Efe)

Lugar de la firma: Madrid

Otros (documentos adjuntos, etcétera): no

Nota de prensa original, publicada por el Mercado Alternativo Bursátil (www. bolsasymercados.es), el 23 de julio del 2014:

Only-apartments comenzará a cotizar en el MAB el próximo 28 de julio
· El MAB, un mecanismo eficaz de expansión para empresas
La Comisión de Incorporaciones del Mercado Alternativo Bursátil (MAB) ha remitido al Consejo de Administración del MAB un informe de evaluación favorable sobre el cumplimiento de los requisitos de incorporación de la compañía Only-apartments al segmento de empresas en expansión, una vez estudiada toda la información presentada por la compañía. La cotización de la sociedad está prevista para el próximo lunes, 28 de julio, y precisará de la aprobación del Consejo del MAB.
El Documento Informativo de Only-apartments se encuentra disponible en la página web del MAB (www.bolsasymercados.es/mab), donde se podrán encontrar todos los datos relativos a la compañía y su negocio. La empresa ha realizado una ampliación de capital previa a la cotización en el MAB por un importe superior a los 2 millones de euros.
El código de negociación de la compañía será ONL y su contratación se realizará a través de un sistema de fijación de precios mediante la confluencia de la oferta y la demanda en dos períodos de subasta o "fixings" diarios (12h y 16h).
Estratelis Advisors actúa como Asesor Registrado y MG Valores como Proveedor de Liquidez

FICHA de la nota de prensa en la web

Enlace de la web en la que se encuentra: <http://www.bolsasymercados.es/mab/esp/marcos.htm>
Pestaña: notas de prensa
Subpestaña: --
Antetítulo: no
Título: "Only-Apartments comenzará a cotizar en el MAB el próximo 28 de julio"
Subtítulo: un subtítulo
Número de caracteres (con espacio) del titular: 68
Número de caracteres (con espacio) del cuerpo de la nota: 1.187
Fotografía: no
Firma: sin especificar
Lugar de la firma: sin especificar
Otros (documentos adjuntos, etcétera): no

EN LÍNEA

MORA BANC

Pedro González, consejero delegado

■ El próximo día 15 Pedro González Grau asumirá el puesto de consejero delegado de Mora Banc, en los últimos tres años ocupado por Gilles Serra, que continuará como miembro del consejo y de la comisión delegada de la entidad financiera andorrana propiedad de la familia Mora. / Redacción

PREMIO EMPRENDEDOR XXI

Devicare gana en Catalunya

■ Devicare, creada en el 2012 por Rosendo Garganta para el desarrollo de dispositivos médicos, ahora centrada en la monitorización de la litiasis renal, ha ganado la edición 2014 en Catalunya del premio Emprendedor XXI que otorgan La Caixa y el Ministerio de Industria, con Barcelona Activa. / Redacción

COVALCO

Compra de la firma cordobesa Caro Ruiz

■ El grupo catalán de distribución Covalco ha cerrado la adquisición del 65% de la cordobesa Caro Ruiz, que tiene 32 *cash & carry* y 271 puntos de venta. Covalco se convierte en líder nacional con 93 establecimientos de venta al por mayor, y prevé facturar 120 millones, un 25% más. / Efe

ARCHIVO
Josep Saperas preside Covalco

HENKEL

Venta de la antigua sede a inversores

■ La multinacional alemana Henkel ha vendido la antigua sede en el edificio de la calle Còrsega, en el Eixample, por 25 millones de euros a un grupo de inversores. La alemana trasladará las oficinas al complejo al Cornerstone, en el distrito tecnológico 22@, en régimen de alquiler. / Redacción

---

EMPRENDEDORES

espacio ofrecido por: **el CONSORCI** barcelona

El grupo, creado en 1969, factura 85 millones y crecerá un 17% este año

PMS se refuerza en Argelia

Concurso de la Generalitat para concentrar dependencias en un edificio

ANNA CABANILLAS
Barcelona

XAVIER CERVERA
Juan Ignacio Peró, presidente ejecutivo de PMS International

El grupo PMS International nació en Barcelona en 1969 dedicado al comercio internacional de chatarra férrica y evolucionó posteriormente hacia los productos químicos, que negocia y distribuye a través de la filial Distrim Spa, y hacia la venta de bienes de equipo y de productos geosintéticos, a través de Envex Spa. Pero el negocio principal del grupo es la prestación de servicios de asesoramiento y consultoría estratégica para las empresas que quieren trabajar en los países del Magreb, una zona en la que opera desde sus inicios, especialmente en Argelia, explica el presidente PMS International, Juan Ignacio Peró.

PMS International es de propiedad familiar, y la segunda generación ya está incorporada en el mando directivo de la empresa. En el 2013 el grupo generó un volumen de negocio de 85 millones de euros y prevé superar los 100 millones en el 2014. Emplea a un total de 130 personas, el 75% de los cuales son magrebíes.

Ahora, la compañía ha reforzado su posición en el norte de África tras conseguir la adjudicación de la construcción de dos nuevas depuradoras de aguas residuales en Argelia, a través de su filial Deisa Algérie, constituida en el 2008 y partici-

La empresa de la familia Peró se adjudica la construcción de dos nuevas depuradoras

pada al 50% por Deisa, del grupo Comsa Emte. El presupuesto total de ambos proyectos, que se iniciarán el próximo mes de julio y tendrán una duración de 18 meses, asciende a 20 millones de euros. "En el año 1995 empezamos a trabajar en el sector del tratamiento del agua en Argelia. A lo largo de estos años, y siempre de la mano de otros socios como en el pasado Cida Hidroquímica y actualmente Comsa, hemos participado en la construcción de 16 depuradoras. En ocasiones actuamos como partners o clientes que hemos asesorado para operar en el mercado del Magreb", puntualiza Juan Ignacio Peró. "Se podría decir que después de Repsol o Cepsa, somos los mayores exportadores españoles en Argelia. Y no ha sido fácil llegar hasta aquí, pues en la década de los noventa vivimos episo-

dios de auténtica peligrosidad en el país y, aun así, no nos fuimos. Esta condición, sumada a las alianzas estratégicas y al soporte local con el que contamos a través de nuestras propias empresas filiales en Argelia, Marruecos y Túnez, nos permite ofrecer un servicio integral a las empresas: desde la detección de oportunidades hasta la implantación operativa del negocio", suscribe Peró, que admite que en esa época llegaron a comprar un avión privado para asegurar su integridad física y el correcto funcionamiento de la empresa.●

BARCELONA Redacción

La Generalitat ha convocado un concurso público para concentrar dependencias administrativas de Barcelona en un edificio o en un conjunto de entre 20.000 y 35.000 m² que estén en el mismo solar o en varios separados como máximo 30 metros. La prioridad es la Conselleria d'Economia i Coneixement, que debe abandonar su sede actual de la rambla Catalunya tras venderla.

El nuevo espacio deberá tener una renta mensual máxima de 10 euros/m², y un máximo de diez años de antigüedad o haber sido totalmente rehabilitado. Tendrá que estar entre Sants-Montjuïc –excluyendo la zona portuaria– y el entorno de la plaza Europa de l'Hospitalet, y disponer de buena conexión de transporte público. Las ofertas pueden presentarse hasta el 18 de julio. La adjudicación se hará en diciembre.

La administración catalana buscará aglutinar el máximo de departamentos. El alquiler será como mínimo de diez años prorrogables en diez años más. Una operación de concentración de este tipo puede comportar, según el Govern, un ahorro del 40% en el espacio ocupado, del 60% en el alquiler –por tener menos metros cuadrados y a menor precio– y del 55% en los costes indirectos como seguridad, limpieza, mantenimiento y energía.●

23. La Vanguardia   **Numeración para la muestra: 45**

Jueves 5 de junio del 2014

<u>Pedro González, consejero delegado</u>

El próximo día 15 Pedro González Grau asumirá el puesto de conseje-ro delegado de Mora Banc, en los últimos tres años ocupado por Gilles Serra, que continuará como miembro del consejo y de la comisión dele-gada de la entidad financiera andorrana propiedad de la familia Mora. / Redacción

FICHA del breve en el diario

Número de página: 63
Sección: economía
Subsección: En línea
Número de breves de la subsección: cuatro
Ladillo: Mora Banc
Número de líneas del titular: dos
Número de líneas del cuerpo: diez
Fotografía: no
Firma: Redacción

Despacho de agencia publicado por Europa Press (www.europapress.es), el 4 de junio del 2014:

<u>Pedro González será el consejero delegado de Grupo MoraBanc desde el 15 de junio</u>
Pedro González se convertirá en consejero delegado de MoraBanc el 15 de junio en relevo de Gilles Serra, que ha ocupado el cargo de primer ejecutivo del banco andorrano durante tres años y que seguirá como consejero y miembro de la Comisión Delegada.
Según ha informado la entidad este miércoles en un comunicado, González ya formó parte del consejo de administración de MoraBanc entre 2010 y 2013, cuando pasó a incorporarse como consejero de Bankinter.
Licenciado en Derecho por la Universitat de Barcelona, anteriormente había trabajado en banca privada en Goldman Sachs en España y el extranjero, y en la actualidad formaba parte, como socio fundador, de la sociedad de inversión Alana Partners.

FICHA del despacho de agencia en la web

Enlace de la web en la que se encuentra: <http://www.europapress.es/nacional/noticia-pedro-gonzalez-sera-consejero-delegado-grupo-morabanc-15-junio-20140604140849.html>
Pestaña: nacional
Subpestaña: finanzas
Antetítulo: no
Título: "Pedro González será el consejero delegado de Grupo Mora-Banc desde el 15 de junio"
Subtítulo: no
Número de caracteres (con espacio) del titular: 80
Número de caracteres (con espacio) del cuerpo de la nota: 703
Fotografía: sí
Firma: sin especificar (Europa Press)
Lugar de la firma: Andorra
Otros (documentos adjuntos, etcétera): no

Nota de prensa original, publicada por Mora Banc (www.morabanc.ad), el 4 de junio del 2014:

Pedro González Grau rellevarà Gilles Serra com a conseller delegat del Grup MoraBanc

El conseller delegat i primer executiu del Grup MoraBanc, Gilles Serra, després de tres anys en el càrrec, serà substituït per Pedro González Grau que s'incorporarà a l'entitat el proper 15 de juny. El nomenament de González Grau va ser acordat pel Consell d'Administració i la Junta General d'Accionistes del grup el passat 6 de maig. Gilles Serra mantindrà la seva plaça dins del Consell d'Administració de MoraBanc i serà membre de la seva Comissió Delegada. El futur conseller delegat de MoraBanc ja havia format part del Consell d'Administració del grup entre els anys 2010 i 2013 quan va passar a incorporar-se, també com a conseller, a Bankinter. En l'actualitat formava part de la societat d'inversió *Alana Partners* com a soci fundador. Pedro González Grau és llicenciat en dret per la Universitat de Barcelona i la seva experiència professional inclou una llarga carrera a *Goldman Sachs* on, entre els anys 1992 i 2008, va treballar en l'àmbit internacional de la banca privada i gestió de patrimonis a Madrid, Londres i Miami, on va ser màxim responsable en diferents etapes del negoci de banca privada i de gestió de patrimonis d'Iberia, EMEA i Latam. En un vessant més filantròpic, és patró de *la Fundación Colegios del Mundo Unido de España* i *Governor del UWC Atlantic College* al País de Gal·les, al Regne Unit.

Coincidint amb l'arribada de Gilles Serra, BIBM es va passar a denominar MoraBanc, un canvi de marca amb què, sota la direcció de Serra, el grup financer ha registrat una evolució positiva assolint fites importants. Una sòlida manera de fer que ha situat l'entitat com a cinquè banc més solvent d'Europa*. En els darrers tres anys s'ha progressat en l'expansió internacional amb l'obertura de la filial de l'Uruguai al 2012 i una oficina de representació a Dubai al 2013, convertint MoraBanc en el primer banc andorrà amb presència a l'Orient Mitjà. A més, el grup ha accentuat la seva presència i notorietat a Espanya amb importants i innovadores operacions com ara l'entrada a Immobiliària Colonial o la compra de la Casa Vicens de Gaudí. Fruit d'aquesta estratègia i de la bona gestió MoraBanc ha estat reconegut com a banc de l'any d'Andorra els anys 2013 i 2011 per la prestigiosa revista *The Banker* del *Financial Times Group*.

* Dades a 31/12/12 publicades a The Banker al juliol del 2013 en base al BIS ràtio.

Traducción al castellano:

Pedro González Grado relevará Gilles Serra como consejero delegado del Grupo MoraBanc

El consejero delegado y primer ejecutivo del Grupo MoraBanc, Gilles Serra, después de tres años en el cargo, será sustituido por Pedro González Grado que se incorporará a la entidad el próximo 15 de junio. El nombramiento de González Grado fue acordado por el Consejo de Administración y la Junta General de Accionistas del grupo el pasado 6 de mayo. Gilles Serra mantendrá su plaza dentro del Consejo de Administración de MoraBanc y será miembro de su Comisión Delegada.

El futuro consejero delegado de MoraBanc ya había formado parte del Consejo de Administración del grupo entre los años 2010 y 2013 cuando pasó a incorporarse, también como consejero, en Bankinter. En la actualidad formaba parte de la sociedad de inversión Alana Partners como socio fundador. Pedro González Grau es licenciado en derecho por la Universidad de Barcelona y su experiencia profesional incluye una larga carrera en Goldman Sachs donde, entre 1992 y 2008, trabajó en el ámbito internacional de la banca privada y gestión de patrimonios en Madrid , Londres y Miami, donde fue máximo responsable en diferentes etapas del negocio de banca privada y de gestión de patrimonios de Iberia, EMEA y Latam.

En una vertiente más filantrópico, es patrón de la Fundación Colegios del Mundo Unido de España y Governor del UWC Atlantic College en el País de Gales, en el Reino Unido.

Coincidiendo con la llegada de Gilles Serra, BIBM se pasó a denominarse MoraBanc, un cambio de marca con la que, bajo la dirección de Serra, el grupo financiero ha registrado una evolución positiva alcanzando metas importantes. Una sólida manera de hacer que ha situado la entidad como quinto banco más solvente de Europa*. En los últimos tres años se ha progresado en la expansión internacional con la apertura de la filial del Uruguay en 2012 y una oficina de representación en Dubai en 2013, convirtiendo MoraBanc en el primer banco andorrano con presencia en Oriente medio. Además, el grupo ha acentuado su presencia y notoriedad en España con importantes e innovadoras operaciones como la entrada a Inmobiliaria Colonial o la compra de la Casa Vicens de Gaudí. Fruto de esta estrategia y de la buena gestión MoraBanc ha sido reconocido como banco del año de Andorra los años 2013 y 2011 por la prestigiosa revista *The Banker del Financial Times Group*.

*Datos a 31/12/12 publicadas en The Banker en julio de 2013 en base al BIS ratio.

FICHA de la nota de prensa en la web

Enlace de la web en la que se encuentra: <http://saladepremsa.morabanc.ad/notesdepremsa/detall/id/179>

Pestaña: sala de prensa

Subpestaña: notas de prensa

Antetítulo: no

Título: "Pedro González Grado relevará Gilles Serra como consejero delegado del Grupo MoraBanc"

Subtítulo: no

Número de caracteres (con espacio) del titular: 85

Número de caracteres (con espacio) del cuerpo de la nota: 2.308

Fotografía: sí

Firma: sin especificar

Lugar de la firma: sin especificar

Otros (documentos adjuntos, etcétera): sí

MERCADOS

Galbana brasileña

ANÁLISIS

José Manuel Garayoa

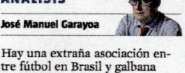

Hay una extraña asociación entre fútbol en Brasil y galbana mundial, como cuando en los años cincuenta el mundo iba lento, muy lento, a ritmo de samba y bossa nova. El Ibex ganó un 0,12% y los más adictos lo atribuyeron a un apoyo a *la roja*.

La hipótesis parecía sacada de *La colmena* de Camilo José Cela, hasta ver a la Merkel anunciando que el lunes estará allí, en el partido entre Alemania y Portugal, tras prometer a Cameron una agenda pro crecimiento de campanillas en Europa si acepta a Juncker en la Comisión Europea.

Así corrían las cosas según subía el termómetro. Pero mientras el mundo disfrutaba del lapsus balompédico y en bolsa el volumen negociado era bastante cortito, los buscadores de oportunidades no cejaban. Así, FCC subió un 4,48% por los merodeos absorbentes de Soros. La gente está esperando la erupción de un volcán. Y, de mientras, sestear.

Índices

	ACTUAL	VARIACIÓN DÍA %	AÑO %		ACTUAL	VARIACIÓN DÍA %	AÑO %		ACTUAL	VARIACIÓN DÍA %	AÑO %
ESPAÑA				BCN I. SERV. VAR.	2.134,83	0,38	8,79	BRUSELAS B20	3.167,93	-0,32	8,35
IBEX 35	11.088,50	0,12	11,82	BCN I. SID. MINER.	386,58	-0,04	5,84	LONDRES FTSE	6.843,11	0,06	1,39
LATIBEX	2.157,10	-1,23	3,88	BCN I. TEXT. PAP.	1.018,56	-0,24	-7,24	ZURICH SMI	8.670,98	-0,47	5,71
IND. G. MADRID	1.133,53	0,11	12,01	**EUROPA**				**AMÉRICA**			
BCN MID50	19.023,90	-0,30	14,99	EURO STOXX 50	3.284,28	-0,15	5,64	NEW YORK DJ	16.734,19	-0,65	0,95
BCN GLOBAL 100	934,94	0,17	15,55	PARIS CAC40	4.554,40	-0,02	6,02	NASDAQ	4.297,63	-0,79	2,90
BCN I. ALIM. AGR.	844,77	0,53	-2,19	FRANKFURT DAX X	9.938,70	-0,11	4,05	S & P 500	1.930,11	-0,71	4,42
BCN I. BANCOS	1.518,14	0,02	21,72	MILAN MIBTEL	23.504,70	-0,26	16,34	TORONTO TSE300	14.909,60	0,12	9,46
BCN I. CEM. CON.	1.638,75	0,60	29,83	AMSTERDAM AEX	414,74	0,07	3,22	BRASIL BOVESPA	55.102,40	0,00	6,98
BCN I. COM. FI.	410,92	-0,68	-0,37	LISBOA BVL30	7.253,86	-0,08	10,60	**ASIA**			
BCN I. ELECTRIC.	1.024,53	0,39	22,93	HELSINKI HEX	7.764,40	0,19	5,83	TOKIO NIKKEI	14.973,53	-0,64	-8,09
BCN I. QUÍMICAS	942,68	0,41	7,86	VIENA ATX	2.559,94	0,19	0,53	HONG KONG HS	23.175,02	-0,35	-0,56

Prima de riesgo

ESPAÑA	132	+8	**ITALIA**	143	+4	**FRANCIA**	36	+2	**BÉLGICA**	48	+2

Ibex 35. Evolución en el año.

Ibex 35 recoge los 35 valores de mayor capitalización en la bolsa española. Base 3.000 a 31 de diciembre de 1989

Evolución en el día.

Volumen de contratación al contado: 2.064,61 millones de euros

Mayores alzas

	%	CIERRE
TAVEX ALGODON.	7,69	0,28
F. C. C.	4,45	17,59
ABENGOA	4,04	4,63
VOCENTO	2,31	2,21
ACCIONA	2,05	64,13
ZELTIA	1,69	3,00
BANKINTER	1,68	6,04
PRIM	1,64	6,20

Mayores bajas

	%	CIERRE
URBAS	-5,56	0,03
AMPER	-2,74	0,71
ENCE	-2,63	0,37
AZKOYEN	-2,54	1,92
PROSEGUR	-2,50	2,73
EZENTIS	-2,46	5,16
AD. DOMÍNGUEZ	-2,44	0,80
	-2,27	5,16

Más negociados

	Nº. DE TÍTULOS	EFECTIVO
SAN	30.395.237	237,8
TELEFÓNICA	17.407.995	217,0
BBVA	14.338.925	139,3
REPSOL	6.259.827	121,2
INDITEK	1.011.866	112,8
IBERDROLA	15.579.177	84,7
POPULAR	9.046.368	48,5
CAIXABANK	9.262.219	43,4

Mercado continuo EN NEGRITA LOS VALORES PERTENECIENTES AL IBEX 35

Cotizaciones actualizadas cada veinte minutos en http://www.lavanguardia.com/economia

	Cotización Euros	Cotiz. Var.%	Cotiz. Día Máx.	Cotiz. Día Mín.	Nº tít. cotiz.	Días cotiz.	Rent. año%
Abengoa (*)	4,63	4,04	4,69	4,43	1.076.726	113	101,07
Abertis (*)	16,80	-0,24	16,98	16,75	1.071.975	113	11,24
Acciona	64,13	2,05	64,83	62,80	212.943	113	53,53
Acerinox	12,92	-0,46	13,11	12,76	577.433	113	39,68
Ad. Domínguez	5,16	-2,27	5,37	5,16	4.832	113	-6,83
Almirall	11,59	0,00	11,67	11,42	120.238	113	-2,11
Amadeus	31,30	0,61	31,59	31,06	894.276	113	1,58
Amper	0,71	-2,74	0,74	0,71	164.835	113	-33,02
Antena 3 TV	11,53	-0,26	11,59	11,41	457.362	113	-4,08
Aperam	22,84	0,40	23,60	22,71	580	113	70,45
Arcelor Mit.	11,19	-0,80	11,37	11,17	1.144.652	113	-12,57
Auxil.FF.CC.	341,75	0,51	343,45	340,95	4.635	113	6,48
Azkoyen	2,73	-2,50	2,75	2,70	11.671	113	30,00
A.C.S.(*)	34,01	0,53	34,10	33,63	788.616	113	40,02
B.M.E.	34,24	-1,04	34,70	34,11	220.854	113	26,14
Bankia	1,49	1,36	1,50	1,47	26.963.237	113	21,14
Bankinter	6,04	1,68	6,05	5,95	4.182.361	113	21,96
Barón de ley	72,85	1,04	73,80	72,50	3.537	110	23,47
Bayer AG	105,45	0,00	104,85	104,00	251	111	3,08
BBVA (*)	9,71	-0,31	9,82	9,66	14.398.925	113	12,50
Biosearch	0,75	-1,32	0,76	0,75	173.288	113	8,70
Bod. Riojanas	5,04	1,00	5,09	4,86	3.956	106	-6,15
C.V.N.E.	16,00	0,00	16,00	16,00	388	63	8,09
CaixaBank(Ac)	4,69	0,64	4,72	4,63	9.262.219	113	29,21
Campofrío	6,90	0,00	6,92	6,90	7.676	113	0,00
Catalana Occ.	27,00	-0,66	27,52	26,87	47.606	113	5,18
Cem.Portland	7,00	0,57	7,00	6,90	32.834	113	25,90
Cie Automot.	9,80	1,03	9,84	9,77	205.101	113	23,63
Cleop	1,15	0,00			0	110	0,00
Clin.Baviera	10,50	0,57	10,67	10,42	1.433	113	5,07
Cofir	0,81	0,00	0,82	0,81	23.492	113	17,39
Corp.F. Alba	46,39	0,19	46,45	45,75	11.606	113	9,15
Deoleo	0,80	0,00			0	0	0,00
Dinamia	9,03	-1,85	9,21	9,03	13.871	112	29,00
Dist.Int.Alim.	6,53	-1,21	6,64	6,48	3.713.596	113	0,46
Duro Felguera	4,80	0,00	4,84	4,79	210.358	113	-2,82
EADS	51,65	-0,88	52,25	51,40	6.419	113	-6,13
Ebro	16,45	0,43	16,50	16,34	274.454	113	-2,73
Edreams Odigeo	9,98	1,32	10,19	9,82	374.611	45	-2,63
Elecnor	10,72	0,94	10,75	10,60	24.662	113	-1,96
Enagas	22,48	-0,23	21,55	21,40	1.072.459	113	13,05
Ence	1,92	-2,54	1,99	1,92	1.937.059	113	29,67
Endesa	28,39	0,60	28,79	28,21	506.894	113	28,28
Enel G.P.	2,10	0,00	2,10	2,10	3.937	113	18,11
Ercros	0,46	0,00	0,46	0,46	220.098	113	-2,13
Ezentis (Ac)	0,80	2,44	0,83	0,80	921.785	113	-42,72
Faes (*)(Ac)	2,34	1,30	2,36	2,31	306.473	113	-5,39
Fergo Aisa	0,02	0,00			0	0	0,00
Ferrovial	16,25	-0,37	16,32	16,17	1.296.492	113	15,49
Fersa E.Renov.	0,61	0,00	0,63	0,61	762.021	113	56,41
Fin.Sotogrande	3,55	0,00	3,55	3,55	165	73	32,46
Fluidra	3,22	-0,92	3,25	3,20	7.836	113	18,38
Funespaña	6,05	0,00			0	68	0,93
F. C. C.	17,59	4,45	17,79	17,21	2.349.019	113	8,71
Gamesa	8,99	0,90	9,07	8,89	1.660.688	113	18,60
Gas Natural	21,86	-0,36	21,94	21,79	990.891	113	19,86
Gral.Alq.Maq.	0,69	-1,43	0,71	0,69	239.218	113	-4,17
Gral.Invers.	1,76	0,00	1,76	1,76	5.646	70	6,02
Grifols	41,80	-1,29	42,14	41,65	486.130	113	20,80
I.A.G.	4,88	-1,61	4,97	4,84	7.370.410	113	0,83
Iberdrola (*)	5,44	0,55	5,45	5,41	15.579.177	113	20,77
Iberpapel	12,92	-0,62	13,07	12,91	4.502	113	12,12
Inditex	111,25	-0,22	112,85	110,75	1.011.866	113	-6,13
Indo Intern.	0,80	0,00			0	0	0,00
Indra	13,41	0,52	13,45	13,31	296.438	113	18,37
Inm.Colonial(*)	0,63	-1,56	0,64	0,62	20.302.957	113	140,43
Inm.del Sur	10,81	0,00			0	13	-32,44
Inypsa	0,78	-1,27	0,80	0,78	15.170	112	-7,14
Jazztel	10,70	0,85	10,72	10,56	700.490	113	37,53
La Seda Barra	0,73	0,00			0	0	0,00
Liberbank (*)	0,79	1,28	0,80	0,79	13.259.370	113	31,91
Lingotes Esp.	4,42	0,23	4,43	4,29	5.474	112	32,18
Mapfre	3,08	0,00	3,09	3,07	5.464.732	113	-0,96
Martinsa-Fadesa	7,30	0,00			0	0	0,00
Mediaset Esp.	8,70	0,58	8,73	8,62	843.652	113	1,48
Meliá Hoteles	9,49	-0,73	9,62	9,46	201.206	113	1,61
Miquel Costas	28,64	-0,14	29,00	28,55	4.057	113	28,55
Montebalito	1,21	0,00	1,24	1,20	5.820	112	7,08
Natra	1,92	-1,03	1,95	1,90	21.623	113	-13,12
Natraceutical	0,27	0,00	0,27	0,27	423.347	113	-6,90
Nic. Correa	1,47	1,38	1,44	1,35	139.481	113	13,95
Nyesa	0,03	0,00			0	0	0,00
N.H. Hoteles	4,65	1,53	4,67	4,60	615.233	113	8,39
O.H.L.	31,72	-0,41	32,05	31,52	249.906	113	10,01
Papel.C.E	3,92	0,51	3,93	3,88	129.395	113	7,36
Pescanova	5,91	0,00			0	0	0,00
Popular (*)	5,36	0,19	5,42	5,33	9.046.368	113	24,26
Prim	6,20	1,64	6,20	6,20	650	110	8,51
Prisa	0,37	-2,63	0,38	0,37	2.126.120	113	-7,50
Prosegur	5,16	-2,46	5,26	5,14	554.463	113	4,68
Quabit	0,12	0,00	0,12	0,12	2.013.396	113	0,00
Realia	1,45	1,40	1,45	1,43	251.540	113	74,70
Reno Medici	0,31	0,00	0,32	0,31	311.283	113	14,81
Renta 4	5,82	0,00	5,82	5,82	680	113	15,66
Renta Corp.	0,57	0,00			0	0	0,00
Repsol +	15,40	0,52	19,40	19,25	6.259.827	113	11,35
Reyal Urbis	0,12	0,00			0	0	0,00
Rovi	9,86	-0,20	9,93	9,79	7.083	113	-1,20
R.E.C.	64,51	0,02	65,09	64,23	451.155	113	34,50
SAN (*) +	7,63	-0,13	7,88	7,78	30.395.237	113	30,35
Sabadell	2,59	0,78	2,61	2,57	16.453.875	113	37,37
Sacyr	5,30	0,00	5,11	5,06	3.356.026	113	35,54
San José	1,19	0,00	1,20	1,19	23.000	113	-0,83
Service Point	0,07	0,00			0	0	-22,22
Sniace	0,20	0,00			0	0	0,00
Solaria	1,19	0,00	1,26	1,22	127.611	113	61,04
Tavex Algodon.	0,28	7,69	0,28	0,26	777.641	113	21,74
Técnicas Rdas.	44,33	0,00	44,64	44,33	251.250	113	15,39
Tecnocom	1,73	-3,70	1,76	1,72	13.518	113	42,98
Telefónica +	12,47	0,65	12,54	12,35	17.407.995	113	8,78
Testa Inm.	18,00	0,17	18,00	18,00	1.822	87	140,48
Tubacex	3,90	0,76	4,03	3,87	703.543	113	34,95
Tubos Reunidos	2,68	-0,37	2,75	2,68	582.389	113	51,41
Unipapel	17,05	-0,58	17,20	17,01	1.445	113	14,12
Uralita	1,11	-0,89	1,14	1,11	10.894	113	-6,72
Urbas	0,03	-5,56	0,04	0,03	28.426.285	113	0,00
Vertice 360	0,04	0,00			0	73	-20,00
Vidrala	37,03	0,38	37,20	36,05	3.215	113	-0,99
Viscofan	42,07	0,77	42,31	41,58	189.823	113	3,32
Vocento	2,21	2,31	2,27	2,17	46.433	113	46,36
Zardoya	13,48	0,62	13,50	13,28	167.395	113	3,88
Zeltia	3,00	1,69	3,03	2,95	1.219.929	113	29,87

* Valor perteneciente al índice EURO STOXX 50   (*) Ha ampliado capital durante el año   (Ac) Ampliación de capital   (c.s.) Cotización suspendida   (Ad) Pago dividendo   Para el cálculo de la rentabilidad se han incorporado los dividendos percibidos durante este año, y la cotización, si procede, se ha ajustado cuando la sociedad ha realizado ampliación de capital

---

Prosegur suscribe crédito de 400 millones

■ La empresa de seguridad Prosegur ha suscrito un crédito sindicado de 400 millones de euros a cinco años, con un sistema de amortización única, y con un tipo de interés variable. El nuevo crédito servirá para cancelar otro de la misma cantidad del año 2010 y consolidará su estructura financiera. En la operación han participado trece entidades nacionales e internacionales: BBVA, CaixaBank, BNP, Barclays, Santander, Bankinter, Bayern LB, Citibank, Commerzbank, HSCB, ING, Banco Popular y Banco Sabadell. / Efe

El BBK se convierte en fundación

■ El consejo de administración de la entidad financiera BBK aprueba la transformación de la caja en una fundación bancaria, con el apoyo de 12 de sus miembros y tres abstenciones de los representantes de CC.OO., una propuesta que se traslada a la asamblea general el próximo día 30. Su presidente, Xavier Sagredo, insiste en el mantenimiento de una obra social sostenible y la no privatización de la caja. / Agencias

Parques Reunidos invierte en Francia

■ El grupo de ocio Parques Reunidos invertirá hasta 30 millones de euros durante los próximos tres años en su parque marino Marineland-Antibes (Francia). Esta operación forma parte de su estrategia de crecimiento para atraer a dos millones de nuevos visitantes, e incluye la optimización de los parques existentes y la expansión a través de adquisiciones y contratos de gestión. Las inversiones permitirán realizar nuevas construcciones (Marineland Resort) y mejoras en las infraestructuras. / Efe

Hitachi, dispuesta a aliarse con Siemens

■ El grupo japonés Hitachi anunció hoy su posible unión con el gigante alemán Siemens y la también nipona Mitsubishi para conseguir la filial energética de la francesa Alstom, una oferta conjunta de unos 7.200 millones de euros. Mitsubishi y Hitachi están unidos desde principios de año por una *joint venture* y quieren hacerse con la división de turbinas de vapor de la filial gala. Compiten en esta operación con la compañía estadounidense General Electric, que ofreció 12.000 millones por la división energética de Alstom. / DPA

NH Hoteles vende NH Amsterdam Centre

■ La española NH Hoteles ha vendido su hotel NH Amsterdam Centre a la francesa Foncière Des Murs por un importe de 52,4 millones de euros, en un acuerdo que incluye un arrendamiento entre ambas compañías por un periodo inicial de 20 años, y que le ha reportado unas plusvalías de 3,9 millones. Esta operación le permitirá reducir el volumen de desinversiones anunciado el pasado año, que ascendía a 125 millones de euros, además de impulsar las oportunidades de desarrollo en Francia. / Efe

24. La Vanguardia

Viernes 13 de junio del 2014

Prosegur suscribe crédito de 400 millones

La empresa de seguridad Prosegur ha suscrito un crédito sindicado de 400 millones de euros a cinco años, con un sistema de amortización única, y con un tipo de interés variable. El nuevo crédito servirá para cancelar otro de la misma cantidad del año 2010 y consolidará su estructura financiera. En la operación han participado trece entidades nacionales e internacionales: BBVA, CaixaBank, BNP, Barclays, Santander, Bankinter, Bayern LB, Citibank, Commerzbank, HSCB, ING, Banco Popular y Banco Sabadell. / Efe

FICHA del breve en el diario

Número de página: 66
Sección: economía
Subsección: mercados
Número de breves de la subsección: cinco
Ladillo: no
Número de líneas del titular: una
Número de líneas del cuerpo: diez
Fotografía: no
Firma: Efe

Despacho de agencia publicado por la agencia Efe Empresas (www.efeempresas.com), el 12 de junio del 2014:

<u>Prosegur obtiene 400 millones de euros de un crédito sindicado</u>
· Prosegur, compañía especializada en el sector de la seguridad, ha formalizado hoy un contrato sindicado por un importe de 400 millones de euros con una amortización única a un plazo de cinco años para la financiación de las necesidades generales del negocio. Prosegur, compañía especializada en el sector de la seguridad, ha formalizado hoy un contrato sindicado por un importe de 400 millones de euros con una amortización única a un plazo de cinco años para la financiación de las necesidades generales del negocio.
De esta manera Prosegur cancela el préstamo sindicado de 400 millones de euros que formalizó en el año 2010 para, como ha asegurado la empresa a través de un comunicado, "consolidar su estructura financiera".
En esta línea Prosegur ha renovado la calificación crediticia de grado de inversión "BBB estable" de la agencia de Standard&Poor's (S&P) para su deuda a largo plazo.
Por otro lado el tipo de interés es variable referenciado al Euribor del plazo más un margen vinculado al ratio de Duda Financiera Neta/Ebitda que el prestatario presente a cada cierre del ejercicio.
El resto de términos y condiciones son los estándares para este tipo de operaciones en el mercado.
El préstamo se ha sindicado gracias a trece entidades financieras nacionales e internacionales como BBVA, Caixa Bank o BNP que han actuado como "Mandated Lead Arranger" y "Bookrunners" y Barclays Bank y Banco Santander como coordinadores. Además también han colaborado como "Lead Arranger", Bankinter, Bayern LB, Citibank, Commerzbank, HSCB, ING, Banco Popular y Banco Sabadell.

FICHA del despacho de agencia en la web

Enlace de la web en la que se encuentra: <http://www.efeempresas. com/noticia/prosegur-obtiene-400-millones-de-euros-de-credito-sindicado/>
Pestaña: efeempresas
Subpestaña: defensa
Antetítulo: no
Título: "Prosegur obtiene 400 millones de euros de un crédito sindicado"
Subtítulo: un subtítulo
Número de caracteres (con espacio) del titular: 62
Número de caracteres (con espacio) del cuerpo de la nota: 1.048
Fotografía: sí
Firma: sin especificar (Agencia Efe)
Lugar de la firma: sin especificar
Otros (documentos adjuntos, etcétera): no

Nota de prensa original, publicada por la empresa de seguridad Prosegur (www.prosegur.es), el 12 de junio del 2014:

Prosegur obtiene una financiación sindicada de 400 millones de euros
· Trece entidades nacionales e internacionales han participado en la operación
Prosegur ha formalizado hoy una operación de crédito sindicado por importe de 400 millones de euros con una amortización única a un plazo de cinco años. Con esta transacción, Prosegur, que dedicará estos fondos a la financiación de las necesidades generales de negocio, cancela el préstamo sindicado de 400 millones de euros formalizado por la Compañía en el año 2010 y consolida, así, su estructura financiera. En este sentido, Prosegur ha renovado la calificación crediticia de grado de inversión 'BBB estable' de la agencia de rating Standard & Poor's (S&P) para su deuda a largo plazo. El tipo de interés es variable referenciado al Euribor del plazo más un margen vinculado al ratio Deuda Financiera Neta/Ebitda que el prestatario presente a cada cierre del ejercicio. El resto de términos y condiciones son los estándares de este tipo de operaciones en el mercado. El préstamo ha sido sindicado entre trece entidades financieras nacionales e internacionales. Como "Mandated Lead Arranger" (MLA) y "Bookrunners" han actuado BBVA, Caixa Bank, BNP, Barclays Bank y Banco Santander, siendo estos dos últimos bancos, los coordinadores. Además, han participado como "Lead Arranger" (LA) Bankinter, Bayern LB, Citibank, Commerzbank, HSCB, ING, Banco Popular y Banco Sabadell.

FICHA de la nota de prensa en la web

Enlace de la web en la que se encuentra: <http://www.prosegur.es/esp/informacion-corporativa/sala-de-prensa/PRWEBC028564>
Pestaña: información corporativa
Subpestaña: sala de prensa
Antetítulo: no
Título: "Prosegur obtiene una financiación sindicada de 400 millones de euros"
Subtítulo: un subtítulo
Número de caracteres (con espacio) del titular: 68
Número de caracteres (con espacio) del cuerpo de la nota: 1.353
Fotografía: sí
Firma: sin especificar
Lugar de la firma: Madrid
Otros (documentos adjuntos, etcétera): no

MERCADOS

Un Ibex entre Felipe VI y José Tomás

ANÁLISIS

José Manuel Garayoa

El Ibex concluyó con una ligera toma de beneficios una semana histórica, tan milimétricamente programada como expuesta al albur, con Felipe VI y José Tomás como supremas referencias.

La coronación el jueves de Felipe VI fue apoyada ayer por la aprobación del Gobierno de una rebaja de impuestos. Igualmente, cuando el 2 de junio, lunes, abdicó Juan Carlos I, dos días antes, si recuerdan, Rajoy anunciaba en el Círculo de Economía un plan de estímulo para la economía de más de 6.000 millones de euros.

La gestión de la sucesión ha estado bien arropada y, así, el discurso de Felipe VI ha tenido margen para abrir posibilidades a Catalunya desde una agenda de altos vuelos, en la que a Felipe González se le ve mucho, aunque igual por el PSOE y sus *friquis*.

Sin noticias ayer, el Ibex se vio de ese modo confrontado por la moderación de Felipe VI y la audacia de José Tomás. Mereció.

Índices

	ACTUAL	VARIACIÓN DÍA %	VARIACIÓN AÑO %		ACTUAL	VARIACIÓN DÍA %	VARIACIÓN AÑO %		ACTUAL	VARIACIÓN DÍA %	VARIACIÓN AÑO %
ESPAÑA				BCN I. SERV. VAR.	2.187,55	0,29	11,48	BRUSELAS B20	3.166,15	-0,21	8,29
IBEX 35	11.155,10	-0,29	12,49	BCN I. SID. MINER.	395,41	-0,39	8,26	LONDRES FTSE	6.825,20	0,25	1,13
LATIBEX	2.150,50	1,38	3,56	BCN I. TEXT. PAP.	1.030,03	-0,44	-6,19	ZURICH SMI	8.701,61	0,31	6,08
IND. G. MADRID	1.140,51	-0,25	12,70	EUROPA				AMÉRICA			
BCN MID50	19.120,60	0,30	15,57	EURO STOXX 50	3.302,36	-0,38	6,22	NEW YORK DJ	16.947,08	0,15	2,23
BCN GLOBAL 100	942,15	-0,33	16,44	PARIS CAC40	4.541,34	-0,48	5,71	NASDAQ	4.368,04	0,20	4,58
BCN I. ALIM. AGR.	834,08	-1,05	-3,42	FRANKFURT DAX X	9.987,20	-0,17	4,55	S & P 500	1.962,90	0,17	6,20
BCN I. BANCOS	1.512,56	-0,58	21,27	MILAN MIBTEL	23.307,70	-0,95	15,36	TORONTO TSE300	15.119,90	0,05	11,00
BCN I. CEM. CON.	1.646,73	-0,94	30,46	AMSTERDAM AEX	417,90	-0,02	4,01	BRASIL BOVESPA	54.657,00	-0,99	6,12
BCN I. COM. FI.	404,27	-1,53	-1,99	LISBOA BVL30	7.098,68	-1,36	8,23	ASIA			
BCN I. ELECTRIC.	1.039,46	-0,61	24,72	HELSINKI HEX	7.752,84	0,00	5,67	TOKIO NIKKEI	15.349,42	-0,08	-5,78
BCN I. QUÍMICAS	972,56	0,79	11,28	VIENA ATX	2.565,00	-0,10	0,72	HONG KONG HS	23.194,06	0,11	-0,48

Prima de riesgo

ESPAÑA			ITALIA			FRANCIA			BÉLGICA		
	138	-1		160	+1		34	+1		46	-1

Ibex 35. Evolución en el año.
Ibex 35 recoge los 35 valores de mayor capitalización en la bolsa española. Base 3.000 a 31 de diciembre de 1989

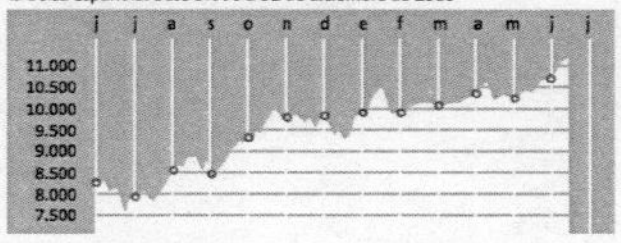

Evolución en el día.
Volumen de contratación al contado:
4.300,44 millones de euros

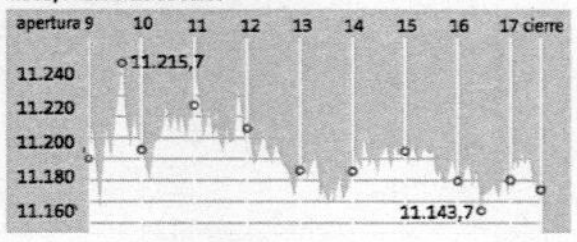

Mayores alzas

	%	CIERRE
EZENTIS	5,38	0,98
FAES	4,20	2,48
ABENGOA	3,33	4,96
ROVI	2,78	9,99
ALMIRALL	2,62	11,77
TUBOS REUNIDOS	2,32	2,65
I.A.G.	2,13	4,80
PROSEGUR	1,73	5,28

Mayores bajas

	%	CIERRE
INM.DEL SUR	-15,32	6,58
EDREAMS ODIGEO	-9,74	8,80
VOCENTO	-3,69	2,09
NATRACEUTICAL	-3,57	0,27
ELECNOR	-3,47	10,57
RENO MEDICI	-3,13	0,31
PRISA	-2,70	0,36
SACYR	-2,36	4,97

Más negociados

	Nº. DE TÍTULOS	EFECTIVO
TELEFÓNICA	72.167.829	926,7
SAN	67.224.512	527,2
BBVA	39.857.968	385,4
REPSOL	17.385.892	340,7
INDITEX	1.685.270	189,7
IBERDROLA	31.273.236	172,8
GAS NATURAL	6.154.342	143,2
POPULAR	18.399.137	97,0

Mercado continuo EN NEGRITA LOS VALORES PERTENECIENTES AL IBEX 35

Cotizaciones actualizadas cada veinte minutos en **http://www.lavanguardia.com/economia**

		Cotización Euros	Cotización Var.%	Cotiz. Día Máx.	Cotiz. Día Mín.	Nº tít. negoc.	Días cotiz.	Rent. año%
Abengoa (*)	↑	4,96	3,33	5,08	4,82	1.855.532	119	115,07
Abertis (*)		**16,68**	**-1,07**	**16,89**	**16,68**	**1.361.046**	**119**	**10,46**
Acciona		**65,22**	**-1,55**	**67,65**	**64,64**	**282.772**	**119**	**56,14**
Acerinox		14,06	0,00	14,31	13,97	802.119	119	52,00
Ad. Domínguez	↑	5,39	0,37	5,39	5,26	1.718	119	-4,77
Almirall	↑	11,77	2,62	11,81	11,45	206.681	119	-0,59
Amadeus		**30,84**	**0,00**	**31,18**	**30,70**	**1.279.291**	**119**	**0,10**
Amper		0,68	0,00	0,70	0,68	129.448	119	-35,85
Antena 3 TV	↑	11,11	0,91	11,36	10,90	1.389.513	119	-6,66
Aperam		25,38	-0,28	25,85	25,20	2.776	119	89,40
Arcelor Mit.		**11,03**	**-0,63**	**11,21**	**11,03**	**759.605**	**119**	**-13,81**
Auxil.FF.CC.	↑	355,00	1,36	357,00	352,00	6.493	119	-7,62
Azkoyen		2,78	0,00	2,78	2,71	4.313	119	32,38
A.C.S.(*)	↑	**34,22**	**0,03**	**34,34**	**34,07**	**1.886.178**	**119**	**40,88**
B.M.E.		**34,00**	**-0,47**	**34,28**	**33,90**	**534.129**	**119**	**25,27**
Bankia		**1,47**	**-0,68**	**1,49**	**1,46**	**38.448.642**	**119**	**19,51**
Bankinter		**5,93**	**-1,66**	**6,04**	**5,92**	**4.226.782**	**119**	**19,76**
Barón de Ley		70,60	-0,56	71,55	69,90	1.217	116	19,66
Bayer AG	↑	104,40	0,68	104,65	103,85	584	117	2,05
BBVA (*) •		**9,64**	**-0,72**	**9,78**	**9,64**	**39.857.968**	**119**	**11,70**
Biosearch		0,73	-1,35	0,75	0,73	86.556	119	5,80
Bod. Riojanas	↑	5,08	0,59	5,10	4,87	1.647	112	-5,40
C.V.N.E.		16,80	0,00			0	68	13,36
CaixaBank (*)	↑	**4,67**	**0,43**	**4,68**	**4,60**	**16.685.759**	**119**	**28,67**
Campofrío		6,85	0,00	6,88	6,85	1.562	119	-0,72
Catalana Occ.		26,67	-0,34	26,93	26,58	107.485	119	3,91
Cem.Portland		6,92	-0,29	6,95	6,82	5.255	119	24,46
Cie Automot.		9,80	-1,31	10,00	9,79	683.819	119	23,63
Cleop		1,15	0,00			0	0	0,00
Clín.Baviera		10,30	-0,10	10,55	10,28	9.871	119	3,15
Codere		0,80	-1,23	0,81	0,78	66.254	119	15,94
Corp.F. Alba	↑	46,42	0,32	47,00	46,09	23.898	119	10,40
Deoleo		0,41	0,00	0,41	0,41	1.801.251	119	-12,77
Dinamia		9,00	-0,22	9,10	8,97	24.338	118	28,57
Dist.Int.Alim.		**6,56**	**0,00**	**6,61**	**6,54**	**1.595.578**	**119**	**0,92**
Duro Felguera	↑	4,72	0,64	4,77	4,70	1.506.109	119	-2,45
EADS		50,65	-0,10	51,00	50,35	3.534	119	-7,92
Ebro		**15,94**	**-2,21**	**16,32**	**15,94**	**2.987.202**	**119**	**-5,72**
Edreams Odigeo		8,80	-9,74	9,78	8,80	551.393	51	-14,15
Elecnor		10,57	-3,47	10,99	10,57	53.219	119	-3,30
Enagas		**22,91**	**0,00**	**23,15**	**22,88**	**1.455.266**	**119**	**20,58**

		Cotización Euros	Cotización Var.%	Cotiz. Día Máx.	Cotiz. Día Mín.	Nº tít. negoc.	Días cotiz.	Rent. año%
Ence		1,92	0,00	1,93	1,90	1.848.214	119	-29,67
Endesa		29,11	-0,27	29,27	28,85	476.145	119	31,37
Enel G.P.		2,09	-1,88	2,09	2,09	1.968	119	17,56
Ercros		0,45	-2,17	0,46	0,45	94.958	119	-4,26
Ezentis (*)	↑	0,98	5,38	0,99	0,90	2.066.408	119	-29,83
Faes (*)	↑	2,48	4,20	2,50	2,32	802.951	119	0,21
Fergo Aisa		0,02	0,00			0	0	0,00
Ferrovial		**16,34**	**-0,37**	**16,48**	**16,24**	**4.417.372**	**119**	**16,13**
Fersa E.Renov.		0,60	-1,64	0,62	0,60	580.787	119	53,85
Fin.Sotogrande		3,95	0,00	3,95	3,95	257	78	47,39
Fluidra		3,15	-0,63	3,17	3,12	28.098	119	15,81
Funespaña		6,10	0,00			0	70	1,67
F. C. C.		**18,18**	**-0,27**	**18,34**	**17,79**	**1.082.076**	**119**	**12,36**
Gamesa		**9,26**	**-0,75**	**9,36**	**9,22**	**1.782.989**	**119**	**22,16**
Gas Natural	↑	**23,30**	**0,73**	**23,38**	**22,98**	**6.154.342**	**119**	**26,70**
Gral.Alq.Maq.		0,67	-1,47	0,69	0,67	141.235	119	-6,94
Gral.Invers.		1,76	-1,12	1,76	1,76	200	73	6,02
Grifols	↑	**42,00**	**0,38**	**42,44**	**41,90**	**733.389**	**119**	**21,37**
I.A.G.	↑	**4,80**	**2,13**	**4,82**	**4,67**	**6.125.902**	**119**	**-0,83**
Iberdrola (*) •		**5,52**	**-0,54**	**5,56**	**5,51**	**31.273.236**	**119**	**22,55**
Iberpapel		13,04	0,00	13,06	12,88	345	119	-11,32
Inditex		**112,50**	**-0,44**	**113,50**	**111,75**	**1.685.270**	**119**	**-5,08**
Indo Intern.		0,60	0,00			0	0	0,00
Indra		**13,64**	**-0,44**	**13,80**	**13,63**	**445.948**	**119**	**12,26**
Inm.Colonial(*)		0,62	0,00	0,62	0,61	14.252.575	119	136,61
Inm.del Sur		6,58	-15,32	7,15	6,58	3.590	16	-58,88
Inypsa		0,74	0,00	0,76	0,73	11.398	118	-11,90
Jazztel	↑	**10,80**	**0,09**	**10,86**	**10,73**	**816.699**	**119**	**38,82**
La Seda Barna		0,73	0,00			0	0	0,00
Liberbank (*)	↑	0,79	1,28	0,79	0,78	8.581.406	119	31,91
Lingotes Esp.		4,35	-0,91	4,46	4,32	5.560	118	30,15
Mapfre (dv)		**2,95**	**-1,01**	**2,99**	**2,95**	**11.728.205**	**119**	**-2,57**
Martinsa-Fadesa		7,30	0,00			0	0	0,00
Mediaset Esp.	↑	**8,52**	**0,35**	**8,63**	**8,49**	**1.836.650**	**119**	**1,55**
Meliá Hotels		9,13	-0,11	9,24	9,10	452.745	119	-2,25
Miquel Costas	↑	33,31	1,52	34,00	31,30	74.061	119	9,66
Montebalito		1,17	0,00			0	117	3,54
Natra	↑	1,94	1,04	1,95	1,92	8.433	119	-12,22
Natraceutical		0,27	-3,57	0,28	0,27	907.868	119	-6,90
Nic. Correa		1,43	-2,05	1,45	1,43	4.385	119	10,85
Nyesa		0,17	0,00			0	0	0,00

		Cotización Euros	Cotización Var.%	Cotiz. Día Máx.	Cotiz. Día Mín.	Nº tít. negoc.	Días cotiz.	Rent. año%
N.H. Hoteles	↑	4,50	0,22	4,54	4,46	410.673	119	4,90
O.H.L.		**33,38**	**-2,28**	**34,10**	**33,31**	**677.525**	**119**	**15,65**
Papel.C.E		3,88	-1,02	3,93	3,87	243.108	119	1,82
Pescanova		5,91	0,00			0	0	0,00
Popular (*)		**5,25**	**-2,05**	**5,40**	**5,24**	**18.399.137**	**119**	**21,73**
Prim	↑	6,24	0,97	6,24	6,12	9.706	115	9,20
Prisa		0,36	-2,70	0,37	0,36	5.132.056	119	-10,00
Prosegur	↑	5,28	1,73	5,33	5,21	871.330	119	7,09
Quabit		0,11	0,00	0,12	0,11	2.907.617	119	-8,33
Realia	↑	1,45	1,40	1,46	1,42	641.784	119	74,70
Reno Medici		0,31	-3,13	0,32	0,31	319.157	119	14,81
Renta 4	↑	5,80	0,17	5,83	5,78	5.186	119	15,27
Renta Corp.		0,57	0,00			0	0	0,00
Repsol(Ac) •	↑	**19,63**	**0,82**	**19,64**	**19,43**	**17.385.892**	**119**	**18,00**
Reyal Urbis		0,12	0,00			0	0	0,00
Rovi	↑	9,99	2,78	10,00	9,72	37.225	119	0,10
R.E.C.		**65,27**	**-0,81**	**66,06**	**65,27**	**585.497**	**119**	**36,07**
SAN (*) •		**7,84**	**-0,25**	**7,89**	**7,80**	**67.224.512**	**119**	**30,51**
Sabadell		**2,61**	**-1,51**	**2,68**	**2,60**	**23.446.141**	**119**	**37,89**
Sacyr		**4,97**	**-2,36**	**5,10**	**4,96**	**5.695.931**	**119**	**31,83**
San José	↑	1,20	1,69	1,20	1,18	29.987	119	0,00
Service Point		0,07	0,00			0	22	-22,22
Sniace		0,20	0,00			0	0	0,00
Solaria		1,19	-0,83	1,21	1,18	83.827	119	54,55
Tavex Algodon.		0,26	0,00	0,26	0,26	131.024	119	13,04
Técnicas Rdas.	↑	**46,00**	**0,17**	**46,10**	**45,74**	**319.177**	**119**	**18,20**
Tecnocom		1,81	0,00	1,82	1,75	65.989	119	49,59
Telefónica •	↑	**12,85**	**0,31**	**12,87**	**12,69**	**72.167.829**	**119**	**11,91**
Testa Inm.		18,00	0,00			0	89	140,48
Tubacex	↑	3,94	0,25	4,00	3,91	267.101	119	36,33
Tubos Reunidos(dv)	↑	2,65	2,32	2,67	2,58	345.250	119	50,73
Unipapel		17,11	-0,23	17,13	16,88	5.755	119	14,52
Uralita		1,09	-0,91	1,10	1,08	51.821	119	-8,40
Urbas		0,03	0,00	0,03	0,03	12.416.694	119	0,00
Vertice 360		0,04	0,00			0	73	-20,00
Vidrala		36,82	-0,22	36,99	36,70	2.043	119	-1,55
Viscofan		**42,12**	**-0,07**	**42,35**	**42,11**	**170.109**	**119**	**3,56**
Vocento		2,09	-3,69	2,16	2,08	45.988	119	38,41
Zardoya		13,21	-0,83	13,40	13,12	379.830	119	1,83
Zeltia		3,05	0,00	3,09	3,04	510.974	119	32,03

• Valor perteneciente al índice EURO STOXX 50 (*) Ha ampliado capital durante el año (Ac) Ampliación de capital (c.s.) Cotización suspendida (dv) Pago dividendo Para el cálculo de la rentabilidad se han incorporado los dividendos percibidos durante este año, y la cotización, si procede, se ha ajustado cuando la sociedad ha realizado ampliación de capital

Acciona cierra contrato en Brasil

La española del sector energético Acciona ha logrado un sexto contrato para suministrar aerogeneradores de 153 megavatios en Río Grande do Sul (Brasil). Este acuerdo se ha firmado con el holding de generación de energías renovables Atlantic Energias Renováveis, y Acciona se encargará de la operación y el mantenimiento de las turbinas durante quince años. / EP

Telefónica vende bonos de Telecom Italia

La multinacional española de telecomunicaciones Telefónica ha vendido los bonos convertibles por acciones de su participada Telecom Italia por 139 millones de euros y ha obtenido unas plusvalías del 36 %. Telefónica adquirió dichos bonos hace 7 meses por 103 millones y ahora la emisión, cuyo vencimiento es en noviembre de 2016, se destinará a fortalecer la situación financiera de la operadora italiana. / Agencias

Oracle aumenta sus beneficios

Oracle, el segundo mayor fabricante de software del mundo, ha ganado unos 8.082 millones de euros en el año fiscal que cerró el 31 de mayo. La empresa tecnológica estadounidense tuvo un beneficio neto por acción de 3,39 euros, frente a los 3,56 euros del año fiscal anterior y obtuvo una facturación 28.180 millones, lo que supone un aumento del 3 %. / Efe

Dogi espera volver al crecimiento

La textil catalana Dogi espera crecer a medio plazo de modo orgánico y con adquisiciones después de la entrada del fondo Sherpa Capital como principal accionista de la compañía. Según el consejero delegado de la firma, Alfredo Bru, la clave es fortalecer las operaciones, desarrollar nuevos productos para otras áreas de actividad y potenciar las ventas en grandes cadenas de distribución, además de reducir los costes. / EP

Disney cierra ocho tiendas en España

La empresa de animación The Walt Disney Company prevé cerrar 8 tiendas en España en línea con la estrategia de las localizaciones adecuadas de los productos, ya que son ubicaciones que no permiten inversión a largo plazo. El objetivo es que los clientes tengan acceso a los productos del modo en que ellos decidan, lo que ha supuesto también una próxima apertura en Barcelona este año. / Efe

Bauhaus abre nuevo centro en Paterna

La fabricante de productos domésticos y de jardinería Bauhaus ha recibido casi 29.000 solicitudes para cubrir los 150 puestos de trabajo de su nuevo centro en Paterna (Valencia) el próximo octubre. El ayuntamiento local colabora en la elección de los candidatos, que recibirán además una formación específica para el puesto. / Efe

25. La Vanguardia   **Numeración para la muestra: 47**

Sábado 21 de junio del 2014

<u>Acciona cierra contrato en Brasil</u>

La española del sector energético Acciona ha logrado un sexto contrato para suministrar aerogeneradores de 153 megavatios en Río Grande do Sul (Brasil). Este acuerdo se ha firmado con el holding de generación de energías renovables Atlantic Energias Renováveis, y Acciona se encargará de la operación y el mantenimiento de las turbinas durante quince años. / EP

FICHA del breve en el diario

Número de página: 73
Sección: economía
Subsección: mercados
Número de breves de la subsección: siete
Ladillo: no
Número de líneas del titular: una
Número de líneas del cuerpo: siete
Fotografía: no
Firma: EP (Europa Press)

Despacho de agencia publicado por la agencia Europa Press (www.europa-press.es), el 20 de junio del 2014:

Acciona logra un sexto contrato de suministro de aerogeneradores a Brasil de 153 MW
Acciona se ha adjudicado un sexto contrato de suministro de aerogeneradores a Brasil que suma una potencia de 153 megavatios (MW), según informó la compañía.
La filial industrial del grupo que preside José Manuel Entrecanales ya suma una cartera de pedidos en Brasil de 666 MW, lo que convierte al país en el primer mercado de la compañía para sus aerogeneradores de 3 MW.
Este sexto contrato logrado ahora se ha firmado con el holding de generación de energías renovables Atlantic Energias Renováveis, al que suministrará 51 turbinas para instalarlas en un parque eólico en el Estado de Río Grande do Sul.
Además, Acciona se encargará de la operación y el mantenimiento de las turbinas por un periodo de quince años.

FICHA del despacho de agencia en la web

Enlace de la web en la que se encuentra: <http://www.europapress. es/economia/noticia-economia-empresas-acciona-logra-sexto-contra-to-suministro-aerogeneradores-brasil-153-mw-20140620113752.html>
Pestaña: economía
Subpestaña: empresas
Antetítulo: no
Título: "Acciona logra un sexto contrato de suministro de aerogeneradores a Brasil de 153 MW"
Subtítulo: no
Número de caracteres (con espacio) del titular: 84
Número de caracteres (con espacio) del cuerpo de la nota: 714
Fotografía: sí
Firma: sin especificar (Europa Press)
Lugar de la firma: Madrid
Otros (documentos adjuntos, etcétera): no

Nota de prensa original, publicada por la agencia Acciona (www.acciona.es), el 20 de junio del 2014:

ACCIONA Windpower firma un nuevo contrato de suministro en Brasil por 153 MW
· Las turbinas, de 3 MW de potencia, van destinadas al Complejo Eólico Santa Vitória do Palmar, propiedad de la empresa Atlantic.
· AWP se ocupará asimismo de la operación y mantenimiento de las turbinas durante 15 años.
ACCIONA Windpower (AWP), filial del grupo ACCIONA dedicada al diseño, fabricación y venta de aerogeneradores, ha firmado en Brasil un contrato de suministro de turbinas con el holding de generación de energías renovables Atlantic Energias Renováveis por un total de 153 MW.
El contrato comprende el suministro y montaje de 51 turbinas AW 125/3000, de 3 MW de potencia y 125 metros de diámetro de rotor, destinadas al Complejo Eólico Santa Vitória do Palmar, en el estado de Río Grande do Sul. Los aerogeneradores -los de mayor tamaño diseñados por ACCIONA Windpower- irán asentados sobre torres de hormigón de 120 metros de altura.
La compañía ha firmado asimismo un contrato por el que se ocupará de la operación y mantenimiento de las turbinas por un plazo de 15 años.
ACCIONA Windpower dispone ya de seis contratos de suministro en Brasil que totalizan 666 MW, lo que convierte a este país en el primer mercado de la compañía en lo que se refiere a aerogeneradores de 3 MW.
Aerogenerador muy competivo
"Los acuerdos con Atlantic refuerzan nuestro posicionamiento en Brasil, y confirman la especial adaptabilidad de nuestros aerogeneradores AW3000 de mayor tamaño, a las características del potencial eólico del país", ha manifestado Christiano Forman, director de ACCIONA Windpower Brasil. "Disponemos de una máquina muy competitiva y con opciones que la hacen idónea para gran número de emplazamientos".
ACCIONA Windpower cumple los requisitos de implantación local en Brasil definidos por la normativa Finame. Dispone de una planta operativa de fabricación de bujes, que se verá complementada con una fábrica de nacelles en el cuarto trimestre de 2014, ambas en el estado de Bahía, y cubre con empresas locales los suministros de componentes principales del aerogenerador como las palas, además de otros componentes menores.

FICHA de la nota de prensa en la web

Enlace de la web en la que se encuentra: <http://www.acciona.es/ noticias/acciona-windpower-firma-nuevo-contrato-suministro-brasil-153-mw>

Pestaña: sala de prensa

Subpestaña: noticias

Antetítulo: no

Título: "ACCIONA Windpower firma un nuevo contrato de suministro en Brasil por 153 MW"

Subtítulo: dos subtítulos

Número de caracteres (con espacio) del titular: 76

Número de caracteres (con espacio) del cuerpo de la nota: 2.043

Fotografía: sí

Firma: sin especificar

Lugar de la firma: sin especificar

Otros (documentos adjuntos, etcétera): no

LOS NOMBRES Y LAS COSAS

EMANUELA CARMENATI PRESIDE LA CÁMARA DE COMERCIO ITALIANA EN BARCELONA

Cien años de italianidad

MAR GALTÉS
Barcelona

La marca Italia siempre vende, porque los italianos somos unos convencidos de lo que decimos", explica Emanuela Carmenati, la presidenta de la Cámara de Comercio Italiana en Barcelona, una de las más de ochenta que forman la red Assocamerestero, representando la italianidad en el mundo. "Al añadir que estamos en Barcelona, tengo la sensación de que el interlocutor piensa: '¡Vaya suerte!' Italia y Barcelona son dos valores que me hacen sentir muy bien", dice la representante de esta institución que acaba de celebrar su centenario. Los italianos son la primera comunidad europea residente en Barcelona –"la cámara nació forzosamente aquí, por el puerto"–, pero su presencia se remonta a la "casa de los italianos" que se estableció en el pasaje Méndez Vigo hace siglo y medio.

Hoy, la cámara tiene unos 150 socios, instituciones y empresas, pequeñas o grandes, catalanas e italianas, como Ferrero, Grimaldi, Generali, Luxottica, InvestforChildren (Bonomi), Zegna, Instituto Europeo di Design, Pirelli, Mediolanum... La cámara se ha propuesto contarlas todas, pero de momento estima que en Catalunya hay unas 300 empresas con matriz italiana (sin restaurantes ni tiendas). Como todas las cámaras, ejerce de lobby, ofrece servicios.

Y Carmenati está al frente desde el 2012, cuando se reestructuró la institución para darle "un nuevo empuje y adecuarnos a los nuevos tiempos". Abogada especializada en resolución de conflictos, a la que sus próximos definen como "constante y persistente, detallista con los acabados y con las personas", no tardó en imprimirle su estilo.

Carmenati nació en Milán y se estableció de adolescente en Platja d'Aro (después de pasar por Venezuela), con sus padres, ella psicóloga, él un arquitecto que en la Costa Brava "se divirtió construyendo urbanizaciones y discotecas". Estudió Derecho en la UAB, tiene "el despacho de abogados más

antiguo" de Platja d'Aro y una administración de fincas y ejerce en Barcelona, donde comparte despacho, Furriol Carmenati, con su marido, catalán, empresario y abogado de tercera generación. También es miembro del consejo de la Cambra de Comerç de Sant Feliu de Guíxols y vicepresidenta del Tribunal Arbitral de Girona. Su vocación cameral viene de lejos: fue socia de la Jove Cambra de Barcelona y en 1998 constituyó la Jove Cambra de Platja d'Aro.

"Los amigos me dicen que soy de aquí, y

GUISI BÉIER

a mí me gusta sentirme integrada", dice en un catalán perfecto: con sus hijos (Nico y Paula, 17 y 19 años) habla italiano, pero asegura que cuando viaja a su país, "creen que el italiano es mi marido".

Entre las actividades de la red italiana de cámaras se encuentra, desde hace unos años, la de certificar restaurantes. En Barcelona, de los 180 registrados, tienen el sello 25. "Vigilamos que cumplan los estándares, los ingredientes, las recetas: si los productos son italianos, significa que toda la

Se calcula que operan en Catalunya unas 300 empresas con matriz italiana

industria italiana que hay detrás exporta".

Dice que se hizo abogada por su vocación de "resolver los problemas de las personas" y se define una "apasionada" de la resolución alternativa (a los juzgados ordinarios). Experta en mediación y en *blocking* (acoso en comunidades de vecinos), plasmó su pasión en un libro de cuentos, *Bobúo*, donde explica conceptos jurídicos y situaciones de arbitraje. Está dedicado a "los hijos de abogados, jueces, mediadores, administradores de fincas, que no entienden a qué se dedican sus padres".

Pero de lo que está más orgullosa es que haya servido también para resolver algunos casos de *bullying* en colegios.

Carmenati ha sido reconocida con la distinción de Ufficiale dell'Ordine della Stella d'Italia, entregada esta semana por el embajador. El suyo es un corazón *partío*, entre Italia, Girona y Milán: "Suelo decir que cuando viajo a Italia no sé adónde voy o de dónde vuelvo. Pero sí que sé que siempre vengo de un sitio precioso y voy a otro precioso, con dos culturas, gastronomías y geografías privilegiadas".●

 LOS PERSONAJES DE 'LOS NOMBRES Y LAS COSAS', EN: www.lavanguardia.com

---

Espuña invertirá dos millones en la nueva planta de La Pobla de Lillet

BARCELONA Redacción y agencias

El fabricante de embutidos Espuña invertirá dos millones de euros en la adecuación y puesta en marcha de la planta que recientemente ha adquirido a la empresa Soluciones Alimentarias R45, en situación concursal, en La Pobla de Lillet (Barcelona). La intención de Espuña

es reorientar los servicios de la fábrica, que tiene 3.700 metros cuadrados, para iniciar la producción de una nueva gama de comida en formato de tapas caseras, que tendrán como principal salida la exportación, sobre todo a Estados Unidos y Latinoamérica.

La compañía Soluciones Alimentarias R45, que Espuña adquirió la semana pasada, ofrecía servicios de alimentación precocinados y entró en concurso de acreedores en septiembre del 2013. La compra por parte de Espuña hará posible mantener unos veinte puestos de trabajo y permitirá a Espuña, que tiene su sede en Olot (Girona), fabricar todos los productos de tapas en un mismo sitio, reduciendo gastos y haciendo posible crecer más rápido.

La venta de fábricas dentro de los concursos está permitiendo salvar miles de empleos en Catalunya. A diferencia de otras comunidades, los jueces mercantiles de Barcelona y también los de Tarragona, Lleida y Girona, están muy activos para dar salida a unidades productivas sin lesionar los intereses de los acreedores. La Generalitat colabora buscando inversores. Ayer, el conseller de Empresa y Empleo, Felip Puig, visitó la compañía para conocer su proyecto en La Pobla de Lillet.●

26. La Vanguardia   **Numeración para la muestra: 48**

Domingo 29 de junio del 2014

Las cooperativas de inserción se fusionan

Las cooperativas Garbet y Feines de Casa se fusionan para convertirse en referente en la inserción laboral. Con 350 puestos de trabajo y 5,7 millones de facturación, la entidad resultante mantendrá el nombre de Garbet Cooperativa d'Inserció, así como los valores de la calidad, la participación y la responsabilidad social. / Redacción

FICHA del breve en el diario

Número de página: 95
Sección: economía
Subsección: En línea
Número de breves de la subsección: cuatro
Ladillo: Garbet y Feines de Casa
Número de líneas del titular: dos
Número de líneas del cuerpo: 11
Fotografía: no
Firma: Redacción

Nota de prensa original, publicada por la cooperativa Garbet (http://garbet. coop), el 25 de junio del 2014:

Les cooperatives Garbet i Feines de Casa es fusionen per ser un operador referent
· Amb prop de 350 llocs de treball i 5,7 milions de facturació es converteix en una empresa d'inserció de referència
Garbet Cooperativa d'Inserció i Feines de Casa Cooperativa han aprovat la fusió de les dues empreses per convertir-se en un operador de referència, avalat per Suara Cooperativa, que mantindrà el nom de Garbet Cooperativa d'Inserció, així com els valors de la qualitat, la participació i la responsabilitat social en tots els serveis.
Les noves polítiques socials, les demandes del mercat, i alhora el valor i potencial de cadascuna de les cooperatives, ha acompanyat la fusió per sumar els esforços i voluntats de les dues empreses. La creació de la nova Garbet és una oportunitat per visualitzar la intercooperació que des de fa uns anys les cooperatives han anat compartint i aprofundint. Garbet es converteix així en una empresa d'inserció de referència. Una empresa d'inserció facilita la incorporació al món laboral a persones en risc d'exclusió a través d'un contracte laboral, formació i seguiment personalitzat.
La fusió de les dues cooperatives es va fer efectiva el passat 14 de juny al CosmoCaixa de Barcelona: les persones sòcies de les dues empreses van donar suport a la fusió per unanimitat.
La nova Garbet tindrà encara més capacitat per a gestionar i invertir en projectes actuals i de futur, i d'aquesta manera poder oferir a l'administració pública i als clients privats els serveis que requereixen. Ho avalen les xifres de les dues cooperatives a 31 de desembre de 2013: sumen una facturació de 5.701.300 euros, 346 llocs de treball, 83 persones sòcies i 394 clients. Els serveis de Garbet es dediquen a la neteja, manteniment, bugaderia, higiene ambiental, gestió de facilities i formació.

FICHA de la nota de prensa en la web

Enlace de la web en la que se encuentra: <http://garbet.coop/portal/ca/garbet/34386/ctnt/dD16/_/_/pq96/Les-cooperatives-Garbet-i-Feines-de-Casa-es-fusionen-per-ser-un-operador-referent.html>
Pestaña: actualitat
Subpestaña: notícies
Antetítulo: no
Título: "Les cooperatives Garbet i Feines de Casa es fusionen per ser un operador referent"
Subtítulo: un subtítulo
Número de caracteres (con espacio) del titular: 81
Número de caracteres (con espacio) del cuerpo de la nota: 1.722
Fotografía: sí
Firma: Comunicació Suara
Lugar de la firma: sin especificar
Otros (documentos adjuntos, etcétera): sí

MASIAS RECYCLING

La compañía apuesta fuerte por Brasil

■ Masias Recycling ha reforzado su presencia en Brasil con el nombramiento de un director regional. La firma de Sant Joan Les Fonts, especializada en instalaciones para el tratamiento de residuos sólidos, tiene una alianza con Iguaçumec, y Brasil es uno de los mercados clave para su expansión. / Redacción

GFT

Compra de la firma inglesa Rule Financial

■ GFT ha adquirido la consultora Rule Financial Limited, con sede en Gran Bretaña. El precio de compra no se ha hecho público. Mediante esta transacción, GFT refuerza su posición como uno de los proveedores líderes de servicios de tecnología TI para el sector bancario europeo y norteamericano. / Redacción

MEDCOMFLOW

Comercialización de una patente mundial

■ Medcomflow, compañía del Grupo Medcomtech, ha iniciado la venta mundial del sistema TotalTrack para anestesia. Este sistema ha supuesto uno de los principales proyectos desarrollados por la empresa fundada por Joan Sagalés, que ha invertido un millón de euros en el proyecto. / Redacción

Joan Sagalés, fundador

SUMMA

La consultora idea Abanca para Banesco

■ La consultora barcelonesa Summa, especializada en creación de marcas y nombres, es la responsable de que Novagalicia, el banco adquirido por el venezolano Banesco hace unos meses, haya sido rebautizada Abanca. En gallego, significa tanto "el banco" como "ir al banco". / Redacción

---

Rosa Gres fabrica revestimientos para piscinas y exteriores y factura 14 millones

La especialización del gres

MAR GALTÉS
Barcelona

Italia es el primer exportador mundial de cerámica, seguido de España, donde hoy un potente clúster en Castelló: las empresas de la zona fabrican el 96% del total. "Este es un sector muy competitivo en todo el mundo", explica Marcel·lí Sugranyes, presidente de Rosa Gres, una empresa que forma parte de ese clúster, pero que está en Cerdanyola del Vallès y tiene su fábrica en Vallmoll (Tarragona). Rosa Gres se ha especializado en la producción de gres porcelánico para mercados muy concretos: exterior (antihielo, antirresbalantes), piscinas, pavimentos de alto tráfico (las tiendas de Mango, por ejemplo) o industria de alimentación. La compañía facturó 14 millones de euros en el 2013, la mitad de ellos en exportación, "a más de 70 países: somos fuertes en Francia, Rusia, en México y también en Italia", añade Sugranyes.

La compañía tiene sus orígenes en la extrusora que tenía el abuelo en Calaf, donde "secaba las baldosas al sol y las cocía en horno de leña". Un hijo creó Gres Catalán en Calaf; el otro, Ramon Sugranyes, levantó Rosa Gres en Cerdanyola. A partir de 1973 se dedicó al gres extrusionado y ya entonces empezó a exportar. Hasta que la fábrica tuvo que trasladarse debido a la construcción del Sincrotró y en

Marta y Marcel·lí Sugranyes, en la empresa que fundó su padre como fábrica de ladrillos en 1959
GEMMA MIRALDA

La empresa, que pavimentó las piscinas de Shanghai, exporta el 50% de su producción

el 2009 se puso en marcha la de Vallmoll, con una inversión de 30 millones de euros, dice el actual presidente. "Con el cambio, decidimos dejar de hacer productos básicos, de volumen, y focalizarnos en los nichos de mercado". Eso supuso una caí-

da de la facturación de golpe, de 20 a 12 millones en el 2011. Pero las ventas ya se están recuperando, "y eso que operamos en un mercado de la cerámica que en 5 años ha caído un 70%".

"Queremos llegar a 30 millones con Rosa Gres, nuestros productos están por encima del precio medio, pero el cliente aprecia el valor añadido", dice Sugranyes. Suyo es el pavimento de las piscinas de Shanghai donde se celebró el Mundial de Natación del 2011. También ha patentado un sistema de bloques de hormigón para la construcción de piscinas. Y ahora acaba

de sacar al mercado una cerámica que "previene e inhibe el crecimiento de las bacterias", con la que crecer en piscinas, vestuarios o industrias.

Rosa Gres forma parte de un grupo familiar que, además de fabricante de pavimentos cerámicos, es distribuidor de materiales de construcción, propios y de otras marcas, con Catalònia Ceràmica (seis tiendas en Barcelona, Badalona, Cerdanyola y Sabadell). En conjunto, el grupo emplea a 170 personas, facturó 26 millones en el 2013 y prevé cerrar este año en 29 millones, según Sugranyes.●

---

iVascular amplía su centro en Sant Vicenç dels Horts y crea 27 empleos

BARCELONA Redacción

iVascular, empresa que desarrolla y comercializa dispositivos médicos para el tratamiento de enfermedades cardiovasculares, abrirá un nuevo centro de producción en Sant Vicenç dels Horts. Se trata de una ampliación de 500 m² en sus instalaciones, que permitirá la creación de 27 nuevos puestos de trabajo que se sumarán a los 50 actuales. La inversión, que no se ha cuantificado, servirá para desarrollar nuevos productos y aumentar la producción, según informó ayer domingo a través de una nota el Departament d'Empresa i Ocupació de la Generalitat.

iVascular es una biotec creada por Lluís Duocastella en el 2010, que tiene como principales accionistas a la firma LVD (del fundador) y al grupo canadiense Polytech, con un 27,5% cada uno, además de Cardiva (25%), distribuidora de productos de cirugía coronaria en España. Como minoritarios están el grupo Kern, y Ames, fabricante de piezas mecánicas de precisión del grupo Molins. Según explicó Duocastella en una entrevista en el 2013, la empresa esperaba facturar el año pasado 3,5 millones y llegar a los 30 millones en el 2015. iVascular exporta el 52%. En el 2013, abrió una filial en Brasil, de la mano de Kern, que le acompaña en su expansión internacional.●

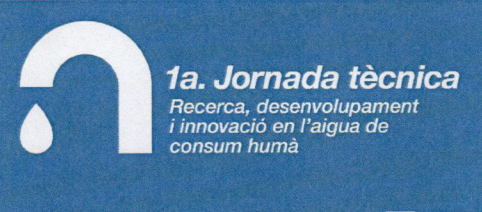

27. La Vanguardia   **Numeración para la muestra: 49**

Lunes 30 de junio del 2014

Compra de la firma inglesa Rule Financial

GFT ha adquirido la consultora Rule Financial Limited, con sede en Gran Bretaña. El precio de compra no se ha hecho público. Mediante esta transacción, GFT refuerza su posición como uno de los proveedores líderes de servicios de tecnología TI para el sector bancario europeo y norteamericano. / Redacción

FICHA del breve en el diario

Número de página: 55
Sección: economía
Subsección: En línea
Número de breves de la subsección: cuatro
Ladillo: GFT
Número de líneas del titular: dos
Número de líneas del cuerpo: diez
Fotografía: no
Firma: Redacción

Nota de prensa original, publicada por GFT IT Consulting, S. L. U. (www.gft.com), el 27 de junio del 2014:

GFT adquiere la consultora de negocio y TI británica Rule Financial
· Con esta operación, el grupo refuerza significativamente su presencia en bancos de inversión de Reino Unido y EE.UU.
· El Grupo GFT ha adquirido a través de su filial GFT UK Limited la consultora Rule Financial Limited, con sede en Reino Unido. El precio de compra no se ha hecho público. Mediante esta transacción, GFT refuerza su posición como uno de los proveedores líderes de servicios de TI para el sector bancario europeo y norteamericano.
El Grupo GFT cuenta con una sucursal en Reino Unido desde el año 2000 y otra en EE.UU. desde 2008. Por su parte, Rule Financial, fundada en 1997, está especializada en ofrecer consultoría de negocio, consultoría de TI y servicios de TI a bancos de inversión de Europa occidental y Estados Unidos. Entre sus clientes se encuentran nueve de los diez bancos de inversión líderes a nivel mundial. Con más de 660 trabajadores y 150 consultores independientes, Rule Financial logró en el ejercicio 2013 unos ingresos de 60 millones de euros, con unos beneficios antes de intereses, impuestos y amortizaciones (EBITDA) de 2,71 millones de euros y un beneficio antes de impuestos (EBT) de 1,56 millones de euros.
"El Grupo GFT es una de las pocas empresas familiares alemanas de este sector que cotiza en bolsa. Con la adquisición de Rule Financial reforzamos nuestra posición en el creciente segmento de la banca de inversión", señala Ulrich Dietz, CEO del Grupo GFT. "Al mismo tiempo creamos las condiciones idóneas para acelerar nuestro crecimiento orgánico. Al unir nuestra oferta podemos ofrecer al sector financiero una gama de soluciones aún más completa y con un mayor equipo de consultores y expertos en TI. Es un acuerdo muy ventajoso para ambos, en nuestro objetivo común de contribuir al futuro del sector como un socio competente e innovador".
El área de negocio GFT, del Grupo GFT, ofrece soluciones de TI para el sector financiero, tanto en banca de inversión como en banca minorista. Tras el gran crecimiento del negocio de GFT en la banca de inversión de los últimos años, la adquisición de Rule Financial permite equilibrar la representación de GFT en ambos subsectores. Marika Lulay, Chief Operating Officer del Grupo GFT y responsable de la unidad de negocio GFT afirma: "Vemos un fuerte potencial de crecimiento en la banca de inversión. Los exigentes requisitos normativos de Reino Unido y EE. UU. obligan a todos los operadores del mercado a adaptar sus procesos y sistemas de TI; como socio de confianza estamos dispuestos a ayudar a realizar estos cambios sustanciales. Como empleador atractivo, contamos con expertos altamente cualificados que garantizan una implantación cualitativamente sostenible y conforme a los plazos de los proyectos de TI, utilizando métodos y tecnologías innovadores".
Rule Financial cuenta con un equipo de 250 consultores de negocios y de TI en Londres, además de 80 consultores en Nueva York, Boston y Toronto. Además, sus oficinas en Polonia, España y Costa Rica cuentan con 480 programadores, que complementarán a los centros de desarrollo de GFT españoles y brasileños, formados por más de 1.400 expertos. Marika Lulay asegura que: "Gracias al nuevo refuerzo de nuestras capacidades nearshore, podemos garantizar la realización rápida y rentable de proyectos de TI en cada zona horaria". Con la adquisición de Rule Financial el número de trabajadores del Grupo GFT asciende a alrededor de 3.000.
"Estamos muy orgullosos de haber pasado a formar parte del Grupo GFT ", afirma Chris Potts, Director Ejecutivo de Rule Financial. "Entre las numerosas compañías interesadas en nuestra empresa, nuestro equipo de gestión se convenció rápidamente de que GFT era la opción que mejor se adaptaba a nosotros, y viceversa. La ubicación geográfica de las distintas oficinas, las capacidades nearshore, las relaciones con los clientes, la oferta de soluciones, las organizaciones reducidas. Todo encajaba como un rompecabezas y multiplicaba nuestras

oportunidades. El objetivo claro de esta operación es el crecimiento en todos los sectores, del cual también se beneficiarán nuestros empleados".

Gracias a esta adquisición, el Grupo GFT prevé unos ingresos adicionales de aproximadamente 42 millones de euros en la segunda mitad de 2014. Por consiguiente, las previsiones sobre el volumen de negocios del Grupo GFT para el ejercicio 2014 ascienden a unos 352 millones de euros.

FICHA de la nota de prensa en la web

Enlace de la web en la que se encuentra: <http://www.gft.com/es/es/index/compania/prensa/contacto_para_prensa/2014/gft_adquiere_la_consultora_de_negocio_y_ti_britanica_rule_financial.html>

Pestaña: compañía

Subpestaña: notas de prensa

Antetítulo: no

Título: "GFT adquiere la consultora de negocio y TI británica Rule Financial"

Subtítulo: dos subtítulos

Número de caracteres (con espacio) del titular: 67

Número de caracteres (con espacio) del cuerpo de la nota: 4.364

Fotografía: sí

Firma: Miguel Reiser

Lugar de la firma: Barcelona

Otros (documentos adjuntos, etcétera): sí

MERCADOS

El Ibex cae menos que la bolsa europea

ANÁLISIS

José Manuel Garayoa

Bajo el shock del escándalo Gowex, el Ibex cedió un 1,10% en una sesión en que pareció volver a representarse el caso Madoff, pero esta vez aquí, en el Mercado Alternativo Bursátil (MAB), una plataforma clave para la financiación de las pymes y que ha quedado maltrecha.

El que una firma *hedge fund* llamada Gotham City Research haya puesto en evidencia a BME y a un regulador engañados no es de recibo, como que sus representantes no dieran la cara. Menos mal que al menos salió Guindos diciendo que era un caso aislado. Y, bueno, también la banca sufrió porque, igualmente crédula, había inversiones suyas en la estafa wi-fi. No sólo ha sido el sector público el que ha visto dañado su reputación. La historia de Pescanova fue recordada.

Sea como sea, el Ibex bajó menos que el Eurostoxx 50 (-1,21%). Las compañías gasistas, quién lo iba a decir, le dieron algo de aire.

Índices

	ACTUAL	VARIACIÓN DÍA %	VARIACIÓN AÑO %
ESPAÑA			
IBEX 35	10.888,50	-1,10	9,80
LATIBEX	2.128,20	-0,76	2,48
IND. G. MADRID	1.112,46	-1,10	9,93
BCN MID50	17.939,30	-2,13	8,43
BCN GLOBAL 100	917,97	-1,15	13,45
BCN I. ALIM. AGR.	841,18	-1,04	-2,60
BCN I. BANCOS	1.463,69	-1,28	17,35
BCN I. CEM. CON.	1.550,47	-2,18	22,84
BCN I. COM. FI.	415,23	-1,36	0,67
BCN I. ELECTRIC.	1.036,01	-0,34	24,31
BCN I. QUÍMICAS	945,32	-1,01	8,17
BCN I. SERV. VAR.	2.142,70	-0,83	9,19
BCN I. SID. MINER.	381,73	-1,95	4,51
BCN I. TEXT. PAP.	1.035,80	-1,17	-5,67
EUROPA			
EURO STOXX 50	3.230,92	-1,21	3,92
PARIS CAC40	4.405,76	-1,41	2,56
FRANKFURT DAX X	9.906,00	-1,03	3,70
MILAN MIBTEL	22.631,20	-1,29	12,02
AMSTERDAM AEX	414,12	-1,09	3,07
LISBOA BVL30	6.714,35	-1,72	2,37
HELSINKI HEX	7.639,79	-0,68	4,13
VIENA ATX	2.427,79	-1,32	-4,66
BRUSELAS B20	3.159,72	-0,64	8,07
LONDRES FTSE	6.823,51	-0,62	1,10
ZURICH SMI	8.612,77	-0,75	5,00
AMÉRICA			
NEW YORK DJ	17.024,21	-0,26	2,70
NASDAQ	4.451,53	-0,77	6,58
S & P 500	1.977,65	-0,39	6,99
TORONTO TSE300	15.162,70	-0,36	11,31
BRASIL BOVESPA	53.759,40	-0,55	4,37
ASIA			
TOKIO NIKKEI	15.379,44	-0,37	-5,60
HONG KONG HS	23.540,92	-0,02	1,01

Prima de riesgo

ESPAÑA			ITALIA			FRANCIA			BÉLGICA		
	142	+1		156	=		33	=		43	=

Ibex 35. Evolución en el año.
Ibex 35 recoge los 35 valores de mayor capitalización en la bolsa española. Base 3.000 a 31 de diciembre de 1989

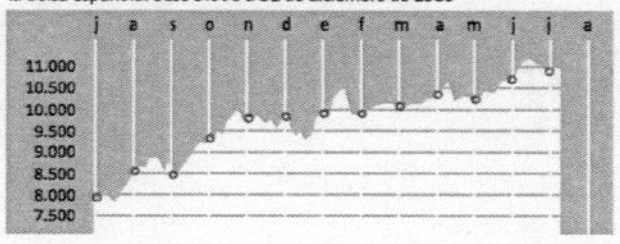

Evolución en el día.
Volumen de contratación al contado:
1.741,54 millones de euros

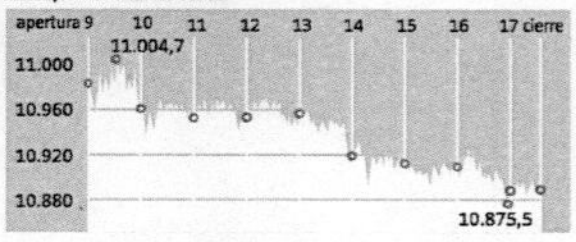

Mayores alzas

	%	CIERRE
ENAGAS	4,02	24,06
FUNESPAÑA	3,67	6,22
INM. DEL SUR	3,15	6,55
INYPSA	2,99	0,69
CODERE	2,63	0,78
FLUIDRA	2,50	3,28
IBERPAPEL	1,49	12,94
PRIM	1,45	6,29

Mayores bajas

	%	CIERRE
GRAL. ALQ. MAQ.	-11,86	0,52
QUABIT	-11,11	0,08
TAVEX ALGODON.	-8,70	0,21
EDREAMS ODIGEO	-7,58	4,63
BIOSEARCH	-6,15	0,61
NIC. CORREA	-5,97	1,26
AMPER	-5,80	0,65
FERSA E. RENOV.	-5,77	0,49

Más negociados

	Nº. DE TÍTULOS	EFECTIVO
SAN	27.018.486	206,7
BBVA	13.245.234	124,9
ENAGAS	5.030.594	120,7
TELEFONICA	7.451.404	93,3
IBERDROLA	12.616.913	68,3
REPSOL	3.378.145	64,9
INDITEX	485.056	54,9
POPULAR	11.290.210	54,7

Mercado continuo EN NEGRITA LOS VALORES PERTENECIENTES AL IBEX 35

Cotizaciones actualizadas cada veinte minutos en **http://www.lavanguardia.com/economia**

	Cotización Euros	Cotización Var.%	Cotiz. Día Máx.	Cotiz. Día Mín.	Nº tít. negoc.	Días cotiz.	Rent. año%
Abengoa (*)	4,60	-0,65	4,67	4,51	390.920	130	99,79
Abertis (*)	16,79	-1,41	16,98	16,71	703.816	130	11,18
Acciona	65,74	-2,32	67,63	65,37	225.549	130	57,39
Acerinox (Ac)	12,82	-0,62	12,95	12,52	855.549	130	48,23
Ad. Domínguez ↑	5,30	0,76	5,35	5,28	17.530	130	-6,36
Almirall	11,88	0,00	12,01	11,78	123.428	130	0,34
Amadeus	30,57	-1,86	31,16	30,54	1.131.222	130	-0,77
Amper	0,65	-5,80	0,67	0,63	429.323	130	-38,68
Antena 3 TV	10,70	-0,74	10,89	10,64	349.139	130	-10,07
Aperam	25,67	-1,42	25,97	25,32	3.647	130	91,57
Applus Services	15,37	-1,22	15,60	15,25	135.015	42	6,00
Arcelor Mit.	11,02	-2,22	11,23	10,92	923.189	130	-13,89
Auxil.FF.CC.(dv)	342,10	-2,13	355,00	342,10	6.260	130	-8,25
Azkoyen	2,52	-2,33	2,63	2,36	31.312	130	20,00
A.C.S.(Ac)	32,03	-1,17	32,33	31,90	999.107	130	37,51
B.M.E.	34,18	-3,01	34,63	34,01	538.615	130	25,92
Bankia	1,44	0,00	1,45	1,43	13.743.146	130	17,07
Bankinter	5,81	-0,51	5,85	5,78	3.830.311	130	17,35
Barón de Ley ↑	74,55	0,74	74,60	73,05	998	127	26,36
Bayer AG	104,40	0,00	104,85	104,00	201	125	2,05
BBVA (*) •	9,40	-1,36	9,54	9,39	13.245.234	130	8,96
Biosearch	0,61	-6,15	0,64	0,58	270.103	130	-11,59
Bod. Riojanas ↑	5,12	0,59	5,15	4,91	574	122	-4,66
C.V.N.E.	17,82	0,00			0	71	20,07
CaixaBank (*)	4,59	-0,65	4,63	4,56	7.682.624	130	26,51
Campofrío ↑	6,93	0,43	6,93	6,88	3.615	130	0,43
Catalana Occ.	27,12	-0,55	27,27	26,93	47.129	130	5,64
Cem.Portland	5,54	-0,36	5,79	5,40	52.327	130	-0,36
Cie Automot. ↑	10,10	0,40	10,26	9,77	272.759	130	28,50
Clín.Baviera	9,45	-5,22	9,99	9,30	14.095	130	-4,97
Codere ↑	0,78	2,63	0,78	0,71	84.794	130	13,04
Corp.F. Alba	47,74	-0,04	48,07	47,50	10.574	130	13,51
Deoleo	0,40	-2,44	0,41	0,40	1.956.298	130	-14,89
Dinamía ↑	9,05	0,11	9,10	9,01	25.696	129	29,29
Dist.Int.Alim.	6,96	-1,28	7,08	6,96	1.929.258	130	7,08
Duro Felguera	4,80	-1,64	4,87	4,80	114.997	130	-0,82
EADS	47,40	-2,01	48,58	47,26	11.063	130	-13,76
Ebro	15,84	-1,43	16,07	15,75	389.242	130	-5,58
Edreams Odigeo	4,63	-7,58	4,95	4,51	1.625.679	62	-54,83
Elecnor	10,50	0,00	10,54	10,50	13.682	130	-3,93
Enagas ↑	24,06	4,02	24,31	23,49	5.030.594	130	30,65

	Cotización Euros	Cotización Var.%	Cotiz. Día Máx.	Cotiz. Día Mín.	Nº tít. negoc.	Días cotiz.	Rent. año%
Ence	1,90	0,00	1,92	1,88	769.122	130	-30,40
Endesa ↑	28,39	0,18	28,68	28,31	323.124	130	28,28
Enel G.P.	2,05	-1,91	2,05	2,03	7.905	130	15,33
Ercros	0,45	0,00	0,46	0,45	109.509	130	-4,26
Ezentis (*)	0,87	-4,40	0,90	0,86	825.933	130	-37,71
Faes (*)	2,24	-1,75	2,28	2,23	259.455	130	-9,38
Fergo Aisa	0,02	0,00			0	0	0,00
Ferrovial (Ac)	15,84	-1,37	15,99	15,80	1.231.704	130	16,69
Fersa E.Renov.	0,49	-5,77	0,52	0,49	425.276	130	25,64
Fin.Sotogrande	3,87	0,00			0	81	44,40
Fluidra ↑	3,28	2,50	3,38	3,11	85.281	130	20,59
Funespaña ↑	6,22	3,67	6,60	5,76	5.657	77	3,67
F. C. C.	16,56	-1,78	17,02	16,45	717.288	130	2,35
Gamesa	8,75	-2,34	8,96	8,72	2.040.079	130	15,44
Gas Natural ↑	22,81	0,18	23,13	22,76	1.344.726	130	26,78
Gral.Alq.Maq.	0,52	-11,86	0,57	0,51	923.133	130	-27,78
Gral.Inversiones	1,76	0,00	1,76	1,76	5	80	8,43
Grifols	39,70	-0,63	39,97	39,52	638.882	130	14,76
I.A.G.	4,55	-1,94	4,69	4,54	3.938.342	130	-5,99
Iberdrola (Ac) •	5,41	-0,37	5,46	5,40	12.616.913	130	26,18
Iberpapel ↑	12,94	1,49	12,94	12,61	777	130	-11,99
Inditex	113,10	-1,18	114,20	112,90	485.056	130	-4,58
Indo Intern.	0,60	0,00			0	0	0,00
Indra	12,82	-1,31	13,04	12,82	620.577	130	5,51
Inm.Colonial(*)	0,57	0,00	0,57	0,57	16.636.398	130	117,53
Inm.del Sur ↑	6,55	3,15	6,55	6,55	24.997	27	-58,63
Inypsa ↑	0,69	2,99	0,70	0,66	12.460	129	-17,86
Jazztel	10,43	-0,29	10,56	10,28	1.319.049	130	34,06
La Seda Barna	0,73	0,00			0	0	0,00
Liberbank (*)	0,70	-5,41	0,74	0,69	11.928.803	130	16,88
Lingotes Esp. ↑	4,28	0,47	4,40	4,26	11.084	129	28,11
Mapfre	2,92	-1,68	2,97	2,92	4.606.637	130	-3,54
Martinsa-Fadesa	7,30	0,00			0	0	0,00
Mediaset Esp. ↑	8,75	0,57	9,02	8,65	2.394.551	130	4,29
Meliá Hotels	9,09	-1,52	9,25	9,09	244.444	130	-2,68
Miquel Costas	32,93	-0,21	32,97	32,08	3.077	130	8,42
Montebalito	1,16	-1,69	1,17	1,15	20.594	128	2,65
Natra	1,85	-1,60	1,87	1,81	183.223	130	-16,29
Natraceutical	0,25	0,00	0,26	0,25	1.233.713	130	-13,79
Nic. Correa	1,26	-5,97	1,31	1,22	117.116	130	-2,33
Nyesa	0,17	0,00			0	0	0,00

	Cotización Euros	Cotización Var.%	Cotiz. Día Máx.	Cotiz. Día Mín.	Nº tít. negoc.	Días cotiz.	Rent. año%
N.H. Hoteles	4,30	-2,05	4,40	4,29	644.736	130	0,23
O.H.L.	31,54	-2,80	32,41	31,54	368.450	130	9,40
Papel.C.E	4,34	-1.14	4,41	4,23	168.841	130	16,96
Pescanova	5,91	0,00			0	0	0,00
Popular (Ac)	4,83	-2,03	4,93	4,82	11.290.210	130	12,52
Prim ↑	6,29	1,45	6,29	5,99	20.144	126	10,07
Prisa	0,35	-2,78	0,36	0,35	1.773.691	130	-12,50
Prosegur	5,34	-0,19	5,35	5,30	212.164	130	8,29
Quabit	0,08	-11,11	0,09	0,08	16.926.909	130	-33,33
Realia	1,27	-5,22	1,31	1,20	4.636.102	130	53,01
Reno Medici	0,29	0,00	0,29	0,29	143.267	130	7,41
Renta 4	5,74	-1,37	5,74	5,65	11.092	130	14,08
Renta Corp.	0,57	0,00			0	0	0,00
Repsol (*) •	19,20	-1,08	19,41	19,11	3.378.145	130	15,60
Reyal Urbis	0,12	0,00			0	0	0,00
Rovi	9,39	-0,11	9,45	9,31	7.388	130	-4,30
R.E.C.	63,15	-0,22	64,18	63,15	511.419	130	35,45
SAN (*) •	7,63	-1,29	7,72	7,62	27.018.486	130	27,14
Sabadell	2,44	-0,81	2,46	2,42	10.971.907	130	28,95
Sacyr	4,49	-3,44	4,65	4,46	6.337.995	130	19,10
San José	1,17	0,00	1,18	1,15	9.831	130	-2,50
Service Point	0,07	0,00			0	22	-22,22
Sniace	0,20	0,00			0	0	0,00
Solaria	0,97	-3,96	1,04	0,96	341.767	130	25,97
Tavex Algodon.	0,21	-8,70	0,23	0,21	408.644	130	-8,70
Técnicas Rdas.	44,85	-1,21	45,50	44,76	130.350	130	15,29
Tecnocom	1,52	-2,56	1,53	1,50	50.863	130	25,62
Telefónica •	12,50	-1,03	12,65	12,47	7.451.404	130	8,95
Testa Inm.	15,50	0,00			0	99	107,41
Tubacex	3,69	-0,54	3,75	3,64	149.376	130	27,68
Tubos Reunidos	2,52	-1,56	2,54	2,44	245.473	130	43,39
Unipapel	18,00	-1,42	18,36	17,52	8.176	130	20,48
Uralita	1,00	0,00	1,00	1,00	25.197	130	-15,97
Urbas	0,03	0,00	0,03	0,03	15.497.958	130	0,00
Vertice 360	0,04	0,00			0	73	-20,00
Vidrala	36,37	-0,11	36,67	35,97	2.559	130	-2,75
Viscofan	43,35	-0,69	43,66	43,19	189.496	130	6,54
Vocento	1,83	-3,68	1,90	1,71	105.913	130	21,19
Zardoya	12,86	-1,23	12,98	12,85	133.930	130	-0,84
Zeltia	2,88	-1,71	2,94	2,86	724.290	130	24,68

• Valor perteneciente al índice EURO STOXX 50 (*) Ha ampliado capital durante el año (Ac) Ampliación de capital (c.s.) Cotización suspendida (dv) Pago dividendo Para el cálculo de la rentabilidad se han incorporado los dividendos percibidos durante este año, y la cotización, si procede, se ha ajustado cuando la sociedad ha realizado ampliación de capital

Gamesa y Areva unen sus negocios eólicos marinos

El fabricante español de aerogeneradores Gamesa y el grupo nuclear francés Areva crearán una sociedad de riesgo compartido para desarrollar conjuntamente sus negocios eólicos marinos, uno de los que mejores perspectivas tiene en el mundo de las energías renovables. Esta nueva unión de empresas estará participada al 50% y contará con activos valorados en más de 400 millones de euros, con el objetivo de alcanzar una cuota de mercado del 20% para 2020. El domicilio social de la nueva compañía estará en la localidad de Zamudio (Bizcaia) y tendrá sedes operativas en España, Francia, Alemania y Reino Unido, principalmente. / Agencias

La reforma del gas se estima en 165 millones

Enagás y Gas Natural adelantaron ayer sus estimaciones sobre el impacto de la reforma del sector. Enagás explicó que la reforma le supondrá una merma de ingresos de 120 millones de media anual hasta el 2020, y Gas Natural señaló que en este 2014 le representará 45 millones. Al conjunto del sector el recorte le supondrá 238 millones de euros. No obstante, las dos empresas valoraron que se establezca un marco estable, pues eso contribuirá a incentivar al crecimiento de la red de distribución. / Redacción

Filiales de Pescanova, en concurso

El consejo de administración de Pescanova ha solicitado el concurso voluntario de acreedores para sus filiales Bajamar Séptima, Pescanova Alimentación, Frigodis y Frivipesca Chapela. La operación es de especial relevancia para el cumplimiento del convenio que se aprobó el pasado 23 de mayo, para la reestructuración del grupo. / Efe

Isolux cierra contrato en Chile

La empresa de construcción e infraestructuras Isolux Corsán se ha adjudicado la construcción de 212 kilómetros de líneas de transmisión eléctrica en Chile, en la región de Valparaíso, por un importe de 28,70 millones de euros. Con este proyecto, que se iniciará en julio de 2015 durante 18 meses, la empresa refuerza su presencia en el país, donde actualmente acomete varios proyectos de infraestructuras, así como su experiencia en la construcción de redes de distribución de energía eléctrica. / EP

Telefónica de Contenidos reduce capital

La filial de Telefónica, Telefónica de Contenidos, ha reducido su capital social en 1.638 millones de euros para compensar pérdidas acumuladas y restablecer el equilibrio financiero. La reducción se llevará a cabo sin devolución de aportaciones al socio único y mediante la amortización de 31,63 millones de acciones nominativas, con valor de 51,80 euros cada una, según consta en el Borme. Esta decisión se adoptó el pasado 12 de junio. / EP

28. La Vanguardia   **Numeración para la muestra: 50**

Martes 8 de julio del 2014

Gamesa y Areva unen sus negocios eólicos marinos

   El fabricante español de aerogeneradores Gamesa y el grupo nuclear francés Areva crearán una sociedad de riesgo compartido para desarrollar conjuntamente sus negocios eólicos marinos, uno de los que mejores perspectivas tiene en el mundo de las energías renovables. Esta nueva unión de empresas estará participada al 50% y contará con activos valorados en más de 400 millones de euros, con el objetivo de alcanzar una cuota de mercado del 20% para 2020. El domicilio social de la nueva compañía estará en la localidad de Zamudio (Bizcaia) y tendrá sedes operativas en España, Francia, Alemania y Reino Unido, principalmente. / Agencias

FICHA del breve en el diario

Número de página: 59
Sección: economía
Subsección: Mercados
Número de breves de la subsección: cinco
Ladillo: no
Número de líneas del titular: una
Número de líneas del cuerpo: 12
Fotografía: no
Firma: Agencias

Despacho de agencia publicado por la agencia Thomson Reuters (http://
es.reuters.com), el 7 de julio del 2014:

Gamesa y Areva formalizan detalles de sociedad en eólica marina
El fabricante español de aerogeneradores Gamesa (GAM.MC: Cotización) y el grupo nuclear Areva (AREVA.PA: Cotización), controlado por el Estado francés, comunicaron el lunes los detalles de una alianza con la que quiere alcanzar en 2020 una cuota del 20 por ciento
en el mercado europeo de la eólica marina.
Gamesa dijo que aportará 195 millones de euros a la sociedad conjunta, mientras que la francesa aportará activos por 210 millones más un capital circulante que al cierre de la operación
se calcula en 70 millones.
"La 'joint venture' nace con una cartera de proyectos de 2,8 GW y el objetivo es alcanzar
una cuota de mercado próxima al 20 por ciento en Europa para 2020", dijo Gamesa en un
comunicado al supervisor bursátil español, recordando que la sociedad contará con las plan-
taformas actuales de turbinas de 5 megawatios al tiempo que desarrollará una plataforma de
8 MW.
La española añadió que 'la joint venture' tendrá un efecto positivo para el beneficio neto, que
en el primer trimestre fue de 17 millones de euros.
Por otra parte, el domicilio social de la sociedad estará en Vizcaya, aunque tendrá sedes en
Francia, Alemania y Reino Unido.
Gamesa y Areva tendrán la misma presencia en el consejo de administración de la sociedad
conjunta y se turnarán en la presidencia cada dos años, correspondiendo el primer turno al
director general ejecutivo de Gamesa, Xabier Etxeberria.

FICHA del despacho de agencia en la web

Enlace de la web en la que se encuentra: <http://es.reuters.com/
article/businessNews/idESKBN0FC0I020140707>
Pestaña: noticias
Subpestaña: negocios
Antetítulo: no
**Título: "Gamesa y Areva formalizan detalles de sociedad en eólica
marina"**
Subtítulo: no
Número de caracteres (con espacio) del titular: 63
Número de caracteres (con espacio) del cuerpo de la nota: 1.388
Fotografía: sí
Firma: José Elías Rodríguez (Reuters)
Lugar de la firma: Madrid/París
Otros (documentos adjuntos, etcétera): sí

Nota de prensa original, publicada por la empresa Gamesa (www.gamesacorp. com), el 7 de julio del 2014:

<u>Areva y Gamesa firman los acuerdos vinculantes para crear un líder global en la industria eólica offshore</u>
· La joint venture desarrollará en exclusiva las actividades offshore de ambos socios.
· La nueva compañía se posiciona como uno de los líderes globales en offshore, con una cartera de proyectos de 2,8 GW y el objetivo de alcanzar una cuota de mercado próxima al 20% en Europa para 2020.
Como continuación de las conversaciones exclusivas iniciadas en enero, Gamesa y AREVA han firmado hoy los acuerdos vinculantes para crear un líder global en la industria offshore, un sector con alto potencial de crecimiento. La *joint venture* nace con una cartera de proyectos de 2,8 GW y el objetivo de alcanzar una cuota de mercado próxima al 20% en Europa para 2020.
El cierre de la transacción está previsto para el último trimestre del año, sujeto a condiciones precedentes, como la aprobación del Gobierno francés y de las autoridades de competencia. La *joint venture*, participada al 50% por ambas compañías, combinará los negocios offshore de los dos grupos: conocimiento tecnológico e industrial, y amplia experiencia (*track record*) en el sector eólico. Por un lado, la trayectoria de AREVA, en el mercado offshore desde 2004, con más de 630 MW instalados a finales de 2014. Por otro, el *know how* tecnológico de Gamesa, apuntalado por 20 años de experiencia en toda la cadena de valor eólica.
En concreto, para la creación de esta *joint venture*, Gamesa aportará su negocio offshore con los siguientes activos por valor de 195 millones de euros:
Plataforma de 5 MW offshore
Transferencia de I+D offshore y licencia de uso de tecnología onshore aplicable en offshore.
Conocimiento en servicios de O&M, con 20 GW *onshore* bajo mantenimiento.
Conocimiento industrial y de la cadena de suministro eólica, claves para la optimización de costes.
Por su parte, AREVA aportará su negocio offshore con activos por valor de 280 millones de euros, que incluyen el capital circulante del negocio (actualmente estimado en 70 millones de euros, cifra que se confirmará al cierre de la operación).
-Las plataformas de 5 MW y 8 MW.
-Cartera de proyectos de 2,8 GW, la segunda mayor del mercado.
-Transferencia de I+D offshore.
Capacidad fabril y logística especializada en offshore, con centros industriales y logísticos en Bremerhaven (ensamblaje de turbinas) y Stade (palas), en Alemania.
Los acuerdos también contemplan que Gamesa se convierta en proveedor preferente de componentes a la *joint venture*.
Así, la nueva compañía nace bien posicionada para convertirse en líder del sector eólico-marino, con el objetivo de alcanzar una cuota de mercado próxima al 20% en 2020 en Europa, apoyada por su cartera de proyectos en Alemania, Francia y Reino Unido.
La eólica marina es una de las energías con mayor potencial de crecimiento en los próximos años, con previsiones de alcanzar 45 GW en 2020, frente a los 7 GW actuales. En Europa estará el mercado principal, con 26 GW acumulados.
Desde su lanzamiento, la *joint venture* contará con la confianza de numerosos clientes como Iberdrola o el consorcio GDF Suez, EDPR y Neoen Marine, entre otros. Además, la experiencia acumulada por ambos socios en Asia, permitirá a la compañía beneficiarse del gran potencial offshore de esta región, con previsiones de 18 GW instalados en 2020.
La *joint venture* contará con dos plataformas de 5 MW que permitirán atender con mayor flexibilidad la demanda del mercado: la plataforma M5000 de AREVA y la plataforma de 5 MW offshore de Gamesa. En paralelo, la compañía trabajará en la optimización de estas

turbinas. Asimismo, desarrollará una plataforma de 8 MW, para continuar siendo un referente por coste de energía. La *joint venture* se beneficiará de la reciente adjudicación de 1 GW en el round 2 de Francia, donde se prevé instalar la máquina de 8 MW en 2021.

La *joint venture* continuará con el desarrollo de compromisos industriales adquiridos por AREVA en Francia y Reino Unido, como la creación de una planta de ensamblaje y de palas en Le Havre y el desarrollo de una red de suministradores en Francia.

La sede social estará ubicada en Zamudio (Vizcaya). El Consejo de Administración contará con ocho consejeros nombrados por Gamesa y AREVA (cuatro cada una). Xabier Etxeberria, Business CEO de Gamesa, será el Presidente del Consejo de Administración de la *joint venture* durante los dos primeros años.

El Director General de la nueva compañía será Arnaud Bellanger, actual Vicepresidente Ejecutivo de la división offshore de AREVA.

FICHA de la nota de prensa en la web

Enlace de la web en la que se encuentra: <http://www.gamesacorp.com/es/comunicacion/noticias/areva-y-gamesa-firman-los-acuerdos-vinculantes-para-crear-un-lider-global-en-la-industria-eolica-offshore.html?idCategoria=0&fechaDesde=&especifica=0&texto=&idSeccion=0&fechaHasta=>

Pestaña: comunicación

Subpestaña: noticias

Antetítulo: no

Título: "Areva y Gamesa firman los acuerdos vinculantes para crear un líder global en la industria eólica offshore"

Subtítulo: dos subtítulos

Número de caracteres (con espacio) del titular: 105

Número de caracteres (con espacio) del cuerpo de la nota: 3.605

Fotografía: sí

Firma: sin especificar

Lugar de la firma: sin especificar

Otros (documentos adjuntos, etcétera): no

MERCADOS

Cuando hay nubes

ANÁLISIS

José Manuel Garayoa

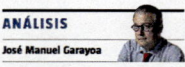

Miren el cielo y observarán que pese a la amenaza de una ola de calor que debería ofrecer un frente despejado sigue dominando una borrasca de baja intensidad sobrecargada de nubes al parecer inevitables. El Ibex (-1,23%) es el barómetro circunstancial de este cielo indeciso a marcar rumbo.

El Espírito Santo tuvo algo que ver con todo esto al dejarse un 20%, con lo que la banca española retrocedió al escuchar además a Draghi advertir contra el *carry trade*, o sea, el utilizar el dinero barato que da para comprar activos con riesgo. Ojo, la prima de riesgo española bajó, como las amenazas en Gaza.

En Europa dolió que la encuesta alemana Zew, que pronostica sobre el próximo semestre, fuera de nuevo negativa, con lo que el mercado se quedó con la parte bajista del discurso de Yellen sobre tipos de interés. Cuando hay nubes, el ánimo desfallece.

Índices

	ACTUAL	VARIACIÓN DÍA %	AÑO %
ESPAÑA			
IBEX 35	10.475,90	-1,23	5,64
LATIBEX	2.231,90	0,59	7,48
IND. G. MADRID	1.070,89	-1,26	5,82
BCN MID50	17.232,60	-0,49	4,16
BCN GLOBAL 100	886,32	-0,92	9,54
BCN I. ALIM. AGR.	835,90	0,09	-3,21
BCN I. BANCOS	1.409,40	-1,25	13,00
BCN I. CEM. CON.	1.478,14	-0,77	17,11
BCN I. COM. FI.	397,17	-0,99	-3,71
BCN I. ELECTRIC.	1.022,62	-0,27	22,70
BCN I. QUÍMICAS	908,87	-0,92	4,00
BCN I. SERV. VAR.	2.071,59	-0,62	5,57
BCN I. SID. MINER.	368,84	-0,26	0,99
BCN I. TEXT. PAP.	1.004,01	-0,83	-8,56
EUROPA			
EURO STOXX 50	3.153,75	-1,01	1,44
PARIS CAC40	4.305,31	-1,03	0,22
FRANKFURT DAX X	9.719,41	-0,65	1,75
MILAN MIBTEL	21.719,30	-1,27	7,50
AMSTERDAM AEX	404,01	-0,62	0,55
LISBOA BVL30	6.111,85	-1,13	-6,82
HELSINKI HEX	7.544,99	-0,51	2,84
VIENA ATX	2.385,65	-1,53	-6,32
BRUSELAS B20	3.115,38	-0,11	6,55
LONDRES FTSE	6.710,45	-0,53	-0,57
ZURICH SMI	8.574,32	0,10	4,53
AMÉRICA			
NEW YORK DJ	17.060,68	0,03	2,92
NASDAQ	4.416,38	-0,54	5,74
S & P 500	1.973,28	-0,19	6,76
TORONTO TSE300	15.095,50	-0,50	10,82
BRASIL BOVESPA	55.952,40	0,37	8,63
ASIA			
TOKIO NIKKEI	15.395,16	0,64	-5,50
HONG KONG HS	23.459,96	0,49	0,66

Prima de riesgo

ESPAÑA		ITALIA		FRANCIA		BÉLGICA	
150	-6	164	-2	32	-1	44	=

Ibex 35. Evolución en el año.
Ibex 35 recoge los 35 valores de mayor capitalización en la bolsa española. Base 3.000 a 31 de diciembre de 1989

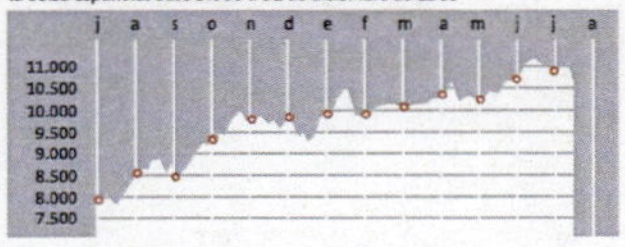

Evolución en el día.
Volumen de contratación al contado:
2.585,9 millones de euros

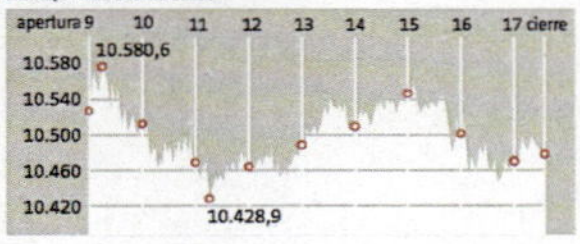

Mayores alzas

	%	CIERRE
LIBERBANK	8,20	0,66
EDREAMS ODIGEO	4,44	4,47
TESTA INM.	4,14	14,85
INM.DEL SUR	3,34	6,50
SAN JOSÉ	2,73	1,13
CLÍN.BAVIERA	2,45	9,19
GRAL.ALQ.MAQ.	2,27	0,45
FERSA E.RENOV.	2,17	0,47

Mayores bajas

	%	CIERRE
DINAMIA	-8,29	8,41
PRISA	-5,88	0,32
INYPSA	-4,76	0,60
VOCENTO	-4,73	1,61
ZARDOYA	-3,56	11,91
INDRA	-3,56	11,65
APPLUS SERVICES	-3,50	14,35
BIOSEARCH	-3,45	0,56

Más negociados

	Nº. DE TÍTULOS	EFECTIVO
SAN	56.806.433	415,4
BBVA	22.118.944	198,9
TELEFÓNICA	10.264.373	124,5
IBERDROLA	20.124.266	107,7
REPSOL	4.947.235	91,6
POPULAR	15.984.032	72,5
INDITEX	566.951	62,3
CAIXABANK	13.059.862	55,3

Mercado continuo EN NEGRITA LOS VALORES PERTENECIENTES AL IBEX 35

Cotizaciones actualizadas cada veinte minutos en **http://www.lavanguardia.com/economia**

	Cotización Euros	Var.%	Cotiz. Día Máx.	Mín.	Nº tít. negoc.	Días cotiz.	Rent. año%
Abengoa (*)	4,17	-0,71	4,28	4,15	309.448	136	81,54
Abertis (*)	**16,30**	**-0,43**	**16,43**	**16,24**	**988.600**	**136**	**7,99**
Acciona	**58,94**	**-1,47**	**59,91**	**57,73**	**236.018**	**136**	**41,11**
Acerinox (*)	12,44	-1,03	12,62	12,32	686.218	136	43,98
Ad. Domínguez	5,26	0,00	5,26	5,26	394	136	-7,07
Almirall	10,94	-0,27	11,11	10,91	139.650	136	-7,60
Amadeus	**29,50**	**-1,50**	**29,81**	**29,30**	**1.022.982**	**136**	**-4,21**
Amper ↑	0,63	1,61	0,63	0,60	98.207	136	-40,57
Antena 3 TV	9,65	-0,52	9,80	9,56	336.449	136	-18,80
Aperam	25,45	-0,20	25,56	24,21	524	136	89,93
Applus Services	14,35	-3,50	14,90	14,32	117.041	48	-1,03
Arcelor Mit.	**10,93**	**0,00**	**11,01**	**10,88**	**623.791**	**136**	**-14,58**
Auxil.FF.CC.	339,00	-0,54	342,15	336,00	2.873	136	-9,06
Azkoyen ↑	2,35	0,86	2,36	2,33	2.855	136	11,90
A.C.S.(Ac)	**30,95**	**-0,51**	**31,14**	**30,70**	**628.745**	**136**	**33,03**
B.M.E.	**32,49**	**-0,64**	**32,90**	**32,31**	**199.248**	**136**	**19,81**
Bankia	**1,37**	**-2,84**	**1,41**	**1,35**	**35.946.012**	**136**	**11,38**
Bankinter	**5,80**	**-0,68**	**5,89**	**5,68**	**3.845.997**	**136**	**17,15**
Barón de Ley	75,00	-0,79	75,00	73,15	3.205	133	27,12
Bayer AG	104,40	0,00	102,00	101,70	82	130	2,05
BBVA (*) •	**8,99**	**-1,32**	**9,15**	**8,91**	**22.118.944**	**136**	**5,19**
Biosearch	0,56	-3,45	0,58	0,56	101.360	136	-18,84
Bod. Riojanas	5,18	0,00	5,02	5,01	294	128	-1,49
C.V.N.E.	18,45	0,00	18,45	18,45	1	75	24,21
CaixaBank (*)	**4,25**	**-1,16**	**4,32**	**4,18**	**13.059.862**	**136**	**17,33**
Campofrío ↑	6,92	0,29	6,92	6,90	9.403	136	0,29
Catalana Occ.	26,16	-0,98	26,42	25,93	31.775	136	2,41
Cem.Portland	5,02	-1,57	5,17	5,02	27.615	136	-9,71
Cie Automot.	10,31	-0,39	10,38	10,22	41.615	136	31,13
Clín.Baviera ↑	9,19	2,45	9,20	9,00	1.802	136	-7,46
Codere ↑	0,72	1,41	0,76	0,71	110.239	136	4,35
Corp.F. Alba	45,37	-0,50	45,75	45,19	1.795	136	7,93
Deoleo	0,39	-2,50	0,40	0,39	450.177	136	-17,02
Dinamia	8,41	-8,29	8,60	8,07	51.736	135	20,14
Dist.Int.Alim.	**6,58**	**-1,05**	**6,70**	**6,55**	**2.690.796**	**136**	**1,23**
Duro Felguera ↑	4,86	0,21	4,86	4,80	160.404	136	0,41
EADS	46,65	-2,26	47,19	46,62	14.548	136	-15,10
Ebro ↑	**15,65**	**0,64**	**15,72**	**15,51**	**354.853**	**136**	**-6,69**
Edreams Odigeo ↑	4,47	4,44	4,55	4,31	707.228	68	-56,39
Elecnor	10,65	-1,11	10,65	10,64	1.642	136	-2,58
Enagas	**24,08**	**-0,50**	**24,30**	**23,97**	**1.658.066**	**136**	**30,76**

	Cotización Euros	Var.%	Cotiz. Día Máx.	Mín.	Nº tít. negoc.	Días cotiz.	Rent. año%
Ence	1,76	-2,22	1,79	1,75	699.054	136	-32,60
Endesa	27,75	-0,57	28,00	27,59	283.140	136	25,54
Enel G.P.	2,02	-0,98	2,02	2,02	3.812	136	13,67
Ercros	0,44	0,00	0,44	0,43	113.385	136	-6,38
Ezentis (*)	0,73	0,00	0,74	0,71	4.452.868	136	-47,73
Faes (*)	2,16	-1,82	2,21	2,16	137.351	136	-12,58
Fergo Aisa	0,02	0,00			0	0	0,00
Ferrovial (Ac)	**15,35**	**-0,32**	**15,46**	**15,30**	**1.169.302**	**136**	**13,15**
Fersa E.Renov. ↑	0,47	2,17	0,47	0,45	88.562	136	20,51
Fin.Sotogrande	3,87	0,00			0	82	44,40
Fluidra	3,44	-1,15	3,48	3,40	29.384	136	26,47
Funespaña	5,78	0,00			0	79	-3,67
F. C. C.	**15,65**	**-2,49**	**16,04**	**15,56**	**589.830**	**136**	**-3,28**
Gamesa ↑	**8,00**	**0,88**	**8,02**	**7,80**	**2.316.914**	**136**	**5,54**
Gas Natural	**22,20**	**-0,54**	**22,51**	**22,10**	**1.240.794**	**136**	**23,51**
Gral.Alq.Maq. ↑	0,45	2,27	0,47	0,44	238.100	136	-37,50
Gral.Inversiones	1,76	0,00	1,76	1,76	302	82	8,43
Grifols	**38,35**	**-0,54**	**39,14**	**38,30**	**477.226**	**136**	**10,87**
I.A.G. ↑	**4,20**	**1,94**	**4,24**	**4,05**	**7.800.242**	**136**	**-13,22**
Iberdrola (Ac) •	**5,36**	**0,00**	**5,38**	**5,31**	**20.124.266**	**136**	**25,07**
Iberpapel ↑	12,86	1,42	12,88	12,64	548	136	-12,52
Inditex	**109,65**	**-0,81**	**110,95**	**109,30**	**566.951**	**136**	**-7,46**
Indo Intern.	0,60	0,00			0	0	0,00
Indra	**11,65**	**-3,56**	**11,84**	**11,57**	**2.208.831**	**136**	**-1,32**
Inm.Colonial(*)	0,56	0,00	0,57	0,54	20.924.017	136	113,72
Inm.del Sur ↑	6,50	3,34	6,50	6,38	2.400	33	-58,94
Inypsa	0,60	-4,76	0,60	0,57	44.872	135	-28,57
Jazztel	**9,90**	**-0,60**	**9,98**	**9,66**	**1.835.776**	**136**	**27,25**
La Seda Barna	0,73	0,00			0	0	0,00
Liberbank (*) ↑	0,66	8,20	0,66	0,60	14.648.039	136	10,20
Lingotes Esp. ↑	4,29	2,14	4,39	4,20	2.772	135	28,40
Mapfre	**2,83**	**-0,70**	**2,86**	**2,81**	**5.166.667**	**136**	**-6,43**
Martinsa-Fadesa	7,30	0,00			0	0	0,00
Mediaset Esp.	**8,16**	**-2,63**	**8,46**	**8,16**	**980.653**	**136**	**-2,74**
Meliá Hotels	9,04	-0,11	9,14	9,01	147.672	136	-3,21
Miquel Costas	31,00	-2,91	31,50	30,88	5.424	136	2,09
Montebalito ↑	1,11	0,91	1,11	1,11	1.500	134	-1,77
Natra	1,83	-1,08	1,83	1,79	20.436	136	-17,19
Natraceutical	0,24	0,00	0,24	0,23	105.759	136	-17,24
Nic. Correa	1,27	-2,31	1,28	1,26	4.221	136	-1,55
Nyesa	0,17	0,00			0	0	0,00

	Cotización Euros	Var.%	Cotiz. Día Máx.	Mín.	Nº tít. negoc.	Días cotiz.	Rent. año%
N.H. Hoteles	3,98	-0,50	4,04	3,94	476.208	136	-7,23
O.H.L.	**30,84**	**-1,03**	**31,18**	**30,75**	**275.347**	**136**	**7,02**
Papel.C.E	4,30	0,00	4,30	4,25	125.261	136	15,92
Pescanova	5,91	0,00			0	0	0,00
Popular (*)	**4,54**	**-1,52**	**4,63**	**4,42**	**15.984.032**	**136**	**5,83**
Prim ↑	6,24	0,97	6,25	6,16	3.788	132	9,20
Prisa	0,32	-5,88	0,34	0,32	2.199.309	136	-20,00
Prosegur	5,39	0,00	5,44	5,35	261.268	136	9,30
Quabit	0,08	0,00	0,08	0,07	10.618.307	136	-33,33
Realia	1,23	-0,81	1,25	1,22	588.407	136	48,19
Reno Medici	0,27	0,00	0,27	0,27	31.328	136	0,00
Renta 4	5,64	-1,05	5,70	5,44	12.385	136	12,10
Renta Corp.	0,57	0,00			0	0	0,00
Repsol (*) •	**18,45**	**-1,02**	**18,73**	**18,40**	**4.947.235**	**136**	**11,40**
Reyal Urbis	0,12	0,00			0	0	0,00
Rovi ↑	9,24	0,98	9,24	9,01	8.764	136	-5,80
R.E.C.	**61,71**	**-0,98**	**62,46**	**61,44**	**537.452**	**136**	**32,48**
SAN (Ac)(dv) •	**7,29**	**-1,22**	**7,41**	**7,26**	**56.806.433**	**136**	**24,47**
Sabadell	**2,31**	**-0,86**	**2,35**	**2,24**	**22.276.551**	**136**	**22,11**
Sacyr	**4,34**	**-0,23**	**4,40**	**4,26**	**4.028.123**	**136**	**15,12**
San José ↑	1,13	2,73	1,13	1,09	18.738	136	-5,83
Service Point	0,07	0,00			0	22	-22,22
Sniace	0,20	0,00			0	0	0,00
Solaria	0,90	-1,10	0,92	0,90	50.999	136	16,88
Tavex Algodon.	0,22	0,00	0,22	0,22	47.523	136	-4,35
Técnicas Rdas.(dv) ↑	**43,52**	**0,16**	**43,85**	**43,09**	**188.234**	**136**	**13,77**
Tecnocom	1,46	-0,68	1,52	1,45	11.964	136	20,66
Telefónica •	**12,11**	**-0,49**	**12,20**	**12,08**	**10.264.373**	**136**	**5,66**
Testa Inm. ↑	14,85	4,14	14,85	14,51	1.420	101	98,81
Tubacex ↑	3,87	0,52	3,90	3,78	445.562	136	33,91
Tubos Reunidos	2,51	-0,79	2,56	2,46	164.637	136	42,82
Unipapel	17,43	-2,52	17,49	17,33	2.747	136	16,67
Uralita	0,89	-3,26	0,92	0,88	14.269	136	-25,21
Urbas	0,03	0,00	0,03	0,03	6.627.556	136	0,00
Vertice 360	0,04	0,00			0	73	-20,00
Vidrala	38,02	-0,68	38,67	37,93	21.838	136	3,30
Viscofan	**43,40**	**-0,12**	**43,58**	**43,12**	**171.764**	**136**	**6,66**
Vocento	1,61	-4,73	1,69	1,61	35.248	136	6,62
Zardoya (Ac)	11,91	-3,56	12,43	11,85	310.728	136	-4,44
Zeltia	2,81	-0,35	2,83	2,76	254.168	136	21,65

• Valor perteneciente al índice EURO STOXX 50 (*) Ha ampliado capital durante el año (Ac) Ampliación de capital (c.s.) Cotización suspendida (dv) Pago dividendo Para el cálculo de la rentabilidad se han incorporado los dividendos percibidos durante este año, y la cotización, si procede, se ha ajustado cuando la sociedad ha realizado ampliación de capital

Iberdrola firma su mayor contrato en África

La energética Iberdrola, en consorcio con la sudafricana Group Five, ha concluido su primer y mayor proyecto de renovables en Sudáfrica: la construcción de dos parques eólicos y de una planta fotovoltaica por un importe de 273 millones de euros. Los parques eólicos se han levantado en los estados de Western Cape y Northern Cape, uno estimado en 112 millones y el otro en 40 millones. La fotovoltaica es la más grande hasta ahora construida en el continente. / Agencias

Dimite el presidente de HP

El presidente del consejo de administración de Hewlett-Packard (HP), Ralph Whitworth, ha presentado su dimisión y abandonará su puesto este 16 de julio debido a problemas de salud. Whitworth forma parte del consejo de administración de la empresa desde el 2011 y desde abril del 2013 es el presidente de la misma con carácter provisional. El organismo discutirá próximamente el nombramiento de un nuevo directivo. / EP

Goldman Sachs gana un 5% más

El banco estadounidense Goldman Sachs obtuvo en el segundo trimestre del 2014 un beneficio de 1.435 millones de euros, lo que supone un 4,9% más que los 1.367 millones que ganó en el mismo periodo del 2013. La cifra de negocio neta de la entidad alcanzó entre abril y junio los 6.703 millones, un 6% más que el año anterior. / Agencias

FCC consigue un contrato en Portugal

La constructora FCC se ha adjudicado el proyecto de una red de riego en Beja (Portugal) en la región del Alentejo, por un importe de 19 millones de euros. El plazo de ejecución de las obras es de 18 meses, y reforzará la experiencia de la compañía en obras hidráulicas y su negocio en el país. / EP

Campofrío lanza la opa para salir de bolsa

La compañía de alimentación Campofrío ha lanzado una orden de compra de acciones, representativas del 1,45% de su capital social, para excluirlas de cotización en el mercado. Los títulos tienen un precio unitario de 6,90 euros, lo que valora la operación en 10,24 millones. La opa se desarrolla tal como acordaron los principales accionistas, Sigma y WH Food, en la pasada junta. / EP

JP Morgan gana un 8% menos

El banco estadounidense JP Morgan Chase obtuvo un beneficio neto de 4.395 millones de euros en el segundo trimestre del 2014, lo que supone un 7,9% menos que los 4.771 millones de euros que ganó en el mismo periodo del año anterior. La cifra de negocio descendió un 3% respecto al 2013, mientras que las provisiones por riesgo de crédito se multiplicaron por 15. / EP

29. La Vanguardia   **Numeración para la muestra: 51**

Miércoles 16 de julio del 2014

Iberdrola firma su mayor contrato en África

La energética Iberdrola, en consorcio con la sudafricana Group Five, ha concluido su primer y mayor proyecto de renovables en Sudáfrica: la construcción de dos parques eólicos y de una planta fotovoltaica por un importe de 273 millones de euros. Los parques eólicos se han levantado en los estados de Western Cape y Northern Cape, uno estimado en 112 millones y el otro en 40 millones. La fotovoltaica es la más grande hasta ahora construida en el continente. / Agencias

FICHA del breve en el diario

Número de página: 58
Sección: economía
Subsección: Mercados
Número de breves de la subsección: seis
Ladillo: no
Número de líneas del titular: una
Número de líneas del cuerpo: nueve
Fotografía: no
Firma: Agencias

Despacho de agencia publicado por Europa Press (www.europapress.es), el 15 de julio del 2014:

Iberdrola Ingeniería concluye su mayor proyecto de renovables en África por 273 millones
Iberdrola Ingeniería ha culminado el que constituye su mayor proyecto en el sector de las energías renovables de África hasta la fecha, la construcción de dos parques eólicos y de una planta fotovoltaica en Sudáfrica por un importe de 273 millones de euros.
Se trata también del primer proyecto de energía verde que la filial de la compañía eléctrica ha acometido en Sudáfrica, según informó la empresa.
Iberdrola Ingeniería considera que la ejecución de estas instalaciones, que suman 200 megavatios (MW) de potencia, le han permitido acumular experiencia en un mercado en el que prevé seguir creciendo en los próximos años.
Los dos parques eólicos y la planta fotovoltaica construidos en Sudáfrica permitirán dar suministro eléctrico a unos 150.000 hogares y evitar la emisión a la atmósfera de unas 300.000 toneladas de CO2 al año.
Los parques eólicos se han levantado en los estados de Western Cape y Northern Cape. Uno cuenta con 74 MW de potencia y está estimado en 112 millones de euros y el otro, de 27 MW, en 40 millones. Iberdrola Ingeniería los ha construido a través de sendos consorcios.
Ambas instalaciones forman parte de la primera fase del Programa de Energías Renovables del Departamento de Energía de Sudáfrica, que comprende la promoción de una capacidad total de 3.725 MW en cinco fases.
En cuanto a la planta fotovoltaica, tendrá una potencia de 96 MW que la convertirá en la más grande construida hasta ahora en el continente africano. La instalación se enmarca en la segunda fase del plan de renovables sudafricano, se levanta en una zona desértica y de temperaturas extremas.

FICHA del despacho de agencia en la web

Enlace de la web en la que se encuentra: <http://www.europapress.es/economia/noticia-economia-empresas-iberdrola-ingenieria-concluye-mayor-proyecto-renovables-africa-273-millones-20140715114843.html>
Pestaña: economía
Subpestaña: empresas
Antetítulo: no
Título: "Iberdrola Ingeniería concluye su mayor proyecto de renovables en África por 273 millones"
Subtítulo: no
Número de caracteres (con espacio) del titular: 88
Número de caracteres (con espacio) del cuerpo de la nota: 1.594
Fotografía: sí
Firma: sin especificar (Europa Press)
Lugar de la firma: Madrid
Otros (documentos adjuntos, etcétera): no

Nota de prensa original, publicada por Iberdrola (www.iberdrola.es), el 15 de julio del 2014:

IBERDROLA INGENIERÍA CULMINA SU PRIMER PROYECTO RENOVABLE EN SUDÁFRICA
· A través de tres contratos valorados en 273 millones de euros
· La Empresa ha puesto en marcha 200 megavatios (MW), una potencia capaz de dar suministro 150.000 hogares sudafricanos y evitar que se emitan a la atmósfera unas 300.000 toneladas de CO_2 al año
· La iniciativa, la más ambiciosa realizada por IBERDROLA en África hasta la fecha, ha incluido la construcción de dos parques eólicos y una central fotovoltaica
IBERDROLA INGENIERÍA ha finalizado el desarrollo de su primer proyecto de energías renovables en Sudáfrica, consistente en la construcción de tres grandes instalaciones: los parques eólicos de Noblesfontein y Klipheuwel y la central fotovoltaica de Jasper.
Llevado a cabo tras adjudicarse tres contratos valorados en 273 millones de euros, se trata del mayor proyecto realizado por la Compañía hasta la fecha en el sector de las renovables en África, gracias al cual ha ganado experiencia en un mercado en el que espera seguir creciendo en los próximos años.
Los dos parques y la planta fotovoltaica construida por la filial de IBERDROLA, en consorcio con la empresa sudafricana Group Five, suman 200 megavatios (MW), lo que permitirá dar suministro eléctrico a unos 150.000 hogares sudafricanos y evitar que se emitan a la atmósfera unas 300.000 toneladas de CO_2 al año.
Los dos proyectos eólicos, ubicados los estados de Western Cape y Northern Cape, se han construido en la modalidad llave en mano. El de Noblesfontein tiene una potencia de 74 MW y le fue adjudicado, por unos 112 millones de euros, por una sociedad en la que participan la española Gestamp Wind dos socios sudafricanos: Shanduka y Sarge.
Esta instalación incluye 41 aerogeneradores de 1,8 MW de capacidad unitaria, del modelo V100 de Vestas, además de una subestación y de la línea eléctrica de evacuación de energía a la red.
Una de las principales peculiaridades de este proyecto ha sido la enorme distancia entre el emplazamiento del parque y las zonas industriales y urbanas más próximas, lo que ha obligado a la Empresa a producir una parte de los materiales necesarios -por ejemplo, el hormigón o la grava- a pie de obra.
Por su parte, el parque de Klipheuwel, adjudicado por la empresa sudafricana Biotherm Energy y valorado en 40 millones de euros, tiene una potencia de 27 MW y está situado en las proximidades de la ciudad de Caledon. Desarrollado por IBERDROLA INGENIERÍA y Grupo Five, también ha participado en el mismo la compañía china Sinovel, que ha suministrado los nueve aerogeneradores del parque, del modelo SL3000 y de 3 MW de potencia unitaria.
Noblesfontein y Klipheuwel han sido licitados en el marco de la Ronda 1 del Programa de Energías Renovables del Departamento de Energía de Sudáfrica (Renewable Energy IPP Programe), cuyo objetivo es impulsar la generación de electricidad a través de fuentes de producción renovables.
Dentro de este ambicioso programa está previsto que se licite una capacidad total de 3.725 MW de distintas energías renovables, que serán adjudicados en cinco rondas. El Gobierno sudafricano ha anunciado recientemente su intención de lanzar un nuevo programa de renovables, una vez que culmine el actual, para añadir otros 3.200 MW de generación limpia a la red antes del año 2020. Estos ambiciosos objetivos hacen que Sudáfrica sea uno de los mercados eólicos y fotovoltaicos mundiales con mayor potencial en la actualidad.
Por otro lado, IBERDROLA INGENIERÍA también está cerca de culminar otro gran proyecto, el de la central fotovoltaica de Jasper, cuyos 96 MW la convierten en la más grande de

África. La Empresa y Group Five han desarrollado este proyecto tras ser seleccionados por la sociedad Jasper Power Company, una sociedad específica de proyecto participada por la empresa americana Solar Reserve, y firmar un contrato valorado en 121 millones de euros. Este proyecto, licitado en el marco de la Ronda 2 del citado programa de renovables sudafricano, ha sido desarrollado en una zona desértica, con temperaturas extremas, y ha incluido la instalación de más de 325.000 módulos. La instalación se ubica en la provincia de Northern Cape, en un emplazamiento remoto y semidesértico y en una superficie equivalente a 205 campos de fútbol.

FICHA de la nota de prensa en la web

Enlace de la web en la que se encuentra: <http://www.iberdrola.es/sala-prensa/notas-prensa/nacionales-internacionales/2014/detalle/nota-prensa/140715_NP_01_IngenieriaSudafrica.html>

Pestaña: sala de prensa

Subpestaña: notas de prensa

Antetítulo: no

Título: **"IBERDROLA INGENIERÍA CULMINA SU PRIMER PROYECTO RENOVABLE EN SUDÁFRICA"**

Subtítulo: tres subtítulos

Número de caracteres (con espacio) del titular: 70

Número de caracteres (con espacio) del cuerpo de la nota: 4.178

Fotografía: sí

Firma: sin especificar

Lugar de la firma: sin especificar

Otros (documentos adjuntos, etcétera): sí

EN LÍNEA

FORCADELL

Amann se traslada para crecer

■ La multinacional alemana Amann, líder mundial en la producción de hilo de coser de alta calidad, ha alquilado unas oficinas de 140 m² en la calle Tuset de Barcelona. El departamento de oficinas de Forcadell ha asesorado en el arrendamiento. Amann se traslada al nuevo espacio para crecer. / Redacción

PIMEC-COMERÇ

Alejandro Goñi inicia su cuarto mandato

■ La primera junta directiva posterior a las elecciones de Pimec ha ratificado el nombramiento de Alejandro Goñi como presidente de Pimec Comerç, que inicia así su cuarto mandato, Goñi se ha distinguido por sus posiciones contrarias a la ampliación de horarios comerciales. / Europa Press

AVANÇSA

Préstamo de 600.000 euros a Boí Taüll

■ El consejo de administración de la empresa pública Avançsa probó ayer conceder un préstamo de 600.000 euros a Boí Taüll para que pueda afrontar la temporada con suficiencia económica. El préstamo tendrá un tipo de interés de mercado y se devolverá con el 50% de la venta de forfaits. / E. Pres

Estación de Boí Taüll
MERCÈ GIU / ARCHIVO

EL PRAT

Primer vuelo directo a Armenia

■ Catalunya recibió ayer su primer vuelo directo procedente de Armenia, que hasta finales de agosto operará Vueling en el aeropuerto de El Prat. Es un vuelo regular que enlazará semanalmente Barcelona con la ciudad de Erevan y que ofrecerá 180 plazas, según informó el Departament d'Empresa. / Efe

---

EMPRENDEDORES

Costa Brava Fruticultors factura 19 millones y exporta el 25% de la producción

Una manzana más internacional

SÍLVIA OLLER
Girona

El gerente de la empresa, Àlex Creixell, en las instalaciones
INMA SAINZ DE BARANDA

L a empresa Costa Brava Fructicultors, con sede en Ullà (Baix Empordà), pionera en la plantación de fruta en la demarcación de Girona, prevé doblar las exportaciones en un plazo de cuatro años. Actualmente, la firma que produce de media entre 25 y 30 millones de kilos por temporada, vende el 25% de la producción a países foráneos como los de la zona del golfo Pérsico, Sudamérica y Centroamérica así como a algunos países europeos como el Reino Unido o Francia. La previsión es incrementar la presencia en estos mercados y aumentar ligeramente las hectáreas de cultivo, que actualmente rondan las setecientas.

El gerente de la empresa, Àlex Creixell, afirma que la previsión de este año, a pesar del granizo caído el pasado fin de semana en zona del Baix Ter que afectó unos dos millones de kilos, es alcanzar los 26 millones de kilos recolectados. La cifra supera a la del pasado ejercicio cuando varios episodios de granizo provocaron un notable descenso en la producción, que fue de unos 20 millones de kilos y la facturación rondó los 19 millones de euros.

La empresa, fundada en 1964, cultivaba en sus orígenes manzanas, peras y melocotones, pero poco a poco, y condi-

La compañía invertirá hasta 4 millones en ampliar la capacidad de sus cámaras frigoríficas

cionado por el clima de la zona, centró su producción en la manzana. "Esta fruta necesita climas temperados y los cambios de temperatura entre el día y la noche como los que tenemos aquí favorecen su calidad", explica Creixell. La manzana dispone de varias certificaciones de calidad y con la Indicación Geográfica Protegida (IGP) Poma de Girona desde el año 2003. La principal variedad que comercializa Costa Brava Fruticultors es la Royal Gala (de color rojo con estrías sobre fondo amarillo, dulce y con un punto ácido), aunque también cultiva otras variedades como la Red Delicious (rojo intenso), la Granny Smith (verde y de sabor ácido) y la Golden (color amarillo verdoso, de sabor dulce y poco ácido). La empresa también produce otras variedades como la Fuji y la Pink Lady, aunque

estas no disponen de la certificación IGP.

En el mercado español, Costa Brava Fruticultors vende su producción a supermercados y mercados centrales como Mercabarna, Mercamadrid o Mercasevilla.

La firma ha ido modernizando sus instalaciones desde su nacimiento, hace ahora cincuenta años. Para el año que viene podría invertir unos tres o cuatro millones de euros en ampliar la capacidad de sus cámaras frigoríficas, que actualmente tienen una capacidad de 55.000 metros cúbicos.●

Primer día de huelga en la planta de Alstom contra los 193 despidos

BARCELONA Redacción

Los 600 trabajadores de la planta de Alstom de Santa Perpètua de Mogoda (Barcelona) realizaron ayer la primera de las cuatro jornadas de huelga que han convocado en contra del Expediente de Regulación de Empleo (ERE) que supone el despido de 193 empleados.

Los empleados de Alstom se concentraron ante las puertas de la empresa con pancartas en contra de los despidos y denunciando que el ERE no está justificado, sino que responde a una "decisión política de la multinacional". "La situación nace viciada desde el principio porque no se ha aplicado el expediente para dar respuesta a un problema puntual, sino que ha sido la empresa la que ha tomado la decisión de vaciar de carga esta planta", dijo a Efe el presidente del comité de empresa de Alstom, Gabriel Moreno. Añadió que la planta es competitiva, pues es la segunda fábrica "más barata" de las que la multinacional tiene en Europa y que cuenta con un distintivo por su excelencia en la calidad y la entrega de pedidos a tiempo.

Precisamente ayer la multinacional francesa informó en París que en el primer trimestre de su ejercicio fiscal ha sufrido un descenso de la facturación del 4,3% pero sus pedidos se duplicaron en este periodo.●

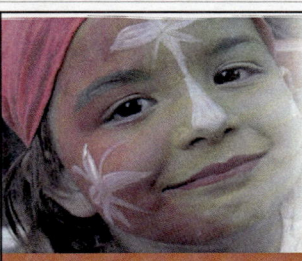

30. La Vanguardia   **Numeración para la muestra: 52**

Jueves 24 de julio del 2014

Amann se traslada para crecer

La multinacional alemana Amann, líder mundial en la producción de hilo de coser de alta calidad, ha alquilado unas oficinas de 140 m2 en la calle Tuset de Barcelona. El departamento de oficinas de Forcadell ha asesorado en el arrendamiento. Amann se traslada al nuevo espacio para crecer. / Redacción

FICHA del breve en el diario

Número de página: 55
Sección: economía
Subsección: En línea
Número de breves de la subsección: cuatro
Ladillo: Forcadell
Número de líneas del titular: dos
Número de líneas del cuerpo: diez
Fotografía: no
Firma: Redacción

Nota de prensa original, publicada por la inmobiliaria Forcadell (www.forcadell.com), el 23 de julio del 2014:

La multinacional alemana Amann amplía su presencia en Barcelona

· La multinacional alemana Amann, líder mundial en la producción de hilo de coser de alta calidad, ha alquilado unas oficinas de 140 m² en la calle Tuset de Barcelona. El Departamento de Oficinas de FORCADELL ha asesorado a la empresa en el arrendamiento de este espacio.   Amann, que hasta ahora estaba emplazada en la calle Rosselló, traslada su sede de Barcelona al Edificio Monitor, a escasos metros de la Diagonal. El inmueble arrendado se ubica en una de las calles más representativas del mercado de oficinas en la Ciudad Condal, en la que se encuentran las sedes de entidades de primer orden como Deutsche Bank, Banc Sabadell, Inmobiliaria Colonial, la Cambra de Comerç de Barcelona, consulados, bufetes de abogados y agencias de publicidad. Amann se traslada a este inmueble para dar respuesta a su creciente actividad empresarial.   El mercado de oficinas en Barcelona, por lo tanto, confirma los primeros indicios de reactivación, ya que empresas de primer nivel alquilan inmuebles en zonas consolidadas para fortalecer su posición ante el final de la crisis que ha atravesado el sector inmobiliario.   La multinacional alemana es la líder mundial en su sector y cuenta con sucursales y filiales en países como China, Estados Unidos, Francia, Reino Unido, India, Suiza o Vietnam. El Grupo Amann vende sus productos en más de 100 países por todo el mundo y cuenta actualmente con más de 1.200 empleados.

FICHA de la nota de prensa en la web

Enlace de la web en la que se encuentra: <<http://www.forcadell.com/es/noticias/operaciones/la-multinacional-alemana-amann-amplia-su-presencia-en-barcelona.html>
Pestaña: noticias
Subpestaña: --
Antetítulo: no
Título: "La multinacional alemana Amann amplía su presencia en Barcelona"
Subtítulo: un subtítulo
Número de caracteres (con espacio) del titular: 64
Número de caracteres (con espacio) del cuerpo de la nota: 1.411
Fotografía: no
Firma: sin especificar
Lugar de la firma: sin especificar
Otros (documentos adjuntos, etcétera): no

.11.2 ANEXO II

'El lenguaje subordinado'. Los términos de marketing y economía en los breves de empresa. Ejemplo de muestra

Listado de términos

Asistencia financiera

Bróker

Capitalizar

Concesión

Contracción

Córner

Cuenta

Dividendo extraordinario

Eficiencia

Emprendedor

Estrategia

Incremento positivo

Independiente

Inteligente

Líder

Línea de financiación

Mercado objetivo

Ofertar

Prestigio

Privatización

Shop in the shop

Tendencia

.11.2.1 Quince días de 'La Vanguardia', del 1 al 15 de diciembre del 2013

Domingo 1 de diciembre del 2013

Eficiencia: breve de la página 87, en el apartado En línea.

> ECOFREGO
>
> <u>Aprobada la patente en Estados Unidos</u>
>
> Ecofrego, la empresa catalana creada en el 2009 por Carlos Rivadulla y especializada en soluciones de limpieza **eficientes,** innovadoras y ecológicas, ha obtenido la patente en Estados Unidos para su cubo Ecofrego (que separa el agua limpia de la sucia). Desde su lanzamiento, Ecofrego ya se está comercializando en países europeos, Canadá y Australia. / Redacción
>
> [La negrita, de este investigador.]

Eficiencia, según la Real Academia de la Lengua:

> Capacidad de disponer de alguien o de algo para conseguir un efecto determinado.

De los diccionarios de marketing:

Eficiencia (efficiency)[16]: Hacer algo con el menor coste, tiempo o esfuerzo posible. En general, significa hacer bien las cosas, pero no implica que lo hecho sea lo que se tiene que hacer. La eficiencia refleja productividad, o relación entre *outputs* e *inputs*. Se preocupa especialmente por reducir costes (Doyle, 1994).

---

16 Se han consultado los siguientes diccionarios especializados en marketing:
- *Puromarketing.com,* diario digital "líder de marketing, publicidad y socialmedia", edición del 22 de enero del 2013: http://es.scribd.com/doc/171170677/Puro-Marketing-Diccionario-Marketing-Publicidad-Y-Social-Media-pdf
- *Términos de Marketing,* de Miguel Santesmases Mestre (Ediciones Pirámide, 1996)
- Data-red.com, portal de "marketing, publicidad, promoción y medios":
http://www.data-red.com/diccionario/
- www.liderazgoymercadeo.com
- www.foromarketing.com
- www.marketingdirector.com
- www.mujeresdeempresa.com
- www.publidirecta.com
- www.mercadeo.com
- Diccionario de términos económicos y financieros de "la Caixa" (Caixabank, S. A., 2013):
http://portal.lacaixa.es/docs/diccionario/E_es.html

Efficiency rating: Índice de eficiencia. Medida de eficiencia entre dinero gastado en marketing, audiencia y ventas.

De los diccionarios de economía:

Eficiencia: Utilización eficaz de los recursos disponibles con la que se consigue la máxima producción posible.

Del libro de estilo de *La Vanguardia:*

Eficiencia: La eficacia es la capacidad para obrar o para producir el efecto deseado, mientras que la *eficiencia* es la capacidad para realizar satisfactoriamente la función a la que se está destinado. A grandes rasgos, las *acciones* y las *cosas* son *eficaces*. En cambio, las *personas* son *eficientes* en su trabajo, en sus habilidades, en sus actuaciones.

El escrito en el que se basa este breve aparece publicado en la página web de la compañía, www.ecofrego.com:

> Ecofrego es un cubo de fregar ecológico, eficiente e innovador.
> Tiene dos escurridores y dos compartimentos separados, uno para el agua limpia y otro para la sucia.

Analizado el resto del diario del 1 de diciembre del 2013, *eficiencia* solo aparece en otro breve, en la página 87 de la sección de Economía:

BISMART

Las soluciones para ciudades **eficientes** se presentan en Dubái

Bismart, creada en Barcelona en el 2009 y especializada en soluciones de *business intelligence* para hospitales y para sector público/ciudades, se encuentra en plena internacionalización y ha presentado esta semana sus últimas herramientas en Dubái, en el encuentro CityNext de Microsoft. La empresa que dirige Albert Isern facturará este año dos millones y emplea a 50 personas. / Redacción

[La negrita, de este investigador.]

Lunes 2 de diciembre del 2013

Asistencia financiera: breve de la página 62, en el apartado Panorama.

Última visita de la troika a Madrid antes del fin del rescate bancario

Los inspectores de la troika —formada por la Comisión, el BCE y el FMI— comienzan hoy su última visita a Madrid para evaluar la situación de la banca antes del cierre "limpio" del programa de **asistencia financiera** para España. En la quinta y última misión a España, que concluirá en torno al 16 de diciembre, la troika analizará, como es habitual, los progresos realizados en la estabilización del sector financiero español y el cumplimiento de las condiciones recogidas en el programa acordado. Los miembros de la misión se reunirán con los representados del Gobierno, el Banco de España, entidades financieras privadas, asociaciones del sector y analistas. / Europa Press

[La negrita, de este investigador.]

Asistencia, según la Real Academia de la Lengua:

Recompensa o emolumentos que se ganan con la asistencia personal.

Ni en los diccionarios de marketing ni en los de economía ni en el libro de estilo de *La Vanguardia* aparece el concepto.

El término original sale de las entrañas de la Comisión de Asuntos Económicos y Monetarios del Parlamento Europeo (http://ec.europa.eu), que lo recoge en varios informes. Su portavoz, Simon O'Connor, lo emplea en las ruedas de prensa, y lo usan tal cual los medios.

El comisario de economía y finanzas de la Comisión Europea, Olli Rehn, también lo menciona: "condicionalidad política de la asistencia financiera".[17]

Analizado el resto del diario del 2 de diciembre del 2013, *asistencia financiera* solo aparece aquí.

---

17 Olli Rhen (2012). "Declaración del vicepresidente Olli Rehn sobre la petición de España de asistencia financiera para la recapitalización de las instituciones financieras". En *Comisión Europea,* en abril del 2014: http://ec.europa.eu/spain/actualidad-y-prensa/noticias/economia-en-la-union-europea/declaracion-rehn-asistencia-financiera_es.htm

Martes 3 de diciembre del 2013

Contracción: breve de la página 51, en el apartado Mercados.

<u>La industria española vuelve a contraerse</u>

La actividad del sector manufacturero en España se redujo en 2,3 puntos y se situó en noviembre en 48,6 puntos básicos del índice PMI, elaborado por Markit. Este descenso supone la primera **contracción** de la industria española en los últimos cuatro meses y la sitúa en su nivel más bajo desde mayo del 2013. El informe de Markit indica que esta reducción se debió sobre todo a la caída de la producción y los nuevos pedidos, lo que se reflejó en una marcada destrucción de empleo en el sector. / Agencias

[La negrita, de este investigador.]

Contracción, según la Real Academia de la Lengua:

f. Acción y efecto de contraer o contraerse.

De los diccionarios de marketing:

Contracción, estrategia de: Estrategia en la que la empresa, al ser o poder ser atacada desde diferentes frentes por la competencia, opta por concentrarse lo más posible.

De los diccionarios de economía:

Contracción: Representa la reducción directa y deliberada de la suma de instrumentos monetarios en circulación con la cual se produce la disminución de la demanda total de mercancías y la fase descendente de los ciclos económicos.

Del libro de estilo de *La Vanguardia:*

No aparece este término.

El escrito en el que se basa este breve aparece publicado en la página web de la compañía, www.markiteconomics.com.

En el comunicado de prensa que la empresa "líder" Markit Economics Limited difundió el 2 de diciembre del 2013, esta "información sensible de mercado" la firman personas con estos cargos: "Panel Manager" y "Comunicaciones corporativas".

En ella se recoge el término en tres ocasiones, como por ejemplo: "El deterioro de las condiciones de los negocios en gran parte refleja la renovada **contracción** de los nuevos pedidos y de la producción". (La negrita, del investigador.)

Analizado el resto del diario del 3 de diciembre del 2013, *contracción* no vuelve a aparecer.

Miércoles 4 de diciembre del 2013

Estratégico, proyecto: breve de la página 55, en el apartado En Línea.

GRUPO ZURICH

Gianluca Piscopo, director de empresas

Gianluca Piscopo ha sido nombrado nuevo director general de la división de empresas del Grupo Zurich en España. Sucede en el cargo a Vicente Cancio, promocionado para liderar un **proyecto estratégico** de crecimiento en el negocio internacional de grandes empresas desde la sede en Suiza. / Redacción

[La cursiva, de este investigador.]

Estrategia, según la Real Academia de la Lengua:

Arte, traza para dirigir un asunto.

De los términos de marketing:

Estrategia: Conjunto de acciones planificadas sistemáticamente en el tiempo que se llevan a cabo para lograr un determinado fin.

La entrada remite a **marketing estratégico:** Filosofía que enfatiza la correcta identificación de las oportunidades de mercado como la base para la planeación de marketing y el crecimiento del negocio. A diferencia del marketing que enfatiza las necesidades y deseos del consumidor, el marketing estratégico enfatiza a los consumidores y los competidores.

Ni en los diccionarios de economía ni en el libro de estilo de *La Vanguardia* aparece el término.

El escrito en el que se basa este breve aparece publicado en la página web de la compañía, www.zurich.es:

Gianluca Piscopo, nuevo Director General de la división de Empresas del Grupo Zurich en España

Sucede en el cargo a Vicente Cancio, que ha sido promocionado para liderar un proyecto estratégico de crecimiento en el negocio internacional de grandes empresas desde la sede central en Suiza.

Barcelona, 29 de noviembre de 2013. - Gianluca Piscopo se incorporó al Grupo Zurich en 2002 y se trasladó a España en 2004. Durante estos años ha ocupado diversos cargos de alta responsabilidad. Desde 2012 ha sido Director Técnico de la división de Empresas del Grupo Zurich en España y previamente había ocupado la posición de Director de Operaciones en la misma división.

El cargo será efectivo a 1 de enero de 2014 y su objetivo principal será mantener a Zurich Seguros como líder en el segmento de grandes empresas y entidades públicas, con una cartera de primas de más de 450 millones de euros. En concreto, esta división cuenta con unos 3.500 clientes y prácticamente alrededor de 1.000, pertenecen a la Administración Pública. Además, un 30% de la actividad proviene de empresas con presencia internacional, ámbito donde la compañía destaca por su experiencia en la gestión de programas internacionales.

Gianluca Piscopo sustituirá a Vicente Cancio, que acaba de ser promocionado para liderar un nuevo proyecto estratégico de crecimiento internacional de grandes empresas del Grupo Zurich. Tras tres años como Director General de la división de Empresas en España y con más de veinte años de experiencia en la compañía, Cancio se trasladará a la sede central de la compañía situada en Suiza, donde formará parte de los comités ejecutivos de Global Corporate y CorporateLife&Pensions.

Ambos nombramientos son un claro ejemplo de la política de gestión del talento del Grupo Zurich para impulsar y promocionar a las personas internamente, mediante el apoyo de las carreras profesionales de los colaboradores, tanto a nivel nacional como internacional.

Analizado el resto del diario del 4 de diciembre del 2013, *estrategia* solo aparece en otra noticia, en la página 55 de la sección de Economía; en el breve de la página 48, en la sección de Economía; en las columnas de opinión de la página 15: "La lenta invasión china" ("ampliar su control sobre zonas y recursos estratégicos"), y de la página 29: "La falta de cálculo" ("representación de los intereses geoestratégicos").

Jueves 5 de diciembre del 2013

Tendencias: breve de la página 63, en el apartado En línea.

TELEFÓNICA

El Príncipe conoce en la I+D de Barcelona las **tendencias** digitales

El príncipe de Asturias y de Girona visitó el miércoles el Centro I+D de Telefónica en Barcelona, el epicentro de innovación mundial del grupo, y pudo conocer de primera mano las tendencias futuras en el mundo digital. La visita del príncipe Felipe a la torre Telefónica comenzó con una reunión con responsables de Telefónica, entre los que destacaron su presidente, César Alierta; el director general en Catalunya, Kim Faura; el presidente de I+D, Carlos Domingo, y el director de Wayra, Gonzalo Marín. Tras la reunión, visitó las instalaciones acompañado por el secretario de Estado de Telecomunicaciones y para la Sociedad de la Información, Víctor Calvo-Sotelo; el secretario general de Empresa y Empleo de la Generalitat, Xavier Gibert, y el alcalde de Barcelona, Xavier Trias. Durante el recorrido, se detuvo en varias salas de trabajo del centro de I+D para conocer a los investigadores que, en aquel momento, estaban trabajando en sus proyectos, y pudo ver algunos de los servicios que saldrán al mercado en unos meses. / Redacción

[La negrita, de este investigador.]

Tendencia, según la Real Academia de la Lengua:

Propensión o inclinación en los hombres y en las cosas hacia determinados fines.

De los diccionarios de marketing:

Tendencia: Patrón de comportamiento que se repite y es común a un grupo social durante un periodo concreto, del que podemos analizar su dirección. Puede expresarse en un estilo o costumbre de un momento determinado. Es crítico conocerlo para que el contexto de la comunicación y el marketing cuadre dentro de las tendencias más relevantes para nuestro público objetivo.

De los diccionarios de economía:

Tendencia 1. Como significado general en el mundo de la economía, sentido ascendente, descendente u horizontal al que tiende una variable. 2. En el contexto bursátil, sentido ascendente, descendente u horizontal al que tienden las cotizaciones en un momento determinado.

No hay entrada en el libro de estilo de *La Vanguardia*.

El escrito en el que se basa este breve aparece publicado en la página web de la compañía, www.telefonica.com, en la nota de prensa del 4 de diciembre del 2013:

El Príncipe de Asturias y Girona visita la sede de Telefónica en Barcelona
- Acompañado del presidente de la Compañía, César Alierta, SAR el Príncipe ha recorrido las instalaciones de Torre Telefónica, que alberga el Centro de la innovación mundial del grupo.
- El Príncipe ha conocido las últimas tendencias en el mundo digital y los proyectos en los que trabajan los investigadores de Telefónica en el Centro de I+D,especialmenteaquellos relacionados con Big Data, internet de las Cosas y Open Innovation.
- En Wayra, la aceleradora de startups de Telefónica y una de las mayores plataformas de detección de talento del mundo digital, el Príncipe de Asturias y Girona se ha interesado por cada uno de los proyectos que desarrollan los emprendedores.
Barcelona, 4 de diciembre de 2013.- El Príncipe de Asturias y Girona ha visitado hoy la sede de Telefónica en Barcelona, un moderno edificio que alberga el Centro de I+D, desde el que se lidera toda la innovación mundial del Grupo, y la academia Wayra, la aceleradora de startupsde Telefónica, acompañado por el presidente de la Compañía, César Alierta; el consejero Carlos Colomer; el director general en Cataluña, Kim Faura; el presidente y CEO de I+D, Carlos Domingo, y el director de Wayra, Gonzalo Martín-Villa.
La Delegada del Gobierno en Cataluña, Mª Llanos de Luna; el alcalde de Barcelona, Xavier Trias; el secretario de Estado de Telecomunicaciones y para la Sociedad de la Información, Victor Calvo-Sotelo, y el secretario general de Empresa y Ocupación de la Generalitat de Cataluña, Xavier Gibert, también han acompañado a SAR el Príncipe.
El Príncipe de Asturias y Girona ha conocido la transformación que ha experimentado Telefónica en Cataluña en los últimos años, basada en un modelo de gestión territorial y un fuerte impulso de las inversiones tanto en el despliegue de nuevas tecnologías como en innovación, asi como la cultura de trabajo del Centro de I+D de Barcelona, abierta y colaborativa.
En una reunión con los responsables de la Compañía previa al recorrido de las instalaciones, SAR el Príncipe también ha recibido información sobre el proyecto Wayra, la aceleradora de startups de Telefónica que cuenta con una sede en Torre Telefónica, donde diez grupos de emprendedores trabajan en el desarrollo de su empresa con el apoyo financiero y humano del grupo de telecomunicaciones.
El Príncipe de Asturias y Girona ha recorrido las instalaciones del Centro de I+D de Barcelona, donde ha conocido de primera mano las tendencias futuras de los usuarios del mundo digital, así como algunos de los proyectos en los que trabaja la Compañía, relacionados con Big Data, internet de las Cosas y Open Innovation, tres áreas en las que Telefónica centra actualmente su innovación.

El Príncipe se ha detenido en varias de las salas de trabajo del Centro de I+D, para unirse a los investigadores que en ese momento se encontraban trabajando en sus proyectos y conocer algunos servicios que dentro de unos meses serán utilizados por los usuarios, y ha firmado en una tablet, el libro de honor de Telefónica en Cataluña.

Investigadores de 20 países

El Centro de I+D de Barcelona ocupa 5.000 metros cuadrados de Torre Telefónica y en el trabajan 220 colaboradores, de los que un tercio son doctores científicos. Los distintos grupos de trabajo son multidisciplinares –científicos, sociólogos, informáticos, politólogos, ingenieros- y su composición depende de cada proyecto concreto.

Los proyectos funcionan como si de una startup interna se tratara, con el mismo sistema de trabajo y flexibilidad que si realizaran su trabajo fuera de las oficinas del Centro. La plantilla procede de más de 20 países diferentes y encajan en un modelo de innovación abierta en el que participan empresas y universidades de todo el mundo.

Además de liderar toda la innovación mundial de Telefónica desde Barcelona, Cataluña es también para Telefónica un Market Test Lab, el primer lugar donde se testa entre la población los nuevos servicios diseñados por la Compañía antes de su comercialización.

Posteriormente, el Príncipe de Asturias y Girona ha visitado la Academia Wayra, la aceleradora de startups de Telefónica, ubicada también en la sede de la Compañía en Barcelona. SAR ha asistido a un elevator pitch, una reunión en la que cada equipo presenta su empresa en un máximo de un minuto. Este tipo de presentaciones de un minuto de duración son las que habitualmente realizan las startups ante grupos de inversores para captar financiación.

Detectar el talento

Las startups que han presentado su proyecto al Príncipe son: Infantium, AudioSnaps, Social &Beyond, MintLabs, Touch of Classic, Green Momit, Marfeel, Cognicor, TedCas y Rushmore. Con todos sus integrantes, el Príncipe ha intercambiado impresiones y conversado en un encuentro informal.

Wayra es una iniciativa de Telefónica que tiene como principal objetivo potenciar la innovación y la detección de nuevos talentos en Latinoamérica y Europa en el campo de internet y las nuevasTecnologías de la Información y la Comunicación (TIC). Mediante su modelo global de aceleración de proyectos, apoya a los emprendedores en su desarrollo, dotándolos de las herramientas tecnológicas, mentores calificados, un espacio de trabajo de vanguardia y la financiación necesaria para acelerar su crecimiento.

Con presencia en doce países (Alemania, Argentina, Brasil, Chile, Colombia, España, Irlanda, México, Perú, Reino Unido, República Checa y Venezuela), Wayra ha recibido en sus convocatorias más de veinte mil propuestas de nuevos negocios digitales, convirtiéndola en una de las mayores plataformas de detección de talento del mundo TIC.

A poco más de dos años de su lanzamiento, Wayra ha invertido ya en más de 300 jóvenes empresas en 12 países y sus academias albergan actualmente más de 170 startups en proceso de aceleración.

Analizado el resto del diario del 5 de diciembre del 2013, *tendencia* aparece en la columna de opinión de la página 35, en la sección de Cultura, la columna que lleva por título "Sensual Love".

Viernes 6 de diciembre del 2013

Ofertar: breve de la página 63, en el apartado En línea.

FORD

<u>El Mustang se estrena en Barcelona</u>

Bill Ford, presidente ejecutivo del grupo estadounidense Ford, presentó ayer en Barcelona la nueva generación de su mítico Mustang, que por primera vez en la historia se comercializará en el mercado europeo. Será a partir del 2015, según informó la compañía. La nueva versión de este vehículo se **ofertará** en versión cupé y descapotable y busca extender el éxito de un modelo del que se han vendido más de nueve millones de unidades desde que se lanzó la primera generación en 1964. El Mustang es uno de los 25 modelos incluidos en la estrategia de producto que está implementando la compañía en Europa y que llegarán al mercado en los próximos tres años. Ford también ha puesto el acento en el segmento de los todoterreno SUV, lo que tendrá un importante impacto en la planta de Almussafes, ya que la intención es elevar la producción del modelo Kuga hasta las 100.000 unidades anuales. / Redacción

[La negrita, de este investigador.]

Ofertar, según la Real Academia de la Lengua:

tr. En el comercio, ofrecer en venta un producto.

De los diccionarios de marketing:

Oferta ("postura competitiva"): Situación en la que varios proveedores presentan ofertas de precios basadas en las especificaciones del comprador para un producto o servicio.

Oferta (en el mercado): Conjunto de marcas y productos que luchan en el mercado. Ver competencia / concurrencia.

De los diccionarios de economía:

Oferta 1. Conjunto de bienes o servicios que se ponen a disposición del mercado para responder a la demanda, determinándose su precio por la relación entre ambas fuerzas si no existe intervención estatal. 2. En los mercados financieros, precio o rendimiento que exige un miembro del mercado para vender un activo financiero. También se denomina "precio vendedor".

No hay entrada en el libro de estilo de *La Vanguardia*.

El escrito en el que se basa este breve aparece publicado en la página web de la compañía, http://social.ford.es:

La experiencia Ford Mustang aterriza en Europa
El esperadísimo Ford Mustang llega a Europa. El viaje ha sido largo: 50 años de evolución para pisar por fin nuestro continente, pero el icono americano llega para rodar fuerte, gracias a motorizaciones más eficientes y con potencia sobrada.
Por primera vez en la historia, el mítico conquistador de la Ruta 66 atravesará también las autopistas de un lado a otro de Europa. Bill Ford, Presidente Ejecutivo de Ford Motor Company ha presentado en el evento GoFurther de Barcelona una nueva generación de Ford Mustang con un nuevo diseño, nuevas motorizaciones que alcanzan los 426 CV y eficiencia de consumo y emisiones acordes a las exigencias del mercado europeo.
Pero lo que realmente llega a nuestro continente es una experiencia que hasta ahora pocos europeos habían tenido la oportunidad de vivir: la experiencia Mustang. Desde hace 50 años, el pony car se ha mostrado al mundo a través del cine, eventos, carreras, clubs de fans, incluso como un elemento clave del estilo de vida americano o como símbolo de la libertad. La experiencia Mustang se ve, se disfruta al volante, se escucha en la musicalidad de su poderoso motor.
Un icono por los cuatro costados
Ford ha realizado un elaborado ejercicio estilístico para que el nuevo Mustang recuerde poderosamente al modelo clásico que fraguó el mito en los años 60 y a la vez sea un deportivo rabiosamente actual: su interminable morro y su corta zaga imprimen la seña de identidad del "caballo salvaje", con un perfil afilado que redunda en su deportividad innata.
Es un coche concebido para dejar con la boca abierta a quienes los ven desde fuera... Y a quien lo conduce. Con un sistema de suspensiones delante y detrás totalmente nuevo, este coche hará disfrutar a conductores dinámicos por carreteras viradas, pero también transmite confort en el uso diario o en viajes largos por autovía. Su estampa, su sonido, las sensaciones al volante que transmite... En definitiva, los ingredientes que logran que un Mustang sea más que un coche una cultura y una actitud de vida, siguen intactos en el nuevo modelo. Quien quiera puro músculo podrá optar por el conocido 5.0 V8 de Ford, con más de 426 CV y 529 Nm de par. A esta generación se suma además el nuevo motor EcoBoost 2.3 litros que aporta tecnología puntera al Mustang, con prestaciones al más alto nivel y los consumos y emisiones de CO_2 que demandamos en Europa: la potencia estará por encima de los 309 CV y el par motor de 407 Nm garantiza fuerza bajo el pedal del acelerador. Steve McQueen y su Mustang emocionaron a medio mundo saltando por las calles de San Francisco en los años 70. ¿Imaginas lo que hubiera llegado a hacer el actor con esta última generación?

Analizado el resto del diario del 6 de diciembre del 2013, *ofertar* no aparece en ningún lugar más.

Sábado 7 de diciembre del 2013

Líder: breve la página 71, en el apartado En Línea.

GPO

Centro de I+D para el grupo Hero

GPO, una ingeniería especializada en el diseño de centros de I+D, diseñará el nuevo centro de investigación y pruebas del grupo indio Hero MotoCorp, **líder** mundial en la fabricación de motocicletas. GPO se ha presentado al proyecto en consorcio con Applus, el Idiada y Apicom. / Redacción

[La negrita, de este investigador.]

líder, según la Real Academia Española:

com. Construido en aposición, indica que lo designado va en cabeza entre los de su clase.

De los diccionarios de marketing:

Los diccionarios y glosarios de marketing dedican especial atención a este concepto, de suma importancia a juzgar por las numerosas entradas y modalidades (líder de opinión, líder con pérdidas, líder como creador de cultura…).

Líder: Aquellas personas que coordinan y equilibran los intereses de todos los grupos que de una u otra forma tienen interés en la organización, incluidos el equipo de dirección, los demás directivos y todos aquellos que dirigen equipos o participan de la función de liderazgo.

Liderazgo: En su acepción más simple y práctica, *liderazgo* es la habilidad para obtener consenso y compromiso de un grupo hacia objetivos comunes, generando satisfacciones a ese grupo. O dicho de otra manera, el deseo o compromiso de varias personas (grupo) por seguir a alguien (líder) voluntariamente y tomando como suyos los objetivos de ese alguien. La necesidad de un liderazgo gerencial no es solamente local ni de hoy.

No hay entrada en los diccionarios de economía.

Del libro de estilo de *La Vanguardia:*

Líder: Plural: **líderes.** Es frecuente la redundancia "más líder". Empléese "líder indiscutible", "líder aventajado".

El escrito en el que se basa este breve aparece publicado en la página web de la compañía, www.gpo.es:

HERO MOTOCORP PONE LA PRIMERA PIEDRA DE SU CENTRO DE INVESTIGACIÓN Y DESARROLLO EN RAJASTHAN (INDIA), DISEÑADO POR GPO
Como parte de su estrategia de expansión, la compañía India HERO MotoCorp, líder en el sector de las motocicletas, ha iniciado la construcción de su nuevo centro de I+D en Kukas (Rajasthan), que prevé tener en funcionamiento el primer trimestre del 2015.
GPO forma parte del consorcio, junto con Apicom e IDIADA, que está desarrollando la ingeniería del nuevo centro de pruebas de la marca, asumiendo las tareas de projectmanagement y desarrollo de ingeniería de pistas y laboratorios.
Con una inversión cercana a los 75 Millones de dólares (Rs 450 Crore), el nuevo centro será un referente en toda Asia en el desarrollo de motocicletas, incorporando la última tecnología de pistas de pruebas y laboratorios de ensayo.

La palabra *líder* también aparece en las noticias "Vino líder en la red" (Economía, página 71: "líder en la venta de vinos españoles por internet"; también se leerá en la columna de la página 2 'Los semáforos': "líder en el comercio de vinos"), sobre la empresa Vinissimus.

Y aparece en "Una semana de duelos" (Internacional, páginas 3 a 10: "líder africano", "líder antiapartheid", "líder surafricano" y "líder zulú"), sobre la muerte de Nelson Mandela. Y aparece en "Yanukóvich negocia con Putin en vísperas de otra gran protesta" (Internacional, página 11: "líder del partido UDAR"), sobre las protestas en Ucrania. Y aparece en "Rubalcaba: 'Yo fui el primero'" (Política, páginas 13 y 14: "líder del PSOE"), sobre la reforma de la Constitución. Y aparece en "La fiesta de las ausencias" (Política, páginas 15-20: "Líder de la formación magenta", "líder del PSC", "líder de la oposición" y "líder de C's"), sobre la celebración del Día de la Constitución, etcétera.

El término se recoge en las columnas de opinión, en las cartas de los lectores, en las sinopsis de las películas de la cartelera y en las páginas deportivas.

Domingo 8 de diciembre del 2013

El mismo breve del 7 de diciembre se publica en la edición del diario del día siguiente.

HEROMOTOCORP

Nuevo centro I+D en India

Hero MotoCorp, compañía especializada en la fabricación de motocicletas, ha seleccionado a un consorcio formado por GPO, Applus Idiada y Apicom para diseñar el nuevo centro de I+D (Investigación y Desarrollo), con pistas de pruebas y laboratorios de ensayo, que requerirá más de 100 millones de euros y que se instalará en Nueva Delhi. / Redacción

Lunes 9 de diciembre del 2013

Córner: breve de la página 71, en el apartado En línea.

NAULOVER

La firma de moda desembarca en Italia

La firma de moda Naulover desembarcará en febrero en Italia con cuatro puntos de venta en grandes almacenes de Milán, Padova, Messina y Catania. En un comunicado, la empresa indicó que la apertura de estos cuatro **córneres,** conllevará una inversión de alrededor de 250.000 euros. / Efe

[La negrita, de este investigador.]

Córner, según la Real Academia de la Lengua:

m. Dep. saque de esquina.

De los diccionarios de marketing:

Cornersite: Emplazamiento en esquina (medio exterior)

No hay entrada en los diccionarios de economía. En el libro de estilo de *La Vanguardia* solo se especifica el plural de *córner (córners).*

El escrito en el que se basa este breve aparece publicado en la página web de la compañía, www.naulover.com:

05.12.2013
<u>Naulover desembarca en la bella Italia</u>
Como bien os pudimos presentar en nuestro post, Naulover está expandiendo sus establecimientos para llegar a más países. Ahora, dentro de su plan de desarrollo internacional, la firma de moda de mujer desembarcará en febrero en el país de la moda por excelencia: Italia.

Naulover ha unido lazos con la prestigiosa compañía de grandes almacenes Coin para inaugurar en las ciudades de Milán, Messina, Catania y Padova cuatro corners de unos quince metros cuadrados. La intención es aproximar a los clientes italianos las últimas novedades en ropa de mujer de la mano de la firma catalana. Carme Noguera, hija del fundador de la firma y actual administradora de la marca, ha declarado que a medio plazo la imparable firma catalana se expandirá en más establecimientos por toda Italia para dar respuesta a la creciente demanda.

Naulover presenta unos estándares de calidad únicos que saben cómo satisfacer las necesidades y exigencias del consumidor que busca productos de calidad sin renunciar a las últimas tendencias. De ahí el éxito que está teniendo Naulover, tanto a nivel nacional como internacional. Apostar por la moda y las últimas tendencias sin renunciar a prendas únicas y de calidad es lo que hace a Naulover un referente en la industria textil.

Esta alianza de Naulover con el grupo Coin, que ha supuesto una inversión de 250.000 euros, pretende continuar incrementando su porcentaje de ingresos internacionales al 50% en un periodo máximo de 5 años. Es por ello que a lo largo de los próximos años Naulover seguirá apostando por la moda de mujer y por reforzar la distribución internacional, tanto en tienda online como en corners de grandes almacenes y tiendas físicas por todo el mundo. A día de hoy, Naulover ya cuenta con presencia en más de 12 países por todo el mundo. Debemos destacar sin duda el éxito cosechado en Francia, Reino Unido, Alemania, Rusia, Portugal, Polonia y Bélgica, países donde el público ha respondido muy positivamente a los productos y estilo de la firma catalana. Recientemente, Naulover anunció la apertura de una franquicia en el más que prestigioso centro comercial de Qatar, Lagoona. Y también en Andorra en el centro comercial Pyrenées.

Los planes de expansión también se centran en la apertura de nuevas franquicias en Kuwait y en los Emiratos Árabes, tanto en Dubái como en Abu Dabi. El oriente medio está respondiendo muy positivamente al estilo que define a Naulover y es por ello que se pretende incrementar la presencia física.

Por lo que respecta a nivel nacional Naulover, está presente en 500 puntos de venta en tiendas multimarca y en 90 corners junto al famoso grupo El Corte Inglés. Ello además del canal de venta on-line para dar respuesta favorable a quienes están habituados a este tipo de compras tan en auge.

Naulover apuesta por una producción de calidad y por unos diseños que se nutren de las últimas tendencias. Esto hace que la gente confíe en Naulover tanto para el día a día como para eventos especiales y Naulover no puede estar más orgulloso de responder positivamente a la demanda ampliando su oferta de tiendas físicas para satisfacer a sus clientes.

Analizado el resto del diario del 9 de diciembre del 2013, *córner* solo aparece en las páginas deportivas.

Martes 10 de diciembre del 2013

Extraordinario, dividendo: breve de la página 59, en el apartado Mercados.

Ebro: dividendo adicional de 0,12 euros

Ebro Foods reparte hoy un **dividendo extraordinario** de 0,12 euros por acción. Con esta remuneración, que se suma a la de 0,48 euros del ejercicio 2012, la multinacional española ha distribuido entre sus accionistas un total de 92,3 millones en el 2013 y 430,1 millones durante los últimos cuatro años. Ebro Foods destacó ayer que su "magnífica solidez financiera" le permite llevar a cabo una "ambiciosa" política de dividendos. / EP

[La negrita, de este investigador.]

Extraordinario, según al Real Academia de la Lengua:

Fuera del orden o regla natural o común.

De los diccionarios de marketing:

Extraordinarios, resultados: Ingresos procedentes de operaciones que no corresponden a la actividad habitual de la empresa, como venta de propiedades inmobiliarias, terrenos...

De los diccionarios de economía:

Extraordinario, ingreso: Ingreso no relacionado con la actividad normal de la sociedad (p. e. la venta de un inmueble, las plusvalías generadas por la cartera de valores, etc.).

No hay entrada en el libro de estilo de *La Vanguardia*.

El escrito en el que se basa el breve aparece publicado en la página web de la compañía, www.ebrofoods.es:

Ebro aprueba un dividendo adicional extraordinario de 0,12€ por acción
En el marco de su política de dividendo y como muestra del compromiso con sus accionistas, el Consejo de Administración de Ebro Foods, S.A. ha acordado en su sesión de hoy, proponer a la próxima Junta General de Accionistas la distribución de un dividendo a cuenta extraordinario de 0,12 euros por acción.
El dividendo extraordinario, que se suma al ya anunciado dividendo ordinario de 0,48 euros por acción correspondiente al ejercicio 2012, se abonará en un único pago, el próximo 10 de diciembre de 2013.
Así, durante 2013, Ebro distribuirá entre sus accionistas un total de € 92,3 millones en concepto de dividendos, que sumados a los €322,5 millones repartidos en los tres últimos ejercicios, elevan la cifra hasta €414,8 millones.
La magnífica solidez financiera de la compañía permite dar continuidad a su ambiciosa política de dividendo y retribuir por quinto año consecutivo a sus accionistas con un nuevo dividendo extraordinario.

Analizado el diario, vuelve a aparecer el término en la noticia "Port Aventura vuelve a emitir bonos por 400 millones para pagar deuda y un dividendo extra" (Economía, página 63: "hacer frente a un dividendo extraordinario").

Miércoles 11 de diciembre del 2013

Inteligentes, tejidos: breve de la página 63, en el apartado En línea.

CETEMMSA

Xavier Torra y Marc Pérez, al patronato

El Centre Tecnològic del Maresme, Cetemmsa, especializado en **tejidos inteligentes,** ha incorporado a Xavier Torra (director general de Simon Holding) y Marc Pérez (director general de laboratorios Hartmann) al patronato de la institución. Cetemmsa ingresa ya un 49% del sector privado. / F. Cedó

[La negrita, de este investigador.]

Inteligente, según la Real Academia Española:

Dicho de una persona: Dotada de un grado elevado de inteligencia. U. t. c. s.

De los diccionarios de marketing:

Inteligencia competitiva: Información generada acerca de los negocios y la mercadotecnia que realizan los competidores con la finalidad de desarrollar estrategias.

Inteligencia de mercado: Información obtenida de fuentes externas a la firma para usarse en el proceso de toma de decisiones (ver sistema de información de marketing).

No hay entrada de economía. El libro de estilo de *La Vanguardia* sí se refiere a *intelligentsia:* Término que designa a la clase intelectual cercana a un régimen.

El escrito en el que se basa este breve aparece publicado en la página web de la compañía, www.cetemmsa.com:

CETEMMSA Centro Tecnológico
Investigación aplicada de materiales y dispositivos inteligentes
Cetemmsa es un centro tecnológico de servicios de I+D, con una trayectoria de más de

19 años, que realiza investigación aplicada de materiales y dispositivos inteligentes - Smart Materials& Smart Devices.

Los resultados de esta investigación son la base de proyectos conjuntos con empresas para la innovación y desarrollo experimental de productos inteligentes - Smart Innovation - que aportan nuevos usos y experiencias a un amplio abanico de sectores económicos.

Además, una de las principales funciones del centro tecnológico es establecer colaboraciones con otros centros de investigación y universidades para el desarrollo de proyectos conjuntos. Cetemmsa está acreditado como Centro de Innovación Tecnológica por el Ministerio de Ciencia e Innovación y es miembro de la red de centros TECNIO de la Generalitat de Catalunya.

En la pestaña de Actualidad y Noticias:

CETEMMSA incorpora a SIMON y HARTMANN en su patronato
11 diciembre 2013

La Junta de Patronato de CETEMMSA ha aprobado por unanimidad la incorporación de Xavier Torra Balcells, director general de Simón Holding y Marc Pérez Pey, director general de Laboratorios Hartmann. A través de estas incorporaciones, CETEMMSA fortalece su vínculo con el mundo empresarial. Los estatutos del centro permiten tener hasta 17 patrones. En estos momentos, con Simón y Hartmann, son 12.

Para Cetemmsa, la implicación de SIMON y HARTMANN, referentes en ámbitos que son objetivo del centro, representará un impulso a nuestra actividad de transferencia tecnológica a las empresas, indica Miquel Rey Presidente de CETEMMSA, y en este sentido esperamos poder anunciar en las próximas semanas nuevas incorporaciones, permitiendo crear aún más y mejores vínculos con el tejido empresarial de nuestro ámbito de influencia. Finalmente Rey concluye remarcando que, Nuestros ingresos provenientes de contratos privados han pasado de representar el 5% en el 2008 a un 49% este año.

Xavier Torra Balsells

Es Director general de Simón Holding, grupo de empresas dedicadas a la fabricación y distribución de material eléctrico, electrónica e iluminación, con sede en Barcelona. Nacido en Barcelona en 1951, Torra es ingeniero industrial y máster en Dirección de Marketing por ESADE. Ha ocupado diferentes puestos directivos en empresas como Unión Carbide, British Petroleum y DuPont de Nemours. En la actualidad, es consejero de varias empresas familiares, además de miembro de la Junta Directiva del Foro de Marcas Renombradas Españolas y del Patronato de ASCAMM. Desde el 2010 preside el Patronato de la Fundación IntermónOxfam.

Marc Pérez Pey

Es Director general de la filial del GRUPO HARTMANN en España con sede en Mataró, que colaboran constantemente en el desarrollo, la producción y la distribución de sus productos ofreciendo soluciones eficientes e innovadoras a sus clientes. PAUL HARTMANN S.A. es el centro de desarrollo y producción de apósitos adhesivos profesionales y de las emblemáticas Tiritas®, con sede en Mataró. Laboratorios HARTMANN S.A. es responsable de la distribución y comercialización de la extensa gama de productos sanitarios y soluciones del Grupo. Nacido en Barcelona, Marc Pérez Pey es ingeniero industrial y máster PDD por IESE. En la actualidad, lidera la filial española de la multinacional HARTMANN con sede central en Mataró. Además es Vicepresidente de la Junta Directiva de FENIN Catalunya, Patrono de la Fundación Edad &Vida y miembro del Consejo Directivo de Anefp.

Analizado el diario, el término aparece en la noticia "En busca de un paso adelante" (Deportes, página 44: "inteligente, ayer sabía") y en la entrevista "Abu era mi padre elefante" (La Contra, página 64: "animales muy inteligentes").

Jueves 12 de diciembre del 2013

Líder: igual que en el sábado 7 de diciembre del 2013, en la página 63, en el apartado En Línea.

ENERGOTEC

<u>Ebioss y Metalik, juntos en gasificación</u>

EbiossEnergy, compañía **líder** en gasificación, y el Grupo Metalik, holding europeo **líder** en fabricación de equipos para el sector energético en los Balcanes, han creado Energotec Eco para fabricar equipos de gasificación a nivel mundial, así como su mantenimiento y servicio posventa. / Efe

[La negrita, de este investigador.]

El escrito en el que se basa este breve aparece publicado en la página web de la compañía, www.ebioss.com:

EBIOSS Energy, compañía líder mundial en gasificación, y el Grupo METALIK, holding europeo líder en fabricación de equipos para el sector energético en la zona de los Balcanes, a través de su filial ENERGOREMONT Galabovo, han creado ENERGOTEC ECO para fabricar equipos de gasificación a nivel mundial así como su mantenimiento y servicio postventa. Esta nueva compañía ha sido creada conjuntamente al 50% por cada grupo y cuenta con una fábrica de 30.000 m2 en el centro de Bulgaria, en la localidad de StaraZagora, municipio de Kaloyanovets.

Viernes 13 de diciembre del 2013

Mercado objetivo: breve de la página 66, en el apartado Mercados.

<u>T-Solar invierte 55 millones</u>

El Grupo T-Solar, propiedad de Isolux Infrastructure, ha finalizado el proyecto de conexión de su primera central solar fotovoltaica en Estados Unidos, que producirá 55 giga vatios por hora de electricidad al año, por una inversión de 55 millones de euros. La consejera delegada del Grupo subrayó que Estados Unidos es uno de los **mercados objetivos** para la ampliación de la actividad de la firma en su estrategia de expansión a largo plazo. / EP

[La negrita, de este investigador.]

Mercado, según la Real Academia Española:

Conjunto de actividades realizadas libremente por los agentes económicos sin intervención del poder público.

De los diccionarios de marketing:

Mercado objetivo o mercado objeto: Grupo de compradores que comparten necesidades o características comunes, a los cuales una empresa decide servir.

De los diccionarios de economía:

Mercado: 1. Lugar público donde se compran y venden bienes o servicios. 2. Conjunto de actividades realizadas por los agentes económicos sin intervención de los poderes públicos. 3. Conjunto de operaciones que afectan a un sector de bienes o servicios. 4. Conjunto de consumidores que compran un producto o servicio.

Del libro de estilo de *La Vanguardia:*

Mercado: El término mercado lo escribimos siempre con minúscula y en castellano.

El escrito en el que se basa este breve aparece publicado en la página web de la compañía, www.tsolar.com:

Madrid, 12 de diciembre.- Grupo T-Solar, uno de los principales productores independientes de energía solar fotovoltaica, ha finalizado con éxito la conexión de su primera central solar fotovoltaica en Estados Unidos. La compañía es filial de IsoluxInfrastructure, empresa que gestiona, además de Grupo T-Solar, concesiones de autopistas (1.610 kilómetros en India, Brasil, México y España) y de líneas de transmisión (6.047 kilómetros en Brasil, India y en EEUU con 605 km).
Ubicada en el municipio de El Centro (Imperial Valley, California), ocupa 53 hectáreas y producirá 55 GWh al año, electricidad suficiente para abastecer a una población de más de 12.000 habitantes. Grupo T-Solar ha alcanzado un acuerdo (PPA, PowerPurchaseAgreement) de 30 años con la compañía IID (Imperial IrrigationDistrict) para la comercialización de energía en la zona.
"Estados Unidos es uno de los mercados objetivos para la expansión de la actividad de generación de Grupo T-Solar y parte fundamental de su estrategia de expansión a largo plazo", ha explicado Marta Martínez, CEO de Grupo T-Solar.

Analizado el resto del diario del 13 de diciembre del 2013, *mercado* no vuelve a aparecer.

Sábado 14 de diciembre del 2013

Estratégico: breve de la página 71, en el apartado En línea (igual que el 4 de diciembre del 2013).

ALTALEX

Alianza con el grupo estadounidense Ryan

La firma catalana Altalex, especializada en servicios legales y tributarios, ha alcanzado una **alianza estratégica** con la empresa estadounidense Ryan. La firma, con sede en Dallas, Texas, presta servicios fiscales, de recobre de impagados, precios de transferencia internacionales y reestructuraciones. / Redacción

[La negrita, de este investigador.]

El escrito en el que se basa este breve aparece publicado en la página web de la compañía, www.ryan.com:

PressRoom
December 9, 2013
FOR IMMEDIATE RELEASE
Ryan Forms Strategic Alliance with Altalex to Support Continued Global Expansion of International Tax Practice.
Dallas, Texas – Ryan, a leading global tax services firm with the largest indirect and property tax practices in North America, today announced a strategic alliance with Altalex, a leading tax advisory and legal firm based in Barcelona, Spain. This strategic alliance supports the Firm's continued global expansion across Europe, while delivering higher levels of value and results for the Firm's portfolio of multinational clients in more than 40 countries throughout the world. Altalex will complement Ryan's international tax expertise with additional value-added tax advisory and recovery services, global transfer pricing, tax administration verification and identification, and corporate restructuring.
"We are proud to deploy the leading experts from Altalex as partners in support of our continued expansion in Spain and across Europe," said Todd E. Behrend, Ryan's International Tax Practice Leader. "Their tax services will help drive substantial added value for our multinational clients."
"Ryan already provides tax services to many of the world's leading global companies, and the partnership with Altalex will deliver tremendous value through additional Spanish international tax solutions," said Brendan F. Moore, Ryan President of Europe, Asia, and Latin America Operations. "The trust that Ryan has earned by delivering superior results

for these multinational clients drives our commitment to dramatically expand Ryan's international tax services."

"We are excited to reinforce our international tax services with best-in-class solutions that add to the bottom line savings and results that we deliver for our multinational clients," said G. Brint Ryan, Chairman and CEO of Ryan. "Altalex is an exceptional strategic partner that will strengthen our international capabilities and support our rapid global expansion."

About Altalex

Altalex is a leading tax advisory and legal services firm based in Barcelona, Spain. The firm was formed in 1983 and deploys a team of more than 20 highly qualified tax and legal professionals. The client base includes national and international corporations across a broad range of business sectors.

About Ryan

Ryan is an award-winning global tax services firm, with the largest indirect and property tax practices in North America and the seventh largest corporate tax practice in the United States. Headquartered in Dallas, Texas, the Firm provides a comprehensive range of state, local, federal, and international tax advisory and consulting services on a multi-jurisdictional basis, including audit defense, tax recovery, credits and incentives, tax process improvement and automation, tax appeals, tax compliance, and strategic planning. Ryan is a three-time recipient of the International Service Excellence Award from the Customer Service Institute of America (CSIA) for its commitment to world-class client service. Empowered by the dynamic myRyan work environment, which is widely recognized as the most innovative in the tax services industry, Ryan's multi-disciplinary team of more than 1,600 professionals and associates serves over 9,000 clients in 40 countries, including many of the world's most prominent Global 5000 companies. More information about Ryan can be found at www. ryan.com

Analizado el resto del diario del 14 de diciembre del 2013, en ningún lugar más sale este concepto.

Domingo 15 de diciembre del 2013

Prestigio: breve de la página 95, en el apartado En línea.

IMAGINA

Gana el premio Computerworld

La empresa MediaCloud del grupo Imagina ha sido premiada con el **prestigioso** premio Computerworld al Mejor Proyecto Cloud 2013. El premio destaca la apuesta por la innovación TIC hecha por el grupo Imagina. Con un equipo de 25 personas, MediaCloud es la división dedicada a prestar servicios cloud a empresas e instituciones. / Redacción

[La negrita, de este investigador.]

Prestigio, según la Real Academia de la Lengua:

Realce, estimación, renombre, buen crédito.

De los diccionarios de marketing:

Prestigio (rol de): El papel que, dentro de una gama o surtido, desarrolla una marca o producto prestigiando la imagen de marca de su fabricante o distribuidor.

El escrito en el que se basa este breve aparece publicado en la página web de la compañía, www.imagina.tv:

MediaCloud, Premio Computerworld al Mejor Proyecto Cloud 2013
El galardón destaca la apuesta por la innovación TIC hecha por el grupo Imagina
MediaCloud, empresa del Grupo Imagina, ha sido premiada con el prestigioso premio Computerworld al Mejor Proyecto Cloud 2013, un galardón que destaca la apuesta por la innovación TIC hecha por el grupo. MediaCloud es la división del Grupo Imagina dedicada a proporcionar servicios cloud a empresas e instituciones. Con un equipo de 25 personas presta servicios a la Generalitat de Catalunya, el Ayuntamiento de Barcelona, Barcelona Media y empresas como Unitronics y NTT. La empresa posee un CPD de última generación en sus instalaciones de 500m2 situadas en el distrito 22@ de Barcelona.

Analizado el diario, el término *prestigioso* aparece en la noticia "Bachelet, lista para la historia" (Internacional, página 4: "Tiene el aval prestigioso de su cargo") y en la noticia "En recuerdo de…" (Cultura, página 59: "Colaboración de prestigiosos historiadores").

.11.2.2 Quince días de 'El Mundo', del 1 al 15 de diciembre del 2013

Ni los domingos ni los lunes se publican breves de empresa en la sección de Economía

Martes 3 de diciembre del 2013

Cuenta (a): breve de la página 35, en el apartado Empresas.

Gas Natural, 393 millones al dividendo

Gas Natural Fenosa destinará 393 millones al pago del dividendo **a cuenta** a cargo de los resultados del ejercicio 2013, que consistirá en un pago en efectivo de 0,393 euros por acción el próximo 8 de enero, cantidad un 0,3% superior al dividendo a cuenta del ejercicio 2012. / E. P.

[La negrita, de este investigador.]

Cuenta, según la Real Academia de la Lengua:

Depósito de dinero en una entidad financiera.

De los diccionarios de marketing:

Cuentas: Para cada cliente importante se lleva una cuenta aparte y se le da un tratamiento personalizado a cargo del departamento de grandes cuentas y asignándole un ejecutivo de cuentas para su mejor atención y servicio. Ver ejecutivo de cuentas.

De los diccionarios de economía:

Cuenta: 1. Depósito bancario. 2. Partida donde se refleja la situación contable de los elementos patrimoniales de una sociedad.

El escrito en el que se basa este breve aparece publicado en la página web de la compañía, www.gasnaturalfenosa.com:

Gas Natural Fenosa destinará 393 millones de euros al pago del dividendo a cuenta del ejercicio 2013
02-12-2013
Noticia corporativa
· Información Financiera
La compañía energética realizará, a partir del próximo día 8 de enero, un pago en efectivo de 0,393 euros por acción.
· Este importe supone un aumento del 0,3% de la cantidad destinada a dividendo a cuenta respecto al distribuido con cargo al ejercicio 2012.
El Consejo de Administración de GAS NATURAL FENOSA acordó destinar 393 millones de euros al pago del dividendo a cuenta, a cargo de los resultados del ejercicio 2013.
De acuerdo con este dividendo a cuenta aprobado, la compañía realizará, el próximo 8 de enero de 2014, un pago en efectivo de 0,393 euros por acción a cada una de las 1.000.689.341 acciones de la sociedad.
La decisión del Consejo de Administración supone aumentar en un 0,3% la cantidad destinada a dividendo a cuenta respecto al distribuido con cargo al ejercicio 2012, si bien la cantidad total destinada finalmente a dividendo con cargo a los resultados de 2013 se concretará coincidiendo con la formulación de las cuentas anuales del ejercicio 2013.
Remuneración al accionista en 2013
A cargo de los resultados del ejercicio 2012, GAS NATURAL FENOSA destinó un dividendo de 0,894 euros por acción, distribuido en un dividendo a cuenta de 0,391 euros por acción, abonado a principios de enero de este año, y un dividendo complementario de 0,503 euros por acción, abonado el pasado mes de julio. El pay out de la compañía se situó en el 62,1%.
Barcelona, 2 de diciembre de 2013

Miércoles 4 de diciembre del 2013

Concesión: breve de la página 36, en el apartado Empresa.

CatalunyaCaixa, 2.990 millones para empresas

Catalunya Caixa **ha concedido** 2.990 millones de euros de operaciones de crédito hasta octubre a empresas que han presentado proyectos viables y solventes, una actuación que se enmarca en el plan de negocio de la entidad y por el que se prevé distribuir 4.000 millones de financiación a cierre de 2013. / E. P.

[La negrita, de este investigador.]

Concesión, según la Real Academia de la Lengua:

Otorgamiento que una empresa hace a otra, o a un particular, de vender y administrar sus productos en una localidad o país distinto.

De los diccionarios de marketing:

Concesión: Método de penetración de un mercado extranjero en el que la compañía participa merced a un acuerdo con un concesionario de ese mercado (extranjero), al cual ofrece el derecho de usar un proceso de manufactura, marca de fábrica, patente, secreto comercial o cualquier otro artículo de valor a cambio de una tarifa o regalías.

De los diccionarios de economía:

Concesión: Concepto usado en comercio y prácticas comerciales.

El escrito en el que se basa este breve aparece publicado en la página web de la compañía, www.bankinter.com:

CatalunyaCaixa finança les empreses amb 2.990 milions fins a octubre
El pla de negoci de l'entitat preveu tancar l'any havent concedit 4.000 milions d'euros en crèdit a empreses
Barcelona, 03/12/2013
CatalunyaCaixa ha concedit 2.990 milions d'euros d'operacions de crèdit a empreses privades amb projectes viables i solvents entre gener i octubre.
Aquesta actuació forma part del pla de negoci de l'entitat que preveu que, en acabar l'any, haurà concedt 4.000 milions d'euros de finançament per a empreses per a les que el crèdit constitueixi una oportunitat de materialitzar les perspectives de creixement de negoci.
El crèdit s'ha destinat al finançament del circulant de les empreses a través de línies de descompte (22%), comptes de crèdit (18%), factoring (29%) i línies de comerç exterior (21%). L'altre 10% s'ha aplicat a finançar projectes d'inversió a través de préstecs.
Les pimes han signat el 42% de les operacions de finançament, mentre que les empreses que facturen entre 6 i 100 milions d'euros han optat al 49% dels nous contractes. Per la seva part, les corporacions que facturen més de 100 milions han protagonitzat el 9% restant del nombre d'operacions signades.
La distribució per volum total concedit indica que les pimes han rebut 360 milions (13%), les empreses 1.030 milions (37%) i les corporacions 1.600 milions (50%).
L'entitat disposa d'oficines d'atenció exclusiva a empreses, així com d'un equip d'especialistes en cadascuna de les solucions ofertes: internacionalització del negoci, comerç electrònic, cobertures de riscos, finançament, entre d'altres.
D'aquesta forma, CX ofereix un servei expert d'assessorament i d'anticipació de les solucions financeres a mida de les necessitats de cada empresa, a través d'una relació molt fluida entre el client i el seu gestor financer, caracteritzada per l'agilitat en la tramitació i resolució de les operacions, amb la voluntat de ser l'entitat financera de referència en el dia a dia del client.

Jueves 5 de diciembre del 2013

Línea de financiación, apoyo (financiero): en el breve de la página 40, en el apartado Empresas.

<u>**Apoyo** de La Caixa a empresas canarias</u>

El presidente del Gobierno de Canarias, Paulino Rivero, y el presidente del Grupo La Caixa, Isidro Fainé, firmaron ayer un acuerdo por el que la entidad pone a disposición de los empresarios del sector turístico canario **líneas de financiación** por un total de 500 millones. / E. M.

[La negrita, de este investigador.]

Apoyo, según la Real Academia de la Lengua:

Protección, auxilio o favor.

De los diccionarios de marketing:

Financial support: apoyo financiero

De los diccionarios de economía:

Línea de crédito (financiación): Convenio entre una entidad de crédito y su cliente según el cual este puede dejar su cuenta deudora hasta cierto importe en cualquier momento, pagando por ello los intereses acordados.

El escrito en el que se basa este breve aparece publicado en la página web de la compañía, www.lacaixa.es:

"la Caixa" y el Gobierno de Canarias destinarán 500 millones de euros para apoyar al sector turístico
• "la Caixa" habilitará distintas opciones de financiación para proyectos de inversión, de dinamización empresarial y de fomento de la innovación.
• "la Caixa" es la primera entidad financiera en Canarias con una cuota de mercado del 25,3%, una red de 275 oficinas y tres centros de Empresas.
El presidente del Gobierno de Canarias, Paulino Rivero, y el presidente del Grupo "la Caixa", Isidro Fainé, han firmado hoy un acuerdo por el que la entidad financiera pone a disposición de los empresarios del sector turístico canario varias líneas de financiación por un importe total de 500 millones de euros.
Con esta iniciativa, "la Caixa" vuelve a poner de manifiesto su apoyo al desarrollo del principal sector de la economía canaria y de todo el tejido productivo y social de las islas.
El objetivo que ambas instituciones persiguen con este acuerdo es el de fortalecer la actividad económica de Canarias y mejorar la competitividad de su principal sector empresarial. Tanto "la Caixa" como el Gobierno de Canarias consideran el acceso al crédito una medida necesaria para favorecer el desarrollo y la diversificación económica de las islas y, con ello, el empleo y el bienestar de los canarios.

Viernes 6 de diciembre de 2013

Privatización: breve de la página 39, en el apartado Empresas.

<u>El Popular pasa a ser accionista de Cofides</u>

La Compañía Española de Financiación del Desarrollo (Cofides), sociedad público-privada adscrita a la Secretaría de Estado de Comercio, ampliará su capital privado mediante la **privatización** de parte de sus acciones públicas, operación en la que el Banco Popular se sumará a BBVA, Banco Santander y Banco Sabadell como accionistas. / E. P.

[La negrita, de este investigador.]

Privatizar, según la Real Academia de la Lengua:

Transferir una empresa o actividad pública al sector privado.

De los diccionarios de marketing:

Privatising: Privatizar

De los diccionarios de economía:

Privatización: Traspaso de una empresa o actividad pública al sector privado, normalmente mediante su venta.

El escrito en el que se basa este breve aparece publicado en la página web de la compañía, www.cofides.es:

COFIDES concluye con éxito la ampliación de accionistas privados
Madrid, 05 de diciembre de 2013. La Compañía Española de Financiación del Desarrollo, COFIDES, S.A., sociedad público-privada adscrita a la Secretaría de Estado de Comercio, ampliará su capital privado mediante la privatización de parte de sus acciones públicas.
La semana pasada finalizó el plazo para adquirir un porcentaje de acciones de la Compañía y tras apertura pública de las ofertas presentadas se ha adjudicado esta licitación pública a la realizada por el Banco Popular por un precio de más 6,6 millones de euros.
MÁS PRESENCIA DEL SECTOR PRIVADO Con esta operación, COFIDES, a través de sus accionistas ICEX España Exportación e Inversiones y el Instituto de Crédito Oficial (ICO), sigue la apertura marcada por el Gobierno para dar entrada a accionistas privados en el capital de las empresas públicas. Así, se da cumplimiento a estos objetivos reforzando la presencia del sector privado en el ámbito de la internacionalización.
Para ello, desde el accionariado de COFIDES se ha realizado una subasta pública con la propuesta de elección de Banco Popular como nuevo accionista de la Compañía. De esta forma se incrementa el volumen de acciones en manos de capital privado, aumentando del 39 al 47 por ciento y reduciendo el capital público de COFIDES al 53 por ciento -hasta hoy el capital público de COFIDES ascendía al 61 por ciento-.
El lote de acciones que se ha puesto a la venta (el 7,35 por ciento del capital social de COFIDES) correspondía a ICEX España Exportación e Inversiones y al ICO. Tras la venta de estas acciones el principal accionista de COFIDES seguirá siendo ICEX España Exportación e Inversiones, institución dependiente de la Secretaría de Estado de Comercio.
COFIDES, que este año celebra su 25 aniversario, es una empresa rentable, con resultados positivos recurrentes y que en 2012 incrementó su actividad financiera de apoyo a la internacionalización en más de un 60%, cuenta con una amplia experiencia en la gestión público-privada. La experiencia positiva de esta gestión público-privada, unido al interés que esta nueva privatización ha despertado entre instituciones financieras de reconocido prestigio, ha sido uno de los motivos principales para la dar entrada a nuevos accionistas privados y sus específicos métodos de gestión, que sin duda van a seguir contribuyendo al desarrollo de esta compañía junto con los accionistas ya existentes.
COFIDES, además de sus recursos propios, su actividad de asesoramiento al FIEM, su presencia en financiación del desarrollo y su amplia experiencia en el capital y cuasi-capital en operaciones internacionales, gestiona en exclusiva los fondos FIEX y FONPYME por cuenta de la Secretaría de Estado de Comercio, adscrita al Ministerio de Economía y Competitividad. En su accionariado también participan el Banco Bilbao Vizcaya Argentaria (BBVA), el Banco Santander y el Banco Sabadell.

Sábado 7 de diciembre del 2013

Emprendedor: breve de la página 38, en el apartado Empresas

En España surgen 54 emprendedores al día

Una media de 54 nuevos **emprendedores** surgen en España cada día desde que arrancó 2013, primer año en que se registra un incremento (+0,6%) en el número de trabajadores autónomos desde que estalló la crisis, según los datos difundidos ayer por ATA. En lo que va de año se han constituido en autónomos un total de 17.944 emprendedores. / E. P.

[La negrita, de este investigador.]

Emprendedor, según la Real Academia de la Lengua:

Que emprende con resolución acciones dificultosas o azarosas.

De los diccionarios de marketing:

Emprendedor: No será la primera y única vez que me refiera a esta figura aún con poco prestigio social, gracias a la idea de que lo 'público' lo puede todo. Pero como quiera que he hablado de esta figura en numerosas ponencias, presentaciones, conferencias, etc., aprovecho la ocasión para refundir en esta colaboración, mis cinco mandamientos, características, premisas, etc. Llamémoslo "Pentálogo del emprendedor".

El emprendedor es un ser intuitivo: La intuición, como afirma [el divulgador científico Eduardo] Punset, es una fuente válida de conocimiento. Las mejores ideas, desde luego, no son fruto de largas y reflexivas jornadas sino de explosiones de emociones alejadas de lo racional. Y ahí, como un chispa que prende la mecha de un cohete, entra la intuición. El gran cazador intuye los movimientos de su presa. Eso lo hace grande, efectivo y, a veces, fracasado. Así es el emprendedor.

El escrito en el que se basa este breve aparece publicado en la página web de la compañía, www.ata.es:

Los autónomos crecen a un ritmo cuatro veces inferior al de destrucción
Mientras que cada día, en 2013, surgen 54 emprendedores, entre 2008 y 2012 se perdieron 234 autónomos diarios.
La Federación Nacional de Asociaciones de Trabajadores Autónomos, ATA, ha realizado un informe para analizar la situación del colectivo autónomo y cómo ha cambiado desde que inició la crisis económica.
No cabe duda de que el colectivo de autónomos se ha visto gravemente afectado por la actual coyuntura económica y entre mayo de 2008 y diciembre de 2012 han sido 382.948 los autónomos que ha perdido el RETA, pasando de 3.407.600 autónomos en mayo de 2008 a 3.024.652 en diciembre de 2012. Por el contrario, a falta de un mes de finalizar el año, el número de emprendedores ha aumentado en 17.944 autónomos en 2013.
Así, se comprueba cómo aunque 2013 está siendo el año de inflexión y el número de emprendedores aumenta por primera vez desde el inicio de la crisis, el ritmo de crecimiento del colectivo es cuatro veces inferior al ritmo de destrucción que hemos registrado entre 2008 y 2012: mientras que cada día, en 2013, surgen de media 54 nuevos emprendedores, entre mayo de 2008 y diciembre de 2012 dejaron de cotizar a la Seguridad Social, de media, 232 autónomos cada día.
Pueden acceder a todo el informe completo desde nuestra sección de Publicaciones en esta página web
- See more at: http://www.ata.es/prensa/noticias/los-autonomos-crecen-un-ritmo-cuatro-veces-inferior-al-de#sthash.Vy9ejgOh.dpuf

Martes 10 de diciembre del 2013

Independiente: breve de la página 36, en el apartado de Empresas.

<u>Evo opera ya como banco independiente</u>

Evo Banco opera desde ayer como una entidad **independiente,** con un volumen de negocio de más de 2.500 millones de euros (1.844 de ahorro y 697 de crédito), 80 oficinas, 590 trabajadores y casi 268.000 clientes. NCG Banco alcanzó en septiembre un acuerdo con el fondo estadounidense Apollo para la venta de esta marca, con la que operaba fuera de su territorio tradicional. Evo Banco, que ya se había constituido como nueva entidad en octubre. / E. P.

[La negrita, de este investigador.]

Independiente, según la Real Academia de la Lengua:

Que no tiene dependencia, que no depende de otro.

De los diccionarios de marketing:

Independent: Independiente

El escrito en el que se basa este breve aparece publicado en la página web de la compañía, www.evobanco.com:

PROCESO DE PRIVATIZACIÓN
· NCG Banco culmina en tres meses la autonomía total de EVO para su venta a Apollo
La privatización consolida 590 empleos en EVO y 50 en Novagalicia
· EVO Banco se registra con 2.541 millones de negocio y 268.000 clientes
· El comprador abonará 60 millones por el 100% de la filial de NCG Banco
09.12.2013. NCG Banco (sociedad matriz de Novagalicia Banco y EVO Banco) ha culminado hoy el proceso de transferencia de activos, pasivos, clientes, empleados y servicios a EVO Banco, exactamente tres meses después de la firma del preacuerdo de venta con Apollo European Principal Finance Fund II (Apolo EPF II), un fondo gestionado por entidades filiales de Apollo Global Management LLC.
EVO Banco operará desde hoy con plena autonomía con 268.000 clientes y un volumen de negocio de 2.541 millones de euros. Entre el pasado jueves y este domingo, 256 personas trabajaron en el centro tecnológico de NCG Banco para culminar con éxito un proceso de enorme complejidad: la segregación operativa entre dos entidades con las mínimas incidencias para los clientes. Durante todo el fin de semana se han traspasado más 3 millones de contratos y los clientes de EVO han podido realizar más de 140.000 operaciones con tarjetas de crédito.

Miércoles 11 de diciembre del 2013

Incremento positivo: breve de la página 36, en el apartado Empresas.

Aena aumenta un 3,2% sus pasajeros

Aena registró en noviembre del 3,2% más de pasajeros en sus aeropuertos (12,22 millones de pasajeros) respecto al mismo mes de 2012. Es el primer **incremento positivo** conjunto desde diciembre de 2011. / E. P.

[La negrita, de este investigador.]

Incremento, según la Real Academia de la Lengua:

Aumento.

De los diccionarios de marketing:

Price increase: Incremento de los precios

De los diccionarios de economía:

Incremento de patrimonio: Aumento del valor del patrimonio neto de una persona física o jurídica, con las consecuencias fiscales correspondientes, como consecuencia de una modificación en la composición del mismo.

El escrito en el que se basa este breve aparece publicado en la página web de la compañía, www.aena.es:

El tráfico de pasajeros en los aeropuertos de la red de Aena crece en noviembre un 3,2%, logrando el primer incremento positivo de viajeros desde diciembre de 2011
•   Destacan los incrementos de pasajeros en los aeropuertos canarios, que en conjunto crecen en noviembre un 13,1%, así como en otros aeropuertos turísticos cuyos crecimientos se sitúan entre un 12% y un 14%
•   Barcelona-El Prat, con más de 2,3 millones de pasajeros, crece un 4,5% y Madrid-Barajas, el aeropuerto con mayor número de viajeros de la red con cerca de 3 millones, reduce de nuevo su caída y decrece un 5,3%
•   El número de pasajeros de toda la red superó los 12,2 millones y las operaciones, con cerca de 126.000 movimientos de aeronaves, crecieron un 0,2%
•   Desde que comenzó la temporada de invierno han comenzado a operarse 130 nuevas rutas aéreas
•   El tráfico internacional continúa su tendencia de crecimiento en pasajeros y operaciones con un 7,4% y un 6,6% respectivamente
•   El tráfico de mercancías crece en noviembre un 4,2% en toda la red

Jueves 12 de diciembre del 2013

Capitalizar: breve de la página 34, en el apartado de Empresas.

FCC eleva al 36,8% su parte en Realia

FCC ha elevado desde el 30% hasta el 36,8% su participación en el capital social de Realia al suscribir una ampliación de capital de la inmobiliaria con la que **capitaliza** un préstamo participativo de 57,6 millones que la otorgó en 2009. Ha suscrito 29,99 millones de nuevas acciones de Realia a 1,92 euros por título. / E. P.

[La negrita, de este investigador.]

Capitalizar, según la Real Academia de la Lengua:

Agregar al capital el importe de los intereses devengados, para computar sobre la suma los réditos ulteriores, que se denominan interés compuesto.

3. tr. Utilizar en propio beneficio una acción o situación, aunque sean ajenas. El ayuntamiento capitalizó el triunfo del artista local.

De los diccionarios de marketing:

Capitalización: Cálculo consistente en la valoración actual de un capital que rinde unos intereses determinados a lo largo del tiempo.

De los diccionarios de economía:

Capitalizar: 1. Determinar el valor futuro de un pago. 2. Reconocer un coste como parte del importe en libros de un activo.

Viernes 13 de diciembre del 2013

Shop in the shop: breve de la página 44, en el apartado Empresas.

<u>El calzado Munich se presenta en Asia</u>

La marca barcelonesa de calzado y accesorios deportivos Munich ha entrado en el mercado asiático. El objetivo es "seguir creciendo internacionalmente a través de la exportación", y abrir nuevos puntos de venta en 2014 en sus nuevos mercados asiáticos, según un comunicado de la firma. Ahora se ha establecido en China, de la mano de un distribuidor local y ha abierto dos tiendas en centros comerciales de Shanghai y Nanjing, con un plan de crecimiento que pasa por abrir dos nuevos puntos de venta antes de mayo de 2014. En Japón ha entrado con un distribuidor local y a través de tiendas multimarca de moda, y en Corea Munich cuenta con un **shop in shop** en un centro comercial del centro de Seúl. / E. M.

[La negrita, de este investigador.]

De los diccionarios de marketing:

Shop in shop: Tienda especializada dentro de un hipermercado.

El escrito en el que se basa este breve aparece publicado en la página web de la compañía, www.munichsports.com:

Munich entra en Asia

MUNICH, la marca barcelonesa de calzado y accesorios deportivos y de moda, abre nuevos mercados Internacionales, esta vez en Asia.

Siguiendo con su plan de expansión, MUNICH se instala en China, Japón y Corea. De esta manera, la firma sigue apostando por la exportación para seguir creciendo.

En China, MUNICH se ha instalado de la mano de un distribuidor local con la apertura de 2 boutiques MUNICH, y con un plan de crecimiento que pasa por abrir 2 nuevos puntos de venta antes de mayo de 2014. Por el momento, MUNICH ha abierto 2 centros, uno en Shanghai, situados en uno de los centros comerciales más prestigiosos de la ciudad china, Reel Shanghai, y otro en Nanjing, concretamente en el Centro Comercial Nanjing Deji Plaza.

Japón es otro de los mercados abiertos recientemente. Igualmente, de la mano de un distribuidor local japonés y a través de tiendas multimarca de moda. En estos puntos de venta, MUNICH convivirá con las marcas más prestigiosas a nivel internacional. El mercado japonés ha apostado, entre otros, por el modelo Osaka de MUNICH, una propuesta vintage y versátil que ha encajado en el estilo nipón.

Y Corea es el tercer país asiático por el que ha apostado la marca barcelonesa. MUNICH cuenta con un shop in shop dentro del centro comercial Lotte, en el centro de Seúl.

Con la apertura de estos 3 nuevos mercados en Asia, MUNICH se propone seguir creciendo internacionalmente a través de la exportación. Y justamente en estos mismos países, la firma tiene previsión de abrir nuevos puntos de venta a lo largo del 2014.

Además de Asia, MUNICH está presente ya, a nivel internacional, en los escaparates más codiciados de países como Canadá, EE.UU., Italia, Bélgica, Holanda, Francia, Portugal, Alemania, Austria, Suiza, Chile, Ucrania, Rusia y Kazajistán. Y en España, la marca cuenta con más de 400 puntos de venta multimarca, y con 11 boutiques propias en las principales ciudades, como Barcelona: CASA MUNICH y MUNICH SPORTS en el barrio de El Born, MUNICH L'ILLA en el C.C. L'Illa; MUNICH LAB, en Capellades, MUNICH LA ROCA VILLAGE y MUNICH KIDS LA ROCA VILLAGE, en el C.C. La Roca Village; en Madrid, MUNICH LAS ROZAS VILLAGE; Zaragoza, MUNICH ARAGONIA en el C.C. Aragonia; en Valencia, MUNICH JORGE JUAN y MUNICH AQUA, en el C.C. Aqua; y en Sevilla, MUNICH SEVILLA, en el C.C. The Style Outlets; además de 10 shopping shops en El Corte Inglés de Barcelona, Madrid, Zaragoza, y Palma de Mallorca.

Sábado 14 de diciembre del 2013

Bróker: breve de la página 38, en el apartado Empresas.

<u>Bankinter se hace con el 100% de Mercavalor</u>

Bankinter ha comprado el 100% de la sociedad de valores Mercavalor, de la que ya controlaba un 25,01%, tras comprar los otro socios, entre ellos el Banco Popular (25,01%), Banco Cooperativo Español y Bankia (24,99%, cada uno). Así, canalizará dentro la sociedad de valores la actividad del **bróker** del banco, un servicio de inversión *on line* en mercados nacionales e internacionales. /E. P.

[La negrita, de este investigador.]

bróker, según la Real Academia de la Lengua:

Econ. Agente intermediario en operaciones financieras o comerciales que percibe una comisión por su intervención.

De los diccionarios de marketing:

Bróker: Intermediario autorizado a vender, comprar o rentar productos de una empresa o una persona. No entra en posesión de los bienes, normalmente son representantes temporales, se les paga por comisión.

De los diccionarios de economía:

Bróker: Persona física o jurídica que actúa como intermediario en una operación por cuenta ajena a cambio de una comisión, ya sea un agente, un corredor, un comisionista, etc. Podría utilizarse la expresión española "intermediario financiero".

El escrito en el que se basa este breve aparece publicado en la página web de la compañía, www.bankinter.com:

BANKINTER COMPRA EL 100% DE LA SOCIEDAD DE VALORES MERCAVALOR
Por Comunicación
- El banco pone al frente de la sociedad a Javier Bollaín, hasta ahora director general de Bankinter Gestión de Activos. Su puesto en la gestora será ocupado por Miguel Artola.
- Esta adquisición servirá para complementar la propuesta de valor del banco en el segmento de banca privada, con un servicio más global y especializado.
Bankinter ha cerrado la adquisición del 100% de la sociedad de valores Mercavalor, de la que ya controlaba un 25,01%, tras la compra de la totalidad del capital al resto de socios: Banco Popular, que contaba con otro 25,01%, Banco Cooperativo Español y Bankia, estos dos últimos con un 24,99% de la compañía cada uno de ellos.
Con esta operación Bankinter pasará a tener una sociedad de valores propia, de la que hasta ahora carecía, y canalizará dentro de ella la actividad del broker del banco, un servicio de inversión on line en mercados nacionales e internacionales que Bankinter lanzó de forma pionera en España a finales de los años '90.
La adquisición de Mercavalor se enmarca dentro de la estrategia de crecimiento del banco en el segmento de banca privada, y servirá para complementar la oferta de servicios hacia un formato más global y más orientado a la gestión de activos y el asesoramiento especializado al cliente.
Pasará a ser dirigida por Bollaín
Al frente de Mercavalor estará Javier Bollaín, quien hasta el momento dirigía la gestora del Banco, Bankinter Gestión de Activos. Javier Bollaín cuenta con una larga experiencia dentro del Grupo Bankinter, y con una extensa y reputada trayectoria en el mercado de los fondos de inversión. Dentro de la entidad, ha desarrollado diferentes responsabilidades en el área de Tesorería y en la de Negocio Internacional. Desde 1989, estaba al frente de la gestora.
Según Javier Bollaín, "la adquisición de Mercavalor permitirá a Bankinter consolidar su liderazgo en el segmento de banca privada, un negocio con enormes posibilidades de crecimiento a corto y medio plazo. El banco, además, ha lanzado recientemente una nueva plataforma operativa de renta fija, que se suma a la de renta variable, con lo que nuestra propuesta de valor al cliente se hace mucho más global".
Fundada en 1989, Mercavalor se sitúa entre las 20 primeras sociedades de valores de España por volumen de contratación. Entre enero y septiembre de este año, intermedió en operaciones por valor de algo más de 15.800 millones de euros.
Nuevo responsable en Bankinter Gestión de Activos
El puesto que deja vacante Javier Bollaín en la gestora, será ocupado por Miguel Artola, que ha sido nombrado nuevo director de Bankinter Gestión de Activos.
Miguel Artola inició su carrera profesional como consultor estratégico en la antigua Andersen Consulting, y trabajó durante más de una década como analista financiero en distintas sociedades de valores. En el año 2000 se incorporó a Bankinter, donde ha ocupado diversos puestos, entre ellos el de director de inversiones en mercados internacionales de renta variable, derivados y crédito, dentro del Departamento de Tesorería y Mercado de Capitales. En Junio de 2011 dio el salto a Bankinter Gestión de Activos como director de inversiones, siendo responsable de las inversiones de la gestora para fondos de inversión, pensiones y sicavs.
Miguel Artola es Licenciado en Matemáticas y en Ciencias Económicas por la Universidad Complutense de Madrid. Cuenta también con un doctorado en Matemáticas por la Universidad de Princeton (Estados Unidos) y con el título de Charter Financial Analyst (CFA).
Bankinter Gestión de Activos es la octava gestora de España por volumen. Cuenta,

actualmente, con un patrimonio gestionado en fondos de inversión de más de 5.746 millones de euros, así como 1.500 millones de euros en fondos de pensiones y 1.666 millones euros en 283 sicavs. Bankinter Gestión de Activos ha sido la gestora que más ha crecido en 2013, con un incremento del patrimonio respecto al año anterior del 63%.

.11.3 ANEXO III

Entrevistas

1

Entrevista con el periodista y asesor laboral del Sindicat de Periodistes de Catalunya (SPC), Fabián Nevado (Hinojosa del Duque, Córdoba, 1955)

(Entrevista presencial, del 23 de marzo del 2015, en el despacho de abogados del SPC, en Roger de Llúria, 5, en Barcelona)

1. ¿A qué se debe la tendencia de copiar y pegar?

En parte, a la reducción de plantillas, que ha afectado muchísimo a la calidad de la información, en todos los ámbitos, tanto en la información pura y dura —las ruedas de prensa en sí, las opiniones declarativas—, como en la elaboración de la información propia.

2. ¿El copia y pega es una práctica habitual?

Eso siempre ha sido recurrente. Intervienen muchos factores en el copia y pega: por un lado, que las notas de prensa se han dado, tradicionalmente, a los estudiantes, a los becarios. Por otro lado, que las notas de prensa han evolucionado y ahora están redactadas por muy buenos periodistas…

3. La crisis ha afectado de especial manera a la prensa en papel.

La publicidad ha caído en picado, en algunos casos, hasta el 40%. Y el 30% de los puntos de venta habituales, *los quioscos, ha cerrado* [ver Anexo IV: "clausura de puntos de venta"].

4. ¿Las plantillas se han reducido considerablemente?

Podríamos hacer una media, y en algunos casos, como en algunos diarios de comarcas de Catalunya, podríamos hablar de que la mitad de la plantilla ha desaparecido.

5. ¿A qué se debe este recorte en el personal?

Los despidos de periodistas comenzaron de manera abultada en el 2008, con el estallido en España de la crisis financiera. Intervienen varios factores: 1. Los diarios vuelcan de manera gratuita sus contenidos en las páginas web. Acostumbran a la gente a que pueda acceder libremente a los artículos. Así que la gente ya no paga 1,30 euros que cuesta el periódico (la publicidad en internet no asciende a más del 5% del total de publicidad que recibe el diario); 2. Los quioscos cierran, y también se pierden 'ventas en bloque', venta al por mayor, instituciones y cadenas que compran por debajo del precio de mercado; 3. La caída vertiginosa de la publicidad. Antes de la crisis, este era el esquema de las ganancias de los diarios, su origen: 60% de publicidad y 40% de ventas. Hoy, ha cambiado, y nunca más se recuperarán esas cifras, y 4. Los suscriptores fallecen y las familias no renuevan la suscripción. Los diarios no han encontrando un nuevo modelo de negocio que les haga sostenibles.

6. Con menos periodistas, el diario se resiente y el comprador huye, ¿no?

Es el pez que se muerde la cola. Eso es lo que nosotros decimos. Que si quieres vender, has de ofrecer un producto de calidad. Las plantillas se han reducido entre el 20% y el 30%, y ahora mismo los gestores solo piensan en minimizar costes.

7. ¿Por qué se ha llegado a esta situación?

Yo creo que ha habido directivos que se han acomodado, pensando que no se producirían grandes cambios. Antes, la publicidad llegaba sola. Y ahora, es todo lo contrario.

8. ¿También ha habido un cambio generacional?

Y que la información ya no vende. Hemos hecho que los lectores se vayan a internet, en el que todo es gratis. Y las noticias no se valoran como antes.

9. ¿Cómo ve el panorama?

Desolador.

10. ¿Algo de esperanza?

La prensa en papel seguirá existiendo, y habrá, a mi parecer, más opinión, más análisis.

2

Entrevista con Josep Playà, presidente del comité de empresa de 'La Vanguardia' (2006-2014)

(Entrevista presencial, del 23 de febrero del 2015, en la redacción de *La Vanguardia*)

1. ¿A qué se debe el copia y pega?

Todos estamos saturados, así que no es difícil que haya la tentación de copiar, de tirar a lo fácil, porque ahora el periodista tiene muchas más funciones que atender de las que le son propias.

2. ¿Qué quiere decir con lo de "saturados"?

Desde hace unos años —quizá quince años—, hay una tendencia a cargarnos con más tareas. Por ejemplo: nos encargamos de traducir del castellano al catalán. En *El Periódico de Catalunya* se contrató a una veintena de correctores, y en *La Vanguardia* ya solo quedan unos cinco, con lo cual el periodista tiene un trabajo añadido. Otro ejemplo: ahora se pide que se trabaje doblemente, también para la web del diario [www.lavanguardia.es]: si vas a cubrir un acto por la mañana, has de hacer una pieza corta para la página, además del artículo que ya tenías previsto hacer. Ese tiempo en el que estás escribiendo es tiempo que no estás dedicando a tu agenda, a corroborar la noticia, a buscar nueva información. Otro ejemplo: la figura del editor ha desaparecido. Antes tú escribías en bruto y luego alguien te editaba los textos —te ponía las negritas, los destacados, los títulos…—. Ahora es el periodista el que mete en página su noticia. Otro ejemplo: y relacionado con lo anterior, ahora estamos probando un nuevo sistema informático [Method] para diseñar páginas de diario, es decir, el periodista escoge entre varios modelos para confeccionar la página en la que saldrá su artículo. Esto lo hacía el diseñador, y ya se están traspasando las tareas. Otro ejemplo: tenemos que ir a los archivos del diario para escoger la foto, cuando siempre había sido el editor de fotografía el que se encargaba de seleccionar la imagen.

3. ¿Estas "multitareas" se imponen?

Estas "multitareas" se acumulan como consecuencia de una dirección empresarial (los "superjefes") cada vez más alejada de la dirección periodística. Sí que he notado que el equipo de gerencia que actualmente se hace cargo de tratar con la plantilla negocia sobre condiciones cada vez más rígidas, son más duros y más agresivos.

4. ¿La calidad se resiente?

Con menos gente, más funciones. Cada vez se exige más, con menos personal, y con más horas. El resultado: menos calidad. Yo insisto: el buen periodismo se ha de pagar. Pero eso no se practica, se recorta. Paradójicamente, el mensaje de que hay que hacer un mejor diario es el que suena arriba. Pero no ponen los medios, todo lo contrario.

5. Y ¿la plantilla muda?

La plantilla se va edulcorando, pierde combatividad, se amolda al sistema. En una situación de crisis económica, pocos se plantean exigencias. Un reflejo de lo que digo es la creación de [la coordinadora de trabajadores] Mitjans en Lluita [https://mitjansenlluita.wordpress.com], que ha ido perdiendo fuelle. En estos momentos [febrero del 2015] estamos negociando el nuevo convenio colectivo. Se plantea una reducción del salario del 15%. Y ya hemos tenido que renunciar a cosas que antes no se cuestionaban, como los vales para las comidas, las ayudas escolares a los hijos de los trabajadores, las ayudas a las familias con hijos discapacitados… Parecerá una tontería, pero todo eso ya lo hemos perdido. En el 2000, la redacción se componía de unos trescientos trabajadores (no solo periodistas). En el 2014 se ha reducido hasta las 225 personas (bajas por enfermedad, jubilaciones, prejubilaciones, expedientes de regulación de empleo…, que no se han cubierto con contrataciones). Sería por el 2000 cuando se dejó de coger a gente, y los que estábamos íbamos tirando, tanto en la redacción, en talleres como en administración. Claro, todo esto ha creado agotamiento.

6. ¿El copia y pega es especialmente grave en los breves?

Generalmente, los breves se asignan a los becarios, futuros licenciados de las facultades de periodismo. Pero claro, como todos vamos con mil funciones diferentes —porque ya no solo haces la información del día, sino el plus al que te obligan— nadie supervisa a los becarios, y el tutor no se puede hacer responsable de ellos. Muchas veces, copian sin saber, y eso también hay que decirlo.

3

Entrevista con el periodista y delegado de personal de 'El Mundo de Catalunya' Javier Oms Navia-Osorio (Cartagena, Murcia, 1980)

(Cuestionario recibido por correo electrónico, el 4 de mayo del 2015)

1. ¿Qué recortes ha padecido en estos últimos meses 'El Mundo de Catalunya'?

Los recortes en la redacción de *El Mundo de Catalunya* se han ejecutado en los tres últimos años, con una caída drástica en el número de trabajadores, tanto redactores como fotoperiodistas y maquetadores. La mejor forma de evidenciar la profundidad de los recortes es recurrir a los números. Hace poco más de tres años éramos 21 periodistas con contrato repartidos entre todas las secciones. Tras dos ERE esa cifra se ha rebajado hasta los ocho redactores con contrato. Además ha habido una rebaja sustancial de las condiciones económicas, con sendos recortes del 5% y del 3,5% de media en los salarios de los trabajadores, incluyendo a altos cargos como el director de la edición catalana y la redactora jefe.

2. ¿La plantilla es precaria?

El trabajo se ha precarizado, sin ningún género de duda. Los redactores que permanecen en la plantilla tras sufrir dos ERE han tenido que asumir el trabajo de los 13 compañeros despedidos. Los sueldos, además, se han ido rebajando paulatinamente fruto de las negociaciones con la empresa, la cual ha exigido esfuerzos a los trabajadores para salvar una etapa de malos resultados económicos. Eso significa que se ha estado trabajando más por menos dinero.

El paradigma de la precarización, no obstante, lo representan los compañeros que no tienen acceso a un contrato y que sobreviven como colaboradores. Eso sucede con todos los fotógrafos. Donde antes teníamos un jefe de fotografía y dos fotógrafos en plantilla ahora no tenemos nada de eso. Lo mismo sucede con redactores que ejercen de corresponsales en Girona, Lleida, el Baix Llobregat y el Maresme. Asumen gran parte del trabajo pero reciben un pago injustamente bajo para el esfuerzo y la ayuda que prestan a la declaración.

Al ser muchos menos trabajadores, además, la precarización se traslada también a la organización de la redacción. Es decir, siendo tan pocos, cuando alguien se acoge a una baja temporal a la que todo trabajador tiene derecho, la redactora jefe se ve obligada a modificar festividades y sobrecargar de trabajo a quienes deben asumir el área que queda vacía. Tenemos un dicho en la redacción que representa muy bien el momento en el que estamos y los problemas que representan la falta de personal: "No queremos bajas".

3. ¿La falta de personal incide en la calidad del diario?

Por supuesto. No se puede esperar que la calidad se mantenga cuando el trabajo se ha multiplicado tras los despidos. En *El Mundo de Catalunya* el incremento de las responsabilidades que ha asumido cada uno de los supervivientes de los ERE es evidente. Donde antes había dos redactores de política ahora solo hay uno. Con el gran volumen de información que genera esa área, cuando un redactor no es suficiente se destina a otro, procedente de Municipal o Sucesos, para cubrir ese hueco. Aunque se cuenta con una plantilla sobradamente preparada (y joven), a veces resulta imposible alcanzar toda la actualidad o tratarla con la profundidad que merece. Lo mismo sucede con la gestión de la edición digital. Los despidos desmembraron un equipo de tres personas y en estos momentos dos redactores deben repartir su jornada entre la gestión de *elmundo.es* y sus respectivas áreas especializadas, por lo que los esfuerzos por mantenerla actualizada como merece un diario de primera línea sobrecargan a la plantilla.

La pérdida de calidad se traslada también a otras áreas. Al perder a dos maquetadores en los dos últimos años esa responsabilidad ha pasado a manos de la redactora jefe. Esta ya está obligada a gestionar la agenda y la plantilla. Si se le suma su nueva responsabilidad para pintar las páginas es evidente que no se pueden esperar grandes virguerías en cuanto a gráficos o páginas atractivas a través de elementos visuales.

4. ¿Considera que se copia y se pega de las notas de prensa?

No. Esa práctica creo que se limita a unos pocos medios sin recursos o cuya ambición por la rapidez les lleva a cometer ese error. Otra cosa es que, sin copiar y pegar, falte la reflexión suficiente ni se valore la información. Si me preguntas si ahora entran con más facilidad en los medios notas de prensa, creo que sí. Se han perdido ciertos controles en la calidad por los efectos de los recortes.

5. ¿Qué debería hacer la dirección del diario para potenciar el medio?

Asumiendo que resulta complicado que vuelva a nutrirse la redacción de personal, la dirección debería redirigir los esfuerzos a enfoques propios y reportajes. Eso significa, sin embargo, que debe asumir que no se puede competir con plantillas que doblan y triplican la delegación de *El Mundo* en Catalunya. En estos momentos el diario está en plena transformación, sobre todo enfocada hacia el lector en internet. Veremos cómo afecta al producto y al trabajo de los periodistas la llegada de un nuevo director.

4

Entrevista con el presidente del Consell de la Informació de Catalunya, Roger Jiménez i Monclús (El Catllar, Tarragona, 1938)

(Entrevista presencial, del 1 de agosto del 2015, en el distrito de Horta-Guinardó, y cuestionario recibido por correo electrónico, el 5 de agosto del 2014)

1. ¿Las notas de prensa se elaboran para que sean copiadas, fiel a su espíritu de máxima difusión? ¿Existe plagio ('plagio consentido' lo denomino) en las notas de prensa, es decir, se quejan de que se les copie o buscan precisamente que se las plagie?

Entiendo que la pregunta se refiere a las notas de prensa que llegan a las salas de redacción de los medios procedentes de personas, grupos, compañías, entidades o instituciones para que prevalezca su versión sobre un determinado asunto. Obviamente, estas notas se elaboran y se distribuyen con el propósito de que alcancen la máxima difusión, en espacios y horarios preferentes y, a ser posible, que se publiquen íntegramente. No conozco ningún caso de queja por publicar la nota original, más bien al contrario, por miedo a que pierda sentido y no favorezca como se pretendía los intereses que trata de defender.

Más que plagio existe vagancia, incuria (o peor, amiguismo o supeditación) en los profesionales que han recibido la nota y cuya obligación sería tratarla como un punto de partida para hacer preguntas, investigar y elaborar una información diferenciada y libre de preconceptos.

2. ¿Es ético que las empresas (muchas de ellas multinacionales) puedan subir sus notas de prensa libremente a la página de la agencia Efe y que relacionen su contenido lucrativo con una agencia de noticias de renombre que busca el interés general? Ejemplo de novedades de la marca de cafeteras Nespresso, "líder mundial en máquinas, cápsulas y accesorios de café".

http://www.efe.com/efe/america/comunicados/nespresso-anuncia-los-primeros-logros-de-the-positive-cup-su-estrategia-sostenibilidad-para-2020/20004010-TEXTOE_20904047

El procedimiento puede ser legal o entrar dentro de las normas establecidas por la agencia. Otra cosa es que sea ético brindar un sitio para que un grupo empresarial, como es el caso, publicite sus productos o actividades, aunque sean de carácter presumiblemente filantrópico, y cuelgue datos o haga afirmaciones que no son contrastados. Existen unos sistemas ancestrales que pasan por el anuncio en los periódicos o el llamado publirreportaje. Pero ahora ha irrumpido con fuerza el *brand content* o contenido de marca, un género diferente al de la publicidad que se asocia a una política de comunicación de la marca y que se suele confundir con los contenidos propios del medio. Debido a eso, hace unas semanas hubo un plante de tuits en la redacción del diario económico francés *Les Èchos* en desacuerdo con la empresa por lo que los periodistas consideran "confusión entre periodismo y publicidad".

3. ¿Es bueno que las notas de prensa que Efe hace llegar a los medios como si fueran noticias las acaben copiando los periodistas de las redacciones aun poniendo la firma de Efe?

Efe, como agencia de noticias, es un medio indirecto que suministra información de toda naturaleza, mediante contrato, a sus abonados, entre los que se cuentan, principalmente, medios de comunicación de todas las plataformas. Es normal que sus despachos vayan firmados por la agencia si se reproducen íntegramente, entre otras cosas para delimitar responsabilidades de origen. En ocasiones se observa que un asunto ha sido tratado por los periodistas del medio a partir de ese despacho, que aparece firmado por "redacción y agencias" o "corresponsal y agencias"…

4. ¿Copiar y pegar aun citando la autoría del escrito indica pobreza en el ejercicio de la profesión?

Por sistema, indica esto y bastante más. *"My name is paste. Copy and paste"* [18] era el título de un divertido artículo en el semanario británico *The Economist,* en el que se relatan desdichas debidas al plagio y a esta inveterada costumbre de copiar y pegar. Pero también dependerá del tema en cuestión y de las circunstancias. Cuando se trata de algo trascendente lo más lógico y profesional es que los periodistas del medio receptor se movilicen para obtener su propia versión. Otra cosa es un breve o un dato complementario.

5. ¿Se puede decir que los diarios son portavoces de las grandes marcas, puesto que al final quien escribe parte de los diarios son las agencias de

18 El 3 de julio del 2012, en el semanario financiero *The Economist,* el redactor V. P. publicó el artículo "Mi nombre es pega, copia y pega", por la frase recurrente de James Bond en la saga de sus películas. Atacaba el plagio en los trabajos de tesis de los políticos del Este de Europa, especialmente Rumanía: "Desde Platón y Aristóteles, todos los que han escrito un doctorado en filosofía, en ciencias sociales, han plagiado", llegaron a justificar los cargos públicos de estos países. En: http://www.economist.com/blogs/easternapproaches/2012/07/romanian-politics

publicidad que ven como sus notas se publican sin cambiar una coma?

La publicidad siempre ha sido madre nutricia de las empresas periodísticas. Tradicionalmente, en la prensa vegetal prevalecía una taxativa distinción Iglesia-Estado (entre publicidad y periodismo) como dos fenómenos comunicativos de distinta matriz y finalidad. Si las reglas del juego quedaban claras y todos las respetaban, no había motivos de preocupación. Las cosas se han complicado en los últimos tiempos con la crisis y la consiguiente caída de las audiencias y de los anuncios. Si se trata de un anuncio claramente expresado, no engaña a nadie y, lógicamente, su contenido es intocable dentro de la normativa del medio, de los principios deontológicos de la profesión periodística y de la propia ética publicitaria. Lo malo es que algunos periodistas presten su imagen, su voz o su prestigio como columnistas para anunciar productos financieros, marcas de coches o cualquier otra cosa en un claro conflicto de intereses contrario a los intereses del público. Este es un asunto de la máxima importancia al que el Consell de la Informació de Catalunya ha dedicado jornadas enteras.[19]

---

19 Relacionado con el híbrido periodismo-publicidad, Roger Jiménez, en su libro *Cien casos. La ética periodística en tiempos de precariedad* (Edicions de la Universitat de Barcelona, 2016), da cuenta de la pérdida de los canales de control en el seno de los medios: "Las hemerotecas encierran infinitas vergüenzas en forma de errores, faltas, omisiones, deslices, gazapos, desdoros, disparates o incorrecciones que podrían haberse evitado aguzando los cinco sentidos y con un efectivo control de calidad, del que se está prescindiendo en los medios mediante la merma de las redacciones y la supresión del departamento de Edición. Muchas veces, con la coartada de las prisas o la falta de personal se baja la guardia y se descuida un factor tan esencial como es la verificación, bien se trate de un editorial, de una foto o de un breve" (Jiménez, 2016: 107). Más adelante denunciará "la creciente dependencia de los periodistas respecto a materiales de promoción suministrados por los agentes o gabinetes de prensa". En *Cien casos* se aborda el copia y pega: "Las facilidades para 'copiar y pegar' que brindan los productos digitales nunca debe ser un pretexto para el plagio" (Jiménez, 2016: 248). Se lamenta de la "transformación de la noticia en propaganda" (Jiménez, 2016: 131). Se critica a los "periodistas serviles": "se compra la información desde el pluriempleo pagando a un profesional independiente, que se vuelve servil hacia quien le facilita un salto cualitativo en su nivel de vida. Cuando un periodista de un medio llama a una empresa, a un banco o a una entidad deportiva, al otro lado de la línea se encuentra un colega que tratará, a toda costa, de evitar responder a preguntas capciosas y que el informador no ofrezca una imagen negativa del grupo corporativo en cuestión" (Jiménez, 2016: 259). Finalizará con palabras contra el "periodismo de talonario, el periodismo de rebaño, el periodismo de albañal" (Jiménez, 2016: 298).

5

Entrevista con la investigadora y docente de comunicación y ética Eva Jiménez (Pamplona, 1976)

(Entrevista presencial, del 2 de julio del 2015, en la Rambla de Badal, en Barcelona, y cuestionario recibido por correo electrónico, el 19 de julio del 2015)

1. ¿Las notas de prensa se elaboran para que sean copiadas, fiel a su espíritu de máxima difusión? ¿Existe plagio ('plagio consentido' lo denomino) en las notas de prensa, es decir, se quejan de que se les copie o buscan precisamente que se las plagie?

Este tema no es mi especialidad, así que voy a dar mi opinión personal. Creo que habría que distinguir dos niveles. La empresa o gabinete de comunicación, como institución, quiere que sus notas se difundan tal cual salen, pues contratan periodistas y no relaciones públicas precisamente porque quieren que tengan un formato periodístico y, por lo tanto, que salgan publicadas como ellos quieren y de forma gratuita, a modo de publicidad encubierta. Por eso no se quejan y, que yo sepa, no denuncian por plagio.

El otro nivel es el del periodista del gabinete de comunicación que firma la noticia, quien sí desearía que figurase su nombre o, por lo menos, la fuente de donde proviene el comunicado. No obstante, creo que su reivindicación se queda en un lamento, porque tampoco denuncia este "plagio consentido", bien por falta de recursos, bien por seguir la política de la empresa.

2. ¿Es ético que las empresas (muchas de ellas multinacionales) puedan subir sus notas de prensa libremente a la página de la agencia Efe y que relacionen su contenido lucrativo con una agencia de noticias de renombre que busca el interés general? Ejemplo de novedades de la marca de cafeteras Nespresso, "líder mundial en máquinas, cápsulas y accesorios de café".

http://www.efe.com/efe/america/comunicados/nespresso-anuncia-los-primeros-logros-de-the-positive-cup-su-estrategia-sostenibilidad-para-2020/20004010-TEXTOE_20904047

Es un tema complejo. Por un lado, está claro que la "noticia" se halla en la sección de Comunicados y que en la última línea se dice que la fuente es Nestlé Nespresso, S. A. Por otro lado, a mí, como lectora, no me queda claro qué es lo que sí aparece en primera línea: "PR Newswire" [www.prnewswire.com.br/es: "Empresa líder a nivel global en servicios de comunicación y marketing [...]

pionera en la industria de distribución de noticias comerciales"]. Obsérvese que el mismo nombre es confuso: ¿PR=Public Relations? ¿News=Noticias?

A mi juicio, en la ambigüedad se halla la clave del asunto, porque en función de lo que interprete puedo creer que la fuente es una agencia de noticias o, por el contrario, una agencia de relaciones públicas. Y, en función de ello, puedo creer que lo que me cuentan está contrastado por un periodista o no. El hecho de poner en la última línea la fuente (que es la empresa de la que se habla) me reafirma en mi idea de que Efe quiere mantenerse en la ambigüedad y, por lo tanto, confundir al lector. Es por ello que tiendo a pensar que este comportamiento no es ético y que, por lo tanto, es mejorable.

3. ¿Es bueno que las notas de prensa que Efe hace llegar a los medios como si fueran noticias las acaben copiando los periodistas de las redacciones aun poniendo la firma de Efe?

Si no me equivoco, las agencias de prensa tienen sentido porque ahorran costes a los medios, que no pueden contratar un equipo de periodistas en cada capital del planeta. En ese sentido, son buenas, porque es mejor pagar a otros periodistas que confiar en las fuentes interesadas que pueda haber en cada país. Es decir, son notas de prensa elaboradas por profesionales y, por lo tanto, cumplen los requisitos de veracidad, interés público y respeto. Si el compromiso o contrato con la agencia se limita a copiar el contenido y limitarse a citar a la agencia, entiendo que es un acuerdo entre personas adultas y, por lo tanto, respetable y, en último término, bueno. El problema que genera o ha podido generar es que los periodistas se han acostumbrado a copiar sin contrastar y el medio no ha querido o podido invertir en profesionales que distingan lo que viene de agencia y es periodístico, y lo que viene de agencia y es publicitario o propagandístico. Creo que habría que examinar hasta qué punto este acuerdo es explícito o tácito para determinar la responsabilidad, la "maldad" o mala fe de las dos partes.

4. ¿Copiar y pegar aun citando la autoría del escrito indica pobreza en el ejercicio de la profesión?

Lo que es seguro es que indica pobreza de recursos económicos y falta de fe en las posibilidades del periodismo. Cualquier medio de comunicación medianamente serio querrá tener su equipo de investigación, su plantilla de corresponsales y enviados especiales. Porque sabe que se juega su credibilidad y, por lo tanto, su futuro a medio y largo plazo. Lo que me pregunto muchas veces es si los "empresarios" actuales quieren crear empresas rentables a medio y largo plazo, o solo "pelotazos".

5. ¿Se puede decir que los diarios son portavoces de las grandes marcas, puesto que al final quien escribe parte de los diarios son las agencias de publicidad que ven como sus notas se publican sin cambiar una coma?

Podría decirse así, sí, aunque dudo mucho que periodistas y medios se sientan cómodos con el calificativo. En todo caso, todos deberíamos hacer un ejercicio de autocrítica y preguntarnos por qué la gente ya no paga por informarse en los medios tradicionales. ¿Tal vez porque intuye que ya no hay información, sino publicidad y propaganda encubiertas?

6

Entrevista con el periodista de Lavanguardia.com Albert Lladó (Barcelona, 1980)

(Cuestionario recibido por correo electrónico, el 26 de agosto del 2015)

1. ¿Observa si la nota de prensa original la copia casi en su totalidad la agencia de noticias, que la hace suya?

Cada vez más. Estamos inmersos en una espiral que hay que romper si queremos volver a seducir al lector.

2. ¿Observa si el despacho de la agencia de noticias se copia en su integridad en el diario?

Sí. Incluso ahora hay servicios de hilos automáticos. Entran noticias directamente de agencias sin que nadie del diario las haya editado previamente. Y sin avisar al lector del tipo de servicio.

3. ¿Cree que la aureola de profesionalidad de las agencias de noticias se corresponde cada vez menos con la realidad?

Yo creo que hay buenos profesionales. El problema es otro. El ruido que necesita ruido. La obsesión por el número de páginas vistas de los diarios, que 'obliga' a las agencias a producir cantidad en vez de calidad.

4. ¿Observa si el diario firma como redacción las notas de prensa, en un copia y pega casi literal?

Hay de todo. Muchas veces depende del redactor. La pereza existe y se contagia.

5. ¿Cuáles son las causas de que se copien y se peguen en los diarios las notas de prensa?

No hay tiempo para 'levantar' temas. Tantas páginas vistas, tantos ingresos. Es la estúpida convicción de que cuantas más noticias cuelgues más lectores tendrás. Es falso. El lector no quiere leer lo que ya ha leído en las redes sociales y en otras páginas web.

6. ¿Cuáles son las causas de que en los diarios de España el plagio sea una práctica común?

Lo antes mencionado. La publicidad se calcula por CPM (coste por mil impresiones). Hay que buscar otros modelos de negocio, más cercanos al mecenazgo compartido o el patrocinio de secciones. Siempre teniendo cuidado de que ello no suponga un conflicto de intereses entre el patrocinador y la información.

7. ¿Ve intencionalidad en las notas de prensa de empresa? ¿Su lenguaje está escogido para promover la venta del producto que venden?

Clarísimamente, sí. Y es legítimo. El trabajo del periodista es descuartizar eso y quedarse con lo que realmente interesa para el periódico.

8. ¿Por qué cree que tantos periodistas de formación trabajan en gabinetes de comunicación elaborando notas de prensa?

Pagan más. Y el periodismo de redacción ha dejado de ser un trabajo vibrante. Al final, haces casi lo mismo.

9. ¿Puede exponernos su caso particular, si es que ha sido objeto de plagio en algún momento durante el ejercicio de su actividad?

El País me copió literalmente un artículo. Se lió en redes sociales. Luego me pidieron perdón mediante el defensor del lector.

10. ¿Si es que hubo plagio, cree que se podían haber hecho las cosas de otra manera?

Tardaron cuatro días en retirar el artículo, pese a las críticas en Twitter. Está claro que no lo veían como algo vergonzoso.

Artículo de Albert Lladó titulado "Sobre la cutrez", y publicado en su blog *La fábrica,* enlazado con *La Vanguardia* digital, el 21 de enero del 2013:

Vaya fin de semana más raro. Como cada viernes, escribo una pieza rápida, casi al vuelo, que sirve de propuesta cultural de fin de semana para la edición digital de *La Vanguardia*. Ha sido un día intenso de trabajo y, por ello, el texto lo he hecho en un periquete. Es una exposición de Chema Madoz en Alicante. Llego a casa e, inseguro como uno lo será hasta la muerte, busco más información. Entro en *El País* y… ¡cómo me suena su artículo!

Su pieza, sin firma, calca letra por letra tres párrafos de la versión original. No puede ser. Aún no he tomado ningún gin-tonic, pero lo vuelvo a leer, por si acaso. No hay duda. Alguien de esa catedral, donde uno ha aprendido qué es el articulismo y la cultura (poca broma, que aún es el diario en el que escriben Marcos Ordóñez y Vila-Matas), ha actualizado (la Historia siempre lo actualiza) a Larra y a su *Vuelva usted mañana*. La holgazanería se expande por España como un velo negro. Con lo sencillo que sería tomar la nota de prensa que envían a todos los medios y duplicarla… No, el redactor ha preferido entrar en otro medio y, con efectivo y efectista control de la ce y de la uve, se ha sacado de la manga una noticia que además destaca en la pertinente sección. No nos precipitemos. En caso de naufragio, ironía. Escribo en twitter, citando al diario en cuestión, que juguemos a las siete diferencias. Minutos más tarde, subo un *collage* —la herencia de Picasso está en todas partes— con los dos artículos como una pareja de siameses. Y se lía. Vaya si se lía.

Uno no entiende cómo algunos se hacen llamar *community manager* si no creen ni en la comunidad ni en la responsabilidad. Pasa un día, y ni siquiera retiran el plagio. Hasta la fecha, el que les escribe no ha recibido una explicación, y mucho menos una disculpa. Con lo fácil que lo tenían… Cambias el artículo, o lo desvalidas, te inventas una excusa, y hasta luego muy buenas. Las formas… En este país las formas están en remojo continuado. Sin nunca creer en las aristocracias (que son aristas y ariscas), uno conoce que la elegancia es otra cosa. No hay que saber utilizar todos los cuchillos del pescado para entender qué es un gesto de complicidad (un guiño entre compañeros) y qué un corte de mangas (o de silencio).

Claro que la cosa no pasa de lo anecdótico. Desde las redes pedían denuncias (¿cómo se harán esos guateques?) y despidos (nos parece que eso está ya demasiado de moda). Que no, que no. Lo preocupante de la copia era, y va en serio, que el insigne redactor se saltó mi cuarto párrafo, donde hablaba de don Ramón y sus greguerías, de Brossa y de Magritte. ¿Podrá ser que al *periolisto* no le guste Gómez de la Serna? Encima, poco sentido del humor… Toma paradoja.

Decía Proust que el plagio humano del que resulta más difícil escapar es el de uno mismo. Y sí, a quien lleva en una mochila esas piedras y esos miedos le parecería hasta divertido la cutrez del asunto (aunque agradecería que le copien mejores textos). Pero hay demasiados colegas en las cunetas del oficio para que el maula pase por gato pardo. Lautréamont, que bien sonreiría con las imágenes de Madoz (que es lo que de verdad importa), también nos advertía: "El plagio es necesario. Está implícito en el progreso". Tal vez es cierto y, en los siglos que corren, un diario progresista ahora es eso.

Disculpa para Albert Lladó del defensor del lector de *El País,* Tomàs Delclós, titulada "Copiar y pegar, de nuevo", y publicada el 30 de enero del 2013, más de una semana después de los hechos.

El pasado 18 de enero, la edición digital en las páginas de la Comunidad Valenciana publicó una nota sin firma sobre una exposición del fotógrafo Chema Madoz en Alicante. De las 27 líneas de la misma, 19 eran copia literal de un texto sobre el mismo asunto publicado por Albert Lladó en *La Vanguardia.* El autor de la pieza original dio noticia del plagio en su blog del citado periódico. Los responsables de la edición digital de *El País,* al tener conocimiento de lo sucedido, retiraron el artículo sin más comentarios. Lladó, en el texto donde recogía el plagio, exponía: "Alguien de esa catedral, donde uno ha aprendido qué es el articulismo y la cultura (poca broma, que aún es el diario en el que escriben Marcos Ordóñez y Vila-Matas), ha actualizado (la Historia siempre lo actualiza) a Larra y a su *Vuelva usted mañana".* Y proseguía: "Con lo sencillo que sería tomar la nota de prensa que envían a todos los medios y duplicarla... No, el redactor ha preferido entrar en otro medio y, con efectivo y efectista control de la ce y de la uve, se ha sacado de la manga una noticia que además destaca en la pertinente sección".

Este defensor ha denunciado otros casos de elaborado plagio, copia y pega o de parecidos demasiado abundantes entre un artículo de autor y otro ajeno cuya absorción y transformación, sin citarlo, levanta razonables sospechas de copia. En este caso, la copia tan abundante y directa en una nota anónima, sin retoque ni camuflaje del contenido, evidencia una práctica tan cándida como inaceptable. He pedido al responsable de la edición valenciana, Josep Torrent, un relato, que no justificación, de lo sucedido y la presentación de las obligadas disculpas:

"El viernes 18 de enero, el autor de la nota que se publicó en la edición digital de la Comunidad Valenciana se encontraba en Valencia asistiendo a un cursillo sobre el funcionamiento de la página web, al tiempo que intentaba seguir las informaciones que podían surgir en Alicante, provincia que cubre informativamente. Una de las prácticas que realizó para entender mejor el manejo de la página web consistió en subir una noticia referente a su ciudad, eligiendo la exposición del fotógrafo Chema Madoz que se iba a inaugurar en breve en una sala de exposiciones de Alicante. El redactor quiso ampliar la información buscando datos sobre Madoz a través de Google y, sin medir las consecuencias de su acto, hizo una copia y pega del blog de Albert Lladó. Cometió un error serio. Lamento profundamente lo ocurrido y pido disculpas a Lladó y a nuestros lectores".

Tomàs Delclós titula "Copiar y pegar, de nuevo", porque, el 6 de mayo del 2012, ya había publicado el artículo "Copiar y pegar": "Los 'tremendos parecidos' entre un texto accesible en internet y un artículo que reproduce literalmente frases y párrafos del mismo son denunciados por un lector".

7

Entrevista con la periodista Rosana Ricárdez (Tabasco, México, 1983)

(Cuestionario recibido por correo electrónico, el 9 de septiembre del 2015)

1. ¿Quién escribe hoy los diarios, los gabinetes de marketing o los periodistas?

Quizá tenga relación con la segunda digresión. Hay gabinetes especializados, ahora con más tecnología y mayor injerencia, pero siempre los ha habido. En las agencias nacionales, al menos la que conozco en México —llamada Notimex—, siempre ha sido así. Una agencia noticiosa oficial que, como muchas otras cosas en mi país, propaga información oficial.

Creo que en algunos medios hay un juego perverso de hacer como que se trabaja. En realidad la injerencia del reportero[20] es poca. Pero estoy siendo injusta, pues esto sucede en las grandes empresas porque los recursos solo los otorgan a quien ya tiene nombre y garantiza una gran noticia (tomando en cuenta que el límite es el interés del mandamás). En las empresas en ciernes, aún hay algunas, pequeñas, y que pretenden retomar el prestigio del periodista, esto es distinto, aunque de nuevo el límite son los recursos financieros.

En Puebla, donde vivía, en México, existe un medio de comunicación con cuatro años de existencia formado por periodistas comprometidos —ojo, no significa que no tengan límites en sus intereses— llamado *Lado B*[21], y ha sido interesante la manera en la que se ha conducido hasta el momento. Su director es un tipo bastante comprometido, aunque no por ello cándido en ciertos temas como la cultura; de repente incluso la desdeña y, por ello, coloca cualquier nota cuya información proviene de agencias de noticias. Eso, a nivel local. En nacional es interesante el proyecto llamado Animal Político[22] –auspiciado, hasta donde sé, por aportaciones ciudadanas, pero le ha sido superdifícil mantenerse.

Como uno de los problemas es el recurso financiero, los empresarios dan prioridad al lugar donde inyectan recursos. Si lo que más se ve es la política, desdeñan la cultura o los espectáculos, que, a veces, es un buen lugar para sacar dinero.

El tema está marcado por algo ineludible: los medios son empresas redituables y si no, adiós, no sirven. Ello tiene que ver con que la información es dinero y poder, no porque produzca dinero en sí (ya nadie vive de la venta), sino porque

---

20 Suelo hacer una distinción entre reportero –quien reportea– y periodista –este merece mi respeto porque ha forjado ya un nombre a base de esfuerzo, audacia e inteligencia.
21 http://ladobe.com.mx
22 http://www.animalpolitico.com

se convierte en moneda de cambio, en donde el chantaje no es ajeno.

2. ¿La publicidad se cuela como información?

Sí, creo que la publicidad se puede colar como información. Regreso a la idea de las agencias nacionales, no como mera publicidad sino como "propagador" de cierta "ideología" (exagero con el término *ideología*, pero a lo que me refiero es a una versión oficial. El gobierno no vende artículos, vende la idea de que lo que hace es lo mejor). Ahora bien, las empresas privadas idearon la forma de captar clientes. En México, no sé si en España se llama igual, existe algo llamado "publirreportaje", o sea, publicidad pagada en forma de reportaje. De reportaje tiene poco, es vil ejemplo de publicidad encubierta, con más fotos, más diseño y más espacio (depende del espacio comprado) que cualquier otro "reportaje", cuyo distintivo es "hablar" bien del tema. Por supuesto, no cumple con las pautas del reportaje que en la universidad nos enseñaron.

Va una anécdota. Esto fue antes de mi estancia en Francia y de mi paso por Barcelona. En el medio de información para el cual trabajaba *(El sol de Puebla,* de Organización Editorial Mexicana [OEM]), los reporteros teníamos derecho de ingresar pautas publicitarias. Era una salida nada *digna* de la empresa para hacernos de más recursos, sabiendo que los salarios son peor que indignos por el trabajo que hacemos. De la publicidad, el 10% era para nosotros. Aunque había una oficina de publicidad para espectáculos, mi trabajo me hizo conocida, lo que llevó a que algunos empresarios decidieran ingresar a través de mí la publicidad, además de que era yo misma la que cubriría su espectáculo. Una vez, la confusión —los límites entre la publicidad y el trabajo propio del reportero— fue extrema. Fui a la rueda de prensa, ahí se pactó la pauta publicitaria y salió. No obstante, el espectáculo fue un fraude y el empresario reclamó. Acudió con mi jefe y dijo que no era posible que habiendo pagado —habiéndome hecho ese "favor" —, yo hubiera hecho una reseña nefasta —nefasta para sus intereses—. Lo que hice fue denunciar el fraude del *show.* (Aún recuerdo que fue un concierto horrible de Filippa Giordano en el Centro de Convenciones de Puebla.) Por fortuna —y porque la pauta publicitaria era nada en comparación con lo que el periódico recibía de otros clientes, por ejemplo, del gobierno del Estado—, mi jefe me apoyó y me dijo que no había necesidad de publicar una nota rectificada. Refiero esto para decirte que los límites entre el negocio y el trabajo son endebles. A veces, se debe ceder, si quieres conservar el trabajo. Ya te imaginarás el lío en el que se inmiscuyen los reporteros que cubren política o acontecimientos relacionados con el gobierno del Estado. (Debo aclarar que OEM es conocida por ser un medio oficialista; su dueño y fundador falleció este año.)

La mayoría cede tanto para preservar el trabajo como para no meterse en problemas. Es normal. Es, incluso, comprensible.

3. ¿Observa si la nota de prensa original la copia casi en su totalidad la agencia de noticias, que la hace suya?

En ocasiones sí, de hecho, lo más sencillo —para "evitar" ser acusados de plagio— es firmar como agencia: Notimex, Efe, AP, etc.

4. ¿Observa si el despacho de la agencia de noticias se copia en su integridad en el diario?

Suelen hacerlo, y sin firma, claro está. Aun así, hay canallas que se atreven a firmar cosas, pero suele ser en medios locales, pequeños y sin trascendencia.

5. ¿Cree que la aureola de profesionalidad de las agencias de noticias corresponde cada vez menos con la realidad?

Pese a que casi todas las agencias cuentan con un código de ética, este, en la práctica, no es tomado en cuenta. Creo que nadie sabe a ciencia cierta qué significa eso de la deontología.

6. ¿Observa si el diario firma como redacción las notas de prensa, en un copia y pega casi literal?

Ciertas notas van sin firma o, en su defecto, con la firma de la agencia.

7. ¿Cuáles son las causas de que se copien y se peguen en los diarios las notas de prensa?

Podría decir que la falta de recursos económicos, pero sería demasiado simple. Creo que es algo complejo. Los medios suelen tener recursos que no invierten en su personal, este devenga un salario mínimo a cambio del mínimo esfuerzo. No hay necesidad de investigar, los medios tampoco quieren eso porque les acarrearía problemas. En todo caso, les caería bien premios de periodismo por aquello del prestigio, pero no desean invertir. Son empresas (no pido que se niegue esto o que los dueños no busquen que reditúe) que solo buscan réditos.

8. ¿Cuáles son las causas de que en los diarios de España el plagio sea una práctica común?

Desconozco el caso de España. Pero si pensamos en que el mundo se está yendo a la basura, debe de ser el mismo fenómeno que en todos lados: el plagio es signo de la rapidez, de no pensar, de evitar cualquier esfuerzo para lograr un objetivo. Los plagios, en la llamada academia, muestran esto perfectamente. Tres ligas de casos vergonzosos:

http://www.eluniversal.com.mx/articulo/cultura/letras/2015/08/26/nuevo-caso-de-plagio-cuestiona-integridad-del-sni

http://www.eluniversal.com.mx/articulo/cultura/2015/07/15/concuno-de-fch-otro-plagiario

http://www.nexos.com.mx/?p=25571

Lo terrible, que lo mismo da si es en México que en Chile (curiosamente los dos casos los conozco de cerca), o en Perú. Conocido es también el caso de Alfredo Bryce Echenique. Ni hablar. Esto, relacionado con el mundo de las letras y la "investigación".

9. ¿Ve intencionalidad en las notas de prensa de empresa? ¿Su lenguaje está escogido para promover la venta del producto que venden?

Sí, siempre ha sido así. El periódico es un negocio, ni siquiera si se trata de investigación (con un fin social) no debemos pensar que no es una empresa. Hay una idea romántica de los medios de comunicación. Creo que es legítimo que un empresario quiera que su negocio reditúe, pero que no se confundan mis palabras, existe una jerarquía en los intereses. Creo que el del periodismo debe ser otro, uno distinto al negocio, pero no está exento.

10. ¿Por qué cree que tantos periodistas de formación trabajan en gabinetes de comunicación elaborando notas de prensa?

Porque quizá reditúe lo mismo que trabajar de verdad y sin tanto esfuerzo. La ley del menor esfuerzo podría dar luces al respecto.

11. ¿Puede exponernos su caso particular, si es que ha sido objeto de plagio en algún momento durante el ejercicio de su actividad?

No, por desgracia. [Risas.] No que yo sepa. Un plagio significaría que algo habría hecho bien en mi vida profesional y hasta el momento, no. ¡Es una lástima!

12. ¿Si es que hubo plagio, cree que se podían haber hecho las cosas de otra manera?

--

8

Entrevista con la periodista de la agencia Efe Katharine (seudónimo)

(Entrevista presencial, del 3 de octubre del 2015, en la plaza de Sants, en Barcelona)

1. ¿Cómo es su día a día en la redacción de Efe, cuál es su proceder diario?

Desde 1989 trabajo en la agencia Efe, en la que he ido "picoteando" por sus diferentes secciones: deportes, sociedad, economía… Desde hace 15 años me encargo de editar los "videocomunicados", las coberturas audiovisuales que elevo a la categoría de noticia. Nada más llegar a la redacción de Efe en Barcelona (Roc Boronat, 127, en el districte22@), reviso los correos electrónicos. Me llegan más de cien cada día, notas de prensa de diferentes multinacionales (Coca-Cola, Nike, Novartis…), y lo llamamos 'la sábana', por la cantidad de mails. Y eso que cada día vaciamos la bandeja de entrada.

2. ¿Cómo son las notas de prensa que le llegan?

En muchas de esas notas de prensa se remite a convocatorias en las que se cita al periodista en un lugar y a una hora de un día determinado. Especialmente, las multinacionales siempre realizan una rueda de prensa, un acto, una celebración. Por ejemplo, el otro día asistí en Sant Sadurní d'Anoia (Barcelona) a la presentación del informe de ventas de Freixenet. Pero la empresa de cavas utilizó como gancho al cantante David Bisbal, el reclamo para asegurarse de que fueran periodistas, aunque sean del corazón. Recurren a las figuras mediáticas para vender su información.

3. ¿Tiene preferencia la información de la nota de prensa?

Las convocatorias de las notas de prensa se colocan en las previsiones, en lo que en el argot interno de Efe se conoce como la UCM. La persona que gestiona este archivo envía las previsiones del día a los responsables de cada uno de los departamentos de la agencia (editor, jefe de redacción, jefe de sección), que acaban seleccionando los asuntos en función de su importancia y según sus propios criterios periodísticos. Si se puede ir se va. Hay invitaciones que no se dejan pasar. Por ejemplo, siempre se asiste a la presentación de los resultados económicos anuales de 'la Caixa' ["indicadores representativos de la actividad económica"]. ¿Por qué? Entre otras cosas por los regalos. A los periodistas les obsequian con un ordenador portátil. Y en algunas cenas de los Premios

Planeta se ha regalado un teléfono móvil. La última vez me dieron una cafetera Nespresso. En estos momentos, no hay nada más partidista que los medios de comunicación, que no son imparciales y que se venden al mejor postor. Hay algunos periodistas afines ideológicamente a un partido político y que trabajan para sus candidatos, por compadreos. O bien con intereses en algún grupo empresarial y que les hacen un trato de favor.

4. ¿Quiere decir que hay notas de prensa que tienen preeminencia?

Las notas de prensa que llegan a la redacción y que no van sujetas a la convocatoria de un acto puntual se tratan de la mejor manera posible. Se contrastan, se identifican las fuentes y se reordenan según la pirámide invertida. Tenemos un control exhaustivo de los contenidos, y los artículos van reglamentados por líneas. Así, un avance informativo se da en dos párrafos, etcétera. Igualmente, a veces somos conscientes de que nos están metiendo un gol, de que nos cuelan publicidad. Y a veces, según el redactor de turno y su estado de ánimo y su condición, pues se cuela esta publicidad gratuita.

5. ¿Cómo funciona la sección económica de Efe?

El servicio de Efe Empresas es una rama de la agencia que se creó para difundir "la información relevante de las empresas [...], con el sello de calidad de la agencia Efe". Las firmas que desean publicar su información en la agencia para que esta llegue a los medios de comunicación que beben de ella tienen en Efe Empresas una oportunidad inigualable. En estos casos, cuando las notas de prensa están vacías de contenido y objetivamente no hay "tema", las marcas llaman al servicio comercial de Efe para negociar un "servicio" (un contrato publicitario). Así, se acaban subiendo aquí las notas que han elaborado, previo pago.

6. ¿Pagando, se puede publicar?

Todo lo que hace Efe es pagando, con sus tarifas. Por ejemplo, los videocomunicados para las empresas que quieren promocionar sus productos cuestan unos trescientos euros. O bien se firma un contrato especial con la agencia, como hacen algunas entidades bancarias, para asegurarse una presencia constante.

9

Entrevista con los periodistas de la sección de Economía de 'La Vanguardia' Óscar Muñoz y Mar Galtés

(Entrevistas presenciales del 25 de octubre del 2014, en *La Vanguardia*)

Óscar Muñoz

1. ¿Se copian y se pegan las notas de prensa en el breve de empresa?

En marzo del 2014 ingresé en la camarilla de Economía. Examino las notas de prensa de empresa, que llegan por dos vías (A y B): A. directamente de la fuente original (la firma, o bien la agencia de comunicación contratada), y B. de la agencia de prensa (Reuters, Europa Press, Efe, Associated Press, France-Presse). A primera hora de la tarde ya tenemos la maqueta definida. Intentamos combinar la macroeconomía con la microeconomía, que suele ir en los breves. Los breves se seleccionan de manera que haya un resultado variado que incluya diversos sectores de la pequeña y mediana empresa, es decir, de los emprendedores: moda, diseño, tecnología…

2. ¿Con qué criterios se decide que una información acabe en un breve?

Escojo el breve por el dato que me da, porque claro, un breve es un breve…, vamos, que aquí no cabe periodismo de investigación. Aun así, sí que copio y pego de la nota de prensa, porque a veces la información es tan básica que si tuviera que rehacer la nota de prensa, la dejaría exactamente igual y dirías prácticamente lo mismo. Quiero decir que el dato es el dato. Por ejemplo, una empresa equis abre en Roma una oficina… Pues eso, no hay más. Te da poco juego el breve.

3. ¿Hay un conflicto ético si se copia y se pega la nota de prensa?

Tengo claro que en Economía, la empresa es el sujeto de la noticia. Siendo así, en algunas ocasiones, el conflicto ético no tarda en llegar. ¿Dónde empieza la noticia y dónde empieza la publicidad? La línea es muy fina. Si informas de que una empresa ha aumentado beneficios, es bueno para ellos también, porque se hace publicidad cuando se airea el reparto de *dividendos* [ver Anexo II: "El lenguaje subordinado. Los términos de marketing y economía en los breves de empresa"].

4. Pero la copia, en algunos casos, es casi literal.

En los apartados destinados a los breves (otros breves se diluirán en el cuerpo de los artículos centrales), la coincidencia con las notas de prensa es apabulladora. No es de extrañar, y no es una cuestión de tiempo. Sencillamente, lo que hacemos es coger el *lead* de la nota de prensa, porque ahí están los datos concretos que buscamos, los números. La nota de prensa desarrolla esos números, pero en el breve incluimos lo esencial, y copiamos la información.

5. ¿Se criba el lenguaje?

Sí, se baja el suflé. Intento hacer una noticia neutra, escueta, aséptica, quitándole adjetivos, rebajándola de intención, porque todo hay que decirlo, las notas de prensa están redactadas con mucha intención. La oferta de breves que el periódico eleva a la categoría de noticia suele ser "positiva" para las empresas. Nos inclinamos por las noticias en las que se dan pistas para salir de la crisis, y cosas así. Ojo, que también damos suspensiones de pagos y quiebras.

6. ¿No se contrasta la información?

Si te vas al original, a la nota de prensa original, colgada en la web, equivale a una llamada de teléfono. Es como si te estuvieran dictando por teléfono lo que ahí pone. Sí, es más fácil copiar que reelaborar [la nota].

*

Mar Galtés

1. ¿Cómo son las notas de prensa que le llegan a la redacción?

Como redactora de empresas, el ingente volumen de información que me llega cada día a la cuenta de correo se criba según este modelo: temas de cabecera y temas que pierden gas, breves. Soy consciente de que las notas de prensa de empresa que me llegan cada vez están mejor trabajadas periodísticamente hablando. De ahí que la copia no haga tanto daño. Lees la nota de prensa, y está tan bien escrita, y la copias, porque tú harías la noticia exactamente igual. Hace años, mi anterior jefe, Enric Tintoré, me decía que lo más difícil de escribir era, precisamente, el breve, porque el breve condensa. En el fondo, yo no copio exactamente, lo que hago es condensar, resumir, abreviar la nota de prensa.

2. ¿Se copia la nota de prensa?

Se semicopia. No se hace por falta de tiempo, no, sino, simplemente, porque no hace falta explicar de otra manera lo que se puede explicar tal y como la nota lo hace.

3. ¿No hay una selección?

De las notas de prensa de empresa que recibo (su extensión no suele superar la página y media), descarto las "notas de producto", contenido relacionado con las marcas. Las defino como notas "absurdas". Se nota muchísimo una nota de prensa redactada por periodistas y otra redactada por publicistas, gente de marketing. En el segundo caso, las notas elaboradas por *communities managers* suelen inflar los contenidos, y los hacen pesados.

4. ¿Son conscientes de que la nota de prensa la copia también la agencia de noticias que les provee de información?

No es poco el daño que al periodismo hace que las agencias copien enteras, en sus despachos, las notas de prensa de empresas. Recortes, poca capacidad de cuestionamiento, falta de tiempo para contrastar. Ahí están las claves de lo que ocurre. La calidad informativa de las agencias ha bajado mucho. Necesitan cobrar y facturan las notas de prensa. Cuantas más notas de prensa, más facturan. Por eso copian tanto, para hacer más.

1

Entrevista con la jefa de prensa de Nestlé España, Mercè Mata (Barcelona, 1952)

(Cuestionario recibido por correo electrónico el 26 de agosto del 2015)

1. ¿Qué política siguen para elaborar las notas de prensa? ¿Cuál es el protocolo, el procedimiento: reuniones, redacción, revisión, si tienen un enfoque estudiado o bien se redactan de manera periodística sin ninguna pretensión de influir en el medio…?

Cuando el equipo de prensa ve una información susceptible de convertirse en noticia, se pone en contacto con la persona/equipo que puede facilitarle datos. Una vez dispone de información suficiente, procede a redactar el comunicado de prensa y a programar su fecha de emisión.

La nota se redacta con un enfoque periodístico, tanto en lo que se refiere al contenido como a la forma, procurando evitar la jerga empresarial, que nunca utilizaría un medio, aunque conseguirlo requiere tiempo dedicado a hacer pedagogía interna acerca de qué es y qué no es noticia. Nunca se pretende influir en el medio. El objetivo, eso sí, es que quien la recibe considere que la información tiene la suficiente relevancia para darla a conocer a su audiencia.

2. ¿Cómo es su equipo de elaboración de notas de prensa: procedencias profesionales, perfiles…?

Las notas de prensa se redactan internamente. El proceso de búsqueda de información y redacción corre a cargo del equipo de prensa de Nestlé, compuesto por periodistas y especialistas en comunicación corporativa.

3. ¿Cómo es el trato con el medio a la hora de colocar la nota: llamadas telefónicas, contratación de agencia de noticias…? Es decir, ¿de qué manera hacen que esta información se difunda?

Seleccionamos los destinatarios en función del contenido y enviamos la nota de prensa a través del correo electrónico, facilitando nuestros datos de contacto. A partir de ese momento, no hay ningún otro contacto con los destinatarios de la información por nuestra parte, salvo atenderles en el caso de que soliciten alguna precisión, ampliación de la información, contacto con un portavoz…

Entendemos que si lo que comunicamos es realmente relevante se difundirá. Si, por el contrario, la información es poco relevante la noticia no tendrá o tendrá poca repercusión.

4. ¿Observan que se copian y se pegan las notas de prensa en los diarios?

La calidad de la información que facilita la nota de prensa es determinante a la hora de optar por el "corta y pega" o por construir una noticia a partir de la información recibida.

En general, diría que en los medios tradicionales, si el contenido de la nota es relevante, el periodista construye su propia noticia. El "corta y pega" lo utilizan casi siempre las agencias, en su labor de redistribuidoras de la información, y la mayor parte de los medios digitales.

5. ¿Qué opinión tienen al respecto de esta práctica: es bueno para la empresa que haga llegar íntegros sus comunicados?

Lo cierto es que el "corta y pega" asegura que la información contenida en el comunicado se transmita exactamente con las mismas palabras que el redactor ha considerado adecuadas para darla a conocer y, a menudo, con la misma extensión. En cualquier caso, una noticia trabajada por el periodista y, por lo tanto, diferente de la publicada por otro medio tiene mayor credibilidad.

2

Entrevista con la asistente de comunicación de Munich Sports, Liliana Zupandover (Barcelona, 1991)

(Cuestionario recibido por correo electrónico el 26 de agosto del 2015)

1. ¿Qué política siguen para elaborar las notas de prensa? ¿Cuál es el protocolo, el procedimiento: reuniones, redacción, revisión, si tienen un enfoque estudiado o bien se redactan de manera periodística sin ninguna pretensión de influir en el medio...?

Cada empresa tiene un estilo a la hora de redactar las notas de prensa. En Munich redactamos únicamente notas de prensa sobre hechos noticiables e interesantes según la época del año o los eventos que realizamos. Depende de la información que se publiquen en ellas tienen una función u otra. Por un lado redactamos anualmente siete notas de prensa para los bazares de las revistas. En ellas explicamos las novedades que proponemos para días o estaciones del año ('bazar vuelta al cole', 'bazar primavera', 'bazar san Valentín'...). En este caso, el contenido de la nota de prensa es explicativo y siempre contiene imágenes para que las revistas puedan publicar nuestras propuestas.

También enviamos dos veces por año una nota de prensa para presentar nuestra nueva colección (primavera-verano y otoño-invierno). Es meramente informativo y lo que buscamos es que las revistas conozcan nuestro producto y nuestras propuestas.

Por último, en ocasiones especiales como eventos, concursos, colaboraciones o mejorías en nuestros servicios, también redactamos la información para que se publiquen.

Munich tiene un tono informativo y [las notas] se redactan con un enfoque estudiado siguiendo la línea de la marca. La pretensión a la hora de enviar las notas de prensa es influir en el medio dando a conocer nuestras propuestas.

2. ¿Cómo es su equipo de elaboración de notas de prensa: procedencias profesionales, perfiles...?

No tenemos un equipo concreto para la elaboración de notas de prensa. Munich cuenta con un departamento de comunicación compuesto por dos personas: la directora de comunicación y su asistenta; ambas hemos hecho la carrera de comunicación. Habitualmente redacta las notas de prensa la asistente y, una vez finalizadas, la directora las corrige y modifica según convenga.

3. ¿Cómo es el trato con el medio a la hora de colocar la nota: llamadas telefónicas, contratación de agencia de noticias…? Es decir, ¿de qué manera hacen que esta información se difunda?

Una vez la nota de prensa ha sido escrita y corregida la enviamos a toda nuestra base de datos. Es entonces cuando nos escriben para preguntarnos más información sobre el tema o para pedirnos imágenes. Tenemos una página web para periodistas en la que también colgamos nuestras notas de prensa y las imágenes en diferentes carpetas para que la descarga sea más sencilla.

4. Existe algún tipo de recompensa o trato especial hacia los periodistas que publican íntegras las notas: mayor relación, obsequios, etc.

Por nuestra parte nunca hemos recompensado a los periodistas que publican íntegras las notas. Tenemos buena relación con varios periodistas debido a nuestro largo recorrido en este sector.

3

Entrevista con el director de la agencia de comunicación All Media Consulting, Gustavo Franco (Cartagena de Indias, Colombia, 1979)

(Cuestionario recibido por correo electrónico el 26 de agosto del 2015)

1. ¿Qué política siguen para elaborar las notas de prensa? ¿Cuál es el protocolo, el procedimiento: reuniones, redacción, revisión, si tienen un enfoque estudiado o bien se redactan de manera periodística sin ninguna pretensión de influir en el medio…?

Antes de elaborar una nota se procede a conocer las necesidades y objetivos del cliente, para luego profundizar con toda la información disponible sobre su proyecto o servicio. El enfoque de las notas depende de la situación específica. Por ejemplo: si se trata del lanzamiento de un producto, si es para posicionar un líder de opinión, si es para promover un cierto debate, etcétera. Una vez se han establecido los parámetros anteriores, entonces se procede con la creación de un mensaje que orienta el enfoque de la nota, a partir del cual se hace investigación de referencias ajenas a la empresa; en algunos casos se consulta a especialistas, se mantienen reuniones con personas clave, todo ello para contar con el máximo de información posible que nos permita elaborar un contenido de alta calidad. En este sentido, se pretende que sea lo más periodístico posible, pero, claro, nunca lo será al cien por cien en la medida en que no incluye la información que no favorece a los intereses del cliente.

2. ¿Cómo es su equipo de elaboración de notas de prensa: procedencias profesionales, perfiles…?

Periodistas con un alto nivel de escritura y capacidad para desarrollar argumentos de calidad.

3. ¿Cómo es el trato con el medio a la hora de colocar la nota: llamadas telefónicas, contratación de agencia de noticias…? Es decir, ¿de qué manera hacen que esta información se difunda?

Mail, llamadas y contratación de servicios de agencias de noticias. Se emplean los contactos personales, que ya nos conocen, pero también otros periodistas que se incorporan a nuestras bases de datos. Entonces llevamos un registro para conocer los temas de interés y el modo de trabajar de cada uno. Así, sabemos quiénes tienen tendencia a realizar un trabajo en profundidad, quiénes se interesan más por un cierto tipo de fuentes, quiénes realizan entrevistas a través de mail, telefónicas o presenciales, e incluso, los que simplemente copian una parte de las notas que les enviamos.

4. Existe algún tipo de recompensa o trato especial hacia los periodistas que publican íntegras las notas: mayor relación, obsequios, etc.

Jamás. Lo que hacemos es enviar un mail de agradecimiento muy sencillo, tipo: "Gracias por haber publicado".

5. ¿Qué opinión tienen de la prensa crítica: poco objetiva, mal contrastada, etc.?

La prensa crítica, por lo general, dedica más tiempo a escuchar tus argumentos, aunque finalmente decida no publicarte, pero, al menos, te escuchan y te dan una respuesta. En ocasiones hasta te dan una explicación de por qué han decidido que nuestra información no les interesa. Esto se agradece mucho porque nos permite conocer sus intereses.

6. ¿Observa que se copian y se pegan las notas de prensa en los diarios?

Por supuesto. Te sorprendería saber hasta qué grado, porque han llegado a imprimir páginas enteras con nuestras notas, sin ningún tipo de contraste. Sin embargo, este fenómeno no se puede explicar por igual para las diferentes áreas (Cultura, Economía, Política, etc.), ni para toda la prensa en general. Me arriesgo a creer que en los últimos años ha disminuido este comportamiento en el papel, porque al haber menos páginas que antes, los temas que se imprimen son más escogidos. En cambio, en el formato *online,* el copia y pega se ha vuelto demasiado frecuente.

7. ¿Qué opinión tiene al respecto de esta práctica: es bueno para la empresa que haga llegar íntegros sus comunicados?

Son muy pocas las empresas que exigen que el material sea publicado siempre igual. Esta es una actitud de personas con poco conocimiento del mundo de la comunicación, o empresarios de vista corta que ignoran que el mundo no funciona como ellos desean. En el fondo, lo que siempre intentamos explicar a nuestros clientes es que siempre es bueno ser mencionado en los medios. Incluso cuando se trata de informaciones negativas, intentamos que se conviertan en oportunidades de comunicación, para que la empresa pueda explicar sus puntos de vista.

8. ¿Cuál es el perfil de cliente que contrata vuestros servicios? ¿Proliferan las multinacionales?

El perfil medio son empresas locales de 1 a 10 empleados. Personalmente he trabajado con multinacionales, pero en una etapa anterior con otra agencia. Me gustaría añadir que la cultura empresarial en España carece de una conciencia acerca de la importancia que tiene la comunicación para los negocios. La actitud generalizada de un emprendedor en España es crear la empresa y sus servicios, sin tener en cuenta que deben ser comunicados para poder vender. En otros países, especialmente en el mundo anglosajón, por lo general, una empresa inicia siempre con un departamento, proveedor o aliado, en el área de la comunicación, porque saben que es una pieza clave para dar a conocer el proyecto.

4

Entrevista con la directora de la agencia de relaciones públicas y posicionamiento en medios Central de Medios, Primavera Díaz (Ciudad de Querétaro, México, 1983)

(Cuestionario recibido por correo electrónico el 1 de septiembre del 2015)

1. ¿Se compra espacio para publicar breves? ¿Cuál es el espacio que ocupa un breve, de media, según ustedes?

Sí se compra espacio en los periódicos. El espacio que se ocupa depende de muchas cosas, la primera es lo importante que sea la nota que publicar; si uno como agencia manda un comunicado de dos páginas y se paga ese espacio, el medio tiene la obligación de publicarlo tal cual, sin embargo, muchas veces te piden editar el contenido a fin de que se puedan respetar los espacios ya definidos en su periódico o revista y uno como cliente también se tiene que acomodar a eso.

2. ¿Los espacios para breves están solicitados?

Sí, siempre habrá una empresa o persona física que esté interesada en pagar un espacio para que se diga exactamente lo que quiere que aparezca en el medio.

3. ¿Observa que se copien y se peguen las notas de prensa en los breves de los diarios?

Sí, hoy en día los reporteros están muy acostumbrados a que nosotros les hagamos el trabajo. En lo personal, tengo la firme misión de generar información relevante, que aunque se pague por la publicación, sea una información que sí interese al lector y al medio. Si no es así, me limito a no aceptar al cliente. Sin embargo, jefes de información, editores y reporteros esperan los comunicados para ver cuál les puede servir y cuál no. Cuando los editores deciden poner un comunicado lo ponen tal cual viene, solo lo firman como Redacción.

4. ¿Qué opinión tiene al respecto de esta práctica: es bueno para la empresa que haga llegar íntegros sus comunicados?

Tengo sentimientos encontrados. Yo fui reportera mucho tiempo para diversos medios de México, y no me gustaba nada esperar comunicados, pero en muchas ocasiones el mismo medio te va limitando la información que puedes publicar, así que llega un momento en el que no te queda otra que seguir su línea editorial. Entonces es cuando revisas la información que una empresa, cámara, gobierno o institución en general pueda mandarte. En lo personal, siempre le digo a mis clientes que un comunicado solamente se envía en caso de una crisis o cuando hay algo de importancia que anunciar; si es solo para avisar de que se lanzó tal producto o que se cumplieron equis años con la empresa, esa información no es relevante; sin embargo, si la empresa tiene un accidente y en él fallecen personas, o si existe algún problema real, entonces sí conviene mandar un comunicado informando a la población. Son buenos los comunicados pero cuando realmente tienen información relevante. Para eso se debe asesorar, a la empresa o persona física, en torno a los temas que interesan a los medios.

5. ¿Cuál es el perfil de cliente que contrata vuestros servicios? ¿Proliferan las multinacionales?

En mi caso, no, nuestro perfil son *start up, emprendedores* [ver Anexo II: "El lenguaje subordinado. Los términos de marketing y economía en los breves de empresa"], empresas grandes, pero no multinacionales. Nuestro siguiente paso es ese.

6. ¿Cree que las notas de prensa de las multinacionales acaban publicadas en los diarios sin apenas edición del periodista?

No, porque en el caso de una multinacional, quiere decir que sí deben de traer temas relevantes. En este caso los reporteros o el medio sí replica el comunicado, pero intentan llamar a la persona que les pueda dar más información o a la agencia que los represente. Repito, depende del nivel de importancia de la información que se envíe.

5

Entrevista con el analista Francisco Escuder (Barcelona, 1975)

(Cuestionario recibido por correo electrónico el 4 de marzo del 2015)

1. ¿Se observa en los diarios el copia y pega de las notas de prensa?

Se observan de manera sencilla. Estos son los últimos anuncios que he leído (1 y 2): 1. Diario *El País,* martes 30 de diciembre del 2014, anuncio camuflado como sumario en la portada: "Profesionales de ventas, marketing, TIC, ingenieros y financieros, los más demandados para 2015, según Randstad" (Imagen 1 a).

Con letra pequeña, la palabra *publicidad.* Y este enlace: www.randstad.es/tendencias360

La agencia Europa Press, en su sección de Economía, el pasado 29 de diciembre del 2014, ya publicó como noticia el análisis sobre las tendencias y las perspectivas de contratación elaborado por la agencia de colocación Randstad, con este titular: "Profesionales del marketing, del sector TIC, del sector financiero e ingenieros, los más demandados en 2015, según Randstad". Este titular de sumario viene después de los otros dos, en *El País* del martes 30 de diciembre del 2014: "Radiografía del sector editorial" y "Torres vuelve a un Atlético grande".

En la portada de *La Vanguardia* del 8 de abril del 2015 también la publicidad de Randstad se camufla en los *flashes* del sumario (Imagen 1 b): a. Internacional, página 4: "Grecia exige una fortuna a Alemania por la Segunda Guerra Mundial"; b. Internacional, página 10: "Italia pone en venta una joya de la Toscana", y c. Publicidad: "Randstad Professionals supera los 130 consultores en el negocio de selección de mandos intermedios y directivos".

Y 2. Diario *El País,* sábado 3 de enero del 2015, anuncio que se hace pasar como noticia: "Castell d'Or exporta más del 80% de su producción a países de la UE, Asia y América" (Imagen 2). Con letra de color blanco, sin destacar, la palabra *publicidad.*

2. ¿Por qué ha seleccionado estos ejemplos?

He seleccionado estos dos anuncios (1 y 2) porque conforman un claro ejemplo de "publicidad encubierta". Un anunciante no tendría que determinar las fuentes del diario. De mi época de estudiante universitario, recuerdo que en una asignatura de periodismo se daban los casos en los que los trabajos científicos, utilizados en un principio como fuente de información, se reconvertían en

artículo periodístico. Lo que muchas empresas hacen es tener sus propios
científicos, sus expertos, etcétera, y ellos son los que se encargan de determinar
la realidad desde su punto de vista. Un ejemplo sería esta noticia de *El País,* de la
sección de Economía, del 22 de enero del 2015, titulada: "De vuelta en casa y al
empleo". Trata de las posibilidades que tienen de encontrar empleo los jóvenes
que han emigrado a Alemania y que han vuelto a sus casas. El origen del artículo
se encuentra en un estudio de la empresa de telefonía Vodafone:

> Así, Verónica García hizo el camino de vuelta poco antes de que se publicara una
> macroencuesta del Instituto para la Sociedad y las Comunicaciones de Vodafone en
> seis países europeos que decía que un 58% de los jóvenes españoles de 18 a 34 años
> planea marcharse a otro país en busca de trabajo. También presentaba el estudio a los
> jóvenes españoles como los más pesimistas: tres de cada cuatro consideraba que hay
> mejores oportunidades laborales en el extranjero.

Se incluye un enlace para descargar el informe sobre la juventud europea
elaborado por la Fundación Vodafone ["instituto de innovación para el bienestar
ciudadano": "Talking about a revolution: Europe's young generation on their
opportunities in a digitesed world", de diciembre del 2014]. La verdad es que
no hay nada como la prensa escrita para darse cuenta de este tipo de cosas. En
internet hay algoritmos que determinan la ubicación del servidor y condicionan
los anuncios.

IMAGEN 1 a. Diario *El País,* martes 30 de diciembre del 2015. Anuncio disimulado en el titular, como una noticia más del sumario: "Profesionales de ventas, marketing, TIC, ingenieros y financieros, los más demandados para 2015, según Randstad".

IMAGEN 1 b. Diario *La Vanguardia,* miércoles 8 de abril del 2015. Anuncio disfrazado de titular, como una noticia más del sumario: "Randstad Professionals supera los 130 consultores en el negocio de selección de mandos intermedios y directivos".

Castell d'Or exporta más del 80% de su producción a países de la UE, Asia y América

Más del 80% de los vinos y cavas que elabora Castell d'Or tienen como destino la exportación a más de 24 países de la UE, Asia y América. Con la fuerza de la producción desde la viña y la implicación del equipo humano, está consiguiendo un crecimiento anual importante y ganando la confianza de los mercados por la buena calidad, su capacidad de servicio y la buena relación calidad-precio.

Castell d'Or está certificada con la norma ISO 22000:2005.(Sistema de gestión de la calidad y de la inocuidad alimentaria).

Castell d'Or es una empresa que ha sido creada i diseñada para sumar esfuerzos, capacidades y experiencias por un grupo de bodegas Cooperativas de diferentes zonas vitivinícolas de Catalunya. Castell d'Or produce y elabora en sus modernas instalaciones vinos y cavas de máxima calidad para el mercado nacional y de exportación. Productos elaborados por un equipo técnico conocedor del entorno y de la mejor viticultura que trabaja para exceder las expectativas de los clientes.

Las marcas bajo las que comercializan sus productos son: Cossetània (DO Penedès y DO Cava), Françolí (DO Conca de Barberà y DO Cava), Flama d'Or (DO Cataluña y DO Cava), Flama Roja (DO Tarragona), Templer (DO Montsant), Castell de la Comanda (DO Conca de Barberà y DO Cava), Puig de Solivella (DO Cataluña y DO Cava) y Abadia Mediterrània (DOQ Priorat).

Castell d'Or ha obtenido el reconocimiento en muchos concursos internacionales, prueba de ello es la Gran Medalla de Oro que logró en el Concurso Mundial de Bruselas

Infraestructura

Todos estos vinos proceden de viñas propias propiedad de los socios de las cooperativas del grupo Castell d'Or. De esta manera, pueden controlar todo el proceso de producción, desde su inicio hasta el final. Para ello cuentan con modernas instalaciones y laboratorios.

Cada uno de estos vinos y cavas se puede encontrar en restaurantes, tiendas especializadas y supermercados de alta o media gama. Los clientes escogen estas marcas por la buena relación calidad-precio, dentro de un ámbito geográfico en el que cubren a Cataluña y diversas regiones de España, si bien la mayor parte va destinada a la exportación hacia países como Bélgica, Alemania, Reino Unido, EE.UU., China y Japón, entre otros.

Premios y distinciones

Castell d'Or ha sido reconocido en muchos concursos internacionales, como por ejemplo el Concurso Mundial de Bruselas, los Bacchus, Mundus Vini de Alemania, International Wine Challenge de Inglaterra y los que se organizan en las Denominaciones de Origen catalanas. Además, están bien posicionados en las principales guías de vino del mundo.

Especialmente significativa fue la obtención de la Gran Medalla de Oro del mencionado Concurso Mundial de Bruselas por parte del cava L'Arboç 1919 Brut de Castell d'Or, siendo el único cava que ha obtenido esta distinción en la última edición de este prestigioso concurso que, tras 20 años de experiencia, constituye todo un referente en el terreno de las competiciones internacionales.

Este año fueron a concurso más de 8.000 vinos y cavas procedentes de 41 países. El jurado, formado por reconocidos expertos internacionales, premiaron con la Gran Medalla de Oro a este cava L'Arboç 1919 Brut, aparte de entregar otras cuatro medallas de plata a los siguientes vinos y cavas de Castell d'Or: Cossetània Brut (DO Cava), Françolí Brut Reserva (DO Cava), Cossetània Negre Reserva 2009 (DO Penedès) y Esplugen (DOQ Priorat).

Perspectivas

Josep Ventosa, director gerente de Castell d'Or, reconoce que tiene una visión positiva del segmento del vino y del cava, ya que "es un sector que trabaja de manera profesional el proceso desde la viña hasta los puntos de venta. Además, cada vez más los vinos catalanes son muy valorados en mercados exteriores y también en España".

Todo ello sin olvidar que "el sector del cava está creciendo en exportación", concluye Josep Ventosa.

Su misión es elaborar vinos de la máxima calidad y diversificar el producto para conseguir una amplia cartera de clientes

Cada uno de estos vinos y cavas se puede encontrar en restaurantes, tiendas especializadas y supermercados de alta o media gama

L'Arboç 1919 Brut (DO Cava) *Gran Medalla d'Or*

Más información www.castelldor.com

IMAGEN 2. Diario *El País,* sábado 3 de enero del 2015. Anuncio que se hace pasar como noticia: "Castell d'Or exporta más del 80% de su producción a países de la UE, Asia y América". En el ángulo superior derecho, la palabra "publicidad", que apenas se distingue.

FUNDACIÓ 'LA CAIXA'

Isidro Fainé, Doctor Honoris Causa por la Universidad San Ignacio de Loyola, de Lima

• Isidro Fainé ha recordado en su discurso de investidura que, debido a la creciente globalización, "estamos viviendo un largo periodo de márgenes estrechos en todas las actividades; una época en que cualquier negocio, o se adapta a los cambios y crece, o bien se extingue"

La Universidad San Ignacio de Loyola ha investido Doctor Honoris Causa, su máximo grado académico, a Isidro Fainé, presidente de "la Caixa" y de la Fundación "la Caixa", en un acto celebrado en la tarde de ayer en Lima (Perú), en reconocimiento a su destacada trayectoria profesional y personal.

Yolanda Barcina, presidenta del Gobierno de Navarra, también ha sido distinguida en el mismo acto con el mismo honor en una ceremonia presidida por el presidente, Raúl Diez Canseco Terry, y el rector de la Universidad San Ignacio de Loyola de Lima, Edward Roekaert Embrechts.

Durante su discurso de investidura, Isidro Fainé ha sintetizado los retos a los que se enfrentan los futuros emprendedores y ha dado las claves que necesitan directivos y empresarios para superar la actual situación. "El conocimiento se desarrolla y transmite ahora rápidamente y debe ser captado allí donde se genera, ya sea atrayendo el talento o tratando de estar presentes con nuestras compañías en las urbes más dinámicas del mundo, donde se generan las nuevas ideas, las nuevas tendencias y los nuevos estilos de vida", ha explicado Fainé.

El presidente de "la Caixa" y de CaixaBank ha recordado que, debido a la creciente globalización, "estamos viviendo un largo periodo de márgenes estrechos en todas las actividades; una época en que cualquier negocio, o se adapta a los cambios y crece, o bien se extingue"

Durante su discurso, ha destacado que "el emprendedor del siglo XXI debe reunir una gran preparación y experiencia, no solo hay que saber, sino también hay que saber hacer". Fainé ha añadido que "el emprendedor debe ser un motivador nato, capaz de inspirar confianza en sus colaboradores y tener la capacidad de formar y desarrollar directivos; el emprendedor debe sentir pasión por el cliente y, por tanto, velar por la excelencia en el servicio".

Para superar las actuales dificultades ha señalado la conveniencia de contar con un modelo de gobierno empresarial "que inspire credibilidad y sepa combinar los intereses de todos los stakeholders" y un modelo de gestión que "fomente la iniciativa, el afán de mejora y la autocrítica". Además, ha incidido en la necesidad de vigilar el corto, el medio y el largo plazo, esto es, los beneficios, la cuota de mercado y la calidad del servicio; y todo ello con un plan estratégico coherente con la trayectoria y cultura de la empresa y con sus obligaciones en términos de responsabilidad social corporativa (RSC).

IMAGEN 3. Arriba, nota de prensa de la Fundació Bancària "la Caixa", del 18 de septiembre del 2012, de un acto del banquero Isidro Fainé. La misma nota de prensa, exacta (100% de exactitud con la herramienta Plagium), se publicó en el diario *El País,* el mismo día.

http://prensa.lacaixa.es/notas-de-prensa/isidro-faine-doctor-honoris-causa-por-la-universidad-san-ignacio-de-loyola-de-lima__705-c-16821__.html

http://sociedad.elpais.com/sociedad/2012/09/18/actualidad/1347972277_436892.html

EL PAÍS

Isidro Fainé, investido doctor 'honoris causa' en Lima

El presidente de La Caixa destaca en su discurso en la Universidad San Ignacio de Loyola que, en la actual coyuntura económica, los negocios "o se adaptan a los cambios y crecen, o se extinguen"

La Universidad San Ignacio de Loyola de Lima ha investido doctor honoris causa a Isidro Fainé, presidente de La Caixa y la Fundación La Caixa en un acto celebrado ayer en la capital peruana en reconocimiento a su trayectoria profesional y personal.

Yolanda Barcina, presidenta del Gobierno de Navarra, también fue distinguida en el mismo acto con idéntica distinción en una ceremonia presidida por el presidente de la universidad, Raúl Diez, y el rector, Edward Roekaert.

Durante su discurso de investidura, Fainé enumeró algunos de los retos a los que se enfrentan los futuros emprendedores y dio claves que, a su juicio, necesitan directivos y empresarios para superar la crisis económica. "El conocimiento se desarrolla y transmite ahora rápidamente y debe ser captado allí donde se genera, ya sea atrayendo el talento o tratando de estar presentes con nuestras compañías en las urbes más dinámicas del mundo, donde se generan las nuevas ideas, las nuevas tendencias y los nuevos estilos de vida", señaló. Según Fainé, debido a la creciente globalización, "estamos viviendo un largo periodo de márgenes estrechos en todas las actividades; una época en que cualquier negocio, o se adapta a los cambios y crece, o bien se extingue".

El presidente de La Caixa destacó que "el emprendedor del siglo XXI debe reunir una gran preparación y experiencia, no solo hay que saber, sino también hay que saber hacer". Fainé añadió que "el emprendedor debe ser un motivador nato, capaz de inspirar confianza en sus colaboradores y tener la capacidad de formar y desarrollar directivos; el emprendedor debe sentir pasión por el cliente y, por tanto, velar por la excelencia en el servicio".

Para superar las actuales dificultades destacó la conveniencia de contar con un modelo de gobierno empresarial "que inspire credibilidad y sepa combinar los intereses de todos los stakeholders" y un modelo de gestión que "fomente la iniciativa, el afán de mejora y la autocrítica". Además, incidió en la necesidad de vigilar el corto, el medio y el largo plazo, esto es, los beneficios, la cuota de mercado y la calidad del servicio, todo ello con un plan estratégico coherente con la trayectoria y cultura de la empresa y con sus obligaciones en términos de responsabilidad social corporativa.

Según *Papel mojado. La crisis de la prensa y el fracaso de los periódicos en España,* escrito por los redactores de la revista satírica *Mongolia:* "La gota que colmó el vaso [de la evidencia de que CaixaBank es accionista de *El País]* fue la publicación, en septiembre del 2012, de una información del acto de investidura de Fainé como doctor honoris causa de la Universidad San Ignacio de Loyola de Lima. La pieza iba acompañada de una generosa foto, distribuida por la propia Fundació "la Caixa", y el texto estaba construido a partir de la copia automática de párrafos enteros del comunicado de prensa, según denunció el Comité de Redacción [de *El País]* ante el director".

La banca amenaza con repercutir al cliente el coste de la tasa de cajeros

Barcelona recauda 300.000 euros anuales con un impuesto similar al de Madrid

EDUARDO MAGALLÓN
Barcelona

La patronal bancaria alertó que gravar con una tasa municipal el mantenimiento de un cajero automático puede incrementar las comisiones a los clientes. Ayer el Ayuntamiento de Madrid anunció la instauración de un tasa a los cajeros por la que espera ingresar 745.000 euros anuales. Desde el 2013, el Ayuntamiento de Barcelona cuenta con una tasa parecida por la que ingresa alrededor de 300.000 euros anuales.

El portavoz de la patronal bancaria AEB, José Luis Martínez Campuzano, aseguró ayer que "los cajeros ofrecen un servicio básico" que es la retirada de dinero. Por eso el representante de los bancos en-

NEWSCAST / GETTY

Madrid anunció ayer que gravará los cajeros automáticos

tiende que no debía gravarse su instalación. Campuzano añadió que "dependerá de la política comercial de cada entidad si repercuten el coste de la tasa al cliente".

La patronal de las antiguas cajas de ahorros, CECA, va en línea de la AEB y opina que "los cajeros son un servicio de acceso a efectivo que ofrecen las entidades bancarias en beneficio de los ciudadanos". La organización añade que "el gravamen a los cajeros lastra la eficiencia de este servicio para el consumidor y desincentiva la inversión por parte de las entidades en un mayor número de cajeros, en definitiva, no favorece la inclusión financiera".

El revuelo creado en el sector sorprende teniendo en cuenta que contando Barcelona hay cerca de una veintena de ciudades que

cuentan con ordenanzas municipales que gravan la tenencia de cajeros en la vía pública como en Sevilla, Bilbao, Alcalá de Henares, Las Palmas de Gran Canaria, Ciudad Real, Jaén, Cartagena, Teruel, Málaga, Murcia, Zaragoza o Valencia.

En Barcelona, la ordenanza municipal fue aprobada en el 2013 cuando el alcalde era Xavier Trias, de CiU. La tasa depende de la calle en la que esté ubicada. Así el Consistorio barcelonés cobra de máximo 855 euros por los cajeros en la vías de primera categoría hasta un mínimo de 171 euros en las de calles de inferior rango.

La propuesta de ordenanzas fiscales de la ciudad de Madrid presentada ayer por el delegado de Economía y Hacienda, Carlos Sánchez Mato, entraría en vigor en el 2017. La previsión de ingresos es de 745.405 euros sobre los 2.084 cajeros existentes en la capital de España. Es una cantidad que más que duplica la recaudación en Barcelona. La cantidad se fijará en función de la categoría fiscal de la calle en la que se encuentre el cajero. Son nueve las categorías fiscales y las tasas anuales van desde los 26,21 euros a los 747,22 euros.●

ENTREVISTA A MARTINA FONT E-commerce manager de Kartox (Font Packaging Group)

"Las botellas de vidrio podrían ser de cartón en el futuro"

Font Packaging es una empresa "consolidada como especialista en embalaje de última generación". ¿Por qué?

Contamos con una larga trayectoria de más de 60 años en la fabricación de cajas de cartón, donde la innovación forma parte de nuestra estrategia empresarial, tanto en el modelo de negocio como en productos y procesos. Nuestro departamento técnico está formado por especialistas en *packaging* de última generación que se integran en un proceso de producción basado en la industria 4.0. Todo esto nos convierte en una de las fábricas más modernas del sur de Europa.

¿A qué sectores ofrecen soluciones?

El más importante es la automoción. Nuestros embalajes de cartón protegen y transportan piezas como parachoques o lunas. También trabajamos para la industria química y de alimentación y bebidas. En los últimos años ha ganado terreno el comercio electrónico, un sector que crece a un ritmo desenfrenado y que será puntero en el futuro para empresas como la nuestra.

¿Cuáles son las ventajas del cartón respecto a otros materiales como el plástico o el vidrio?

El cartón es el mejor material del mundo. Es 100% biodegradable y reciclable, convirtiéndose en materia prima para hacer otra vez el papel. El cartón está a la vanguardia de la economía circular, muy demandada por los consumidores sensibilizados con el medio ambiente.

Pónganos un ejemplo.

Las botellas de vidrio podrían tener los días contados. Una marca de cerveza tiene previsto, tras

Martina Font junto al SEAT Ateca, un vehículo "idóneo" a la hora de cargar grandes volúmenes en el maletero

dos años de investigación y desarrollo, adoptar un envase elaborado con pulpa de papel 100% biodegradable. El uso de este material permite mantener el frío más tiempo que la botella de vidrio.

¿Cómo es el embalaje perfecto?

Funcional, porque si no funciona ni protege no sirve para nada. También atractivo, que sea de ayuda durante el proceso de decisión de compra; sostenible y con buena relación calidad-precio.

Explíquenos algunas de sus innovaciones

Hemos desarrollado el Total Wine Pack, un embalaje idóneo para el envío de botellas de vidrio que ha supuesto el ahorro de hasta el 90% de las

roturas de botellas durante el porte. También hemos diseñado un embalaje para productos isotérmicos, capaz de mantener en todo momento la temperatura controlada.

Dentro del grupo Font Packaging, ¿qué es Kartox?

Es la empresa on line nacida en 2009 tras detectar una oportunidad en la personalización de embalajes en poca cantidad. Arrancamos el proyecto y, siendo los únicos que trabajábamos en este segmento, nos equivocamos muchas veces. Aprendiendo con el paso de los años fuimos capaces de crear un configurador único en el mercado hasta convertirnos en líderes en España. Con Kartox es posible recibir en casa una caja de cartón totalmente personalizada en cuatro días.

¿Nos dirigimos hacia la máxima individualización de los embalajes?

El *packaging* único convierte al consumidor en único, lo hace especial. Las grandes empresas aprovechan su gran base de datos para llevar a cabo estudios sobre personalización en sus envíos. Pensamos que en el *e-commerce*, la primera experiencia física del consumidor con el producto adquirido es el embalaje.

En su maravillosa rutina, ¿cómo le ayuda el SEAT Ateca?

Antes era interesante tener un coche familiar y otro para el trabajo. Ahora, es fácil combinar todas las facetas de tu vida en un único vehículo como el SEAT Ateca. Me permite asistir a reuniones y eventos por la mañana, y aprovechar la tarde para ir a la montaña y ver atardecer con mi familia gracias a su sistema 4Drive. El Ateca es un coche compacto, elegante y muy versátil.

Algunos embalajes pueden llegar a ser grandes y pesados. Poder abrir el maletero sin las manos es una solución muy práctica.

Es un ejemplo de tecnología al servicio de la funcionalidad. En Font Packaging trabajamos con embalajes y bolsas de gran volumen, así que poder utilizar el pedal virtual para abrir el maletero es muy útil. No requiere de ningún esfuerzo.

¿Cómo sería el embalaje del SEAT Ateca?

Funcional, seguro, con una alta dosis de diseño y muy tecnológico.

> *"La puerta eléctrica del maletero con pedal virtual es muy útil porque no necesitas las manos"*

IMAGEN 4. Anuncio en *La Vanguardia* del 14 de octubre del 2016, sin que se haga referencia a que se trata de contenido publicitario de Seat; ni tan solo aparece el epígrafe de "páginas especiales". La fórmula que utilizan: *"La Vanguardia* para Seat".

.11.4 ANEXO IV

Glosario breve. Términos económicos en los breves de empresa, de la A a la Z

Diario 'La Vanguardia', de octubre a diciembre del 2013

Accionistas de referencia: mayores accionistas. Sustituir por *accionistas mayoritarios.*

> ### Bankia y FCC ponen a la venta la inmobiliaria Realia, de la que controlan el 57,6%
>
> FCC y Bankia han iniciado el proceso para vender las participaciones de control del 30% y del 27,6% que tienen en la inmobiliaria Realia, al encomendar a Goldman Sachs la búsqueda de ofertas. La salida de los **accionistas de referencia** se enmarca en una operación a tres bandas, dado que Realia tiene que cumplir el compromiso que alcanzó con la banca en su última refinanciación de buscar nuevos inversores que aporten fondos a la empresa. / Agencias
>
> *La Vanguardia,* viernes 8 de noviembre del 2013

Activo maduro: en marketing se le llama *maduro* a un mercado en el que el crecimiento es relativo, y en el que ya no se innova. Sustituir por *estancado.*

> ### OHL vende Aecsa por 6,8 millones
>
> OHL ha vendido la totalidad de su participación en Aecsa, la concesionaria de una autopista de 60 kilómetros en Argentina, al grupo local CPC SA, por un importe de 6,8 millones de euros. La constructora española declaró ayer que esta operación tendrá un impacto "prácticamente nulo" en sus cuentas, ya que la autopista vendida es un **activo maduro,** con un periodo de concesión de 27 años que concluirá dentro de siete. / EP
>
> *La Vanguardia,* martes 26 de noviembre del 2013

Agresivas, iniciativas: campañas de venta que presionan al cliente potencial, con el fin de asegurar mayores beneficios. Jurídicamente, no está catalogado. Sustituir por *venta indiscriminada*.

Abercrombie & Fitch entra en números rojos

La cadena estadounidense de tiendas de moda Abercrombie & Fitch registró en su tercer trimestre fiscal unas pérdidas de 11,6 millones de euros, respecto a los 62,4 millones de euros que ganó en el mismo periodo del 2012. El consejero delegado de la firma, Mike Jeffries, señaló que siguen trabajando duro para compensar estas condiciones y llevando a cabo **iniciativas agresivas** que mejorarán la tendencia de las ventas en el futuro. / EP

La Vanguardia, viernes 22 de noviembre del 2013

Balanza de pagos: registro de todas las transacciones monetarias producidas entre un país y el resto del mundo en un determinado periodo. Sustituir por *cuentas*.

Crece el superávit del sector turístico

El sector turístico y de viajes registró un superávit de 23.118 millones de euros de enero a agosto, lo que supone un aumento del 4,1% con respecto al alcanzado en el mismo periodo del año anterior, según los datos de la **balanza de pagos** difundida por el Banco de España. Este resultado es consecuencia de unos ingresos que alcanzaron los 30.769,6 millones de euros, un 3% más, frente a los 29.850,6 millones de un año antes. Los pagos sumaron 7.651,6 millones de euros, frente a una cifra similar del año anterior, lo cual benefició el saldo final de la balanza. Cabe recordar que España recibió 48,8 millones de turistas extranjeros en los nueve primeros meses del año, un 4,6% más. / EP

La Vanguardia, lunes 4 de noviembre del 2013

Beneficio récord: máximo lucro obtenido. Sustituir por el término *ganancias.*

<u>Whirlpool gana un 165% más</u>

El fabricante estadounidense de electrodomésticos Whirlpool obtuvo ene l tercer trimestre un **beneficio récord** de 143 millones de euros, un 165% más que los 54 millones que ganó en el mismo periodo del año anterior. El presidente y consejero delegado de Whirlpool, Jeff M. Fettig, destacó que la compañía siguió ejecutando los planes marcados a principios de año, y que este crecimiento combinado con sus medidas para incrementar márgenes se han reflejado en un beneficio récord. / Agencias

La Vanguardia, miércoles 11 de marzo del 2015

Bono sénior: deuda de alta calidad. "Para hacernos una idea, en caso de quiebra se pagaría antes que las obligaciones subordinadas o las preferentes, pero después de los depósitos y pagarés", según la página web helpmycash.com. Sustituir por *deuda.*

<u>El Sabadell coloca bonos por 600 millones</u>

Banc Sabadell completó ayer con éxito una emisión de **bonos sénior** a tres años por un importe de 600 millones de euros. Según fuentes de la entidad, la emisión tuvo una demanda superior a los 1.100 millones y a ella acudieron un centenar de inversores, de los que un 65% fueron instituciones internacionales y el 35% restante, pertenecientes al mercado nacional. Tras la operación, el presidente del Sabadell, Josep Oliu, declaró que esta colocación demuestra el firme respaldo del mercado institucional al banco y constituye una muestra de su reconocimiento y solvencia a escala internacional. / Efe

La Vanguardia, miércoles 27 de noviembre del 2013

Business intelligence: inteligencia emocional, creación de conocimiento. Sustituir por *sistemas informáticos*. Relacionado con el marketing experiencial o emocional.

Las soluciones para ciudades eficientes se presentan en Dubái

Bismart, creada en Barcelona en el 2009 y especializada en soluciones de **business intelligence** para hospitales y para sector público/ciudades, se encuentra en plena internacionalización y ha presentado esta semana sus últimas herramientas en Dubái, en el encuentro CityNext de Microsoft. La empresa que dirige Albert Isern facturará este año dos millones y emplea a 50 personas. / Redacción

La Vanguardia, domingo 1 de diciembre del 2013

Captación de fondos: concepto, normalmente, asociado a fundaciones sin ánimo de lucro. Muchas empresas la utilizan para referirse a la búsqueda de nuevos clientes. Sustituir por *búsqueda de inversores*.

Comienza la captación de fondos para First II

Inveready ha puesto en marcha la **captación de fondos** para Inveready First II, nuevo vehículo de inversión con el que quiere entrar en proyectos de tecnologías de la información en las fases iniciales. El nuevo fondo aspira conseguir al menos 15 millones de euros, de los cuales alrededor del 40% se espera que sean recursos aportados por instituciones públicas. / Redacción

La Vanguardia, domingo 27 de octubre del 2013

Clausura de puntos de venta: cierre de oficinas y terminales de venta. Sustituir por *cierre*.

Adolfo Domínguez reduce sus pérdidas

Adolfo Domínguez registró unas pérdidas de 9,21 millones de euros entre marzo y agosto, un 7,3% menos que en el 2012. Además, la compañía cerró 18 tiendas en España y ocho en el exterior desde el inicio del ejercicio. Concretamente, la firma, que cuenta con 428 establecimientos, ha echado el cierre a un total de 40 locales en el último año como consecuencia de su plan de reestructuración que promueve la **clausura de los puntos de venta** que no registren resultados de explotación positivos. / EP

La Vanguardia, martes 29 de octubre del 2013

Concurso de acreedores: cuando una empresa no puede hacer frente a los pagos. Sustituir por el término *suspensión de pagos*. Relacionado con los ERE.

Adiós al concurso con una quita del 50%

Central del Documento, empresa dedicada a fabricar y personalizar documentos de pago como cheques y pagarés, ha alcanzado un acuerdo para levantar el **concurso de acreedores.** La firma, representada por el bufet Argelich y Gallo, ha logrado una quita del 50% y una espera de seis años. / Redacción

La Vanguardia, lunes 28 de octubre del 2013

Costes indirectos: los gastos relacionados con la actividad o bien derivados de ella. Dejar en *gasto.*

Reyal Urbis pierde 357,6 millones

La inmobiliaria Reyal Urbis, en concurso de acreedores y con un déficit patrimonial de 1.699,4 millones de euros, perdió 357,6 millones de euros en los nueve primeros meses del año, un 39% más que las pérdidas registradas en el 2012. Estos números rojos registrados por la compañía controlada y presidida por Rafael Santamaría se debieron principalmente a una caída de las ventas, un incremento de los **costes indirectos** y a las provisiones realizadas para cubrir el deterioro de los activos. / Efe

La Vanguardia, viernes 1 de noviembre del 2013

Desinversión: deshacerse de negocios que no dan rédito. Sustituye al término *venta*.

El Popular negocia la venta de Aliseda

El Banco Popular está negociando la venta de su gestora inmobiliaria Aliseda con seis potenciales inversores extranjeros, cuyas ofertas iniciales oscilan entre 600 y 700 millones de euros. Según fuentes próximas a la negociación, éstas son de momento "negociaciones preliminares" y "el objetivo es que la operación pueda estar cerrada a finales de año". Con esta operación, el Banco Popular sigue la tendencia de **desinversión** en activos inmobiliarios que ya han llevado a cabo otros bancos españoles, como Caixabank, Bankia y Catalunya Bank. / Reuters

La Vanguardia, sábado 18 de octubre del 2013

Deuda tóxica: la que no cobrarás con mucha probabilidad. Dejar en *deuda*.

RBS disminuye sus pérdidas en un 91,5%

Royal Bank of Scotland, nacionalizado en el 2008, perdió 346 millones de euros en los nueve primeros meses de este año, un 91,5% menos que en el mismo periodo del 2012. Estos resultados negativos reflejaron las cuantiosas pérdidas —749 millones— que tuvo la entidad durante el tercer trimestre y que lastraron los beneficios —647 millones— que había obtenido en los dos anteriores. Además, la entidad informó ayer de la creación de una división interna para gestionar su **deuda tóxica.** / Redacción

La Vanguardia, sábado 2 de noviembre del 2013

Disciplina de costes: rebajar el gasto social por trabajador. Sustituir por *menos derechos.*

<u>Volkswagen reduce el beneficio un 66,8%</u>

Volkswagen redujo un 66,8% el beneficio en los nueve primeros meses del ejercicio, y anunció una **disciplina de costes.** La compañía alemana, entre enero y y septiembre, tuvo un beneficio de 6.700 millones en comparación con los 20.152 millones de euros registrados en el 2012. La compañía automovilística informó ayer que esta fuerte reducción se debe a la crisis en Europa Occidental y por la falta de extraordinarios. / Agencias.

La Vanguardia, jueves 31 de octubre del 2013

Excelentes resultados: apreciación valorativa poco moderada. Sustituir por *buenos resultados.*

<u>Primark obtiene un 44,4% más</u>

Primark obtuvo en su último ejercicio un beneficio de 612 millones de euros, un 44,4% más respecto a los 424 millones de euros que ingresó el año anterior. Además, la compañía irlandesa anunció que abrirá cinco nuevas tiendas en España. Según fuentes de la compañía, estos **excelentes resultados** fueron impulsados por el incremento del espacio de venta minorista. / Agencias

La Vanguardia, miércoles 6 de noviembre del 2013

Falta de pago: no cobrar el sueldo. Sustituir por *impago.*

<u>300 personas marchan contra el ERE de Panrico</u>

Unas trescientas personas marcharon ayer entre la fábrica de Panrico en Santa Perpètua de Mogoda y el Ayuntamiento de la localidad en defensa de la continuidad de los empleos de esta empresa, convocadas por CC. OO. Y CGT La marcha culmina una semana de alta conflictividad en la planta de Santa Perpètua de Mogoda, cuyos trabajadores están en huelga indefinida en protesta por la **falta de pago** de la nómina de septiembre, y en la que se han registrado enfrentamientos con los Mossos d'Esquadra, en los que un trabajador resultó herido. / Redacción

La Vanguardia, domingo 20 de octubre del 2013

Gestión de activos: mover las acciones de la empresa de manera que sean lo más rentables. Sustituir por *rentabilizar.*

La facturación de Axa crece un 1,6%

La aseguradora francesa Axa ganó 69.508 millones de euros en los nueve primeros meses del año, lo que supone un incremento del 1,6% respecto al mismo periodo del año anterior. Este aumento se vio favorecido por los buenos resultados obtenidos en España, donde facturó hasta 443 millones, un 8% más que en el 2012. Entre las divisiones que experimentaron un mayor crecimiento, destacaron el área de seguros internacionales, que facturó un 7,2% más, y el negocio de **gestión de activos,** que aumentó un 5,8% sus beneficios. / EP

La Vanguardia, sábado 26 de octubre del 2013

Inversor cualificado: el que arriesga mucho dinero. Sustituye a *comprador.*

AlkenAsset vende un 2,72% de Grifols

Alken Asset Management venderá a **inversores cualificados** el 2,72% de las acciones de Grifols, grupo catalán especializado en hemoderivados, y a su vez el mismo porcentaje de sus derechos de voto. Según comunicó Grifols, se colocará un paquete máximo de 5.795.736 acciones y la venta se realizará a través de modalidad acelerada (accelerated book building) a lo largo de un día. El precio de venta de las acciones se determinará una vez concluido el periodo de prospección de la demanda del procedimiento de colocación acelerada. / EP

La Vanguardia, viernes 18 de octubre del 2013

Líder, empresa: nombre común que los responsables de marketing de las empresas utilizan como adjetivo de sus marcas, con el fin de crearles una aureola: banco *líder,* distribuidora *líder,* aseguradora *líder…* Suprimirlo.

Apertura en Parets de la tienda número 72

Media Markt, **empresa líder** en el mercado español en la distribución de electrónica de consumo, ha abierto las puertas de su nueva tienda en Parets del Vallès. El establecimiento es el número 72 del Estado y el undécimo que la compañía abre en Catalunya. La superficie del nuevo establecimiento es de 2.400 metros cuadrados. / Redacción

La Vanguardia, domingo 24 de noviembre del 2013

Ofertas satisfactorias: en las que se saca el máximo provecho económico. Dejarlo en *oferta*.

El aeropuerto de Ciudad Real, en venta

El aeropuerto de Ciudad Real, en concurso de acreedores desde hace año y medio, ha sido puesto a la venta. La administración concursal de CR Aeropuertos SL informó ayer de que solo aceptaría ofertas que alcancen un mínimo de 100 millones. Sin embargo, prevé que si no llegan **ofertas satisfactorias** antes de que termine la primera fase de la operación –el 27 de diciembre-, se organizará una subasta privada en la que esperan que el precio quede fijado entre 80 y 100 millones. / Agencias

La Vanguardia, martes 10 de diciembre del 2013

Optimizar: planificar una actividad para obtener los mejores resultados. Sustituir por *sacar máximo provecho*.

Enagás cierra una financiación por valor de 1.200 millones con 13 bancos

Enagás, empresa gestora de la red de gasoductos de España, firmó ayer un acuerdo de refinanciación con un sindicato de 13 entidades financieras por importe total de 1.200 millones de euros que le permitirán **optimizar** su liquidez y su estructura financiera. La operación, suscrita bajo la modalidad Club Deal, permitirá refinanciar y ampliar las líneas de crédito de la compañía presidida por Antonio Llardén de 3 a 5 años. / Agencias

La Vanguardia, viernes 13 de diciembre del 2013

Preferentes: referidas a las participaciones preferentes o participaciones preferenciales, acciones de máximo riesgo. Sustituir por *acciones*.

NCG Banco: 61 millones hasta septiembre

NCB Banco logró entre enero y septiembre de este año unos beneficios de 61,1 millones de euros, frente a las pérdidas de más de 7.900 millones de euros que registró en el 2012. Estos beneficios se vieron impulsados gracias a las plusvalías obtenidas con el canje de **preferentes** y deuda subordinada, además de las dotaciones con las que se ha proveído por un valor superior a 8.200 millones. / EP

La Vanguardia, lunes 4 de noviembre del 2013

Prever: futurible. No es un hecho objetivo. Evitar este verbo. Utilizar *esperar.*

Crecimiento en Suramérica

La empresa de tecnologías de síntesis y reconocimiento de voz Verbio prevé sextuplicar sus ventas, hasta los 12 millones de euros, en el año 2017, gracias al crecimiento de la compañía en Suramérica, donde cuenta con dos delegaciones y abrirá tres más en el 2015. **Prevé** inversiones de tres millones. / Efe

La Vanguardia, lunes 21 de octubre del 2013

Procedimientos registrados: referido a expedientes de regulación de empleo abiertos. Sustituir por *planes de despido.*

Los afectados por ERE bajan un 16,7%

El número de trabajadores afectados por expedientes de regulación de empleo (ERE) autorizados por las autoridades laborales o comunicados a estas bajó un 16,7% entre enero y septiembre en comparación con el mismo periodo del año pasado, según datos provisionales del Ministerio de Empleo. En concreto, un total de 292.706 trabajadores se vieron afectados por un ERE en los nueve primeros meses del año. Tres de cada cuatro afectados (73,3%) por los **procedimientos registrados** hasta septiembre eran varones, y el 26,7% restante, mujeres. Por tipo de procedimiento, el número de trabajadores afectados por despidos colectivos descendió hasta septiembre un 6,4%, hasta sumar 56.206 trabajadores. En el caso de las suspensiones de contrato y reducciones de jornada, los retrocesos fueron más pronunciados, del 20,4% y del 13,9%, respectivamente, hasta un total de 176.871 y 59.629 trabajadores afectados. Los procedimientos de regulación de empleo autorizados-comunicados fueron 21.949 y descendieron un 14%. Las empresas afectadas, por su parte, totalizaron 17.039, un 17,8% menos. De los 292.706 trabajadores afectados por ERE en los nueve primeros meses del año, seis de cada diez, 178.715 trabajadores, se vieron envueltos en un procedimiento por causas económicas. / Europa Press

La Vanguardia, domingo 1 de diciembre del 2013

Provisiones atípicas: el fondo de dinero con el que una empresa cuenta por las previsiones de ganancia. Sustituir por el término *especulación*.

Hyundai gana un 4,2% menos

El fabricante surcoreano de automóviles Hyundai cerró los nueve primeros meses del año con un beneficio de 4.714 millones de euros, lo que supone un descenso del 4,2% respecto al mismo periodo del 2012. Este descenso de los ingresos se debe principalmente a la menor actividad en sus plantas de Corea del Sur y a las **provisiones atípicas** efectuadas durante el primer trimestre. / EP

La Vanguardia, viernes 25 de octubre del 2013

Provisiones extraordinarias: ajustes extracontables.

BMN gana 6,1 millones hasta septiembre

El Grupo BMN obtuvo un beneficio de 6,1 millones de euros en los nueve primeros meses del año, tras realizar unas dotaciones de 551 millones de euros, que incluyen **provisiones extraordinarias** relacionadas con los compromisos derivados de la reestructuración y las refinanciaciones. Según señaló la firma, mediante estos resultados se confirma el inicio de una nueva etapa basada en el fortalecimiento de sus franquicias regionales. / Agencias

La Vanguardia, jueves 28 de noviembre del 2013

Recompra de acciones: operación bursátil con la finalidad de que las acciones ganen en valor. Sustituir por *especular.*

Novartis recompra acciones por 3.730 millones

El grupo farmacéutico suizo Novartis lanzó un programa de **recompra de acciones** propias por importe de 3.730 millones de euros después de alcanzar la semana pasada un acuerdo para vender a la firma española Grifols su negocio de diagnóstico transfusional por 1.240 millones de euros. Según fuentes de la firma, Novartis alcanzó un punto de inflexión tras haber culminado la integración de Alcon y reducido su deuda. / Ep

La Vanguardia, sábado 23 de noviembre del 2013

Reestructurar la deuda: proceso mediante el cual se modifican los términos de un compromiso financiero.

Quabit refinancia su deuda de 820 millones

Quabit ha llegado a un acuerdo con el 60% de sus entidades acreedoras para **reestructurar su deuda,** valorada en 820 millones. Además, la inmobiliaria espera que el 30% restante se adhiera a él entre finales de este año y principios del 2014, puesto que considera que la validez de proceso de refinanciación depende de la adhesión del 95% de los acreedores. Quabit informó ayer que el objetivo principal del acuerdo es conseguir una reducción "significativa" del endeudamiento financiero de la firma mediante la compraventa de activos. / EP

La Vanguardia, martes 3 de diciembre del 2013

Refinanciación: revisión del préstamo. Sustituir por *financiación.*

Colonial logra 17,4 millones gracias a SFL

Colonial anunció ayer que ha ganado 17,4 millones de euros gracias al dividendo —de 0,70 euros por acción— repartido por su filial francesa Société Foncière Lyonaise (SFL). Al mismo tiempo que percibe esta remuneración, la constructora española continúa trabajando en la **refinanciación** de su 2.100 millones de deuda. Un proceso que podría comportar la venta parcial o total de SFL. / Ep

La Vanguardia, jueves 24 de octubre del 2013

Riqueza financiera neta: el dinero generado por una unidad familiar. Sustituye al término *ahorro*.

<u>La riqueza financiera de las familias vuelve a niveles del 2007</u>

La **riqueza financiera neta** de las familias españolas alcanzó los 922.640 millones en el segundo trimestre, un 19% por encima del año anterior, y está en su nivel más alto desde el 2007, según el Banco de España. La deuda de los hogares se ha situado en 879.803 millones, un 5,4% menos, la cifra más baja desde el 2006. Del total de la riqueza de las familias, la mayor parte de los ahorros está en efectivo y depósitos, 877.952 millones, casi un 5% más que hace un año; mientras que en acciones y participaciones las familias atesoran 555.111 millones, un 10% más que hace un año. / Agencias

La Vanguardia, martes 22 de octubre del 2013

Suprimir: borrar, en terminología informática. Sustituir por *destruir*.

<u>HP recorta 1.124 empleos en el Reino Unido</u>

Hewlett-Packard planea **suprimir** 1.124 puestos de trabajo en las plantas británicas de Bracknell, Sheffield y Warrington. Esta decisión se produce dentro del plan de la empresa de desvincular a 27.000 empleados a nivel mundial. HP atribuye esta reestructuración a la caída de la demanda, pero el sindicato británico Unite acusa a la empresa de ser "adicta a la cultura de los recortes". / Efe

La Vanguardia, jueves 5 de diciembre del 2013

Tasa: indicador, sustituir por *coeficiente*.

<u>Vascos, madrileños y catalanes, los que más ahorran con el Euribor</u>

Las familias hipotecadas del País Vasco, Madrid, Catalunya y Baleares serán las más beneficiadas por la **tasa** en la que se situó el Euribor al cierre de octubre, ya que reducirá las hipotecas contratadas hace un año en esas comunidades entre 60 y 80 euros anuales. Tras tres meses de subidas, el indicador cayó en octubre al 0,541%, dos milésimas desde el 0,543% de septiembre per una décima por debajo de octubre del 2012 (0,65%). / Efe

La Vanguardia, domingo 3 de noviembre del 2013

Volatilidad de los precios: la inconstancia en los precios.

<u>Sube la inflación en Japón</u>

La tasa subyacente de inflación de Japón, que excluye el impacto de la **volatilidad de los precios** de la energía y de los alimentos, registró en octubre un alza interanual del 0,3%, lo que representó su mayor subida desde agosto de 1998. Concretamente, el precio de los alimentos experimentó en octubre un incremento interanual del 1,4% mientras que el transporte y las comunicaciones subieron un 1,7% y los costes de combustible, la luz y el agua lo hicieron un 5,7%. / EP

La Vanguardia, sábado 30 de noviembre del 2013

"A los poderes no les gusta la libertad de prensa. Lo he comprobado cada día. Duramente. Son alérgicos a la libertad de expresión. Y están envalentonados, la economía lo puede casi todo."

Carles Capdevila, en su despedida de la dirección del diario *Ara,* en noviembre del 2015

"Pero el poder de los medios es relativo. El poder de verdad es de quien los maneja: los gobiernos a través de subvenciones y los otros poderes económicos por canales habituales del crédito y la publicidad. Y ahora resulta mucho más fácil 'manejar' a los medios. Porque aún tienen un gran poder pero son extremadamente frágiles desde el punto de vista económico, y por eso son vulnerables ante otros intereses. [...] La 'tormenta perfecta', la suma de crisis en torno a los periódicos, resultó devastadora para los periodistas. Pero también para los editores, que vieron cómo se hundía el mundo sobre el que habían basado su rentabilidad. El 'binomio virtuoso', que durante tantos años hizo compatible el beneficio económico y el beneficio social, se rompió de golpe. Solo el compromiso ético de los editores podía evitar el desastre. Pero este compromiso se mostró muy frágil ante la adversidad. Los editores sucumbieron a todo tipo de intereses ajenos a la información y aquella crisis de credibilidad que venía de lejos se aceleró de forma dramática. [...] Las empresas [periodísticas] comenzaron a actuar con una lógica dominada por la rendición periódica de resultados financieros y, así, los medios se convirtieron en empresas convencionales en las que la prioridad principal era la obtención del mayor lucro económico a corto plazo. Esta espiral, orientada a maximizar la productividad entendida en términos fundamentalmente cuantitativos, creó una dinámica que colisionaba directamente con la lógica de la información de calidad, donde el criterio fundamental tiene carácter cualitativo. Este era el marco ideal para que los criterios economicistas sustituyeran los criterios éticos en la gobernanza de los periódicos. Los periodistas perdieron el poder, pero los editores también."

Josep Carles Rius, en *Periodismo en reconstrucción. De la crisis de la prensa al reto de un oficio más independiente y libre* (Universitat de Barcelona, 2016)

Relación de imágenes

Relación de tablas

Relación de ilustraciones